Ito Makoto
伊藤 眞

民事訴訟法

［第8版］

有斐閣

第8版はしがき

令和2年（2020年）師走の第7版上梓より，玉響（たまゆら）のごとく三年（みとせ）に迫り，この間，令和4年民事訴訟法改正が実現し，それを受けて民事訴訟規則の改正が行われた。その内容は，改正作業の発端となったIT化にとどまらず，新たな特別手続（法定審理期間訴訟手続），当事者識別情報の秘匿制度など，民事訴訟法の基本原理にかかわるものとなっている。現段階では，そのすべてが施行されているわけではないが，少なくとも既施行部分と近々に施行が予定される部分については，体系書を標榜する以上，その位置付けや運用の在り方に言及するのが著者の責務であると考え，この間の関連立法，重要判例，文献等に関する記述とあわせ，第8版を公刊することとした。

今般の改訂のうち，作業の中心となったのは，令和4年の法および規則の改正である。その概要は本書35頁に述べた通りであるが，内容が多岐にわたることに加え，施行時期がいくつかの段階に分けられ[1]，今般の改訂においてそのすべてを取り上げるべきか，それとも，本書刊行予定時期にすでに施行され，または近い時期に施行が予定される事項に限定するかの判断に迷ったところである。

結論としては，その中間，すなわち本書原稿の確定時（令和5年（2023年）6月）を基準時とし，その時点で施行されている新設または改正規定，たとえば法133条にもとづく「申立人の住所，氏名等の秘匿」については，対応する最高裁判所規則を含め，その意義を分析し，解釈が分かれうる問題に関する愚見を示している（本書361頁）。法170条3項にもとづくウェブ会議や電話会議による弁論準備手続の期日についても同様である（本書312頁）。

これに対して基準時において未施行の新設または改正規定については，対応

1） 脇村真治ほか「『民事訴訟法等の一部を改正する法律』の概要」金融法務2191号25頁（2022年），同ほか「『民事訴訟法等の一部を改正する法律』の解説(1)」NBL1224号44頁（2022年），橋爪信ほか「『民事訴訟規則等の一部を改正する規則』の解説」曹時74巻12号49頁（2022年），脇村真治「民事訴訟法等の一部を改正する法律」法令解説資料総覧497号11頁（2023年）参照。

する最高裁判所規則の内容のすべてが明らかになっているわけではないため，改訂を急ぐことは，かえって記述の内容を不正確にするおそれがあると判断し，規定の概要のみに触れるにとどめ，その内容について詳説していない。本書の改訂は，ほぼ2年ごとに行っており，数年後に施行が予定される部分については，次回の改訂に委ねることができると考えたためである。

もっとも，冷静に顧みれば，読者の支持をいただき，次回改訂の機会に恵まれるとしても，傘寿（80歳）を越えているであろう時期に，果たして，その力が残されているか，いささか心許なく感じるが，恩師・新堂幸司先生（東京大学名誉教授）が名著「新民事訴訟法〈第6版〉」（2019年，弘文堂）の改訂を遂げられたのは，卒寿（90歳）に近づかれた時期であることに想いを致し，己れを戒め，右顧左眄することなく，研究者に課された使命を全うするよう力を尽くしたい。

民事訴訟法および民事訴訟規則については，基準時に施行されている規定を現行法規とし，加えて，読者の便宜のために，改正規定について必要に応じて旧規定の条文番号を併記し，未施行の新規定については，たとえば，電子情報処理組織による申立て等の特例に関して「法132の11（未施行）」などと表記している。

なお，改正法および規則にかかる記述については，行川雄一郎判事（東京地裁・早稲田大学大学院法務研究科修了生）から，改正の内容が多岐にわたる第5章を中心として，多くの御教示をえた。第3版4訂版（2010年）以来，10数年に渉る御厚意に対し改めて感謝の想いを深めている。特に，今般は，公務ご多忙の中，ともすれば老生が誤りがちな諸点について御教示いただいたこと，まさに学恩と感じている。もちろん，なお不正確な記述が残っているとすれば，それは，もっぱら著者の責に帰されるべきことはいうまでもない。

また，この間，相当数の最高裁判例と下級審裁判例が公刊された。最高裁判例に限っても，訴訟当事者たる法人の代表者に関する最判令和3・1・22裁判所ウェブサイト（本書146頁注*58*），弁護士職務基本規程57条に違反する訴訟代理人弁護士の訴訟行為の効力に関する最決令和3・4・14民集75巻4号1001頁（本書169頁注*110*），弁護士法25条2号および4号の趣旨に反するかどうかが問題となった訴訟代理人弁護士の訴訟行為の効力に関する最決令和4・6・27判時2543・2544合併号47頁（本書167頁注*112*），法律上の争訟性に関する最大判令和2・11・25民集74巻8号2229頁（本書184頁注*14*），親子関係不存在確認の利益に関する最判令和4・6・24判時2547号18頁（本書194頁注*32*），遺言執行者の当事者適格に関する最判令和5・5・19判タ1511号107頁（本書205頁注*48*），二重起訴禁止の法理に関する最判令和4・6・17裁判所ウェブサイト（本書224頁注*117*），釈明権の行使に関する最判令和4・4・12判時2534号66頁（本書345頁注*159*），訴え提起と信義則に関する最判令和3・4・16判時2499号8頁（本書377頁注*192*），電気通信事業者の証言拒絶権に関する最決令和3・3・18民集75巻3号822頁（本書436頁注*310*），外国判決の承認要件に関する最判令和3・5・25民集75巻6号2935頁（本書584頁注*169*），弁護士費用の負担に関する最判令和3・1・22判時2496号3頁（本書657頁注*314*），控訴の適法性に関する最判令和5・3・24裁時1813号1頁（本書767頁注*19*），原判決の事実認定の違法を理由とする破棄に関する最判令和3・5・17民集75巻6号2303頁（本書794頁注*81*）などを検討対象に加えた。

文献についていえば，中田裕康・債権総論〈第4版〉(2020年，岩波書店)，三木浩一ほか編・民事裁判の法理と実践——加藤新太郎先生古稀祝賀論文集(2020年，弘文堂)，松本博之・民事・家事抗告審ハンドブック（2020年，日本加除出版)，松本博之・人事訴訟法〈第4版〉(2021年，弘文堂)，原強ほか編・民事法の現在地と未来——小林秀之先生古稀祝賀論文集（2022年，弘文堂)，瀬木比呂志・民事訴訟法〈第2版〉(2022年，日本評論社)，越山和広ほか編・手続保障論と現代民事手続法——本間靖規先生古稀祝賀（2022年，信山社)，佐藤陽一・実践講座　民事控訴審（2023年，日本加除出版）を加え，秋山幹男ほか・菊井維大＝村松俊夫原著・コンメンタール民事訴訟法Ⅳを〈第2版〉(2019年，日本評論社）に，同書Ⅰ〈第2版追補版〉を〈第3版〉(2021年，日本評論社）に，同書Ⅱ〈第2版〉を〈第3版〉(2022年，日本評論社）に，同書Ⅴを〈第2版〉(2022年，日本評論社）に，竹下守夫＝伊藤眞編・注釈民事訴訟法(3)を高田裕成ほか編・注釈民事訴訟法(3)(2022年，有斐閣）に，伊藤眞・破産法・民事再生法〈第4版〉を〈第5版〉(2022年，有斐閣）に引用を改めた。

顧みれば，令和2年以来，各種拙著の公刊と改訂作業は，常にCOVID-19（新型コロナウイルス感染症）の暗雲の下で行ってきた。まさに，寄せては返すコロナの波と対峙する日々であったといってよい。そして，無法の戦火に追われる人々の姿に接するとき，法の支配そのものに疑念を懐く宵もあった。

そのような状況の中，改訂の歩みを続ける気力が揺らぎ，加齢を奇貨として安逸な老後を過ごせば？との悪魔の囁きが耳に響くことも少なからず，それを消し去るのは容易ではなかったことを告白せざるをえない。しかし，戦後の焼け跡に育ち，多くの方々の御厚意に囲まれ，ときには御迷惑をかけながら，今日に至ったことを想えば，

Johann Wolfgang von Goethe（ゲーテ）の言葉として伝えられる

「Wenn Sie es heute nicht können, können Sie es morgen nicht. Verschwenden Sie keinen Tag.」（今日なせぬのであれば，明日できることはない。1日たりとも無為に過ごさぬよう。）（拙訳）

に想いを致し，法規の適正な解釈と運用を示すことを通じて，正義に叶い，公正な社会運営が実現されるよう努めるのが，研究者としての役割であると自らを励ます日々であった。

そして，知友・樋口範雄教授（武蔵野大学）のいうageism（年齢差別主義あるいは年齢束縛主義。しあわせの高齢者学226頁（2023年，弘文堂））に屈することなく，生涯の伴侶・順子，愛育の母・千谷子に感謝しつつ，自らに課せられた使命を果たすべく，蝸牛（snail）のごとく進むことを心に誓っている[2)]。

振り返れば，半世紀を超える研究生活の中，日々の思索を論文として公表し，批判と評価を受け，先学の著作と対峙し，自らの体系書をまとめ，改訂の歩みを続けてきた。軽やかなステップを踏むことのできぬ，不器用な生き方と映ることであろう。そんな折には，明治19年（1886年）天覧兜割りの晴舞台にお

2）伊藤眞「自著を語る：研鑽を続ける励ましを受けて」書斎の窓689号55頁（2023年）。

いて，剣客・榊原鍵吉が胸の中で呟いた台詞[3)]

「俺は……時代遅れの頑固者と映るだろう。その通りだよ。俺は侍だからな。こんな生き方で満足さ。」

を繰り返すこととしている。

しかし，令和5年（2023年）盛夏の初校作業中，思いがけずコロナに罹患し，それまで他人事のように聞いていた高熱，咳嗽，咽頭痛を経験したときは，上梓の日を迎えることができぬのではとの不安を感じざるをえなかった。幸い，かかりつけ医O先生の御紹介をえて，武蔵野赤十字病院にて診察を受け，治療薬の処方をいただき，5日間程で快方に向かったが，1か月近く倦怠感などの後遺症に悩まされ，高齢研究者は，様々な不安定要因の中で，周囲の御厚意によって生かされていること，改めて気づかされる出来事であった。

最後になるが，第5版以来，第7版に至るまで編集を担当いただいた中野亜樹さん，今般より新たに編集をお引き受けくださった鈴木淳也さんに対する謝意を誌したい。改訂は，長期にわたる孤独な作業であるが，編集者は，折々に助言と注意を求めることができる伴走者であり，かつ，聴衆（読者）への表現力を高める伴奏者であると申し上げても過言ではない[4)]。本書の生命を保つことができるよう，引き続き御尽力をお願いしたい。また，長島・大野・常松法律事務所の弁護士諸兄姉との意見交換や秘書の方々による万般の支援をえて，今日に至ることができたとの想いが深い。

2023年神無月

散斑（ばらふ）の日影，ウクライナの陽光を想い，

Sophia Loren（ソフィアローレン）主演「*I Girasoli*（ひまわり）」主題曲を奏でつつ

伊　藤　　眞

3）津本陽・明治兇割り 41頁（1986年，講談社文庫）。

4）伊藤眞・民事訴訟法への招待 iv頁（2022年，有斐閣）。

第7版はしがき

平成30年（2018年）師走の第6版上梓より，玉響(たまゆら)のごとく双年(ふたとせ)が過ぎようとし，この間，民法（債権関係および相続関係）の改正がなされ，成年年齢の引下げや会社法の改正も実現した。実務運用については，IT化，すなわち手続関係書面の電子化や電子的通信技術を用いた期日の運用などが現実のものとなりつつある（本書32頁，288頁）。加えて，法および規則の解釈にかかる最高裁判所判例と下級裁判所裁判例も相当数に上っている。

公刊された最高裁判例にかぎっても，詐害行為取消しの効果の遡及効に関する最判平成30・12・14民集72巻6号1101頁（本書184頁注*25*），上告裁判所である高等裁判所から最高裁判所への移送の拘束力に関する最決平成30・12・18民集72巻6号1151頁（本書102頁注*140*），弁護士会照会に対する報告拒絶の違法性に関する最判平成30・12・21民集72巻6号1368頁（本書476頁注*432*），外国判決の承認要件に関する最判平成31・1・18民集73巻1号1頁（本書254頁注*22*，552頁注*169*），刑事訴訟記録等の文書提出義務に関する最決平成31・1・22民集73巻1号39頁（本書459頁注*407*，466頁注*414*），地裁から家裁への移送決定の適法性に関する最決平成31・2・12民集73巻2号107頁（本書99頁），市議会議員に対する厳重注意処分と法律上の争訟性に関する最判平成31・2・14民集73巻2号123頁（本書178頁注*14*，180頁注*18*），文書提出命令申立てにおける文書の特定に関する最決令和元・5・24判例集未登載（本書441頁注*371*），否認の根拠たる事実の主張と信義則に関する最判令和元・7・5判時2437号21頁（本書350頁注*184*），確認の訴えの利益に関する最判令和元・7・22民集73巻3号245頁（本書189頁注*34*），判決主文中に包含する判断の意義に関する最判令和元・9・13判時2434号16頁（本書562頁注*189*），時機に後れた攻撃防御方法の却下に関する最判令和元・11・7判時2435号104頁（本書305頁注*108*），付郵便送達の違法性に関する最決令和元・12・11判例集未登載（本書261頁注*37*），司法解剖の結果を記載した準文書の法律関係文書性に関する最決令和2・3・24裁時1745号7頁（本書447頁注*386*），文書提出義務の除外事由たる刑事訴訟記録等の判断枠組に関する最決令和2・3・24裁時1745号8頁（本書467頁注*416*），訴訟費用の取立手続に関する最判令和2・4・7裁時1745号14頁（本書627頁注*318*），定期金賠償方式と確定判決変更の訴えに関する最判令和2・7・9裁時1747号14頁（本書543頁注*150*），確認の利益に関する最判令和2・9・3裁時1751号1頁（本書191頁注*36*），同じく確認の利益に関する最判令和2・9・7裁時1751号3頁（本書167頁注*4*），本訴債権を自働債権とし反訴債権を受働債権とする相殺，および本訴と反訴の分離可能性に関する最判令和2・9・11裁時1752号1頁（本書239頁注*123*，658頁注*45*）などである。

これらの関連法規や新しい判例などの意義を明らかにし，実務運用に対する評価と民事訴訟法学上の位置付けを示すことは，体系書を標榜する著者の責務であると考え，蝸牛の歩みを続けてきた。また，2年間に公刊された書物も少なくない。そのすべてに眼を通すことは，後期高齢者である非才の身にとって過大な負担であり，凡例に掲げた程度に止まったことについて読者各位のご海容を乞いたい。

具体的には，新堂幸司・新民事訴訟法〈第5版〉を同書〈第6版〉（2019年，弘文堂）に，秋山幹男ほか著・菊井維大＝村松俊夫原著・コンメンタール民事訴訟法Ⅳを同書〈第2版〉（2019年，日本評論社）に引用を改め，新たに，加藤新太郎ほか編・現代民事手続法の課題ー春日偉知郎先生古稀祝賀（2019年，信山社），判例時報編集部編・許可抗告事件の実情 平成10～29年度（2019年，判例時報社），岡伸浩・信託法理の展開と法主体（2019年，有斐閣），三木浩一ほか編・民事手続法の発展ー加藤哲夫先生古稀祝賀論文集（2020年，成文堂）などを加えた。

その中の一冊，『許可抗告事件の実情』については，愚見を誌す機会を与えられたこともあり[1]，とりわけ多くの学びをえた。自らのなした裁判（決定・命令）についての不服申立てを認めるかどうかの決断を迫る許可抗告制度（本書771頁）は，高裁の裁判官に対して心理的負荷をかけるものではあるが[2]，indispensable supporting actress（名脇役）と名付けたように，民事司法の適正な運営を確保するために不可欠の存在となっている。多くの箇所で同書を引用した理由である。

補訂版を含めれば今般は，初版（1998年）より数えて22年，第13次の改訂にあたる。アトラスとヘラクレスの寓話は，第6版はしがきに記したところであるが，尽きるところのない作業を続けていると，決して到達するはずのない頂（ピーク）を目指し，山路を辿る己が鏡像を観た錯覚から，フト，心に哀しみを抱くことがある。

わかりやすさや客観性が求められる時流に棹さすことのできぬ孤独感からかもしれない。読み手に伝えるべき意味内容からみて必然性を欠く難解な記述，晦渋な表現を避けるべきは当然であり，自説の正当性のみを強調することは，誤解を招くおそれがある。

だが，判例法理の意義を明らかにし，法律構成を分析し，ときに批判を加え，さらに

1） 同書iv頁。

2） 同書はしがきｉ頁に，尾島明最高裁判所首席調査官による述懐がある。

新たに生起する問題を解決するための規範を呈示しようとすれば，記述の構造がある程度複雑になるのはやむをえず，己の論文に裏付けられていることが条件ではあるが，他説と比較の上で自説を展開するのが社会に対する研究者としての責任を果たすものであると考えている。とはいえ，力味かえるのは却って滑稽であろう。末尾に誌した通り，書斎の一隅に歩み，鍵盤に向かって「悲しみは星影と共に」を奏でるのは，そのような想いが過(よ)ぎるためである。

しかし，少年時代に接してより60年，座右の書としてきたキュリー夫人傳の一節には，「冬が永びいて，七階の屋根部屋が凍るやうに寒い晩には，マリーは眠ることもできなかった。彼女はあまりの寒さにがたがた慄へた。石炭の蓄へが盡き果ててしまったのだ……しかし，そんなことでどうしよう。ワルソーで生まれた子がパリの冬が我慢できないのか」と誌されていること[3]を思えば，学界と実務界を跨いで同学の士による御教示をいただき，顧問として活動の場を与えられている長島・大野・常松法律事務所の方々の御厚意に支えられ，妻・順子，母・千谷子をはじめとする家族の愛情に囲まれ，恵まれた日々を過ごしている自らを甘やかすことを恥ずべきであろう。

そして，従前にもまして，行川雄一郎判事（大分地裁・早稲田大学大学院法務研究科修了生）より数多の御指摘を給わったことが記述の正確性を高める上で，限りなく大きな役割を果たしたことを心に刻んでいる。もちろん，瑕瑾や遺漏が残されているとすれば，それはすべて著者の責に帰せられるべきものである。

なお，令和2年4月1日に施行された「民法の一部を改正する法律」（平成29年法律44号）の規定については，文脈に応じて，単に民法または民（かっこ内引用の場合），現行民法あるいは改正民法などの表記を，改正前の規定については，改正前民法や民法旧○○条などの表記を併用しているが（本書32頁参照），過渡期の記述として御理解いただければ幸いである。

最後になるが，有斐閣書籍編集部　中野亜樹さんに対する謝意を表したい。未だCOVID-19（新型コロナウィルス感染症）終熄の見通しが立たない時期に公刊の日を迎えることができたのは，生誕を司る女神エイレイテュイアに比すべき中野さんの御尽力によるものという以外にない。

3）　エーヴ・キュリー著〔川口篤ほか共譯〕・キュリー夫人傳196頁（1940年，白水社）。

2020年神無月

遠く甲斐駒の秀峰を望み，Geraldine Chaplin（ジェラルディン チャップリン）主演

「悲しみは星影と共に（Andremo in Citta）」主題曲を奏でつつ

伊　藤　　眞

第6版はしがき

第5版の上梓は平成28年（2016年）12月，玉響のごとき双年が過ぎた。その間に相当数の最高裁判例と下級審裁判例が公表され，また，改正民法（債権法）（平成29年法律44号）およびそれにともなう整備法（同45号）が成立し，平成32年（2020年）4月1日の施行が予定されている。

最高裁判例についていえば，仲裁人の忌避事由開示義務に関する最決平成29・12・12民集71巻10号2106頁（本書6頁注*10*），弁護士法25条に違反する弁護士の訴訟行為の効力に関する最決平成29・10・5民集71巻8号1441頁（本書159頁注*108*），認定司法書士の代理権に関する最判平成29・7・24民集71巻6号969頁（本書151頁注*87*），法律上の争訟性に関する最判平成30・4・26判時2377号10頁（本書175頁注*14*），将来の給付の訴えの利益，当然承継および口頭弁論を経ないでする原判決破棄判決に関する最判平成28・12・8判時2325号37頁（本書182頁注*26*，704頁注*125*，752頁注*94*），支払督促にもとづく時効中断（完成猶予）効に関する最判平成29・3・13判時2340号68頁（本書238頁注*129*），弁論主義と主張立証責任に関する最判平成30・6・1民集72巻2号88頁（本書314頁注*140*），事実の公知性に関する最大決平成28・12・19民集70巻8号2121頁（本書365頁注*227*），損害額の認定（法248条）に関する最判平成30・10・11裁判所ウェブサイト（本書372頁注*244*），文書提出命令の相手方に関する最決平成29・10・4判タ1446号67頁（本書451頁注*408*），訴訟救助に関する最決平成29・9・5判時2360号5頁（本書623頁注*325*），訴訟終了宣言判決に対する控訴と不利益変更禁止の原則に関する最判平成29・12・18民集71巻10号2364頁（704頁注*125*，本書740頁注*69*），再審事由に関する最判平成29・7・10民集71巻6号861頁（本書768頁注*11*）であるが，読者の便宜のための新たな試みとして，平成29年度内のものについては，有斐閣ウェブサイトの本書〈5版〉ウェブサポート欄に補訂情報として，その要旨や位置付けを示してきた。

また，整備法による民事訴訟法の改正はもちろんであるが，民法そのものの改正も，債権者代位権や詐害行為取消権に関する新たな規定は，当事者適格，既判力の主観的範囲，多数当事者訴訟などに関する民事訴訟法の解釈の再検討を迫るものとなっている。一例として，拙稿「改正民法下における債権者代位訴訟と詐害行為取消訴訟の手続法的考察」金融法務事情2088号36頁（2018年）を公にし，その内容を要約の上，本書の記述（167，193，675，686，702頁）に反映している。体系書の改訂は，既成の論点に関する判例や学説を追う受動的な姿勢であってはならず，新たな問題に対峙する論文執筆と雁行し，その内容を反映する能動的なものでなければならないと信じるためである。

なお，改正民法および整備法にもとづく改正は未施行であるが，本書では，実質的な改正がなされた規定については，現行法の規定に加えて，改正民法および整備法にもとづく改正を併記し，実質的な改正がなされていない規定については，現行法の規定のみを掲げている。

そして，この間に公刊された書物や研究論文の数も相当数に上る。本来であれば，それらすべてを渉猟して愚見を付すべきであるが，限られた範囲に止まっている。体系書を標榜する以上，加齢を奇貨とすることは許されないが，読者のご海容を乞う以外にない。なお，編集や校正作業との関係から，参照文献の範囲は，平成 30 年（2018 年）2 月末を一応の基準としている。

さらに，体系書および注釈書については，中野貞一郎＝松浦馨＝鈴木正裕編・新民事訴訟法講義を同書〈第 3 版〉（2018 年，有斐閣）に，秋山幹男ほか・菊井維大＝村松俊夫原著・コンメンタール民事訴訟法Ⅲを同書〈第 2 版〉（2018 年，日本評論社）に引用を改め，高田裕成ほか編・注釈民事訴訟法第 4 巻（2017 年，有斐閣）を加えた。

民事訴訟法に限らず，法律学の研究とは，特定の事案と離れ，いかなる個人や集団との利害関係にも囚われることなく，社会や経済活動の適正な運営を実現することを目的とし，法の解釈や適用の姿を指し示す知的営為である。その基礎となるべき正義や価値について共通の尺度があるか，客観的に正しい解釈が存在するのかは，未だに確信が持てないところであるが[1]，自らの良心にかけ，広く納得がえられるような判断と論理を構築することに努める以外にない。

それにしても，1998 年の初版から始まり，補訂版を含めれば，今般は第 12 次の改訂となり，基礎杭となるべき論文執筆とともに，終わるところがない作業を繰り返していると[2]，フト，古稀を超えて遥かなゆえの疲労感なのか，倦怠感というべきか，心に重荷を感じるときがある。天を背負う重荷を暫時ヘラクレスに委ね，再びその仕事に戻る

1) 商事法務ポータル SH1740◇インタビュー：法学徒の歩み(2)伊藤眞（2018/04/03）参照。なお，法解釈論争を取り上げた近時の論攷として，加藤新太郎「リーガル・リテラシーの諸相（第 4 回）解釈する」書斎の窓 648 号 2 頁（2016 年），前田達明・続・民法学の展開 99 頁（2017 年，成文堂），山本敬三「日本における民法解釈方法論の変遷とその特質」民商 154 巻 1 号 10 頁（2018 年）がある。

2) SH1745◇インタビュー：法学徒の歩み(3)伊藤眞（2018/04/04）参照。

アトラス[3]に自らを喩えるのは，誇大妄想と憫笑を浴びせられるかもしれない。

そのような折，書架から取り出すのは，高田宏・言葉の海へ（1978年，新潮社）である。同書は，本邦初の近代的国語辞典を編んだ大槻文彦博士の生涯を描いたものであるが，幼子（おさなご）や伴侶（つま）を病で失う不幸に見舞われる中，明治8年（1875年）から同24年（1891年）まで，16年の歳月をかけて「言海」を完成し，喜寿に達しても，天明より深更に至るまで改訂作業に励んだ博士の労苦を想えば，環境に恵まれた自らを甘やかすことを恥ずべきであろう。

また，平成29年（2017年）11月23日，杉内雅男九段の訃報（朝日新聞同日朝刊38面）に接した。史上最高齢の囲碁棋士（97歳）であり，生涯現役を貫き，95歳時に15歳の若手棋士と対局したと報じられている。著書の1冊，「攻防次の一手」（1958年）は，少年時代の愛読書であり，ひときわ愛惜の想いが深い。いずれにしても，対局者の年齢差80歳は，日本棋院の公式戦史上最大のものといわれているが，これを範として自らを律したい。

今般の改訂についても，行川雄一郎判事補（東京地裁・早稲田大学大学院法務研究科修了生）より，多くの有益な指摘と助言を受けた。深く御礼申し上げる。勿論，記述の内容等についてなお不正確な点などがあるとすれば，それはすべて筆者の責に帰されるべきものである。

そして，有斐閣書籍編集部の中野亜樹氏が，ウェブサイト上の補訂情報から始まり，編集作業全般にわたって尽力されたことに感謝したい。体系書の生命は，編集者の尽力によって初めて維持できるとの想いが深い。上梓の暁には綿密な編集と校正の跡は不可視のものとなるが，それを編集者の誇りというべきであろう。

顧問として活動の場を与えられている長島・大野・常松法律事務所についても，所属弁護士諸兄姉との議論を通じて多くの示唆を受け，秘書の方々による援助をえたが故に改訂作業を全うできたとは，偽らざる感慨である。

昭和20年（1945年）8月15日，無条件降伏により戦争が終結してから，73年が過ぎた。同年2月生まれの私の年齢でもある。この間には，政治，経済，社会に大きな変動

3) ブルフィンチ作（野上弥生子訳）・ギリシャ・ローマ神話199頁（1978年，岩波文庫）に，ヘスペリデスが番をしている黄金の林檎を取りに行かせるために，その父親であるアトラスに代わって，ヘラクレスが暫時，天を背負ったとの寓話が誌されている。

がみられたが[4]，わが国についてみれば，数百万人，いや数千万人が，住まいを，家族を，そして生命を失う戦争が起きなかったことは間違いがない。

しかし，近時の内外情勢は不安定であり，核戦争が起きても不思議はない緊迫が続いている。たとえ一時的ではあっても，そのような事態に到れば，法の支配を前提とする法解釈学の存立基盤自体が危殆にさらされよう。一市民として，また法律学の研究者として，暴力や不正を排除し，正義の理念と公平の原理が支配する平和な社会の存続を祈るのみである。

自身についていえば，妻 順子，母 千谷子をはじめとする家族の愛情に囲まれつつ，無名氏による「Life is too short to drink bad wine.」(美味し盃を手にすれば，長き夜も一刻の如し（拙訳））との一句にふさわしい安逸な日々を送っているが，更に改訂の機会に恵まれるよう，読者諸賢の御叱正を願ってやまない。

2018年神無月

月明の木立を望み，Ludwig van Beethoven 作曲

Für Elise（エリーゼのために）を奏でつつ

伊　藤　　眞

4）　四宮章夫・弁護士日記タンポポ——幸せな時代を生きて（2017年，民事法研究会）「推薦の辞」1頁（2017年）参照。

第５版はしがき

第４版補訂版を上梓した2014年７月より，２年ほどの光陰が流れた。初版の刊行，1998年４月以降，民事訴訟手続の運用にかかる最高裁判例や下級審裁判例を中心とする改訂を重ねてきたが，この間においても，相当数の判決および決定に接することとなった。また，記述の内容を点検する中で，引用すべきことに気づかされたものも，少なからず存在する。

追加したもののうち，最高裁判例についてのみいえば，外国判決の承認の要件である間接管轄に関する最判平成10・4・28民集52巻3号853頁，最判平成26・4・24民集68巻4号329頁（本書45頁注*20*），わが国の国際裁判管轄を否定すべき特別の事情に関する最判平成28・3・10判時2297号40頁（本書64頁注*52*），訴額に算入しない附帯請求と労基法上の付加金に関する最判平成27・5・19民集69巻4号635頁（本書72頁注*68*），認定司法書士の裁判外の和解の代理権の範囲に関する最判平成28・6・27裁時1654号3頁（本書150頁注*87*），マンション区分所有者の団体の当事者適格に関する最判平成27・9・18民集69巻6号1711頁（本書125頁注23，189頁注*43*），共有物分割の訴えに関する最判昭和27・5・2民集6巻5号483頁（本書167頁注*9*），債券管理会社による任意的訴訟担当の適法性に関する最判平成28・6・2裁時1653号1頁（本書196頁注*62*），審判権の限界に関する最判昭和52・3・15民集31巻2号280頁，最判昭和52・3・15民集31巻2号234頁（本書173頁注*15*），最判昭和63・12・20判時1307号113頁（本書173頁注*16*），給付の訴えの利益に関する最判平成5・11・11民集47巻9号5255頁（本書177頁注*22*），確認の訴えの利益に関する最判平成26・9・25民集68巻7号661頁（本書182頁注*32*），形成の訴えの利益に関する最判平成27・12・14民集69巻8号2404頁および最判平成28・3・4判タ1425号142頁（本書185頁注*38*），遺言執行者の原告適格に関する最判昭和62・4・23民集41巻3号474頁，最判平成11・12・16民集53巻9号1989頁（本書191頁注*46*），提訴（抗告）手数料の不納付を理由とする訴状（抗告状）却下命令確定前の納付による瑕疵の治癒に関する最決平成27・12・17判タ1422号72頁（本書205頁注*77*），相殺の抗弁と二重起訴禁止の法理に関する最判平成27・12・14民集69巻8号2295頁（本書229頁注*121*），訴訟行為と信義則に関する最判平成16・10・26判時1881号64頁，最判平成18・3・23判時1932号85頁，最判平成23・2・18判時2109号50頁（本書337頁注*184*），文書提出義務の除外事由としての自己使用文書に関する最決平成26・10・29判時2247号3頁（本書432頁注*394*），弁護士会照会に対する報告義務に関する最判昭和56・4・14民集35巻3号620

頁，最判平成28・10・18裁判所ウェブサイト（本書454頁注*431*），訴訟判決の既判力に関する最判平成27・11・30民集69巻7号2154頁（本書489頁注*80*），既判力の時的限界に関する最判平成26・9・25民集68巻7号661頁（本書530頁注*169*），準備書面の直送費用の訴訟費用性に関する最判平成26・11・27民集68巻9号1486頁（本書600頁注*312*），訴訟上の救助決定確定後に請求を一部減縮した訴えの適法性に関する最判平成27・9・18民集69巻6号1729頁（本書607頁注*322*），固有必要的共同訴訟における訴えの取下げに関する最判平成6・1・25民集48巻1号41頁（本書650頁注*44*），人事訴訟における補助参加人の上訴期間に関する最決平成28・2・26判タ1422号66頁（本書668頁注*81*），独立当事者参加における請求定立の必要性に関する最判平成26・7・10判時2237号42頁（本書678頁注*103*），不利益変更禁止の原則に関する最判平成27・11・30民集69巻7号2154頁（本書722頁注*69*）である。

他方，学説については，少数のものを除けば，初版時に参照した文献を基礎としてきたところ，馬齢を重ね，古稀を迎えたことへの祝意を受け，2015年2月，『民事手続の現代的使命』（有斐閣）を頂戴し，珠玉の論攷を読み進むにつれ，改めて近時の議論の動向に後れていたことを自覚させられた。そこで，凡例に追加した各種の記念出版物や講座類所収の論文を中心として，新たな学説に触れ，必要に応じて愚見を付することとした。その過程で従来の私見に対する批判や評価に触れることもあり，これを学恩と呼ぶべきであろう。ただし，文献を渉猟したといえる水準からは程遠く，牛歩豚行の様を恥じる次第である。

また，体系書および注釈書については，松本博之＝上野泰男・民事訴訟法〔第7版〕を〔第8版〕（2015年，弘文堂）に，菊井維大＝村松俊夫・民事訴訟法Ⅲの一部を，秋山幹男ほか・菊井維大＝村松俊夫原著・コンメンタール民事訴訟法ⅥおよびⅦ（2014年，2016年，日本評論社）に，引用を改め，高田裕成ほか編・注釈民事訴訟法第5巻（2015年，有斐閣）を加えた。

さらに，第189回国会に提出された「民法の一部を改正する法律案」および「民法の一部を改正する法律の施行に伴う関係法律の整備等に関する法律案」の関連規定については，網羅的ではないが，気づいた範囲で言及している。

想えば，2007年4月より2015年3月まで8年間にわたって奉職し，教育と研究に専心できる環境を整えて下さった早稲田大学に対し深謝したい。そして，2015年4月からは，日本大学大学院法務研究科および創価大学大学院法務研究科において，客員教授として授業を担当している。古稀をすぎ，なお教壇に立つ機会をえたことは，関係の方々の御厚意以外のなにものでもない。

また，この間，顧問としての活動の場を与えられている長島・大野・常松法律事務所に対しても，改訂を行うための知的刺激と援助を受けたことについて，記してお礼申し上げる。裁量移送の判断基準（本書 97 頁注 *134*），訴訟記録の謄写に関する利害関係（本書 267 頁），書面尋問の準備（本書 399 頁注 *322*），執行停止の裁判の効力（本書 592 頁）などの加筆部分は，所属弁護士諸兄姉との議論を基礎として，研究者としての愚考を積み重ねたものである。その作業の中で，公正中立な判断者に対して相応の説得力ある法論理を提示することの困難さと自らの非力を感じさせられる日常である。

初版刊行から数えて 20 年に近く，9 次の改訂を続け，非才の身にとって重圧を感じる折りもあったが[1]，機会に恵まれたのは，読者より評価をいただいたことを意味するものであり，今更ながら，その有難さを胸に刻んでいる。また，こうした日常を送ることができるのは，心身の健康ゆえにほかならず，朝夕の糧をともにする妻 順子，母 千谷子への感謝の気持ちに尽きるところがない。

人間五十年と謡われた時代と較べれば，古稀を過ぎ，なお余命二十年を望むこともできるかもしれない。しかし，「一度（ひとたび）この世に生を享（う）け滅せぬもののあるべきか」（幸若舞・敦盛）というがごとく，不老長生[2]は見果てぬ夢にすぎず，健康活動年齢がいかほど残されているかは，人智をもって測りがたい。そうであるからこそ

「要は，この生をむだにしないで，《私は自分にできることをやった》と自らに言うことができるようにすることです。」[3]

との至言に思いを致し，蝸牛の歩みを続けることを心に誓っている。

今般の改訂についても，行川雄一郎判事補（新潟地家裁新発田支部・早稲田大学大学院法務研究科修了生）から，多くの有益な指摘と助言を受けた。深く御礼申し上げる。また，韓国の研究者からも，誤植など数点にわたる御指摘を頂いた。国境を越える学恩と感じている。勿論，記述の内容等についてなお不正確な点などがあるとすれば，それはすべて筆者の責任に帰されるべきものである。

最後になるが，有斐閣書籍編集第 1 部の中野亜樹，島袋愛未両氏が編集作業全般にわ

---

1) 伊藤眞「体系書執筆 30 年」続・千曲川の岸辺 53 頁（2016 年，有斐閣）にシシュポスの運命とペネロペの織物の喩えを記している。

2) 和漢朗詠集 巻下 祝より（川口久雄・和漢朗詠集 590 頁〔1982 年，講談社学術文庫〕）。

3) エーヴ・キュリー（川口篤ほか訳）・キュリー夫人伝 458 頁（1940 年，白水社）。なお，歴史的仮名遣いは現代仮名遣いに直している。

たって尽力されたことに感謝申し上げる。体系書の生命は，編集者と校正者の協力があって始めて維持できるとの想いが深い。

前期高齢者となって久しく，後期高齢者への扉を敲（たた）こうとする日々とはいえ，民法（債権関係）改正が実現するなど，再び改訂に取り組まなければならない期（とき）も到来しよう。その暁に，400 箇所を超える今般のような作業を繰り返せるかどうか，不安を拭い去ることはできないが，読者諸賢の御叱正を杖として，山路を越え，九十九折（つづらおり）の径（みち）を辿りたい。

2016 年 10 月

月明に白樺の木立ちを望み，前になくあとを絶すると評された詩人・土井晩翠作詞，
今も惜しまるる夭折の秀才・滝廉太郎作曲「荒城の月」を奏でつつ

伊　藤　　眞

第4版補訂版はしがき

第4版を上梓した2011年12月より，2年ほどの光陰が流れた。本書初版の刊行，1998年4月から15年を超え，その間，民事訴訟手続の運用にかかる最高裁判例や下級審裁判例を中心とする改訂を重ねてきたが，この2年余りについても，多くの判決および決定に接することとなった。幸い，「訴訟理論研究会」（春日偉知郎・加藤新太郎・山本和彦・松下淳一・垣内秀介・筆者）による「民事訴訟手続における裁判実務の動向と検討（第1回）～（第5回）」（判タ1343号4頁，1361号4頁，1375号4頁，1386号67頁，1397号36頁）において，各年に公刊された判例などの内容および意義を分析しているが，本書では，それを踏まえ，また従来より引用が行き届かなかったものを補充し，相当数の判例と裁判例を追加している。

追加したもののうち，最高裁判例についてのみいえば，不法行為に関する訴えの国際裁判管轄に関する最判平成26・4・24裁時1603号1頁（本書50頁注*36*，51頁注*37*），義務履行地の裁判籍に関する最決平成23・6・2判時2164号10頁（本書73頁注*78*），法人格のない社団の当事者適格に関する最判平成26・2・27裁時1598号3頁（本書123頁注*29*），形式的形成の訴えに関する最判平成25・11・29判時2206号79頁（本書162頁注*9*），将来給付の訴えの利益に関する最判昭和63・3・31判タ668号131頁，最判平成24・12・21判時2175号20頁（本書174頁注*26*），確認の利益に関する最判平成23・6・3判時2123号41頁（本書178頁注*33*），給付訴訟における被告適格に関する最判昭和61・7・10判時1213号83頁（本書182頁注*41*），訴訟物の個数に関する最判昭和47・11・16民集26巻9号1573頁（本書206頁注*87*），処分権主義に関する最判平成23・3・1金商1369号18頁（本書210頁注*97*），訴え提起にともなう消滅時効の中断に関する最判平成25・6・6民集67巻5号1208頁（本書225頁注*128*），控訴審における弁論の更新に関する最判昭和34・4・9民集13巻4号504頁（本書293頁注*128*），主張共通の原則に関する最判平成9・7・17判時1614号72頁（本書295頁注*132*），保険事故としての盗難の証明責任に関する最判平成19・4・17民集61巻3号1026頁（本書361頁注*257*），文書提出命令申立てと時機に後れた攻撃防御方法の却下に関する最決平成23・4・28判時2164号17頁（本書422頁注*397*），公務秘密文書の文書提出義務に関する最決平成25・12・19裁時1595号1頁（本書426頁注*406*）および最決平成25・4・19判時2194号13頁（本書428頁注*410*），定期金賠償と処分権主義に関する最判昭和62・2・6判時1232号100頁（本書505頁注*148*），仮執行宣言にもとづく給付の原状回復申立てに関する最判平成25・7・18判時2201号48頁（本書580頁注*306*），訴訟費用の担保に関する最決平成25・4・26民集67巻4号1150頁（本書587頁注*319*），訴訟救助に関する最決平成21・6・3判時2085号6頁（本書589頁注*320*），選択的併合に関する最判平成21・12・10民集63巻10号2463頁および最判平成18・12・21民集60巻10号3964頁（本書598頁注*11*），訴えの変更に関する最判平成24・2・23民集66巻3号1163頁（本書602頁注*18*），固有必要的共同訴訟に関する最判平成26・2・14裁時1598号1頁（本書626頁注*26*），補助参加の利益に関する最決平成23・10・25判時2164号11頁（本書640頁注*63*），附帯控訴の利益に関する最判昭和46・3・11裁判集民102号245頁（本書691頁注*42*），上告審による訴え却下の自判に関する最判平成23・10・27判タ1359号86頁（本書714頁注*98*），第三者再審に関する最判平成25・11・21金商1431号16頁（本書729頁注*21*）である。

さらに，近時公刊された体系書および注釈書類のうち，小島武司・民事訴訟法（2013年，有斐閣）の引用を加え，高橋宏志・重点講義民事訴訟法を（上）〔第2版補訂版〕（2013年，有斐閣），（下）〔第2版〕（2012年，有斐閣）に，菊井維大＝村松俊夫・民事訴訟法Ⅰ～Ⅲのうちの一部を，秋山幹男ほか・菊井維大＝村松俊夫原著・コンメンタール民事訴訟法Ⅴ（2012年，日本評論社）に，引用を改め，また，同書Ⅱ〔第2版追補版〕（2014年，日本評論社）が国際裁判管轄部分についての解説を追録として加えたので，その引用を補充した。ただし，それぞれの旧版の記述に意味が残されていると考えた箇所については，それを残している。

思えば，平成19年（2007年）4月の着任以来，教育と研究に専心できる環境を与えて下さっている早稲田大学に対して心より感謝の意を表したい。後に述べる行川雄一郎氏とのかかわりも，早稲田大学大学院法務研究科の教室から始まる。また，この間，顧問としての活動の場を設けていただいている長島・大野・常松法律事務所に対しても，所属弁護士諸兄姉との意見交換，秘書の方々などによる支援など，様々な場面で，改訂の作業を行うことに理解を賜ったことについて，記してお礼申し上げる。

自らに課せられた責務を果たすべく努力するのは，当然のことではあるが，周囲の配慮と励ましなくしては，一歩も進めるものではない。上記の方々をはじめ，日々の糧を同じくする筆者の家族，妻・順子，母・千谷子に対して報恩謝徳の想いを深くしている。

もっとも，「残念なのは一日が余りに短くて，日があまりに早く立ちすぎることだけです。仕上がった仕事というのがめったになくて，仕残したことばかりが目につくのです。」[1]とは，私自身の日常でもあるが，これは，自らの菲才の故と諦める以外にない。

今般の改訂についても，行川雄一郎参事（衆議院法制局・早稲田大学大学院法務研究科修了生）から，多くの有益な指摘と助言を受けた。深く御礼申し上げる。勿論，記述の内容等についてなお不正確な点などがあるとすれば，それはすべて筆者の責任に帰されるべきものである。最後になるが，有斐閣書籍編集第1部（現在有斐閣学術センター）の田顔繁実氏が編集作業全般にわたって尽力されたことに感謝申し上げる。

マハトマ・ガンディーの言葉として伝えられる，「Live as if you were to die to-morrow. Learn as if you were to live forever.」（命の灯，明日に消ゆるものとして，力を尽くし，永遠に輝くものとして，学びを続けむ[1]）（拙訳）を心に刻みつつ，さらに歩みを続けたい。読者諸賢の御叱正を乞う。

2014年6月

桜桃忌，玉川上水の岸辺を彷徨い，雨傘に滴る五月雨に耳を欹てつつ

伊　藤　　眞

1）エーヴ・キュリー（川口篤ほか訳）・キュリー夫人伝192頁（1940年，白水社）。なお，旧漢字は常用漢字に，歴史的仮名遣いは現代仮名遣いに直している。

第4版はしがき

第3版4訂版を上梓した2010年4月10日より，2年近い光陰が流れた。この間の民事訴訟手続に関する法改正としては，国際裁判管轄に関する「民事訴訟法及び民事保全法の一部を改正する法律」(平成23法36号)，非訟事件手続法（平成23法51号）や家事事件手続法（平成23法51号）など，本書刊行時には未施行であるが，それぞれの手続に関して制定が予定される最高裁判所規則とともに，近い将来における施行が確実と見込まれる法令がある。これらのうち国際裁判管轄に関する規律の内容については，本書41頁以下において，非訟事件手続法および家事事件手続法の特質に関しては，本書10頁において解説を加えた。

また，最高裁判所判例および下級審裁判例についてみると，併合請求の事物管轄に関する最決平成23・5・18裁判所時報1532号2頁（本書78頁注*93*)，最決平成23・5・30裁判所時報1533号2頁（本書78頁注*93*)，労働審判官としての関与と除斥事由に関する最判平成22・5・25判タ1327号67頁（本書100頁注*146*)，法人格のない社団を当事者とする確定判決の効力の代表者への拡張と代表者名義の不動産に対する執行方法に関する最判平成22・6・29民集64巻4号1235頁（本書122頁注*28*）および最決平成23・2・9判タ1343号108頁（本書122頁注*28*)，弁護士法28条違反の行為の私法上の効力に関する最決平成21・8・12民集63巻6号1406頁（本書152頁注*106*)，宗教法人の代表者の資格が訴訟要件として争われた場合の判断枠組に関する大阪高判平成22・1・28判タ1334号245頁（本書170頁注*18*)，遺産確認の訴えの利益に関する最判平成22・10・8民集64巻7号1719頁（本書177頁注*33*)，解除条件付権利の確認の利益に関する最判平成21・12・18民集63巻10号2900頁（本書178頁注*34*)，給付訴訟における原告適格に関する最判平成23・2・15判タ1345号129頁（本書181頁注*41*)，形成訴訟の訴訟物に関する最判平成22・10・19金商1355号16頁（本書206頁注*91*)，処分権主義に関する最判平成22・4・20判タ1323号98頁（本書209頁注*97*)，不実の申立てにもとづく公示送達の効力に関する最判平成22・4・13裁判所時報1505号12頁（本書246頁注*41*)，法的観点と釈明権の行使に関する最判平成22・10・14判タ1337号105頁（本書298頁注*143*)，釈明権不行使の違法に関する最大判平成22・1・20民集64巻1号1頁（本書305頁注*157*)，訴権の行使と信義則に関する最判平成21・10・23判タ1313号115頁（本書325頁注*182*)，訴訟上の主張と信義則に関する最判平成23・2・18判タ1344号105頁（本書325頁注*182*)，刑事裁判における証明度に関する最決平成19・10・16刑集61巻7号677頁（本書329頁注*190*)，損害賠償額の認定にかかる法248条の適用に関する最判平成23・9・13裁判所時報1539号2頁，同平成23・9・

13 裁判所時報 1539 号 9 頁（本書 352 頁注 *245*），文書提出義務に関連する判例として，預金口座の取引経過開示請求権を認めた最決平成 21・1・22 民集 63 巻 1 号 228 頁（本書 409 頁注 *377*），文書提出義務の除外事由としての自己使用文書性に関する最決平成 22・4・12 判タ 1323 号 121 頁（本書 416 頁注 *394*），最決平成 23・10・11 裁判所時報 1541 号 2 頁（本書 416 頁注 *394*），文書提出命令に対する不服申立手続における手続保障に関する最判平成 23・4・13 裁判所時報 1530 号 1 頁（本書 418 頁注 *397*），仮執行宣言にもとづく給付の原状回復義務に関する最判平成 22・6・1 民集 64 巻 4 号 953 頁（本書 574 頁注 *306*），類似必要的共同訴訟人の一人のした上告受理申立ての他の共同訴訟人に対する効力に関する最判平成 23・2・17 裁判所時報 1526 号 2 頁（本書 625 頁注 *42*），固有必要的共同訴訟における不利益変更禁止の原則の適用に関する最判平成 22・3・16 民集 64 巻 2 号 498 頁（本書 626 頁注 *49*），共同訴訟参加の申出の適法性に関する最判平成 22・7・16 民集 64 巻 5 号 1450 頁（本書 659 頁注 *120*），裁判外の和解と抗告の利益に関する最決平成 23・3・9 判タ 1345 号 1267 頁（本書 673 頁注 *9*），経験則違反と上告受理申立理由に関する最判平成 22・7・16 判タ 1333 号 111 頁（本書 701 頁注 *80*），許可抗告の対象となる裁判に関する最決平成 22・8・4 判タ 1332 号 58 頁（本書 712 頁注 *109*）など，数多くの重要判例や裁判例が現れたので，それらを引用し，必要に応じてその内容に言及することとした。

さらに，近時公刊された体系書および注釈書などのうち，新堂幸司・新民事訴訟法〈第四版〉を同〈第五版〉に，松本博之＝上野桊男・民事訴訟法〈第 5 版〉を同〈第 6 版〉に，兼子一＝松浦馨＝新堂幸司＝竹下守夫・条解民事訴訟法を兼子一原著・条解民事訴訟法〈第 2 版〉に，菊井維大＝村松俊夫・民事訴訟法 I 〜 III のうちの一部を秋山幹男ほか・菊井維大＝村松俊夫原著・コンメンタール民事訴訟法 I 〈第 2 版〉，II 〈第 2 版〉，III，IV に，高橋宏志・重点講義民事訴訟法（上）を同〈第 2 版〉に，中野貞一郎・民事執行法〈増補新訂 5 版〉を同〈増補新訂 6 版〉に，それぞれ引用を改めた。ただし，それぞれの旧版の叙述に意味があると考えた箇所については，その引用を残している。

今般の改訂についても，行川雄一郎判事補（東京地方裁判所）から有益な指摘と助言を受けた。心より御礼申し上げる。勿論，叙述の内容等についてなお不正確な点などがあるとすれば，それはすべて筆者の責任に帰されるべきものである。最後になるが，有斐閣書籍編集第 1 部の田顔繁実氏が編集作業全般にわたって尽力されたことに感謝申し上げる。

2011 年 10 月

遠く八ヶ岳の峻峰群を望み，ヴィルヘルム・フルトヴェングラー指揮する「ブラームス交響曲第 4 番　ホ短調　作品 98」に耳を欹てつつ

伊　藤　　眞

第3版4訂版はしがき

第3版3訂版を上梓した2008年3月30日より，約2年の光陰が流れた。この間の民事訴訟手続に関する法改正としては，「外国等に対する我が国の民事裁判権に関する法律」(主権免除法)（平成21法24）の制定（本書37頁注*12*）が主たるものであり，それほど大きな変化があったとはいえない。

しかし，判例についてみると，非訟事件における手続保障に関する最決平成20・5・8判時2011号116頁（本書10頁注*18*)，事物管轄違背の場合の処理に関する最決平成20・7・18民集62巻7号2013頁（本書66頁)，法律上の争訟概念に関する最判平成21・9・15判タ1308号117頁（本書142頁注*16*)，一部請求であることの明示に関する最判平成20・7・10民集62巻7号1905頁（本書186頁注*106*)，損害賠償額の認定（法248）に関する最判平成20・6・10判時2042号5頁（本書324頁注*245*)，金融機関の守秘義務と証言拒絶権との関係およびイン・カメラ手続の性質に関する最決平成20・11・25民集62巻10号2507頁，最決平成21・1・15民集63巻1号46頁（本書349頁注*302*，351頁注*305*，388頁注*395*)，秘密保持命令に関する最決平成21・1・27民集63巻1号271頁（本書389頁注*395*)，固有必要的共同訴訟たる入会権確認訴訟における当事者適格に関する最判平成20・7・17民集62巻7号1994頁（本書593頁注*32*)，特別抗告に対する判断権に関する最決平成21・6・30判時2052号48頁（本書673頁注*85*)，再審事由たる判決の基礎となった判決等の変更に関する最判平成20・4・24民集62巻5号1262頁（本書690頁注*11*）など，数多くの重要判例が現れたので，それらを引用し，必要に応じてその内容に言及することとした。

さらに，筆者自身の研究論文についても，読者諸賢の批判を賜りたいものを追記している（本書379頁注*373*，618頁注*89*)。加えて，叙述内容のうち，不正確との御指摘を受け，またはその旨を自覚するに至った点については，表現を改めている。

最後になるが，今般の補訂内容について注意と助言をいただいた行川雄一郎判事補(東京地方裁判所）に対し，心より御礼申し上げる。もちろん，叙述の内容等についてなお不正確な点があるとすれば，それはすべて筆者の責任に帰されるべきものである。また，有斐閣書籍編集第1部の田顔繁実氏には，従前にもまして，編集作業等に尽力されたことに感謝申し上げる次第である。

2010年2月

ヴィルヘルム・フルトヴェングラー指揮する

「チャイコフスキー　交響曲第6番」に耳を欹てつつ

伊　藤　　眞

第3版3訂版はしがき

第3版再訂版を上梓した後，民事訴訟手続に関する法令の改正および関連法令の制定や改正が行われた。主なものを挙げれば，「犯罪被害者等の権利利益の保護を図るための刑事訴訟法等の一部を改正する法律」（平成19年法律第95号）にもとづく刑事訴訟法の改正（損害賠償命令制度。本書14頁）および民事訴訟法の改正（証人尋問に関する付添い等の措置。本書357頁），「一般社団法人及び財団法人に関する法律」（平成18年法律第48号），「信託法」（平成18年法律第108号），「法の適用に関する通則法」（平成18年法律第78号）などがある。

3訂版では，これらの法律および対応する最高裁判所規則の内容を踏まえて，関連箇所の叙述を改めた。また，再訂版において言及することができなかった労働審判法（平成16年法律第45号）および同規則にもとづく労働審判手続についても，基本構造について説明を加えることとした（本書12頁）。なお，これらの法令のうち，3訂版執筆時には未施行であっても，近い将来における施行が確実に予定されるものについては，現行法と同様に扱うこととしている。

これに加えて，民事訴訟手続に関する近時の重要な判例を補充し，必要に応じて，解説を付している。

最後になるが，改正法令の内容確認や本書の編集作業などに尽力いただいた有斐閣書籍編集第1部の田顔繁実氏に対して，心より御礼申し上げる。

2007年12月

風霜揺落の大隈庭園に佇みつつ

伊　藤　　眞

第3版再訂版はしがき

第3版補訂版を上梓した後，会社法（平成17年法律第86号）の制定や不動産登記法の改正（平成17年法律第123号）など，民事訴訟手続の規律に影響を与える重要な法改正が行われた。そこで，これらの法令の内容に即して本書の叙述を改め，あわせて，文書提出義務などに関する近時の重要な判例を補充し，必要に応じて，解説を加えた。

なお，長らく本書の編集等の作業をお願いした有斐閣書籍編集第1部の木村垂穂氏は，昨年5月末に定年退職され，新たに田顔繁実氏に担当者としての作業をお願いすることとなった。木村氏にも引き続いて編集等に協力いただいている。両氏に対して心より御礼申し上げる。

2006年3月

ジョン・コルトレーンのバラードに耳を傾けつつ

伊　藤　　眞

第3版はしがき

平成15年第156国会に提出された「民事訴訟法等の一部を改正する法律案」および「人事訴訟法案」は，平成15年7月9日に国会を通過し，同月16日，それぞれ法律第108号，第109号として公布された。いずれも平成16年4月1日に施行される。手続の細則を定める民事訴訟規則，専門委員規則および人事訴訟規則についても，法改正・制定に即した改正・制定が行われた。

法案の内容については，補訂第2版第3刷（2003年4月10日発行）において別紙として解説を加えたが，今般，民事訴訟法等一部改正法および改正民事訴訟規則等の内容を本文に組み込み，人事訴訟法および人事訴訟規則中の民事訴訟手続の基本原則にかかわりのある規定について関連箇所で解説を行うこととした。また，「司法制度改革のための裁判所法等の一部を改正する法律」（平成15年法律第128号），「裁判の迅速化に関する法律」（同年法律第107号），「仲裁法」（同年法律第138号）および「担保物権及び民事執行制度の改善のための民法等の一部を改正する法律」（同年法律第134号）など，本書の内容に関連する法律の改正および制定がなされたので，これらの法律の関連規定についてもあわせて解説を加え，この機会に近時の重要な判例を補充し，学説についても若干の加筆を施した。

なお，人事訴訟法の規定の趣旨などについては，高田裕成氏（東京大学大学院法学政治学研究科教授）から御教示をえた。記して感謝申し上げる。もちろん，本書の内容についての責任は，著者のみにある。最後になるが，有斐閣書籍編集部木村垂穂氏には，旧版にも増して尽力を頂いた。心よりお礼申し上げる。

2003年12月

葉山沖，孤帆の遠影を望みつつ

伊　藤　　眞

初版はしがき

本書は，民事訴訟の通常手続に関する概説書である。特別手続としては，督促手続，手形・小切手訴訟手続，少額訴訟手続などがあり，また，理論上および実務上重要性を増している領域として国際民事訴訟手続があるが，概説書としての制約上，これらはすべて割愛せざるをえなかった。特に，新民事訴訟法によって創設された少額訴訟手続について十分な分析ができなかったことは，読者に対して申し訳なく感じるが，近い将来において何らかの形で補充したい。

本書の執筆にあたっては，わが国における民事訴訟法が制定されて以降の判例，学説，実務の発展を踏まえ，それぞれの問題点について著者自身の見解を示すことを目標とした。それが成功しているか，それとも不十分であるかは，読者からの御叱正を待つ以外にないが，誤解や考えの至らない部分については，著者の浅学菲才をお詫びするほかはない。民事訴訟法の概説書に関しては，現在一般に用いられているもののみに限定しても，兼子一先生，三ヶ月章先生，新堂幸司先生などのものをはじめとする，優れた著作が存在しており，新民事訴訟法施行の点を考慮に入れても，本書の出版が斯界になにほどの寄与ができるか疑わしい。著者が自信をもつことができるのは，民事訴訟法学の研究を開始してから30年にわたる自己の研究成果を基礎としている点のみである。もっとも，その研究成果そのものも，先学の業績や実務家の方々からの御教示によることを考えれば，自分自身の業績として誇れるものは，はなはだ貧しいといわざるをえない。新民事訴訟法が施行され，優れた研究論文や概説書が今後数多く発表されるものと思われる。本書が，旧法の概説書から新法の優れた概説書への橋渡しの役割を果たすことができれば，望外の喜びである。

著者と民事訴訟法との関わりは，学生時代に三ヶ月先生ならびに新堂先生の講筵に列したときから始まる。それ以来両先生には，現在に至るまで30年間変わらぬ御指導をいただき，また松浦馨先生ならびに竹下守夫先生には，著者がそれぞれ名古屋大学および一橋大学に在任中に先任教官として，研究および教育の両面にわたって，言葉での表現を困難に感じるほど，御懇篤な指導を頂戴した。さらに，青山善充教授，高橋宏志教授，上原敏夫教授には，それぞれ東京大学および一橋大学における先任教官として，あるいは同僚として，民事訴訟法学の研鑽について多くの示唆をいただいた。著者が民事訴訟法について概説書を上梓する機会に恵まれたことは，これらの諸先生ならびに諸教授の御厚意によるものと感じている。

また，民事訴訟法学の研究にとっては，理論の面だけではなく，実務の視点からの考察が不可欠であるが，裁判所，法務省，弁護士会に所属する多くの方々から，種々の機会に御教示をいただいたことは，実務に暗い著者にとって貴重な財産となっており，感謝の申し上げようもない。

なお，本書の執筆の過程で，原稿の内容について神戸大学教授高田裕成氏から有益な助言をいただいた。加えて，本書の内容は，講義案として1997年度東京大学法学部民事訴訟法第一部講義（冬学期）で使用したが，その際，一場和之君，手賀寛君，浜崎大輔君をはじめとする学生諸君から，引用条文の誤りおよび誤植ならびに不正確な叙述等について多くの指摘を受けた。本書がともかくも概説書としての体裁を整えることができたことについては，これらの指摘に負うところが多い。もちろん，本書の中に不正確な表現が見いだされるとすれば，それはすべて著者自身の責任に帰せられるべきものである。また，索引の作成については，東京大学大学院法学政治学研究科修士課程北村賢哲君の協力をえた。最後に，原稿の調整および校正等についての有斐閣書籍編集部木村垂穂氏による献身的な努力なくしては，本書の刊行はありえなかったと感じている。記して，お礼申し上げたい。

概説書を執筆することは，原稿執筆から始まり，推敲，そして数度にわたる校正まで，かなりの長期間にわたる精神的緊張を要する。反面，雪の明治温泉，夏の八ヶ岳山麓，晩秋の野尻湖，そして大桟橋を見おろす冬のホテルでの最後の作業を懐かしく思い出す。執筆期間中を通じて支えとなってくれた，妻順子，そして心の通いあった友人に本書を捧げたい。

1998年3月

伊　藤　　眞

■目　次■

■凡　例■

1　法令名の略語

民事訴訟法については，条数のみを表示し，それ以外の法令については，有斐閣六法の法令名略語を用いることを原則とした。

例）395 I ①；民事訴訟法第 395 条第 1 項第 1 号

民執 41 II ；民事執行法第 41 条第 2 項

2　判例引用の略語

大　判(決)	大審院判決(決定)
大連判	大審院連合部判決
最　判(決, 命)	最高裁判所判決(決定, 命令)
最大判(決)	最高裁判所大法廷判決(決定)
控　判	控訴院判決
高　判(決)	高等裁判所判決(決定)
地　判(決)	地方裁判所判決(決定)
支　判(決)	支部判決(決定)
中間判	中間判決

民　録	大審院民事判決録
刑　録	大審院刑事判決録
民　集	最高裁判所(大審院)民事判例集
刑　集	最高裁判所(大審院)刑事判例集
裁判集民	最高裁判所裁判集民事
高　民	高等裁判所民事判例集
行裁集	行政事件裁判例集
東高民時報	東京高等裁判所民事判決時報
下　民	下級裁判所民事裁判例集
家　月	家庭裁判月報
労　民	労働関係民事裁判例集
裁　時	裁判所時報
新　聞	法律新聞
裁判例	大審院裁判例
判決全集	大審院判決全集

法律新報	法律新報(法律新報社)
評　論	法律学説判例評論全集
法　学	法学(東北帝国大学法学会)

3　文献引用の略語

金　商	金融・商事判例
金融法務	金融法務事情
月刊法教	法学教室
自　正	自由と正義
ジュリ	ジュリスト
曹　時	法曹時報
判　時	判例時報
判　評	判例時報添付の判例評論
判　タ	判例タイムズ
法　協	法学協会雑誌
民　商	民商法雑誌
民訴雑誌	民事訴訟雑誌

青山古稀	青山善充先生古稀祝賀論文集・民事手続法学の新たな地平（2009 年）
秋山ほか Ⅰ～Ⅶ	秋山幹男＝伊藤眞＝加藤新太郎＝高田裕成＝福田剛久＝山本和彦著・菊井維大＝村松俊夫原著・コンメンタール民事訴訟法Ⅰ〈第 3 版〉，Ⅱ〈第 3 版〉，Ⅴ〈第 2 版〉，Ⅵ，Ⅶ（2021，2022，2022，2014，2016 年） 秋山幹男＝伊藤眞＝垣内秀介＝加藤新太郎＝高田裕成＝福田剛久＝山本和彦著・菊井維大＝村松俊夫原著・コンメンタール民事訴訟法Ⅲ，Ⅳ〈第 2 版〉（2018，2019 年）
新しい審理方法	司法研修所・新しい審理方法に関する研究（司法研究報告書 48 輯 1 号）（1996 年）
池田・新世代	池田辰夫・新世代の民事裁判（1996 年）
石川＝三木	石川明＝三木浩一編・民事手続法の現代的機能（2014 年）

一問一答　法務省民事局参事官室編・一問一答新民事訴訟法（1996年）

伊藤・会社更生法・特別清算法　伊藤眞・会社更生法・特別清算法（2020年）

伊藤・当事者　伊藤眞・民事訴訟の当事者（1978年）

伊藤・破産法・民事再生法　伊藤眞・破産法・民事再生法〈第5版〉（2022年）

伊藤古稀　伊藤眞先生古稀祝賀論文集・民事手続の現代的使命（2015年）

井上・法理　井上治典・多数当事者訴訟の法理（1981年）

井上追悼　井上治典先生追悼論文集・民事紛争と手続理論の現在（2008年）

上　田　上田徹一郎・民事訴訟法〈第7版〉（2011年）

上田・判決効　上田徹一郎・判決効の範囲（1985年）

上野古稀　上野桊男先生古稀祝賀論文集・現代民事手続の法理（2017年）

梅　本　梅本吉彦・民事訴訟法〈第4版〉（2009年）

演習民訴〈新版〉　小山昇＝中野貞一郎＝松浦馨＝竹下守夫編・演習民事訴訟法〈新版〉（1987年）

大江(1)　大江忠・要件事実民法(1)総則〈第4版補訂版〉（2019）

大江(4)　大江忠・要件事実民法(4)債権総論〈第4版補訂版〉（2018）

大江(6)　大江忠・要件事実民法(6)法定債権〈第4版〉（2015）

大村・道垣内・ポイント　大村敦志＝道垣内弘人編・解説 民法(債権法)改正のポイント（2017年）

岡　岡伸浩・信託法理の展開と法主体（2019）

改正要綱試案　法務省民事局参事官室・民事訴訟手続に関する改正要綱試案(1993年)(民事訴訟手続に関する改正試案(別冊 NBL No. 27)・ジュリスト1042号所収)

改正要綱試案補足説明　法務省民事局参事官室・民事訴訟手続に関する改正要綱試案補足説明（1993年）（民事訴訟手続に関する改正試案（別冊 NBL No. 27）所収）

春日古稀	春日偉知郎先生古稀祝賀・現代民事手続法の課題(2019)
加藤編・認定と立証Ⅰ，Ⅱ	加藤新太郎編・民事事実認定と立証活動 第Ⅰ巻，第Ⅱ巻（2009年）
加藤新太郎古稀	加藤新太郎先生古稀祝賀論文集・民事裁判の法理と実践（2020年）
加藤哲夫古稀	加藤哲夫先生古稀祝賀論文集・民事手続法の発展(2020)
兼　子	兼子一・新修民事訴訟法体系〈増訂版〉(1965年)
兼子・研究(1)～(3)	兼子一・民事法研究 一巻～三巻（1953～1969年），〈増補〉(1976年)
兼子・判例民訴	兼子一・判例民事訴訟法（1950年）
兼子＝竹下・民訴	兼子一＝竹下守夫・民事訴訟法〈新版〉(法律学講座双書)(1993年)
兼子ほか	兼子一＝松浦馨＝新堂幸司＝竹下守夫・条解民事訴訟法（1986年）
兼子還暦(上)(中)(下)	兼子一博士還暦記念・裁判法の諸問題 上，中，下(1969，1970年)
関西法律特許事務所開設五十五周年	関西法律特許事務所 開設五十五周年記念論文集 民事特別法の諸問題－第六巻－（2020）
河野古稀	河野正憲先生古稀祝賀・民事手続法の比較法的・歴史的研究（2014年）
木川・改正問題	木川統一郎・民事訴訟法改正問題（1992年）
木川古稀(上)(中)(下)	木川統一郎博士古稀祝賀・民事裁判の充実と促進 上巻，中巻，下巻（1994年）
菊井＝村松Ⅰ，Ⅱ，Ⅲ	菊井維大＝村松俊夫・民事訴訟法（法律学体系・コンメンタール篇）Ⅰ〈全訂版補訂版〉，Ⅱ〈全訂版〉，Ⅲ〈全訂版〉(1993，1989，1986年)
菊井献呈(上)(下)	菊井維大先生献呈論集・裁判と法 上，下（1967年）
吉川追悼(上)(下)	吉川大二郎博士追悼論集・手続法の理論と実践 上，下（1980，1981年）
研究会	竹下守夫＝青山善充＝伊藤眞編集代表・研究会新民事訴訟法－立法・解釈・運用（ジュリスト増刊）

	(1999年)
検討事項	法務省民事局参事官室・民事訴訟手続に関する検討事項（1991年）（民事訴訟手続の検討課題（別冊NBL No. 23）・ジュリスト1028号所収）
検討事項補足説明	法務省民事局参事官室・民事訴訟手続に関する検討事項補足説明（1991年）（民事訴訟手続の検討課題（別冊NBL No. 23）所収）
講座民訴①～⑦	新堂幸司編集代表・講座民事訴訟①～⑦（1983～1985年）
小　島	小島武司・民事訴訟法（2013年）
小島古稀(上)	小島武司先生古稀祝賀論文集・民事司法の法理と政策（上巻）（2008年）
小林・証拠法	小林秀之・新証拠法〈第2版〉（2003年）
小林古稀	小林秀之先生古稀祝賀論文集・民事法の現在地と未来（2022年）
小室＝小山還暦(上)(中)(下)	小室直人＝小山昇先生還暦記念・裁判と上訴上，中，下（1980年）
小　山	小山昇・民事訴訟法（現代法律学全集）〈新版〉(2001年)
齋　藤	齋藤秀夫・民事訴訟法概論〈新版〉（1982年）
斎藤ほか(1)～(12)	斎藤秀夫＝小室直人＝西村宏一＝林屋礼二編著・注解民事訴訟法〈第2版〉（1）～（12）（1991～1996年）
佐藤・民事控訴審	佐藤陽一・実践講座　民事控訴審（2023年）
潮見・概要	潮見佳男・民法(債権関係)改正法の概要（2017年）
潮見・新債権総論Ⅰ	潮見佳男・新債権総論Ⅰ（2017年）
潮見・新債権総論Ⅱ	潮見佳男・新債権総論Ⅱ（2017年）
執行保全百選	民事執行・保全判例百選〈第3版〉（別冊ジュリスト247号）（2020年）
実　情	判例時報編集部編・許可抗告事件の実情 平成10～29年度（2019）
実務民訴(1)～(10)	鈴木忠一＝三ヶ月章監修・実務民事訴訟講座 1巻～10巻（1969～1971年）
実務民訴〔第3期〕	新堂幸司監修・実務民事訴訟講座〔第3期〕第1巻

(1)～(6)	～第6巻（2012～2014年）
重判解	重要判例解説（ジュリスト臨時増刊，年度版）
条解規則	最高裁判所事務総局民事局監修・条解民事訴訟規則（1997年）
条解民訴〈2版〉	兼子一原著／松浦馨＝新堂幸司＝竹下守夫＝高橋宏志＝加藤新太郎＝上原敏夫＝高田裕成・条解民事訴訟法〈第2版〉（2011年）
証拠法大系(1)～(5)	門口正人編集代表・民事証拠法大系 第1巻～第5巻（2003～2007年）
詳説改正債権法	債権法研究会編・詳説改正債権法（2017年）
新実務民訴(1)～(14)	鈴木忠一＝三ヶ月章監修・新・実務民事訴訟講座 1巻～14巻（1981～1984年）
新大系(1)～(4)	三宅省三＝塩崎勤＝小林秀之編集代表・新民事訴訟法大系 第一巻～第四巻（1997年）
新　堂	新堂幸司・新民事訴訟法〈第6版〉（2019年）
新堂・旧	新堂幸司・民事訴訟法〈第2版補正版〉（1990年）
新堂・争点効(上)(下)	新堂幸司・訴訟物と争点効(上)(下)（1988，1991年）
新堂編・特別講義	新堂幸司編著・特別講義民事訴訟法（1988年）
新民訴演習Ⅰ，Ⅱ	三ヶ月章＝中野貞一郎＝竹下守夫編・新版民事訴訟法演習Ⅰ，Ⅱ（1983年）
瀬　木	瀬木比呂志・民事訴訟法〈第2版〉（2022年）
争　点	三ヶ月章＝青山善充編・民事訴訟法の争点〈第3版〉（ジュリスト増刊号）（1998年）
続百選	続民事訴訟法判例百選（別冊ジュリスト36号）（1972年）
高　中	高中正彦・弁護士法概説〈第5版〉（2020）
高橋(上)(下)	高橋宏志・重点講義民事訴訟法(上)〈第2版補訂版〉，(下)〈第2版補訂版〉（2013，2014年）
高橋古稀	高橋宏志先生古稀祝賀論文集・民事訴訟法の理論（2018年）
谷　口	谷口安平・口述民事訴訟法（1987年）
谷口＝井上編(1)～(6)	谷口安平＝井上治典編・新・判例コンメンタール民事訴訟法1～6（1993～1995年）

谷口古稀	谷口安平先生古稀祝賀・現代民事司法の諸相（2005年）
田原古稀	田原睦夫先生古稀・最高裁判所判事退官記念論文集・現代民事法の実務と理論 下巻（2013年）
注釈会社法(1)～(15)	上柳克郎＝鴻常夫＝竹内昭夫編集代表・新版注釈会社法(1)～(15)（1985～1991年）
注釈民訴(1)～(9)	新堂幸司＝鈴木正裕＝竹下守夫編集代表・注釈民事訴訟法(1)～(9)（1991～1998年）
新注釈民訴(3)～(5)	高田裕成＝三木浩一＝山本克己＝山本和彦編・注釈民事訴訟法 第3巻，第4巻，第5巻（2022年，2017年，2015年）
注釈民法(1)～(26)	中川善之助ほか編集代表・注釈民法（1）～（26）（1964～1987年）
注釈民法〈新版〉(1)～(3)(6)(7)(9)(10 I)(13)～(18)(21)(23)～(28)	谷口知平ほか編集代表・新版注釈民法(1)〈改訂版〉(2)(3)(6)(7)(9)(10 I)(13)(14)(15)〈増補版〉(16)～(18)(21)(23)(24)(25)〈改訂版〉(26)(27)(28)〈補訂版〉(1989～2015年)
倒産百選	倒産判例百選（別冊ジュリスト52号）（1976年）
倒産百選〈3版〉	倒産判例百選〈第3版〉（別冊ジュリスト163号）（2002年）
倒産百選〈6版〉	倒産判例百選〈第6版〉（別冊ジュリスト252号）（2021年）
栂＝遠藤古稀	栂善夫先生・遠藤賢治先生古稀祝賀・民事手続における法と実践（2014年）
徳田古稀	徳田和幸先生古稀祝賀論文集・民事手続法の現代的課題と理論的解明（2017年）
中田還暦(上)(下)	中田淳一先生還暦記念・民事訴訟の理論(上)(下)（1969，1970年）
中田・債権総論	中田裕康・債権総論〈第4版〉（2020年）
中野・解説	中野貞一郎・解説新民事訴訟法（1997年）
中野・現在問題	中野貞一郎・民事手続の現在問題（1989年）
中野・推認	中野貞一郎・過失の推認（1978年）
中野・訴訟関係	中野貞一郎・訴訟関係と訴訟行為（1961年）
中野・民執	中野貞一郎・民事執行法〈増補新訂6版〉（現代法

律学全集）（2010 年）

中野・論点Ⅰ，Ⅱ　中野貞一郎・民事訴訟法の論点Ⅰ，Ⅱ（1994，2001 年）

中野ほか・講義　中野貞一郎＝松浦馨＝鈴木正裕編・新民事訴訟法講義（有斐閣大学双書）〈第 3 版〉（2018 年）

中野古稀(上)(下)　中野貞一郎先生古稀祝賀・判例民事訴訟法の理論上，下（1995 年）

長谷部　長谷部由起子・民事手続原則の限界（2016 年）

林　屋　林屋礼二・新民事訴訟法概要（2000 年）

判　民　判例民事法

百　選　民事訴訟法判例百選（別冊ジュリスト 5 号）（1965 年）

百選〈2 版〉　民事訴訟法判例百選〈第 2 版〉（別冊ジュリスト 76 号）（1982 年）

百選Ⅰ，Ⅱ　民事訴訟法判例百選Ⅰ，Ⅱ（別冊ジュリスト 114，115 号）（1992 年），同〈新法対応補正版〉（別冊ジュリスト 145，146 号）（1998 年）

＊Appendix の事件番号は新法対応補正版の番号を掲げた

百選〈3 版〉　民事訴訟法判例百選〈第 3 版〉（別冊ジュリスト 169 号）（2003 年）

百選〈4 版〉　民事訴訟法判例百選〈第 4 版〉（別冊ジュリスト 201 号）（2010 年）

百選〈5 版〉　民事訴訟法判例百選〈第 5 版〉（別冊ジュリスト 226 号）（2015 年）

百選〈6 版〉　民事訴訟法判例百選〈第 6 版〉（別冊ジュリスト 265 号）（2023 年）

福永古稀　福永有利先生古稀記念・企業紛争と民事手続法理論（2005 年）

プラクティス　司法研修所編・民事訴訟のプラクティスに関する研究（1989 年）

法教〈2 期〉1 号～8 号　法学教室〈第 2 期〉（ジュリスト別冊）1 号～8 号（1973～1975 年）

法律実務(1)～(6)　岩松三郎＝兼子一編・法律実務講座民事訴訟編

	1巻〜6巻（1958〜1962年）
本間古稀	本間靖規先生古稀祝賀・手続保障論と現代民事手続法（2022年）
松本＝上野	松本博之＝上野桊男・民事訴訟法〈第8版〉（2015年）
松本・抗告審ハンドブック	松本博之・民事・家事抗告審ハンドブック（2020年）
松本・控訴審ハンドブック	松本博之・民事控訴審ハンドブック（2018）
松本・上告審ハンドブック	松本博之・民事上告審ハンドブック（2019）
松本・人訴法	松本博之・人事訴訟法〈第4版〉（2021年）
松本古稀	松本博之先生古稀祝賀論文集・民事手続法制の展開と手続原則（2016年）
三ヶ月・研究(1)〜(10)	三ヶ月章・民事訴訟法研究 一巻〜十巻（1962〜1989年）
三ヶ月・全集	三ヶ月章・民事訴訟法（法律学全集）（1959年）
三ヶ月・双書	三ヶ月章・民事訴訟法（法律学講座双書）〈第三版〉（1992年）
三ヶ月古稀(上)(中)(下)	三ヶ月章先生古稀祝賀・民事手続法学の革新 上巻，中巻，下巻（1991年）
民事法の諸問題Ⅰ〜Ⅴ	近藤完爾＝浅沼武編・民事法の諸問題（実務的研究）Ⅰ巻〜Ⅳ巻，宮川種一郎＝中野貞一郎編・同Ⅴ巻（1965〜1971年）
民訴演習Ⅰ，Ⅱ	中田淳一＝三ヶ月章編・民事訴訟法演習Ⅰ，Ⅱ（1963，1964年）
民訴講座(1)〜(5)	民事訴訟法学会編・民事訴訟法講座 1巻〜5巻（1954〜1956年）
門口退官	門口正人判事退官記念・新しい時代の民事司法（2011年）
山木戸・研究	山木戸克己・民事訴訟理論の基礎的研究（1961年）
山木戸・人訴法	山木戸克己・人事訴訟手続法（法律学全集）（1958年）
山木戸・論集	山木戸克己・民事訴訟法論集（1990年）

山木戸還暦(上)(下)	山木戸克己教授還暦記念・実体法と手続法の交錯(上)(下)（1974，1978年）
山本・基本問題	山本和彦・民事訴訟法の基本問題（2002年）
山本・研究Ⅰ	山本和彦・民事訴訟法の現代的課題（民事手続法研究Ⅰ）（2016年）
山本弘・研究	山本弘・民事訴訟法・倒産法の研究（2019）
立法資料全集(10)～(14)	松本博之＝河野正憲＝徳田和幸編著・日本立法資料全集10～14民事訴訟法（大正改正編）(1)～(5)(1993年)
竜嵜還暦	竜嵜喜助先生還暦記念・紛争処理と正義（1988年）
理論と実務(上)(下)	塚原朋一＝柳田幸三＝園尾隆司＝加藤新太郎編・新民事訴訟法の理論と実務(上)(下)（1997年）

著者紹介

伊藤　眞（いとう まこと）

略　歴

1945年2月14日，長野県上田市に生まれる。

駒場東邦高校を経て，1967年東京大学法学部卒業。

東京大学法学部助手，名古屋大学法学部助教授，一橋大学法学部教授，東京大学大学院法学政治学研究科教授，早稲田大学大学院法務研究科客員教授，日本大学大学院法務研究科客員教授，創価大学大学院法務研究科客員教授を経て，

現在，東京大学名誉教授，日本学士院会員，弁護士（長島・大野・常松法律事務所）。

主要著書

民事訴訟の当事者（1978年，弘文堂）

債務者更生手続の研究（1984年，西神田編集室）

破産――破滅か更生か（1989年，有斐閣）

法律学への誘い〈第2版〉（2006年，有斐閣）

破産法〈第4版補訂版〉（2006年，有斐閣）

千曲川の岸辺（2014年，有斐閣）

続・千曲川の岸辺（2016年，有斐閣）

会社更生法・特別清算法（2020年，有斐閣）

消費者裁判手続特例法〈第2版〉（2020年，商事法務）

倒産法入門――再生への扉（2021年，岩波書店）

民事司法の地平に向かって――伊藤眞　古稀後著作集（2021年，商事法務）

続々・千曲川の岸辺（2022年，有斐閣）

破産法・民事再生法〈第5版〉（2022年，有斐閣）

民事訴訟法への招待（2022年，有斐閣）

第1章　民事訴訟法への招待

人はなぜ争い，争いはなぜ裁判所に持ち込まれるのだろうか。裁判所に持ち込まれる争いは，本当に解決されるのだろうか。裁判官や弁護士たち法律家は，誰のために，何のために存在するのだろうか。争いの当事者たちは，法律家による法を基準とした解決に満足しているのだろうか。もし，満足しているとしたら，逆に，満足していないとしたら，それはいかなる理由によるものだろうか[1)]。裁判所における紛争解決の手段を規律する民事訴訟法の解釈・運用を考える場合には，これらの問いを念頭におく必要がある。

1　紛争解決の必要性

人間と人間とのかかわりには，無数の形態がある。その中で，もっともかかわりの強いものとして，愛情を媒介とした関係がある。夫婦あるいは親子などは，それを代表するものであろう。しかし，離婚事件や親子間の争いにみられるように，愛を基礎としたかかわりであっても，何かのきっかけで争いに転化することがある。いわんや，財産や経済的利益を基礎としたかかわりの場合には，当事者の主張が対立すれば，容易に紛争が発生する。

もちろん，いったん紛争が生じても，そのすべてが訴訟の形で裁判所に持ち込まれるわけではない。当事者自身が話し合い，合意に達することによって，紛争が解決されることも多い。理性的判断能力を備えた両当事者が事実関係を十分に把握し，健全な常識を発揮すれば，妥当な解決に達することが期待される。また，当事者自身に十分な能力がなくとも，弁護士に紛争解決を委ねるこ

---

1)「訴訟嫌い」の理由としては，時間・費用のかかることが挙げられるのが一般的であるが（小林秀之＝神田秀樹・「法と経済学」入門114頁（1986年）），そのほかに「重苦しい雰囲気」，「わかりにくい判決文」に象徴される，裁判のわかりにくさが指摘される。竜嵜喜助・裁判と義理人情8頁（1988年）参照。後に述べるように，平成民事訴訟法改正の目的の1つは，これらの問題の解決にあった。また，最近の調査では，時間や費用のほかに，「知られたくない」ことなどが利用阻害要因として挙げられ，逆に，敗訴当事者であっても，手続主宰者である裁判官の姿勢によっては満足度が高いことも指摘されている。菅原郁夫ほか編・民事訴訟の実像と課題（2021年）参照。

とによって，合理的な交渉・解決が実現されることも多い[2)]。しかし，代理人たる弁護士がいかに優れた交渉能力をもっていても，合意による解決に至らない場合もある。神の目からは1つの事実であっても，それぞれの見方によっては，その内容が違うこともありうるし，また，法律的な考え方が食い違うこともあろう。極端な場合には，自己の側の主張に何の根拠もないことを知りながら，それに固執する当事者もいる。

2　自力救済による解決

自力救済とは，当事者が，裁判手続によることなく，自らの実力によって自己の権利を実現，確保，あるいは回復することであるといわれる。近代法は，自力救済に対して必ずしも肯定的ではないが，社会に存在する紛争のすべての解決を裁判所が引き受けることができない以上，一定の範囲での自力救済が存在することは認めざるをえない[3)]。しかし，自力救済には，多くの問題が含まれている。

たとえば，ある者が，目的物が自己の所有に属することを主張して，その引渡しを相手方から求めようとする場合に，その目的物がその者に帰属する客観的根拠を見いだすことは難しい。交渉による解決の場合には，当事者間の合意という事実が解決の正当性を基礎づける根拠となるが，自力救済の場合には，単に一方当事者の権利主張があるにすぎない。一方当事者の主張事実が真実であるかどうか，またその事実を前提とすれば，法律または条理上，財産への支配権が認められるかどうかについては，何らの客観的根拠がないといっても過言ではない。したがって，紛争解決のために自力救済が許される範囲は，極めて限られたものと考えざるをえない。

---

2)　石原寛・正義と愛143頁以下（1985年），小島武司＝法交渉学実務研究会編・法交渉学入門3頁以下（1991年），和田仁孝・民事紛争交渉過程論9頁以下（1991年），廣田尚久・紛争解決学〈新版増補〉103頁以下（2006年）など参照。

3)　注文主甲は，鋼製型枠の製作を請負人乙に注文し，請負代金を提供して，その引渡しを求めたが，乙は引渡しに応じない。甲は，直ちに目的物の引渡しを受けないと自己の事業に支障を来すという切迫した状況にあったために，乙に無断で乙の工場内から目的物を運びだした。甲の乙に対する損害賠償義務，乙の甲に対する占有訴権が問題となる。東京地判平成元・2・6判時1336号112頁，最判昭和40・12・7民集19巻9号2101頁参照。一般には，極めて限定的に自力救済の適法性が認められているが，近時は，事態の緊急性，あるいは手段の相当性などを考慮して，より広い範囲で適法性を認める傾向にある。髙橋一修「自力救済」岩波講座・基本法学8巻63頁，80頁（1983年）参照。

第1節　民事紛争解決のための諸制度

紛争は，私人間の利益主張が対立するところから生じる。先にみたように，この対立が交渉によって解決される場合でも，また，自力救済によって解決される場合でも，解決内容が客観的に正当なものであるという保障は存在しない。そこで，解決内容の正当性を保障するための方策としては，次のようなものが考えられる。第1は，対立当事者以外の中立的第三者に紛争解決の役割を与えることである。この第三者を中立的解決機関と呼ぶ。第2は，解決内容が真実に立脚し，かつ，法や条理など，社会が正当とみなす解決基準が適用されていることである。これを正当な解決基準と呼ぶ。

紛争解決のための制度には，さまざまなものがあるが，社会的に正当なものとみなされている紛争解決制度であれば，程度の差こそあれ，この2つの特徴を備えているといってよい。ADR と通称される裁判外紛争解決手続に関する規律を定めた「裁判外紛争解決手続の利用の促進に関する法律」（平成16法151）においても，このことが前提とされている。なぜならば，紛争解決機関の中立性および解決基準の正当性を欠く紛争解決制度は，社会的に受け入れられないからである。もっとも，このような特徴を備えた紛争解決制度にもさまざまなものがある。ここでは，その中で裁判所が関与する公的な制度を取り上げる。公的な制度とは，それが納税者たる国民の負担によって支えられていることを意味する。

第1項　調　　停

私人や民間機関が行う調停（民間調停。上記「裁判外紛争解決手続の利用の促進に関する法律」令和5年改正が，「特定和解」として一定の要件の下に合意に執行力を認めたことについては，福田敦ほか「裁判外紛争解決手続の利用の促進に関する法律の一部を改正する法律の解説」NBL 1246号28頁（2023年）参照）は別にして，公の制度として行われる調停には，いくつかの種類がある。その中で，裁判所が関与して行われるものとして，一般民事事件について行われる民事調停（民調2）と，家事事件について行われる家事調停（家事第3編）および労働審判手続における調停（労審1）とがある。紛争解決制度としての正当性に関する2つの視点からみると，これらの調停は，次のような特徴をもっている。まず，解決機関に関しては，裁判官または民事調停官や家事調停官と調停委員や労働審判員によって構成される調停委員会が紛争の解決にあたる（民調5～7・23の3，家事247・248，労審1・7）[4]。次に，解決基準についてはどうか。調停手続においては，調停委員会が当事者から事情聴取を行った上で，調停案を作成し，両当事者がこれについて合意することによって調停が成立する（民調16，家事268，労審29Ⅱ）。したがって，解決内容の正当性についての第1の保障は，両当事者の自由意思にもとづく合意にある[5]。

しかし，正当性の保障はこれに尽きるものではない[6]。調停による解決の内

4）　一般的社会常識に富む者，あるいは専門知識をもつ者を調停委員に任命することによって，妥当な解決がもたらされるということが，調停の長所の1つとしていわれる。プラクティス195頁，小島武司＝伊藤眞編・裁判外紛争処理法72頁〔横山匡輝〕（1998年）参照。なお，労働審判法（平成16法45）によって創設された労働審判手続における調停については，裁判官である労働審判官および労働審判員によって構成される労働審判委員会が調停機関となる。

なお，管轄の合意にもとづいて東京地方裁判所または大阪地方裁判所における専門性の高い調停委員会による知財調停手続が行われるのは，調停の紛争解決機能を重視したものであろう。三井大有ほか「新たな紛争解決手段としての知財調停手続」Law & Technology 85号31頁（2019年）参照。

5）　強制調停という概念がある。金銭債務臨時調停法（昭和7法26）は，当事者間に合意が成立しない場合であっても，裁判所が調停に代わる決定を行うことができること，およびこれに対する不服申立方法として即時抗告を規定していた（同法7～9）。したがって，即時抗告が却下されれば，当事者の意思とかかわりなく，調停が成立したのと同じ効果が生じる。その意味で，これが強制調停と呼ばれる。この制度は，戦時民事特別法（昭和17法63）によって，借地借家調停，商事調停にも拡大されたが，戦後，裁判を受ける権利との関係で違憲とされ（最大決昭和35・7・6民集14巻9号1657頁），廃止された。現行法でも調停に代わる決定の制度はあるが（民調17，家事284Ⅰ本文），異議申立てによって当然に効力が失われるので（民調18Ⅳ，家事286Ⅴ前段），強制調停の性質は認められない。調停制度の歴史と現状については，「〈特集〉調停制度100年」自正74巻1号17頁以下（2023年）参照。

ただし，山田文「調停に代わる決定の手続的規律に係る総論的検討」高橋古稀125頁は，同決定の機能からみた類型化を試み，訴訟に移行する可能性を考慮した手続保障の必要性を強調する。

なお，河野正憲「民事紛争解決システムの全体構造への一視角」実務民訴〔第3期〕(1)95頁，96頁は，調停の特質を結果の合意とするのに対し，仲裁の特質を前提の合意と呼ぶ。

6）　合意といっても，両当事者の自発的意思のみではなく，調停委員会の誘導・説得の契機が必然的に介在する。したがって，本文に述べるように，調停委員会がいかなる規準

容は，条理にかない実情に即したものでなければならない（民調1）。すなわち，調停機関たる調停委員会としては，調停案を作成するにあたり，まず争いの対象となっている事実関係を十分に把握し，それについて条理を適用しなければならない。解決基準として事実関係の把握が求められていること，および条理が適用されることが，調停による解決の正当性の保障として，法によって要求される[7)]。もっとも，解決基準についても，調停と民事訴訟との間には，差が存在することも否定できない。調停においては，解決基準として法を適用することは要求されておらず，調停案は，厳格に法に拘束されるものではなく，条理に反しない限りは，法と異なった内容をもつことも許される。また，事実に関しても，民事訴訟の場合には，法適用の前提となる事実，すなわち要件事実についてその存否を確かめなければならないのに対して，調停においては，条理の適用を前提として，事件の全体像を把握し，両当事者の実質的公平を実現するために必要な事実関係を捉えることが目的となる[8)]。

また，紛争解決機能に関しても，上に述べたような調停の特徴を反映して，民事調停法16条や家事事件手続法268条1項にいう裁判上の和解と同一の効力，すなわち確定判決と同一の効力には，執行力は含まれるが，既判力は含まれないとされている。これは，既判力が，法の適用を前提として，当事者間の権利義務を確定することを目的とするものである以上，調停にそれを認めることはできないし，他方，調停にもとづく強行的紛争解決の必要を考えれば，執行力を認めるのが合理的であるという判断にもとづく。

にもとづいて調停案を作成するかが，より重要になる。佐々木吉男・民事調停の研究〈増補版〉137頁，167頁（1974年），萩原金美「調停理論の再検討」講座民訴①253頁，258頁，棚瀬孝雄・紛争と裁判の法社会学212頁（1992年），三井喜彦「合意と解決(上)」判時1519号3頁，9頁（1995年）参照。

7)　条理とは，道徳，常識，社会一般の規範意識などを総合したものであると説かれる。小山昇・民事調停法〈新版〉105頁（1977年）参照。

8)　甲が服飾品を購入するために貸金業者乙から30万円を借り入れ，その返済を怠った。乙が元金，利息および損害金の支払を求めて調停を申し立てたところ，甲は，手許不如意であるので，10回の分割弁済であれば，支払に応じると陳述した。これに対して乙は，甲の配偶者である丙が分割弁済について連帯債務を負うのであれば，分割弁済を承諾すると陳述した。調停委員会としては，借入れの目的，その使途などを考慮して，調停案を作成することになる。このような視点から，近時，民事調停の機能強化が実践されている。伊藤眞ほか「〈座談会〉簡裁民事調停の機能強化について」判タ1383号5頁（2013年）参照。

第2項　仲　　裁

両当事者が，現に生じている紛争，または将来生じる可能性のある紛争の解決について，第三者である仲裁人の判断にしたがう旨の合意をすることを仲裁合意と呼ぶ（仲裁2Ⅰ）。仲裁は，裁判所において行われる手続ではなく[9]，納税者の負担において運営されているものでもない。その点からすると，仲裁を公的な紛争解決制度とすることには問題もある。しかし，法は，仲裁手続について規定を設け，また，仲裁手続における請求に時効の完成猶予および更新の効力を認め（仲裁29Ⅱ本文），さらに仲裁判断に確定判決と同一の効力を認めている（仲裁45Ⅰ本文）。したがって，現行制度上では，仲裁は，公的紛争解決制度に準ずる性質をもっている。実際上は，渉外的紛争に関する国際仲裁のように，紛争の両当事者に対して統一的裁判権が及ばない場合には，仲裁の紛争解決機能は大きい。また，知的財産紛争など当事者が手続の非公開性（秘匿性）を重視する場合にも，仲裁が選択される理由となる[10]。

紛争解決制度としての仲裁の特徴は，次の点に見いだすことができる。まず，紛争解決機関としての仲裁廷は仲裁人によって構成され，仲裁人は，当事者の合意によって選定されるものであるが，裁判官と同様の中立性が要求される[11]。次に，解決基準に関して，第1に仲裁廷は，仲裁法32条などの規定にもとづいて事実に関する審理を行うことが要求される。第2に，仲裁廷は，当事者の合意または仲裁廷の選択による法，および衡平と善などを事実に適用し

9）　もっとも，仲裁法35条は，一定の事項について裁判所が仲裁人に協力することを認めている。

10）　山口裕司「知的財産紛争の調停・仲裁等による柔軟な解決とODR普及に向けた課題」自正74巻4号13頁（2023年）参照。令和5年法律15号による仲裁法の改正は，暫定保全措置命令など，仲裁の機能を高めるために新たな制度を創設している。福田敦ほか「仲裁法の一部を改正する法律の解説」NBL 1244号4頁（2023年）。

11）　仲裁法18条1項は，裁判官に対するのと類似の理由にもとづいて仲裁人に対する忌避を認めている。そして，同条4項が定める仲裁人の開示義務は，当事者の忌避権を担保するためのものであり，開示義務違反は，それ自体が同法44条6項にもとづく仲裁判断の取消事由となる（猪股孝史「仲裁人の忌避事由」高橋古稀17頁参照）。最決平成29・12・12民集71巻10号2106頁は，同法18条4項括弧書にいう「既に開示したもの」に該当するかどうかにかかる判例である。取消事由が認められる場合でも裁判所の裁量によって仲裁判断取消申立てを棄却できるという，裁量棄却の法理との関係を検討するものとして，安達栄司「仲裁判断取消申立ての裁量棄却について」春日古稀695頁がある。

て，判断を形成することが要求される（仲裁36)。

調停の成立が，当事者の自由意思に委ねられているのに対して，仲裁人の仲裁判断は，当事者に対する拘束力をもち，かつ，仲裁法45条1項本文は，仲裁判断に確定判決と同一の効力を認める[12]。これは，調停の場合と異なって，仲裁においては，あらかじめ仲裁合意の形で，仲裁判断の拘束力について当事者間の合意がなされているためである。

第3項　民事訴訟

これまで説明した諸制度に比較すると，民事訴訟は，次のような特徴をもっている。

第1に，中立的紛争解決機関として，裁判所が手続を主宰する。調停や仲裁においても，裁判官や裁判所が手続に関与することはあるが，訴訟の場合には，これと異なって，原告から紛争解決について裁判所の判断を求める申立て，すなわち訴えが提起された以上，裁判所は，それに対する判断の責任を負う。裁判所は，当事者間に合意が成立しないこと，あるいは事実が不明であることなどを理由として判断を拒絶することは許されない。

第2に，紛争解決基準としては，実体法が適用される。したがって，民事訴訟において審判の対象となるのは，実体法の適用によって解決が可能な，法律上の権利義務をめぐる争いである。

第3に，相手方である被告の側は，訴えが提起されたことによって，応訴の

---

12)　もっとも，調停調書には当然に執行力が認められるのに対して，仲裁判断の場合には，仲裁法45条1項但書にもとづいて執行決定を得なければ，執行力が認められない。執行決定が執行力を形成するものか，確認するものかという説明の違いはともかく，このような制度の背後には，国家機関ではない仲裁人の判断には，当然には債務名義としての効力を認めえないという考え方がある。小山昇・仲裁法〈新版〉223頁（1983年），河崎祐子「仲裁制度の法的位置づけ」関西法律特許事務所　開設五十五周年982頁参照。また，裁判の形式が判決でなく決定とされているのは，簡易迅速な判断の実現を可能にするためである。近藤昌昭＝片岡智美「仲裁法の概要」NBL 769号40頁，46頁（2003年）参照。

しかし，執行決定が確定すれば，民事執行法35条1項後段にいう「裁判以外の債務名義」にはあたらないこととなり，その成立に関する瑕疵を理由として，仲裁判断の効力を争うことは許されず，また，確定判決の場合（本書585頁）と同様に，仲裁判断についての異議の事由は，仲裁判断がされた後に生じたものに限る。東京地判平成28・7・13判時2320号64頁（第一審），東京高判平成29・5・18判例集未登載（ジュリ1519号130頁参照）（控訴審）。

意思の有無にかかわらず，手続すなわち訴訟法律関係に組み込まれる。これを応訴強制と呼ぶ。かりに，被告が応訴のための訴訟行為を行わない場合であっても，その者を名宛人とする判決の言渡しがなされるし，その判決は両当事者に対する拘束力をもつ。

第2節　訴訟事件と非訟事件

民事訴訟は，私人間[13]の権利関係に関する紛争の解決を目的とするものであるが，同様に私人間の法律関係に関する裁判を目的として設けられている手続として，非訟事件がある。非訟事件は，以下に述べるような理由から民事訴訟，すなわち訴訟事件と区別されるものであるが，裁判所において行われるものであること，あるいは裁判所が手続を主宰し，公権的な判断を示す手続であることなどに訴訟事件との共通性も見いだせる。

訴訟事件と非訟事件の区別は，必ずしも絶対的なものではないが，両者は以下のような基準から一応の区別がなされる。

1　争訟性（紛争性）

民事訴訟は，これまで述べた他の制度とともに，私人間の紛争の解決を目的とするものであるが，非訟事件は，争訟性の程度の違いから非争訟的非訟事件と争訟的非訟事件とに分けられる。たとえば，法人の事務や清算の監督にかかる裁判（一般法人 86・209 など），あるいは家事事件手続法別表第1に掲げる成年後見，保佐または補助に関する事件などが，非争訟的非訟事件の例として挙げられる。司法権の本来的作用が紛争の解決にあると考えれば，非争訟的非訟事件は，司法権の本来的守備範囲に属するものではなく，むしろ行政権の範囲に含まれるものと考えられる。これが，裁判所が主宰する手続とされているのは，沿革的な理由にもとづくものであるとされてきた。

これに対して，争訟的非訟事件としては，たとえば，家事事件手続法別表第2に規定される婚姻等に関する審判事件や借地借家法 41 条以下に規定される借地条件変更事件が挙げられる[14]。したがって，紛争という視点からみた場

13）国家も，私法上の法律関係の主体としては，私人とみなされる。たとえば，国家賠償法上の国の地位がそれにあたる。

合，非訟事件の第1の特徴は，必ずしも紛争性をもたない非争訟的事件と，紛争性の明らかな争訟的事件の両者が含まれているところにあるといえよう。

2 裁量性

第2に，非訟事件の審判の対象は，実体法上の権利義務の存否とは区別される。借地権のような権利義務にかかわる場合であっても，非訟事件は，権利の存否内容を確定するものではなく，夫婦間の協力扶助の態様や借地条件のような権利の具体的態様を定めるものであり，その判断は確定力をもたない。これに対して，訴訟事件の場合には，権利義務の存否について既判力をもって確定することが目的とされているので，裁判所としては，権利義務についての判断の前提として，法規の適用，さらにその前提となる要件事実の存在の判断をすることが必要になる。いいかえれば，民事訴訟における裁判所の判断は，最終的には要件事実，およびそれにもとづく権利義務の存否の判断に集約され，それ以外に裁判所の裁量的判断をいれる余地はない。

これに対して，非訟事件の場合には，権利義務の確定を目的とせず，したがって，要件事実存否の確定の必要もない。非訟事件における裁判所の判断について指摘される裁量性は，厳格な要件事実の認定や法律要件に拘束されずに裁判所が法律関係を形成しうることを意味する15)。

第3に，審理の方式が訴訟事件と非訟事件とで異なる。憲法82条1項は，裁判の対審および判決を公開法廷で行う旨を規定しているが，この対審とは，訴訟手続における口頭弁論を指すものと解されている。後に，第5章において述べるように，訴訟手続においては，裁判所の判断の基礎となる事実についての審理は，公開の法廷における口頭弁論期日を開いて行わなければならない。

---

14)　争訟性が強く，その実質は訴訟事件であるような非訟事件を，真正争訟（訴訟）事件と呼ぶことがある。鈴木忠一・非訟・家事事件の研究326頁（1971年），佐上善和「我国における真正訴訟事件の展開(2)」龍谷法学6巻3・4号321頁，336頁（1974年）参照。
　家事事件手続法244条括弧書が，同法別表第1に掲げる事件を調停の対象外としていることにも，当該事項の性質とともに，争訟性の違いが現れている。

15)　もっとも，裁量性といっても一様なものではない。夫婦の同居義務の態様（民752，家事別表第2Ⅰ），婚姻費用の分担（民760，家事別表第2Ⅱ）などのように，裁量性が高いものもある一方，破産手続開始の決定（破30），後見開始の審判（民7，家事別表第1Ⅰ）のように，裁量性が低いものもある。基本的考え方については，新堂幸司「訴訟と非訟」争点12頁，14頁参照。

これは，訴訟手続が権利義務の確定を目的とするために，公開の法廷において両当事者に対等な主張・立証の機会が与えられなければならないという考慮にもとづくものである。これに対して，非訟事件は，先に述べたように，権利義務の確定を目的とするものではなく，したがって，審理手続を公開の口頭弁論によって行う必要はない[16]。

3　訴訟事件の非訟化

訴訟事件と非訟事件との間には，以上のような区別がなされる。しかし，実際には，両者の区別は相対的なものである。

第1に，権利義務に関する実体法の要件事実の定め方が，個別具体的な事実ではなく，「正当の事由」（借地借家6・28），「婚姻を継続し難い重大な事由」（民770 I ⑤）などのように，裁判所による評価を前提とする事実を規定することがある。このような要件事実の存否については，必然的に裁判所の裁量的判断の余地が大きくなり，その面では，訴訟事件の審理と非訟事件の審理との間に連続性が認められる[17]。

第2に，同一の権利義務について，その存否の争いとその態様についての争いが分けられる。たとえば，夫婦の同居義務の存否と，同居の時期あるいは場所などの態様，また借地権の存否と，借地条件との関係も同様である。このような場合に，権利義務の態様を非訟手続によって定めるとすれば，実際上権利の存否自体が非訟手続によって決せられるのと同様の結果とならないかとの危惧が生じる。かりにそのような結果が生じるとすれば，憲法82条に違反しないかどうかの問題を考えなければならないが，判例は，この問題について次のような基準を立てる。

すなわち，権利義務関係の存否そのものを確定するためには，訴訟手続によらなければならないが，権利義務が存在することを前提として，その具体的内容を形成することは，非訟手続によることが許されるというのである[18]。判

16）　非訟事件手続法30条。職権による事実の調査および証拠調べ（非訟49 I），決定の形式による裁判（非訟54），および裁判の自己拘束力の欠如（非訟59）などの特徴も，このことを基礎としたものである。

17）　三ヶ月・研究(5)94頁参照。

18）　前掲最大決昭和35・7・6（注5）（金銭債務），最大決昭和40・6・30民集19巻4号1089頁〔百選〈6版〉1事件〕（夫婦同居義務），最大決昭和40・6・30民集19巻4号

決手続ではない非訟事件の裁判には，既判力は存在しないので，かりに非訟手続によって権利の内容が定められたとしても，後に判決手続において権利そのものの存在を否定することが妨げられるわけではない。

このように，訴訟事件と非訟事件との間には，一応の区別が立てられるが，そのことは，手続保障など訴訟事件において通用している基本的理念が非訟手続において価値をもたないことを意味するものではない。非争訟的非訟事件においても，裁判を受ける者に対する手続保障は重要であり，また，争訟的非訟事件においては，係争利益にかかわる利害関係人が対立するわけであり，裁判所が判断を下す前提として，利害関係人に対して主張・立証の機会を与える必要は，訴訟事件と同じく存在する。ただし，その手続保障の必要が，訴訟事件における弁論主義のように，厳格な形をとらず，実質的に主張・立証の機会を保障すれば足りるという形で現れるところに，非訟事件の特徴がある[19)]。

4　非訟事件手続法および家事事件手続法の制定

平成23年に成立した非訟事件手続法（平成23法51）および家事事件手続法（平成23法52）は，前者が非訟事件手続の一般法として，後者が家事に関する非訟事件手続の特別法として，上記のような視点を踏まえて，非訟事件に関する適正な審理と裁判を実現するために，手続保障に関していえば，以下のような新たな規律を設けている[20)]。

まず，非訟事件手続法においては，当事者等の手続保障を図るための制度の拡充として，①裁判の結果に対する利害関係を有する者が手続に主体的に関与し，参加人として主張や反論等の手続行為をすることができるようにしたこと

1114頁〔続百選85事件〕（婚姻費用分担義務），最大決昭和41・3・2民集20巻3号360頁（遺産分割義務）。

19）　非訟事件における手続保障については，山木戸・研究59頁以下，佐上善和「家事審判における当事者権」新実務民訴(8)73頁，84頁以下など参照。また，民事訴訟法187条2項は，決定手続における手続保障原則を一般的に定めたものである。この新設によって，民事保全法30条などの特別規定が削除された。

なお，婚姻費用分担の審判における手続保障の必要性を判示するものとして，最決平成20・5・8判時2011号116頁〔百選〈4版〉A1事件，平成20重判解・民訴8事件〕がある。

20）　以下は，主として，金子修「非訟事件手続法及び家事事件手続法の概要」民事月報66巻6号9頁以下（2011年）によっている。なお，旧非訟事件手続法は，「外国法人の登記及び夫婦財産契約の登記に関する法律」と名称を改めて存続し，旧家事審判法は廃止された。金子・前掲論文10頁，11頁。

（非訟20・21），②その前提として事件記録の閲覧謄写に関する制度を新設したこと（非訟32），③裁判所が事実の調査を行ったときには，その結果が当事者による非訟事件の手続の追行に重要な変更を生じうるものと認めるときは，これを当事者および利害関係参加人に通知し（非訟52），証拠調べについても，当事者に申立権を認める（非訟49Ⅰ）ほか，民事訴訟法の規定を準用し，文書提出命令の発令も可能にしたこと（非訟53），抗告審は，原審における当事者等の陳述を聴かなければ，原裁判所の終局決定を取り消すことができないとしたこと（非訟70）などが注目される。

また，争訟的非訟事件について，当事者の意思を尊重した解決を実現するために，和解や調停制度を創設したことも（非訟65，民調20Ⅳ），手続保障に関連する新たな特徴として挙げられる。

次に，家事事件手続においては，手続保障を図る視点から上記①に対応する参加の制度を設けたこと（家事41・42），上記②と同様に，未成年者の利益や個人のプライバシーに深くかかわる家事事件の特質に配慮しながら，事件記録の閲覧謄写に関する制度を整備したこと（家事47），上記③と同様に，家庭裁判所は，事実の調査をした場合において，その結果が当事者による家事審判の手続の追行に重要な変更を生じうるものと認めるときは，これを当事者および利害関係参加人に通知し（家事63），また証拠調べについても，民事訴訟法の規定を準用し，文書提出命令の発令も可能にしたこと（家事64），④意思能力のある子供を手続に参加させる（家事42Ⅲ）にあたって，弁護士を手続代理人に選任する可能性を認めたこと（家事23Ⅱ）などが新たな特徴である。

さらに，⑤紛争性が高いとみられる「家事調停をすることができる事項についての家事審判の手続の特則」として，原則として家事審判の申立書の写しを相手方に送付するものとしたこと（家事67Ⅰ本文），審判をする前に裁判所が当事者の陳述を聴取するのを原則としたこと（家事68Ⅰ），事実の調査として審問の期日において当事者の陳述を聴くときは，他の当事者の立会権を認めるのを原則としたこと（家事69），事実の調査をしたときは，家庭裁判所は，特に必要がないと認めるときを除いて，その旨を当事者および利害関係参加人に通知しなければならないとしたこと（家事70），審理の終結概念を導入して（家事71），攻撃防御の終期を明らかにし，審判日を定める（家事72）こととしたこと，抗告審は，原審における当事者等の陳述を聴かなければ，原裁判所の終局決定を取り消すことができないとしたこと（家事89Ⅰ）などが注目される。

また，家事調停事件における調停成立方法の拡充として，高等裁判所における調停成立の可能性を認めたり（家事274Ⅲ），調停条項案の書面による受諾の制度を創設したことも（家事270），当事者の意思を尊重した解決を実現するためのものとして，手続保障に関連する新たな特徴ということができる。

第3節　付随手続・特別手続

これまでの説明では，民事訴訟は，私人間の権利義務または法律関係をめぐる紛争について，裁判所が公権的な判断を下す手続であることを前提としてきた。これは，狭義の民事訴訟手続を念頭においたものであり，通常，判決手続と呼ばれる。しかし，民事訴訟の概念は，広義では，以下に説明する付随手続および特別手続を含むものとして，より広い意味で使われることがある。ただし，本書では，単に民事訴訟というときには，狭義の概念を意味する。

第1項　付随手続[21)]

判決手続によってその存在が確定される権利のうち，原告が被告に対して給付を求める権利，すなわち給付請求権に関しては，被告が任意にその給付をなす場合を別とすれば，何らかの強制的手段によって給付の実現を図らないと，紛争の最終的解決は望めない。この目的のために，法は，判決手続に付随するものとして，いくつかの手続を設けている。

1　強制執行手続

確定判決や仮執行宣言付終局判決など，給付請求権の存在を公証する文書を債務名義として，国家機関たる執行機関が請求権の実現を図る手続が，強制執行手続と呼ばれる。沿革的には，判決手続と並んで，民事訴訟法によって規律されてきたが，現在では，民事執行法によって規律される。

21）類似の表現として，付随訴訟という概念がある。これは，再審訴訟（338）や執行判決請求訴訟（民執24）などのような特別の目的をもつ訴訟を指す。

2　民事保全手続

民事保全手続は，判決手続と強制執行手続とを連結する目的をもつ。権利実現のためには，まず，判決手続によって権利の存在を確定し，それを前提として強制執行手続によって権利の実現を図るのが，本来の筋道である。しかし，その間に被告の財産状態の変動や原告の窮迫などの事由が生じることによって，強制執行が実効性をもたなくなるおそれがある。そこで法は，執行によって実現されるべき請求権を保全するための暫定的措置として，被告たるべき者に対して現状の変更を禁止したり，または原告たるべき者のために一定の法律関係を形成したりすることを認める。これが，仮差押えおよび仮処分を内容とする民事保全の手続である。民事保全も，沿革的には民事訴訟法によって規律されてきたが，現在では，民事保全法によって規律される。

3　倒産処理手続

特定の債務者に対して，複数の債権者の権利が競合し，かつ，債務者の財産がすべての債権者に対して満足を与えるには不足している場合において，総債権者に対する公平な満足を図るための手続として，倒産処理手続がある。その種類としては，破産，民事再生，会社更生および会社法上の特別清算の4つがある。これらの手続においては，公平な満足を図るために，否認および相殺制限など特別の実体規定がおかれ，また，迅速な清算または債務者の経済的再生を実現するための手続規定が設けられている。その意味では，倒産処理手続を判決手続の付随手続とするのは，必ずしも適当ではない。しかし，倒産処理手続によって満足を与えられる権利についても，争いがある場合には，その確定は判決手続によって行われなければならず，したがって，倒産処理手続も判決手続と密接な関係をもっている。

第2項　特別手続

特別手続は，権利義務や法律関係を確定または実現する目的については，判決手続と共通性をもつものであるが，対象となる法律関係の特徴や訴訟手続による紛争解決についての当事者の意思に着目して，特別の手続が設けられるものである[22)]。

1　督促手続

金銭その他の代替物または有価証券の一定数量の給付を目的とする請求権について，簡易迅速な確定を行うための手続が，督促手続と呼ばれる（382以下）。請求権の特徴を考慮して，手続の第1段階としての裁判所書記官による支払督促に際しては，債務者に対する審尋がなされないこと（386Ⅰ），支払督促に対して債務者が異議を申し立てなければ，仮執行宣言が付されること（391），債務者の異議によってはじめて手続が通常の判決手続に移行すること（395）などに，簡易手続としての特色がある。

また，平成16年の法改正によって，電子情報処理組織（オンライン）による手続が整備され，令和4年の法改正によって，電子支払督促の制度が設けられた（387以下（未施行））。

2　労働審判手続

労働審判手続は，労働契約の存否その他の労働関係に関する事項について個々の労働者と事業主との間に生じた民事に関する紛争（個別労働関係民事紛争と呼ばれる）の迅速，適正かつ実効的な解決を図ることを目的とするものであり，労働審判法（平成16法45）および労働審判規則（平成17最高裁規2）によって規律される。手続は，当事者が裁判所に対して申立てをなすことによって開始し（労審5），審判は，裁判官である労働審判官および労働審判員によって構成される労働審判委員会によって行う（同7～10）。労働審判は，非公開で行われ（同16本文），非訟事件としての性質を有する（同29参照）[23]。

22）　1例として立案段階では，「新たな訴訟手続」（注49）と呼ばれ，対象となる法律関係の特徴や請求権の特質ではなく，当事者の意思を尊重して迅速な計画的審理を行おうとするものとして構想されたものがある。これに対しては，証拠方法の制限（中間試案第6甲案4）が適正な裁判を受ける権利を侵害するおそれがあることなどを理由とする慎重論（日本弁護士連合会・「民事訴訟法（IT化関係）等の改正に関する中間試案」に対する意見書52頁（2021年）），当事者の意思にもとづく選択権が確保されていれば問題はないとする積極論もあった（吉原裕樹「ウェブ裁判（裁判手続IT化）の憲法論」判時2481号103頁（2021年））。構想から立法までの経緯と概要については，垣内秀介「民事訴訟における手続の簡易化に関する覚書――法定審理期間訴訟手続の創設を契機として」曹時74巻6号3頁以下（2022年），日下部真治「法定審理期間訴訟手続に関する特則の創設と実務上の留意点」自正74巻3号26頁（2023年）が詳しい。

23）　もっとも労働審判手続は，争訟的性質を有するので，民事訴訟法の規定の類推適用が問題となる。川畑正文「非訟事件手続における民事訴訟法等の規定の類推適用について」判タ1251号60頁（2007年）参照。現在の運用状況と問題点を指摘するものとして，

労働審判においては，当事者間の権利を確認し，金銭の支払，物の引渡しなどの事項を定めることができる（同20Ⅱ）。労働審判に対して適法な異議の申立てがあると，審判はその効力を失い（同21Ⅲ），労働審判申立ての時に訴えの提起があったものとみなす（同22Ⅰ）。これに対して，適法な異議の申立てがないときは，裁判上の和解と同様の確定判決と同一の効力が労働審判に認められる（同21Ⅳ，民訴267）。このように，労働審判手続は，民事訴訟手続との連携を確保しつつ，個別労働関係民事紛争の適正かつ迅速な解決を図る手続としての特質を有する[24]。

3　手形・小切手訴訟

手形・小切手訴訟は，手形金などの請求についての特別手続であり，昭和39年の改正によって新設された（350以下）[25]。口頭弁論の方式によって審理がなされる点では，判決手続と共通性があるが，証拠調べの対象となる証拠方法が手形などの文書に限定され，迅速な審理が予定されているところに特色がある（352）。もっとも，手続保障の要請から，当事者は，終局判決に対する異議申立権を与えられており，異議申立てによって手続は，通常の判決手続へ移行する（357・361）。

4　少 額 訴 訟

少額訴訟は，60万円以下の金銭の支払を求める請求についての特別手続であり，現行法によって創設され（368以下），平成15年改正によって，訴額の上限が30万円から60万円に引き上げられた。口頭弁論の方式によって審理がなされる点では，通常の判決手続と共通性があるが，原則として1回の期日で審理が終結すること（370Ⅰ），証拠が即時に取り調べうるものに限定されること（371），判決が弁論終結後直ちになされること（374），判決において支払猶予を命じうること（375），不服申立手段として控訴が許されず（377），受訴裁判所に対する異議のみが認められること（378）などの手続に関する特則がある。これらはいずれも，少額の金銭請求について，迅速，かつ，当事者の実質

渡辺弘「労働審判制度の理論と運用」高橋古稀137頁がある。

24）　近藤昌昭＝齊藤友嘉・知的財産関係二法・労働審判法306頁（2004年）。なお，労働審判手続と訴訟手続が併存することは可能であるが，労働審判事件が終了するまで訴訟手続を中止する余地が認められていることも（労審27），この手続の特質を示すものである。

25）　宮脇幸彦編・手形訴訟関係法規の解説8頁以下（1965年）参照。

的公平に即した裁判を実現しようとするものである。もっとも，少額訴訟が原告の利益を優先していることとの均衡から，被告には通常手続への移行申述権が与えられる（373）。

5　法定審理期間訴訟手続

法定審理期間訴訟手続とは，令和4年民事訴訟法改正との関係によって新設された手続であり（未施行。前述（注22）），当事者の意思にもとづいて（381の2Ⅰ柱書本文ⅡⅢ・381の4Ⅰ①），裁判所が適切と認める事件について（381の2Ⅱ），法定の審理期間を定め，迅速に訴訟を進めるところに特徴がある。しかし，当事者間に訴訟追行能力の差異がありうる消費者契約に関する訴えと個別労働関係民事紛争に関する訴えは，対象外である（同Ⅰ①②）。

手続の流れとしては，裁判所が，法定の期間内に口頭弁論期日，弁論準備期日，口頭弁論終結期日，判決言渡期日，攻撃防御方法の提出や証拠調べをなす期間を定め（381の3Ⅰ～Ⅴ），迅速に手続を進める点に特徴がある。ただし，当事者の申出にもとづき，または審理の状況を考慮した裁判所の判断にもとづいて通常の手続への移行の可能性が認められている（381の4）。そして，電子判決書（本書555頁）の内容についても，特則を設けている（381の5）。

終局判決に対する不服申立ての方法として控訴が禁止され（381の6本文），異議申立てが許されることもこの手続の特徴である（381の7）。適法な異議があったときは，訴訟は，口頭弁論の終結前の程度に復し，通常の手続によってその審理および裁判をする（381の8Ⅰ）。基本的構造は，3に述べた手形・小切手訴訟と同様である。

6　人事訴訟

婚姻または親子などの人事法律関係に関する訴訟（人訴2）も，特別手続の1つである。法は，人事法律関係については，真実発見の要請があり，当事者の私的自治に委ねることが適当でないこと，また画一的確定の必要があることなどを考慮し，判決効の拡張（人訴24Ⅰ）などの特別規定をおいている。職権証拠調べ（人訴20）や当事者尋問等の公開停止（人訴22）も，人事法律関係に係る適正な裁判を実現するための特則である。

7　行政訴訟

行政庁による行政処分の効力を争う訴訟などが行政訴訟と呼ばれる。行政訴訟においても，争いとなる法律関係が公益にかかわることを考慮して，釈明処分の特則（行訴23の2）や，職権証拠調べの規定がおかれ（行訴24），また，行政処分が多数の者の権利・利益に影響を及ぼすことを考慮して，判決効の拡張（行訴32Ⅰ）などの特別規定がおかれている。

8　刑事訴訟手続にともなう犯罪被害者等の損害賠償請求に係る裁判手続

犯罪被害者やその一般承継人（犯罪被害者等と呼ばれる）は，不法行為たる犯罪にもとづく損害賠償請求権を民事訴訟によって行使することができるが，訴え提起や証拠の提出などの訴訟追行については，さまざまな困難が存在することが指摘されてきた。そこで，刑事訴訟手続に付随するものとして，犯罪被害者等の加害者に対する損害賠償請求権の実現を図るために，「犯罪被害者等の権利利益の保護を図るための刑事訴訟法等の一部を改正する法律」（平成19法95）によって，「犯罪被害者等の保護を図るための刑事手続に付随する措置に関する法律」（平成12法75。現在は「犯罪被害者等の権利利益の保護を図るための刑事手続に付随する措置に関する法律」）の改正として設けられたのが，この手続である[26]。

この手続は，私人である被害者等の権利実現を目的としているので，民事訴訟手続に属する（犯罪被害保護40参照）。また，刑事訴訟に付随して被害者の権利実現を図ろうとする点では，附帯私訴（旧刑訴567以下）と共通性を有するが，この損害賠償請求手続の審理は，刑事裁判中は行われず（法26Ⅰ），有罪の言渡しがあった直後から開始されることを原則とし（法30Ⅰ），刑事訴訟手続と民事訴訟手続との分離が維持されているのが，附帯私訴との違いである。

犯罪被害者等による損害賠償命令の申立てについて刑事被告事件の係属する地方裁判所が管轄裁判所となること（法23Ⅰ），任意的口頭弁論の方式によって審理がなされること（法29），審理の回数が制限されていること（法30Ⅲ），刑事訴訟記録を職権で取り調べること（同Ⅳ），決定の形式で裁判がなされること（法32Ⅰ），損害賠償命令には，仮執行宣言が付されうること（同Ⅱ）など

26）以下については，親家和仁＝森岡礼子「犯罪被害者等の権利利益の保護を図るための刑事訴訟法等の一部を改正する法律の概要」法律のひろば60巻11号14頁（2007年）および馬場嘉郎「犯罪被害者等の簡易迅速な被害の回復に向けて」同37頁参照。なお，同法については，平成20年法律19号，平成25年法律33号によって改正が加えられている。

が，簡易かつ迅速な手続によって犯罪被害者の権利実現を図るための手続の特徴である。ただし，当事者の裁判を受ける権利を保障するために，損害賠償命令の申立てについての裁判に対して当事者が異議の申立てをすれば，手続は，通常の民事訴訟に移行する（法33～37）。

第4節　民事訴訟の目的と理念――訴権論

民事訴訟の目的に関しては，古くから訴権論という議論の対立がみられた。訴権とは，直接には，原告がもっている訴えの提起権能を意味するものであるが，その内容をどう構成するかが，民事訴訟の目的をどのように考えるかという問題と重ね合わされて議論されてきた。ただし，問題を複雑にしたのは，この議論が，単に民事訴訟の目的論として行われたのではなく，実体法上の権利と訴権との関係をどのように考えるか，給付・確認・形成という訴えの3類型を統一的に説明できるか，あるいは訴訟要件の意義をどのように説明するかなどの問題ともかかわっていたことであった。また，後に述べるような訴訟物論，および既判力の客観的範囲をめぐる議論にも訴権論が影を落としていた[27)]。従来の訴権論をほぼその出現の前後に沿って整理すると，以下のようになる。

第1項　訴　権　論

1　私法的訴権説

訴訟が実体法上の権利をめぐる争いを解決するものであるとすれば，実体法上の権利が満足されない場合に，訴訟手続による満足を求める権能をその権利の一内容として位置づける考え方が生じる。このような考え方を，訴権は私権に含まれる権能であるという意味で，私法的訴権説と呼ぶ。しかし，この考え方に対しては，私権は私人である被告に向けられたものであるのに対して，訴権は，国家機関である裁判所に向けられたものであるから，異質なものであるという性質論，あるいは，確認訴訟の場合には，必ずしも原告の被告に対する権利の確定が求められるものではないこと，また，形成訴訟の場合にも，形成

27)　高橋(上)16頁以下参照。ただし，論者自身は，具体的問題の解決について目的論についての態度決定が不可避とはいえないとする。

原因の説明に破綻を来すことなどの批判がなされた[28)]。そこで，これ以後の学説は，私権と訴権とを区別し，後者を公法上の権利とする，いわゆる公法的訴権論に移行することとなった。

2　権利保護請求権説

この考え方は，当事者が自己に有利な本案判決を求める権利，すなわち権利保護請求権を裁判所に対してもち，これが訴権の内容であるとする[29)]。当事者は，相手方に対して，実体法上の権利をもつが，すでに述べたように，自力救済が禁止されている以上，その権利の保護のためには，裁判所に対して請求認容判決を求める以外にないというのが，この考え方の基本にある。請求認容判決がなされる前提としては，その権利保護のための実体法上の要件が満たされているかどうか，すなわち実体的権利保護要件が審査されなければならない。これは，いわゆる本案の問題である。

しかし，それ以前に，そもそも本案判決を求めることができるかという，訴訟的権利保護要件，すなわち訴訟要件の審査がなされる必要がある。このように，訴訟要件と本案要件とを理論的に区別した点に，権利保護請求権説の意義が認められている。しかし，原告の訴えに対して，実体的権利保護要件の欠缺を理由として請求棄却判決がなされた場合には，訴権が目的を達しなかったかどうか，その説明に窮することがこの考え方の欠点として指摘される[30)]。

---

28)　兼子一・実体法と訴訟法104頁，105頁（1957年）参照。

29)　木川統一郎「訴訟制度の目的と機能」講座民訴①29頁，松本＝上野6頁など参照。この考え方は，具体的訴権説とも呼ばれる。なお，権利保護請求権の公権性については，海老原明夫「公権としての権利保護請求権」法協108巻1号1頁（1991年）参照。

30)　なお，竹下守夫「民事訴訟の目的と司法の役割」民訴雑誌40号1頁以下（1994年）は，権利保護請求権説を権利保障説として再構成する（新権利保護説としてこれを支持するものとして，山本・基本問題15頁，同「民事訴訟の位置づけ」実務民訴〔第3期〕(1) 261頁（山本・研究Ⅰ33頁）がある）。純粋に目的論の次元で考えるのであれば，権利保障といっても，本書のように，法的基準にもとづいた紛争解決といっても大きな差異はない。しかし，目的論を原告の訴権の内容に反映させ，それに対応する裁判所の公法上の義務を考えるのであれば，後述の紛争解決説によらざるをえないと思われる。

また，山本弘「権利保護の利益概念の研究(2)」法協106巻3号401頁（1989年）（同・研究34頁）は，「権利保護の条件についても，裁判所の裁量の余地が否定されることによって，当事者，なかんずく原告の地位は，国家に対する『権利』性を取得しうるのである」と説いて，権利保護請求権説の意義を認めようとする。しかし，権利保護の前提となる事実の存否に関して，原告の主観的認識と裁判所の認識との間に相違が存在しうることは当然であり，原告の主観的要求ではなく，民事訴訟の目的を訴権の内容に反映させ

3　私法秩序維持説

この考え方は，民事訴訟をその設営者である国家の立場から考察し，私法秩序を維持し，その実効性を確保することが民事訴訟の目的であるとする[31)]。民事訴訟の機能として私法秩序の維持があることは否定できないが，私人の訴権について秩序維持自体を目的とすることは，憲法の基本的人権の考え方に照らしても是認できない。

4　紛争解決説

この考え方は，訴訟による紛争解決の要請が実体法に先行するという認識を前提として，紛争解決こそが民事訴訟の目的であるとする。したがって，訴権は，原告が本案判決による紛争解決を裁判所に対して求める権利として構成される。また，基本的には，この考え方に沿いながら，実体法が整備されている現在では，法的紛争解決を民事訴訟の目的とすべきであるという考え方も有力である。紛争解決説は，一方で，原告が民事訴訟を利用する目的を考慮し，他方，民事訴訟制度の設営者たる国家の利益をも尊重しているところから，民事訴訟の目的を矛盾なくして説明できるものとして，通説の地位を占めている[32)]。

本書では，紛争解決説を支持する。もちろん，歴史的にはともかく，実体法が整備されている現在では，紛争解決といっても，実体法が基準とされることは当然である。ただし，実体法の文言は完全なものではない。変化する社会の要請に応じるためには，その文言のみにとらわれては，真の紛争解決につながらず，民事訴訟の目的が実現されるとはいえない。裁判所としては，憲法を頂点とする法秩序全体を考察し，紛争解決の基準となる実体法を探求することが必要である[33)]。

ようとするのであれば，紛争解決説をとらざるをえない。

31)　齋藤5頁参照。なお，「消費者の財産的被害の集団的な回復のための民事の裁判手続の特例に関する法律」（本書214頁注*68*）において，消費者被害に関する特定適格消費者団体の当事者適格が認められたことなどを考慮して，私法秩序維持説の再評価を試みる動きもある。山本和彦「集団的利益の訴訟における保護」民商148巻6号606頁，636頁（2013年）（山本・研究I 479頁，508頁）。

32)　兼子25頁，三ヶ月・全集6頁など。

33)　その例として，人格権にもとづく差止請求権や景観利益の侵害を理由とする損害賠償請求権がある。新堂幸司「民事訴訟の目的論からなにを学ぶか(6)」月刊法教6号38頁

また，紛争解決は，法的基準にもとづいて行われなければならないと同時に，適正，かつ，迅速なものでなければならない。法適用の前提となる事実が，真実からかけ離れたものであっては，適正な解決とは考えられない。また，当事者に十分な主張・立証の機会を与えないままに行われる裁判も適正なものとはいえない。したがって，手続保障も適正な解決の内容である。さらに，遅延した解決も，当事者および民事訴訟制度を支える納税者の期待に反するものである。このように考えると，民事訴訟の目的としての紛争解決は，法的基準にもとづいた，適正，かつ，迅速なものでなければならない[34)]。

5　多　元　説

有力な学説は，民事訴訟の目的を1つに集約するのは困難であると主張し，制度の設営者の側からみれば，法的基準にもとづいた紛争解決が目的であり，他方，制度の利用者である当事者の側からみれば，権利保護が民事訴訟の目的であるとする[35)]。紛争解決の内容を上記のように理解すれば，用語の問題は別として，この多元説の結論と紛争解決説との間に大きな差異はないが，民事訴訟の目的を訴権の内容として構成しようとするのであれば，紛争解決説が優れている。

6　手続保障説

手続保障とは，審理の中で両当事者に対して主張・立証の機会を保障することと理解される。この意味での手続保障が民事訴訟の指導理念の1つであり，

以下（1981年），最判平成18・3・30民集60巻3号948頁〔平成18重判解・民10事件〕参照。

34)　山本和彦「民事訴訟の目的と機能」ジュリ971号206頁（1991年）が，民事訴訟の目的を公的サービスにあるとし，その内容として，迅速，公正などを説くのも，同様な考え方と理解される。伊藤眞「民事訴訟の目的再考――完結したミクロ・コスモスにならないために」実務民訴〔第3期〕(1)30頁参照。

なお，近時の議論として国の設営する民事訴訟と，国がその利用を推奨するADR（裁判外紛争解決手続。本書3頁）の両者を紛争解決のための制度として統一的に捉え，紛争解決における自己決定を保障するとの目的を設定する考え方がある。垣内秀介「民事訴訟制度の目的とADR」伊藤古稀127頁。

もちろん，紛争解決は民事訴訟の目的として設定するものであり，訴訟と判決によって直ちに紛争が解決されることを意味するものではなく，その後の強制執行や当事者間の自主的交渉による解決の基礎と位置づけるべきである。吉川愼一・請求権基礎12頁（2023年）参照。

35)　新堂6頁以下，新堂・前掲論文（注*33*）(8)月刊法教8号64頁（1981年），梅本1頁，小林秀之「民事訴訟の目的と構造」判タ801号32頁（1993年），小島50頁参照。

具体的には，弁論主義または弁論権の形をとって現れることについては，異論がない。しかし，従来の考え方においては，手続保障は，裁判所に判断の資料を提供するための手段を当事者に保障する理念であった。これに対して，有力な学説は，手続保障こそが民事訴訟の目的であるとする。すなわち，両当事者に対して行為責任規範に応じて，攻撃防御を尽くす機会を与えることこそが民事訴訟の目的であり，判決はその結果にすぎないという[36)]。ここでは，判決によって紛争解決がもたらされるものではなく，当事者間の自主的交渉によってはじめて紛争が解決されるものであり，訴訟および判決は，そのきっかけを与えるにすぎないという，伝統的訴訟観とは全く異なった考え方が示されている。

確かに，紛争は判決によって直ちに解決されるものではない[37)]。また，訴訟は，判決のみによって終了するものではなく，かなりの数の事件が訴訟上の和解（267），または裁判外の和解にもとづく訴えの取下げ（261）によって終了する。したがって，判決による訴訟の終了のみを念頭におき，かつ，判決によって直ちに紛争が解決されることを想定するのは，訴訟の紛争解決機能を十分に把握していない。

しかし，手続保障説のように，裁判所の公権的判断が紛争解決にとって意味をもたないとするのは，民事訴訟の本質を見誤ったものといわざるをえない。判決は紛争解決の基礎をなすものであり，当事者もそれを期待している。和解は，本質的には両当事者の合意であるが，適正な内容の和解が成立するためには，適切な争点整理がなされた上で，争点について裁判所がある程度の心証を形成し，それにもとづいて和解案を示すことが必要である[38)]。したがって，

---

36)　井上治典＝伊藤眞＝佐上善和・これからの民事訴訟法365頁，367頁〔井上治典〕（1984年），井上治典「手続保障の第三の波」新堂編・特別講義76頁，95頁など。その根底には，訴訟と訴訟外の紛争解決を連続的に捉えようとする姿勢がある。高橋(上)12頁以下参照。

37)　単純な金銭給付請求の場合であっても，執行力ある判決によって直ちに紛争が解決されるものではなく，現実に金銭給付がなされるまでには当事者間の交渉が必要な場合が多い。また差止請求などでは，この意味での交渉が不可欠であるといってもよい。伊藤・当事者4頁，118頁参照。

38)　プラクティス149頁も，「審理の経過と裁判所の心証を反映させながら，法的基準に照らしもっとも適正妥当と思われる和解案を示すのが訴訟上の和解の制度である」とする。

和解の場合であっても，裁判所の判断作用は不可欠であり，当事者に対する手続保障は，裁判所の判断資料が公平に形成されるための手段を保障する意義をもっている。しかし，手続保障説のように，手続保障を自己目的化することになると，裁判所の判断が紛争解決にもつ意味が見失われるし，また，解決基準としての実体法もその意味を失うことになる。さらに，真実発見や迅速な審理という民事訴訟の理念も否定されることにならざるをえない。以上のような理由から，民事訴訟の目的について手続保障説をとることはできない[39]。

第2項　民事訴訟の理念

民事訴訟の目的は，適正，かつ，迅速な紛争解決のための裁判所の判断を示すことにある。現実の訴訟においては，この目的は，当事者および裁判所の訴訟行為を通じてはじめて実現されるものである。そこで，裁判所や当事者の訴訟行為をいかなる指導理念の下に規律するかが目的の実現にとって重要になる。また，この指導理念は，訴訟行為を規律する訴訟法の解釈に関しても，意義をもつ。

1　当事者の意思の尊重

民事訴訟において審判の対象となる私人間の権利義務は，人事法律関係などを除けば，原則として，私的自治すなわち当事者の意思にもとづく処分に委ねられる。訴訟手続の中では，このことは，訴訟物に関する処分権主義および主張・立証に関する弁論主義の形をとって現れる。しかし，それにとどまらず，訴訟行為は当事者の自発的意思にもとづいてなされるべきものであるから，訴訟手続の運営に関する具体的な問題の解決にあたっては，最終的な判断権を裁判所に留保しつつ，それが合理的なものである限り，当事者の意思を尊重する必要がある[40]。

---

39)　小林秀之・民事裁判の審理61頁以下（1987年），吉野正三郎・民事訴訟における裁判官の役割154頁以下（1990年），松浦馨「民事訴訟とは何だろうか」判タ806号8頁，11頁（1993年）などが詳しい。

40)　実務の側からも協同的訴訟運営として説かれるところである。新しい審理方法39頁参照。さらに，当事者の意思を尊重するという視点から，通常手続のほかに，手形訴訟などの例にならって，証拠制限や上訴制限のある手続を設け，当事者の選択の幅を拡充すべきとの提言もある。福田剛久「21世紀仕様の民事訴訟」門口退官490頁。

2　手続の公益性

他方，訴訟手続の運営にあたっては，手続の安定という要請が強調される。訴訟は集団的現象であり，それを処理するための民事訴訟手続をいかに運用するかは，現にそれを利用している当事者の利益のためだけではなく，他の当事者の利益にも影響を及ぼす。たとえば，ある当事者の訴訟行為の効力を有効とするか，無効とするかは，当該当事者に対して影響を与えるだけではなく，将来別の事件において同様の訴訟行為をなす可能性のある者に対しても影響を及ぼす。訴訟行為の効力は，訴訟法規の解釈によって決定されるから，その解釈にあたっても，裁判所は，一方で当該事件の当事者の利益を考慮する必要があると同時に，他方では，手続の運営全体に与える影響をも顧慮しなければならない。

民事訴訟手続の公益性の概念は，後者の点を重視したものである。訴訟法は，訴訟という大量現象を公平に規律しなければならない役割を担っているものであり，その解釈も当事者の個別的事情にのみとらわれることはできない。他方，民事訴訟制度は，権利義務をめぐる当事者間の紛争について解決を与えるものであり，公益性の名の下に，当事者の利益が無視されてはならない。具体的問題に関する法解釈にあたっては，この2つの要請をどのように調和させるかが，重要な判断要素となる[41]。

3　適正――真実発見

民事訴訟における審判の対象たる権利関係は，原則として私的自治の原則に服するものであり，当事者の自由な処分に委ねられる。そのことを反映して，権利義務の基礎となる事実について，それを争うか争わないかの判断も，当事者に委ねられる。179条にもとづく自白の拘束力は，これを表現したものであり，より一般的には，このことは，弁論主義の原則として現れる。しかし，当事者間で争いとなっている事実に関しては，裁判所としては，真実を発見するよう努力しなければならない。民事訴訟においては，証拠の収集，提出は当事

41）訴訟行為についての私法規定の適用について，公益性を理由として全面的にこれを否定する考え方は，行き過ぎた公益性の強調である。新堂64頁，伊藤眞「民事訴訟法理論における『公益性』の観念の意味を明らかにせよ」法教〈2期〉1号138頁（1973年）参照。

者の責任に委ねられているが，そのことは，当事者が証拠を収集する手段を充実させなくてもよいということを意味するものではないし，自己に不利な事実・証拠を隠匿することを正当化するものでもない。また，裁判所が，当事者に対して事実・証拠の提出を促し，あるいは，経験則を探ることによって真実発見の努力をしなくてもよいということを意味するものでもない[42]。

憲法32条にもとづく裁判を受ける権利が実質的に保障されるためには，当事者としては，争いとなっている事実について，収集しうる最大限の証拠にもとづいて，できる限り真実に近い事実認定がなされることを期待するし，また民事訴訟制度を支える納税者も，納得しうる裁判という視点から，真実発見を期待する。このように考えると，当事者および裁判所に対して，争いとなる事実について真実を発見するために，できる限りの手段を与えることが，民事訴訟の理念の1つとなる。

4　適正――手続保障

先に民事訴訟の目的について説明したように，当事者に対して主張・立証の機会を与えること，すなわち手続保障自体が民事訴訟の目的になるわけではない。しかし，逆に，民事訴訟の指導理念としての手続保障を軽視することはできない。確かに，民事訴訟において真実発見は重要なものであるが，双方当事者に公平に主張・立証の機会が与えられないままに認定された事実は，当事者にとって受け入れられるものにはならない。自然科学的事実と異なって，訴訟において認定される事実は，当事者および訴訟制度を支える納税者の納得を媒介とした，相対的なものにすぎないからである。そのような視点から考えると，両当事者に公平に主張・立証の機会が与えられるべきであるという手続保障の

42）　従来，真実発見は，裁判所の立場から強調されることが多かったが，当事者本人や代理人にとっても審理の目標となるべきものである。加藤新太郎・弁護士役割論〈新版〉271頁（2000年），同「民事事実認定と経験則」実務民訴〔第3期〕(4)54頁，日本弁護士連合会弁護士倫理に関する委員会編・注釈弁護士倫理〈補訂版〉37頁（1996年），弁護士職務基本規程（平成16年11月10日日本弁護士連合会会規70号）5条（信義誠実），加藤新太郎「民事事実認定の基本構造」小島古稀(上)320頁，山本・研究Ⅰ365頁，岡伸浩「民事訴訟における真実概念の多層的構造」慶應法学48号20頁，23頁（2022年）参照。手続保障を裁判の正当性の根拠として強調する論者も，真実発見が審理の目的であること自体は肯定する。田中成明「裁判の正統性」講座民訴①85頁，98頁。

また，松村和德・手続集中論18頁（2019年）は，真実発見，適正，迅速を統合する理念として手続集中を説く。

理念は，訴訟法規の解釈および訴訟手続の運用にあたって，常に念頭におかれるべき指導理念である（2）[43]。

また，裁判所だけではなく，当事者も，自己の法律上の主張を基礎づける事実および証拠を適時に相手方に提示することによって，それに対する相手方の反駁の機会を保障するよう努めなければならない。法および規則が当事者に対して課す，信義誠実にしたがった訴訟追行義務は，このような内容を含んでいる（2，民訴規53・79・80など）。

5　迅　　速

当事者にとって紛争は，経済的・心理的負担である。経済学の概念である機会費用の視点からみれば，その負担がなければ実現できたであろう他の利益はかなり大きなものとなろう。訴訟による紛争解決が長引けば長引くほど，当事者の負担は重くなる。また，当事者間の社会的・経済的関係は流動的なものであり，判決による解決が示されても，それがあまりに遅延したものである場合には，有効な解決機能をもたないことも多い。

加えて，裁判所の人的・物的能力も有限であるから，1つの訴訟について裁判所がかかわる時間が長引けば長引くほど，裁判所が他の訴訟に費やしうる時間が圧迫される[44]。この意味で，遅延した訴訟は，他の訴訟を圧迫すること

43）　手続保障が弁論主義などの審理の原則から判決効までを貫く理念であることについては，伊藤眞「学説史からみた手続保障」新堂編・特別講義51頁以下，須藤典明「高裁から見た民事訴訟の現状と課題——自由平等社会における民事裁判の役割」判タ1419号16頁（2016年）参照。また，山本和彦・前掲論文（注*30*）276頁（山本・研究Ⅰ111頁）は，主張や立証の機会を与えるという意味での枠組的手続保障と，その前提となる情報取得の手段を与えるという意味での内容的手続保障を分け，後者の重要性を説く。瀬木比呂志「これからの民事訴訟と手続保障論の新たな展開，釈明権及び法的観点指摘権能規制の必要性」栂＝遠藤古稀336頁がいう，形式的手続保障と実質的手続保障の区別も，これに対応する。

さらに，川嶋四郎「続・民事裁判における『手続的正義』・小考」上野古稀185頁は，弁論の再開（本書317頁）や文書提出命令申立てに関する即時抗告（本書485頁）などの場面でも，手続運営に関する基本理念としての手続的正義が問題となることを指摘する。

また，伊藤眞「実態解明と秘匿特権との調和を求めて（En quête de l'harmonie）——課徴金賦課手続における実質的手続保障の必要性」判時2367号129頁（2018年）は，主張・立証の機会が与えられることに加えて，それを裏付ける情報を取得し，自らの判断で手続に提出する手段が整備されていることを実質的手続保障と呼ぶ。

44）　訴訟遅延の原因としては，①主張整理，証人尋問，判決書の起案などに時間がかかること，②裁判所および当事者の意識，③訴訟制度が日本の風土にあっていないこと，④

になる。さらに，訴訟が遅延することは，紛争が長期間放置されるという意味で，社会的不安定要因となり，納税者にも不利益を与える。このように考えると，遅延した訴訟は，当事者に対しても，裁判所に対しても，また納税者に対しても，それぞれ不利益を与える。「裁判の迅速化に関する法律」（平成15法107）は，このような考え方にもとづいて，第一審の訴訟手続について2年以内のできるだけ短い期間内にこれを終結させることなどを目標として掲げ（裁判迅速化2Ⅰ），その目標を実現するために国，日本弁護士連合会，裁判所および当事者の責務などを規定している。

それでは，迅速な審理とは，いかなる手段によって達成されるものであろうか。その詳細は，第5章において説明するので，ここでは，その要点を示すにとどめる。当事者間の紛争が訴訟の形をとって裁判所に持ち込まれた場合に，最初になすべきことは，当事者間において何が真の争いかを発見することである。この作業が争点整理と呼ばれる。争点整理の結果，争点が圧縮されれば，紛争解決についての当事者の合意が成立しやすくなる。すなわち，訴訟上の和解の成立可能性が高まり，紛争は早期に解決される。また，和解が成立しない場合であっても，証拠調べが必要となる争点が整理・圧縮される結果として，証拠調べに要する時間が集中，かつ，短縮され，新鮮な心証にもとづいた，迅速な判決言渡しが可能になる。

このように迅速な審理は，適切な争点整理，それにもとづく適正な審理と不可分に結びついている。従来，迅速と適正とはあたかも矛盾する理念であるよ

訴訟に納期がないことなどが挙げられている。第一東京弁護士会民事訴訟促進等研究委員会「新民事訴訟手続試案（迅速訴訟手続要領）」ジュリ914号40頁，41頁（1988年）。また，過度の完璧主義，精密司法化についても反省すべき点がある。新しい審理方法27頁参照。要因の検討と施策を分析するものとして，菅野雅之「民事訴訟の促進と審理の充実」田原古稀968頁，小林宏司「『裁判の迅速化に係る検証』の歩み」栂＝遠藤古稀61頁がある。

高速の情報交換や役務の提供が一般化している現代においては，指導理念としての適正と迅速が等価値のものとなっているとの認識として，伊藤眞「民事訴訟運営改革と既視感（Déjà vu）」論究ジュリ30号巻頭言（2019年）があり，訴訟のIT化（本書34頁）も，このような認識にもとづくものであろう。福田剛久＝山本和彦「IT化をめぐる議論の状況と今後の民事訴訟の在り方」司法研修所論集131号54頁，76頁（2022年）参照。同じく裁判手続である労働審判（本書15頁）との対比で，民事訴訟運営の現状と迅速化のための方策を説くものとして，定塚誠「労働審判制度が民事訴訟法改正に与える示唆」春日古稀776頁がある。

うに説かれることがあった。しかし，上にみたように，迅速な審理を可能にするためには，両当事者が主張する事実，およびそれに関連する証拠を早期に開示しあい，争点を圧縮することが必要である。他方，主張事実や提出予定証拠があらかじめ明らかになることは，相手方も，それに対する事実主張や証拠の提出を準備できることを意味し，当事者の十分な主張・立証活動にもとづいて，裁判所が真実を発見することが容易になる。このように考えれば，迅速な審理と適正な審理とは，決して矛盾するものではなく，相互に支えあう関係にある。令和4年民事訴訟法および民事訴訟規則改正（本書35頁）の中心となっているIT化も，こうした目的に沿うものと考えられる。

第5節　民事訴訟の法源と種類

民事訴訟法とは，民事訴訟手続を規律する法規を指す。私人間の実体的権利関係を規律する実体法と区別され，実体権の存否を判断するための手続を定める手続法という性格づけがなされる。この意味での民事訴訟法を実質的意義における民事訴訟法と呼ぶことがあるが，実定法体系の中で実質的意義の民事訴訟法を定める法規を民事訴訟法の法源と呼ぶ（1参照）。民事訴訟法の法源としては，民事訴訟法（平成8法109）のほかに，仲裁法（平成15法138），「民事訴訟費用等に関する法律」（昭和46法40），人事訴訟法（平成15法109），行政事件訴訟法（昭和37法139）などの法律，ならびに民事訴訟規則（平成8最高裁規5）および人事訴訟規則（平成15最高裁規24）などの最高裁判所規則がある。これらの法規は法源として民事訴訟手続の運営の規準となる。もっとも，規準性に関しては，これらの法規の中の各規定は，その強弱に応じて，効力規定と訓示規定とに分けられる。

第1項　民事訴訟法典について

旧民事訴訟法は，明治23年に制定され，大正15年に全面改正がなされた。その後，戦後に交互尋問制の導入など，いくつかの重要な改正がなされたが，基本的な構造は維持されたまま平成に至った[45]。しかし，理論および実務の発展，社会的紛争解決のための手段としての訴訟の重要性の増大などを考慮して，平成2年7月に法務省法制審議会民事訴訟法部会において改正作業が着手され，平成3年12月に公表された「民事訴訟手続に関する検討事項」，平成5年12月に公表された「民事訴訟手続に関する改正要綱試案」を経て，平成8年2月に「民事訴訟手続に関する改正要綱」が法制審議会から法務大臣に答申され，これにもとづいて民事訴訟法案が立案された。同法案は，平成8年6月の第136回国会において，公務員の職務上の秘密記載文書に関する部分が一部修正されたほか，原案通り可決され，平成8年法律109号として，6月26日に公布され[46]，平成10年1月1日に施行された。それに合わせて新たな民事訴訟規則も平成8年12月17日に公布された。

なお，現行法典は，公示催告および仲裁の部分を除いて，旧法典を全面的に書き換え，かつ，表記を現代語化したものであるが，公示催告および仲裁の部分は，内容はそのままで，名称としては，「公示催告手続及ビ仲裁手続ニ関スル法律」として残ることとなった。

なぜ，この時期において民事訴訟手続の全面改正が行われたかの詳細については，それぞれの箇所で触れることとするが，総体的にいえば，第1に，大正改正以来70年を経て，判例・学説の発達にともなって，立法的解決を望まれる問題が増加したことが挙げられる。

第2に，わが国の社会構造の変化にともなって私人間の紛争解決手段としての訴訟の役割が増大したことが挙げられる。借地借家紛争なども，伝統的には賃貸人と賃借人との間の話し合いによって解決されることが多かったが，共同体としての行為規範が希薄化するにともなって，当事者間の交渉による解決が期待できなくなり，当事者としても，合理的基準にもとづく解決を期待するようになった[47]。そこで，より国民が利用しやすい手続を整備する必要が認識されていた。立法者が，新たな手続として少額訴訟手続を創設したことが，こ

45）明治民事訴訟法の制定と運用，大正の全面改正の経緯を詳説し，ドイツ法の継受にもとづき，口頭主義，弁論主義，釈明権などの基本原則がいかにして形成され，変容したかを解明するものとして，水野浩二・葛藤する法廷――ハイカラ民事訴訟と近代日本（2022年）がある。伊藤眞「書評」判時2521号139頁（2022年）参照。

46）「新民事訴訟法の成立――三ヶ月章先生に聞く」ジュリ1098号8頁（1996年），柳田幸三「新民事訴訟法について」ジュリ1098号17頁以下（1996年），三宅省三「民事訴訟法改正の経過と主要な改正事項」新大系(1)3頁以下参照。

のような認識を象徴する。

第3に，通常の訴訟手続においても，その紛争解決機能を高めるためには，当事者間の中心的争点を早期に確定し，それに関する証拠をできる限り広い範囲で収集し，集中した証拠調べから直接に得た心証にもとづいて，裁判所が判決を言い渡すことが要請される。旧法の争点整理手続である準備手続などに代えて，現行法が，弁論準備手続を中心とする争点整理手続を整備したこと，集中証拠調べの原則を確認したこと，あるいは文書提出義務の拡張に象徴される証拠収集手段を充実したことなどは，このような目的を実現しようとするものである。

第4に，執行停止制度および上告・抗告制度の改革が挙げられる。第一審の訴訟手続が迅速に行われても，上訴にともなって判決の執行力が容易に停止されたりするのでは，訴訟によって当事者に対して迅速な権利救済が与えられるとはいえない。そこで，執行停止の要件を厳格化することによって当事者に対して迅速な救済を与え，また理由のない上訴が提起されることを間接的に防ぐこととした。

上告については，旧395条に定める絶対的上告理由のほかに，旧394条は，憲法違反および判決に影響を及ぼすべき法令違反を上告理由として規定していた。しかし，法令違反を理由とする上告がおびただしい数に上り，その結果，法令解釈統一の責任を負う最高裁がその責任を果たせない状況に陥る状況が生まれた。そこで，現行法は，最高裁判所に対する上告に関して，憲法違反および絶対的上告理由の場合を除いて，上告審たる最高裁判所が決定の方式によって上告の受理を決する，上告受理制度を新設した。法令違反を理由とする上告について，すべて判決の形式で判断を示すことを要求する旧法と比較すると，かなりの負担軽減になり，最高裁の力を法令解釈統一に集中することができるといわれている。

47）林屋礼二・民事訴訟の比較統計的考察9頁（1994年）によれば，明治23年と昭和60年とを比較すると，人口増が約3倍であるのに対して，各種民事訴訟事件数は，明治23年の7万7430件に対して，昭和60年は，51万1107件で約6.6倍になっている。なお，旧民事訴訟法制定前後から大正15年改正を経て現行民事訴訟法の制定前後に至る経緯については，鈴木正裕・近代民事訴訟法史・日本35頁以下（2004年），福田剛久・民事訴訟の現在位置2頁以下（2017年）が詳細に記述する。

逆に，決定手続で裁判がなされる事件について旧法下では，高等裁判所の決定に対しては，憲法違反を理由とする特別抗告のみが認められていたが，たとえば文書提出義務の範囲（220）について，抗告審たる高等裁判所の裁判例の判断が分かれたときに，最高裁判所がその解釈を統一する機会が存在しなかった。そこで，これについては，許可抗告制度を設け（337），原審たる抗告裁判所の許可にもとづいて最高裁への抗告の道を開くこととした。

その後民事訴訟法については，平成11年法律151号によって訴訟能力などの改正，平成13年法律96号によって文書提出義務などの改正がなされ，さらに平成15年には，司法制度改革の一環として，法律108号によって訴えの提起前における証拠収集の処分等を始め，かなりの事項について改正が実現された。また，同じく司法制度改革に属するものとして，人事訴訟法（平成15法109），仲裁法（同法138），「裁判の迅速化に関する法律」（同法107）および「司法制度改革のための裁判所法等の一部を改正する法律」（同法128）が制定され，民事訴訟手続に関する規律の関連部分が変更された。

なお，仲裁法の制定にともなって，「公示催告手続及ビ仲裁手続ニ関スル法律」（明治23法29）は，「公示催告手続ニ関スル法律」にその名称が変更され，さらに公示催告手続の非訟事件手続法への移管にともなって（旧非訟141以下），同法は廃止された。

また，平成16年（法律152号）の民事訴訟法改正によって，電子情報処理組織（オンライン）による申立てなど，インターネット等の現代の情報処理方法の発達に対応し，利用者の便宜に資する手続改正が実現された。

最近では，「犯罪被害者等の権利利益の保護を図るための刑事訴訟法等の一部を改正する法律」（平19法95）によって，証人尋問等の方法に関する付添い，遮へいの措置およびビデオリンクに関する規定が新設された（203の2・203の3・204②）。

そして，永らく懸案であった国際裁判管轄に関する規定の新設を主たる内容とする「民事訴訟法及び民事保全法の一部を改正する法律」（平成23法36）が第177回国会において成立し，平成23年5月2日に公布され，平成24年4月1日から施行された。その内容については，本書49頁以下を参照されたい。同様に，人事訴訟や家事審判などについても，人事訴訟法等の一部を改正する法律（平成30法20）によって国際裁判管轄に関する規定（人訴3の2〜3の5など）が新設された。

また，民事訴訟手続と密接な関連を有する非訟事件手続および家事事件手続については，従前の非訟事件手続法（明治31法14）と家事審判法（昭和22法152）に代えて，新たな非訟事件手続法（平成23法51）と家事事件手続法（平成23法52）が制定され，平成25年1月1日から施行された。その特徴については，本書11頁以下を参照されたい。なお，それぞれの法の委任を受けて（非訟2，家事3），非訟事件手続規則（平成24最高裁規7）および家事事件手続規則（平成24最高裁規8）などが制定され，いずれも平成25年1月1日に施行された。

平成25年12月には，「消費者の財産的被害の集団的な回復のための民事の裁判手続の特例に関する法律」（消費者裁判手続特例法）（平成25法96）が制定され，その手続の細目を定める「消費者の財産的被害の集団的な回復のための民事の裁判手続の特例に関する規則」（平成27最高裁規5）とともに，平成28年10月1日に施行された。その内容の一部たる適格消費者団体の当事者適格などについては，本書214頁を参照されたい。なお，同法については，令和4年法律59号の改正によって対象となる請求の拡大などが実現されている[48]。

さらに，平成27年6月には，民事訴訟規則の一部を改正する規則（平成27最高裁規6）が公布され，大規模訴訟に関する規律の一般化（同第6章削除）として当事者の一方につき訴訟代理人が数人あるとき（共同訴訟人間で訴訟代理人を異にするときを含む）の連絡担当訴訟代理人の選任（民訴規23の2），訴訟記録の閲覧等の請求の方式等（同33の2），抗告状の写しの送付等（同207の2）などの改正が行われている。

また，平成29年6月には，「民法の一部を改正する法律」（法律44号）および「民法の一部を改正する法律の施行に伴う関係法律の整備等に関する法律」（法律45号。整備法と呼ぶ）が公布され，令和2年4月より施行された。改正民法は，時効の意義や効果（民147以下），債権者代位権（民423以下），詐害行為取消権（民424以下）など，民事訴訟法の規律の内容や解釈に影響を与える多くの規定を含み，整備法は，民事訴訟法（49・147）や非訟事件手続法（85〜91）

48）伊吹健人ほか「消費者裁判手続特例法改正の概要」NBL 1224号76頁（2022年）参照。

の規定に変更を加えている。

そして，民法の令和3年改正（法律24号）およびそれにともなう民事訴訟法の改正は，所有者不明の土地建物問題に対処するためのものであるが，当事者適格の変動を基礎として（本書203頁），訴訟手続の中断と受継（本書280頁）に関する規定に変更を加えている。民事訴訟法自体の改正ではないが，「表題部所有者不明土地の登記及び管理の適正化に関する法律」（令和元年法律15号）も，同じく当事者適格の変動を基礎として（本書203頁），訴訟手続の中断と受継（本書280頁）に関する規定を設けている。

さらに，COVID-19（新型コロナウイルス感染症）の流行によって加速される形で実務運用および法・規則改正の両面において民事裁判手続のIT化の動きが見られる。IT化とは，通信技術の高度化と高速化を反映して，民事裁判手続を利用する国民の利便性を図ろうとするものであり，具体的には，訴状，答弁書，準備書面，証拠書類などのオンライン（コンピューターネットワーク上の送受信）での提出（e提出），口頭弁論や弁論準備手続などの期日，すなわち当事者や利害関係人と裁判所との会合（本書256頁）をテレビ会議やウェブ会議で行うこと（e法廷），裁判所が管理する事件記録や情報を電子情報化し，当事者などがオンラインで閲覧できるようにすること（e事件管理）から成り立っている。これらの中には，民事訴訟法や民事訴訟規則の改正を要する事項も含まれうるが，実務運用の次元で実施できるものについては，すでに実行されている[49]。

そして，民事訴訟法令和4年改正（法律48号）が成立し，その1条では，民事訴訟における秘密保護を中心とする諸規定を整備し，同2条では，従来は各種の書面によってなされていた当事者および裁判所の行為について，IT化，

49）　令和元年12月に公表された「民事裁判手続のIT化の実現に向けて（民事裁判手続等IT化研究会報告書）」（商事法務研究会ウェブサイト），その概要を説明する「『民事裁判手続等IT化研究会報告書――民事裁判手続のIT化の実現に向けて』の概要」NBL 1162号11頁（2020年），山本和彦「民事裁判のIT化」ジュリ1543号62頁（2020年），同「民事訴訟法20年――平成民訴法の評価と令和への展望」曹時72巻4号17頁（2020年）参照。すでに開始を検討している運用（インターネットを用いた裁判書類の提出等）については，富澤賢一郎ほか「ウェブ会議等のITツールを活用した争点整理の新たな運用の開始について」NBL 1159号4頁（2019年），橋爪信「民事裁判のIT化――裁判所における現行法上の取組と運用」法の支配208号52頁（2023年），松尾吉洋「フェーズ1

すなわち電子情報処理組織を通じて電磁的記録を用いて行うことができるとする趣旨の規定を設けており，その細目を定める最高裁判所規則（令和4年最高裁判所規則17号）も制定されている。これらの諸規定のうち，氏名・住所の秘匿制度（133～133の4）は，改正法公布の日（令和4年5月25日）から9か月以内の政令で定める日とされ，令和5年2月20日に施行済みである。当事者双方が現実に出頭せず，電話会議等により弁論準備手続の期日に参加することができる仕組み等（170等）は，公布日から1年以内の政令で定める日とされ，

の運用状況とフェーズ2・3の一部先行実施」NBL 1242号73頁（2023年）が紹介している。

そして，令和3年2月に民事訴訟法（IT化関係）等の改正に関する中間試案および民事訴訟法（IT化関係）等の改正に関する中間試案の補足説明が公表され，電子情報処理組織を用いてする裁判所および当事者の各種の訴訟行為に関する新たな規律，すなわち「第1　総論」として，書面等による申立てに代えて，電子情報処理組織を用いる申立ての許容または一定条件の下での義務化，訴訟記録を電子化するための規律を設けること，および裁判所のシステムにアップロードすることができる電磁的記録にかかるファイル形式，「第2　訴えの提起，準備書面の提出」として，電子訴状および電子準備書面の提出方法，「第3　送達」として，電子情報処理組織を利用した送達方法（システム送達）や公示送達に関する規律，「第4　送付」として，当事者の相手方に対する直接の送付や裁判所の当事者等に対する送付の方法，「第5　口頭弁論」として，ウェブ会議等を用いて行う口頭弁論の期日の手続や公開原則の適用方法などを提言している。その内容については，関連箇所で説明する。

以上は，狭義のIT化ともいうべき事項にかかる提案であるが，これらに加えて，「第6　新たな訴訟手続」として，通常の訴訟手続と別に，迅速な進行を目的とし，公正かつ適正で充実した手続を設け，それを当事者が選択できるとの提案，「第7　争点整理手続等」として，弁論準備手続（本書308頁）や書面による準備手続（本書314頁）の機能を高めるための方策，準備的口頭弁論，弁論準備手続および書面による準備手続という3つの争点整理手続を1つに統合すること，「第8　書証」として，電磁的記録の証拠調にかかる規律，「第9　証人尋問等」として，映像等の送受信による通話の方法による尋問（204）の適用範囲を拡大するなどの方策，「第10　その他の証拠調べ手続」として，鑑定，検証，裁判所外における証拠調べの機能を高めるための方策，「第11　訴訟の終了」として，電子判決書に関する規律，和解の機能を高めるための方策，「第12　訴訟記録の閲覧等」として，電子化された訴訟記録の閲覧や複製に関する規律，「第13　土地管轄」として，現行法の規律を維持すること，「第14　上訴，再審，手形・小切手訴訟」として，これらの手続についても，第一審手続と同様にIT化すること，「第15　簡易裁判所の手続」として，簡易裁判所の訴訟手続についても，地方裁判所の第一審手続と同様にIT化すること，「第16　手数料の電子納付」として，申立手数料の電子納付など（本書216頁），「第17　IT化に伴う書記官事務の見直し」として，IT化に伴う裁判所書記官事務の最適化のための提案，「第18　障害者に対する手続上の配慮」として，IT化にともない，障害者に対する手続上の配慮に関する規律を検討するものとすることが示されている。

以上の経緯，改正内容および今後の展望について，山本和彦・民事裁判のIT化（2023年）が詳しい。

令和5年3月1日に施行済みである。ウェブ会議により口頭弁論の期日に参加できる仕組み等（87の2等）は，公布日から2年以内の政令で定める日とされ，未施行である。訴状等のオンライン提出や訴訟記録の電子化など民事訴訟手続の全面的なIT化は，公布日から4年以内の政令で定める日とされ，未施行である[50)]。

本書では，秘密保護のための「当事者に対する住所，氏名等の秘匿」（民事訴訟法第1編第8章）については，第5章第6節第2項1(3)で説明し，秘密保護に関するその他の規定およびIT化に関するその他の規定については，関連箇所で言及する。

なお，令和4年改正は，法定審理期間訴訟手続に関する特則（381の2以下）を含んでいるが，これについては，本書17頁において通常手続と比較した特徴を説明している。

第2項　効力規定

効力規定とは，その規定に違反する訴訟手続上の行為，すなわち訴訟行為の効力が否定されるものを意味する。効力規定は，さらに強行規定と任意規定とに分けられる。

1　強行規定

強行規定とは，それに違反した訴訟行為が無効とされるものを意味する。民事訴訟法規範は，当該訴訟における当事者だけではなく，行為規範として他の事件の訴訟当事者の地位や制度の運営全体にも影響を及ぼす。そのような点を考慮して，法は，強行規定を設け，それに違反する行為の効力を否定している。その例としては，裁判所の構成，裁判官の除斥，専属管轄，当事者能力，訴訟能力，不変期間に関する規定などが挙げられる。これらの規定違反が存在するかどうかについては，当事者の主張があるかないかにかかわらず，裁判所が職権をもって調査する責任を負う。もっとも，強行規定に反する行為を単に無効

---

50)　改正法の段階的施行と時期については，脇村真治「民事訴訟法等の一部を改正する法律」法令解説資料総覧497号11頁（2023年），改正最高裁判所規則の施行時期については，橋爪信ほか「『民事訴訟規則等の一部を改正する規則』の解説」曹時74巻12号50頁（2022年）参照。

とするか，それとも行為の性質に応じて特別の効果が定められるかは，場合によって異なる。

たとえば，訴訟係属中に専属管轄違反が発見された場合には，訴訟が管轄裁判所に移送される（16Ⅰ）。第一審判決がその違背を見過ごして，本案判決をなした場合には，上訴による取消しの原因となる（299・312Ⅱ③）。しかし，判決確定後に専属管轄違背の事実が発見されたとしても，再審事由となるわけではない（338参照）。したがって，その意味では，専属管轄が強行規定であるといっても，訴訟のいかなる段階でもそれに違反した訴訟行為の効力が否定されるというわけではない。もっとも，裁判所の構成，裁判官の除斥などについての違背は，再審事由ともされているので，同じく強行規定といっても，その違背によって訴訟行為の効力が受ける影響には，違いがある。

2 任意規定

任意規定も，その規定に反する訴訟行為の効力が否定されうるという意味では，効力規定の一種である。しかし，当事者の合意によってその規定の定めるところを変更することが認められており，また相手方が違反の事実について異議を述べない場合には，訴訟行為の効力が否定されない。すなわち，合意であれ，または異議の不提出であれ，当事者の意思によって規定違反の訴訟行為の効力が認められるところに，任意規定と強行規定との差異がある。

私人間の実体法律関係が原則として私的自治に委ねられるのに対して，訴訟手続における訴訟法律関係については，その公益性から，当事者の意思による変更が認められないのが原則である。これを任意訴訟または便宜訴訟の禁止と呼ぶ。しかし，後に説明する訴訟契約にみられるように，法規が一定の手続を定めている場合であっても，当事者の合意によってその手続を変更することが許されることがある。たとえば，法定管轄の規定を管轄の合意によって変更し(11)，控訴権に関する281条の規定の内容を不控訴の合意によって変更することが認められる。したがって，専属管轄を除く法定管轄の規定や控訴権の規定は，任意規定と考えられる。

さらに，一定の訴訟法規違反については，当事者が適時に異議を述べないと，裁判所や相手方当事者の訴訟行為の効力が排除されない。90条にもとづく責問権の喪失がこれを現したものである。責問権の行使という当事者の意思によって法規違反の訴訟行為の効力が左右されるという意味で，この種の法規も任意規定としての性質をもつ。その例としては，書面による訴えの変更を要求する143条2項，期日の呼出しの方式を定める94条，および証人尋問の方式を定める201条などが挙げられる。ある規定が強行規定か，それとも任意規定かは，規定の文言自体からは必ずしも明らかではないので，規定の趣旨を考慮した解釈問題になる。一般的な解釈基準としては，当該規定の背後にある公益性が，当事者の意思のいかんを問わず訴訟行為の効力を否定せしめるほど強いものかどうかによって強行規定性が決せられる。

第3項　訓示規定

訓示規定は，効力規定と異なって，その違反が訴訟行為の効力に影響をもたない規定を指す。例としては，判決言渡期日についての251条1項が挙げられる。ただし，訓示規定の概念は，規定によって課される義務の違反に対して特別の制裁が設けられていない場合を指すこともある。たとえば，証人義務や証言義務の違反については，192条または200条の制裁が科されるから，これらの義務を定める規定は訓示規定ではない。これに対して，161条1項は，準備書面の提出義務を当事者に課しているが，その違反に対しては特別の制裁を設けていない。したがって，この規定は，上述の第2の意味での訓示規定と考えられる。このように，訓示規定にもとづく義務は，制裁の点では強制力に欠けるが，義務の不履行が弁論の全趣旨（247）として裁判所によって評価されることなどを考えると，間接的な強制力をともなう義務と考えられる。

第4項　判　　例

憲法76条3項が，裁判官は「憲法及び法律にのみ拘束される」と規定していることから考えれば，民事訴訟手続についての法源は，憲法，民事訴訟法などの法律，および法律の委任を受けた民事訴訟規則などに限られ，裁判所の判例は法源として認められない[51)]。しかし，法が訴訟法律関係の要件または効果について明確な定めをしていない場合も少なくない。たとえば，当事者適格の要件などが代表的なものである。また，一応の定めがある場合であっても，たとえば40条1項が定める必要的共同訴訟の要件，すなわち「合一にのみ確定すべき場合」のように，抽象的要件が規定されていることもある。このような場合には，具体的要件の定立は解釈に委ねられざるをえず，判例が具体的事件についての裁判を通じて，その解釈を示すことになる。

もちろん，判例の示す法的結論は，法律や規則の場合と異なって，一般的拘束性をもつものではない。しかし，上級審の判断は，当該事件について下級審を拘束することから[52]，特に，最高裁判所が上告審として示した判例の場合には，他の事件においても，同様の問題について同一の法的結論が下されるであろうという高度の蓋然性が存在する。その意味では，判例にも法源的機能が認められる（318 I 参照）。

しかし，たとえ上告審の場合であっても，裁判の本来の任務は，具体的事件の解決にある。したがって，判決においてある法的結論が示されていても，それが当該事件の解決にとってのみ意味をもつものか，それとも，一般的通用性をもつものかを考える必要がある。しばしばいわれる判例の射程とは，このことを意味する[53]。

第6節　民事訴訟法の効力の限界

民事訴訟法は民事訴訟手続の法源であるが，その適用範囲および効力については，時的，地域的，および人的・物的限界がある。この限界を超える場合には，民事訴訟法は適用されない。

人的・物的限界については，第2章第2節で説明することとし，ここでは，時的限界および地域的限界についてのみ触れる。

51）判例拘束性の原理が存在しないわが国においては，法源性を否定せざるをえないが，法源的機能をもつことは肯定される。東孝行「民事訴訟法における判例の法源的機能」民商102巻4号389頁（1990年），三木浩一「判例による民事訴訟法の法創造」実務民訴〔第3期〕(1)161頁参照。最高裁判例について，民事判例集（民集）登載の基準，裁判集民事（裁判集民）の役割，判例としての拘束力などを説明するものとして，遠藤賢治「民事判例の型と拘束力」早稲田大学法学会百周年記念論文集(2)民事法編388頁（2022年）がある。

52）裁判所法4条，民事訴訟法325条3項後段。

53）逆に，判決が当該事件における具体的解決より一般的通用性を重視して，法律上の判断を示すことについては，当事者の利益という視点から批判が加えられる。新堂幸司・民事訴訟制度の役割1頁，28頁（1993年）。

第1項　時的限界

民事訴訟法の規定が改正された場合に，法源として新旧いずれの規定を適用すべきかという問題が時的限界である。実体的法律関係においては，当事者の期待の保護あるいは法的安定性の要請などの理由から，新法不遡及の原則がとられている。これに対して，訴訟法律関係については，手続を画一的に進める必要性が重視され，遡及原則がとられる。しかし，送達や証拠調べなどの訴訟行為が，旧法が施行されている時点においてすでに完結しているときには，旧法にしたがった効力が認められる。この場合に訴訟行為の効力を否定すると，新法にしたがって手続を繰り返す必要が生じ，当事者の期待にも反するし，また訴訟経済に反するからである。もっとも，この種の問題を個別的な解釈によって解決することは好ましくないので，立法的に解決されるのが通常である[54)]。

第2項　地域的限界

わが国の民事訴訟手続について，わが国の民事訴訟法のみが適用されるのか，それとも外国の民事訴訟法が適用される可能性があるのか，逆に，外国の民事訴訟手続について，わが国の民事訴訟法の適用可能性があるかという問題がある。これが地域的限界である。これについての一般的基準としては，「手続は法廷地法による」という国際私法の原則にもとづいて，わが国の民事訴訟法の適用は，わが国に限られ，また，外国の民事訴訟法は，わが国の手続に適用されない。

---

54)　附則3条以下参照。

第2章　受訴裁判所

民事訴訟は，訴えの適否および請求の当否について裁判所が審理判断する手続である。したがって手続の構造としては，まず，いかなる裁判所が，いかなる基準にもとづいて訴えについての審判の責任を負うかを法が定める必要がある。審判の責任を負う裁判所を受訴裁判所と呼ぶ。

第1節　裁判所の意義と構成

国民の間の具体的権利関係に関する紛争については，最高裁判所を頂点とする裁判所の権限行使，すなわち司法権による解決が保障されるというのが，憲法76条の規定するところである。この意味での裁判所のことを，裁判機関としての裁判所と呼ぶ[1)]。現行法下の裁判所の種類としては，最高裁判所，高等裁判所，地方裁判所，家庭裁判所，簡易裁判所の5種類があり，最高裁判所以外のものが下級裁判所と呼ばれているが（裁2編・3編参照），裁判機関としての裁判所は，これらの官署としての裁判所の中に組織される[2)]。以下で用いる

1）裁判所の意義としては，このほかに，官署としての裁判所，司法行政機関としての裁判所，これらの2つを総括するものとして国法上の裁判所などの概念がある。裁判機関としての裁判所は，司法権の行使を目的とする機関である点，および，裁判官によってのみ構成され，その他の裁判所職員を含まない点で，これらの概念と区別される。

なお，裁判官の種類としては，最高裁判所長官，最高裁判所判事，高等裁判所長官，判事，判事補，簡易裁判所判事があり（裁5），裁判官以外の裁判所常勤職員としては，裁判所調査官，裁判所書記官，裁判所速記官，執行官などがある（裁53以下）。訴訟手続の進行に即して裁判官と裁判所書記官の役割分担と協働を記述したものとして，松田典浩「裁判官と裁判所書記官との協働の展開」加藤新太郎古稀713頁がある。

2）ただし，家庭裁判所は，民事事件については，原則として訴訟事件を取り扱うことがなかったが（裁旧31の3Ⅰ），人事訴訟法の制定にともなって人事訴訟についての専属管轄を与えられた（裁31の3Ⅰ②，人訴4Ⅰ）。その理由について小野瀬厚＝原司＝髙原知明「人事訴訟法の概要(1)」NBL 768号26頁，27～29頁（2003年），松本・人訴法29頁参照。

また，知的財産高等裁判所設置法（平成16法119）によって設置された知的財産高等裁判所は，東京高等裁判所内に組織される特別の支部として（知財高裁2Ⅰ），東京高裁

裁判所の概念は，裁判機関としての裁判所を指す。

裁判所は，それを構成する裁判官の数によって，合議制と単独制とに分けられる。最高裁判所は，常に合議制の裁判所によって構成され，15人の裁判官による大法廷と5人の裁判官による小法廷とに分けられる（裁9，最事規2）。高等裁判所は，3人の合議体の裁判所によって構成されるのが原則である（裁18。ただし，民事訴訟法310条の2本文や特許法182条の2にもとづく5人合議の可能性がある）。これに対して，地方裁判所においては，むしろ単独制が原則であり，法律において特に定められた場合，および合議制で裁判する旨の決定がなされた場合に限って，3人または5人の合議制裁判所が構成される（裁26，民訴269 I・269の2 I本文）。また，簡易裁判所においては，常に単独制裁判所が構成される（裁35）。

合議制と単独制とを比較すると，以下のような機能的特徴が指摘される。すなわち，合議制では，それを構成する数人の裁判官が知識経験を相互に補充しあうことができ，その結果として，個々の裁判官の個性を離れた合理的判断が期待できるといわれる。その反面，合議制は，多数の裁判官を必要とすることになり，司法制度としての効率性に問題がある。逆に，単独制は，この点で合議制に優るとともに，統一された個人の全人格的判断を期待できるという長所をもつ。裁判所の構成を合議制とするか，単独制とするかは，立法政策の問題であるが，立法者は，上に述べた両制度の特徴を考慮して，いずれかを選択することになる。現行法の下でも，上訴審裁判所となる最高裁判所，高等裁判所，および控訴審となる場合の地方裁判所について，合議制が必要的とされていることは，このような選択の結果である。

合議制の場合には，判決そのものは，裁判官全員の評議にもとづいて言い渡されるが，そのほかの訴訟運営に関する事項については，裁判機関としての活動を円滑，かつ，効率的に行うための措置がとられている。すなわち，構成員の1人が裁判長となり，訴訟指揮などを行うこと（148など）や，法定の事項を受命裁判官[3]と呼ばれる構成員の一員に委ねること（89・185・195・206など）

が管轄権をもつ知的財産関係事件について裁判権を行使し，そのために司法行政上でも一定の独立性を付与されている（知財高裁4・5）。

3)　他の裁判所に属する裁判官で，受訴裁判所から証拠調べなどを嘱託される受託裁判

などが，その例である。裁判長以外の構成員を陪席裁判官と呼ぶ[4)]。なお，判事補は，同時に2人以上合議体に加わることはできないし，また，裁判長となることもできない（裁27Ⅱ。5人合議の場合の特則として，民訴269Ⅱ・269の2Ⅱ）。しかし，いわゆる特例判事補については，この制限が解除されている[5)]。

第2節　裁　判　権

ある裁判所が受訴裁判所になりうるためには，当該訴訟について裁判権[6)]をもつことと，管轄権をもつことが必要である。裁判権については，本節で，管轄権については，第3節で扱うが，その前提として，この2つの概念がいかなる関係にあるかを説明する。

民事裁判権とは，裁判所が私人間の権利関係についての争いを解決するために行使しうる権能の総体を指す。この権能の内容としては，関係人に対して訴訟関係書類の送達をなし，証拠の提出を命じ，口頭弁論期日に呼び出し，判決を言い渡す権能などが含まれる。裁判権行使の相手方としては，当事者に限定されず，第三者も含まれるが，通常問題となるのは，当事者に対する裁判権である。ある事件について，わが国の裁判権が及ぶかどうかは，次に述べるように，対人的制約および対物的制約の2つの基準にもとづいて決定される。対人的制約は，一定種類の者について，一般的に裁判権の行使を制限するものであり，これに対して対物的制約は，具体的事件，すなわち具体的当事者と，訴訟物の視点から，裁判権を制限するものである。そして，裁判権が及ぶことを前

官（裁79，民訴89・185・195・206）と区別される。

4）地方裁判所などの3名の合議体では，陪席裁判官を慣行上右陪席，左陪席と呼び，左陪席にもっとも経験の浅い裁判官を充てる。なお，適正な裁判を迅速に行うという目的のために合議制と単独制の柔軟な運用を説くものとして，佐藤鉄男「裁判迅速化法と民事訴訟――裁判の充実と迅速に資する合議体のあり方を考える」高橋古稀309頁があり，訴訟手続の各段階に応じて合議制の利点を検討するものとして，山本和彦「合議制のあり方について」判時2382号111頁（2018年）がある。

5）「判事補の職権の特例等に関する法律」（昭和23法146）。また，単独制の裁判官になることができないという制限（裁27Ⅰ）も，この法律によって解除されている。特例判事補とは，判事補としての職務経験が5年以上あり，最高裁判所によって指名された者を指す。これ以外の判事補は，慣行上，未特例判事補と呼ばれる。

6）類似の用語である審判権は，裁判権や管轄権を前提とし，ある特定の紛争について裁判所が本案判決をすることができることを意味する。

提として，いずれの裁判所が裁判権を行使できるかを決定するのが，管轄権の問題である。

第1項　対人的制約

わが国の民事裁判権は，日本国内にいるすべての人に及ぶのが承認された原則である。それは，わが国の主権の及ぶ範囲と一致する。外国人や外国法人については，裁判権を制限的に解する考え方もあるが[7)]，住所や営業所など，わが国と何らかのつながりをもつ以上，裁判権は原則として肯定される[8)]。しかし，国内法および国際法の解釈として，一定の者について例外的に裁判権の行使が制限されることがある。これが，民事裁判権の免除と呼ばれる[9)]。

国内法上の免除に関して議論の対象となるのが，天皇である。従来の学説では，天皇について免除を認めないのが通説であったが，判例は[10)]，免除を認めている。象徴としての天皇の地位の性格，および免除を認めても，実際上で不都合が予想されないことから，判例に賛成する。

国際法上の制限として，まず問題となるのが，外国国家である。いわゆる絶対免除主義の考え方の下では，外国国家は，条約に特別の規定がある場合，または外国国家が免除特権を放棄する場合などの例外を除いて，民事裁判権に服しないとされる。わが国の判例もこの考え方をとっていた[11)]。しかし，近年

---

7)　マレーシア航空事件上告審判決（最判昭和56・10・16民集35巻7号1224頁〔百選〈3版〉123事件〕）は，裁判権の意義について次のように判示する。「本来国の裁判権はその主権の一作用としてされるものであり，裁判権の及ぶ範囲は原則として主権の及ぶ範囲と同一であるから，被告が外国に本店を有する外国法人である場合はその法人が進んで服する場合のほか日本の裁判権は及ばないのが原則である」。

8)　石黒一憲・国際私法〈新版〉198頁（1990年）参照。近時，この問題が改めて注目されるに至ったのは，IT化（本書34頁）の一環として，外国に所在する者に対する訴訟関係書類の送達（本書266頁）や直送（本書265頁）を電子情報処理組織を用いて行い，外国に所在する証人や当事者本人の尋問をウェブ会議の方式を利用して行うことが，わが国の裁判権の行使の限界を超えるものとなるかどうかが検討の対象とされているためである。法務省「IT化に伴う国際送達及び国際証拠調べ検討会に関する取りまとめ」(2021年。法務省ウェブサイト)，上田竹志「オンライン申立て及び周辺手続」ジュリ1577号38頁（2022年）参照。

9)　特に，国際法上の免除の内容については，高桑昭「民事裁判権の免除」澤木敬郎＝青山善充編・国際民事訴訟法の理論147頁以下（1987年）が詳しい。

10)　最判平成元・11・20民集43巻10号1160頁〔百選Ｉ6事件〕。その理由は，天皇が日本国の象徴であり，日本国民統合の象徴であるというものである。

は，国家活動の多様化にともなって，国家の私法的行為については，裁判権免除を認めないとする制限免除主義が判例・通説となっている[12)]。この考え方の下では，訴訟が外国国家の商業活動に起因するものである場合には，主権免除が認められない。本書も，この制限免除主義を採用する。

その他，裁判権免除が認められる対象としては，外交使節，領事官，国際機関などがある。これらの者について免除を認める根拠としては，治外法権や職務遂行の必要性などが挙げられている。この考え方にもとづいて，わが国が批准している「外交関係に関するウィーン条約」では，外交官やその家族は，個人としての活動にもとづく一定の訴訟を除いて，裁判権免除の対象とされる。

---

11) 大決昭和3・12・28民集7巻1128頁〔百選Ⅰ18事件〕。なお，外国元首も，外国国家の代表者として，同一に考えられよう。

12) 学説の詳細については，注釈民訴(1)94頁以下〔道垣内正人〕，各国法制の動向については，石黒一憲・国際民事訴訟法69頁（1996年）参照。なお，外国に対して応訴意思の有無を照会する手続を定めた通達が廃止されたことは，絶対免除主義から制限免除主義への流れを示すものである。林潤「『外国を相手方とする民事事件に関する応訴意思の有無等の照会について』と題する通達の廃止について」民事法情報167号43頁（2000年）参照。

最判平成14・4・12民集56巻4号729頁は，制限免除主義に理解を示しつつも，主権的行為については，民事裁判権の免除が認められるとしていたが，最判平成18・7・21民集60巻6号2542頁〔平成18重判解・国際1事件〕は，大審院判例を変更し，制限免除主義への転換を明らかにした。最判平成21・10・16民集63巻8号1799頁も，これを踏まえて，外国国家またはこれに準じる主体の「私法的ないし業務管理的な行為については，我が国による民事裁判権の行使がその主権的な権能を侵害するおそれがあるなど特段の事情がない限り，我が国の民事裁判権から免除されないと解するのが相当である」旨を判示し，業務の性質や解雇の理由からみても，ここでいう特段の事情が認められないこと，また，解雇の無効を宣言することは，復職，すなわち現実の就労を法的に強制するものではないことなどを理由として，わが国の民事裁判権が及ぶものと判示している。

ここで問題となっている労働契約や解雇によるその終了は，法的性質としては，私法上の法律関係とみなされるが，同時に，使用人が主権国家の業務を遂行するという側面があり，法律関係の性質とあわせて，業務の内容などを考慮して，裁判権の免除を認めるべきかどうかを決せざるをえない。伊藤眞ほか「〈座談会〉民事訴訟手続における裁判実務の動向と検討　第1回」判タ1343号10頁（2011年）における垣内秀介発言参照。

立法としては，制限免除主義を基本とし，いかなる場合に外国が民事裁判権に服するかに関する規律を主たる内容とする「外国等に対する我が国の民事裁判権に関する法律（主権免除法）」（平成21法24）が制定された。その概要については，川尻恵理子＝西脇英司「対外国民事裁判権法（主権免除法）の制定」時の法令1841号6頁（2009年），西脇英司＝米山朋宏「外国等に対する我が国の民事裁判権に関する法律（対外国民事裁判権法）の概要」NBL 908号41頁（2009年）参照。上記の労働契約の取扱いについては，同法9条が最高裁判所判例と同一の方向での規律を設けている（飛澤知行編著・逐条解説・対外国民事裁判権法44頁以下（2009年）参照）。

ただし，外交使節の派遣国は，その免除を放棄することができる[13]。

第2項　裁判権欠缺の効果

裁判権の対人的制約にもとづいて免除の対象となる者は，訴訟当事者や執行当事者とすることができず，また，これらの者は，証人や鑑定人となる義務も負わない（外交約31 II III参照）。もちろん，免除が放棄された場合は別である。ただし，免除特権をもつ者を名宛人とする送達の取扱いについては，議論がある。免除特権の放棄がない限り，裁判権行使としての送達も不可能であり，訴訟係属なども発生しないというのが，原則である[14]。したがって免除特権をもつ者について，それを放棄する意思がないことが判明すれば，裁判所としては，140条の規定によって判決の形式で訴えを却下すべきである[15]。もっとも，実際上は，訴状を送達して，これが受領されることもありうるが，受領によって直ちに，免除特権放棄の効果が生じ，訴訟係属が発生すると解するべきではなく，送達は，訴状の提出を事実上通知する効果をもつにすぎない。

裁判権の存在は，訴訟要件の1つであるから，裁判所は，これについて職権をもって調査すべきであるし，その判断の資料収集については，職権探知主義が妥当する。また，裁判権の欠缺を看過してなされた本案判決は，上訴によって取り消されうる。ただし，再審は認められない。もっとも，裁判権に服さない者に対する判決は，当然に無効とされ，既判力や執行力を生じないので，再審によって取り消す実益もない。

13）　実際上生じる可能性が多い，自動車事故にもとづく損害賠償訴訟については，免除の放棄が求められることが多い。ただし，当事者とされた外交使節などが応訴しただけでは，放棄と認められず，派遣国による放棄の意思表示が必要である。その他，条約としては，各国との領事条約，日米地位協定（「日本国とアメリカ合衆国との間の相互協力及び安全保障条約第6条に基づく施設及び区域並びに日本国における合衆国軍隊の地位に関する協定」）などがある。

14）　前掲大決昭和3・12・28（注 *11*）。

15）　応訴の意思確認の手続については，秋山ほか I 85頁に詳しい。訴状が受領される限り，137条および138条によって，裁判長が訴状を却下するのではない。なお，免除特権が放棄されている場合についても，居宅の不可侵権との関係で，差置送達は許されず，108条の類推による嘱託送達をすべきであるとの見解が有力であるが（新堂103頁），裁判権に服する以上，送達の方法を限定する理由はない。石黒・前掲書（注 *8*）205頁参照。

第3項　対物的制約（国際裁判管轄）

先に述べたように，対物的制約とは，具体的事件を前提として，その属性，すなわち，当事者および審判の対象たる訴訟物の視点から，裁判権を制限しようとするものである。対物的制約についての国際法上の原則としては，当事者および訴訟物の双方の視点からみて，一国の裁判所が，事件と自国との間に何らかの関連性を認める場合にのみ，裁判権行使が許されるといわれる。しかし，具体的にどの程度の関連性を要求するかは，それぞれの国の司法政策的判断に委ねられるものであり，その判断は，国際裁判管轄の問題の中でなされる。この意味で，国際裁判管轄とは，民事裁判権の対物的制約を具体化したものであると理解される[16)]。

1　国際裁判管轄の意義と判例法理の形成

上記の通り，国際裁判管轄の実質は，わが国の民事裁判権の対外的限界であり，裁判権の分掌概念である管轄とはその意味を異にする。しかし，従来から判例や講学上では国際裁判管轄の概念が使われており，また，以下に述べるように最近の立法でも「日本の裁判所の管轄権」との用語が用いられているので，本書でも，これを使用することとする。

この意味での国際裁判管轄に関する明文の規律は長い間存在せず，解釈に委ねられていた[17)]。この点に関する判例法理を確立したのが，いわゆるマレーシア航空事件に関する上告審判決（前掲最判昭和56・10・16（注7））である。同判決は，「国際裁判管轄を直接規定する法規もなく，また，よるべき条約も一般に承認された明確な国際法上の原則もいまだ確立していない現状のもとにおいては，当事者間の公平，裁判の適正・迅速を期するという理念により条理にしたがって決定するのが相当であり，わが民訴法の国内の土地管轄に関する規定，たとえば，被告の居所（民訴法2条），法人その他の団体の事務所又は営

16）　石黒・前掲書（注8）202頁は，裁判権について，外在的・国際法的制約と内在的・国際民事訴訟法的制約を区別すれば十分であり，国際裁判管轄を対物的制約の内容として位置づけることに疑問を提示する。兼子ほか27頁も同旨。

17）　国際裁判管轄研究会「国際裁判管轄研究会報告書(1)」NBL 883号37頁（2008年），「〈特集〉国際裁判管轄法制のあり方」ジュリ1386号4頁以下（2009年）所収の諸論文参照。

業所（同4条），義務履行地（同5条），被告の財産所在地（同8条），不法行為地（同15条），その他民訴法の規定する裁判籍のいずれかがわが国内にあるときは，これらに関する訴訟事件につき，被告をわが国の裁判権に服させるのが右条理に適うものというべきである」と判示している。

本判決は，国際裁判管轄を決すべき基準を条理に求め，その条理の内容として，当該事件について国内の土地管轄が認められるのであれば，それは，わが国の裁判権の行使を前提としているとみるべきであるとする。本来であれば，当該事件についてわが国の民事裁判権が及ぶとの判断が先行し，それを踏まえて，いずれの土地の裁判所が裁判権を行使すべきかという土地管轄が決せられるべきであるにもかかわらず，本判決は，土地管轄の規定を手がかりにして条理にもとづいて民事裁判権の有無を決するという判断枠組をとっており，逆推知説という呼び名も，このような判断構造の特質をとらえたものである。

確かに，土地管轄の基礎となる裁判籍（本書78頁）は，事件と特定地域との連結点を基礎とするものであるから，これをもって当該事件とわが国の裁判権の基礎となる連結点として用いて，当事者間の公平，裁判の適正・迅速という条理の内容とすることには，一定の合理性が認められる。しかし，土地管轄がわが国の裁判権の地域的分掌に関する規律であり，他方，国際裁判管轄は，わが国の裁判権の対外的限界を画するための概念であるという違いから，土地管轄の所在にもとづいて国際裁判管轄を肯定することには，問題が内包されているといわざるをえない。

たとえば，土地管轄の場合には，義務履行地（5①）や営業所の所在地（5⑤）の裁判籍を根拠としてある裁判所に土地管轄を認めても，証拠の所在などから適正な審理が実現しがたいと判断すれば，訴訟を他の裁判所に移送することができる（17）。しかし，国際裁判管轄の場合には，いったんそれを肯定すれば，いかに審理上の問題があっても，訴訟を他国の裁判所に移送する余地はない。こうしたことを考えると，マレーシア航空事件上告審判決が採用した逆推知説には，何らかの形で修正を加える必要が生じる。

そこで，判例法理は，逆推知説を基本としつつも，「我が国の民訴法の規定する裁判籍のいずれかが我が国内にあるときは，原則として，我が国の裁判所に提起された訴訟事件につき，被告を我が国の裁判権に服させるのが相当であるが，我が国で裁判を行うことが当事者間の公平，裁判の適正・迅速を期するという理念に反する特段の事情があると認められる場合には，我が国の国際裁判管轄を否定すべきである。」[18]と説き，特段の事情という概念を用いることによって，土地管轄を基準とする国際裁判管轄が民事裁判権の過剰な対外的行使につながることを抑止しようとし，近時の下級審裁判例もそれにしたがっている[19]。

2　国際裁判管轄関連規定の新設と概要

以上のような判例法理の形成を受け，平成8年の現行民事訴訟法制定時にも国際裁判管轄関連規定の新設が検討されたが，実現に至らず，その後検討が続けられ，「民事訴訟法及び民事保全法の一部を改正する法律」（平成23法36）として，立法による解決が図られることとなった[20]。新たな民事訴訟法の規定

18）　最判平成9・11・11民集51巻10号4055頁。なお，離婚請求訴訟に関するものであるが，最判平成8・6・24民集50巻7号1451頁は，条理の内容としてより実質的な利益考量の必要性を説いている。

19）　下級審裁判例の動向については，伊藤ほか・前掲座談会（注12）7頁以下参照。

20）　改正に至る経緯等については，日暮直子ほか「民事訴訟法及び民事保全法の一部を改正する法律の概要(上)」NBL 958号62頁（2011年），秋山ほかⅠ91頁参照。なお，同じく民事手続法に属する破産法，民事再生法および会社更生法については，平成12年にそれぞれ国際破産管轄（破4），国際再生管轄（民再4），国際更生管轄（会更4）に関する規定が新設されている。伊藤・破産法・民事再生法234頁，伊藤・会社更生法・特別清算法144頁参照。また，今後の課題として，人事訴訟や家事審判の国際裁判管轄があったが，人事訴訟法等の一部を改正する法律（平成30法20）によって，人事訴訟法3条の2ないし3条の5，家事事件手続法3条の2ないし3条の15が新設された。西谷祐子「人事訴訟事件及び家事事件の国際裁判管轄等に関する新法制(1)(2･完)」曹時71巻3号1頁，4号1頁（2019年），松本・人訴法114頁参照。

なお，以下の本文に述べる国際裁判管轄は，わが国の裁判所に裁判権を認めるかどうかの判断基準という意味で，直接管轄と呼ばれる。これに対し，外国判決の承認の要件として外国裁判所に国際裁判管轄を認めるかどうか（118①）は，それがわが国の国際裁判管轄の規律に照らして，外国裁判所の裁判権を認めるかどうかの判断基準という意味で，間接管轄と呼ばれる。これは，平成23年改正より前に確立された判例法理であったが（最判平成10・4・28民集52巻3号853頁），現行法下では，民事訴訟法3条の2以下の規定に照らして，間接管轄の判断を行う（最判平成26・4・24民集68巻4号329頁）。同判決は，不法行為にかかる差止請求を認容した外国判決の外国裁判所について間接管轄を認めるためには，行為のおそれのある地または侵害のおそれのある地にあたることの客観的事実関係の証明があれば足りるとしているが，証明の成否の判断にあたっては，おそれという将来発生しうべき事実の特質を考慮すべきである。

直接管轄の判断基準としてのわが国の国際裁判管轄に関する規範と間接管轄の判断基準としてのそれが一致しなければならないかどうかについて，越山和広「外国判決の承認と間接管轄の判断基準」春日古稀330頁参照。

（第1編第2章第1節〔日本の裁判所の管轄権〕3の2～3の12）は，①国際裁判管轄の発生原因たる事実（3の2～3の8），②特別の事情による国際裁判管轄の否定（3の9），③専属管轄の規制（3の10），④国際裁判管轄の調査に関する職権証拠調べ（3の11），⑤管轄の標準時（3の12）から構成される。さらに，①に属する規定は，第1に，事件の種類内容にかかわりなく認められる一般管轄（3の2），第2に，特定の類型の事件に限って認められる特別管轄（3の3～3の5），第3に，請求の態様，当事者間の合意，あるいは応訴など当事者の訴訟行為にもとづいて認められる管轄（3の6～3の8）の3種類に分けられる。

なお，その他に国際裁判管轄に関連する規定の新設としては，中間確認の訴え（145Ⅲ。本書64頁），反訴（146Ⅲ。本書63頁），絶対的上告理由（312Ⅱ②の2。本書790頁）などがあるが，それぞれの関連箇所で説明を加える。

(1) 一般管轄

一般管轄は，事件の種類内容にかかわりなく，わが国の民事裁判権を認めるものであるが，その内容はさらに，人（自然人）に対する訴え，外国の裁判権免除を享有する者に対する訴え，法人その他の社団または財団に対する訴えの3つに分けられる。

ア　人（自然人）に対する訴え

「裁判所は，人に対する訴えについて，その住所が日本国内にあるとき，住所がない場合又は住所が知れない場合にはその居所が日本国内にあるとき，居所がない場合又は居所が知れない場合には訴えの提起前に日本国内に住所を有していたとき（日本国内に最後に住所を有していた後に外国に住所を有していたときを除く。）は，管轄権を有する」（3の2Ⅰ）。

人を被告とする訴えについては，わが国内に何らかの連結点を有する場合に，その者に対する民事裁判権が認められる。その連結点としては，第1次的に住所（民22）であり，住所がない場合または住所が知れない場合には，第2次的に居所（民23Ⅰ）であり，居所がない場合または居所が知れない場合には，第3次的に訴えの提起前に有していた住所である。ただし，第3次的な連結点の場合には，その後に外国に住所を有していたことが証明されれば，国際裁判管轄は否定される[21]。

イ　裁判権が免除される日本人に対する訴え

「裁判所は，大使，公使その他外国に在ってその国の裁判権からの免除を享有する日本人に対する訴えについて，前項の規定にかかわらず，管轄権を有する」(3の2Ⅱ)。これらの者は，その駐在する外国の民事裁判権に服さないので，これらの者に対する提訴を可能にするために，わが国の国際裁判管轄を認める趣旨である。

ウ　法人その他の団体に対する訴え

「裁判所は，法人その他の社団又は財団に対する訴えについて，その主たる事務所又は営業所が日本国内にあるとき，事務所若しくは営業所がない場合又はその所在地が知れない場合には代表者その他の主たる業務担当者の住所が日本国内にあるときは，管轄権を有する」(3の2Ⅲ)。

人を被告とする訴えと同様に，法人その他の団体に対する訴えについても，わが国内に何らかの連結点を有する場合に，その者に対する民事裁判権が認められる。その連結点としては，第1次的に，主たる事務所または営業所（以下，営業所等という）であり，営業所等がない場合またはその所在地が知れない場合には，第2次的に，代表者その他の主たる業務担当者の住所（民22）である。法人その他の団体のうち日本法人は，その主たる事務所または営業所を定款等で国内に定めることから，それを被告とする訴えについては，わが国の国際裁判管轄が認められる。また，外国法人のうち，成立が認許される外国会社などについては，通例は，その主たる事務所や営業所は外国にあると考えられるが，それらが日本国内にあるときには，わが国の国際裁判管轄が認められる。それらが日本国内にないときには，代表者その他の主たる業務担当者の住所による国際裁判管轄が検討の対象となる。ただし，日本国内にある営業所の業務に関する訴訟については，国際裁判管轄が認められることは，後に述べる通りである（本書54頁）。

21）第3次の連結点は，いわゆる最後の住所地の考え方にもとづいているが，それを確定することが容易でないために，日本国内に住所を有していた事実が認められれば，国際裁判管轄をいったん肯定することとし，その後に外国に住所を有していたことが証明されれば，日本国内の住所が最後の住所でないことが明らかになるために，国際裁判管轄を否定することとしている。条解民訴〈2版〉49頁〔新堂幸司＝高橋宏志＝高田裕成〕，秋山ほかⅠ101頁，日暮ほか・前掲論文（注20）64頁参照。

日本法上法人格を認められない社団または財団，あるいは外国法人についても，日本に主たる事務所や営業所がある場合か，またはそれがない場合もしくはその所在地が知れない場合には，代表者その他の主たる業務担当者の住所が日本国内にある場合に，国際裁判管轄が認められる。

(2)　特別管轄

特別管轄は，事件の種類内容との関係で，わが国の民事裁判権を認めるものであるが，その内容はさらに以下の12に分けられる。これらの12類型の特別管轄に該当すれば，一般管轄によれば国際裁判管轄が認められないときであっても，裁判所は，当該事件について裁判権を行使しうる。

ア　契約上の債務の履行またはこれに関連する請求を目的とする訴え

「契約上の債務の履行の請求を目的とする訴え又は契約上の債務に関して行われた事務管理若しくは生じた不当利得に係る請求，契約上の債務の不履行による損害賠償の請求その他契約上の債務に関する請求を目的とする訴え」については，契約において定められた当該債務の履行地が日本国内にあるとき，または契約において選択された地の法によれば当該債務の履行地が日本国内にあるときに，わが国の裁判所の国際裁判管轄が認められる（3の3①)。この管轄原因は，国内の土地管轄でいえば，義務履行地の管轄に近い性質を有するが，国際裁判管轄としての性質上，相当に限定され[22]，かつ，特別の事情を理由とする訴えの却下（3の9）の可能性が残されている。

(i)　契約上の債務の履行の請求を目的とする訴え

契約上の債務の履行の請求とは，特定物の引渡しや売買代金の支払など債務の履行を求める請求や利息金請求などの付随債務の履行を求める請求を意味する。

22）　具体的には，契約上の債務と関連性のない不法行為による損害賠償請求権や不当利得による返還請求権等の法定債権にもとづく請求は含まれない。これらの法定債権にもとづく義務履行地は，原告が訴えを提起した国の国際私法によって決定される準拠法によって定まるところ，不法行為など法定債権の原因行為が行われた時点では，被告が義務履行地を予測することは困難であり，そのような義務履行地を理由とする国際裁判管轄を認めることが被告に不合理な負担を強いるとの理由が挙げられる。秋山ほかⅠ110頁，日暮ほか・前掲論文（注20）65頁参照。

(ii)　契約上の債務に関する請求を目的とする訴え

ここでいう契約上の債務に関する請求とは，契約上の債務そのものではないが，そこから派生または転化したものを意味し，契約上の債務に関して行われた事務管理もしくは生じた不当利得にかかる請求，たとえば，売買契約の解除にもとづく目的物の返還請求や支払済みの売買代金相当額の返還請求[23)]，また，契約上の債務不履行による損害賠償請求，その他契約上の債務に関する請求が含まれる。

(iii)　国際裁判管轄の発生原因

上記の(i)および(ii)の訴えについての国際裁判管轄は，2つの場合に認められる。第1は，契約において定められた当該債務の履行地が日本国内にあるときである。当事者の合意にもとづく履行地が日本国内にある以上，履行をめぐる紛争についてもわが国の裁判所に解決を求めうることとするのが合理的であるとの判断にもとづいている[24)]。第2は，契約において選択された地の法によれば当該債務の履行地が日本国内にあるときである。準拠法選択は契約の両当事者の意思にもとづくものである以上[25)]，準拠法による履行地を基準として国際裁判管轄を決定しても，それが当事者の予測に反するとはいえないことが根拠となっている。

イ　手形または小切手による金銭の支払の請求を目的とする訴え

「手形又は小切手による金銭の支払の請求を目的とする訴え」については，手形または小切手の支払地が日本国内にあるときに，わが国の裁判所の国際裁判管轄が認められる（3の3②）。この訴えの内容は，土地管轄に関する法5条2号と同趣旨であり，手形または小切手の支払地を日本国内とする当事者の意思を根拠として，その支払にかかる紛争について国際裁判管轄を認めるものである。

---

23)　条解民訴〈2版〉53頁〔新堂幸司＝高橋宏志＝高田裕成〕，秋山ほかⅠ111頁による。

24)　この合意は，書面によることを要するものではなく，黙示の合意も含むので，純然たる国内取引については，債務の履行地を日本国内とする黙示の合意の存在が認められるのが通常である。日暮ほか・前掲論文（注20）66頁，秋山ほかⅠ113頁参照。

25)　したがって，法の適用に関する通則法8条の適用によって日本法が準拠法になる場合は，ここに含まれない。条解民訴〈2版〉54頁〔新堂幸司＝高橋宏志＝高田裕成〕。

ウ　財産権上の訴え

財産権上の訴えについては，請求の目的が日本国内にあるとき，または当該訴えが金銭の支払を請求するものである場合には差し押さえることができる被告の財産が日本国内にあるときに，わが国の国際裁判管轄が認められる（3の3③）。ただし，後者については，その財産の価額が著しく低いときを除く（同括弧書）。

第1に，金銭支払請求以外の財産権上の訴え，たとえば，特定物または不特定物の引渡請求などが代表的なものであるが，この場合には，その目的が日本国内にあれば，被告をわが国の民事裁判権に服せしめることに合理的な理由がある[26)]。

第2に，金銭支払請求については，差押可能財産が日本国内にあれば，わが国の国際裁判管轄が認められる。請求認容判決をもって当該財産に対する強制執行を実施することを想定すれば，その前提としてわが国の民事裁判権を認めるのが合理的なためである[27)]。その財産の価額が著しく低いときが除かれるのは，強制執行の実施による金銭支払請求権の確保という趣旨に沿わないためである[28)]。

エ　事務所または営業所における業務に関する訴え

「事務所又は営業所を有する者に対する訴えでその事務所又は営業所における業務に関するもの」については，当該事務所または営業所が日本国内にあるときに，わが国の国際裁判管轄が認められる（3の3④）。

個人であれ，法人であれ，また法人格のない社団であれ，事業を営む者については，その事業の中心地である事務所または営業所が日本国内に存在する場合には，その業務に起因する紛争についてのわが国の国際裁判管轄を及ぼす趣旨である。ここでいう事務所または営業所とは，主たる事務所または営業所

---

26)　国内の土地管轄に関する法5条4号に対応するものであるが，請求の担保の目的が除外されるという差異がある。条解民訴〈2版〉54頁〔新堂幸司＝高橋宏志＝高田裕成〕，秋山ほかⅠ116頁参照。

27)　対応する土地管轄規定（5④）と比較すると，金銭支払請求に限定されているという差異がある。日暮ほか・前掲論文（注*20*）66頁参照。

28)　日暮ほか・前掲論文（注*20*）66頁では，財産の価額が著しく低いとは，請求金額との均衡ではなく，財産の価額自体の絶対的評価であり，その例として，商品の見本等を挙げる。詳細については，秋山ほかⅠ117頁参照。

(3の2Ⅲ）である必要はないが，業務の全部または一部が統括経営されている施設を意味する[29]。ただし，そこで行われている業務は，日本国内におけるものに限定されない[30]。

オ　日本において事業を行う者に対する訴え

「日本において事業を行う者（日本において取引を継続してする外国会社（会社法（平成十七年法律第八十六号）第二条第二号に規定する外国会社をいう。）を含む。）に対する訴え」については，当該訴えがその者の日本における業務に関するものであるときに，わが国の国際裁判管轄が認められる（3の3⑤)。

事務所または営業所の設置の有無にかかわらず，日本において継続して事業を行う外国会社，外国の個人または社団もしくは財団については，そのことによって一定の利益を享受し，また一定の負担を受忍すべき立場にあることが，これらの者に対してわが国の国際裁判管轄を認める理由である。典型例としては，外国の社団または財団が，日本人向けのウェブサイトを開設するなどして，日本国内における営業所を介することなく日本の個人や法人と取引を行う場合が考えられる[31]。

カ　海事に関する訴え

海事に関する訴えとしては，3種類のものが分けられ，それぞれの要件の下にわが国の国際裁判管轄が認められる。第1に，船舶債権その他船舶を担保とする債権にもとづく訴えについては，船舶が日本国内にあるときである（3の3⑥)。これは，土地管轄に関する法5条7号に対応するものであるが，船舶債権（商842）や船舶を担保とする債権（商848。商850参照）は，船舶を引当てとする権利の実行を予定するところから，その船舶が日本国内にあるときには，わが国の民事裁判権に服せしむべき合理性が認められる。なお，船舶が日本国内にあるとは，訴え提起当時の碇泊地を意味し，船籍所在地とは区別される。

29）条解民訴〈2版〉55頁〔新堂幸司＝高橋宏志＝高田裕成〕。

30）たとえば，アジアにおける業務を統括している場合には，それにかかる取引に関する訴えについてわが国の国際裁判管轄が認められる。日暮ほか・前掲論文（注20）67頁，秋山ほかⅠ119頁。

31）日暮ほか・前掲論文（注20）67頁，条解民訴〈2版〉55頁〔新堂幸司＝高橋宏志＝高田裕成〕，秋山ほかⅠ120頁参照。

第2に，船舶の衝突その他海上の事故にもとづく損害賠償の訴えについては，損害を受けた船舶が最初に到達した地が日本国内にあるときである（3の3⑨）。これは，土地管轄に関する法5条10号に対応するものであるが，衝突の原因や損害の内容に関する証拠調べの便宜等を考慮して，最初の到達地が日本国内にあるときにわが国の国際裁判管轄を認める趣旨である[32]。

第3に，海難救助に関する訴えについては，海難救助があった地または救助された船舶が最初に到達した地が日本国内にあるときである（3の3⑩）。これは，土地管轄に関する法5条11号に対応するものであるが，その趣旨は，第2の場合と同様に，救助料債権などに関する証拠調べの便宜等を考慮したものである[33]。

キ　会社その他の社団または財団に関する訴え

会社その他の社団または財団に関する訴えについては，社団または財団が法人である場合にはそれが日本の法令により設立されたものであるとき[34]，法人でない場合にはその主たる事務所または営業所が日本国内にあるときに，わが国の国際裁判管轄が認められる（3の3⑦）。

これは，土地管轄に関する法5条8号に対応するものであるが，訴えの種類としては，第1に，会社その他の社団からの社員もしくは社員であった者に対する訴え，社員からの社員もしくは社員であった者に対する訴えまたは社員であった者からの社員に対する訴えで，社員としての資格にもとづくものである（3の3⑦イ）。出資金の支払請求などが社団から社員に対する社員としての資格にもとづく訴えの例として，持分会社の社員相互間の持分の確認請求（会社585参照）が社員から社員に対する社員としての資格にもとづく訴えの例である[35]。

32）　不法行為地にもとづく国際裁判管轄（3の3⑧）との関係上，公海上の事故に起因する事件において主たる意味があるという。条解民訴〈2版〉58頁〔新堂幸司＝高橋宏志＝高田裕成〕参照。

33）　もっとも，この種の紛争は，ロンドンにおける仲裁手続によって解決されることが通例であるため，わが国の国際裁判管轄が問題となることは少ないといわれる。条解民訴〈2版〉58頁〔新堂幸司＝高橋宏志＝高田裕成〕参照。

34）　法人に関しては，その活動を規律する設立準拠法を国際裁判管轄の基準とすることが相当と考えられたためである。日暮ほか・前掲論文（注20）68頁参照。

35）　その他の例については，条解民訴〈2版〉92～93頁〔新堂幸司＝高橋宏志＝高田裕

第2に，社団または財団からの役員または役員であった者に対する訴えで役員としての資格にもとづくものである（3の3⑦ロ）。役員または役員であった者に対する社団の損害賠償請求（一般法人111，会社423）などがその例である。

第3に，会社からの発起人もしくは発起人であった者または検査役もしくは検査役であった者に対する訴えで発起人または検査役としての資格にもとづくものである（3の3⑦ハ）。

第4に，会社その他の社団の債権者からの社員または社員であった者に対する訴えで社員としての資格にもとづくものである（3の3⑦ニ）。

ク　不法行為に関する訴え

不法行為に関する訴えについては，不法行為があった地が日本国内にあるときに，わが国の国際裁判管轄が認められる（3の3⑧）。ただし，外国で行われた加害行為の結果が日本国内で発生した場合において，日本国内におけるその結果の発生が通常予見することのできないものであったときを除く（同括弧書）。

不法行為地にもとづく国際裁判管轄を認めるのは，証拠方法の所在や被害者の便宜を考慮したものであり，土地管轄に関する法5条9号（本書83頁）に対応する。ここで不法行為に関する訴えとは，民法709条ないし724条に規定するものに限られず，広く違法行為に起因する救済を求める訴えを意味する[36]。

また，不法行為があった地とは，土地管轄に関する法5条9号の場合と同様に，加害行為地だけではなく，結果発生地をも含むので，外国で加害行為が行われ，その結果が日本国内で発生したときには，わが国の国際裁判管轄が認められる[37]。ただし，この場合には，日本におけるその結果の発生が通常予見

成〕参照。

36）　たとえば，知的財産権の侵害にもとづく損害賠償請求や差止請求も含まれる。前掲最判平成26・4・24（注*20*），日暮ほか・前掲論文（注*20*）68頁，秋山ほかⅠ125頁参照。

37）　加害行為が日本国内においてなされたかは，被告の応訴の負担を正当化するために，原告の主張だけでは足らず，客観的事実関係の証明が求められる。最判平成13・6・8民集55巻4号727頁，小島75頁，秋山ほかⅠ126頁。なお，差止請求の場合には（注*36*参照），違法行為が行われるおそれのある地や権利侵害などが発生するおそれのある地も含まれる。前掲最判平成26・4・24（注*20*）。

また，客観的事実関係の証明については，髙部眞規子「判例解説」最高裁判所判例解説民事篇平成13年度(下)495頁，竹下啓介「不法行為地の国際裁判管轄の判断における『客観的事実関係』」曹時72巻10号7頁（2020年）参照。

することができないものであったときは，被告にとって応訴の負担が大きく，また，当事者間の公平に反するために，国際裁判管轄を否定する（3の3⑧括弧書）。

ケ　不動産に関する訴え

不動産に関する訴えについては，不動産が日本国内にあるときに，わが国の国際裁判管轄が認められる（3の3⑪）。これは，係争物である不動産に関する証拠方法の所在や証拠調べの便宜などを重視したものであり，不動産に関する訴えの意義は，法5条12号の場合（本書84頁）と同様である。

コ　相続権等に関する訴え

相続権等に関する訴えとしては，2種類のものが分けられ，以下に述べるように，共通の要件の下にわが国の国際裁判管轄が認められる。第1に，相続権（相続権確認，民884・910など）もしくは遺留分に関する訴え（民1042～1049）または遺贈その他死亡によって効力を生ずべき行為に関する訴えについては，相続開始の時における被相続人の住所が日本国内にあるとき，住所がない場合または住所が知れない場合には相続開始の時における被相続人の居所が日本国内にあるとき，居所がない場合または居所が知れない場合には被相続人が相続開始の前に日本国内に住所を有していたときである（3の3⑫）。

これは，土地管轄に関する法5条14号に対応するものであるが，被相続人の住所等を基準にして，多数の関係人がかかわる相続をめぐる紛争について共通の国際裁判管轄裁判所を確保し，あわせて，財産や記録等が所在する被相続人の死亡時の住所等にもとづく国際裁判管轄を認める趣旨である[38)]。

ただし，相続開始前の日本国内の住所を理由とする場合には，日本国内に最後に住所を有していた後に外国に住所を有していたときを除く（同括弧書）。これは，一般管轄に関する法3条の2第1項括弧書に対応するものであり，国内における最後の住所の後に外国に住所を有していた以上，上記の趣旨が妥当しないためである。

近時の問題としては，インターネット上での人格権侵害を理由とする損害賠償請求などにおいて，アクセス可能性を根拠として結果発生地を判断してよいかどうかという問題がある。中村知里「インターネット上での人格権侵害の国際裁判管轄に関する多面的分析（一）」法学論叢183巻4号29頁（2018年）参照。

38）　条解民訴〈2版〉58頁〔新堂幸司＝高橋宏志＝高田裕成〕，秋山ほかⅠ130頁。

第2に，相続債権その他相続財産の負担に関する訴えで前号に掲げる訴えに該当しないものである（3の3⑬）。相続債権，すなわち被相続人を本来の債務者とする債権については，一般管轄の趣旨を考えても，被相続人の死亡時の住所等が日本国内にあるときにわが国の国際裁判管轄を認めるのが合理的であるとの判断にもとづいている。

サ　消費者契約および労働契約に関する訴え

消費者契約および労働契約の一方当事者である消費者や労働者については，その経済力や交渉力の面からみて，当該契約をめぐる紛争が生じたときに，外国の裁判所に提訴または応訴することが困難であると認められる事案が多いと想定されるために，立法者は，特別の国際裁判管轄規定を設けている。

(i)　消費者契約に関する訴え——消費者から事業者に対する訴え

消費者契約，すなわち消費者（個人であって，事業としてまたは事業のために契約の当事者となる場合におけるものを除く）と事業者（法人その他の社団または財団および事業としてまたは事業のために契約の当事者となる場合における個人）との間で締結される契約（労働契約を除く）に関する消費者からの事業者に対する訴えは，訴えの提起の時または消費者契約の締結の時における消費者の住所が日本国内にあるときは，日本の裁判所に提起することができる（3の4 I）。これは，法3条の2にもとづく一般管轄および法3条の3にもとづく特別管轄に加え，消費者の訴権を保護し，また事業者に日本国内での応訴を求めても不合理とはいえないとの考慮にもとづいて，訴えの提起時[39]または消費者契約の締結時における消費者の住所の所在を根拠とする国際裁判管轄を認めるものである。

(ii)　消費者契約に関する訴え——事業者から消費者に対する訴え

同じく消費者契約に関する訴えであっても，事業者から消費者に対する訴えについては，特別管轄に関する法3条の3の規定の適用を排除する（3の4 Ⅲ）。したがって事業者としては，一般管轄の規定（3の2）によるか，合意管轄の規定（3の7）または応訴管轄の規定（3の8）による以外には，消費者に対する訴えを日本の裁判所に提起することはできない。これは，日本国内に住所等を有

39)　消費者が住所を意図的に日本国内に移して国際裁判管轄の取得を図るような場合には，管轄選択権濫用の法理または特別の事情（3の9）によって対処することとなる。条解民訴〈2版〉60頁〔高田裕成〕，秋山ほかⅠ134頁。

しない消費者が，特別管轄の規定によって日本の裁判所における応訴を余儀なくされる事態の発生を防ごうとするものである。

(iii)　労働契約に関する訴え——労働者から事業主に対する訴え

個別労働関係民事紛争，すなわち労働契約の存否その他の労働関係に関する事項について個々の労働者と事業主との間に生じた民事に関する紛争に関する労働者からの事業主に対する訴えは，個別労働関係民事紛争にかかる労働契約における労務の提供の地（その地が定まっていない場合にあっては，労働者を雇い入れた事業所の所在地）が日本国内にあるときは，日本の裁判所に提起することができる（3の4Ⅱ）。

ここでいう労務の提供の地とは，労働契約にもとづいて現実に労務を提供し，または提供していた地を意味する[40]。これがわが国の国際裁判管轄の根拠とされたのは，労働者にとって訴えの提起が容易であり，また，事業主にとっても，予測可能性を害されるとはいえないためである。

(iv)　労働契約に関する訴え——事業主から労働者に対する訴え

同じく労働契約に関する訴えであっても，事業主から労働者に対する訴えについては，特別管轄に関する法3条の3の規定の適用を排除する（3の4Ⅲ）。したがって事業主としては，一般管轄の規定（3の2）によるか，合意管轄の規定（3の7）または応訴管轄の規定（3の8）による以外には，労働者に対する訴えを日本の裁判所に提起することはできない。これは，日本国内に住所等を有しない労働者が，特別管轄の規定によって日本の裁判所における応訴を余儀なくされる事態の発生を防ごうとするものである。

シ　管轄権の専属が定められる訴え

以下の3類型の訴えに関しては，わが国の裁判所の専属国際裁判管轄が定められる。専属国際裁判管轄は，当該事件に関しては，わが国の民事裁判権の行使のみを認め，外国の裁判所の裁判権行使を否定することを意味し，それ以外の国際裁判管轄がわが国の民事裁判権の行使のみにかかわる点に違いがある。もちろん，国境を越える統一的裁判権の存在しない現状では，わが国の専属国

40）　したがって，労働者が各地を転々として労務を提供した場合には，複数の地がありうる点で，通則法12条2項にいう「労務を提供すべき地」とは，その意義を異にする。日暮ほか・前掲論文(下)（注20）NBL 959号103頁（2011年），秋山ほかⅠ137頁。

際裁判管轄が外国裁判所において尊重される保障はないが，専属国際裁判管轄は，2つの点で，わが国の手続において意味をもつ。

第1に，ある事件がわが国の専属国際裁判管轄に属すると認められるときには，当該事件について外国裁判所がした判決は，承認が拒絶されることになる(118①参照)[41)]。第2は，法3条の5の規定の考え方を適用すれば，外国の裁判所に専属国際裁判管轄が認められるにもかかわらず，わが国の裁判所に訴えが提起されたときには，わが国の裁判所の国際裁判管轄を否定し，訴えを却下すべきとの解釈論が成り立つことである。

(i) 会社法第7編第2章等に規定する訴え

「会社法第七編第二章に規定する訴え（同章第四節及び第六節に規定するものを除く。），一般社団法人及び一般財団法人に関する法律（平成十八年法律第四十八号）第六章第二節に規定する訴えその他これらの法令以外の日本の法令により設立された社団又は財団に関する訴えでこれらに準ずるものの管轄権は，日本の裁判所に専属する」(3の5Ⅰ)。これらの訴えがわが国の国際専属裁判管轄に属するものとされているのは，会社法などわが国の法令に準拠して設立された法人や団体の組織や役員の責任に関する紛争については，設立準拠法国の裁判所の判断に委ねることが相当であるとの考え方による[42)]。

(ii) 登記または登録に関する訴え

「登記又は登録に関する訴えの管轄権は，登記又は登録をすべき地が日本国内にあるときは，日本の裁判所に専属する」(3の5Ⅱ)。登記または登録は，権利の所在や発生の公示などを目的とするわが国の制度であり，それに関する紛争については，外国の裁判所の判断権を排除し，わが国の裁判所の判断権のみを認めるという立法政策の表れである。なお，知的財産権の登録に関する訴えも，ここでいう登録に関する訴えに含まれる。

---

41) いわゆる間接管轄を欠く結果である。条解民訴〈2版〉62頁〔高田裕成〕，秋山ほかⅠ143頁。

42) 日暮ほか・前掲論文(下)（注40）104頁，秋山ほかⅠ141頁参照。会社法第7編第2章に規定する訴えのうち，4節および6節に規定する訴えが除外されている理由，あるいは「これらに準ずるもの」としての訴えの例についても，日暮ほか・前掲論文(下)同頁参照。

(iii)　知的財産権の存否または効力に関する訴え

「知的財産権（知的財産基本法（平成十四年法律第百二十二号）第二条第二項に規定する知的財産権をいう。）のうち設定の登録により発生するものの存否又は効力に関する訴えの管轄権は，その登録が日本においてされたものであるときは，日本の裁判所に専属する」(3の5Ⅲ)。ここでいう設定の登録によって発生する知的財産権としては，特許権，実用新案権，意匠権，商標権，育成者権が挙げられる。これらは，その国の行政処分によって付与されることが通常であり，その権利の存否や有効性については，登録国の裁判所がもっとも適切に判断できるとの考え方が専属国際裁判管轄の根拠となっている[43)]。

知的財産権の存否または効力に関する訴えとは，それらが訴訟物となっている訴えを意味し，特許権の不存在確認や特許無効の訴えがその例である[44)]。

(3)　併合請求等の国際裁判管轄

国内の土地管轄については，併合請求の特則があり（7），一の訴えで数個の請求をする場合には，そのうちの一の請求について土地管轄を有する裁判所が，他の請求についても管轄権を認められる。これは，原告の便宜とともに，訴訟資料や証拠資料の面で合理的な審理の実現が図れることを考慮したものであるが（本書87頁），国際裁判管轄にもこのような考慮が妥当しないとはいえない。しかし，国際裁判管轄においては，被告の利益保護がより重要になることに配慮して，立法者は，以下のような要件の下に併合請求等の国際裁判管轄を認めている。

ア　請求の客観的併合

「一の訴えで数個の請求をする場合において，日本の裁判所が一の請求について管轄権を有し，他の請求について管轄権を有しないときは，当該一の請求と他の請求との間に密接な関連があるときに限り，日本の裁判所にその訴えを提起することができる」(3の6本文)。請求の客観的併合（136。本書672頁）については，同種の訴訟手続によるという以外の要件はないが，上記のような配

---

43)　以上は，日暮ほか・前掲論文(下)（注*40*）104頁による。

44)　したがって，知的財産権の帰属をめぐる訴え，知的財産権の侵害を理由とする損害賠償請求において無効の抗弁が提出された訴訟などは，この専属国際裁判管轄の範囲外である。日暮ほか・前掲論文(下)（注*40*）104頁，秋山ほかⅠ146頁参照。

慮から，請求相互間に密接な関連がある場合に限って，併合請求の国際裁判管轄が認められる。密接な関連の有無は，請求相互間の法的関係や請求の基礎となる事実関係などを総合的に考慮して決せられる[45]。

イ　請求の主観的併合

請求の主観的併合の場合に，ある被告に対する国際裁判管轄を理由として，本来であれば国際裁判管轄が認められない他の被告もわが国の裁判権に服せしめることは，併合請求の土地管轄の場合よりも，さらに慎重でなければならない。そこで，請求相互間の密接な関連に加えて，法38条前段の定める場合（本書88頁），すなわち訴訟の目的である権利または義務が数人について共通であるとき，または同一の事実上および法律上の原因によるときに限って，請求の主観的併合にもとづく国際裁判管轄を認めている（3の6但書）。

ウ　反　　訴

「日本の裁判所が反訴の目的である請求について管轄権を有しない場合には，被告は，本訴の目的である請求又は防御の方法と密接に関連する請求を目的とする場合に限り，第一項の規定による反訴を提起することができる」（146Ⅲ本文）。これは，日本の裁判所が本訴の目的である請求について国際裁判管轄を有し，反訴の目的である請求については有しない場合であっても，両者の攻撃防御方法の間に密接な関連性が認められれば，反訴についても国際裁判管轄が生じることを規定するものであり，併合請求等の国際裁判管轄に類する性質をもつ。

本訴と反訴との間には，関連性が要求されるので（146Ⅰ柱書本文），ここでいう密接な関連性が，それ以上に厳格な要件を意味するのかどうかが問題となるが，本訴についてわが国の民事裁判権に服せしめられる被告（反訴原告）が，自ら進んで反訴請求についての審判を求めているのであるから，本来の関連性以上の内容を求める意義に乏しい。

ただし，日本の裁判所が管轄権の専属に関する規定により反訴の目的である請求について管轄権を有しないときは，反訴についての国際裁判管轄は認めら

45）これは，前掲最判平成13・6・8（注37）の判例法理に沿ったものである。日暮ほか・前掲論文(下)（注40）105頁，条解民訴〈2版〉64頁〔新堂幸司＝高橋宏志＝高田裕成〕，秋山ほかⅠ150頁。

れない（146Ⅲ但書）。これは，外国に所在する不動産の登記に関する訴えのように，外国の法令の定めによって外国の裁判所に専属管轄に関する定めがあるために，日本の裁判所の国際裁判管轄が認められない場合を想定したものであり，管轄権の専属に関する規定の優先性を認めたものである。

エ　中間確認の訴え

本来の請求についてわが国裁判所が国際裁判管轄を有するときには，その前提としての法律関係の確認を求める中間確認の訴え（145Ⅰ本文。本書683頁）についても，国際裁判管轄が認められるのが原則であるが，反訴について述べたのと同様の理由から，日本の裁判所が管轄権の専属に関する規定により中間確認の訴えにかかる請求について管轄権を有しないときは，当事者は，同項の確認の判決を求めることができない（同Ⅲ）。

(4)　国際裁判管轄の合意

国内の事物管轄および土地管轄については，管轄の合意の効力が認められている（11Ⅰ。本書90頁）。国際裁判管轄の実質は，先に述べたように，わが国の民事裁判権行使にかかる規律であることを考えれば，当事者間の合意の効力によってそれを左右すべきではないとの考え方もありえないではないが，判例は，一定の条件の下に合意の効力を認めている[46]。これを受けて法3条の7は，原則として国際裁判管轄の合意の効力を認め（3の7Ⅰ），その方式を定め（同ⅡⅢ），さらに合意の内容に即した制限を設けている（同Ⅳ～Ⅵ）。

ア　国際裁判管轄の合意の内容と効力

国際裁判管轄の合意には，法定管轄のない国の裁判所に新たに国際裁判管轄を創設するものと，合意された国の裁判所以外の国の裁判所の法定管轄を排除するものがあり[47]，後者の場合には，合意された国の裁判所が専属的に国際

46）　大判大正5・10・18民録22輯1916頁，最判昭和50・11・28民集29巻10号1554頁。昭和50年判決が挙げる条件とは，「（イ）当該事件がわが国の裁判権に専属的に服するものではなく，（ロ）指定された外国の裁判所が，その外国法上，当該事件につき管轄権を有すること」の2つである。

47）　条解民訴〈2版〉66頁〔新堂幸司＝高橋宏志＝高田裕成〕は，前者を創設的合意，後者を排除的合意と呼ぶ。ただし，排除的合意，すなわち国際的専属的裁判管轄の合意であっても，以下に述べる場合のほかに，公序に反するとの理由から，無効にされることがありうる（前掲最判昭和50・11・28（注*46*）参照），この判例法理の下で，当事者間の公平などの理由から無効とした例として，東京高判平成26・11・17判時2243号28頁が

裁判管轄をもつことになる。当事者は，合意により，いずれの国の裁判所に訴えを提起することができるかについて定めることができる（3の7Ⅰ）とは，いずれの内容の合意の効力をも認める趣旨である。

その結果として，わが国の裁判所に法定の国際裁判管轄がない場合であっても，合意の効力によって国際裁判管轄が認められるし，わが国の裁判所に法定の国際裁判管轄がある場合であっても，それが合意によって排除されていれば，国際裁判管轄が否定される。

イ　合意の方式

合意は，一定の法律関係にもとづく訴えに関し，かつ，書面でしなければ，その効力を生じない（3の7Ⅱ）。また，合意がその内容を記録した「電磁的記録（電子的方式，磁気的方式その他人の知覚によっては認識することができない方式で作られる記録であって，電子計算機による情報処理の用に供されるものをいう。……）」によってされたときは，その合意は，書面によってされたものとみなされる（同Ⅲ）。これは，国内の合意管轄に関する法11条2項および3項に対応するものである。

あり，無効といえないとした例として，東京地判平成28・10・6金商1515号42頁がある。

なお，本文イに述べるように，合意は，一定の法律関係にもとづく訴えに関してしなければならないが，その要件を満たさないとした裁判例として，東京地中間判平成28・2・15判例集未登載（ジュリ1508号144頁参照）がある。

本文「イ　合意の方式」に関連して，国際裁判管轄に関する規定が存在しなかった時期における上記（注*46*）最判昭和50・11・28は，一通の書面上に両当事者間の合意が記載されている必要はなく，一方当事者が作成した書面に特定国の裁判所が明示的に指定され，他方の当事者がそれに合意したと認められれば足りるとしている。この判例法理は，現行民事訴訟法3条の7第2項の解釈にも妥当すると思われる（佐藤達文ほか編著・一問一答平成23年民事訴訟法改正140頁（2012年）参照）。

ただし，合意自体を記載した書面の場合であれ，一方当事者が作成した書面に記載された特定国の裁判所の管轄に他方当事者が合意したと認められる場合であれ，国際裁判管轄の実質がわが国を含む特定国の民事裁判権の行使に係る規律である以上（本書47頁），法的安定性の視点からも，特定国の裁判所が明示的に指定される必要があり，国名の特定を欠くときは，国際裁判管轄の合意としての本質的要素を満たさないために，その効力を否定すべきである。このことは，合意内容が創設的または付加的合意であるか，排除的または専属的合意であるかを問わない。

さらに，合意にもとづく外国裁判所の管轄を認めることが私的独占の禁止及び公正取引の確保に関する法律などわが国の絶対的強行法規の適用を回避する結果となる場合においては，合意の効力を否定すべきであるとの議論もなされている。山本和彦「国際裁判管轄に関する若干の問題」春日古稀388頁参照。

ウ　国際裁判管轄の合意の制限(1)――合意された外国の裁判所の裁判権行使が不可能である場合

合意の内容として，特定の外国以外の国の国際裁判管轄を排除し，その外国の裁判所にのみ訴えを提起することができる旨を定めたときであっても，その外国の裁判所が法律上または事実上裁判権を行うことができないときは，これを援用することができない（3の7Ⅳ）。この種の合意であっても，その効力が認められるのが原則であるから，わが国の裁判所に訴えが提起されたときには，国際裁判管轄が欠けるから，訴えを却下することになるが，その外国の裁判所が裁判権を行使できない状態にある場合には，裁判を受ける権利を保障する趣旨から，合意の効力を制限し，法定管轄にしたがって，わが国の裁判所の国際裁判管轄を認める趣旨である。

ここで，法律上とは，合意された国の法令によれば当該訴えについてその国の裁判所が裁判権を行使しえない場合をいい，事実上とは，戦乱や天災のためにその国の司法制度が機能していないような場合をいう[48]。

エ　国際裁判管轄の合意の制限(2)――消費者契約の場合

消費者契約（3の4Ⅰ）にも国際裁判管轄の合意が含まれることが考えられる。すでに紛争が生じた後の合意であれば，消費者としても，その内容について慎重に判断することが期待されるが，消費者契約そのものに含まれる一条項としての国際裁判管轄の合意の場合には，消費者がそれについて十分な注意を払わないままに契約を締結することが多いと思われる。また，国内の土地管轄の場合であれば，裁判所の裁量にもとづく移送（17。本書102頁）による救済を図ることも可能であるが，国際裁判管轄の場合には，その可能性も存在しない。こうした点を考慮して，立法者は，以下の(i)および(ii)または(iii)の要件を満たす場合に限って，その合意の効力を認めている。

(i)　将来において生じる消費者契約に関する紛争を対象とする国際裁判管轄の合意であること（3の7Ⅴ柱書）

この要件の趣旨は，上に述べたとおりであり，したがって，現に生じている消費者契約に関する紛争を対象とする国際裁判管轄の合意は，アないしウに述

48)　日暮ほか・前掲論文(下)（注40）106頁，秋山ほかⅠ162頁参照。

べた一般的規律に従う。

(ii)　消費者契約の締結の時において消費者が住所を有していた国の裁判所に訴えを提起することができる旨の合意であること（同①）

これは，自らが住所を有していた国に国際裁判管轄を認める旨の合意であれば，消費者をその合意の効力に服せしめても，予期に反するとはいえないことを根拠とする。たとえば，消費者契約締結の時において日本に住む消費者が，日本の裁判所に訴えを提起することができる旨の合意を締結したときには，訴え提起の時点でその消費者の住所が外国にあったとしても，わが国の裁判所の国際裁判管轄が認められる[49]。

ただし，その場合であっても，合意の内容が，専属的な国際裁判管轄の合意であるとき，すなわちその国の裁判所の国際裁判管轄のみを認め，他の国の裁判所の国際裁判管轄を排除するものであるときは，専属的な合意としての効力を認めず，合意された国の裁判所にも国際裁判管轄を認めるという付加的な合意と擬制する（同括弧書）。これは，消費者の国際裁判管轄選択の自由を過度に制限することを防ごうとするためである。

(iii)　消費者が進んで合意の効力を援用したこと

上記の(ii)に該当するか否かにかかわらず，消費者が当該合意にもとづき合意された国の裁判所に訴えを提起したとき，または事業者が日本もしくは外国の裁判所に訴えを提起した場合において，消費者が当該合意を援用したときには，合意の効力が認められる（3の7V②）。この場合には，消費者が自ら合意された国の裁判所に訴えを提起するとか，それ以外の裁判所に事業者による訴えが提起されたことに対して，消費者が合意を援用して訴えの却下を求めたりする行為が存在する以上，もはや合意の効力を制限すべき理由がないからである。

オ　国際裁判管轄の合意の制限(3)——個別労働関係民事紛争の場合

個別労働関係にかかる国際裁判管轄の合意の当事者である労働者についても，消費者について述べたのと類似の問題が考えられる。そこで，立法者は，以下

49)　日暮ほか・前掲論文（下）（注40）106頁，秋山ほかI 163頁。なお，改正前の事案に関して国際的専属的合意管轄の効力を認めた東京地判平成25・4・19判例集未登載があるが，法3条の7第5項の下では，無効となるものと思われる。加藤紫帆〔判例研究〕ジュリ1462号130頁（2014年）。

の(i)および(ii)または(iii)の要件を満たす場合に限って，その合意の効力を認めている。

(i)　将来において生じる個別労働関係民事紛争を対象とする国際裁判管轄の合意であること（3の7Ⅵ柱書）

この要件の趣旨は，消費者契約について述べたとおりであり，したがって，現に生じている個別労働関係民事紛争を対象とする国際裁判管轄の合意は，アないしウに述べた一般的規律に従う。

(ii)　労働契約の終了の時において労務の提供の地がある国の裁判所に訴えを提起することができる旨の合意であること（同①）

これは，労働契約の終了時であれば，労働者と事業者との交渉上の格差も労働契約締結時や労働契約継続中に比べて小さいこと，および労働者にとっても，労働契約の終了の時点での労務提供地がある国に住所を有することが多く，その国で当該労働関係に関する紛争を解決することを予期していたといえることなどにもとづいている[50)]。

ただし，その場合であっても，合意の内容が，専属的な国際裁判管轄の合意であるとき，すなわちその国の裁判所の国際裁判管轄のみを認め，他の国の裁判所の国際裁判管轄を排除するものであるときは，専属的な合意としての効力を認めず，合意された国の裁判所にも国際裁判管轄を認めるという付加的な合意と擬制する（同括弧書）。消費者契約の場合と同様の理由によるものである。

(iii)　労働者が進んで合意の効力を援用したこと

上記の(ii)に該当するか否かにかかわらず，労働者が当該合意にもとづき合意された国の裁判所に訴えを提起したとき，または事業主が日本もしくは外国の裁判所に訴えを提起した場合において，労働者が当該合意を援用したときには，合意の効力が認められる（3の7Ⅵ②）。その理由は，消費者について述べたのと同一である。

(5)　応訴による国際裁判管轄

国内においても応訴による管轄の発生が認められているが（12。本書94頁），国際裁判管轄についてもそれを否定すべき理由はない。そこで，被告が日本

50)　日暮ほか・前掲論文(下)（注40）107頁，秋山ほかⅠ166頁。

の裁判所が管轄権を有しない旨の抗弁を提出しないで本案について弁論をし，または弁論準備手続において申述をしたときは，裁判所は，管轄権を有する（3の8）。国内における応訴管轄との差異は，控訴審においても国際裁判管轄に関する争いが生じうることを想定して，第一審に限定されていないことである[51]。

(6) 特別の事情による訴えの却下

従来の判例法理において，わが国の裁判所に国際裁判管轄が認められる場合であっても，当事者間の公平，裁判の適正かつ迅速を期するという理念に反すると認められるときには，わが国の国際裁判管轄を否定すべき特段の事情があるとされていた。国内においては，これに相当する事情が認められれば，他の裁判所に訴訟を移送（17）することになるが，国際裁判管轄については，移送が不可能なため，訴えを却下する以外にない。

平成23年改正の立法者も，このような判例法理を踏まえ，裁判所は，訴えについて日本の裁判所が管轄権を有することとなる場合においても，「事案の性質，応訴による被告の負担の程度，証拠の所在地その他の事情を考慮して，日本の裁判所が審理及び裁判をすることが当事者間の衡平を害し，又は適正かつ迅速な審理の実現を妨げることとなる特別の事情があると認めるときは，その訴えの全部又は一部を却下することができる」（3の9）との規定を設けている。

これに関連するものとして，国際的訴訟競合の問題がある。この問題については，改正法においても規律が設けられていないが[52]，同一の事件について

51） 日暮ほか・前掲論文(下)（注40）107頁。なお，条解民訴〈2版〉70頁〔高田裕成〕は，効果の重大性を考慮して，応訴による国際裁判管轄の発生について裁判所に教示義務を課すべきであるとする。秋山ほかⅠ170頁も同旨の指摘をする。なお，応訴による国際裁判管轄を認めた裁判例として，東京高判平成31・4・10判例集未登載，東京地判令和4・3・25判例集未登載（ジュリ1582号125頁参照）がある。

52） 3条の9にもとづいて訴えを却下した原判決の判断を是認するものとして，最判平成28・3・10民集70巻3号846頁があり，そこでは，同一紛争について外国訴訟が係属していること，主な争点についての証拠方法が主に外国に所在すること，原告にとって外国での訴訟提起が過大な負担になるとはいえない反面，被告にとって日本での応訴が過大な負担になることが，わが国の国際裁判管轄を否定すべき理由とされている。

また，国際的訴訟競合に関する規律の検討の経緯については，日暮ほか・前掲論文(下)（注40）108頁，秋山ほかⅠ176頁，新注釈民訴(3)288頁〔本間靖規〕，に詳しい。同一の事件について外国の裁判所に訴訟が係属するときに，一定の要件の下に，わが国の訴訟

外国の裁判所に訴訟が係属する事実そのものをもって，上記の特別の事情とすることはできない。しかし，その審理内容などをみて，当該紛争の解決を外国の裁判所における訴訟手続に委ねた方が当事者間の公平に合致するとか，適正かつ迅速な審理が期待できるなどの事情が認められるときには，この規定を用いて訴えを却下することも許されよう。

ただし，日本の裁判所にのみ訴えを提起することができる旨の合意にもとづき訴えが提起された場合には，特別の事情による訴えの却下は許されない（3の9括弧書）。専属的な国際裁判管轄の合意の効力が認められ（3の7参照），それにもとづいてわが国の裁判所に訴えが提起されているときにまで，特別の事情による訴えの却下をすることは，当事者の意図と逆行するためである。

(7)　専属国際裁判管轄の規定がある場合の例外

わが国の裁判所に国際裁判管轄が専属する旨の法令の定め，すなわち法定専属国際裁判管轄の定めがある場合には，それによって当然にわが国の国際裁判管轄が決定され，一般管轄（3の2），特別管轄（3の3），消費者契約および労働契約に関する特則（3の4），併合請求等の国際裁判管轄（3の6），国際裁判管轄の合意（3の7），応訴による国際裁判管轄（3の8）および特別の事情による訴えの却下（3の9）の規定を適用する余地はないので，これらの規定の適用を排除する（3の10）。もちろん，専属国際裁判管轄を定める法3条の5の規定の適用は排除しない。

したがって，わが国に法定専属国際裁判管轄が認められる事件であるにもかかわらず，外国の裁判所がした判決については，本条の趣旨からその承認を拒絶すべきである（118①参照）[53]。

(8)　国際裁判管轄の調査および管轄決定の時期

わが国の裁判所の国際裁判管轄の調査については，裁判所は，職権で証拠調べをすることができる（3の11）。これは，国内管轄に関する法14条（本書96

手続を中止するとの考え方が検討の対象となったが，実務上の運用で対処しうること，中止の決定をめぐる争いが生じて，手続が遅延するおそれがあるなどの理由から，立案が見送られたという。

53)　条解民訴〈2版〉73頁〔高田裕成〕，秋山ほかI 181頁参照。なお，現在では，3条の5に規定された3類型の訴訟以外に，国際的専属管轄の規定を設ける法令は見当たらないが，将来は，その種の規定が新設される可能性もあろう。

頁）に対応するものであるが，国内管轄よりもさらに公益性が高いので，裁判所は，疑いがあれば，積極的に職権で国際裁判管轄の有無に関する事実を探知すべきであろう。そして，国際裁判管轄が認められないときには，国内管轄の場合に移送がなされる（16 I）のと異なって，裁判所は，訴えを却下する。

ただし，管轄の有無に関する標準時は，訴え提起の時であるから（3の12），その後に国際裁判管轄原因が消滅しても，訴えの適法性には影響しない。これは，国内管轄の標準時に関する法15条（本書98頁）に対応するものであり，訴訟手続の安定を実現するためである。

第3節　管　　轄

民事裁判権は，わが国の裁判所が特定の民事事件について審判を行えるかどうかの問題に関するのに対して，管轄は，裁判権の存在を前提として，わが国のいずれの裁判所が裁判権を行使するかの問題にかかわる。

管轄は，裁判所の側からいえば，事務分担の定めであり，多種・多数の民事事件を各種・各地の裁判所にどのように分掌させるのが合理的かという司法政策的視点から定められる[54]。このように，管轄を裁判所の側からみた場合には，管轄権の用語が使われ，また，管轄権をもつ裁判所は管轄裁判所と呼ばれる。しかし，ある事件についての管轄がいずれの裁判所に認められるかは，当事者双方の利益に大きな影響をもつ。特に，土地管轄については，当事者の利害関係が大きい。そこで法は，両当事者の利益を考えつつ，法律によって管轄を規定し，それに加えて，当事者の意思にもとづいて管轄を変更する余地も認めている。

54）この場合の裁判所は，官署としての独立の裁判所を意味する。たとえば，土地管轄は，東京，名古屋などの地方裁判所単位で決定され，それぞれの裁判所の中に組織される裁判機関としての複数の裁判所のうち，いずれが受訴裁判所となるかという問題にかかわるものではない。それは，管轄ではなく，裁判所内部の事務分担の問題である。本庁と支部（裁22・31）の関係も，事務分担の問題に属する。ただし，特別の支部としての知的財産高等裁判所については，事務分担が法定されている（知財高裁2）。

第1項　管轄の種類

管轄の種別としては，①いかなる目的を実現するために管轄を定めるかの視点から，職分管轄，事物管轄，土地管轄，②管轄発生の根拠の視点から，法定管轄，指定管轄，合意管轄，応訴管轄，③強制力の有無の視点から，専属管轄，任意管轄が区別される[55]。これらの管轄の内容については，以下に述べるが，その前提として，それぞれの管轄の性質と，相互の関係について説明する。

①の類型のうち，職分管轄は，裁判権の種々の作用をいずれの裁判所に分担させるのが適当かという目的に照らして定められるものであり，判決裁判所と執行裁判所の管轄権，上訴に関する審級管轄権，人事訴訟に関する家庭裁判所の管轄権，公示催告手続などに関する簡易裁判所の管轄権がこれに属する。職分管轄は，裁判権の合理的分担という公益的視点から一義的に決定されるべきものであるから，法定管轄であり，かつ，当事者の意思などによる変更を許さない専属管轄である。

事物管轄は，第一審の受訴裁判所としての裁判権の行使を地方裁判所と簡易裁判所に分担させる目的のために定められるものであり，後に述べる訴額が基準とされる。これも，簡易迅速な処理のために比較的少額の事件を簡易裁判所に分担させる趣旨の法定管轄であるが，簡易裁判所における手続を選択するかどうかについては，当事者の判断を尊重する余地を残すという理由から，専属管轄ではなく，任意管轄とされている。したがって，管轄の合意によって事物

---

55)　管轄は，裁判権の合理的分担，当事者間の公平，あるいは当事者の意思などにもとづいて定められるものであるが，当事者の一方が自己の便宜のために人為的に管轄原因を作り出す場合がある。これを管轄の不当取得と呼ぶ。特に7条の管轄に関して，この問題が議論される。札幌高決昭和41・9・19高民19巻5号428頁〔百選〈6版〉A2事件〕参照。

また，本文に述べた管轄の種類に加え，数個の裁判所が同一事件について管轄を有する場合に，原告がいずれかの裁判所を選んで訴えを提起できる場合を選択管轄という。この場合には，数個の裁判所の管轄権が競合しているために，訴え提起後に受訴裁判所が他の競合管轄裁判所に訴訟を移送（17）することができる。これに対して，同じく数個の裁判所の管轄が競合しているときに，先に訴えの提起があった裁判所が優先的に管轄権を行使する場合を優先管轄と呼ぶ（会社835Ⅱ，破5Ⅹ，民再5Ⅹ，会更5Ⅶ）。もっとも，優先管轄においても，なお移送の余地が認められる（会社835Ⅲ，破7柱書，民再7柱書，会更7柱書参照）。

管轄が変更されることもありうるし（11），応訴管轄も発生しうる（12）。また，事物管轄の規定にもかかわらず地方裁判所が管轄権を行使することが認められる場合もある（16Ⅱ・18）。

なお，旧法下では，特定の場合については，法が事物管轄を専属管轄である旨を規定していると解される例があったが（旧422Ⅰ，現340Ⅰ参照），現行法下では，確定した支払督促に既判力が認められないので（民執35旧Ⅱ，現同Ⅱ参照），そのような例は見当たらない。

土地管轄は，主として当事者間の公平という視点から定められる法定管轄であるので，原則としては任意管轄とされて，当事者の自治が尊重されている。もっとも，法に特別の規定がある場合は別である（人訴4Ⅰ，会社835Ⅰ，一般法人270など）。

1　職分管轄

種々の裁判権の分担を定める職分管轄は，司法制度全体の運用という公益にかかわることから，専属管轄とされ，当事者の意思による変更の余地はない。職分管轄の中では，第1に，判決手続を分担する判決裁判所と，民事執行手続を分担する執行裁判所の管轄が区別される（民執3）。第2に，判決手続の中でも，簡易な手続および迅速を要する手続については，簡易裁判所の職分管轄が規定されている。368条以下に規定される少額訴訟および275条にもとづく起訴前の和解がこれに属する。

第3に，同じく判決手続の中で人事訴訟の第一審に関する家庭裁判所の職分管轄がある（裁31の3Ⅰ②，人訴4）。これは，人事訴訟に関する家庭裁判所の専門性およびそれを支える家庭裁判所調査官の存在（人訴34）などを重視したものである[56]。

判決手続についての職分管轄の中で，重要な位置を占めるのが審級管轄である。審級管轄とは，いずれの種類の裁判所が第一審の受訴裁判所となり，その裁判所の判決に対する上訴についていずれの種類の裁判所が管轄をもつかという問題についての定めである。第一審裁判所は，簡易裁判所，家庭裁判所また

56）なお，家庭裁判所には，人事訴訟の請求原因事実による損害賠償請求について，通常第一審裁判所からの移送（人訴8），訴えの原始的併合（人訴17Ⅰ）または追加的併合（同Ⅱ）にもとづく併合請求に関する管轄権が認められる。

は地方裁判所であり（裁33 I ①・31の3 I ②・24①），控訴審は，第一審裁判所が簡易裁判所の場合には，地方裁判所（裁24③），家庭裁判所および地方裁判所の場合には，高等裁判所（裁16①）である。上告審は，簡易裁判所第一審事件については，高等裁判所（裁16③，民訴311 I）[57]，家庭裁判所および地方裁判所第一審事件については，最高裁判所（裁7①，民訴311 I）が審級管轄をもつ[58]。

2　事物管轄

事物管轄は，主として，第一審裁判所としての簡易裁判所と地方裁判所の管轄の分担を規整するが，そのほかに，高等裁判所が第一審裁判所としての事物管轄を与えられる場合がある[59]。以下では，簡易裁判所と地方裁判所の事物管轄を説明する。

裁判所法33条1項1号は，訴訟の目的物の価額，すなわち訴額が140万円を超えない請求について，簡易裁判所の管轄を定め，同法24条1号は，それ以外の請求について，地方裁判所の管轄を規定する[60]。先に述べたように，事物管轄は専属管轄ではないので，当事者の訴訟行為，すなわち当事者間の合意（11）や被告の応訴（12）によって変更されうる。たとえば，訴額が140万円を超える請求の場合であっても，合意や応訴にもとづいて簡易裁判所が管轄権を行使することもありうるし，またその逆もありうる。さらに，民事訴訟法

57）ただし，最高裁判所の判例違反の問題があるときなどは，最高裁への移送が義務づけられているし（324，民訴規203），特別上告の可能性も残されている（327）。

58）審級管轄は，職分管轄の一種であるから，専属管轄である。もっとも，飛躍上告の合意が認められているので（281 I 但書），その限りでは任意管轄としての性質をもつと説明されることがある。しかし，飛躍上告は，控訴審を省略する旨の合意であり，上告審の性質を控訴審に変更するものではないから，このような説明は認められない。

59）公職選挙法203条・204条。独占禁止法旧85条・旧86条など。これらは，専属管轄の規定である。ただし，後者は，独占禁止法の平成25年改正によって公正取引委員会の審判制度が廃止されることにともなって，東京地方裁判所の専属管轄に改められた。岩成博夫「独占禁止法の平成25年改正の概要等について」公正取引761号3頁（2014年）参照。その他の高等裁判所の第一審としての管轄については，秋山ほかI 190頁参照。

60）訴額を引き上げて簡易裁判所の事物管轄を拡大してきたのがこれまでの歴史であるが（秋山ほかV 354頁），そのことについては，簡易迅速な少額手続を主宰する簡易裁判所の性格を希薄にしたとも批判される。小島武司・訴訟制度改革の理論148頁以下（1977年）参照。この問題は，簡易裁判所の職分管轄として，少額訴訟を扱う特別の手続を設ける形で解決された。なお，訴額が140万円とされたのは，裁判所法の平成15年改正の結果である。その趣旨について，松永邦男「司法制度改革のための裁判所法等の一部を改正する法律の概要」NBL 768号19頁，20頁（2003年）参照。

16条2項は，簡易裁判所の事物管轄に属する事件についても地方裁判所が管轄権を行使することを認めるし，18条は，簡易裁判所が，その受理した事件を裁量にもとづいて地方裁判所に移送することを認めている。また，19条は，一定の場合について必要的移送を規定している。

(1)　訴額の算定

訴額は，訴えで主張する利益を基準として算定されるのが，8条1項の規定である。ここでいう利益とは，訴訟物の概念を前提としているものであり，原告が訴訟物について全部勝訴の判決を与えられることによって直接受ける利益を客観的に評価することを通じて訴額が決定されるが[61)]，具体的な算定の方法については，問題が多い。

大正15年改正前旧民事訴訟法は，訴訟物の算定方法について一応の基準を設けていたが（同法5），旧法および現行法はその種の規定を設けていないので，基準は，解釈および運用に委ねられている。実務上の指針としては，昭和31年12月12日最高裁民事局長通知「訴訟物の価額の算定基準」が存在するが[62)]，最終的には，受訴裁判所が訴額を定めなければならない[63)]。定められ

---

61)　評価の基準時は，訴え提起の時である。15条参照。なお，訴額の概念は，このほか，訴え提起にあたって納付すべき手数料の基準ともなる。「民事訴訟費用等に関する法律」3条・4条。また，弁護士報酬の算定についても，訴訟にかかる経済的利益を判断するために，訴額が基準の1つとされる。弁護士の報酬に関する規程（平成16年2月26日日本弁護士連合会会規68号）2条・3条，旧日本弁護士連合会報酬等基準規程13条参照。

なお，評価は訴訟物そのものの評価ではなく，訴訟物についての勝訴判決によって原告が受ける利益の評価であることに注意しなければならない。両者の区別は，株式会社における責任追及等の訴え（株主代表訴訟）（会社847）の訴額について，株主の請求が非財産権上の請求とみなされているのに対して（会社847の4 I），会社が同一の訴訟物について請求を立てるときには，被告取締役に対する損害賠償請求権の金額が訴額とされることから理解されよう。一般社団法人における責任追及の訴え（一般法人278）の訴額に関して，社員の請求が非財産権上の請求とみなされること（一般法人278 V）についても，同様である。

62)　裁時221号2頁（1956年）。それによれば，所有権の場合には，目的物の価格，占有権の場合には，目的物価格の3分の1，賃借権の場合には，2分の1などの基準が示されている。もっとも，同じく家屋の引渡請求権であるときに，その基礎たる権利の性質に応じてこのような訴額の差を設けるべきかどうかについては，疑問もある。参考判例として，大判昭和3・10・13民集7巻921頁がある。なお，立法論としては，大正15年改正前旧民事訴訟法5条と同様の規定を復活させるべきだとの議論があった。検討事項　第一　裁判所　一　管轄　2（三）訴訟物の価額の算定　(1) 参照。

63)　最判昭和44・6・24民集23巻7号1109頁〔続百選2事件〕は，民事局長通知を算

た訴額を当事者が争う方法としては，訴額にもとづく事物管轄が問題となっているのか，それとも，手数料額が問題となっているのかによって異なる。前者の場合には，移送の裁判に対する不服申立て（21）になるし，後者の場合には，137条2項にもとづく訴状却下命令に対する不服申立てになる。

訴訟物の性格によっては，訴額の算定が困難な場合もあるが，その場合に，算定不能の場合の訴額を定める旧22条2項が適用されるかどうかについては，旧法下から争いがあった。多数説は，財産権上の請求権である以上，裁判所は，算定にとって重要な諸要因を基礎として，裁量にもとづいて訴額を決定すべきであり，旧22条2項の適用は否定されるとしていた。判例は，この考え方を前提としつつも，原告が受ける利益を算定することが訴訟の性質上極めて困難な場合には，非財産権上の請求と同様の取扱いをすることを認めていた[64)]。8条2項に「極めて困難であるとき」との文言が付加されたのは，この考え方を立法化したものである。

非財産権上の請求の場合には，経済的評価によって訴額を算定することは不可能である。そこで，8条2項は，この種の請求については，訴額が140万円を超過するものとみなす旨を規定し，地方裁判所の事物管轄を定めている[65)]。非財産権上の請求とは，身分法上の法律関係，人格権，あるいは団体の決議の効力にかかる請求を指す。

定の基準として採用しうるものとしている。ただし，債務不存在確認訴訟の例などを考えると，裁判所の裁量的判断が不可欠である。中野・論点Ⅰ69頁参照。

64）　最判昭和49・2・5民集28巻1号27頁〔百選〈5版〉A1事件〕。算定が困難な例としては，帳簿閲覧請求（大判大正10・11・2民録27輯1861頁），謝罪広告掲載請求（最判昭和33・8・8民集12巻12号1921頁〔百選3事件〕）などがあるが，判例は，いずれも財産権上の請求として，評価を命じている。もっとも，算定のための要素の1つとして，8条2項や，「民事訴訟費用等に関する法律」4条2項を考慮することは差し支えない。これに対して，算定が極めて困難であるときに，非財産権上の請求と同様の取扱いを認めたのが，最判昭和53・3・30民集32巻2号485頁である。ここでいう極めて困難とは，単に算定についての技術的困難をいうものではなく，住民訴訟のように，訴訟の目的を考慮したときに，請求の目的物と訴えによって主張する利益の間に重大な違いがあり，それゆえに主張利益の算定が困難になる場合を指す。このような考え方は，8条2項の解釈の指針になろう。研究会34頁，実情511頁参照。

65）　もっとも，この場合の訴額の算定は，あくまで事物管轄の決定のためだけのものであり，訴え提起の手数料の基礎となる訴額は，160万円とみなされる。「民事訴訟費用等に関する法律」4条2項参照。

(2) 請求の併合

訴額の算定に関するもう1つの問題は，原告によって複数の請求が定立されている場合に，どのような方法によって訴額を算定するかである。9条1項は，1つの訴えをもって数個の請求がなされているとき，すなわち請求が併合されているときには，その訴額が合算されるものと規定している。たとえば，100万円の貸金返還請求と50万円の売買代金支払請求が併合されていれば，訴額は，150万円となり，地方裁判所に事物管轄が生じる。

ここでいう，請求の併合とは，136条にいう訴えの客観的併合と，38条にいう主観的併合，すなわち共同訴訟の双方を含む。また，143条にもとづく訴えの追加的変更が行われた場合，145条にもとづいて中間確認の訴えが提起された場合も同様である[66]。もっとも，訴訟物からみれば，請求が併合されているときでも，複数の請求が目的とする経済的利益が共通のものであれば，訴額は合算されず，単一の経済的利益として訴額が算定される（9 I 但書）。その例としては，物の引渡しと代償請求の併合，または保証人と主債務者もしくは複数の連帯債務者に対する請求の併合などが挙げられる[67]。

また，9条2項は，果実，損害賠償，違約金，または費用の請求が主請求に附帯しているときには，それらの附帯請求は，訴額に算入されない旨を規定する。訴額の算定を簡明にする趣旨である[68]。ここでいう損害賠償は，主請求についての遅延賠償を意味し，履行に代わる損害賠償，あるいは不法行為にも

---

66) これらは，新訴の追加的提起としての性質をもつから，その時点で事物管轄が判断し直され，また，手数料の追加納付が求められる。

67) 改正要綱試案　第一　管轄　二　訴訟物の価額の算定　2では，訴えで主張する利益が同一であるときは，価額を合算しないものとする旨が定められていたが，法では，共通である場合と規定された。厳密にいえば，共通とは，単に請求の目的が同一であるにとどまらず，請求相互間に実体法上の関連性があることを意味するから，多数原告による公共施設建設差止請求訴訟などにおいては，問題が生じうる。日本弁護士連合会・「民事訴訟手続に関する改正要綱試案」に対する意見書2頁（1994年），研究会34頁参照。なお，多数の周辺住民が提起した林地開発行為許可処分取消訴訟において利益の共通性を否定した判例として，最決平成12・10・13判時1731号3頁がある。許可抗告制度との関係について実情27頁参照。

68) 最決平成27・5・19民集69巻4号635頁は，この趣旨を確認した上で，労働基準法114条にもとづく付加金についても，それが主たる請求である未払いの休業手当等の請求権の存否に付随して同一の手続において判断されることを理由として，附帯請求として扱うべきであり，訴額に算入しないものとしている。許可抗告制度との関係について，実情791頁参照。

とづく損害賠償を含まない。

3　土地管轄

土地管轄とは，ある事件について職分管轄および事物管轄をもつ管轄裁判所が，所在地を異にして複数存在する場合に，いずれの地の裁判所に管轄権を認めるべきかに関する定めである。多数の民事事件を各地の裁判所に合理的に配分するという点では，土地管轄は，司法制度の運用とかかわりがある。しかし，原告がどの土地の裁判所に訴えを提起できるか，逆に被告は，いずれの裁判所での応訴を強いられるかという点では，土地管轄は，当事者の利益に影響するところが大きい。そこで法は，両当事者の利益を考慮しつつ，土地管轄の発生原因を規定し，また，当事者の意思によって土地管轄を変更することも認めている。したがって，それぞれの管轄原因に関する解釈にあたっても，両当事者の利益を公平に調整することが要請される。

(1)　裁判籍

裁判籍とは，土地管轄の発生原因となる，事件と特定地域との連結点を意味する。いいかえれば，その管轄区域内に裁判籍が存在する裁判所に土地管轄が認められる[69)]。もっとも，裁判籍は，1つの事件について1つに限定されるわけではなく，たとえば，被告の住所地，財産所在地，または不法行為地など，複数の裁判籍が認められるのが通常である。したがって，このような場合には，裁判籍を基準とする土地管轄も，競合して発生する。なお，裁判籍は，慣用上で，それを基礎とする土地管轄を指す意味でも用いられることがある。

裁判籍の種類としては，まず，事件の種類・内容を問わず一般的に認められる普通裁判籍と，限定された種類・内容の事件についてのみ認められる特別裁判籍が区別される。さらに特別裁判籍は，特定の事件について，他の事件とは無関係に認められる独立裁判籍と，他の事件との関係において認められる関連裁判籍とに分けられる[70)]。なお，裁判籍は，管轄権の発生原因であるから，

---

69)　裁判所の管轄区域は，「下級裁判所の設立及び管轄区域に関する法律」（昭和22法63）によって規定されている。

70)　そのほか，当事者との関係から認められる人的裁判籍，および訴訟物との関係から認められる物的裁判籍という区別も存在する。普通裁判籍は，すべて人的裁判籍であり，特別裁判籍の多くは，物的裁判籍であるが，特別裁判籍の中には，5条8号イ，ロおよび7条のような人的裁判籍も含まれる。

当事者間で争いになった場合には，原告がそれを証明する責任を負う。

(2) 普通裁判籍

訴えを提起するか否かの選択権は，原告に与えられており，いったん訴えが提起されれば，被告としては，応訴を強制される。そこで，管轄は，被告の生活の本拠地の裁判所に認めるのが公平に合致するという視点から，「原告は被告の法廷にしたがう」のがローマ法以来の原則である。現行法も，4条1項の規定によって被告の普通裁判籍所在地の裁判所を管轄裁判所と規定している。もっとも，後に述べるように，法は，多くの特別裁判籍を認めており，原告としては，複数の裁判籍にもとづく管轄裁判所の中から1つを選択して，訴えを提起できるので，上の原則が被告の利益保護の面で大きな機能を果たしているとはいえない。

ア　自然人の普通裁判籍

4条2項は，自然人の普通裁判籍がまず住所を基準として決定されることを規定する。住所の意義は，民法22条によって生活の本拠とされているが，その解釈については，定住の事実のみで足りるとする客観説と，本拠とする意思を要するとする主観説とが対立している。しかし，主観説をとることは，相手方の保護に欠ける結果となるので，客観説が妥当であり，下級審裁判例もこれを採用している[71)]。

日本に住所がないとき，または住所が知れないときには，居所を基準として，さらに，居所がないとき，または居所が知れないときには，最後の住所を基準として普通裁判籍を定めるのが，4条2項の規定である。民法23条1項にいう居所の意義についても，生活の本拠ではないが，継続して居住する場所という客観的基準がとられ，継続性が要求される点で，現在地と区別される[72)]。住所，居所および最後の住所がないか，または不明の場合には，普通裁判籍が認められないことになるが，人事訴訟法は，さらに特則を置いている[73)]。ま

71) 東京高判昭和42・10・26判時507号34頁。また，住民登録上の住所は，重要ではあるが，1つの判断要素にすぎない。東京高決昭和57・5・24判タ476号92頁，注釈民法〈新版〉(1)407頁〔石田喜久夫＝石田剛〕。

72) 居所の代表例は，給与生活者の勤務地の住居である。注釈民訴(1)152頁〔佐々木吉男〕。

73) 人事訴訟法4条2項は，最高裁判所規則で定める地（人訴規2），すなわち東京都千

た，外国において治外法権を有する日本人，すなわち大使，公使，およびこれらの家族に対しては，外国で訴えを起こすことが不可能であるから，相手方保護の必要が大きいことを考慮して，4条3項は，同条2項の規定によって普通裁判籍が定まらないときには，民事訴訟規則6条に定める地，すなわち東京都千代田区を基準として普通裁判籍を決定する旨を規定している。

なお，外国人が被告となる場合に，4条2項の規定をそのまま適用してよいかどうかという問題がある。もちろん，外国人が，日本に住所を有しているときに，4条2項が適用されることは問題がない。問題は，外国人が外国に住所を有しているにもかかわらず，同項を適用して，日本の居所または最後の住所によって普通裁判籍を認めてよいかどうかである（本書50頁参照）。

イ　法人等の団体の普通裁判籍

法人等の団体で，当事者能力を有するものについて，4条4項は，主たる事務所または営業所の所在地にもとづいて，それらがない場合には，代表者その他の主たる業務担当者の住所にもとづいて普通裁判籍が決定される旨を規定している[74]。本条に関する解釈問題としては，登記・公告された事務所・営業所などと，実際に機能している事務所・営業所などの所在地が異なる場合に，いずれを基準とすべきかという点がある。理論的には，実際の事務所等の所在地を基準とすべきであるが，常に原告がそれを調査しなければならないとするのは，不当である[75]。したがって，登記された本店等の所在地の裁判所に訴えを提起された被告は，信義則上管轄違いの抗弁を提出することが許されないとすべきである。

外国の団体の普通裁判籍は，日本における事務所等を基準として決定される

代田区を普通裁判所の基準地としている。これは，補充裁判籍と呼ばれる。一般民事事件においては，本文に述べるように，民事訴訟法4条3項が例外的に補充裁判籍を規定しているにすぎないが，人事事件では，当事者に対する権利保護の必要が強いことを考慮して，補充裁判籍を一般化したものである。旧人事訴訟手続法1条3項の趣旨については，吉村徳重＝牧山市治編・注解人事訴訟手続法〈改訂版〉44頁〔浦野雄幸〕（1993年）参照。

74）　事務所については，一般法人法4条参照。

75）　大決大正15・7・10民集5巻558頁は，会社の本店が移転しても，その登記・公告がなされない間は，その事実を善意の第三者に対抗できないとする。学説は，一般に，事実上の事務所を基準とすべきであるとする。注釈民訴(1)156頁〔佐々木吉男〕，斎藤ほか(1) 245頁〔小室直人＝松山恒昭〕参照。事実上の営業所を「主たる営業所」として認めた裁判例として，大阪地判昭和33・12・15下民9巻12号2478頁がある。

(4Ⅴ)。これについても，国際裁判管轄上の問題がある（本書51頁参照）。

ウ　国の普通裁判籍

4条6項は，国の普通裁判籍に関して，訴訟について国を代表する官庁の所在地を基準とすることを規定する。国が当事者となる民事訴訟については，法務大臣が国を代表するので，普通裁判籍は，法務省の所在する東京都千代田区に認められる[76]。

(3) 特別裁判籍

特別裁判籍は，5条ないし6条の2に規定される独立裁判籍と，7条に規定される関連裁判籍[77]とに分けられるが，これらは，いずれも普通裁判籍と競合するものであり，その意味で任意管轄の原因である。

ア　独立裁判籍

独立裁判籍には，さまざまの種類のものがあるが，これらは主として当事者の便宜の視点から規定されたものである。主なものについてのみ，以下に説明を加える。

第1に，義務履行地の裁判籍について述べる。5条1号は，財産権上の訴えについては，義務履行地に裁判籍が認められる旨を規定する。任意履行の場合に，債務者は，履行地において履行の提供をしなければならないのであるから，その地において応訴を強制されても不公平にはあたらないというのが，立法の趣旨である[78]。しかし，民法484条1項は，持参債務の原則をとっているの

---

76) 「国の利害に関係のある訴訟についての法務大臣の権限等に関する法律」(昭和22法194)による。ただし，行政訴訟については，特則がある。行政事件訴訟法12条参照。

77) 関連裁判籍は，そのほか，47条・145条・146条などに規定されている。

78) 特定物の売買を内容とする契約において引渡地の特約がなされているときであっても，買主が目的物の引渡しを訴求するのではなく，目的物引渡義務の不履行を理由とする損害賠償を訴求する場合には，債権者である買主の住所地に義務履行地の裁判籍が認められる。大判昭和11・11・8民集15巻2149頁。契約上の不作為義務違反を理由とする損害賠償債務を訴訟物とする訴訟においては，その債権者の住所地が義務履行地になる。福岡高宮崎支決平成23・1・21判例集未登載（最決平成23・6・2実情562頁はこれを正当とする)。

また，預金払戻請求について口座開設店（取引店）以外の他支店が義務履行地と認められるかという問題がある。預金取引約定の内容および解釈にかかるところであるが，所定の手続によって他支店における払戻しを求められることから，当然に他支店を義務履行地に含めることには，法17条にもとづく移送の可能性を別としても，公平の視点からの疑問があろう。

なお，ここでいう義務が訴訟当事者間の義務に限られないことについて，最決平成

で，義務履行地の裁判籍にもとづき常に原告たる債権者の住所地の裁判所に土地管轄が認められることになり，被告の住所地に普通裁判籍を認めた4条以下の規定の趣旨が没却されるとの批判がある[79]。なお，手形・小切手の支払地の裁判籍を規定する5条2号の趣旨も，1号と共通のものである[80]。

第2に，5条3号は，船員に対する財産権上の訴えについて船籍所在地の裁判籍を規定する。本条（旧7条）は，すでに廃止された寄留地の特別裁判籍（昭和27法106改正前旧民訴6）を前提とするものであるが，船籍港と常時停泊港が必ずしも一致しないことなどから，立法論として問題が指摘されていたが，規定の合理性が認められて[81]，現行法でも存置された。

第3に，5条4号は，日本に住所を有しない者または住所が知れない者について，財産所在地の裁判籍を規定する。これらの者に対する訴え提起を容易にする趣旨であるが，本条は，主として国際裁判管轄の決定についての適用に関して問題を生じる（本書54頁参照）。

第4に，5条5号は，事務所・営業所所在地の裁判籍を規定する。自然人，法人を問わず，また，営利事業，非営利事業を問わず，事務所・営業所を開設して，活動を展開している者については，普通裁判籍のほかに，当該事務所等を基準とする裁判籍を認めるのが公平に合致するというのが，立法の趣旨であ

26・5・9実情726頁参照。

79）　ただし，物権的請求権に対応する義務の履行地は，目的物の所在地になる。秋山ほかI 206頁。最決平成14・7・19実情104頁は，所有権にもとづく物（動産）の返還請求権を内容とする物権的請求権の義務履行地について，被告たる占有者が占有を取得した地とするが，当事者間の公平を重視したものと理解する。

立法論としては，特に消費者保護の視点から，履行地の特約があるときにのみ，義務履行地の裁判籍の発生を認めることが検討された。改正要綱試案　第一 管轄（管轄関係後注）参照。しかし，消費者に限って義務履行地の管轄を制限することが立法技術上可能かなどの疑問があり，17条にもとづく移送の要件を弾力化することによって問題の解決を図るべきものとされた。研究会37頁参照。

なお，不法行為にもとづく損害賠償義務についても，民法484条1項が適用される結果，被害者の住所地が義務履行地になるが，独立の不法行為ではなく，契約上の義務の不履行に起因して不法行為にもとづく損害賠償義務が主張されるときは，むしろ，契約の目的物所在地を含めた契約上の義務履行地を基準とするとの考え方がありうるが（東京高決平成15・3・26判タ1136号256頁参照），注78に述べたこととの関係について検討の必要がある。

80）　手形金支払義務者が複数存在する場合には，5条2号と7条との競合が生じる。

81）　合理性については，高橋宏志「海事裁判管轄の立法論的検討」海法会誌復刊39号3頁，5頁（1995年）参照。

る。したがって，本条は，当該事務所等における業務に関する訴えについてのみ適用される。もっとも，「業務に関する」という概念は，業務遂行から派生する一切の紛争を含み，財産権上の請求に限定されない。なお，事務所等については，一定の独立性と継続性が要求される[82]。本条に関しても，国際裁判管轄の問題がある（本書55頁参照）。

第5に，5条6号に規定される船籍所在地の裁判籍と，7号に規定される船舶所在地（航海中の船舶について，商689参照）の裁判籍とがある。船籍所在地の裁判籍は，5号と同趣旨のものであるが，被告が船舶所有者などに限定されているところから，人的裁判籍と解される。これに対して，7号は被告が限定されていないので，物的裁判籍である。

第6に，5条8号イないしニに規定される団体の社員・役員に対する裁判籍がある。社団，財団などに対する訴えについては，4条4項にもとづいて普通裁判籍が規定されているが，8号イ以下の規定は，社員などとの関係でも，団体の普通裁判籍を基準とすることを認めた趣旨である。これは，主として審理の便宜を考慮したものである。

第7に，5条9号が規定する不法行為地の裁判籍がある。この裁判籍は，訴訟物の性質に着目して規定されているものであるから，物的裁判籍であるが，その趣旨は，次のように説明されている。すなわち，第1は，審理の便宜である。行為地においては，証拠資料の収集が容易であるなどの事情がこれにあたる。第2は，不法行為による損害を受けた原告が，その行為地で訴訟を提起できるという原告の利益である。

ここでいう不法行為は，民法上の不法行為だけではなく，違法行為について規定されている特別法上の救済，たとえば，国家賠償，鉱害賠償，および自動車損害賠償などを含み，また請求権の目的物も金銭に限られず，謝罪広告，行

82）　ここでいう独立性とは，本社からの完全な独立性を意味するのではなく，契約の締結や金銭の支払について一定の判断権限が与えられていることを意味する。具体的には，保険会社の代理店，支社について問題が生じるが，下級審裁判例は，独立性を認めることについて否定的である。支社について，福岡高決昭和50・9・12判時805号76頁〔鴻常夫編・生命保険判例百選〈増補版〉77事件（1988年）〕。

また，取引を行った店舗が廃止され，取引記録の管理業務が他の事務所または営業所に引き継がれた場合について，東京高決平成23・9・26判時2132号44頁。

為の差止めまたは原状回復などが含まれる[83)]。問題になるのは，債務不履行にもとづいて損害賠償を請求する訴訟である。債務不履行も広義の違法行為に属すること，および証拠資料の収集の便宜などの考慮は，不法行為の場合と差異がないことを考えると，本条の類推適用を認めるのが妥当である[84)]。

不法行為地とは，不法行為を構成する法律要件事実が発生した地と解されており，加害行為地と損害発生地とが含まれる[85)]。なお，船舶の衝突その他海上の事故にもとづく損害賠償請求訴訟について10号は，9号と同様の趣旨にもとづいて，船舶が最初に到達した地の裁判籍を規定している。

第8に，5条11号が規定する海難救助地の裁判籍がある。これは，救助料債権の支払を目的とする訴訟など，海難救助に関する訴えについて，9号と同様の趣旨にもとづいて救助地，または救助された船舶が最初に到達した地の裁判籍を認めたものである。

第9に，5条12号が規定する不動産所在地の裁判籍がある。これも，証拠資料の収集の便宜から規定された物的裁判籍であるが，ほかの特別裁判籍と同様に，専属的なものではない[86)]。ここでいう不動産に関する訴えの中には，

---

83)　妨害排除請求については，秋山ほかⅠ223頁参照。これに対して，金銭賠償が目的とされていても，それが違法行為にもとづくものでないときには，本条は適用されない。民法117条の無権代理人の賠償責任，同法209条4項などにもとづく賠償責任などがその例である。差止めについては，石川明「工業所有権の侵害差止訴訟と民訴法15条」法学研究62巻12号69頁（1989年）参照。最決平成16・4・8民集58巻4号825頁〔平成16重判解・民訴1事件〕は，不正競争防止法にもとづく差止請求訴訟も不法行為に関する訴えにあたるとしている。また，不法行為に関して，加害者とされる者が原告となって提起する損害賠償債務不存在確認訴訟についても，不法行為地の裁判籍が適用される。東京地判昭和40・5・27下民16巻5号923頁。

84)　もっとも，適用否定説を前提としても，同一の行為について不法行為にもとづく損害賠償請求権と債務不履行にもとづく請求権とが競合するときには，7条の適用が認められるから，大きな差異は生じない。なお，安全配慮義務違反にもとづく損害賠償請求訴訟について本条を類推適用した判例として，東京地決昭和61・1・14判時1182号103頁〔百選〈3版〉A3事件〕がある。

85)　大判昭和3・10・20新聞2921号11頁。不法行為の準備地との関係について，東京高決平成23・6・1金融法務1947号121頁がある。ただし，損害発生地といっても，人身被害などの場合には，債権者たる被害者の住所地になるとしても，財産上の被害の場合には，具体的被害の発生場所を主張しなければならないとする考え方があるが（前掲東京高決平成15・3・26（注79）参照），注78および注79において述べたこととの関係について，なお検討の必要がある。

86)　これに対して，大正15年改正前旧民事訴訟法22条1項は，不動産上の物権に関する訴えについて，所在地裁判所の専属管轄を規定していた。

不動産についての物権に関する訴えと債権に関する訴えとが含まれ，前者には，所有権等の物権に関する確認訴訟，物権的請求権にもとづく訴訟，共有不動産分割の訴え，境界確定の訴えなどが含まれ，後者には，契約にもとづいて不動産の移転登記，引渡しなどを求める訴えが含まれる。しかし，不動産の売買代金，賃料などの支払を求める訴えは，不動産に関する訴えとは解されない[87]。

第10に，5条13号が登記・登録地の裁判籍を規定する。本条は，主として原告の便宜のために設けられたものであるが，契約などによって被告が登記・登録を義務づけられている場合には，1号が適用されるし，不動産についての登記に関しては，12号が適用されうるので，実際上の意義は少ない。

第11に，5条14号および15号が相続の裁判籍を規定する。まず，14号は，相続権に関する争いを被相続人の死亡時の住所地の裁判所において審理することが，証拠資料などの関係で便宜であることを考慮し，特別裁判籍を規定したものである。本号は，当事者が誰であるかを問わない物的裁判籍である。これに対して，15号は，相続債権などの履行を求める訴えについての裁判籍を規定したものであるが，沿革上の理由から[88]，相続人などを被告とする訴えに限って適用される人的裁判籍であると解される[89]。

第12に，6条が特許権等に関する訴えの管轄を規定する。まず，同条1項は，第一審としての東京地方裁判所および大阪地方裁判所に特許権等に関する

87）債権者が不動産の譲渡を詐害行為として取り消し，譲受人を被告として，移転登記の抹消などを求める訴訟については，本条の適用可能性がない。詐害行為取消訴訟における主要な争点は，譲渡時における債務者の財産状態など，不動産そのものとは直接にかかわりのない事実だからである。東京地中間判昭和2・1・19新聞2665号14頁。

また，遺留分減殺請求については，その物権的効力を前提として不動産に関する訴えとする考え方もあったが（秋山ほかⅠ〈第2版追補版〉132頁参照），平成30年民法（相続法）改正によって遺留分侵害額の金銭支払請求権とされたので（民1046Ⅰ），このような考え方は成り立ちえないこととなった（秋山ほかⅠ230頁）。

88）大正15年改正前旧民事訴訟法24条2項本文は，「相続裁判籍ニ於テハ遺産債権者ヨリ遺産者又ハ相続人ニ対スル請求ノ訴ヲ起スコトヲ得」と規定する。

89）大阪高決平成21・7・31判例集未登載（最決平成21・10・26実情447頁が正当として是認）。なお，平成23年改正前5条15号括弧書は，「相続財産の全部又は一部が同号に定める地を管轄する裁判所の管轄区域内にあるときに限る。」旨の限定を設けていたが，相続財産分割前においては，財産が管轄区域内に存しなくとも，この裁判籍を認めるのが合理的であるとの批判に応え，国際裁判管轄に関する3条の3第13号の新設に際して削除されたという経緯がある。条解民訴〈2版〉97頁〔新堂幸司＝高橋宏志＝高田裕成〕，日暮ほか・前掲論文（注20）68頁参照。

事件の審理に必要な専門的知見が集積されていることを重視し，事件の適正かつ迅速な審理を実現する目的のために，東日本の地方裁判所に土地管轄が認められる事件については，東京地裁の，西日本の地方裁判所に土地管轄が認められる事件については，大阪地裁の専属管轄を規定するものである[90)]。さらに控訴審については，大阪地裁が第一審である場合にも，東京高裁の専属管轄が認められる（6Ⅲ本文)。これは，特許権等に関する訴えの控訴審を東京高裁に集中することによって，適正かつ迅速な審理を実現するとともに，控訴審段階における事実上の判例統一を目的とし，実質上いわゆる特許裁判所の機能を目指すものである[91)]。

ただし，これらの専属管轄については，本来の専属管轄と異なって，東京地裁と大阪地裁との間で，併合請求の管轄（7），合意管轄（11）および応訴管轄（12）が認められ（13Ⅱ），また，管轄裁判所の間で損害または遅滞を避けるための移送が認められる（20の2ⅠⅡ）という特質がある。本来の専属管轄よりは，当事者の利益を重視するためである。

第13に，意匠権等に関する訴えについては，本来土地管轄をもつ地方裁判所に加えて東日本では東京地裁，西日本では大阪地裁に競合管轄が認められる（6の2)。これは，平成15年改正前の6条にもとづく特許権等に関する訴えについての競合管轄の考え方を，意匠権等に関する訴えに適用したものである[92)]。競合管轄は，原告の選択に委ねられるという趣旨で，任意管轄の一種

---

90)　平成15年改正前の6条は，本来の土地管轄裁判所に加えて東京地方裁判所および大阪地方裁判所の競合管轄を認めていた。これは，専門的知見を集積した裁判所における審理を求める原告の利益を重視したものであるが，現行6条が規定する専属管轄は，その考え方をさらに進めて，原告の意思とかかわりなく，専門的知見にもとづく審理を実現しようとするものである。伊藤眞「専門訴訟の行方」判タ1124号13頁以下（2003年）参照。ただし，東日本または西日本の簡易裁判所が事物管轄および土地管轄を有する場合については，それぞれ東京地裁または大阪地裁に競合管轄が認められる（6Ⅱ)。これは，簡易裁判所に訴えを提起できる原告の利益を尊重したものである。小野瀬厚＝畑瑞穂＝武智克典「民事訴訟法等の一部を改正する法律の概要(3・完)」NBL 771号61頁，63頁（2003年）参照。

91)　この種の訴えについて東京高裁に5人の裁判官による合議体が認められることも（310の2本文)，この機能を目指したものである。なお，知的財産高等裁判所設置法によって，東京高等裁判所の特別の支部として知的財産高等裁判所が設けられ，東京高裁が管轄権をもつ特許権等の知的財産関連事件について裁判権を行使することとなった（知財高裁2)。もっとも，20条の2第1項の規定によって東京地裁が事件を大阪地裁に移送した場合には，控訴審は東京高裁ではなく，大阪高裁になる（6Ⅲ但書)。

である。

イ　関連裁判籍

独立裁判籍に対して7条は，特別裁判籍の一種として関連裁判籍を規定する（人訴5も同旨）。すなわち，1個の訴えによって数個の請求がなされる場合には，その中の1個の請求について4条から6条の2までの規定にもとづいて認められる裁判籍が，他の請求についての裁判籍と認められる。したがって，原告が，数個の請求を1個の訴えに併合して提起するときには，そのいずれかの請求についての裁判籍にもとづく管轄裁判所が，他の請求についても管轄権を認められる[93]。併合されている請求の間には，何らかの関係があることを前提とすれば，関連裁判籍は，原告の便宜であるとともに，訴訟資料・証拠資料の相互利用という意味で，合理的な審理の運営にも役立つ。もちろん，被告の利益をも考慮する必要があるが，それについては，同じく併合請求であっても，客観的併合（136）と主観的併合（38以下）とを区別する必要がある。

客観的併合の場合には，被告としては，1個の請求について，ある管轄裁判所で応訴せざるをえない以上，併合されている他の請求について同一の裁判所での応訴を強いられるとしても，重大な不利益を受けるとはいえない。したがって，客観的併合に関して本条が適用されることに関しては，問題がない[94]。

問題が生じるのは，主観的併合，すなわち共同訴訟への適用可能性である。特に，1人の原告が複数の被告に対する数個の請求を1個の訴えに併合する場合に，いずれかの被告についての裁判籍にもとづく管轄裁判所が，7条の適用の結果，他の被告に対しても管轄権をもつかどうかが問題となる。7条の規定が適用されると，他の共同被告は，自己に対する請求と関係のない場所が裁判

92）意匠権等に関する訴えは，特許権等に関する訴えよりは専門性が低く，原告の利益を尊重すべきことが競合管轄を設けた立法者の意図である。

93）法7条の規定は，あくまで土地管轄に関するものであって，事物管轄にかかるものではないから，原告が法38条後段にかかる共同訴訟を提起した場合には，法7条但書とかかわりなく，法9条の適用によって合算された訴額によって事物管轄が定まる。最決平成23・5・18民集65巻4号1755頁，最決平成23・5・30判タ1352号154頁。実情512頁，560頁参照。

94）本文に述べたのは，原始的併合の場合であるが，訴えの追加的併合（143）の場合も同様である。もっとも，管轄違いとして移送されることを避けるために関連請求を追加したとみられるような場合には，訴訟上の信義則（2）との関係からも，関連裁判籍の主張を排斥すべき場合があろう。

籍とされ，応訴を強いられる。その結果として，被告が著しく不便な場所での応訴を強いられる可能性があり，裁判を受ける権利が実質的に侵害される危険がある。もっとも，逆に主観的併合への適用可能性を一切排除すると，共同訴訟の成立可能性が著しく制限される。

この2つの要請を調和させる視点から，旧法下の判例は，請求相互間に実質的関連性がある場合には，旧21条の適用が肯定されるが，それ以外の場合には，たとえ共同訴訟の要件を満たしても，旧21条の適用は否定されるという考え方を定立し[95]，学説は，これを理論化して，旧59条前段の共同訴訟については旧21条が適用され，後段については，適用が否定されるとの考え方を確立した。この考え方が折衷説と呼ばれる。

このような判例・学説の考え方を前提として，現行法の立法者は，共同訴訟について7条の規定が適用されるのは，38条前段の場合に限られるとした（7但書。人訴5但書も同旨）。請求相互間の実質的関連性ではなく，38条前段・後段という基準が用いられたのは，立法技術上の考慮からである。また，原告側について共同訴訟が成立する場合にも，被告の土地管轄上の利益保護の必要があることから，7条が原告側複数の場合にも適用されることが明らかにされた。ただし，7条の規定は，請求の一部について法定専属管轄の定めがある場合には，適用されない（13）。公益性が重視されるためである[96]。

本条の適用が認められる例としては，主債務者と保証人を共同被告とする場合などが挙げられる[97]。なお，本条の適用によって関連裁判籍が肯定される

95）大決昭和9・8・22新聞3746号11頁。判例自体が，旧59条前段・後段という区別を貫いているわけではない。東京高決昭和41・2・1下民17巻1・2号59頁〔百選Ⅰ28事件〕。小山昇・民訴判例漫策161頁（1982年）参照。

大正15年改正前旧民事訴訟法では旧21条に対応する規定は存在しなかったが，大審院判例は，主観的併合について統一された管轄権を認めていた。大判明治41・9・25民録14輯916頁。旧法は，この判例の考え方を立法化したものといわれる。法曹会編・民事訴訟法改正調査委員会速記録43頁（1929年）（立法資料全集(12)34頁（1993年））に民事訴訟法改正調査委員会における山内確三郎委員の発言がある。

96）専属的合意管轄の場合の適用可能性については，旧法の下では争いがあったが（大阪高決昭和56・4・17判タ450号123頁，注釈民訴(1)249頁〔栂善夫〕），13条は，公益性の理由から法定専属管轄に限っている。また特許権等に関する訴えの専属管轄も，東京地裁または大阪地裁に管轄が認められる場合に限り，関連裁判籍を排除しない（13Ⅱ）。

97）その他，為替手形の裏書人と引受人の例がある。大決昭和6・9・25民集10巻839頁〔百選2事件〕。また，約束手形の振出人と裏書人の関係は，38条前段に該当するもの

場合でも，共同被告とされる者の不便が顕著である場合には，17条にもとづく移送が許される[98]。

4 指定管轄

管轄は，法律の規定または当事者の合意にもとづいて決定されるが，一定の場合には，管轄裁判所が明らかにならない事態が生じうる。しかし，このような場合であっても，当事者の裁判を受ける権利を保障するために，10条は，管轄の指定の制度を設け，当事者の申立てにもとづいて関係裁判所の直近上級裁判所が，決定の形式で管轄裁判所を定める旨を規定している。この手続にしたがって定められる管轄を指定管轄または裁定管轄と呼ぶ。

管轄が指定される第1の場合は，法律上または事実上の理由により本来の管轄裁判所が裁判権を行使できないときである（10Ⅰ）。除斥などの理由によって管轄裁判所の裁判官の職務遂行が妨げられるのが，法律上の理由にあたるし，天災などによって職務遂行が妨げられるのが，事実上の理由にあたる。

第2は，裁判所の管轄区域が明確でないために，管轄裁判所が定まらない場合である（10Ⅱ）。これには，管轄区域の境界そのものが明確でない場合と，境界は明確であるが，土地管轄原因たる裁判籍の所在が明確でない場合とが含まれる。5条9号にもとづく不法行為地などに関して，後者の問題が生じうる[99]。

なお，わが国の裁判所の国際裁判管轄（本書47頁）が認められる事件については，国内の管轄に関する規定にしたがって，管轄裁判所が決定されることになるが，それが定まらないときは，最高裁判所規則で定める地を管轄する裁判所の管轄に属する（10の2）[100]。

として，本条の適用を認めるべきである。研究会30頁以下参照。

98）千葉地決昭和62・4・14判時1267号133頁。研究会30頁参照。

99）以上に対して，共同訴訟の場合において，本条を適用して直近上級裁判所が管轄を指定すべきだとの議論がある。しかし，すでに関連裁判籍について説明したように，共同訴訟における共通の管轄裁判所が認められるかどうかは，7条の解釈を通じて決められるべきものである。人事訴訟において身分関係の当事者双方が被告とされるときには（人訴12Ⅱ），いずれの当事者の普通裁判籍所在地の家庭裁判所も管轄権をもつ（人訴4Ⅰ）。

100）定まらない場合の例としては，日本において事業を行う者にあたることを理由として国際裁判管轄が認められるときに（3の3⑤），土地管轄を有する裁判所が定まらない場合が考えられる。また，最高裁判所規則で定める地は，東京都千代田区とされるので（民訴規6の2），管轄裁判所としては，東京地裁が想定される。以上について，条解民訴

5　合意管轄

種々の管轄のうち，職分管轄は，裁判権の合理的分担という視点にもとづいて法律によって定められるものであるから，これを当事者の意思によって変更することは許されない。しかし，土地管轄は，審理の便宜または当事者の公平を考慮して規定されるものであるから，合意による法定管轄の変更を認めても差し支えない。また，事物管轄も，少額の事件について簡易裁判所における簡易迅速な審理を期待する当事者の利益を考慮したものであるから，やはり合意による変更を認める余地がある。このような考慮にもとづいて，11条1項は，第一審に限って，当事者が合意にもとづいて管轄裁判所を定めることを認めている。これが合意管轄の制度である。管轄の合意は，法定管轄の変更という訴訟法上の効果をもたらすという点で，訴訟行為の一種である訴訟契約とされる[101]。

(1)　合意の要件

第1に，管轄の合意は，第一審の管轄裁判所に関するものに限定される（11Ⅰ）。したがって，合意の対象は，事物管轄と土地管轄である。ただし，土地管轄であっても専属管轄の場合には，合意の効力は認められないが（13Ⅰ），特許権等に関する訴えについての東京地裁および大阪地裁の専属管轄の場合には，両地裁の範囲で合意管轄の効力が認められる（同Ⅱ）。

第2に，一定の法律関係について合意がなされなければならない。したがって，当事者間に生じる一切の紛争に関する合意は，その効力を認められない。もっとも，売買契約あるいは賃貸借契約などの法律関係を特定すればよいのであって，それらの法律関係から生じうる個別的な紛争を特定する必要はない。

第3に，合意は書面（電磁的記録を含む）でなされなければならない（11ⅡⅢ）。これは，合意が管轄の決定という重大な効果を生じるところから，要式行為と

〈2版〉111頁〔高田裕成〕参照。

101）　訴訟行為の一種である以上，訴訟法上の制約を受ける。たとえば，合意には訴訟能力を要するし（反対，三ヶ月・全集287頁），また，書面によらなければならない（11Ⅱ）。さらに，専属管轄については，合意の効力が認められないし，また，本文中に述べるように，一応合意の効力が認められても，なお，17条による移送の可能性が残る。しかし，訴訟行為の性質をもつことは，私法上の契約と一体のものとしてなされることの多い管轄の合意について，民法の規定，たとえば意思表示の瑕疵に関する規定の適用が排除されることを意味するものではない。

されたものであるが，両当事者の意思が同一書面に表示されている必要はない[102]。

第4に，合意の時期がある。管轄の合意は，15条との関係では，起訴前になされる必要がある[103]。第5に，合意は，管轄裁判所を特定するものでなければならない。法定管轄裁判所以外の裁判所を特定するものであっても，また法定管轄裁判所のうちの1つを特定するものであっても差し支えないが，すべての裁判所を管轄裁判所とする旨の合意は，被告の管轄の利益を奪うという理由から無効とされる[104]。

(2) 合意の内容

合意の内容としては，専属的合意と付加的合意とがある。前者は，他の法定管轄を排除して，特定の裁判所に専属的に管轄権を生じさせるものであり，後者は，法定管轄に付け加えて特定の裁判所に管轄権を生じさせるものである。ある合意が，この2つの種類のいずれに属するかは，合意の意思解釈の問題である[105]。まず，合意の中で，特定の裁判所のみを管轄裁判所とする旨の意思が明示されているときには，専属的合意と認められる。次に，当事者間の法律関係について法定管轄がいくつか存在する場合に，その中の1つについて合意がなされるときにも，専属的合意と解される[106]。第3は，法定管轄裁判所以外の裁判所を管轄裁判所とする合意がなされているときであるが，これについては考え方が対立する。伝統的には，この合意は付加的なものと解されてきたが，近時は，専属的なものと解するのが有力説である[107]。合意によって特定

---

102) 大判大正10・3・15民録27輯434頁〔百選4事件〕，大判大正11・6・21民集1巻337頁。なお，合意の客観的効力に関するものとして，契約上の専属的管轄の合意の効力は，当該契約の債務不履行にあたる事実を請求原因とする不法行為にもとづく損害賠償請求訴訟にも及ぶとする神戸地尼崎支決平成21・12・28金商1333号25頁がある。

103) もっとも，法定管轄のない裁判所に訴えが提起された後，移送前に当該裁判所を管轄裁判所とする旨の合意がなされた場合には，合意の効力を認めてもよい。

104) 逆に，すべての裁判所の管轄を排除する旨の合意は，不起訴の合意または外国裁判所の管轄に服する合意と解釈される可能性がある。

105) 大阪高決昭和45・8・26判時613号62頁〔続百選3事件〕，神戸地尼崎支決平成23・10・14判時2133号96頁。

106) 札幌高決昭和62・7・7判タ653号174頁〔百選Ⅰ31事件〕。もっとも，大阪地決昭和53・11・24判タ375号107頁は，これと反対の考え方をとる。

107) 学説については，高島義郎「管轄合意をめぐる問題点」争点〈新版〉78頁参照。もちろん，次に述べるように，合意が約款の形でなされている場合に，同様の意思解釈が妥

の裁判所が管轄裁判所とされている以上，当事者の意思の合理的解釈としては，専属的と解するのが妥当であり，有力説に賛成する。

(3) 合意の効力

合意の内容に即して，合意された裁判所に管轄権が生じる。もっとも，専属的合意の場合であっても，法定の専属管轄とは異なるから，12条にもとづく応訴管轄は生じうるし，また，その違背も上訴の理由にならない（299但書・312Ⅱ参照）。問題は，17条にもとづく移送との関係であるが，これについては，2つの場合が問題となる。

第1は，専属的合意にもとづく管轄裁判所に訴えが提起されたにもかかわらず，裁判所が，17条にもとづいて訴訟を他の裁判所に移送できるかどうかである。旧法下では争いがあったが，現行法においては，専属管轄の場合の移送の制限に関する20条において，専属的合意管轄を除外することによって，事由のいかんを問わず17条にもとづく移送の可能性が明らかにされた[108]。

第2に，専属的合意にもかかわらず，原告が他の裁判所に訴えを提起した場合には，16条によって管轄違いにもとづく合意管轄裁判所への移送がなされることになる。それにもかかわらず，17条を類推適用して，訴訟の著しい遅滞を避ける必要または当事者間の衡平を図る必要があることを理由として，移送をしないことが許されるかが，ここでの問題である。17条の趣旨を尊重すれば，移送をしないことを認めるべきである[109]。

当するか，また，合意が信義則や公序良俗に照らして無効とされるかどうかは，別の問題である。ただし，池田辰夫「管轄合意の専属性と移送」中野古稀(上)137頁，145頁は，原則的に付加的合意とする。

108）　研究会36頁参照。旧法下の通説は，旧31条にいう損害，すなわち被告の訴訟追行上の不便は移送の理由とならないが，遅滞，すなわち審理の遅延という公益上の理由は，移送の理由となり，その限りで専属的合意の効力は否定されるとしていた。当事者は，内容を理解した上で合意しているのであるから，当事者の損害は移送の理由にならないというのである。野村秀敏「管轄の合意」新民訴演習Ⅰ28頁，37頁。下級審裁判例もこの考え方をとっていた。東京高決昭和55・10・31判時985号87頁，東京地決昭和61・9・30判時1244号97頁，札幌高決昭和62・8・31判タ653号170頁など。しかし，現行法下では，このような制限的解釈をする余地はない。

109）　竹下守夫〔判例解説〕続百選3事件，高島義郎「管轄合意をめぐる問題点」新実務民訴(1)225頁，233頁，瀬木129頁。大阪高決昭和55・5・1判時975号45頁，前掲神戸地尼崎支決平成21・12・28（注*102*），東京高決平成22・7・27金融法務1924号103頁。前掲最決平成26・5・9（注*78*），大阪地決令和4・9・8判タ1502号127頁。これに対し，大阪高決平成30・7・10判タ1458号154頁は，移送をしない可能性を認めつつも，当該

なお，具体的問題としては，約款の中で，管轄の合意がなされ，約款作成者たる企業の本店所在地の裁判所が管轄裁判所とされた場合に，原告または被告となる消費者の利益はどのような手段によって保護されるかという問題がある。17条の適用または類推適用の可能性は上述のとおりであるが，そのほかに，合意自体を無効とするなどの可能性がある[110]。

⑷　合意管轄の効力の主観的範囲

管轄の合意は，合意の当事者に対して，管轄裁判所において訴訟追行をなす義務を課すものであるが，その義務が当事者以外の者に対しても課されるかどうかが，ここでの問題である。

第1に，当事者の一般承継人は，合意に拘束される。相続人や合併会社などの一般承継人は，当事者の権利義務を包括的に承継する者であるから，管轄の合意にもとづく義務も引き継ぐ。

第2に，類似のものとして，破産管財人がある。破産管財人も，破産者が当事者となっている契約関係，およびそれに付随する管轄の合意にもとづく義務を承継する[111]。

第3は，合意の対象となっている法律関係から発生する権利の特定承継人である。この問題については，2つの場合が区別される。まず，債権のように，

事案においては，17条の趣旨にもとづいて移送を否定すべき事情がないとして，専属的合意管轄裁判所へ移送決定をしているが，最決平成21・7・23実情446頁もこのような判断枠組みを肯認している。

110）①約款による合意は，書面による合意と認めない（大阪高決昭和40・6・29下民16巻6号1154頁），②意思解釈として付加的合意と解する（札幌高決昭和45・4・20下民21巻3・4号603頁〔百選〈2版〉9事件〕，東京高決昭和58・1・19判時1076号65頁〔百選Ⅰ30事件〕），③公序良俗違反として合意を無効とする（高松高決昭和62・10・13高民40巻3号198頁），④当事者が当該紛争について本店所在地以外の場所で裁判外の交渉を行っている場合には，信義則上専属的合意管轄の主張が排除されるなどのことが考えられる（奈良次郎「専属的合意管轄は終焉か？（上）」判時1497号（判評427号）148頁，153頁（1994年）参照）。改正要綱試案においては，商人間に限って合意の効力を認めるなどの考え方が検討の対象とされたが（改正要綱試案　第一 管轄　三 管轄の合意参照），立法技術上の困難さを理由として実現に至らなかった。

111）管轄の合意を含む契約が破産法53条にもとづいて解除された場合であっても，管轄の合意は，解除にもとづく争いについても及ぶ。破産管財人は，管轄の合意自体を双方未履行双務契約として解除することはできない。もっとも，否認訴訟や債権確定訴訟などのように，破産裁判所の法定専属管轄が定められている場合には（破173Ⅱ・126Ⅱなど），このような問題は生じない。

当事者間で権利の内容を自由に変更しうる場合には，承継人は，管轄の合意を内容として含む権利を承継したものとみて，合意に拘束される。これに対して，物権のように，権利内容を当事者が変更しえない場合には，合意の拘束力は認められない。手形債権は，性質としては債権であるが，その内容が定型化されているので，後者に属する。下級審裁判例も，この考え方を採用する[112]。

6　応 訴 管 轄

法は，管轄の合意が書面によって明示的になされることを要求し，黙示の合意を認めない。しかし，原告が管轄違いの裁判所に訴えを提起したにもかかわらず，被告がこれに対して異議を唱えることなく，応訴をすれば，当該裁判所に管轄権を認めてよい（12）。任意管轄である事物管轄および土地管轄は，当事者の利益を考慮して規定されたものだからである。この意味で，合意管轄と応訴管轄は，共通の趣旨にもとづいている。したがって，専属管轄については，応訴管轄も生じない（13 I）。ただし，特許権等に関する訴えについての東京地裁および大阪地裁の専属管轄の場合には，両地裁の範囲で応訴管轄が認められる（13 II）。専属的合意管轄について応訴管轄が認められることは前述した。

12条は，応訴管轄について，第一審に限ってこれを認める旨を規定している。応訴管轄は，事物管轄と土地管轄に関して認められる趣旨である。応訴管轄は，被告が管轄違いの抗弁を提出せずに，本案について弁論をなす等の訴訟行為をした場合に生じる。管轄違いの抗弁とは，受訴裁判所が管轄権をもたない旨の主張であるが，16条との関係では，実質的には移送の申立てとしての意味をもっている。もっとも，管轄違いの抗弁は，妨訴抗弁としての効果をもっていないので，たとえそれが提出されても，本案の審理は妨げられない。しかし，抗弁によって管轄が争われていれば，本案についての弁論がなされても，応訴管轄は生じない。

ここでいう本案に関する弁論とは，訴訟物たる法律関係についての被告の口頭の陳述を指す。これは，口頭弁論でなされる場合と，弁論準備手続でなされる場合とを含む。弁論は，本案に関するものでなければならないから，訴訟要件の欠缺の主張，期日の変更・延期の申立てなどは含まれない。また，期日に

112）　大阪地決昭和55・7・15判タ421号121頁。したがって代位弁済者は，被代位者のなした管轄の合意に拘束される。

おいて口頭でなされなければならないから，準備書面の提出だけでは，ここでいう弁論があったとはみなされない[113]。書面による準備手続における応訴（175）についても同様である。

これに対して，「原告の請求を棄却するとの判決を求める」という被告の陳述が応訴管轄を生じさせるかどうかについては，見解の対立がある。訴訟物として原告が主張する法律関係に関する陳述とみなされるという理由から，通説は，本案に関する弁論に該当するとしているが，判例は反対である[114]。応訴管轄は，被告が訴訟物についての事実上あるいは法律上の主張をなし，実質的に本案の審理に応じたとみられる場合に限って認めるべきであるから，判例の考え方が正しい。

第2項　管轄権の調査

管轄権の存在は，訴訟要件の1つである。したがって，裁判所は，本案判決の前提要件として，管轄権の存在を確認する必要がある。問題は，いかなる方式によって裁判所がこの判断を行うかである。訴訟要件に関する審理の一般原則としては，職権調査が妥当する。職権調査の下では，ある訴訟要件の存否について当事者の主張がない場合でも，裁判所は，自ら進んでそれを取り上げなければならず，職権による顧慮が必要とされている[115]。管轄も訴訟要件の1つであるので，この職権調査が妥当する。もちろん，被告が管轄を争わない場合には，12条の応訴管轄が成立するから，専属管轄を除けば，裁判所の判断の必要はなくなる。

なお，専属管轄は，上訴審でも調査の対象となるが（299 I 但書・312 II ③），任意管轄は，第一審でしか調査の対象とならない。

113） 準備書面を提出した当事者が期日に欠席した場合には，期日における陳述が擬制されるが（158・170 V・277），この擬制陳述も，応訴管轄の原因としての弁論とはみなされない。静岡地浜松支決昭和36・1・30下民12巻1号145頁。ただし，欠席した当事者は，159条にもとづいて相手方主張の管轄原因事実について自白したものとみなされる可能性は残されている。

114） 大判大正9・10・14民録26輯1495頁。大正15年改正前旧民事訴訟法30条に関する事件であるが，判例としての意義は失われていない。判例に賛成するのは，小山64頁。

115） ただし，訴訟要件の中でも，抗弁事項とされている仲裁合意，不起訴の合意，訴訟費用担保の提供などは別である。

職権調査事項として管轄の判断を行うといっても，判断のための資料をいかなる方法によって収集するかは，別の問題である。これについて14条は，職権証拠調べの可能性を規定する。職権証拠調べは，職権探知主義の内容をなすものであるが，現在の支配的解釈は，この規定の適用範囲を次のように制限している。すなわち，職権探知が行われるのは，管轄の中でも公益性の強い専属管轄についてのみであり，土地管轄など任意管轄については，弁論主義が妥当する[116)]。したがって，任意管轄に関しては，その判断のための資料の提出責任は，当事者に委ねられ，自白の成立可能性もある。問題が顕在化するのは，被告が任意管轄違いを主張しながら，そのための判断資料を十分に提出しない場合であり，任意管轄の趣旨を考えると，上記の結論は合理的である[117)]。これに対して，専属管轄について裁判所は，職権でも証拠調べをなしうるが，実際には，証拠調べに要する費用などとの関係で，当事者に対して資料提出を求めることがほとんどである[118)]。

弁論主義が適用される任意管轄の場合でも，また，職権探知主義が適用される専属管轄の場合でも，管轄原因が不明のときには，客観的証明責任が適用され，管轄原因の存在を主張する側に不利な判断がなされる。

1　管轄原因と本案の審理

管轄についての審理は，訴訟要件にかかわり，本案についての審理と区別されるが，義務履行地の裁判籍などの場合には，履行地の前提となる義務が存在するかどうかは，訴訟物たる権利義務に関する本案の審理と重なり合う。このような場合に，管轄原因についての審理をどの程度まで行うかについては，考え方の対立がある。1つの考え方は，実質的審理をせず，原告の主張のみにも

---

116)　しかし，職権探知と弁論主義との間に「職権審査」という審理方式を認める考え方は，専属管轄についてこれを適用し，自白など弁論主義の効果は排除されるが，判断資料の提出は，当事者の責任に属するという。高島義郎「訴訟要件の類型化と審理方法」講座民訴② 105頁，117頁，松本博之「訴訟要件に関する職権調査と裁判上の自白」法学雑誌35巻3・4号716頁，721頁（1989年）。

117)　関連する問題として，管轄を基礎づける事実についての自白が認められるかという問題がある。任意管轄については，弁論主義が妥当する以上，自白が肯定される。松本・前掲論文（注*116*）738頁参照。ただし，事物管轄の基礎となる訴額は，訴訟費用にも関係するので，自白の効力は認められない。

118)　民事訴訟費用等に関する法律11条・12条，秋山ほかⅠ298頁参照。

とづいて管轄の判断をするというものである。学説の多数説は，この考え方をとるが[119]，判例は，一応の証拠調べをした上で判断すべきであるとする[120]。管轄違いの裁判所で応訴を強いられる被告の不利益は重大であるから，判例の立場が正しい。もちろん，義務の存否についての一応の判断は，本案についての判断を拘束するものではない。

2 管轄決定の方式

管轄違いの抗弁に対する裁判の形式として，管轄違いが認められる場合には，16条1項にもとづく移送決定がなされる[121]。

これに対して，管轄が存在する場合には考え方が分かれる。一般的には，管轄に関する争いを「中間の争い」の1つとしてみて，中間判決をするか，後の終局判決の理由中で管轄の存在を示すべきであるといわれる。しかし，管轄違いの抗弁は，実質的には移送申立てと同視できることを考えると，それを認容する場合には移送決定，逆に排斥する場合には移送申立却下決定の形で，決定手続での裁判に統一する方が合理的である。管轄の有無についての裁判所の判断が早期に示され，当事者に不服申立ての機会が与えられるという点からも，この考え方が優れている[122]。

---

119) 請求認容判決の場合には，管轄原因事実と請求原因事実が符合し，請求棄却判決の場合には，被告が勝訴するのであるから，原告の主張のみにもとづいて管轄を判断しても，被告に不利益は生じないとするのが，多数説の理由である。しかし，たとえ，請求棄却判決によって勝訴するにしても，それを得るための応訴の負担は否定できない。この問題を請求原因事実と管轄原因事実の符合と呼ぶこともある。高橋宏志「国際裁判管轄における原因符合」原井龍一郎先生古稀祝賀・改革期の民事手続法312頁（2000年）参照。

120) 大判大正11・4・6民集1巻169頁。管轄違いの抗弁や移送の申立てがなされているときには，一応の証拠調べをした上で，管轄が肯定されれば，申立てが却下されるか，管轄権を肯定する中間判決がなされる。管轄が否定されれば，移送決定がなされる。

抗弁などが提出されていない場合にも，管轄権が否定されれば，移送決定がなされる。しかし，管轄権が肯定されるときには，裁判所は，特別の判断を示すことなく，本案判決をする。なお，不法行為地の裁判籍についても同様の問題がある。東京地中間判昭和59・3・27下民35巻1〜4号110頁。

121) 形式的に管轄原因が認められても，いわゆる裁判権の盗取に該当するとき，たとえば，関連裁判籍の取得のためにのみ共同被告が付け加えられているときには，なお移送がなされる可能性がある。中野ほか・講義82頁参照。

122) 倉田卓次「管轄の争は中間の争か」民事実務と証明論5頁（1987年）参照。管轄違いの抗弁の中には移送申立てが含まれるとして扱う。もっとも，この考え方の前提としては，移送について当事者の申立権および即時抗告権が認められることがあるが，16条1項は，当事者の移送申立権を明らかにした。

3　管轄決定の時期

15条は，管轄が訴えの提起の時を基準として決定される旨を定める。一般の訴訟要件は，口頭弁論終結時を基準時として決定されるが，管轄については，手続の安定のために起訴時が基準とされる。これは，裁判所の恒定または管轄の固定と呼ばれるが，17条ないし19条は，その例外である。

起訴の時とは，訴訟係属の発生時点とは区別されて，133条にもとづく訴状提出（受付）時，271条による口頭起訴時など，訴え提起行為時を指す。この意味での起訴時を基準として，管轄が認められれば，その後に裁判籍が変動しても，土地管轄には影響がないし，併合請求の一部が取り下げられたり，独立当事者参加後に被告が脱退したりしても，関連裁判籍には影響がない。また，請求の減縮がなされても，起訴時を標準とした訴額の算定に影響は生じない123)。ただし，訴えの変更，中間確認の訴え，反訴などの原因によって，新訴が提起されたとみなされる場合には，その時点で事物管轄が判断し直される(274)。

第3項　訴訟の移送

訴訟が特定の裁判所に係属した後に124)，受訴裁判所の裁判にもとづいて当該訴訟が他の裁判所に係属させられる場合，その裁判を移送の裁判と呼ぶ。移送を行う受訴裁判所が移送裁判所と呼ばれ，移送を受ける裁判所が受移送裁判所と呼ばれる。

移送は，官署としての裁判所間で訴訟係属を移転させるという点で，本庁と支部間，また支部相互間で行われる事件の回付と区別される125)。また，他の裁判所が，事件の係属する裁判所に対して事件を移送することを求める事件送致命令（人保22 I）も，本来の移送とは区別される概念である。これに対して，

123）　最判昭和47・12・26判時722号62頁。その他，不法行為地の裁判所に起訴がなされた後，請求原因が不当利得へ変更されても，管轄の変動を生じない。

124）　訴え提起後，訴訟係属発生前に移送決定をなすことは，応訴管轄の発生可能性などを考えると不適切である。奈良・後掲論文(4)（注126）判時1369号10頁，11頁（1991年）参照。

125）　回付は裁判所内部の事務分配の問題であり，当事者は回付申立権を有しない。東京高決昭和58・3・16判時1076号66頁。

上級審から原審への事件の差戻し（307・308・325）は，その性質上は移送とみなされる。

1　移送の目的

移送制度は複数の目的をもつ。第1の目的は，管轄違いの訴えに対する救済である。原告が，管轄違いの裁判所に訴えを提起した場合，管轄の存在が訴訟要件の1つであることを考えれば，その訴えは却下される。事実，大正15年改正前の旧民事訴訟法9条1項は，事物管轄違いについてこのことを規定し，また，土地管轄に関しても，解釈上で訴えの却下をすべきものと解されていた[126]。訴えが却下されると，原告は改めて管轄裁判所に訴えを提起し直すことになるが，その結果として，提訴手数料の再納付を余儀なくされたり（民訴費9Ⅲ①参照），また，消滅時効の進行の不利益を受ける可能性がある（民147Ⅰ柱書括弧書参照）。そこで，立法者は，管轄違いの場合に，広く移送を認めることによって（16Ⅰ），これらの不利益から原告を救済することとしたのである。被告の利益について考えても，正当な管轄地での審判を保障すれば足り，訴えを却下するのは行き過ぎである。

第2に，ある訴えについて複数の裁判所が管轄権をもつことが認められる場合に，原告が選択した裁判所において審理が行われることが，当事者および裁判所にとって著しく不都合なことがある。このような場合に，受訴裁判所が他の管轄裁判所に訴訟を移送することによって，適正な審理の実現を図ることが，移送制度の目的である。これは，土地管轄の弾力化という性質をもつ。17条は，この目的を実現するための規定である。

第3に，特許権等に関する訴えについて東京地裁，大阪地裁または東京高裁に専属管轄が認められる場合に，当該訴訟の審理に専門的知見を要しないなどの理由から他の裁判所に事件が移送されることがある（20の2）。同じく特許権等に関する訴訟であっても，すべてが審理に専門的知見を要するものでないことを踏まえ，本来の土地管轄裁判所などにおいて審理を受ける当事者の利益を尊重しようとするものである。

第4は，地方裁判所と簡易裁判所との間の事物管轄の弾力化，および地方裁

126）大正15年改正前旧民事訴訟法以来の沿革については，奈良次郎「移送決定の構造と若干の問題について(1)」判時1365号3頁，8頁（1991年）に詳しい。

判所・簡易裁判所相互間における土地管轄の弾力化である。すでに説明したように，事物管轄は，一定の基準にもとづいて定められているが，事件によっては，なお地方裁判所での審理が適当な場合もあるし，また，当事者がそれを望む場合もある。このような場合に，簡易裁判所から地方裁判所への移送を可能とし，また，事物管轄違背にもかかわらず地方裁判所が審理を行うことを可能にしているのが，18条，19条，および16条2項などの規定である。さらに現行法の下では，19条の規定にもとづいてある簡易裁判所から他の簡易裁判所へ，ある地方裁判所から他の地方裁判所へなどの移送も認められることとなり，当事者の意思を尊重して土地管轄の弾力化が図られることとなった[127]。

2　管轄違いにもとづく移送

管轄違いにもとづく移送の種類としては，第一審に関する場合と上訴審に関する場合とが分けられる。16条は，前者に関するものであり，324条および325条は，上訴審における移送を規定している。また，後に説明するように，非訟事件と訴訟事件との間でも移送が認められるかどうかが議論の対象となる。

(1)　移 送 原 因

ア　事物管轄・土地管轄違背

事物管轄違背，すなわち，地方裁判所に提起されるべき訴えが誤って簡易裁判所に提起されたり，土地管轄違背の裁判所に訴えが提起された場合には，16条1項にもとづく移送決定によって事件が管轄裁判所に移送される。もっとも，先に説明した事物管轄の弾力化として，誤って地方裁判所に提起された訴訟であっても，そのまま地方裁判所で審理がなされることがある（16Ⅱ。最決平成20・7・18民集62巻7号2013頁〔百選〈6版〉A1事件，平成20重判解・民訴1事件〕，実情386頁）。

イ　職分管轄違背

職分管轄違背，すなわち地方裁判所を第一審として提起すべき訴えが誤って高等裁判所や，最高裁判所に提起された場合にも，16条1項が適用され，移送決定がなされる。高等裁判所が第一審裁判所となる場合も同様である[128]。

127）　研究会40頁参照。

128）　最決昭和22・9・15裁判集民1号1頁，最決昭和23・7・22裁判集民1号273頁。

ウ　審級管轄違背

審級管轄違背，すなわち当事者が誤って，管轄権のない上級裁判所に上訴を提起したときに，16条1項が適用されて，移送がなされるかどうかがここでの問題である。かつての有力説は，移送を否定していたが，現在では，判例・通説が移送を肯定している[129]。審級管轄違いを原因として上訴が排斥され，上訴期間の徒過によって当事者が受ける不利益は，第一審の管轄違背を原因として訴えが却下されることによって原告が受ける不利益にも劣らないものであるから，移送を肯定して，当事者の救済を図るべきである[130]。

(2)　訴訟事件と非訟事件との間の移送

訴訟事件と非訟事件との間の移送が可能かどうかの問題は，特に人事訴訟事件と家事審判事件とに関連して争われていた。たとえば，現行人事訴訟法制定前に後見開始の審判の取消しを訴訟事件として地方裁判所に申し立てたり，逆に離婚訴訟を家庭裁判所に提起したりした場合がこれにあたる[131]。これらの場合における，地方裁判所から家庭裁判所への移送，または家庭裁判所から地方裁判所への移送について，判例は一貫してこれを否定していたが[132]，その理由は次のところにある。すなわち，異種の事件相互間で移送が許されるのは，民事調停法4条や家事事件手続法246条のような特別の規定がある場合に限定され，それ以外の場合には，民事訴訟法16条1項が適用または類推適用されることはないというのである。

しかし，現行人事訴訟法制定によって人事訴訟事件も家庭裁判所の専属管轄

---

129)　判例は，大決昭和8・4・14民集12巻629頁，最判昭和25・11・17民集4巻11号603頁〔百選Ⅰ32事件〕など。

130)　移送否定説の論拠の1つは，管轄違いの上訴によっては，移審の効果が生じないから，訴訟係属を前提とする移送もありえないという。しかし，22条3項の趣旨を考慮すれば，移送によって当初から審級管轄のある上級裁判所に上訴が提起されたものとみなされる。もっとも，訴額の算定にかかわる事物管轄や裁判籍の所在にかかわる土地管轄に比較すると，審級管轄については当事者の判断の余地はほとんどなく，それを誤るという事態も例外的にしか生じない。

131)　前者は，家事事件手続法39条・別表第1Ⅱによって，家庭裁判所の管轄に属する非訟事件とされており，逆に後者は，旧人事訴訟手続法1条によって地方裁判所の管轄に属する訴訟事件とされていた。

132)　最判昭和38・11・15民集17巻11号1364頁〔百選5事件〕，最判昭和44・2・20民集23巻2号399頁〔百選〈2版〉10事件〕，最判昭和58・2・3民集37巻1号45頁〔百選Ⅰ33事件〕。

とされたことを前提とすると，上記の議論は，その意義の多くの部分を失ったといってよい。たとえば，離婚訴訟の管轄権は，当事者の普通裁判籍所在地などの家庭裁判所に専属し（人訴4Ⅰ），子の監護者の指定や財産分与に関する裁判についても家庭裁判所の管轄が認められる（人訴32Ⅰ，家事39・別表第2ⅢⅣ）。したがって，かつてのように当事者が誤って家庭裁判所に提起した離婚訴訟を地方裁判所へ移送すべきかどうかという問題は生じえない。もちろん，人事訴訟を誤って地方裁判所に提起するなどの可能性は存在するが，これは，職分管轄違背にともなう移送（16Ⅰ）として処理すれば足りる。

ただし，家事審判の申立てを訴訟事件として地方裁判所になしたときに，事件を家庭裁判所に移送することができるかどうかなどの問題があり，その限りでは，なお従来の通説を維持して，16条1項を類推適用して，移送を認めるのが合理的である[133]。

3　訴訟の遅滞を避け，当事者間の衡平を図るための移送

訴えが管轄権のある裁判所に提起された場合でも，裁判所は，当事者や証人の住所，検証物の所在地等の事情を考慮して，訴訟の著しい遅滞を避け，または当事者間の衡平を図るために必要がある場合には，申立てにもとづき，または職権によって訴訟を他の裁判所に移送することができる（17，人訴7・31）。

ここでいう遅滞とは，証拠調べの手間などに起因する審理の遅滞を意味し，公益的な要素を内容とする。これに対して，当事者間の衡平とは，原告と被告の訴訟追行の負担の均衡を意味している。旧31条の下では，後者は，「損害」として規定され，その内容として下級審裁判例は，17条が挙げる証拠方法の所在などを考慮してきた。現行法は，そのような考慮要素を法文中に取り込ん

133）　学説については，注釈民訴(1)279頁〔花村治郎〕，斎藤ほか(1)373頁〔小室直人＝井上繁規〕参照。ただし，移送を認める場合でも，訴訟事件と非訟事件とでは，申立ての形式などが異なるので，移送後，それぞれに適した申立形式に改めさせる必要がある。なお，学説の中には，折衷説として，非訟事件の中で争訟性が強い真正争訟事件についてのみ訴訟事件との間の移送を認める考え方がある。しかし，何が真正争訟事件に該当するかが一義的に明確でないと批判される。もっとも，実際に移送が問題となるのは，争訟性の高い家事事件手続法別表第2に属する事件がほとんどであろう。

付随する問題として，移送前の訴訟費用の負担は，どのように定められるかがある。73条を類推適用して，移送裁判所が定めるとする見解が有力である。鈴木正裕〔判例評釈〕民商62巻1号70頁，75頁（1970年）参照。

だ上で，単に被告の負担だけではなく，移送によって原告の受ける不利益も比較考量しなければならないという趣旨から，当事者間の衡平の概念を規定したものである[134]。

受訴裁判所に専属管轄が認められるときには，本条による移送は許されない（20）。専属的合意管轄の場合の取扱いについては，旧法下で有力であった移送肯定説を前提として，20条は，移送の可能性を認める。もちろん，専属的合意管轄が存在する事実を当事者間の衡平を判断する際に考慮することは差し支えない。

遅滞を避ける等のための移送に類するものとして，特許権等に関する訴え等にかかる訴訟の移送がある（20の2）。特許権等に関する訴えの第一審は，東京地裁または大阪地裁の専属管轄とされ，控訴審は，東京高裁の専属管轄とされるが（6 I Ⅲ本文），特許権等に関する訴えの中には，特許権の効力や範囲にかかわるものではなく，特許権の帰属のみが争われるものもある。このような訴えの審理については，特別の専門的知見を要せず，かえって本来の土地管轄裁判所や合意管轄裁判所などにおいて審理を行うことが，充実した攻撃防御を可能にし，適正かつ迅速な審理を実現することに役立つ場合がある。東京地裁などの管轄が専属管轄であるにもかかわらず，法が，著しい損害または遅滞を避けるために必要があると認めるときには，申立てまたは職権による移送を認めるのは，このような理由によるものである。

なお，人事訴訟が家庭裁判所に係属しているときに，その請求原因事実にもとづく損害賠償請求が係属する第一審裁判所である地方裁判所または簡易裁判

134） 旧31条の下では，損害は，理論的には被告の訴訟追行上の負担と解されてきたが，実際の裁判例（大阪高決昭和54・2・28判時923号89頁〔百選Ⅰ34事件〕，仙台地決平成元・6・28判時1350号133頁，東京地決平成元・12・21判時1332号107頁など）では，原告と被告の双方の事情が比較考量されて，移送の可否が決められているので，17条が「当事者間の衡平を図るため」としているのは，このような裁判例の流れに沿ったものと評価できる。したがって，現行法の下でも，具体的な移送の基準は，従来の裁判例のものが継承される。最決平成15・7・11実情138頁参照。

なお，当事者の一方について，当該訴訟と同種の訴訟が多数提起されることが予想されるというだけでは，衡平にもとづく移送の理由にならないが（西口元「裁量移送をめぐる裁判例概観」判タ1084号20頁（2002年）参照），その当事者が破産管財人であり，同種の訴訟が取戻権や破産債権にかかるものであるときには，破産管財人の職責の遂行という視点から移送を認めるべき場合があろう。前掲東京高決平成15・3・26（注79）参照。

所は，相当と認めるときは，申立てにもとづいて当該訴訟を家庭裁判所に移送することができ，移送を受けた家庭裁判所は，人訴事件と損害賠償請求事件とを併合の上，損害賠償請求についても自ら審判を行う（人訴8）。家庭裁判所には，損害賠償請求訴訟についての独立の管轄権はないが関連請求としての管轄権があり（人訴17），2種類の事件の審理内容が重なり合うことが多いとの判断にもとづいて，当事者の申立ておよび地方裁判所などの判断による移送を認めるものである。このような趣旨から，移送の要件についても，争点の内容や審理の進行状況を考慮して相当と認めるときという，裁量的なものとされている。家庭裁判所に係属する離婚訴訟の争点が原告たる配偶者の有責性にかかる場合において，被告が不貞行為の相手方に対して損害賠償を求めた事件を地方裁判所から当該家庭裁判所に移送した決定を適法とし，併合審理をすることを認めた判例として，最決平成31・2・12民集73巻2号107頁がある。

4　簡易裁判所から地方裁判所への移送

事物管轄の弾力化として，16条2項は，簡易裁判所の事物管轄に属する事件を地方裁判所が審理することを認める。さらに進んで，18条は，受訴裁判所たる簡易裁判所が，その管轄権が存在するにもかかわらず，事件を簡易裁判所所在地を管轄する地方裁判所に移送することを認める。この移送は，当事者の申立てまたは職権にもとづいてなされるが，「相当と認めるとき」とされているので，簡易裁判所の裁量的判断の余地が認められている[135)]。もっとも簡易裁判所が専属管轄をもつ場合には，この移送は許されないが，専属的合意管轄の場合に関しては，旧法下で考え方の対立があったが，現行法によって移送を認めることとされた[136)]。これに加えて，19条2項は，不動産に関する訴訟に関しては，被告の申立てにもとづいて必要的移送がなされることを規定する。不動産に関する訴訟は，一般に複雑なものであり，地方裁判所での審理に適することを考慮して，被告の事物管轄選択権を認めたものである。なお，不動産

---

135)　相当性についての判断基準としては，両当事者に異議がないこと，事件が複雑であること，関連事件が地方裁判所に係属していることなどが挙げられる。裁量権の逸脱を問題とした裁判例として，名古屋地決令和4・12・26判タ1505号176頁がある。

136)　多数説は，移送を肯定したが，「相当ト認ムル」（旧31ノ2）程度の事情によって当事者の合意の効力を否定するのは不適当であるとの理由から，移送否定説も有力であった（菊井＝村松Ⅰ178頁）。現行法下の運用指針について，秋山ほかⅠ322頁参照。

に関する訴えの意義は，5条12号と同一のものと解される。

簡易裁判所から地方裁判所への移送がなされるもう1つの場合として，274条にもとづく移送がある。本訴が簡易裁判所に係属することを前提として，被告（反訴原告）が地方裁判所の管轄に属する訴えを反訴として簡易裁判所に提起したとき，原告（反訴被告）がもつ事物管轄の利益を尊重し，かつ，本訴と反訴とを併合審理するために，原告の申立てがあれば，本訴および反訴が地方裁判所に移送されなければならないというのが，規定の趣旨である。

5　申立ておよび同意にもとづく必要的移送

19条1項は，一方当事者の申立ておよびこれに対する相手方の同意がある場合には，専属管轄（専属的合意管轄を除く）および著しく訴訟手続を遅滞させる場合を除いて，管轄ある第一審裁判所から他の地方裁判所または簡易裁判所への移送を規定する。簡易裁判所から地方裁判所への移送は，複雑・困難な事件について地方裁判所での審理を希望する当事者の意思を，逆に地方裁判所から簡易裁判所への移送は，簡易・迅速な審理を求める当事者の意思を，簡易裁判所から他の簡易裁判所への移送，地方裁判所から他の地方裁判所への移送は，土地管轄の弾力化を求める当事者の意思をそれぞれ尊重したものであり，訴訟前の管轄の合意に対応するものである。ただし，簡易裁判所からその所在地の地方裁判所への移送以外の場合には，本案について被告が口頭弁論をなし，または弁論準備手続での申述をなしているときには，移送は許されない。審理の進行を優先させる趣旨である。

6　移送の手続

移送は，受訴裁判所の裁判たる移送決定によってなされるが，その裁判が裁判所の職権によってなされるか，当事者の申立権が認められるか，また，裁判に対する不服申立権が認められるかについては，それぞれの移送の類型に即して考えなければならない。

(1)　移送申立権

17条にもとづく移送については，職権によってなされる場合のほか，当事者に申立権が認められることが，規定の文言から明らかである。これを受けて，21条は，移送決定および申立却下決定の双方について，当事者が即時抗告をもって不服を申し立てることを許している。16条2項・18条・19条・20条の

2などに関しても，当事者の申立権を認める明文の規定がある。

これと比較して，管轄違いによる移送に関しては，旧30条の下では，申立権が明示されていなかったことで，議論の対立がみられた137)。しかし，議論の大勢は，当事者の利益の尊重，あるいは管轄に関する争いの迅速な解決などを理由として申立権を肯定しており，これを背景として16条1項は，当事者の申立権を認めている（移送申立ての方式について民事訴訟規則7条参照）。これを基礎として即時抗告権も認められる（21）。なお，274条にもとづく移送決定に対しては，同条2項が不服申立てを禁止しているが，これは，地方裁判所における審理によって反訴原告（本訴被告）が格別の不利益を受けないことを考慮したものである。

さらに移送については相手方の利益も考慮する必要があるが，民事訴訟規則8条は，法17条，18条または20条の2の移送申立てがなされたときには，裁判所に相手方の意見を聴くことを義務づけ，また職権によってこれらの移送がなされるときには，裁判所が当事者の意見を聴くことができる旨を規定する。これらは，移送について当事者に対する手続保障を図る趣旨である。

移送決定に対して即時抗告が提起されたときには，334条1項にもとづく執行停止の効力として，訴訟係属が受移送裁判所に移転することはないが，移送裁判所としては，自らの移送決定に拘束されて，本案の審理を進めることはできない。しかし，移送申立却下決定に対して即時抗告が提起され，却下決定の効力が停止しても，受訴裁判所による本案の審理が妨げられるわけではない138)。

---

137)　多数説は，管轄違いにもとづく移送については，当事者の申立権は認められないとし，さらに，移送についての裁判に対する不服申立ても許されないと解していた。しかし，有力説は，申立権および不服申立権を肯定していた。また，下級審裁判例の大勢は，申立権を否定するが，これを肯定する判例も現れていた（仙台高決昭和63・12・21判時1300号64頁〔百選ＩＡ4事件〕など）。肯定説の理由は，①実務では，管轄違いの場合であっても，当事者の意見を聴取した上で移送の可否を決定していること，②土地管轄，事物管轄は，主として当事者の利益のために存在するものであり，その点では，管轄違い移送と17条にもとづく移送とを区別する理由はないこと，③管轄についての争いは，終局判決まで持ち越さず，即時抗告によって早期に解決することが望ましいこと，④上級審では任意管轄を争う機会はないこと（旧381・395Ｉ③）などの点であった。

なお，移送申立てにあたって，申立当事者が受移送裁判所を特定したときにも，それが裁判所を拘束することはないが，移送の判断資料としては斟酌される。奈良・前掲論文（注126）(2)判時1366号3頁，5頁以下（1991年）参照。

(2) 移送の裁判と効果

22条1項および2項は，移送決定が受移送裁判所を拘束し，受移送裁判所が事件を他の裁判所に転送できない旨を規定する。これは，受移送裁判所による返送，または転送によって本案審理が遅延し，当事者の利益が害されることを防ぐ趣旨である。もっとも，移送裁判所が専属管轄についての判断を誤って移送を行った場合でも，なお受移送裁判所がこれに拘束されるかについては，判断が分かれる。しかし，迅速に本案審理を受ける当事者の利益を尊重して，この場合にも，拘束力を認めるのが通説であり，これが妥当である[139)]。もちろん，受移送裁判所が，移送決定確定後に生じた新事由にもとづいて再移送をすることは妨げられない[140)]。

22条3項は，移送決定が確定すると，訴訟係属が最初から受移送裁判所に発生したものとみなされる旨を規定する。したがって，訴え提起の効果である期間遵守や時効の完成猶予および更新の効力がそのまま維持される。問題は，移送前になされた当事者や裁判所の訴訟行為，すなわち攻撃防御方法の提出や証拠調べの効力が受移送裁判所において維持されるかどうかであるが，管轄違い移送以外の移送の場合においては，従前の訴訟行為の効力が維持されることにほぼ異論はない。

これに対して，管轄違い移送については，考え方が分かれる。現在の通説は，管轄権が本案審理の前提要件であり，したがって，移送裁判所の審理に受移送裁判所が拘束されるべきでないことなどを理由として，従前の訴訟行為の効力

---

138) 注釈民訴(1)305頁〔中森宏〕。もっとも，移送裁判所の判断として，事実上審理を停止することはありうる。

139) 下級審裁判例も，この考え方を採用する。東京高決昭和31・10・24下民7巻10号2976頁。この考え方の下では，専属管轄違背を原判決の取消事由とする299条や312条2項3号は，結果として制限的に解釈されることになる。

140) たとえば，管轄違い移送を受けた受移送裁判所が，18条にもとづいて再移送をすることは可能である。東京高決昭和47・10・25判タ289号331頁。また，行政事件訴訟法13条にもとづいて再移送をした例として，東京地決平成2・6・13判時1367号16頁がある。

これに対し，最決平成30・12・18民集72巻6号1151頁は，上告審たる高等裁判所から最高裁判所への移送（民訴324，民訴規203）について，高等裁判所の移送決定が最高裁判所を拘束せず，最高裁判所が移送決定を取り消すことができるとしている。法324条にもとづく移送の趣旨を考慮して，法22条の拘束力を限定するものであり，妥当な判断である。

が失われるとする。確かに，専属管轄違背の場合には，その公益的性質からいっても，また，上訴審における取消理由となることを考慮しても，従前の訴訟行為の効力を認めることは妥当でない。しかし，任意管轄違背においては，当事者が管轄違いの主張を留保しながら行った訴訟行為の効力まで当然に失われるというのは，行き過ぎである。したがって，任意管轄違背の理由で移送がなされた場合には，従前の訴訟行為の効力は維持される141)。

訴訟係属が移転し，受移送裁判所が訴訟手続を進めるために，民事訴訟規則9条は，移送裁判所の裁判所書記官が受移送裁判所の裁判所書記官に訴訟記録等を送付する旨を規定する。

第4節　裁判機関の構成

紛争解決手続としての民事訴訟の特徴は，納税者の負担にもとづく公的制度として設けられている裁判所が，中立的紛争解決機関として，当事者間で争いとなっている事実について真実を発見し，その事実に法規を適用して判断を下すところにある。裁判機関としての裁判所をいかなる者によって構成するかは，立法政策の問題であるが142)，現行制度においては，裁判官によって裁判所が

---

141)　任意管轄の場合に，管轄違いの主張を留保せずに当事者が訴訟行為を行えば，応訴管轄が生じるので，移送の問題は生じない。

学説の分布については，注釈民訴(1)307頁〔中森宏〕が詳しい。本文に示した考え方をとるのは，中島弘道・日本民事訴訟法第一編192頁（1934年）である。下級審裁判例としては，東京控判昭和15・5・8法律新報584号21頁が効力肯定説をとる。これに対して，新潟地判昭和29・5・12下民5巻5号690頁は，訴訟行為の効力が否定されるとするが，専属管轄の事案である。また，最判昭和38・10・1民集17巻11号1301頁が否定説を採用したものとして引用されることがあるが，同判決は，263条の解釈に関するものであり，ここで扱う問題と直接の関係はない。同判決についての，森綱郎〔判例解説〕曹時16巻1号101頁（1964年）参照。

142)　陪審制は，事実認定の責任を負う陪審員と，認定された事実について法を適用して判断を下す裁判官によって裁判機関を構成するものである。陪審員は，市民の中から選任される。また，参審制は，職業裁判官と素人によって裁判にあたる合議体を構成するものである。わが国においてこうした制度を採用するかどうかについては，立法政策としての当否のほかに，憲法76条3項などとの関係での問題がある。兼子＝竹下・民訴27頁，39頁。なお，裁判所法3条3項参照。また，「裁判員の参加する刑事裁判に関する法律」（平成16法63）による裁判員は，裁判官とともに裁判体を構成する（裁判員1・2）。非訟事件ではあるが，労働審判における労働審判員も，裁判体たる労働審判委員会の構成員である（労審1・12 I 参照）。

構成される[143]。裁判官でない者によって構成される裁判所によって行われた裁判は，当然に無効と解されているが，資格がないにもかかわらず誤って裁判官として任命された者を構成員とする裁判所が行った裁判は，上訴または再審によって取り消されるにとどまる（312Ⅱ①・338Ⅰ①）。

しかし，裁判官として任命された者であっても，具体的事件との関係においては，公正・中立な第三者とみられない場合がある。その場合には，裁判に対する当事者の信頼を確保し，また，国民に納得される裁判を行うためにも，事件との関係がある裁判官を裁判所の構成員から排除することが望ましい。これが，除斥，忌避，および回避の制度である。除斥は，法が定める一定の原因がある場合に，裁判官を当然に職務執行から排除するものである。これに対して，忌避は，それ以外の原因にもとづいて不公平な裁判をするおそれがある裁判官を，当事者の申立てにもとづく裁判によって職務執行から排除する制度である。さらに回避は，裁判官の側から除斥または忌避の理由があると認めて，自発的に職務執行を避ける制度である。これらの制度は，裁判官以外の裁判所職員についても設けられているし，また，判決手続以外の民事訴訟手続にも準用される[144]。

第1項　裁判官の除斥

23条は，一定の事由が存在する場合に，裁判官が当然に職務執行から排除

なお，裁判機関を補助するものとして，簡易裁判所における司法委員（279）および，家庭裁判所における人事訴訟および家事審判についての参与員の制度がある（人訴9，家事40Ⅰ本文）。

143）　裁判所法5条・15条・23条・31条の2・32条参照。裁判官の任命については，憲法6条2項・79条・80条，裁判所法39条ないし46条参照。なお，非常勤裁判官と通称される民事調停官および家事調停官は，調停事件に関して裁判官と同様の権限を行使する（民調23条の2以下，民調規25，家事250・251，民事調停官及び家事調停官規則（平成15最高裁規15））。

144）　民事執行法20条，民事保全法7条，破産法13条，民事再生法18条，会社更生法13条。また，執行官に関する執行官法3条，仲裁人に関する仲裁法10条，労働審判員に関する労働審判法11条，専門委員に関する民事訴訟法92条の6，裁判所調査官に関する民事訴訟法92条の9，鑑定人に関する民事訴訟法214条参照。なお，旧非訟事件手続法5条および家事審判法4条は，民事訴訟法の規定を準用していたが，現行非訟事件手続法11条以下および家事事件手続法10条以下は，それぞれ除斥および忌避に関する定めを設けている。

されることを規定する。

1　除斥事由

23条が定める事由を除斥事由と呼ぶ。24条が定める忌避事由と比較すると，除斥事由は，裁判官の公正さを疑わしめる定型的な事由を規定したものである。23条が定める事由のうち1号ないし3号は，裁判官と当事者との関係を理由としたものであり[145]，4号ないし6号は，裁判官と事件との関係を理由としたものである。

除斥事由のうち，解釈上特に争いがあるのは，6号の前審関与である。ここでいう前審とは，当該事件についての直接または間接の下級審の裁判を指すものと解されている[146]。この場合に裁判官が職務執行から排除されるのは，すでに原審の裁判に関与した裁判官では，上級審の裁判官として公正・中立な判断が期待できず，結果として審級制度自体の意義が失われるという理由にもとづく。したがって，前審の中には，原審の終局判決だけではなく，中間判決や終局判決前の裁判が含まれる[147]。

これに対して，同一訴訟手続に属するとみなされない裁判は，前審に含まれない。その例として，再審申立手続における確定判決，請求異議訴訟における債務名義たる裁判，本案訴訟における仮差押え・仮処分命令，異議申立て後の通常訴訟手続における手形・小切手判決などが挙げられる。これらの裁判の場合にも，予断のおそれがないわけではないが，直接または間接に審級が問題となっているわけではないという理由から，前審には含まれない。もっとも，再審については，上訴と類似の機能をもつという視点から，前審に含まれるとす

145)　もっとも，1号ないし3号は，もっぱら自然人を想定しており，当事者が法人の場合をも考慮すべきであるとの立法論があったが，実現には至らなかった。検討事項　第一 裁判所　二 裁判所職員の除斥，忌避及び回避において，「裁判官その他の裁判所職員の除斥，忌避及び回避について，改正すべき点があるか」という事項が掲げられていたのは，このような議論を背景にしたものである。

146)　最判昭和30・3・29民集9巻3号395頁，最判昭和36・4・7民集15巻4号706頁。上告審からみた場合，直接とは，不服申立ての対象となっている控訴審判決，間接とは，第一審判決を意味する。したがって，労働審判への労働審判官としての関与は，前審関与にあたらない。最判平成22・5・25判タ1327号67頁。

147)　終局判決前の裁判は，不服申立ての対象となるものでなければならない。283条参照。なぜならば，不服申立てが許されない裁判は，除斥が問題となる上級審の判断の対象とならないからである。

る有力説があり，本書も，これを支持する。

また，上告審の差戻判決または移送判決にもとづいて（325 I），原審または受移送裁判所が審判を行う場合にも，原判決が，下級審ではなく，同等の裁判所による判断であるという意味で，前審関与にあたらない。しかし，このような場合には，予断をもった判決がなされる蓋然性が高いので，法は，特別に原判決関与の裁判官の関与を排除している（325Ⅳ）[148]。

裁判への関与とは，裁判における判断作用そのもの，すなわち裁判の評決，裁判書の作成に関与することを指す。判決の言渡しのみの関与がこれに含まれないことはもちろん，弁論準備手続，証拠調べ，あるいは訴訟指揮のみについての関与も除外される[149]。

もっとも，これらの事由が存在する場合に，忌避が成立するか，また裁判官が自ら回避すべきかは別の問題である。

2　除斥の効果

ある事件において除斥事由が認められると，当該裁判官は，23条1項柱書但書の場合を除いて，当然にその職務執行から排除される。当事者の主張の有無を問わないから，責問権の喪失も問題とならない。もっとも，当事者の申立てにもとづき，または職権をもって除斥の裁判がなされるが（23 Ⅱ），この裁判は，忌避の場合と異なって，形成的なものではなく，確認的なものと解される[150]。したがって，除斥原因がある裁判官が行った訴訟行為は，除斥決定の有無にかかわらず無効であり，それにもとづく終局判決については，絶対的上告理由（312 Ⅱ②），および再審事由（338 I ②）となる瑕疵が認められる。

ただし，6号の前審関与に関しては，受託裁判官としての職務執行は妨げられないし（23 I 柱書但書），また，原審の審判に関与した裁判官が，上級審の判決言渡しのみを行った場合には，上級審判決の判断内容の形成には加わってい

148）　もっとも，第1次控訴審において判決に関与した裁判官は，第2次控訴審には関与できないが，第3次控訴審に関与することは妨げられない。大判昭和11・11・13民集15巻1991頁。

149）　最判昭和28・6・26民集7巻6号783頁〔百選〈2版〉12事件〕，最判昭和39・10・13民集18巻8号1619頁〔百選〈3版〉8事件〕などいくつかの判例がある。これに対して，刑事訴訟法20条7号は，審理への関与そのものを除斥原因としている。

150）　忌避の申立ての場合（24 Ⅱ参照）と異なって，除斥の申立ては，当該裁判官が訴訟に関与している限り，可能である。

ないので，取り消されるべき判決としては扱われない。

3 除斥の裁判

除斥原因が認められると，通常，民事訴訟規則12条にもとづいて裁判官自らが裁判を回避する。しかし，回避がなされない場合には，23条2項にもとづいて除斥の裁判がなされる。すでに述べたとおり，この裁判は，確認的裁判である。

除斥申立却下決定に対しては，即時抗告が認められるが（25Ⅴ），除斥決定に対する不服申立ては認められない（25Ⅳ）。これは，当事者が特定裁判官による裁判を排除することはできるが，逆に，特定裁判官による裁判を求めることはできないという理由による。

第2項　裁判官の忌避

公正な裁判を妨げる可能性を示す一定の事由が存在する場合に，当事者の申立てにもとづく裁判によって，裁判官を当該事件についての職務執行から排除する制度が忌避である。除斥と異なって，忌避の裁判は形成的であり，かつ，遡及効は認められない。

1 忌避の原因

24条1項は，裁判の公正を妨げる可能性がある事由を忌避の原因として規定する。中立・公正であるべき裁判官といえども，一個の人格として思想・信条などをもっていることは当然であり，それが裁判の内容に影響がないとはいえない。しかし，こうした人格的価値判断は，憲法76条3項にいう「良心」に包含されるものであって，それを理由として裁判官を職務執行から排除することはできない。

これに対して，裁判官と当事者との間に特別な友好的，もしくは敵対的関係が存在するとか，または裁判官が訴訟の目的物について利害関係をもつとか，当該事件に関連する従前の手続に関与しているなどの事情が存在する場合には，公正さを疑わしめる客観的事情が認められる。これらの事情は，むしろ良心および法令にしたがった判断を妨げるものであり，かつ，外部からも認識可能なものであるから，忌避の原因となる[151]。もっとも，具体的な事案については，判断が分かれることが多い。

判例で忌避事由にあたらないとされた例として，①当事者の一方と裁判官が，別件訴訟における対立当事者である場合，②裁判官が一方当事者の訴訟代理人の女婿である場合，③国家賠償事件の担当裁判官が法務局訟務部付検事として国の代理人となったことがある場合などがある[152]。①は，一般論としては，忌避事由に該当すると思われるが，別件訴訟が裁判官の私的利害にかかわるものでない場合には，忌避事由とならない。また，③については，当該事件またはそれと同一の内容をもつ事件について訟務検事として国の代理人となった者が，裁判官となる場合には，忌避事由として認められる。しかし，単に訟務検事としての経歴をもつというだけでは，当該事件について公正な判断を妨げる事情があるとはいえない。これに対して，②の場合には，相手方当事者あるいは第三者からみて，裁判官の公正を疑わせる事情があると考えられるから，忌避事由を認めるべきである[153]。

忌避事由に該当しないことが一般に承認されているものとして，裁判官の訴訟指揮がある。訴訟指揮は，客観的に認識される行為であり，かつ，それによって一方当事者が不利益を受けることが多いため，公正さを疑わしめる事情として忌避申立ての原因とされることが多い。しかし，判例は一貫して訴訟指揮

151）ただし，公正さを疑わしめるかどうかは，一般的通常人の判断を基準とする。畔上英治「忌避試論(2)」曹時13巻1号15頁（1961年）。

152）①について，神戸地決昭和58・10・28判時1109号126頁（別件訴訟は，裁判官の訴訟指揮を違法とする国家賠償訴訟），②について，最判昭和30・1・28民集9巻1号83頁〔百選〈6版〉3事件〕，③について，名古屋高決昭和63・7・5判タ669号270頁がある。これと比較して，金沢地決平成28・3・31判時2299号143頁は，基本事件の受訴裁判所を構成する裁判官が，主要な法律上の争点を共通にし，紛争としても強い関連性を有する別事件において，国の指定代理人たる訟務検事として中心的に活動したこと，両事件が時間的に近接していることなどを理由として，本文に述べる，公正で客観性のある裁判を期待することができないとの懸念を抱かせる客観的事情が存在するとして，忌避を認めている。

本決定の意義および従来の裁判例などとの関係については，猪股孝史〔判例批評〕判時2320号（判評698号）159頁（2017年），高田賢治「除斥原因から考える忌避事由」上野古稀48頁，坂田宏「除斥と忌避の狭間――除斥事由の類推適用の可能性について」高橋古稀273頁参照。

153）学説は，ほぼ一致して，本文に述べた判例および下級審裁判例に反対している。新堂88頁，三ヶ月・双書306頁，齋藤79頁，梅本92頁，秋山ほかⅠ353頁，条解民訴〈2版〉143頁〔新堂幸司＝高橋宏志＝高田裕成〕，斎藤ほか(1)435頁〔斎藤秀夫＝奈良次郎〕，高橋宏志〔判例評釈〕法協107巻3号512頁（1990年），瀬木108頁など参照。

が忌避事由にあたらないとし，学説もこれを支持する[154]。もちろん，極端に偏頗な訴訟指揮がなされる場合には，忌避事由に該当するが，通常の訴訟指揮は，それが結果として一方当事者の有利になり，他方当事者の不利になっても，法令および良心にしたがってなされている限り，不公正とはいえないからである。また，150条などの規定によって訴訟指揮に対する異議権が認められていることも，忌避を否定する理由になる。

2　忌避の申立て

除斥と異なって，忌避の手続は，当事者の申立てのみによって開始される[155]。ただし，24条2項によれば，当事者が弁論または弁論準備手続での申述をなしたときには，忌避原因を知らなかったなどの場合を除いて，忌避申立権が失われる。申立権放棄の意思が認められるからである[156]。したがって，ここでいう弁論は，口頭弁論における狭義の弁論に限定されず，当該裁判官による審判を容認すると評価される一切の訴訟行為を指す。

忌避申立ては，当該裁判官が所属する裁判所に対して原因を明示して，書面によってなされる（民訴規10 I II）。そして，明示された原因については，申立てから3日以内に疎明がなされる必要がある（民訴規10 III）[157]。3日以内に疎明がなされないと，申立ては不適法として却下される。もっとも，疎明はあくまで申立ての適法要件であるから，裁判所が忌避事由について判断する際には，証明が要求される。

25条1項および2項は，忌避についての裁判機関として，地方裁判所以上の裁判官の忌避については[158]，当該裁判官が所属する裁判所の合議体，簡易

154）　判例の数は多いが，代表的なものとして，期日変更申立ての却下（大決明治39・6・28民録12輯1043頁），証拠申出の却下（大決大正2・1・16民録19輯1頁）などがある。

155）　24条1項，民事訴訟規則10条1項。法文上は，忌避申立権者は，当事者に限定されるが，補助参加人にも認められるかという問題がある。補助参加人独自の申立権はないが，被参加人たる当事者の申立権を行使できるとするのが，一般的解釈である。

156）　もっとも，佐々木吉男「担当裁判機関の公正の担保」講座民訴② 67頁，81頁は，このような理解に対して疑問を提起し，2項の趣旨は，訴訟状態に応じて恣意的に忌避権が行使されるのを防ぐものであるとする。

157）　旧267条2項にもとづくいわゆる疎明代用保証は認められないと解されていたが，代用保証の制度自体が廃止された。

158）　25条1項では，「合議体の構成員である裁判官及び地方裁判所の一人の裁判官」と規定されている。しかし，最高裁判所および高等裁判所では，もっぱら合議体による裁判が行われ（裁9 I II・18 I），地方裁判所では，単独体と合議体による裁判が行われるので

裁判所の裁判官については，その裁判所の所在地を管轄する地方裁判所の合議体を規定する。裁判は，決定の方式によってなされる。したがって，口頭弁論を開くことは要求されないが，必要があれば，裁判所は，関係人を審尋することができる（87Ⅱ）。忌避の相手方となっている裁判官は，裁判に関与することはできないが（25Ⅲ），意見を述べることは許される（民訴規11）。

忌避申立てを却下する決定に対しては，25条5項にもとづいて即時抗告が許されるが[159]，忌避決定に対する不服申立ては許されない。除斥の場合と同様に，忌避原因のある裁判官を排除する権利は認められるが，逆に，特定の裁判官による裁判を求める権利は認められないという理由にもとづく。なお，除斥または忌避申立てがなされた場合には，それに対する裁判が確定するまで，訴訟手続が停止される（26本文）[160]。

(1)　忌避申立ての濫用・簡易却下

上に述べたとおり，忌避申立てがなされると，それについての決定が確定するまで，審理が停止される。そこで，訴訟手続を遅延させる目的で理由のない忌避申立てが繰り返される場合があり，これを忌避申立ての濫用と呼ぶ。これに対しては，権利濫用の一般原則によって申立てを排斥する可能性のほかに，2つの対処方法が考えられる。第1は，濫用的申立ての場合には，26条を適用せず，訴訟手続を停止しないとすることである[161]。第2は，25条の適用を排

（裁26ⅠⅡ），本文に述べるような結論になる。

159）　相手方当事者にも即時抗告権が認められるかどうかについては，議論がある。消極説が多数である。秋山ほかⅠ367頁，斎藤ほか(1)462頁〔斎藤秀夫＝奈良次郎〕など。これに対して，条解民訴〈2版〉145頁〔新堂幸司＝高橋宏志＝高田裕成〕，注釈民訴(1)368頁〔三上威彦〕は，積極説をとる。しかし，忌避申立てをしていない相手方に即時抗告権を認める必要はない。

160）　もっとも，証拠保全，民事保全などの急速を要する手続は停止されない（26但書）。これらの行為は，後に忌避決定がなされた場合でも，有効であり，遡って無効になるものではない。

また，急速を要しない行為は，申立審理中に裁判官がそれを行った場合には，違法と評価される。しかし，後に忌避申立てを却下する決定がなされた場合には，その瑕疵が治癒され，有効なものとなる。最判昭和29・10・26民集8巻10号1979頁。ただし，新堂89頁，中野ほか・講義68頁などの有力説は，忌避申立人が十分な訴訟活動をした場合にのみ有効とする。

161）　山木戸・論集72頁。下級審裁判例もこれを採用する。東京高決昭和39・1・16下民15巻1号4頁，京都地判昭和59・3・1判時1131号120頁など。明らかに理由のない忌避申立てについては，この考え方が正当である。

除して，当該裁判官自身が申立てを却下しうるとすることである。この方法は，刑事訴訟法24条にならって簡易却下と呼ばれる。濫用であることが明らかな忌避申立ての場合には，25条の例外としてこのような取扱いを認めても差し支えない。申立却下決定に対しては，即時抗告の余地があるので，当事者の利益を決定的に害することにもならないからである162)。

(2)　忌避申立てがなされなかった場合の取扱い

すでに述べたように，除斥の裁判の性質は確認的なものであり，たとえ除斥の申立てがなされなかった場合でも，当事者は，上訴または再審によって終局判決あるいは確定判決を覆すことができる。これに対して，忌避の裁判の性質は，形成的であるから，いったん終局判決がなされた以上，当事者は上訴などによって忌避事由の存在を主張することは許されない。24条2項但書が適用されるのも，当該審級において終局判決がなされるまでの間である。したがって，裁判官について公正を妨げるべき事情を当事者が容易に認識できない場合には，忌避申立ての可能性が実際上制限される163)。もっとも，裁判官自身が忌避事由の存在を認識している場合には，次に述べる回避をすることになろう。

第3項　裁判官の回避

除斥または忌避の原因があると認められる場合に，当該裁判官が自ら職務執行を避けることを回避と呼ぶ（民訴規12）164)。除斥または忌避の裁判を待つことなく，裁判官が自発的に職務執行を避けることによって，裁判の公正を維持

162)　大阪高決昭和38・11・28下民14巻11号2346頁，東京高判昭和57・5・25下民33巻5～8号868頁など多数の下級審裁判例がある。学説では，三ヶ月・双書307頁，新堂89頁，秋山ほかⅠ365頁，条解民訴〈2版〉145頁〔新堂幸司＝高橋宏志＝高田裕成〕などが上記の裁判例を支持し，これに対して，齋藤80頁，上田79頁，注釈民訴(1)366頁〔三上威彦〕，斎藤ほか(1)460頁〔斎藤秀夫＝奈良次郎〕などが反対する。判例は肯定説であり，簡易却下後に判決の言渡しがされたときには，当該裁判官の事件関与を排斥する余地がなくなるため抗告の利益も消滅するという。最決平成13・12・20実情78頁，最決平成15・2・14実情138頁，最決平成15・2・28実情139頁参照。

163)　学説上では，この点を考慮して，裁判官に忌避事由開示義務を課することが提案されている。小島武司「忌避制度再考」吉川追悼(下)1頁，16頁（1981年），大村雅彦「公平な裁判所」日本比較法研究所40周年記念論集 conflict and Integration 913頁，928頁（1989年）参照。裁判官の職業倫理上の責務としてであれば，この考え方は正当である。

164)　これに対して，回避申立ておよび許可の手続を経ることなく，裁判所の事務分配を通じて除斥原因などの疑いがある裁判官が職務執行を避けることを事実上の回避と呼ぶ。

しようとする制度である。ただし，回避には，司法行政上監督権をもつ裁判所（裁80）の許可を得ることが必要とされている。もっとも，この許可は，司法行政上の処分であって，裁判ではないので，許可後に当該裁判官が何らかの事情で訴訟行為を行った場合にも，その行為が訴訟手続上違法となるわけではない。また，回避は，除斥・忌避事由が存在する場合に，裁判官がその職務から退く権能を認めたものであって，回避義務を課したものではないと解されている。もっとも，訴訟法上の義務として回避義務を認めることはできないが，裁判官としての職業倫理上の責務を認めるのが妥当である[165)]。

第4項　裁判所書記官の除斥・忌避・回避

裁判所書記官は，事件に関する記録その他の書類の作成および保管，法令・判例の調査などのほかに，審理充実事務ならびに支払督促などの職務を担当する機関である（裁60Ⅰ～Ⅲ）[166)]。裁判所書記官は，その職務の遂行について裁判官の命令にしたがうが（裁60Ⅳ），訴訟記録の閲覧・謄写（91），判決確定証明書の交付（民訴規48）など，裁判所書記官の処分に対する不服申立ては，裁判所書記官所属裁判所への異議申立ての形をとる（121）。

裁判所書記官の職務も裁判権の行使に密接に関係するので，除斥・忌避・回避についての規定が準用される（27，民訴規13）。忌避などの裁判は，裁判所書記官所属の裁判所が行う。ただし，その職務の性質から，23条1項に規定される前審関与は準用されない[167)]。また，除斥事由の存在によって排除されるべき裁判所書記官の関与は，絶対的上告理由にもならず（312Ⅱ②参照），再審事由にもならない（338Ⅰ②参照）。これは，裁判所書記官が裁判の内容たる判断作用そのものに関与しないためである。なお，除斥・忌避の申立てがなされると，それに対する裁判がなされるまでの間，当該裁判所書記官は職務執行か

165）　これに対して，佐々木・前掲論文（注156）82頁は，訴訟法上の義務として回避義務を認め，当事者は，その違背を上訴，再審をもって争いうるとする。

166）　現行法では，裁判所書記官の職務権限の範囲が飛躍的に拡大された。奥田隆文「裁判所書記官の権限と役割」理論と実務(上)307頁以下参照。令和4年改正による法137条の2（未施行）が，訴え提起の手数料を納付しない場合の補正命令の権限を裁判所書記官に与えているのも，この方向に沿うものである。

167）　最判昭和34・7・17民集13巻8号1095頁，最決平成12・3・17実情28頁。

ら排除されるが，裁判所は，他の裁判所書記官を立ち会わせて手続を進行させることができる。この点は，判断機関たる受訴裁判所を構成する裁判官と異なる[168)]。

168)　秋山ほかⅠ373頁，注釈民訴(1)384頁〔三上威彦〕，斎藤ほか(1)476頁〔斎藤秀夫＝奈良次郎〕。

第3章　当　事　者

当事者とは，その者の名において判決を求める者，およびその者を名宛人とする判決を求められる者を指す。審判の対象である請求の面からみれば，請求を定立する者とその相手方と構成することもできる。また，判決は請求についてなされるものである点からみれば，当事者は，判決の名宛人と定義することもできる。当事者は，第一審においては，原告・被告[1)]，控訴審では，控訴人・被控訴人，上告審では，上告人・被上告人と呼ばれる。

1　2当事者対立構造

訴訟手続においては，相対立する2当事者の存在が不可欠である。この点が，非訟事件と異なる。対立2当事者が存在するところから，訴訟における基本原則，たとえば，手続保障や弁論主義などの適用に際しても，常に両当事者の利益を考慮しなければならない。また，2当事者対立を前提とするので，いったん訴訟が係属した後であっても，相続や合併などの事由によって一方当事者の地位が相手方当事者に承継されたりした場合には，訴訟係属も消滅する[2)]。

もっとも，多数当事者訴訟の場合には，一方当事者の側が複数になったり，または独立当事者参加訴訟のように，3当事者間に訴訟法律関係が成立したりする場合があるが，基本となるのは，2当事者対立構造である。

2　形式的当事者概念

当事者概念は，訴訟物たる実体的権利義務，または法律関係の主体たる地位とは切り離されたものであり，請求の定立者とその相手方，または判決の名宛

---

1)　被告にあたる当事者は，刑事訴訟手続では，被告人と呼ばれる（刑訴256Ⅱ①）。被告の呼称が適当かどうか，立法論としては，議論がある。

2)　大判昭和10・4・8民集14巻511頁（被相続人と相続人との間の訴訟における被相続人の死亡）。

ただし，訴訟物たる法律上の地位の承継人が存在しない場合でも，法律上当事者たる地位の承継人が定められる場合がある。その例として，人事訴訟では，被告が死亡したときに，検察官などが承継人になる旨が規定されている。人事訴訟法26条2項・42条2項・43条3項。

人という訴訟法律関係上の地位とされている。このような考え方を形式的当事者概念と呼ぶ。現在，形式的当事者概念が支配的であるのは，次のような理由にもとづく。いわゆる実体的当事者概念の下では，訴訟物たる法律関係の主体が当事者とされる。しかし，後に述べる訴訟担当の場合には，実体的法律関係からみれば第三者が当事者適格を認められるし，他人間の法律関係の確認訴訟においても同様の可能性がある。このようなことを考慮すると，現在の訴訟制度の下では，形式的当事者概念が正当である[3]。

3 当 事 者 権

当事者の訴訟手続上の地位は，最終的には，請求について審判を受けることに集約されるが，公平，かつ，適正な審判を受けるために，訴訟手続上ではさまざまな権能が当事者に保障されている。これらの権能を総称して，講学上当事者権と呼ぶ。当事者権に含まれるものとしては，移送申立権（16・17），除斥・忌避申立権（23Ⅱ・24Ⅰ・27），訴訟代理人選任権（54），訴状・判決の送達を受ける権利（138Ⅰ・255），期日指定申立権（93Ⅰ），期日の呼出しを受ける権利（94），求問権（149Ⅲ），責問権（90），訴訟記録閲覧権（91・91の2（未施行）），審判の対象を定める権利（246），訴えの取下げ，請求の放棄・認諾，和解などの訴訟の処分権（261・267）などのほか，弁論権（87），上訴権（281・311など）などが挙げられる。

このように，当事者権にはさまざまな内容の権能が含まれているが，その性質に即して大別すると，①審判の対象を定め，訴訟の開始・終了を決定する権能，②訴訟手続上で公平に攻撃防御を尽くすための権能の2つに分けられる。憲法32条は，国民に対して裁判を受ける権利を保障しているが，その内容は，受動的に判決の名宛人たる資格を認めることにとどまらず，判決の対象となる事項を当事者が決定し，かつ，判決の基礎となる資料提出の機会を両当事者が公平に保障されることを含んでいる。

3）　したがって，実体的権利の帰属主体とその管理処分権者も，請求が立てられる限り対立当事者となりうる。破産者と破産管財人（破78Ⅰ）などの場合に，このような関係がみられる。ただし，近時は，当事者確定，当事者適格，再審の訴えの原告適格，既判力の主観的範囲などに関する問題の統一的解決の試みとして，形式的当事者概念と実質的当事者概念の併用を説く，松原弘信「当事者論の理論的基礎に基づく体系的課題とその解決策(一)(二・完)」熊本法学146号1頁，147号103頁（2019年）もある。

4　当事者に関する概念相互間の関係

当事者に関する概念としては，当事者の確定，当事者能力，訴訟能力，弁論能力，当事者適格などがある。これらの概念相互間の関係は，次のように整理される。まず，形式的当事者概念を前提として，誰によって，誰に対して請求が立てられているかを確定しなければならない。当事者間に生じる訴訟法律関係，それにともなう当事者権，さらに判決の効力も，これによって決定される。これが当事者の確定である。次に，確定された当事者を前提として，その請求に対する判決，すなわち本案判決をすることが許されるかどうかを考えなければならない。これが，訴訟要件の問題であり，当事者能力，訴訟能力，弁論能力，および当事者適格がこれに属する。

当事者能力は，訴訟法律関係の主体になり，最終的には，本案判決の名宛人になりうる資格を意味する。これに対して，訴訟能力は，自ら訴訟行為をなし，または訴訟行為の相手方となりうる資格を意味し，民法上の制限行為能力者のように，当事者能力はありながら，訴訟能力を欠いたり，制限される場合がある。さらに，弁論能力は，口頭弁論において弁論を行い，証拠を提出する資格を意味する。ただし，わが国においては，弁護士強制主義をとっていないので，訴訟能力がある当事者本人は，原則として弁論能力を認められる。もっとも，後に述べる155条の場合のように，当事者本人の弁論能力が制限される場合には，訴訟能力と弁論能力との違いが生じる。

以上に述べた当事者能力，訴訟能力，および弁論能力が，原則として請求の内容と関係なく定められるのに対して，当事者適格は，当該訴訟における請求との関係において，原告が本案判決を求める資格があるか，または被告に対して本案判決を下すことが適切かを問うものである。

第1節　当事者の確定

訴えの提起から始まって，判決の確定に至るまで，訴訟手続は当事者を中心として進められる。すでに述べた当事者能力のほか，管轄，除斥・忌避などは，当事者を基準として決定される場合が多いし，また，各種の訴訟行為の主体たる地位も当事者に認められていることが多い。さらに，判決の効力も当事者に及ぶのが原則である（115 I ①）。したがって，訴訟手続を進めるにあたって，また判決の効力を考えるにあたっては，誰が当事者かを確定することが前提となる。確定は，裁判所の判断行為を意味し，それが手続の局面に応じて異なった形式をもって行われる。

1　当事者確定の効果

確定は，次の4つの局面における当事者の地位を定めるために必要となる。第1は，訴訟手続における行為主体としての当事者の地位である。この意味での確定は，すべての訴訟において必要である。これに対して，第2以下の局面における当事者の確定は，例外的にのみ必要となる[4]。まず，第2は，氏名冒用訴訟における判決効の主観的範囲にかかわる当事者の地位である。第3は，訴状において表示された当事者が訴訟係属発生前に死亡しているときの当事者の地位である。第4は，表示の訂正と任意的当事者変更の前提としての当事者の地位である。

2　当事者確定の基準

確定基準としては，意思説，行動説および表示説などの考え方が対立する。意思説は，原告の意思にもとづいて当事者を定めようとするものであるが，原告の確定には役立たないこと，いかなる資料にもとづいて意思を認定するかが明らかでないなどの問題を含む。次に行動説は，当事者として行動している者を当事者とする。これに対しては，当事者としての行動が何を指すかが一義的に明確でないと批判される。さらに，表示説は，訴状における表示を基準として当事者を定めようとするものであるが，そこでいう表示が当事者欄の表示のみを意味するのか，請求の趣旨・原因の記載をも考慮するのかどうかについて考え方が分かれる。前者は，形式的表示説，後者は，実質的表示説と呼ばれることもある。最後に，多様な効果の前提となる当事者確定について1つの基準のみにもとづく解決を求めるのは困難であるという立場から，手続の進行面では裁判所の行為規範として表示説をとり，氏名冒用訴訟などすでに行われた訴訟行為の効力を評価する場合には，評価規範として行動説などを採用する立場

4）　納谷廣美「当事者確定の理論と実務」新実務民訴(1)239頁以下は，第1回口頭弁論までの表示の訂正などが本来の当事者の確定の問題であり，その後に生じる氏名冒用訴訟などの取扱いの問題は，これと区別されるべきであるとする。

があり，規範分類説と呼ばれる[5]。

第1項　訴訟手続における行為主体としての当事者の確定

職権進行主義の下では，訴訟進行について裁判所が責任を負う。裁判所が誰を当事者として訴訟行為をなし，あるいは誰に訴訟行為をなす機会を与えるかを判断する場合には，表示説にしたがって当事者を確定するべきである。なぜならば，裁判所としては，訴状を受領した以上，それを被告に送達して訴訟係属を開始し，訴訟を進行させなければならないが，その際には，当事者欄をはじめとする訴状の記載を基準にせざるをえないからである。

第2項　氏名冒用訴訟

甲が乙の氏名を冒用し，自己の名を乙であると表示して訴えを提起した場合，または丙が被告として表示されているにもかかわらず，実際には丁が丙の名の下に訴訟行為をなしている場合などを氏名冒用訴訟と呼ぶ。訴訟係属中に裁判所が氏名冒用の事実を発見したときには，原告側であれば，訴えを不適法として却下することになる。なぜならば，訴状の表示によれば乙が当事者となるが，実際に訴訟追行をしている甲は，実質的には無権代理人と同様に，訴え提起をはじめとする訴訟行為を乙の名においてなす資格をもたず，訴訟要件に欠けるからである。また，被告側の氏名冒用の場合には，冒用者に訴訟行為をなすことを認めず，被冒用者に訴訟追行を行わせる[6]。このような取扱いは，いずれの場合でも，表示説にもとづいて当事者が被冒用者であることを前提としたものである。

---

5)　表示説が現在の通説である。兼子106頁，三ヶ月・双書223頁，齋藤85頁，小山91頁，上田89頁など。本書も，本文中に述べる実質的表示説の意味で，これを支持する。実質的表示説が訴訟開始段階においてどのように機能するかについては，名津井吉裕「訴訟開始段階における当事者確定について(1)」民商153巻3号366頁（2017年）が詳しい。これに対して，新堂135頁以下は，規範分類説をとり，高橋(上)160頁，小島132頁，松原弘信「死者名義訴訟および氏名冒用訴訟の判決確定後の取扱いとその理論的基礎」青山古稀452頁以下，瀬木144頁は，これを支持する。

なお，本文に挙げた説のほかに，紛争主体特定責任説と呼ばれる有力説がある。佐上善和「当事者確定の機能と方法」講座民訴③63頁以下。

6)　もっとも，被冒用者が冒用者の訴訟行為を追認することはありうる。追認によって冒用者のなした訴訟行為が当事者である被冒用者についてその効果を生じる。

しかし，冒用の事実が発見されないままになされた判決の効力については，考え方が分かれる。表示説を貫けば，判決の効力は訴状に表示されている乙または丙に及ぶことになり（115Ⅰ①），乙らは，上訴または再審によって救済を求めることになる（312Ⅱ④・338Ⅰ③）。これに対して，行動説を前提とすれば，判決の効力は冒用者たる甲あるいは丁に及び，被冒用者たる乙らには及ばない。したがって，乙らは，判決が確定していても，再審によるまでもなく，その無効を主張しうる。しかし，現に被冒用者名義の判決が存在する以上，その効力を排除するために，上訴・再審によらせる方が法的安定性に資するという理由から，表示説の結論が支持される[7]。

第3項　死者を当事者とする訴訟

当事者が訴訟係属発生後に死亡した場合には，訴訟中断の効果が生じ，受継の手続がとられる。しかし，訴訟係属発生前，具体的には，被告への訴状送達前に原告または被告として表示された者が死亡し，それにもかかわらず訴状が別の者によって受領され，外観上訴訟係属が発生し，訴訟手続が進められる場合がある。実際には，死者の相続人が死者の名で，または受継をなした上で自己の名で訴訟行為を行うことによって，このような可能性が生じる。しかし，表示説にもとづいて訴状に表示された死者が当事者であるとすれば，存在しない者を当事者とする訴訟係属が発生する余地は認められず，訴訟係属の発生を前提とする訴訟行為がなされていても，当事者不存在として訴えが却下されるべきであり，相続人が行った訴訟行為，およびそれを基礎とした判決も無効になる。

しかし，実質的には，相続人が当事者として訴訟行為を行っているのであるから，このような結果を認めるのは好ましくない。確定基準として，行動説または意思説を採用すれば，当初から相続人が当事者であると構成することが可

7）　大判昭和10・10・28民集14巻1785頁〔百選〈6版〉4事件〕。行動説をとった場合であっても，判決の無効を主張するためには，結局氏名冒用の事実を立証せざるをえず，再審によらせるのと大差はない。また，行動説では，被冒用者による上訴や再審申立てが不適法になるという問題が生じる。ただし，近時の学説としては，当事者確定理論によらず，手続保障の欠如を理由として被冒用者に対する判決を無効とする考え方も有力である（中山幸二「氏名冒用訴訟の判決の効力について」木川古稀(上)285頁，290頁参照）。

能になる[8]。これに対して，表示説を前提としても，次のような解決が考えられる。まず，訴状における当事者欄の表示だけではなく，請求原因の記載などを考慮して，相続人を当事者とする趣旨が合理的に推認される場合には，死者ではなく，相続人が当事者とされているものとして，次のような取扱いを認める。第1に，死者から相続人への表示の訂正を認める。第2に，相続人の訴訟行為は，受継の有無にかかわらず，有効なものとして扱う[9]。第3に，表示の訂正がなされないままに死者を名宛人とする判決が確定した場合には，判決の更正を認める。これに対して，表示説を前提として相続人を当事者と認めることができない場合であっても，相続人が死者に代わって訴訟行為を行っていたときには，訴訟係属後の死亡に準じて，訴訟承継を前提とする黙示の受継がなされたものとみなし，判決の効力は相続人に及ぶ[10]。

第4項　表示の訂正

訴状において当事者を甲と表示していたにもかかわらず，訴訟係属中にその表示を乙に変更しようとする場合に，当事者の訴訟行為としては，2つの方法が考えられる。

第1は，甲および乙の表示が同一人格を表しているものとして，当事者の同一性を前提とし，甲から乙への表示の訂正を申し立てることである。

第2は，甲および乙が別の人格を表しているものとし，当事者の変更を申し立てることである。第1が表示の訂正，第2が任意的当事者変更と呼ばれる。

---

8)　大判昭和11・3・11民集15巻977頁〔百選〈6版〉5事件〕は，実質上の被告は，現に応訴している相続人であると判示した上で，表示の訂正を認めている。

9)　最判昭和41・7・14民集20巻6号1173頁〔百選Ⅰ13事件〕。事案は，相続人が受継の手続をとり，訴訟手続を遂行しながら，後に自らの行為の無効を主張したものであり，判旨は，信義則上，このような主張は許されないとしている。本文と同様に，受継の有無を問わず，相続人の訴訟行為の効力を認めるものとして，納谷・前掲論文（注4）254頁がある。

10)　上野泰男「当事者確定基準の機能」名城大学創立三十周年記念論文集法学篇135頁，161頁（1978年）参照。大判昭和16・3・15民集20巻191頁は，死者を名宛人とする判決の効力は相続人に及ばないとしているが，同時に，相続人の側が訴訟係属の事実を覚知しうる事情が存在する場合には，例外を認めている。判決の効力が相続人に及ぶとすれば，判決の名宛人を死者から相続人に変更できるかどうかが問題となるが，第3の場合と同様に，判決の更正の可能性がある。最判昭和42・8・25判時496号43頁は，訴訟係属中の当事者の死亡についてではあるが，新当事者を表示する判決の更正を認めている。

ただし，表示の訂正は一般に適法と解されているのに対して，任意的当事者変更に関しては，その適法性が問題とされる。なぜならば，表示の訂正は，当事者間の訴訟係属および訴訟法律関係に何らの影響をも与えず，それを前提とした当事者の表示のみを変更するにすぎないのに対して，任意的当事者変更は，それによって従来の当事者とは別の者との間の訴訟係属の発生，訴訟法律関係の成立という新たな法律効果をともなうからである。訴訟承継など法律に規定がおかれている場合11)以外にも，当事者の意思によってこのような効果の発生を認めてもよいかどうかは，新当事者に対する手続保障の視点からも問題を含んでいる。

したがって，ある当事者が，自己または相手方の氏名または法人名などの変更を申し立てているときには，裁判所は，それが表示の訂正に属するのか，任意的当事者変更に属するのかを区別する必要がある。裁判所が当事者確定の判断として，新旧両当事者の同一性を認めれば12)，表示の訂正が許されることになり，その同一性が否定されれば，任意的当事者変更としてさらにその要件が問題となる。

表示説の下では，当事者の同一性について次のような基準が立てられる。すなわち，訴状における当事者欄の記載だけではなく，請求の趣旨および原因を資料として，原告および被告が確定される13)。このようにいうと，表示説と

---

11)　143条にもとづく訴えの変更には，当事者の変更は含まれない。条解民訴〈2版〉833頁〔竹下守夫＝上原敏夫〕，秋山ほかⅢ188頁。

12)　形式的に別人格であっても，法人格否認の法理が適用されるような事案では，新旧当事者の同一性が認められることがありうる。高橋(上)165頁参照。なお，同一性の判断基準として，従来の考え方そのものを転換し，新当事者とされる者について従前の訴訟手続において手続保障が考えられていたかどうかを基準とする有力説がある（新堂140頁，松原弘信「当事者の表示の訂正と任意的当事者変更(2･完)」熊本法学81号105頁，126頁（1994年）など)。しかし，十分な手続保障の有無が同一性を判断するに足る基準たりうるかどうか，疑問がある。

13)　手形金請求について，手形上の債務者が法人であることを理由として，代表者個人から法人への表示の訂正を許した，大阪地判昭和29・6・26下民5巻6号949頁〔百選〈5版〉A3事件〕，東京地判昭和31・3・8下民7巻3号559頁などがある。同一人を示すものである限り，通称または別名から本名に訂正することも許される。名古屋高判昭和50・11・26判時812号72頁。また，権利能力なき社団について表示の訂正が許された例として，東京地判平成6・12・6判時1558号51頁がある。

なお，行政機関としての地方自治体の長と権利義務の帰属主体としての地方自治体は，別異の法主体であるから，当事者の表示を前者から後者に変更することは，当事者変更に

意思説あるいは行動説との違いが問題となるが，あくまで確定のために資料が訴状に限定されるところに表示説の意義がある。ここでも，表示説が支持される。なぜならば，133条2項（改正134条2項）は，訴状自体によって当事者が特定されることを要求しており，行動説や意思説のように，訴状記載外の事実によって当事者が確定されるとするのは，同条の趣旨に反するからである。

第5項　任意的当事者変更

訴状の全趣旨を総合しても，訂正前の当事者と訂正後の当事者とが別人格であるとすれば，当事者の氏名等の変更は，表示の訂正とはみなされず，当事者変更の問題となる。当事者変更には，訴訟承継のように，法律の規定にもとづいて認められるものと，特別の規定がなく，当事者の意思によるものとがある。後者が任意的当事者変更と呼ばれる[14)]。

任意的当事者変更は，新たな当事者との間の訴訟係属の発生を目的とする訴訟行為であるので，143条にもとづく訴えの変更の一種とみることができない。そこで，現在の通説的考え方は，これを新当事者による，または新当事者に対する新訴の提起と，旧当事者による，または旧当事者に対する訴えの取下げという2つの訴訟行為が複合されたものと構成する。理論的には，提起された新訴が裁判所によって旧訴と併合され，その後に原告によって旧訴が取り下げられると解する。

この考え方の下では，任意的当事者変更の許容性が限定されるほか，その効果の面からも，任意的当事者変更を認める意義が少なくなる[15)]。そこで，法

あたるが，訴状の記載全体からみて後者が表示されていると認められるときには，表示の変更として扱う余地もある。特に，訴え提起後の訴状送達前，原告，被告，裁判所3者間の訴訟法律関係発生前の段階であれば，相手方の利益をそこなうおそれも認められない。原告が訴状の当事者欄の記載によって行う特定と，裁判所が訴状全体の記載にもとづいて行う確定を区別する視点からも，このような結論になろう。名津井・前掲論文（注5）(2・完)民商153巻4号507頁（2017年）参照。

14）　福永有利「任意的当事者変更」実務民訴(1)95頁以下参照。

15）　新訴の提起である以上，第一審でしか許されないし，併合も必要的ではない。また，旧訴の取下げについては，相手方の同意（261Ⅱ）などの要件が満たされなければならない。さらに，時効の完成猶予および更新，期間遵守など実体法上の効果の点でも，旧訴と新訴の間に連続性が認められない。しかし，弁論が併合されれば，旧訴の裁判資料を新訴の審理に生かすことはできる。

なお，通説の考え方を採用する下級審裁判例として，名古屋地豊橋支判昭和49・8・13

人とその代表者のように，旧当事者と新当事者との間に密接な関係があるような場合には，裁判所は，旧訴と新訴の弁論の併合を義務づけられる[16)]。また，新訴と旧訴の経済的目的が重なり合うものとして，提訴手数料の流用を認めるなどが考えられる。しかし，新訴が訴え提起としての性質をもつ以上，このような取扱いも旧訴が第一審に係属中に限られる。

これに対して，当事者変更を特殊な訴訟行為と捉える，いわゆる特殊行為説がある[17)]。この考え方は，当事者，特に被告変更の申立ての要件として，新旧の訴訟物の間に密接な関連性が存在すること，旧被告の同意を要すること，控訴審では，新被告の同意を要すること，上告審では許されないことを挙げ，これらの要件が満たされれば，変更申立てにもとづいて旧当事者に対する訴訟係属が消滅し，新当事者に対する訴訟係属が発生するとする。

しかし，次のような理由から，本書ではこの考え方をとらない。第1に，このような要件を設けるとすれば，上に述べたように，通説の考え方を修正するのと大差がない。第2に，被告を誤ったことが上訴審に至って発見されるのは例外的である[18)]。第3に，訴訟法に規定がない特殊な訴訟行為を認めるのは避けるべきである。ただし，行政事件訴訟法15条のような当事者変更についての特別規定をおくことは，立法論として検討に値する。

第2節　当事者能力

訴訟上の請求定立の主体またはその相手方となり，また，判決の名宛人となりうる資格を当事者能力と呼ぶ。すでに述べたように，当事者能力は，当事者

判時777号80頁がある。

16)　この問題は，いわゆる主観的追加的併合の訴訟行為を認めるかどうかにも関係する。本書では，そのような独自の概念を否定するが，本文に述べたような特殊な場合には，特段の事情がない限り，裁判所は，152条1項にもとづく弁論の併合を命じるべきである。また，併合後の審理において旧訴についての訴訟・証拠資料を裁判所が用いることも許される。その他の具体例については，瀬木142頁参照。

17)　鈴木重勝「任意的当事者変更の許容根拠」早稲田法学36巻3・4号165頁（1961年），齋藤499頁，中野ほか・講義621頁。

18)　第一審が欠席判決の場合には，上訴審に至って被告を誤ったことが発見されることがありうる。しかし，このような場合には，被告の同意は期待できないと思われる。

適格と異なって，具体的事件と関係なく，当事者たる者の属性によって一般的に定められる。もっとも，しばしば当事者能力の有無が問題となる権利能力なき社団・財団の場合には，後に述べるように，訴訟物の性質との関係が考慮されざるをえない。

当事者能力の有無は，民法の権利能力を基準として決定されるのが原則である（28）。訴訟当事者となることは，処分権主義との関係では，訴えの提起，または請求の放棄・認諾，もしくは訴訟上の和解などの手段によって，訴訟物たる法律関係について処分を行うことを意味する。訴訟物たる法律関係の主体になりうる権利能力者に当事者能力を認めるのは，このような趣旨にもとづくものである。民法上権利能力が認められるのは，自然人および法人であるが，以下これらについて順次検討する。

第1項　自　然　人

自然人の権利能力は，出生に始まり（民3Ⅰ），死亡によって消滅する。したがって，自然人には，死亡しない限り当事者能力が認められる。ただし，不法行為にもとづく損害賠償（民721），相続（民886Ⅰ），受遺贈（民965）に限っては，胎児にも権利能力が認められるので，これらの法律関係を訴訟物とする訴訟においては，胎児にも当事者能力が付与される。実際の訴訟行為は，出生後に法定代理人となるべき者によって行われる[19]。

第2項　法　　人

法人にも権利能力が認められるので（民34），当事者能力が与えられる。法人の当事者能力は，設立の登記（一般法人22・163，会社49・579）などによって発生し，解散によって消滅する。ただし，解散法人も清算の目的の範囲内では存続するものとみなされ（一般法人207，会社476・645，破35），または継続することができるから（一般法人150・204，会社473・642），清算の結了までは当事者能力が残存し，または残存しうる[20]。これに対して，法人の機関には当事

19）　死産の場合には，権利能力についての例外規定は適用されず（民886Ⅱ），係属中の訴えは，当事者の不存在を理由として却下され，判決は無効として扱われる。

20）　清算結了の登記がなされれば，当事者能力も消滅するのが原則であるが（大判昭和

者能力は認められない。

国は，財産権の主体，すなわち国庫として実体法上の権利義務の主体となり，また，国家賠償責任の主体ともなるので，当事者能力が認められる[21]。行政権の主体としての国についても，当事者能力が認められる（行訴11 I Ⅲ・38 I 参照）。外国および外国法人も同様である（民35 Ⅱ 本文）。また，地方公共団体についても，当事者能力が認められる（自治2 I）。これに対して行政庁には，通常の民事訴訟では当事者能力が認められないが，行政訴訟においては，例外的に当事者能力と当事者適格とが認められる（特許179，海難審判45参照）。

第3項　法人でない社団または財団で代表者または管理人の定めのあるもの

社会的な活動を行っている団体であっても，法人格の取得については一定の要件が存在するために（民33 I Ⅱ，会社26以下・575以下など），法人格を備えないものも多い。原則からいえば，これらの団体は，権利能力をもたないので，当事者能力を認められない。しかし，団体自身が経済的・社会的活動を行っている以上，それについての紛争が生じた場合には，団体自身が訴え，または訴えられることが合理的である。さもないと，団体の構成員または財産の帰属主体自身が共同訴訟などの方法によって訴えを提起せざるをえなくなるし，また相手方としても，構成員などを探知して，訴えを提起せざるをえないという負担を負う。

そこで29条は，法人格をもたない社団または財団であって，代表者または管理人の定めがあるものについて，当事者能力を認めることを規定する。なお，一般社団法人及び一般財団法人に関する法律（平成18法48）が制定されて，営利または公益のいずれの目的も持たない団体の法人格取得が容易になったことにより，29条の実際上の意義はかなりの程度減少すると考えられる。

もっとも，当事者能力が認められても，権利能力が認められないと，次のよ

8・12・13法学3巻563頁），会社財産が残存していれば，法人格は消滅せず（大判大正5・3・17民録22輯364頁），したがって，当事者能力も残る。

21）民事訴訟法4条6項もこれを前提とした規定である。

うな問題が生じる。たとえば，団体自身が当事者となって，相手方に対する給付訴訟を提起できるとしても，団体に権利能力が認められなければ，訴訟物たる給付請求権は，団体自身に帰属しえない。その請求権が構成員に帰属するのであれば，団体は，第三者たる構成員に帰属する権利について訴権を行使することとなり，後に述べる当事者適格の問題を生じる。この点についての解決方法として，29条に該当する団体については，訴訟上の当事者能力のみならず，実体法上の権利能力も認められるとする考え方をとるべきである[22]。しかし，そのような考え方をとりえないとすれば，実体法上の権利義務は，構成員に帰属し，団体は，それについて訴訟担当者として当事者適格をもつとする法律構成をとらざるをえない[23]。

22）　多数説は，29条によって当事者能力を認められる団体に実体法上の権利能力を認める。兼子111頁，三ヶ月・全集182頁，新堂149頁，小山87頁，上田93頁，小島141頁，岡成玄太・いわゆる財産管理人の訴訟法上の地位326頁（2021年）など。実体法上も，権利能力なき団体に権利主体性を認めることが，民法33条1項の法人法定主義に反するものではないとされている。注釈民法〈新版〉(2)82頁〔森泉章〕(1991年)。これに対して，判例は権利能力を否定する。最判昭和55・2・8判時961号69頁は，法人格なき社団の財産は，構成員の総有に帰属するものであって，社団自身が権利主体となることはできないと判示している。しかし，財産的独立性が社団の要件とされている以上，このような考え方には再検討の余地がある。同判決についての上原敏夫〔判例批評〕判時992号（判評266号）164頁以下（1981年）参照。

これに対し，堀野出「民事訴訟法29条の適用効果と法人格のない社団の当事者適格」徳田古稀56頁は，社団自身に帰属する権利の確認が求められている場合でも，構成員全員への総有的帰属の確認が求められていると解することができるとの前提に立ち，本判決においては，構成員の範囲が特定されていなかった点を重視すべきであるとする。

23）　もっとも，訴訟担当の基礎として，団体規約などを通じて，構成員全員からの授権にもとづいて団体に管理処分権が与えられるのか（ただし，規約によって団体固有の適格が成立するという理論構成もありうる。福永有利「権利能力なき社団の当事者能力」木川古稀(上)305頁，317頁参照），それとも，何らかの法律上の根拠にもとづいて訴訟追行権のみが団体に与えられるのかという問題が残る。入会団体については，判例（最判平成6・5・31民集48巻4号1065頁〔百選〈6版〉10事件〕）は，入会権の性質を根拠として後者の考え方を採用した上で，団体代表者の代表権限について，当該財産を処分するのに必要な手続による授権を要すると判示する。

法29条が法人でない社団に当事者能力を認めている趣旨を重視すれば，入会権に限らず，構成員全員に帰属する権利について広く社団の当事者適格を認める考え方につながろう。注*29*参照。いわゆる「解釈による法定訴訟担当」である。堀野出「法定訴訟担当」実務民訴〔第3期〕(2)341頁参照。また，権利の性質によっては，構成員の共有に属する権利や構成員各人に帰属する権利についての法定訴訟担当も考えられる。堀野出「法人格のない社団をめぐる権利義務関係と当事者適格の規律」松本古稀112頁参照。

このような構成の下では，訴訟物たる権利が社団構成員全員に総有的に帰属すると主張

団体が第三者に対して登記名義の移転を求める場合にも，判例および登記実務は，不動産登記法 18 条，不動産登記令 3 条 2 号などを根拠として，法人格なき団体の登記能力を認めていない。したがって，団体またはその代表者が原告となって，代表者個人名義への登記を求める，または構成員全員の共有名義への登記を求める方法によらざるをえない[24)]。

1　法人でない社団

判例は，法人格なき社団とされるためには，団体としての組織が備えられていること，団体が構成員から独立していること，団体としての運営方法が確定していることなどを挙げている[25)]。学説は，これを整理して，①対内的独立性，すなわち構成員の脱退・加入にかかわらず，団体としての同一性が保たれ，団体が構成員から独立していること，②財産的独立性，すなわち団体が構成員から独立した財産をもっていること，③対外的独立性，すなわち代表者が定められていること，④内部組織性，すなわち代表者の選出，団体の意思決定方法などが確定されていることを社団性の要件としている[26)]。

することが社団の当事者適格の基礎となり，当該権利の構成員全員への帰属自体は，本案の問題となる。青木哲「給付訴訟における権利能力のない社団の当事者適格と本案の問題について」伊藤古稀 5 頁，本書 200 頁注 *42* 参照。

以上に対し，勅使川原和彦「他人に帰属する請求権を訴訟上行使する『固有』の原告適格についての覚書」伊藤古稀 434 頁，中本香織「給付訴訟における権利能力なき社団の原告適格と判決効の主観的範囲」加藤哲夫古稀 141 頁は，訴訟担当構成をとることなく，法 115 条 1 項 2 号にもとづく判決効拡張の可能性を示唆する。名津井吉裕「法人でない社団の受けた判決の効力」松本古稀 606 頁も，固有適格構成を前提とし，当事者の同一性を媒介として，既判力の拡張を検討する。

なお，権利能力のない社団と考えられるマンションの区分所有者の団体（稲本洋之助＝鎌野邦樹・コンメンタール　マンション区分所有法〔第 3 版〕29 頁（2015 年）参照）に対し，マンション共有部分の不正使用にもとづく区分所有者の不当利得返還請求権についての当事者適格を認めた最判平成 27・9・18 民集 69 巻 6 号 1711 頁は，規約などの存在を前提としながら，法の趣旨を根拠としているので，基本的考え方は，上記平成 6 年 5 月 31 日判決と共通している。

24)　代表者個人が原告となることを認めたものとして，最判昭和 47・6・2 民集 26 巻 5 号 957 頁〔百選〈4 版〉9 事件〕がある。ただし，代表者名義の登記がなされた場合に，代表者の個人債権者がそれを差し押さえたとすれば，団体は，第三者異議の訴え（民執 38）によってそれを排除することができるかどうかなどの問題がある。注釈民法〈新版〉(2) 93 頁以下〔森泉章〕（1991 年）参照。

25)　最判昭和 39・10・15 民集 18 巻 8 号 1671 頁，最判昭和 42・10・19 民集 21 巻 8 号 2078 頁〔百選〈6 版〉7 事件〕。

26)　もっとも，このうち①，③，④は，社団性の認定のために不可欠の要件であるが，

これらの要件に照らして，特に社団性が争われるのは，民法上の組合である。民法上の組合においては，組合財産は，組合員の共有に属し（民668），組合独自の財産は存在しないことなどが，社団性否定の理由とされる。しかし，組合財産は，組合員の個人財産とは区別されており，組合員の債権者は，組合財産についてその権利を行使することができないこと（民677），組合の業務執行者（民670）は，組合の代表者とみなされること（民670の2Ⅱ参照），組合員の脱退にもかかわらず，組合が存続すること（民678・679）などを考えれば，上記の要件を満たす限り，実体法上は民法上の組合であっても，訴訟法上は法人格なき社団として当事者能力を認められる。判例もこれを肯定している[27]。

法人格なき社団が当事者となった場合において，社団自身に判決の効力，すなわち既判力，執行力などが及ぶのは当然である（115Ⅰ①）[28]。さらに，団体

---

②は，金銭請求訴訟に限って要求されるという指摘もある。伊藤・当事者75頁。また，長谷部由起子「法人でない団体の当事者能力」成蹊法学25号95頁，120頁（1987年）は，これを限定して，団体の債務について構成員が責任を負わない場合にのみ，財産的独立性の欠缺が当事者能力を否定する理由になるという。判例において当事者能力が肯定された事例については，注釈民訴(1)428頁〔高見進〕参照。また，最判平成14・6・7民集56巻5号899頁〔百選〈3版〉13事件〕は，財産的独立性が必ずしも固有資産の保有を意味するものではないと判示する。このような判断枠組を適用し，当事者能力を肯定した裁判例として，東京地判平成23・4・14判タ1377号243頁がある。

27）　大判昭和10・5・28民集14巻1191頁〔百選9事件〕，最判昭和37・12・18民集16巻12号2422頁〔百選〈6版〉8事件〕。

28）　したがって，社団を被告とする金銭給付判決を債務名義として，社団代表者名義の預金などを差し押さえることができる。しかし，社団財産たる不動産が代表者個人の名義で登記されているときには，問題がある。強制競売の申立てにあたっては，債務者所有名義の登記事項証明書の添付が必要とされる（民執規23①）。そこで，実質は社団所有の不動産であっても，代表者個人名義のものについては，直ちに強制競売の申立てができないことになる。

しかし，代表者を115条1項4号にいう「請求の目的物を所持する者」とみれば，執行債権者は，民事執行法23条3項および27条2項にもとづいて代表者に対する執行文の付与を受け，これによって，強制競売が可能になるというのが有力説であるが（伊藤・当事者32頁，注釈民訴(1)439頁〔高見進〕など。これに対し，新堂150頁は説を改め，請求の目的物を所持する者にはあたらないとする），最判平成22・6・29民集64巻4号1235頁〔平成22重判解・民訴6事件〕は，この有力説を退け，「当該社団を債務者とする執行文の付された上記債務名義の正本のほか，上記不動産が当該社団の構成員全員の総有に属することを確認する旨の上記債権者と当該社団及び上記登記名義人との間の確定判決その他これに準ずる文書を添付して，当該社団を債務者とする強制執行の申立てをすべきものと解するのが相当」である旨を判示している。これに準ずる文書の意義については，同判決の田原裁判官補足意見参照。

また，最決平成23・2・9民集65巻2号665頁は，同様の状況の下における仮差押えに

の構成員に対する判決効の拡張についても検討の必要がある。団体を当事者とする判決の効力は，その構成員のために，または，その構成員に対して及ばないというのが，通説の考え方である。しかし，団体は，実体法上構成員に帰属する権利義務について，訴訟担当者として当事者となるとする考え方を前提とすれば，115条1項2号にもとづいて判決の効力が構成員に拡張される[29)]。

2　法人でない財団

財団とは，個人への帰属を離れて，一定の目的のために独立の存在として管理運用される財産の集合体と定義される。一般財団法人の設立の手続を経ないなどの理由で法人格を認められない財団であっても，社会的活動を行うことが考えられるので，法は，代表者または管理人の定めがあることを条件として，この種の財団に当事者能力を認める。具体例としては，設立中の財団などがある[30)]。

第4項　外国人・外国法人・外国の法人格のない社団または財団

外国人などの当事者能力については，基本的な考え方の対立がある。すなわ

関して，社団構成員の全員の総有に属することを確認する書面は，必ずしも確定判決等であることを要しないとする。

このような判例法理を前提として，第三者名義とされている不動産について社団構成員全員の総有に属することの確認の利益を認めた裁判例として，東京高判平成22・12・24判タ1351号162頁がある。

29)　社団構成員全員に総有的に帰属する不動産については，法人でない社団としての性質から，所有権の登記名義人に対して社団の代表者の個人名義への移転登記手続を求める訴訟の原告適格が社団に認められ，その訴訟の判決効は，構成員全員に及ぶ（既判力について前掲最判平成6・5・31（注*23*）参照）。そして，判決の確定とともに登記に関する意思表示の擬制の効果（民執177Ⅰ本文）が生じ，代表者は，執行文の付与を要することなく，自らへの移転登記の申請をすることができる。最判平成26・2・27民集68巻2号192頁〔百選〈6版〉9事件〕。

これに対し，団体が原告となっている訴訟において請求棄却判決が確定した場合には，構成員に対して反射効が及び，構成員も訴訟物たる債務の不存在を争えなくなり，逆に，団体を被告とする請求認容判決が確定した場合には，構成員は，反射効によって団体の債務を争えなくなるとする有力説がある。新堂150頁，伊藤・当事者76頁以下。このような問題は，主として，団体の債務について構成員が責任を負う場合に生じる。しかし，本書では反射効を否定するために，この考え方はとらない。

その他，社団が当事者となっている訴訟における実質的当事者は，構成員であるとして，115条1項1号によって構成員に対する判決効を根拠づける学説もある。松原弘信「法人でない社団の当事者適格における固有適格構成の理論的基礎」高橋古稀420頁。

30)　最判昭和44・6・26民集23巻7号1175頁。

ち，能力の有無の判断基準を法廷地法たる日本法に求めるのか，それとも人の能力に関する抵触法の原則によって（法適用4Ⅰ），その本国法に求めるのかという問題である。通説は，「手続は法廷地法による」とする抵触法の一般原則を根拠として，日本法を準拠法とする[31)]。本書でもこれを支持する。この考え方を前提とすると，次のような結論が導かれる。

まず，28条にもとづいて民法その他の法令によって権利能力を認められる外国人について当事者能力が認められる[32)]。したがって，民法3条2項の適用の結果として，外国人について当事者能力が認められる。次に，外国法人の中で，認許された法人は当事者能力をもつ（民35Ⅱ本文）。認許されていない外国法人であっても，代表者または管理人の定めがあることを理由として，29条によって当事者能力が認められる。さらに，外国の法人格のない社団または財団であっても，29条の要件を満たすものについては，当事者能力が認められる[33)]。

第5項　当事者能力の調査

当事者能力の存在は訴訟要件の1つであるから，弁論主義に服さず，裁判所は，疑いがあれば，その存否について職権をもって調査しなければならない。裁判所は，当事者に対して定款等当事者能力を判断するために必要な資料を提出させることができる（民訴規14）。その結果，当事者能力の欠缺が認められれば，訴えが不適法として却下される。被告が当事者能力を欠くことを理由として訴えが却下される場合には，訴訟費用は，原告の負担となるが（61），原告に当事者能力がないとして訴えが却下される場合には，訴訟費用を負担すべき当事者が存在しないために，70条を類推適用して，代表者または管理人として訴訟追行をした者に費用を負担させる。

当事者能力がないことを看過して，裁判所が本案判決を言い渡しても，当事

31）　詳細については，青山善充「外国人の当事者能力および訴訟能力」澤木敬郎＝青山善充編・国際民事訴訟法の理論201頁以下（1987年）参照。

32）「その他の法令」の意義については，文言に忠実に，法の適用に関する通則法を含めるのが多数説であるが，その結果として外国法に準拠して当事者能力が定まることは，「手続は法廷地法による」との一般原則と矛盾するおそれがある。

33）　東京高判昭和43・6・28高民21巻4号353頁など，いくつかの下級審裁判例がある。

者能力のない名宛人に対して既判力や執行力が生じる理由もないので，無効な判決と解される[34]。ただし，外形上有効な判決に対する救済として，312条2項4号および338条1項3号を類推して，上訴および再審の訴えが認められる。なお，当事者能力の有無は，口頭弁論終結時を基準とする。したがって，訴訟係属発生時には当事者能力が欠けていても，係属中にそれが取得されれば，瑕疵は治癒され，逆に，係属中に当事者能力が失われれば，中断・受継の問題が生じる。

第3節　訴 訟 能 力

訴訟能力は，その者の名において訴訟行為をなし，または訴訟行為の相手方たりうる能力を意味する。したがって，当事者のほかに，補助参加人についても訴訟能力が要求される。

当事者能力が認められる者は，訴訟上の請求定立の主体またはその相手方になりうる。しかし，請求について審判を求めるためには，訴えの提起をはじめとして，さまざまな訴訟行為を行わなければならず，訴訟行為の結果によって当事者は，重大な利益・不利益を受けるので，法は，訴訟能力を一定の者に限って認めている。したがって，当事者または補助参加人としての地位をもたない者については，訴訟能力が要求されない（民102参照)。たとえば，未成年者でも許可を受けて，簡易裁判所における代理人になることができる[35]。また，訴訟行為の主体としての行為ではない場合，たとえば証人尋問，または当事者尋問に対する陳述について訴訟能力を要しないのは当然である。

訴訟能力の有無は，当事者能力と同様に，具体的事案や訴訟行為との関係なしに，一般的に定められるものである。しかし，当事者の訴訟行為は，意思表

34）　小山89頁，新堂151頁，中野ほか・講義112頁。これに対して，その事件かぎりで当事者能力が肯定されたものとみなすべきであるなどの理由から，判決の効力が生じるとするのは，兼子112頁，三ヶ月・全集183頁，齋藤94頁，高見進「当事者能力・訴訟能力」実務民訴〔第3期〕(2)256頁。秋山ほかⅠ414頁は，両説を併記する。当事者能力のない社団などに対する判決にもとづいて強制執行がなされた場合には，真の財産帰属主体が第三者異議の訴え（民執38）を提起することになる。

35）　54条1項。大判昭和7・9・17民集11巻1979頁。ただし，法定代理人には訴訟能力が要求される。新堂152頁参照。

示，あるいは意思の通知としての性質をもっていることが多いので，たとえ訴訟能力が存在しても，具体的行為をなすことについて意思能力が欠けていれば，訴訟行為としては無効となる[36)]。

第1項 訴訟能力者

訴訟能力の有無は，民事訴訟法上特別の定めがある場合を除いて，民法の行為能力を基準として決定される（28）。したがって，民法上の行為能力者は，訴訟能力をもつ。法人または29条に該当する団体は，当事者能力を認められるが，法人や団体自体には訴訟能力は認められない。これを前提として，37条は，法人などの代表者を法定代理人に準じて取り扱うこととしている。

なお，外国人の訴訟能力に関しては，33条の特則がある。訴訟能力についても，基本的な考え方としては，外国人の当事者能力の場合と同様に，法廷地法たる日本法にもとづいて，その有無が判断される。まず，実体法上の行為能力の有無が問題となるが，外国人の場合には，法適用4条1項の適用の結果として，本国の実体法にもとづいて行為能力の有無が決定され，それにしたがって訴訟能力の有無が決定される[37)]。ただし，33条は，28条にいう「特別の定め」として，本国法によれば行為能力がなく，したがって訴訟能力をもたない者についても，日本法上訴訟能力が認められる場合には，訴訟能力者として扱う。

第2項 訴訟無能力者

民法上行為能力を制限される者（民13 I ⑩）のうち，未成年者および成年被後見人は，訴訟無能力者であって，法定代理人によってのみ訴訟行為をすることが許される（31本文）。民法では，未成年者が法定代理人の同意を要件として自ら法律行為をすることが認められているが（民5 I 本文），訴訟行為についてはこのような例外は認められない。なぜならば，訴訟行為について個別的に同意にもとづく訴訟能力を認めることは，手続を不安定にするからである。た

---

36) 最判昭和29・6・11民集8巻6号1055頁〔百選〈6版〉A4事件〕。成年者ではあるが，意思能力を欠く者による控訴取下げを無効としたものである。

37) 最判昭和34・12・22家月12巻2号105頁。

だし，民法6条または会社法584条にもとづいて営業などの許可を与えられた未成年者は，営業などに関して包括的に行為能力を取得し，当該法律関係に関する訴訟において訴訟能力を認められる（31但書）[38]。

無能力者の法定代理人たる後見人が訴訟行為をなすときに，後見監督人が選任された場合には，その同意が要求される（民864）。同意は，少なくとも審級ごとに包括的に与えられなければならない。また同意は，書面による証明を要求される（民訴規15）。同意を得ないで行われた訴訟行為は無効である[39]。ただし，32条1項は，これについて特則を設け，相手方の提起した訴えまたは上訴に対して法定代理人が訴訟行為をすることについては，同意を要しないとした。相手方の訴権や上訴権を保護する趣旨である[40]。

逆に，32条2項は，法定代理人が訴えの取下げ，和解，請求の放棄・認諾，訴訟脱退，および上訴や異議の取下げなどをなす場合には，後見監督人による特別の授権を得ることを要求している。上訴権の放棄（284・313）もこれに準じる。これらの訴訟行為は，判決によらないで訴訟を終了させる点で，当事者の利益に重大な影響を生じるので，民法にもとづく包括的同意を加重したものである。

第3項　制限訴訟能力者

民法上行為能力を制限される者のうち，被保佐人および訴訟行為について能力の制限を受けた被補助人（以下，被保佐人等という）が一定の行為をなす場合には，法律上または家庭裁判所の審判によって保佐人または補助人の同意もし

38）民法5条3項にもとづく財産処分の許可は，個別的なものであるので，訴訟能力の基礎とは認められない。しかし，労働契約に関しては，未成年者自身に行為能力が認められ，かつ，賃金請求権を行使することが許されている（労基58・59）。したがって，労働契約および契約上の権利に関する訴訟においては，未成年者に訴訟能力が認められる。学説の多数説であるが，下級審裁判例は分かれている。秋山ほかⅠ453頁，注釈民訴(1)459頁〔紺谷浩司〕参照。

39）民法13条4項および865条1項前段は，取り消すことができるものとしているが，訴訟手続の安定という理由から，当然に無効とする解釈が一般的である。

40）被告とされた無能力者の法定代理人が，反訴の提起（146）や附帯控訴（293）をなす場合に，後見監督人の同意を要するかという問題がある。反訴は訴えの提起としての実質をもつから，同意を要するが，附帯控訴は，相手方の上訴に付随するものであるから，同意を要しない。注釈民訴(1)464頁〔紺谷浩司〕参照。

くはこれに代わる家庭裁判所の許可が要求される（民13Ⅰ柱書本文・Ⅲ・17Ⅰ Ⅲ）。その行為の中には，訴訟行為が含まれるので（民13Ⅰ④・17Ⅰ但書），被保佐人等には，完全な訴訟能力が認められず，制限訴訟能力者と呼ばれる。なお，被保佐人または被補助人が保佐人または補助人と利益の相反する訴訟行為を行う場合には，保佐監督人または補助監督人が同意を与える（民876の3Ⅱ・851④・876の8Ⅱ・851④）。

訴訟手続の安定のため，保佐人や補助人など（以下，保佐人等という）による同意あるいは家庭裁判所の許可は，個別的訴訟行為について与えられるものではなく，後見人に対する後見監督人の同意の場合と同様に，包括的に与えられなければならない。特に審級を限定しなければ，同意の効力は，上訴審にも及ぶ。同意等については，書面による証明が必要とされる（民訴規15）。また，いったん訴訟行為がなされた以上，同意等の撤回は認められない。

当事者が訴訟係属中に保佐開始の審判（民11）または補助人の同意を要する旨の審判（民17Ⅰ）を受けた場合には，後見開始の審判（民7）の場合（124Ⅰ③）と異なって，訴訟手続は中断せず，当該審級に限っては，被保佐人等は，保佐人等の同意なしに訴訟行為をすることができるが，上訴については，保佐人等の同意を要する。また，訴えの取下げなど32条2項に定める行為については，保佐人等の同意が必要になる。これに対して，被保佐人等が相手方の提起した訴えまたは上訴に対する訴訟行為を行う場合には，保佐人等の同意を要しない（32Ⅰ）。その趣旨は，無能力者の法定代理人の場合と同様である。

なお，保佐人および補助人については，家庭裁判所の審判にもとづいて訴訟行為に関して法定代理権が付与されることがある（民876の4Ⅰ・876の9Ⅰ）。保佐人等に代理権が付与されても，被保佐人等が当該行為に関して無能力者になるわけではないから，保佐人等の法定代理権は無能力者についての法定代理権とは区別される[41]。

41） 28条は，訴訟無能力者の法定代理に関する規定であるが，保佐人等の訴訟代理権は，これとは別に民法の規定にもとづいて付与されるものである（124Ⅴ参照）。
なお保佐人等が訴訟行為をなすについては，保佐監督人等の同意を要しない（保佐および補助の事務に関する民法864条の不準用）。

第4項　人事訴訟についての特則

人事法律関係においては，訴訟行為の内容に本人の意思が反映されるべきことを考慮して，法は，婚姻の無効または取消し，離婚またはその取消しなどの人事訴訟（人訴2）における訴訟行為に関して，訴訟行為について能力に制限を受けた者，すなわち未成年者，成年被後見人，被保佐人および訴訟行為について能力の制限を受けた被補助人にも，法定代理人や保佐人等の同意を要することなく訴訟行為をなすことを認める（人訴13Ⅰ）[42]。いずれの者の訴訟行為も有効であり，代理，同意あるいは特別の授権を要しない。ただし，これらの者の訴訟追行能力が必ずしも十分でないことを考慮して，裁判長は，必要があると認めるときは，申立てにより弁護士を訴訟代理人に選任することができる（人訴13Ⅱ）。訴訟行為について能力の制限を受けた者が申立てをしない場合でも，裁判長は，弁護士を訴訟代理人に選任すべき旨を命じ，または職権で弁護士を訴訟代理人に選任することができる（人訴13Ⅲ）。弁護士の報酬額は，裁判所が相当と認める額とする（人訴13Ⅳ）。

もっとも，訴訟行為には，意思能力の存在が前提とされるから，事理弁識能力欠缺の常況にある成年被後見人の場合には，具体的訴訟行為について意思能力の有無を確認しなければならず，意思能力の有無をめぐる争いを生じる可能性がある[43]。そこで，人事訴訟の当事者となるべき者が成年被後見人であるときは，その成年後見人は，成年被後見人のために職務上の当事者となることができる（人訴14Ⅰ本文）[44]。ただし，その成年後見人が当該訴えにかかる訴訟

42）ただし，認知の訴えについては，大判明治37・9・24民録10輯1152頁，最判昭和43・8・27民集22巻8号1733頁が法定代理人による訴訟行為を認める（民787本文参照）。これに対して，最判昭和33・7・25民集12巻12号1823頁〔百選〈6版〉15事件〕は，離婚の訴えについて法定代理を否定する。例外的に法定代理が認められ，未成年者等の訴訟行為と法定代理人の訴訟行為とが矛盾する場合の扱いについては，本書152頁参照。

43）旧人事訴訟手続法3条について兼子116頁，小山108頁。前掲最判昭和43・8・27（注42）参照。

44）成年後見制度改正前は，成年後見監督人が当事者となることが原則とされていたが，民法の改正によって配偶者法定後見人制度が廃止されたことにともなって（小林昭彦＝大鷹一郎編・わかりやすい新成年後見制度〈新版〉（2000年）参照），成年後見人が当事者となることが原則とされ（旧人事訴訟手続法4など），現行法はこれを人事訴訟に一般化して引き継いだものである。職務上の当事者（訴訟担当者）としての成年後見人の地位に

の相手方となるときは，成年後見監督人が成年被後見人のために職務上の当事者となることができる（人訴14Ⅰ但書・Ⅱ）。もっとも，成年被後見人自身を当事者とし，成年後見人などを法定代理人としても，直ちに訴えを不適法とするのではなく，適切な対処が望ましい45)。以上に述べたことは，意思能力を欠く常況にある未成年者と未成年後見人についても妥当する。

第5項 訴訟能力または訴訟行為をするのに必要な授権の欠缺

訴訟能力は，訴訟行為を有効に行い，または有効な訴訟行為の相手方たりうる要件であるから，裁判所は，訴訟能力の欠缺を発見した場合には，その者の訴訟行為を禁止すべきであるが，無能力者がなした訴訟行為についても追認の可能性があり，また，将来の訴訟行為は法定代理人が行う可能性も残されている。そこで，34条は，裁判所が当事者に対して訴訟能力欠缺の補正を命じなければならない旨を規定する46)。ただし，補正を待つことによって遅滞のため無能力者に損害を生じるおそれがあるときには，無能力者に訴訟行為を行わせることができる。これを一時訴訟行為という（34Ⅰ後段）。もっとも，後に追認がなされない場合には，その訴訟行為は無効になる。被保佐人等の訴訟行為について保佐人等の同意が欠けているときにも，同様の取扱いがなされる。

追認がなされない限り，無能力者等の訴訟行為は無効であるから，その訴訟行為を前提として訴訟手続を進めたり，またその訴訟行為の結果を判決の基礎とすることはできない。民法上は，行為能力の制限された者の行った法律行為は，取り消しうるものとされているが（民5Ⅱ・9本文・13Ⅳ・17Ⅳ），訴訟行為については，訴訟手続の安定を図るために，当然に無効とされる。

もっとも，訴え提起のように，訴訟行為の性質が裁判所に対する申立てであ

ついては，松本・人訴法135頁参照。

45) 大判昭和10・10・31民集14巻1805頁。吉村徳重＝牧山市治編・注解人事訴訟手続法〈改訂版〉91頁〔佐上善和〕（1993年）参照。また，成年後見人などが当事者となるので，成年被後見人のために35条にもとづく特別代理人を選任する余地はない（前掲最判昭和33・7・25（注42））。

46) 補正の内容は，すでになされた訴訟行為についての法定代理人による追認，法定代理権証明文書の提出（民訴規15），または法定代理人を記載した（133Ⅱ①）訴状訂正書を法定代理人が提出することなどである。ただし，命令の相手方は当事者本人である。中野・論点Ⅰ83頁参照。

る場合には，裁判所は，訴訟行為の効力についての判断を示すことを要求される。訴訟能力や必要な授権に欠ける訴えに対して不適法却下の判決がなされるのは[47]，その内容としては，本案についての判断を求める申立てが無効であることを意味している。これに対して，訴訟係属中に後見開始の審判などによって訴訟能力が失われたときには，訴訟手続が中断する（124 I ③）。これも，訴訟無能力者の訴訟行為を排除するための措置である。

訴訟能力の欠缺等を看過した判決は，訴訟法上違法な判決であるが，無効な判決ではない。判決自体は，裁判所の訴訟行為であり，当事者の訴訟行為が訴訟能力欠缺のために無効であっても，直ちに判決が無効になるわけではない。ただし，訴訟要件たる訴訟能力等の欠缺を看過した違法な判決に対しては，当事者は，上訴による取消しを求めることができるし（312 II ④），また，再審による取消しも可能である（338 I ③）[48]。

1　訴訟能力等の欠缺と上訴

訴訟能力等の欠缺を看過したことを理由として上訴が提起された場合には，次のような取扱いがなされる。まず，原審が訴訟能力等の欠缺を看過しているときには，上訴審が直ちに訴えを却下するのではなく，原判決を取り消し，事件を原審に差し戻して，34条1項前段にもとづく補正を命じさせる[49]。これ

47）　この場合の却下は，口頭弁論を経ない訴えの却下（140）ではなく，口頭弁論にもとづく却下である。これは，訴訟能力の欠缺が補正しうるという理由による。注釈民訴(1) 476頁〔飯倉一郎〕，斎藤ほか(2) 81頁〔小室直人＝大谷種臣〕，秋山ほかI 466頁。

48）　訴訟能力は，個々の訴訟行為の有効要件であると同時に本案判決のための訴訟要件でもある。中野・論点I 82頁以下参照。

大決昭和8・7・4民集12巻1745頁は，無能力者に対する判決の送達が無効であって，上訴期間が進行しないとする。しかし，312条2項4号または338条1項3号などの規定の背後には，判決の送達自体を有効とする考え方がある。前掲最判昭和29・6・11（注36）が無能力者による控訴を有効としているのも，送達を適法とする考え方と理解される。ただし，訴訟能力を欠く当事者を保護するという視点から，その者に対する判決の送達を無効とする考え方もある。金子宏直「高齢社会と民事訴訟法」伊藤古稀249頁。

49）　法人の代表者について，最判昭和45・12・15民集24巻13号2072頁〔百選〈6版〉16事件〕。もっとも，注釈民訴(1) 473頁〔飯倉一郎〕，高見・前掲論文（注34）270頁は，上訴審において補正を命じるべきであるとする。しかし，これでは，訴訟無能力者の審級の利益が害されることになる。また，無能力者自身が上訴をなしている場合にも，無能力者保護の趣旨から，例外的に上訴は有効として扱われる。

なお，訴訟能力の欠缺を看過した判決が確定しているときには，338条1項3号の趣旨（本書813頁）を考慮し，同条の類推によって再審の訴えによる救済を認めるべきである。高見・前掲論文272頁参照。

に対して，訴訟能力等の欠缺が認められないときには，上訴を棄却する。逆に，原審が欠缺を理由として訴えを却下し，上訴審も欠缺を認める場合には，原審が補正を命じたか否かによって上訴審の取扱いが異なる。補正が命じられたにもかかわらず，補正がなされなかった場合には，上訴を棄却すべきである。これに対して，補正が命じられなかった場合には，原判決を取り消し，事件を原審に差し戻して，補正を命じさせる。また，原審が訴訟能力等の欠缺を理由として訴えを却下し，上訴審が欠缺を認めない場合には，上訴審は，原判決を取り消し，事件を原審に差し戻すことになる。

2　追　　認

訴訟無能力者の訴訟行為，または無能力者を相手方とする訴訟行為であっても，法定代理人または能力を取得もしくは回復した当事者が追認すれば，行為の時に遡って有効なものとなる（34Ⅱ）。必要な授権を得た当事者による追認も同様である。追認は，上訴審または再審手続においても可能である[50)]。ただし，訴訟手続の安定性の要請から，追認は，少なくとも1つの審級における訴訟行為全体についてなされなければならない[51)]。もっとも，訴えの却下などによって，追認すべき訴訟行為が排斥されれば，追認はその対象を失う。

追認の方式については，特別の定めがなく，口頭でも，また黙示でもよい。法定代理人が無能力者による従来の訴訟行為について無効を主張することなく，むしろ従来の訴訟行為を前提とした訴訟行為を行う場合には，黙示の追認がなされたものとみなされる[52)]。また，追認の意思表示は訴訟行為であるから，本来は，裁判所に対してなされるべきであるが，相手方に対してなした場合でも，その効力を認めて差し支えない。

---

50)　最判昭和34・8・27民集13巻10号1293頁（控訴），最判昭和47・9・1民集26巻7号1289頁（上告），大判昭和13・3・19判決全集5輯8号362頁（再審）。

51)　秋山ほかⅠ473頁。仮に，すべての審級における訴訟行為を全体として追認しなければならないとすると，法定代理人としては，控訴を追認し，かつ，第一審の手続をも追認する矛盾に直面せざるをえない。判例も，審級ごとの追認を認める。大判明治34・5・15民録7輯5巻84頁，大判大正8・12・12新聞1668号21頁。ただし，最判昭和55・9・26判時985号76頁は，無権代理人について控訴提起行為のみを追認することを否定する。しかし，事案は，控訴審手続が終了している場合であって，控訴審における訴訟行為のうち控訴提起のみを追認することを許さないとしているのであるから，本文に述べたことと矛盾するものではない。

52)　法人の代表者について，前掲最判昭和34・8・27（注*50*）。

第6項　弁論能力

弁論能力とは，口頭弁論期日や弁論準備期日などにおいて主張または陳述をなす能力を意味する。これらの主張や陳述も当事者の訴訟行為に含まれるから，訴訟能力と弁論能力とは重なり合う部分が多い。特に，現行法は，弁護士強制主義を採用していないので，訴訟能力を有する当事者本人には，原則として弁論能力が認められる。逆に弁護士強制主義の下では，当事者本人の弁論能力は否定され，当事者に許される訴訟行為は，訴訟代理人の選任に限定される。もっとも，現行法の下でも，地方裁判所以上の裁判所では弁護士代理の原則がとられているが（54Ⅰ），これは，訴訟代理人としての弁論能力を弁護士に限定したものと解される。

訴訟能力を有する者には，原則として弁論能力が認められる[53]。しかし，裁判所に対して訴訟資料や証拠資料を提出し，適正な審理を実現するためには，一方当事者が相手方の主張や陳述を理解し，それを前提として適切に弁論を行うことが必要である。当事者，代理人，または補佐人がこのような能力を欠く場合に，裁判所は，弁論能力の欠缺があると判断し，これらの者の陳述を禁止した上で，弁論続行のために新期日を定める（155Ⅰ）。弁論が禁止された者は，それが取り消されない限り，当該審級の期日において訴訟上の陳述をなすことができない。したがって，裁判所は，必要がある場合には，弁論能力を回復させるために，弁護士の付添いを命じることができる（155Ⅱ）。なお，弁護士の付添いが命じられた場合，また，すでに存在する訴訟代理人について陳述が禁止された場合には，その旨が当事者本人に通知される（民訴規65）。これは，命令に応じて弁護士を訴訟代理人に選任するなどの措置を当事者本人にとらせるためである[54]。

53）　当事者能力および訴訟能力の有無は，一義的な基準によって決定されるのに対して，弁論能力の有無は，当事者などの弁論に対する裁判所の評価にもとづいて決定される。したがって，弁論能力を欠くとされた者の弁論を基礎とした判決も当然に違法とはいえない。また，弁論能力を有する者であっても，実際の能力の程度には違いがある。特に，本人訴訟においては，一般に当事者本人の能力は低く，訴訟資料・証拠資料の提出については，裁判所の釈明権行使によって補完されるところが大きい。弁論能力が不十分な者に対する釈明権行使と弁護士付添命令の関係については，上田徹一郎「訴訟追行能力と弁護士附添命令・釈明」民訴雑誌38号28頁，44頁（1992年）参照。

第4節　訴訟上の代理人

訴訟能力ある当事者は，自ら訴訟行為をなすことができる。しかし，無能力者の場合には，人事訴訟の場合は別として，自ら訴訟行為をなしえないので，第三者が代理人として訴訟行為をする以外にない。これが法定代理人による訴訟行為を認める理由である。また，被保佐人や被補助人のように訴訟能力はあるが，訴訟追行能力が十分でない者についても，法定代理人による訴訟行為が認められることがある。さらに，訴訟能力をもつ当事者の場合であっても，その意思にもとづいて代理人の選任を認める必要がある。

なぜならば，実体法上の法律行為についても代理が認められており（民99以下），訴訟行為についても代理を禁止する理由はないからである。また，処分権主義および弁論主義を採用する現行法の下では，訴訟の帰結は，当事者の訴訟行為によって左右されるところが大きい。したがって，訴訟行為については，実体法および手続法の双方についての知識，および事実関係の正確な把握が必要とされ，法律専門職にこれを委ねることに合理性がある。法が任意代理人として訴訟代理人を認めるのは，このような趣旨からである[55]。

1　訴訟上の代理の概念

訴訟代理も民法上の代理と同様に，代理人が当事者本人のためにすることを示して，訴訟行為を行い，または訴訟行為の相手方となる。訴訟行為自体は，代理人の意思にもとづいて行われる点で，使者と区別される。逆に，顕名を要する点で，自己の名において訴訟行為を行う補助参加人や訴訟担当者とも区別される。ただし，訴訟手続安定の要請から，原則として，個別的訴訟行為について代理をすることは許されず，少なくとも1つの審級について包括的に代理

54）　陳述禁止の相手方になりうる訴訟代理人には，弁護士が含まれるかという問題がある。155条に対応する大正15年改正前旧民事訴訟法127条では，4項に，弁護士には適用されない旨が規定されていた。適用積極説は，現行法がこのような規定をもたないことを根拠とし，他方，消極説は，弁護士法25条が弁護士が職務を行いえない事件を法定していることを根拠とする。斎藤ほか(3)450頁〔斎藤秀夫＝遠藤賢治＝小室直人〕参照。理論的には積極説が妥当であるが，実際に問題が生じることはほとんど考えられない。

55）　弁論主義と訴訟代理とのかかわりについては，伊藤眞「弁護士と当事者」講座民訴③115頁，128頁参照。

権が与えられる[56]。また，同様の趣旨から，代理権の証明（民訴規15・23），代理権の消滅（36・59），代理権の範囲（55）などについて特別の規定が設けられている。

訴訟代理には，代理人たる地位が法律の規定にもとづいて発生する法定代理と，当事者本人の意思にもとづく任意代理とがある。任意代理には，2つの種類がある。第1は，商法上の支配人など，本人の意思にもとづいて一定の法律上の地位についた者に対して，法律上訴訟代理権が認められる場合である（54Ⅰ，商21Ⅰ，会社11Ⅰなど）。第2は，弁護士などに対する訴訟委任にもとづいて訴訟代理権が認められる場合である（54Ⅰ，弁護3Ⅰなど）。いずれも，代理人の地位が本人の意思にもとづくという意味で，任意代理に属する。

2　代理権の欠缺

代理権が欠けていれば，代理人が行った訴訟行為の効果は当事者本人に帰属せず，したがって，無効である。ただし，本人または正当な代理人による追認の可能性はある（34Ⅱ・59）[57]。この点で，無権代理人の訴訟行為は，訴訟無能力者の訴訟行為と同様に扱われる。また，訴訟代理権の存在も訴訟要件の1つとして，裁判所は，疑いがあれば，職権をもって調査しなければならない[58]。調査の結果代理権の欠缺が認められれば，その者が訴訟行為を行うことを禁じて，補正を命じる（34Ⅰ・59）。一時的な訴訟行為の許可の可能性があることも，無能力者の場合と同様である。さらに，代理権の欠缺が看過されたままに，本案判決がなされたときには，上訴による取消し（312Ⅱ④）および再審による取消し（338Ⅰ③）の可能性があるが，判決が当然に無効になるわけではない[59]。

---

56)　ただし，法が個別的訴訟行為について代理を認めている場合は別である。その例として，補佐人（60），送達受領についての刑事施設の長（102Ⅲ），送達受取人（104Ⅰ）が挙げられる。

57)　大判明治35・2・4民録8輯2巻10頁，大判明治43・9・28民録16輯598頁。無効の主張と信義則との関係について，最判平成7・11・9家月48巻7号41頁〔平成8重判解・民訴1事件〕参照。

58)　大判明治33・5・25民録6輯5巻84頁。法人の代表者についても同様であり（37。本書154頁），地方公営企業に関する訴えについて地方公共団体の代表者を誤り，補正命令（137Ⅰ）に応じなかった原告の訴えを不適法として却下した判断を是認した最判令和3・1・22裁判所ウェブサイトがある。なお，訴訟代理権の存否は職権調査事項であり（前掲最判昭和47・9・1（注*50*）参照），法人代表者の代表権も同様である（最判昭和42・9・19裁判集民88号445頁参照）。

59)　無権代理人自身が上訴をなした場合の処理についても，無能力者の場合と同様にな

第1項　法定代理人

法律の規定にもとづいて訴訟上の代理権を与えられる者を法定代理人と呼ぶが，その中には，3種類のものがある。第1は，実体法上の法定代理人である。第2は，訴訟法上の特別代理人である。第3は，送達という個別的訴訟行為についての代理人である（102Ⅲ）。なお，法人等の代表者も，法定代理人に準じて取り扱われる（37，民訴規18）。

1　実体法上の法定代理人

実体法上の法定代理人は，訴訟法上も法定代理人となり（28），本人のために訴訟行為を行う。その種類としては，第1に，未成年者のための親権者（民824），未成年者や成年被後見人のための後見人（民859Ⅰ）など，一定の地位にある者が訴訟無能力者のために代理人となる。第2は，これらの法定代理人と本人との間に利益相反が認められる場合に，裁判所によって選任される特別代理人である（民旧57，民826・860）[60]。嫡出否認の訴えにおいて，親権を行う母がいない場合に，子のために選任される特別代理人も同様である（民775）。なお，被保佐人や被補助人のために訴訟行為に関する代理権を付与される保佐人や補助人（民876の4Ⅰ・876の9Ⅰ）も，法定代理人として訴訟行為を行うことができる（124Ⅴ参照）。

第3は，その他の場合において裁判所によって選任される代理人である。不在者の財産管理人（民25）は，民法28条を根拠として不在者の法定代理人とされる[61]。相続財産管理人（民918Ⅲ・926Ⅱ・936・943・952）についても，民法918条3項・926条2項・936条3項・943条2項・953条が同法28条を準用していることを根拠として，相続人全員または相続財産法人の法定代理人と解されている[62]。

る。

60）特別代理人の権限は，本来の法定代理人と異なって，選任の事由となった特定の事項に限定される。民法旧57条について，注釈民法〈新版〉(2)394頁〔藤原弘道〕（1991年）。

61）応訴について大判昭和15・7・16民集19巻1185頁，上訴について前掲最判昭和47・9・1（注50）。

62）最判昭和47・11・9民集26巻9号1566頁〔百選〈5版〉A5事件〕，最判昭和47・7・6民集26巻6号1133頁。

これに対して遺言執行者については，民法旧1015条がこれを相続人の代理人とみなしていたにもかかわらず，判例は，法定代理人ではなく，訴訟担当者として，当事者本人とする[63]。訴訟担当者とする根拠としては，民法1012条1項にもとづいて，遺言執行者に相続財産などについての管理処分権が与えられていること，その反面，同法1013条によって相続人の管理処分権が奪われていることが挙げられる。当事者適格が基本的には管理処分権の所在によって決定されるものであれば，遺言執行者は，相続人の代理人ではなく，当事者本人とするのが正しい。実質的には，代理人が本人の利益のために行動するのに対して，遺言執行者は，必ずしも相続人の利益のために行動するものではないという点が，この考え方の基礎にある[64]。

もっとも，法定代理人とすべきであるにもかかわらず，誤ってその者を当事者とした場合，または逆に当事者とすべきであるにもかかわらず，その者を法定代理人とした場合については，救済の方法を考えるべきである。たとえば，遺言執行者自身を当事者とすべきであるにもかかわらず，相続人を当事者とし，遺言執行者を法定代理人として訴訟追行がなされた場合には，訴状の表示から遺言執行者を当事者とする趣旨が判明すれば，当事者を遺言執行者とする表示の訂正が許される。また，すでに述べた条件の下での任意的当事者変更が認められる可能性もある。

2　訴訟法上の特別代理人

実体法上の法定代理人が存在する場合には，その者が本人に代わって訴訟行為を行う。しかし，法定代理人が存在しない場合，または法定代理人が代理権を行使できない場合には，訴訟行為をなしうる者，または訴訟行為の相手方たるべき者が存在しない。このような場合には，行為能力が制限された者のため

これに対して，梅本吉彦「代理と訴訟担当との交錯」講座民訴③139頁，148頁，中野ほか・講義177頁以下は，相続財産管理人を代理人ではなく，独自の管理処分権にもとづく訴訟担当者とする。しかし，民法936条2項が，相続人のために，これに代わって一切の管理行為をすることを相続財産清算人の職務としていることから考えても，法定代理人説が妥当である。岡成・前掲書（注22）293頁参照。

63)　最判昭和31・9・18民集10巻9号1160頁，最判昭和43・5・31民集22巻5号1137頁。判例の分析として瀬木179頁参照。

64)　注釈民法〈新版〉(28)362頁〔泉久雄〕参照。もっとも，民法1015条の規定によって，遺言執行者の行為の効力は，相続人に帰属する。

に実体法上の特別代理人が選任されることになるが（民826・860など），その選任がなされるまでの間における相手方当事者の不利益を避けるために，35条による特別代理人の制度が設けられている[65]。

すなわち，相手方当事者は，訴訟無能力者に対する訴訟行為ができないために損害を受けるおそれがあることを疎明して，受訴裁判所の裁判長に特別代理人の選任を申し立てることができる（35Ⅰ）。ある者が事理弁識能力を欠く常況にありながら後見開始の審判がなされていない場合，相続人不明の相続財産について相続財産清算人が選任されていない場合，法人などの団体の代表者または管理人が欠けている場合についても，本条が適用される[66]。ただし，本条は，離婚訴訟などの人事訴訟には適用されない。その理由としては，離婚訴訟などにおける無能力者の保護が挙げられる[67]。したがって，離婚訴訟などの相手方としては，まず，後見開始の審判を求めて，その後に成年後見人や後見監督人を相手方として訴訟を追行しなければならない。

もっとも，無能力者の側でも，実体法上の特別代理人を選任せず，本条を類推適用して，特別代理人の選任を求めることも可能である[68]。しかし，原審において法人の代表者の代表権限の欠缺のゆえに訴えが却下されている場合には，その追認をなさしめるために，上告審で原告たる法人側が特別代理人の選任を求めることはできない[69]。本条は，本来相手方の保護のための規定だからである。

65）その他，特別代理人が選任される例としては，証拠保全（236），強制執行（民執41Ⅱ）がある。

66）大決昭和5・6・28民集9巻640頁，大決昭和6・12・9民集10巻1197頁（以上相続財産），大判昭和11・7・15新聞4022号8頁（法人）。

67）前掲最判昭和33・7・25（注42）。判決理由では，無能力者の側で反訴や旧人事訴訟手続法15条（人訴32に相当）の申立てをなす必要があり，したがって，35条による臨時の法定代理人は適当でないことが挙げられている。また，学説は，15歳未満の養子が当事者となる離縁の訴えについても，この考え方を適用し，民法811条5項によって後見人を選任すべきであって，特別代理人を選任すべきでないとする。新堂172頁，兼子ほか137頁参照。

68）遅滞による損害を避けるという理由から，判例および近時の多数説の結論である。判例としては，大判昭和9・1・23民集13巻47頁，最判昭和41・7・28民集20巻6号1265頁がある。特別代理人の選任申立権は，無能力者の親族または検察官に属する。民法834条・835条参照。

69）最命昭和46・3・23判時628号49頁〔続百選93事件〕。

3　訴訟法上の特別代理人の選任と改任

特別代理人の選任は，当事者の申立てにもとづいて事件について管轄を有すべき裁判所の裁判長の命令によってなされる。申立人は，法定代理人の不存在などにもとづく遅滞によって損害を受けるおそれがあることを疎明しなければならない。遅滞による損害の例としては，起訴による時効の完成猶予および更新の必要や証拠の散逸を防ぐ必要などが挙げられる[70]。選任の基準については，特別の定めがなく，裁判長の判断に委ねられる。したがって，選任申立却下命令に対しては，抗告による不服申立てが認められるが（328 I），選任命令に対する不服申立ては認められない。なお，選任命令は，特別代理人にも告知される（民訴規16）。選任された者は，当然に就任の義務を負うわけではないが，弁護士は，正当な理由がなければ，就任を拒絶できない（弁護24）。

裁判所は，いったん選任した特別代理人をいつでも改任することができる（35 II）。改任とは，従来の代理人を解任して，新たな代理人を選任することを意味する。選任後に法定代理人が代理権を行使できる状態になった場合であっても，当然に特別代理人の地位が失われるわけではないから，改任の必要がある[71]。

特別代理人は，訴訟手続上法定代理人と同一の権限を有する。ただし，未成年者または成年被後見人のための特別代理人は，後見人と同様の授権を得ることを要求される（35 III）。したがって，上訴または訴えの取下げなどについては，後見監督人の同意が必要である（32 II）。後見監督人が存在しないときには，受訴裁判所の裁判長による特別授権をもって同意に代えることができる。また，特別代理人には報酬が与えられ[72]，その報酬，および旅費などの費用は，訴訟費用の一部として，敗訴者が負担する（61）[73]。

4　法定代理人の代理権

法定代理権の範囲は，民事訴訟法に別段の定めがある場合を除いて，民法等

70）　また，民事保全における仮差押えや仮処分の必要も挙げられる。秋山ほか I 482 頁，注釈民訴(1)493 頁〔松原弘信〕。

71）　最判昭和 36・10・31 家月 14 巻 3 号 107 頁。

72）　類似のものとして，民法 29 条 2 項，人事訴訟法 13 条 4 項がある。

73）　もっとも，とりあえず必要な金額は，申請者に予納させる。民事訴訟費用等に関する法律 11 条 2 項・12 条。

の法令が規定するところによる（28）。したがって，親権者は，子のために一切の訴訟行為を行う権限を有する（民824参照）。また，後見人も同様である（民859参照）。もっとも，後見監督人がある場合には，後見人は，訴訟行為について後見監督人の同意を得なければならない（民864）。しかし，後見監督人の同意が得られない場合に，相手方が不利益を受けることが考えられるので，32条1項は，相手方が提起した訴えまたは上訴に対して後見人が訴訟行為を行うことについては，同意を要しない旨を規定している。逆に，訴えの取下げや和解など，判決によらず訴訟を終了させる行為，および上訴や異議の取下げなどの行為を後見人がなすことについては，後見監督人による特別の授権が必要になる（32Ⅱ）。

なお，法定代理権または訴訟行為をなすことについての授権は，書面によって証明されることを要する（民訴規15）。代理権の存在を明らかにし，訴訟手続の安定を図る趣旨である。

5 共同代理

1人の無能力者等について，複数の法定代理人が存在し，代理権の行使に関して共同代理が定められていることがある（民818Ⅲ・859の2Ⅰ・876の5Ⅱ・876の10Ⅰ）。この場合には，訴訟行為も共同で行われなければならない。もっとも，一部の代理人のみが訴訟行為を行った場合であっても，他の代理人が異議を述べないときには，追認がなされたものとみなされるし，また，共同代理人の訴訟行為が互いに矛盾する場合には，本人に有利な行為の効力が認められる[74)]。ただし，訴えおよび上訴の提起，ならびに32条2項に規定されている行為については，その重要性を考慮すれば，全員が共同でのみ行うべきである[75)]。他方，相手方および裁判所の訴訟行為の受領については，共同代理人の1人が単独ですることができる。実体法上の代理についての民法859条の2第3項（民876の5Ⅱ・876の10Ⅰ）と同一の趣旨にもとづく考え方であり，送

---

74)　40条1項の類推適用の結果である。たとえば，共同代理人の1人が相手方主張の事実を自白し，他の者がそれを否認する場合には，否認の効力が認められる。新堂174頁，秋山ほかⅠ451頁，斎藤ほか(2)69頁〔小室直人＝大谷種臣〕。これに対して，三ヶ月・全集199頁，小山125頁は，いずれの行為も効力を生じないとする。本書の立場でも，いずれの訴訟行為が本人に有利かどうかを判断できない場合には，このような結果となる。

75)　兼子129頁，新堂174頁。

達に関する102条2項は，それを具体的に規定している。しかし，期日呼出状の送達に関しては，共同で訴訟行為を行う機会を保障する趣旨から，102条2項を適用せず，共同代理人全員に対して送達を行うべきである[76]。

6　法定代理人の地位

法定代理人は，訴訟当事者ではない。したがって，判決の効力を受けず[77]，また当事者を基準として定められている裁判籍や裁判官の除斥の判断に際しても，法定代理人は問題とならない。しかし，その他の訴訟手続上の地位に関しては，当事者本人が訴訟無能力者であるという点を考慮して，法は，法定代理人を訴訟代理人より当事者に近いものとして扱っている。訴状および判決に表示されること（133Ⅱ①（改正134①）・253Ⅰ⑤），送達の受領（102Ⅰ），本人に代わる出頭（151Ⅰ①，民訴規32Ⅰ），中断（124Ⅰ③），当事者尋問（211）などがこれにあたる。

なお，保佐人または補助人が訴訟行為について法定代理人となる場合には，本人である被保佐人または被補助人が訴訟無能力者でないために，両者がともに訴訟行為をなす可能性が存在する。人事訴訟における成年被後見人についても同様の可能性がある（人訴13Ⅰ・14）。保佐人等と被保佐人等の訴訟行為が矛盾・抵触するものでなければ，両者が効力を生じるが，矛盾・抵触する場合には，いずれの訴訟行為の効力を認めるべきかが問題となる。

解決としては，本人の訴訟行為を優先させる考え方，あるいは，いずれであっても後になされた行為を優先させる考え方などがありうるが，法定代理権の付与が本人の請求または同意にもとづいていること（民876の4ⅠⅡ・876の9ⅠⅡ参照），本人には十分な訴訟追行能力を期待できないこと（民11・15Ⅰ参照），あるいは本人が自ら訴訟行為を行おうとするときには，代理権付与審判の取消しを求められること（民876の4Ⅲ・876の9Ⅱ）などを考えれば，法定代理人たる保佐人等の訴訟行為を優先させるべきである。本人の更正権（57）の適用はない。

---

76)　札幌地判昭和46・7・20判時645号98頁。学説でも通説である。三ヶ月・全集199頁，新堂174頁，条解民訴〈2版〉468頁〔竹下守夫＝上原敏夫〕，注釈民訴(3)538頁〔近藤崇晴〕など。ただし，実務は反対といわれる。秋山ほかⅠ452頁。

77)　ただし，本人のために訴訟行為をすることから，本人との間で参加的効力は免れない。

7　法定代理権の消滅

法定代理権の消滅は，その発生原因たる法の規律するところによる。すなわち，本人の死亡（民111 I ①），または代理人の死亡，後見開始の審判もしくは破産手続開始の決定（民111 I ②），または法定代理権発生原因の消滅（民4・10・834・835・837・844・846・876の2 II・876の4 III・876の7 II・876の9 II）などの理由にもとづいて，法定代理権が消滅する。しかし，36条1項は，この点に関して特則を設け，本人または代理人が相手方に消滅を通知しなければ，消滅の効力が生じない旨を規定する。これは，裁判所および相手方からは必ずしも容易には知りえない代理権の消滅について，手続の安定を図るためである[78)]。

したがって，消滅についての相手方の知不知は問題とならず，民法112条1項の適用も排除される。もっとも，訴訟能力者たる被保佐人等は別として，訴訟無能力者たる本人に通知を要求することはできないから，通知をなすのは，訴訟能力を取得した本人，または法定代理人である。しかし，代理人自身の死亡または後見開始の審判の場合には，通知をなすべき者が存在しないので，通知がなくとも消滅の効果が生じる。なお，法定代理権の消滅通知がなされた事実は，裁判所に届け出られる（民訴規17）。

通知の到達までになされた訴訟行為は，有効なものとして扱われる。当事者が死亡した場合には，その効果は，当事者の相続人たる新当事者に帰属する[79)]。法定代理権消滅の効果が発生すれば，訴訟代理人が存在しない限り（124 II），訴訟手続が中断する（124 I）。逆に，通知が到達しない限り，相手方がたとえ消滅の事実を知っていても，訴訟手続は中断しないというのが，判例・通説の考え方である[80)]。消滅の効果発生の基準を明確にし，訴訟手続の

78)　したがって，通知がなされなくても，代理権消滅および新代理人選任の事実が明らかになった場合には，新代理人を判決書に表示することも許され，その判決書の送達によって，相手方に対する通知と同一の効果が生じる。最判昭和43・4・16民集22巻4号929頁〔百選〈5版〉A6事件〕。また，外国国家の代表権の消滅が公知の事実である場合には，現に通知がなされなくとも，通知がなされたものと同視し，代表権消滅の効果が直ちに生じるとするのが判例である（最判平成19・3・27民集61巻2号711頁〔平成19重判解・民訴2事件〕）。

79)　最判昭和28・4・23民集7巻4号396頁。

80)　大判昭和16・4・5民集20巻427頁。秋山ほか I 487頁，斎藤ほか(2)102頁〔小室

安定を図る視点から，これに賛成する。

第2項　法人等の代表者および表見法理の適用可能性

法人，および法人でない社団・財団であって当事者能力を認められるもの（29）については，当事者自ら訴訟行為をなすことができないので，その代表者によって訴訟行為がなされる。この意味で，代表者は，訴訟無能力者の法定代理人に準じる（37）。代表者としては，29条の代表者のほか，一般社団法人または財団法人の理事または代表理事（一般法人77Ⅰ・197前段・77Ⅳ・90Ⅲ），特定非営利活動法人の理事（非営利活動16本文），株式会社の代表取締役（会社349ⅠⅣ）などがある。法人の代表者であること，および次に述べる授権については，民事訴訟規則15条が準用される結果，登記事項証明書などの書面による証明が要求される（民訴規18）。

代表者による訴えの提起について特別の授権を要するかどうかは，28条が準用される結果として，実体法の規定によって決せられる[81]。しかし，被告として応訴することについては，32条1項が準用される結果，実体法上の授権の必要性は問題とならない[82]。

また，代表者でない者による訴訟行為が行われた場合，特別の授権を欠く場合，および上述の書面が提出されない場合について，補正または追認の可能性があることも（34ⅠⅡ），法定代理人の場合と同様である[83]。その他，法人の代表者が欠けている場合，および代表者が代表権を行使できない場合の特別代理人の選任についても，35条の規定にもとづいて法定代理人と同様の取扱い

直人＝大谷種臣〕，齋藤107頁，小山123頁，梅本142頁。これに対して，新堂175頁，注釈民訴(1)499頁〔松原弘信〕は反対。反対説は，相手方の利益保護と無能力者の手続保障との均衡を重視するが，実際には，いかなる時点において代理権消滅の事実を知ったかなどについて争いを発生させるおそれがある。

81)　普通地方公共団体による訴えの提起について議会の議決が必要とされ（自治96Ⅰ⑫），これが28条にいう授権にあたる。会社の代表取締役および代表社員については，会社法349条4項・599条4項，一般社団法人および財団法人の理事については，一般法人法77条4項および197条の規定がある。法人格なき社団の代表者については，明文の規定を欠くので，解釈によってこれを定めなければならない。前掲最判昭和55・2・8（注*22*），前掲最判平成6・5・31（注*23*）参照。

82)　最大判昭和34・7・20民集13巻8号1103頁。

83)　追認について，最判昭和33・6・6民集12巻9号1373頁，前掲最判昭和34・8・27（注*50*），補正について，前掲最判昭和45・12・15（注*49*）。

がなされる。さらに，代表権の消滅についてその通知を要することも（36），法定代理と同様である。

法人を被告として訴えを提起する原告は，登記を基準として法人の代表者を定めざるをえない。しかし，登記された代表者が真実の代表者でなかった場合には，追認がなされない限り，その者を相手方としてなされた訴訟行為は無効となり，またすでになされた判決も上訴，再審によって取り消される（312Ⅱ④・338Ⅰ③）。このような結果は，法人の登記を信頼した原告の利益を損なうことになる。そこで，実体法上の表見法理を適用し，登記を信頼した原告が善意・無過失であれば，登記上の代表者を相手方とする訴訟行為を有効としてよいかどうかが問題となる。

判例は，次のような理由にもとづいて表見法理の適用可能性を否定する[84)]。すなわち，訴訟行為と実体上の取引行為とは区別され，表見法理は，後者にのみ適用されること，商法旧42条1項但書（会社13本文）において裁判上の行為が表見法理の適用対象外とされていることなどである。学説においては，判例に賛成する考え方も有力であるが，むしろ反対する考え方が多数を占める[85)]。本書も，多数説を支持し，以下の理由から表見法理の適用可能性を認める。第1に，実質的にみて，不真実の登記を放置している法人よりは，それを信頼した原告を保護する必要があること，第2に，代表権の存在は職権調査事項であるが，裁判所としては，実際上当事者の主張・立証を待つ以外なく，登記を基準として手続を進めざるをえないこと，第3に，36条の趣旨も代理権について外観を基準とするものと認められるから，表見法理の適用可能性を認める根拠となること，第4に，商法旧42条1項但書（会社13本文）も不真実の登記に対する信頼を否定するものではないことである。

84）　表見法理を定めた私立学校法28条2項の適用を否定した，最判昭和41・9・30民集20巻7号1523頁，民法旧109条（民109Ⅰ）・商法旧262条（会社354）の適用を否定した前掲最判昭和45・12・15（注49）がある。逆に，登記されていない代表者の側から訴訟において代表権を主張することが妨げられないとしたものとして，最判昭和43・11・1民集22巻12号2402頁がある。

85）　判例を支持する有力説は，菊井＝村松Ⅰ343頁ほか。反対する多数説は，新堂179頁，竹下守夫「訴訟行為と表見法理」実務民訴(1)169頁，183頁以下，注釈民訴(1)511頁〔高見進〕，瀬木166頁など。秋山ほかⅠ499頁は，適用を肯定する余地ありとする。学説の詳細については，前掲注釈民訴(1)511頁以下参照。

登記された代表者に対する信頼が保護されるのは，原告が善意・無過失の場合である。したがって，代表権の欠缺が明らかになり，原告が悪意になった時点まで無過失であれば，それまでに行われた訴訟行為が一括して有効と扱われる[86]。もっとも，被告である法人の側で，登記上の代表者の代表権の欠缺を知りながら，真の代表者がこれを主張しなかった場合には，欠缺について追認がなされたものとみなされ，原告の善意・悪意を問わず，訴訟行為が有効なものとなる。

第3項　任意代理人

代理権の授与が本人の意思にもとづく代理を任意代理と呼ぶ。その中で，個別的訴訟行為について代理権が付与されるものと，訴訟追行のために包括的に代理権が付与される場合とが区別され，後者が訴訟代理人と呼ばれる。訴訟代理人については，さらに，支配人など本人の意思にもとづく法律上の地位の内容として法が訴訟代理権を認める，法令上の訴訟代理人と，訴訟委任にもとづく訴訟代理人の2種類が区別される。また，訴訟手続の安定という見地から，個別的行為についての訴訟代理は，法が許容する場合に限られる（104，民訴規41など）。

1　訴訟委任にもとづく訴訟代理人

特定の事件について包括的に訴訟追行をなす委任を受けて，訴訟行為についての代理権を付与された者を，訴訟委任にもとづく訴訟代理人と呼ぶ。本人と代理人との間の契約は，民法上の委任契約であるが[87]，代理権授与行為自体は，訴訟代理権の発生という訴訟法上の効果を発生させるという意味で，訴訟

86）　もっとも，表見法理はあくまで法人外の第三者を保護するためのものであるから，決議取消しの訴えなど法人内部の組織に関する訴えの場合には，適用されない。また，代表者が死亡している場合にもなお表見法理の適用を認めるべきかという問題もあるが，これは，表見法理一般の適用範囲の問題である。竹下・前掲論文（注85）197～198頁参照。

87）　訴訟委任は，事件を特定してなす必要があることは，55条1項から明らかである。特定事件に限定される点が，同じく任意代理人であっても，法令上の訴訟代理人と異なる。また，委任契約としての性質から，代理人には，民法645条にもとづく報告義務が課される。大判昭和12・12・24新聞4237号7頁。

もっとも，弁護士を任意後見受任者（任意後見2③）に選任する場合には，訴訟委任の趣旨が明白であれば厳格な特定は不要と考えられる。

行為の１つとみなされる。

(1)　弁護士代理の原則

訴訟委任にもとづく訴訟代理人の資格は，原則として弁護士に限られる（54 Ⅰ本文）[88]。これを弁護士代理の原則と呼ぶ。依頼者たる当事者本人の利益を保護するための原則である。これに対して，当事者本人および法定代理人には弁論能力を認めず，常に代理人弁護士によってのみ訴訟追行を行わせる原則を弁護士強制主義と呼ぶ。わが国では，弁護士強制主義は採用されていない[89]。

88）弁護士代理の原則が適用されず，弁護士以外の者が訴訟代理人となることができる手続として，簡易裁判所の手続（54 Ⅰ但書），非訟事件の第一審の手続（非訟 22 Ⅰ但書），家事事件の家庭裁判所の手続（家事22 Ⅰ但書），調停手続（民調規 8 Ⅱ）などがある。弁護士代理の原則が採用された経緯については，上田徹一郎「弁護士代理原則の成立と機能」関西学院大学法と政治 43 巻 1 号 113 頁，117 頁（1992 年）参照。

なお，司法書士については，平成 14 年改正によって，その資格にもとづいて，裁判所の許可によることなく，簡易裁判所における訴訟代理権が認められた（司書 3 Ⅰ⑥）。また，弁理士についても，平成 14 年改正によって，その資格にもとづいて特許権侵害などにかかる訴訟についての訴訟代理権が追加された（弁理士 6 の 2）。認定司法書士が裁判外の和解として債務整理を受任する際にも（司書 3 Ⅰ⑦），その対象たる個々の債権の額が 140 万円を超えないこと（裁 33 Ⅰ①）が要件になる（最判平成 28・6・27 民集 70 巻 5 号 1306 頁）。

ただし，最判平成 29・7・24 民集 71 巻 6 号 969 頁は，認定司法書士がこの制限に違反して裁判外の和解契約を締結したときに，委任契約は無効となり，報酬請求権は発生しないが，和解契約自体は，それが公序良俗違反と評価される特段の事情がない限り，無効とならないとする。委任契約を無効とするのであれば，認定司法書士の代理権も否定され，和解契約の効力を認めないことも考えられるが，和解契約の当事者，特に相手方の利益保護を重視したものと思われる。なお，本件の事案は，すでに和解金を支払った相手方に対し，依頼者の破産管財人が，和解契約の無効を理由に重ねて支払を求めたものである。

89）これに対して，刑事訴訟手続では，一定の事件について弁護士強制主義がとられている（刑訴 289。ただし，第一審においては被告人の弁論能力自体が否定されるものではない。同 293 Ⅱ・388 参照）。民事事件についても，ドイツのように弁護士強制主義をとる国があり，その根拠として，弁護士による適切な訴訟追行の結果として当事者の利益が守られること，あるいは裁判所の負担が軽減されることなどが挙げられる。中野貞一郎「ドイツの弁護士制度」三ヶ月章ほか・各国弁護士制度の研究 121 頁，165 頁（1965 年），石部雅亮「大陸法と弁護士制度」法学セミナー増刊・現代の弁護士――司法篇 225 頁，229 頁（1982 年）参照。

このような考えを背景として，わが国においても，上告審に限定して弁護士強制を導入しようとする立法論があった。検討事項　第二 当事者　三 訴訟代理人及び輔佐人　2（一）（二），改正要綱試案　第二 当事者（当事者関係後注）4 参照。しかし，民事における弁護士強制については，当事者と弁護士の間の信頼関係が確保できるか，法律扶助など弁護士報酬の支払手段が確保されているか，さらに必要な弁護士数が確保できるかなどの困難な問題がある。

なお，訴訟代理人としての弁護士の責任については，小林秀之「弁護士の専門家責任

したがって，簡易裁判所ではもちろん，地方裁判所以上の裁判所においても，当事者本人による訴訟追行が広くみられる。これを本人訴訟と呼ぶ[90]。

弁護士代理の原則に違反して，弁護士以外の者が訴訟代理人として訴訟行為をなすことは違法であり，裁判所はそれを禁ずべきである。また，違反者に対しては弁護士法上の制裁が科される。すでになされた訴訟行為の効力に関しては，考え方の対立があるが，弁護士資格は，弁護士代理の原則が適用される手続においては，訴訟代理権の発生・存続の要件と解されるので，その資格を欠く者による訴訟行為は無効である。もっとも，本人たる当事者は，追認によって訴訟行為を有効なものとすることができる[91]。ただし，本人が，弁護士資格の欠缺を知りながら訴訟委任をなしている場合には，信義則上追認が制限されることがある[92]。その理由から追認が制限される場合，および欠缺を知らなかった本人が追認を拒絶する場合には，訴訟行為は無効となる。しかし，資格の欠缺を知っていた本人については，信義則上無効の主張が制限されることもある[93]。

---

(1)(2)」NBL 541号34頁，542号48頁（1994年），高中40頁参照。また，訴訟追行上の弁護士の責務については，加藤新太郎「民事訴訟における弁護士の役割」実務民訴〔第3期〕(1)329頁が詳細であり，受任者としての善管注意義務（民644）と弁護士法上の誠実義務（弁1Ⅱ）との関係については，岡231頁，高中24頁参照。

90）　地方裁判所の段階でも，本人訴訟率（双方当事者，または一方当事者が本人であるもの）は，50％を越えるといわれる（伊藤・前掲論文（注55）115頁，手賀寛「訴訟代理の現状と課題」加藤新太郎古稀128頁参照）。したがって，民事訴訟手続について解釈論および立法論を考える際には，常に弁護士代理人による訴訟と本人訴訟の双方を念頭におかなければならない。本人訴訟の特徴にあわせた手続構造を分析するものとして，棚瀬孝雄・本人訴訟の研究（1983年）がある。

91）　上田・前掲論文（注88）132頁参照。もっとも，訴訟代理人の資格は弁論能力のみにかかわるとの理由で，有効説をとる有力説がある。兼子131頁など。なお，この場合の追認は，34条2項にいう法定代理権欠缺の場合の追認に類するものである。追認を認める判例として，最判昭和43・6・21民集22巻6号1297頁がある。

92）　法令上の訴訟代理人について，仙台高判昭和59・1・20下民35巻1～4号7頁〔百選〈6版〉A5事件〕および仙台高秋田支判昭和59・12・28判タ550号256頁は，いずれも訴訟代理人資格の欠缺を知っていた本人による追認を否定する。当該事案についての結論としては妥当なものであるが，追認の可能性を全面的に排除することは妥当ではなく，信義則によって制限すべきものである。民法上の無効行為の追認においても，強行法規違反による無効の場合には，追認が制限される。

93）　このような場合には，相手方のみが無効の主張をなしうる。これに対しては，訴訟代理権欠缺の瑕疵にもとづく訴訟行為の効力が当事者の主張の有無によって左右されるべきではないという批判も考えられる。しかし，将来に向かって裁判所が非弁護士を訴訟代

(2) 訴訟代理権の発生，証明および範囲

訴訟代理権授与行為は，訴訟行為としての性質をもつ。したがって，本人は，訴訟能力者でなければならない。代理権授与の意思表示の相手方は，訴訟代理人たるべき者であり，相手方に意思表示が到達した時に，訴訟代理権が発生する[94]。ただし，民事訴訟規則は，訴訟代理権の存否をめぐる争いが生じるのを避けるために，書面をもって代理権が証明されることを要求する（民訴規23Ⅰ）。法定代理権や選定当事者に対する授権の証明（民訴規15）と同一の趣旨による[95]。書面による証明がないままになされる訴訟代理人の訴訟行為は違法であり，かりに行われても無効なものとして扱われる。なお，書面が私文書であるときには，裁判所は，公証人等の認証を受けることを訴訟代理人に命じることができる（民訴規23Ⅱ）。これも代理権の存否をめぐる争いを防ぐ趣旨である。もっとも，書面による証明にもかかわらず，なお代理権が争われる場合には，一切の証拠方法を用いることができる[96]。

訴訟代理権の範囲について法は，個別的訴訟行為に限定しない包括的な範囲を定め，当事者の意思にもとづく制限を禁じている（55Ⅰ Ⅲ本文）。これは，訴訟手続の円滑な進行を図ることを目的とするものであり，弁護士代理の原則による代理人弁護士への信頼を基礎としている。したがって，簡易裁判所における非弁護士代理人については，この制限禁止は適用されない（55Ⅲ但書）。訴訟代理権の法定範囲は，受任した事件において当事者を勝訴せしめるためのすべての訴訟行為を含み，またその訴訟行為の前提となる実体法上の権利行使，たとえば時効の援用，相殺・解除・取消しなどの形成権の行使をすることも含ま

理人から排除する際に，当事者の主張の有無に拘束されるべきでないことは当然であるが，過去の訴訟行為の効力は当事者の利益に影響するところが大きいので，裁判所は，当事者の主張を待って効力を判断すべきである。

94) この点に関しては争いがある。本人が裁判所に対して授与の意思表示をなした時という考え方，あるいは代理人・裁判所・相手方のいずれかに意思表示をなした時などの考え方が対立している。詳細については，秋山ほかⅠ689頁，注釈民訴(2)350～351頁〔中島弘雅〕参照。しかし，訴訟代理権といえども代理権の一種にほかならないにもかかわらず，裁判所などに対する本人の意思表示によってそれが発生するというのは，背理といわざるをえない。

95) 旧法87条・52条は，書面が記録に添付される旨を規定していたが，通達等で定めれば足りる事項であるために，現行法の制定にあたり，規則化の対象ともされなかった。条解規則33頁参照。

96) 最判昭和36・1・26民集15巻1号175頁。

れる[97]。それ以外にも，相手方からの反訴に対する応訴，第三者による訴訟参加に対する応訴・防御，強制執行，および仮差押え・仮処分などの付随的訴訟行為も代理権の範囲に含まれ，さらに，当該請求について裁判外の弁済を受領する事実行為も含まれる。

これに対して，以下の事項は当然には訴訟代理権の範囲に含まれず，特別委任事項とされている（55Ⅱ）[98]。すなわち，反訴の提起，訴えの取下げ・和解[99]・請求の放棄および認諾，訴訟脱退，上訴[100]およびその取下げ，異議の取下げ，ならびに復代理人の選任である。訴訟代理人は，請求に関して勝訴判決を得るための訴訟行為については，全面的な委任を受けているが，別個の請求を定立したり，訴えの取下げなどによって訴訟法律関係自体を処分することについては，本人の意思によらせる必要があるので，特別の委任を要する。また，復代理人，すなわち本人のために別の代理人を選任することも，本人の意思にかからしめるべきである。さらに，訴訟の勝敗は当該審級をもって一応の決定がなされるものであるから，上訴を提起するかどうかも当事者の意思を尊重するというのが，特別委任事項の趣旨である。最後の考え方を審級代理の原則と呼ぶ。

(3)　個別代理の原則

本人たる当事者のために数人の訴訟代理人が存在する場合であっても，それ

97）　相殺について，大判昭和8・9・8民集12巻2124頁，解除について，大判昭和8・12・2民集12巻2804頁，取消しについて，大判明治36・6・30民録9輯824頁などがある。

98）　ただし，実務では委任状に不動文字をもって特別委任事項が印刷されているので，特別の事情がない限り，これらの事項も訴訟代理権の範囲に含まれることになる。

99）　和解の際には，訴訟物だけではなく，それに関連する実体法上の法律関係を変更・処分することが通例であるが，和解の授権がそれについての権限をも含むかどうかについては考え方の対立がある。しかし，訴訟物に関する互譲の点からみて，合理的な範囲に含まれる実体法上の法律関係は，授権の範囲に含まれると解すべきである。最判昭和38・2・21民集17巻1号182頁〔百選〈6版〉17事件〕。学説については，伊藤・前掲論文（注55）125頁以下参照。具体的な範囲に関しては，加藤新太郎・弁護士役割論〈新版〉311頁以下（2000年）が詳しい。

100）　特別委任がない限り，自ら上訴をすることができないだけではなく，相手方の上訴に対して応訴をする権能もない（最判昭和23・12・24民集2巻14号500頁は，特別委任が上訴に対する応訴権能を含むとする）。これに対して，上訴の特別委任は，附帯上訴に関する権能も含む。大判昭和11・4・8民集15巻610頁，最判昭和43・11・15判時542号58頁〔続百選29事件〕。

それの代理人が単独で当事者を代理する権限を有する。相手方や裁判所の訴訟行為も，1人に対してなせば足りる。これを個別代理の原則と呼ぶ（56Ⅰ。連絡担当訴訟代理人（民訴規23の2）については，本書33頁参照）。したがって，当事者が共同代理などこれと異なる定めをなし，代理人がそれに違背した場合であっても，訴訟行為の効力には影響がない（56Ⅱ）。また，数人の訴訟代理人が相矛盾する訴訟行為をなした場合にも，その効果がすべて本人に帰属するから，本人が矛盾した訴訟行為をなしたのと同様に取り扱われる。

(4)　訴訟代理人の訴訟手続上の地位

訴訟代理人は，その者自身が訴訟法律関係の主体ではないから，判決の名宛人になるわけではなく，逆に，第三者として証人適格が認められる。しかし，訴訟代理人は，自己の意思にもとづいて訴訟行為をなす者であるから，その前提として事実についての知不知，または故意過失が訴訟手続上問題となるときには，代理人のそれが基準とされる（24Ⅱ但書・46④・97Ⅰ・157Ⅰ・167・338Ⅰ但書など。なお，民101ⅠⅡ参照）。しかし，本人の故意過失が代理人の不知または不作為の原因と認められるときには，代理人の不知などを本人の有利に援用することは許されない[101]。

(5)　当事者本人の訴訟手続上の地位

訴訟代理人の選任は，当事者の訴訟能力・弁論能力を失わせるものではない。したがって，期日の呼出状などの訴訟書類を本人に宛てて送達することも違法ではないと解されている。しかし，本人の訴訟能力が存在するからといって，訴訟代理人が選任されているにもかかわらず，送達の相手方を本人とすることは，手続保障の点からも問題があり，特別の事情がない限り，不適法といわざるをえない[102]。

口頭弁論期日などにおいて訴訟代理人が行った事実に関する陳述について，

101）　例としては，攻撃防御方法たる事実を本人が知りながら，代理人にそれを告げなかったときには，代理人の不知を理由として157条などによる不利益を免れることはできない。通説の考え方である。注釈民訴(2)379頁〔中島弘雅〕参照。

102）　伊藤・前掲論文（注55）124頁，注釈民訴(2)379頁〔中島弘雅〕。通説は，本人に対する送達は適切ではないが，違法ではないとしている。また，最判昭和25・6・23民集4巻6号240頁〔百選Ⅰ57事件〕も送達を適法と認めるが，代理人が受領場所の届出を怠った事案である。

当事者本人が直ちにこれを取り消しまたは更正すると，代理人の陳述の効果が失われ，本人の陳述が効力を生じる（57）。これを当事者の更正権と呼ぶ。いかなる事実を訴訟資料として提出するかについて当事者本人の判断権を認めたものである。法定代理人や法令上の訴訟代理人が委任による訴訟代理人を選任したときにも，当事者本人と同様に更正権が認められる。

訴訟代理人による自白も更正権の対象となる。これに対して，法律上の意見や経験則についての陳述は，更正権の対象にならない。更正権は，直ちに行使することを要するが，直ちにとは，代理人の陳述に引き続いてという意味である[103)]。

その他に，訴訟代理人の訴訟行為に関する特則として，令和4年改正によって新設された法132条の11（未施行）にもとづく電子情報処理組織による申立ての義務化や，システム送達の受送達者となるべき義務が課される（109の4・132の11Ⅱ（未施行））。法律専門職たる弁護士などがIT化による迅速な訴訟手続に積極的に協力すべき責務を負っているとの考え方にもとづいている[104)]）。

(6)　訴訟代理権の消滅

民法上任意代理権は，本人または代理人の死亡などの法定の事由，および委任などの原因関係の終了によって消滅する（民111）。しかし，訴訟代理人は原則として弁護士であって，代理人としてなす訴訟行為によって本人が予想外の不利益を受けにくいこと，および訴訟手続を円滑かつ迅速に進行させる必要性があることなどの理由から，法は，訴訟代理権の消滅事由を民法上のそれよりも限定している。

ア　代理権不消滅の特則

訴訟代理権は，当事者本人の死亡もしくは訴訟能力の喪失，法人の合併による消滅，法定代理人の死亡，訴訟能力の喪失もしくは代理権の消滅，変更，ま

103）　代理人の陳述を知った後直ちにという意味ではない。したがって，更正権が行使されうるのは，本人が代理人に同行して期日に出頭しているときに限られる。なお，本人が期日に欠席しているときには，次回期日の冒頭に更正権を行使することが許されるとするのが有力説であるが，訴訟手続の安定を欠く結果となるので，賛成しがたい。秋山ほかⅠ714頁参照。

104）　立案の経緯などについては，上田竹志「オンライン申立て及び周辺手続」ジュリ1577号35頁（2022年）参照。

たは当事者たる受託者の信託の任務終了によって消滅するものではない（58 I）。また，訴訟担当者として，他人のために当事者となっている者によって付与された訴訟代理権も，当事者が担当者たる資格を喪失したことによって消滅するものではない（58 II）。これらの規定は，訴訟代理権を承継人のために擬制する趣旨を含む。

上記の事由は，いずれも訴訟手続の中断事由であるが（124 I），訴訟代理権が存続する限り訴訟手続も中断しない（124 II）[105]。したがって，これらの事由の発生とかかわりなく訴訟代理人は，本人のために訴訟行為をなすことができる。もちろん中断の有無とかかわりなく，死亡や合併によって当事者の地位自体は承継人に移転しているから，それらの事実が判明すれば，裁判所は，承継人を当事者として扱い，判決にも承継人を当事者として表示すべきである[106]。

イ　訴訟代理権の消滅事由

簡易裁判所以外の裁判所においては，弁護士資格は訴訟代理人たる資格要件であるから，弁護士資格が失われたときには，訴訟代理権も消滅する。その他の消滅事由は，民法の規定にしたがう。すなわち，代理人の死亡，代理人に対する後見開始の審判，破産手続開始の決定（民 111 I②），および委任関係の終了（民 111 II）である。委任関係の終了事由としては，委任事件の終了，委任者または受任者に対する破産手続開始の決定（民 653②），および委任契約の解除（民 651）が挙げられる。解除は，代理人の側からする場合には，辞任，本人の側からする場合には，解任と呼ばれる。

ただし，59 条によって 36 条 1 項が準用されるので，委任事件の終了の場合を除いて，訴訟代理権の消滅も，これを相手方に通知しない限りその効力を生

105）　上訴の特別委任がなされていれば，判決の確定まで手続は中断しないし，審級代理のときには，当該審級の終局判決の送達受領とともに，訴訟代理権が消滅し，それによって手続が中断する。大決昭和 6・8・8 民集 10 巻 792 頁〔百選 20 事件〕。

106）　最判昭和 33・9・19 民集 12 巻 13 号 2062 頁。旧当事者を判決の名宛人とする考え方も存在するが，実体法上の法律関係との齟齬が生じる。もっとも，承継の事実が訴訟に顕出されないときには，旧当事者が判決の名宛人として表示されざるをえない。その後の処理としては，判決の更正（257）によるとする考え方と，承継執行文の手続（民執 27 II）の類推によるとする考え方とがある。いずれの考え方にも理論的難点があるが，あえて統一する必要はない。

じない[107]。法定代理人の場合と同様に，相手方の利益を保護し，手続の安定を期する趣旨である。なお，法定代理権の場合と同様に，消滅通知がなされた事実は裁判所に届け出られる（民訴規23Ⅲ）。

(7)　弁護士法25条違反と訴訟行為の効力

民法108条は，代理人について自己契約および双方代理を禁止し，これに反して代理人が代理行為をなしても，その効果は本人に帰属しないと規定する。訴訟代理人の訴訟行為の相手方は，訴訟契約などの一部のものを除けば，相手方当事者ではなく，裁判所であり，したがって，自己契約などの法理が直接適用されることは少ない。しかし，この法理の趣旨は，本人の利益保護にあることを考えれば，訴訟当事者間においても民法の規定の類推適用を認め，実質的に自己契約または双方代理に該当するときには，訴訟代理人の訴訟行為の効力を否定すべきである。

もっとも，訴訟代理人たる弁護士に関しては，弁護士法25条が民法の規定の趣旨にもとづいて詳細な職務制限規定をおいているので，通常はその規定違反をめぐって訴訟行為の効力が問題となる。同条各号が，一定の類型の事件について弁護士が職務を行うことを禁止するのは，依頼者の利益保護，当事者間の公平，および弁護士の品位の維持などを目的としたものである。弁護士がこの禁止に反して職務を行ったときには，その者に対して弁護士法が定める懲戒が課されるが，それに加えて，当該弁護士のなした訴訟行為自体の効力が否定されるかどうかが問題となる[108]。

107）　もっとも，多数説は，弁護士資格の喪失，代理人の死亡・後見開始・破産の場合には，代理人による通知が期待できないこと，訴訟代理権が包括的なものであること，あるいは代理権行使が客観的に不可能になることなどの理由から，通知を不要とする。しかし，法定代理人の場合と異なって，本人による通知が可能であり，このような区別には賛成できない。三ヶ月・全集207頁，上田122頁，注釈民訴(2)388頁〔中島弘雅〕参照。たしかに，通知を要求することによって本人の利益が害される可能性は否定できないが，逆に，通知を要求しないで訴訟代理権の消滅を認めることによる相手方の不利益，および手続の不安定を軽視することはできない。なお，訴訟代理人およびその相続人などは，資格の喪失や死亡の事実などを本人に通知する義務を負う（民654）。

108）　場合によっては，私法上の効力も問題となるが，最決平成21・8・12民集63巻6号1406頁は，弁護士法28条違反の係争権利の譲受であっても，公序良俗に違反するような事情がない限り，私法上の効力が否定されることはないとする。

なお，改正民法は，108条2項を新設し，利益相反に該当する代理人の行為の効力を否定している。利益相反の判断基準は，外形説によるとされるので（潮見・概要23頁），弁

ア　弁護士法25条1号違反の訴訟行為

弁護士法25条1号は，相手方の協議を受けて賛助し，またはその依頼を承諾した事件を対象とするものである。弁護士が，いったんある事件について相手方からの依頼を承諾しながら，後に反対当事者から当該事件を受任することは，相手方当事者の弁護士に対する信頼を裏切ることになる。したがって，1号の保護法益は，相手方当事者の弁護士に対する信頼である[109)]。

同号に違反して事件を受任した弁護士が行った訴訟行為の効力に関しては，有効説，絶対無効説，追認説，異議説の4つの考え方が対立しているが，異議説が判例・通説であり，本書もこれを支持する。有効説は，この規定が弁護士の職務規律に関するものであり，懲戒の原因にはなるが，訴訟行為の効力を左右するものではないとする。しかし，信頼を害された相手方の利益保護を考えると，これをとることはできない。逆に絶対無効説は，当事者が訴訟行為の効力を承認する可能性をも排除するものであり，規定の趣旨に当事者の利益保護が含まれることを軽視するものである。さらに，追認説は，依頼当事者の追認によって訴訟行為を有効とするものであるが，そもそも1号は，依頼者ではなく，相手方の利益保護を目的としていることなどの理由から，これをとることはできない。

結局，異議説を採用して，相手方が，反対当事者の訴訟代理人による訴訟行為について1号違反を理由として異議を述べ，その効力を争い，その主張が正当と認められれば，裁判所は，訴訟行為を無効なものとして取り扱うべきである。ただし，相手方は，違反の事実を知った後に，または知りうべき時期に遅滞なく異議を主張しなければならない[110)]。

護士法25条各号の問題として考えれば足りよう。

109)　この点で双方代理の場合とは異なる。伊藤・前掲論文（注55）132頁参照。なお，弁護士法人に関する弁護士法25条6号も類似の規定である。

110)　学説の詳細については，伊藤・前掲論文（注55）132頁，注釈民訴(2)346頁〔中島弘雅〕，高中133頁，瀬木169頁参照。判例には変遷があったが，異議説をとることを確定したのは，最大判昭和38・10・30民集17巻9号1266頁〔百選〈6版〉18事件〕である。最決平成29・10・5民集71巻8号1441頁〔百選〈6版〉A7事件〕もこれを確認している。遅滞なく異議を述べなければ無効の主張が遮断されるのは，責問権の喪失（90）の一種とみられる。

異議を述べることができるのは，依頼当事者ではなく，相手方である。両者に異議権を認める見解も存在するが，相手方が異議を述べないにもかかわらず，依頼当事者の異議に

イ　弁護士法25条2号ないし5号違反の訴訟行為

弁護士法25条2号は，受任に至らない程度の協議を問題とするものであり，基本的な趣旨は，1号と共通である。したがって，2号に違反する訴訟行為の効力に関しても，1号と同様に異議説をとることができる。同条3号は，相手方の利益ではなく，現に弁護士に訴訟委任をしている依頼者本人の利益を保護しようとするものである111)。その点で，1号および2号との違いが認められ

よって代理人の訴訟行為を無効とするのは，均衡を失する。

さらに，上記最決平成29・10・5は，弁護士法25条1号が，弁護士の適正な職務遂行という公益の確保と同時に，相手方当事者の利益保護の側面も持つことを指摘し，相手方当事者に同号に違反する弁護士による訴訟行為を排除する旨の裁判を求める申立権を認め，加えて，弁護士を委任した側の当事者には，同号違反として訴訟行為を排除する旨の決定に対する不服申立（即時抗告）権を認めている（25Ⅴ類推）。訴訟代理人たる弁護士の職務遂行について，一方で，不適切なものを排除する相手方当事者の利益，他方で，適切なものであることを主張する依頼者側当事者の利益の双方を尊重したものと評価できる。この考え方を貫けば，排除を申し立てた当事者がその申立てを却下した決定に対する不服申立てをすることも許されよう。

なお，後者の利益は，依頼者である当事者本人の利益であるから，訴訟行為を排除された訴訟代理人たる弁護士には，即時抗告権は認められない旨も，あわせて判示されている（以上について，中野琢郎〔判例解説〕ジュリ1519号76頁（2018年）参照）。また，本件は，相手方の破産管財人が異議の申立てをしたという特異性があるが，その点については，伊藤・破産法・民事再生法363頁参照。

さらに，最決令和3・4・14民集75巻4号1001頁は，弁護士法25条1号を基礎とした弁護士職務基本規程57条（同27条1号）に違反する代理人弁護士の訴訟行為について，相手方当事者が異議を述べてそれを排除できるかどうかという問題に関し，これを肯定した原決定を破棄している。

その理由は，本文に述べる異議説を前提としながら，弁護士法25条1号違反の場合には，代理人弁護士が法律により職務を行うことができないのと比較し，職務基本規程57条違反にとどまる場合には，それが懲戒の原因となりうることは別として，当該訴訟行為の効力に影響を及ぼすものではないというものである。

法律の規定と日本弁護士連合会の会規という規範の性質の差異（加藤新太郎「弁護士職務基本規程57条違反に基づく訴訟行為の排除を求める申立て（否定）」NBL1195号91頁（2021年）参照）に加え，代理人弁護士自身に関する事由を問題とする弁護士法25条1号と，共同事務所の所属弁護士に関する事由を問題とする職務基本規程57条の内容の相違を重視したものと理解する。

ただし，同判決に付された草野耕一裁判官の補足意見は，法廷意見を前提としながらも，この種の行為の許容性に関して弁護士会が自律的規範を定めるのが望ましいことを説示する。

111）　最判昭和41・9・8民集20巻7号1341頁。したがって，相手方からの依頼による他の事件の相手方が現に受任している依頼者と異なる場合には，訴訟代理人の訴訟行為の効力が問題となることはない。なお，弁護士法人との関係については，弁護士法25条9号参照。

るが，被保護利益の主体である依頼者が遅滞なく異議を述べることによって訴訟行為の効力が排除される点では，異議説が妥当する。同条4号および5号は，弁護士の品位の保持という公益目的をもつが，同時に当事者間の衡平という見地から相手方当事者の利益を保護する目的をもつことも承認されており，したがって，相手方の異議権行使によってこれらの規定に違反する訴訟代理人の訴訟行為の効力を排除することが認められる112)。

2　法令上の訴訟代理人

本人の意思にもとづいて法律上の地位を与えられた者に対して，法令が本人のための訴訟代理権を付与する場合がある。訴訟代理権自体は法令の規定にもとづくものであるが，その基礎たる法律上の地位が本人の意思にもとづいているので，法定代理人ではなく，任意代理人とみなされる。訴訟委任による訴訟代理人と異なって，弁護士資格の有無は問題とならない（54Ⅰ本文）。また，訴訟行為の範囲に関する制限もない（55Ⅳ）。その例としては，支配人（商21Ⅰ，会社11Ⅰ），社債管理者（会社705Ⅰ），社債管理補助者（会社714の4Ⅱ②），船舶管理人（商698Ⅰ），船長（商708Ⅰ）および代理委員（破110Ⅱ，民再90Ⅲ，会更122Ⅲ）などがある。

問題としては，営業に関する包括的な代理権を与えることなく，弁護士代理の原則を潜脱するために，本人がある者に支配人の名称を付し，訴訟追行をさせた場合の取扱いである。営業に関する包括的な代理権は，訴訟代理人資格の前提であるので，その者が行う訴訟行為は違法なものである。したがって，裁判所は，その者の訴訟行為を禁ずべきであり，すでに行われた訴訟行為につい

---

112)　最判昭和44・2・13民集23巻2号328頁。弁護士法25条4号と同趣旨の旧弁理士法8条違反に関する。最近の判例としては，取締役責任調査委員会の委員であった弁護士が，取締役に責任ありとする報告書の提出後，会社の訴訟代理人として当該取締役を被告とする損害賠償請求訴訟（会社423Ⅰ）を追行することが，弁護士法25条2号および4号の趣旨に反し，その訴訟行為を排除すべきかどうかが問題となった最決令和4・6・27判時2543・2544号合併号47頁がある。

判旨は，委員会委員としての活動が弁護士法25条2号および4号が前提としている関係とは異質であることを理由として，訴訟代理人としての訴訟行為を排除すべき理由はないとしている。しかし，この種の委員会の独立性と期待される社会的意義，そこにおいて弁護士が果たすべき役割を考えると（伊藤眞「不正等調査委員会報告書と文書提出義務」金融法務2165号23頁（2021年）），さらに立ち入った検討を加え，弁護士会が一定の自律的規範を定めることが望ましい。高中正彦〔判例評釈〕判例秘書ジャーナル文献番号HJ 100152 7頁，8頁（2022年）参照。

ては，相手方がその無効を主張できる[113]。

その他，国を当事者または参加人とする訴訟などにおいては，法務大臣が国を代表するが（法務大臣権限1），法務大臣は，所部の職員または主管庁の職員を訴訟代理人に指定してその訴訟を行わせることができ（法務大臣権限2・7），また，国を被告とする行政事件または行政庁を当事者もしくは参加人とする行政事件においては，行政庁がその職員を訴訟代理人に指定してその訴訟を行わせることができる（法務大臣権限5）。これらの訴訟代理人は，指定代理人と呼ばれ，法令上の訴訟代理人の一種である[114]。

民法上の組合の業務執行組合員が組合員のための法令上の訴訟代理人としての地位を認められるかどうかについては，考え方の対立がある。有力説は，業務執行組合員が組合員のための包括的代理権を有することを根拠として，法令上の訴訟代理人に該当するとする。しかし，訴訟代理権を付与する旨の法令の規定が存在しない以上，このような解釈は困難であり，むしろ業務執行組合員は，組合員全員のための任意的訴訟担当者または選定当事者となるとすることが妥当である[115]。

第4項　補　佐　人

補佐人とは，当事者，法定代理人，または訴訟代理人とともに期日に出頭し，

113）　本人は，信義則上無効を主張できない。また，自ら強行法規に違反する行為をなした者であるから，追認も許されない。下級審裁判例は，札幌高判昭和40・3・4高民18巻2号174頁をはじめとして，相手方の異議にかかわらず絶対的に無効であるとするものが多いが，それぞれの事案においては，相手方の無効の主張を採用している場合，あるいは本人の追認の主張を排斥している場合が多い。田中恒朗「非弁護士のなした訴訟代理行為の効力」民事法の諸問題Ⅲ254頁，263頁参照。もっとも，訴訟行為を有効とする有力説もある。注釈民訴(2)337頁〔中島弘雅〕参照。

類似の問題として，弁護士法72条違反，すなわち非弁護士が報酬を得る目的で，業として訴訟代理行為を行った場合の当該訴訟行為の効力の問題がある。この場合には，規定の公益性を理由として，絶対的無効説がとられる。

114）　一般の法令上の訴訟代理人との差異としては，特定の訴訟事件のための代理人であること，復代理人の選任が許されないこと（法務大臣権限8），および和解権限について制限があることなどが挙げられる。

115）　任意的訴訟担当者などの地位は，組合規約上発生するものであるから，相手方が業務執行組合員を被告として訴えることも可能である。もっとも，誤って組合員を当事者とし，業務執行組合員をその訴訟代理人として訴えが提起された場合にも，表示の訂正を認めるべきである。学説の詳細については，注釈民訴(2)338頁〔中島弘雅〕参照。

これらの者の陳述を補足する者をいう（60）。この制度は，専門的知識を要する陳述を補足させるために用いられることが多い。補佐人も自己の意思にもとづいて訴訟上の陳述をなし，その効果が当事者に帰属するのであるから，当事者または代理人の発言機関ではなく，代理人の一種である。ただし，当事者などとともに出頭しなければ陳述をなしえない点で，その権限に制限が課される。

補佐人の資格については特別の制限はないが，出頭については，裁判所の許可を要する（60 I）[116]。裁判所は，この許可をいつでも取り消すことができる（60 II）。補佐人は，当事者などがすることができる法律上および事実上の一切の陳述をすることができ，当事者などがそれを直ちに取り消しまたは更正しない限り，その効果が当事者に及ぶ（60 III）。この場合の更正権は，法律上の陳述にも及ぶ点で，訴訟代理人についての更正権（57）と異なる。

116）許可を与えるか否かは，裁判所の自由裁量に属するが（大判昭和9・1・13法学3巻6号673頁），裁判所は，弁護士代理の原則が潜脱されることがないかどうかを許可にあたって考慮しなければならない。東京地決昭和41・4・30判時445号23頁。

なお，弁理士については，その資格にもとづいて補佐人としての訴訟行為が認められる（弁理士5）。

第4章　訴　　え

第1節　訴えの概念

訴えとは，ある者が他の者に対する訴訟上の請求を定立し，裁判所に対して請求についての審判を申し立てる行為である。請求定立の主体を原告と呼び，その相手方を被告と呼ぶ。また，審判の申立てを受理する裁判所を受訴裁判所と呼ぶ。

したがって，訴えは，裁判所に対する審判の要求という訴訟行為である。これに対して審判の対象となるのは，被告に対する請求であり，したがって，訴えと請求とでは，その相手方が異なる。請求は，審判の対象の視点から訴訟物とも呼ばれる。また，訴えは，裁判所に対して審判を求める申立てであるが，その審判は，原告の請求に関するものであり，したがって，訴えによって求められるのは，いわゆる本案の審理および判決である1)。本案判決には，その内容にしたがって，請求認容と請求棄却とが分けられるが，訴えによって求められるのは，その両者を含んだ本案判決である。

もちろん，原告の主観的目的としては，請求認容の勝訴判決を求めるが，訴えという訴訟行為の法律効果としては，裁判所が本案判決をなすことを義務づけるものであり，請求認容判決が義務づけられるものではない。もっとも，受訴裁判所は，訴えに応じて直ちに本案判決をなすことは許されず，法は，その前提として訴訟要件の具備を要求する。その意味で，訴訟要件とは，裁判所が訴訟行為たる本案判決言渡しをする前提となる要件である。

訴え提起にもとづく効果としては，そのほかに，実体法上の効果として民法147条にもとづく時効の完成猶予および更新（民法旧147条にいう時効中断）な

---

1)　法文上においても，9条1項または136条などにおいて訴えと請求とが区別されている。

どがある[2)]。

第2節　訴えの類型

訴えの内容である訴訟上の請求は，権利または法律関係の主張であるが，その権利関係についていかなる形式の判断を求めるかという，いわゆる権利保護形式の指定も訴えの内容に含まれている。訴えの類型とは，この権利保護形式の違いにもとづいた訴えの分類である。ただし，これらの分類は，あくまで理論的なものにすぎず，現行法は，給付訴訟についての135条，および確認訴訟についての134条の2（旧134）など，訴えの類型に関連する事項について個別的に規定を設けているにすぎない[3)]。

第1項　給付の訴え

請求の内容として原告が被告に対する給付請求権を主張し，それについての権利保護形式として，裁判所が被告に対して給付義務の履行を命じるよう求める訴えを給付の訴えと呼ぶ。すでに履行期の到来している給付請求権が主張される場合が現在の給付の訴え，未だ履行期の到来していない給付請求権が請求の内容となっている場合が，将来の給付の訴えと呼ばれる。また，給付の訴えを認容する判決が給付判決と呼ばれる。確定した給付判決は，給付請求権の存在を既判力をもって確定するとともに，判決主文中の給付命令を実現するための執行力が認められる。ただし，仮執行宣言が付された給付判決は，たとえ未確定のものでも執行力を認められる。これに対して，給付の訴えを棄却する判決には，給付命令が存在しないので，執行力は認められず，ただ，給付請求権の不存在を確認する既判力が確定判決の効力として認められるにとどまる。

---

2)　訴え提起にもとづく訴訟法上の効果として訴訟係属の発生などが説かれることがあるが，少なくとも現在支配的な考え方の下では，訴訟係属の発生は，訴状の被告への送達という裁判所の訴訟行為にもとづく効果であり，訴えの効果そのものではない。

3)　改正の準備作業の中では，訴えの類型に関する規定を整備するとの考え方も存在したが，形成訴訟の意義を一義的に規定することが困難なこと，訴えの類型の発展を制約する危険があることなどの理由から立案が見送られた。検討事項　第三　訴え　二 1 訴えの類型，検討事項補足説明　第三　訴え　一　訴えの類型について参照。また，訴えの類型論全体については，堤龍弥「訴えの分類」実務民訴〔第3期〕(2)182頁参照。

第2項　確認の訴え

請求の内容である権利関係について原告が，その存在または不存在の確認という権利保護形式での本案判決を求めるのが，確認の訴えである。存在確認を求める場合を積極的確認の訴え，不存在確認を求める場合を消極的確認の訴えと呼ぶ。確認の対象は，権利関係に限られるのが原則であるが，法は，法律関係を証する書面の成立の真否という事実についても，例外的に確認の訴えを認め（134の2（旧134）），また，後に確認の利益について説明するように，解釈上一定の場合において事実に関する確認の訴えが認められることがある。

確認の訴えに対する本案判決は，請求認容であれ，請求棄却であれ，常に確認判決である。その確認判決の既判力によって請求，すなわち訴訟物たる権利関係の存否が確定される。先に述べたように，給付判決においても，給付請求権の存否が確定され，また，次に述べるように，形成判決においても，形成原因または形成要件の存否が確定されるので，いずれも確認判決的性質を内包している。この意味で確認訴訟が訴えの類型の中でもっとも基本的な類型であると説く見解がある。すべての訴えの類型を通じて，権利関係の存否についての判断を求める行為が内包されているという意味では，この見解が妥当性をもつ。

紛争解決機能の点から給付訴訟と比較すると，確認訴訟は，紛争の基本となっている権利関係の存否を既判力をもって確定することによって，紛争を抜本的に解決する機能をもつ。返還請求権や登記抹消請求権などの物権的請求権にもとづく給付訴訟と，これらの請求権の基礎にある所有権についての確認訴訟とを比較すると，このことが理解されよう。また，権利に対する現実の侵害が生じていない段階でも，権利についての不安を除去するために確認訴訟を提起することが認められるので，確認訴訟の紛争予防機能も強調されるところである[4)]。

4）伊藤眞「確認訴訟の機能」判タ339号28頁（1976年），野村秀敏・予防的権利保護の研究366頁（1995年），河野正憲「民事裁判の種類と機能」実務民訴〔第3期〕(3)254頁。ただし，紛争の発生が不確実であるとみなされるときには，確認の利益がないとして訴えが不適法とされる。最判令和2・9・7民集74巻6号1599頁参照。小林学「確認の利益をめぐる争点整理スキーム」中央ロー・ジャーナル15巻3号61頁（2018年）が，確認訴訟の機能を当事者間の自主的紛争解決行動を促進することに求めるのも，同趣旨と理

第3項　形成の訴え

判決によって訴訟の目的たる権利関係の変動，すなわち発生もしくは消滅または変更を生じさせる宣言という権利保護形式での判決を求める訴えの類型である。民法770条にもとづく離婚訴訟や，株主総会決議取消訴訟（会社831 I）あるいは社員総会等決議取消訴訟（一般法人266 I）に代表されるように，実体法が，婚姻や決議の効力などの法律関係の変動について一定の法律要件を規定した上で，その要件にもとづく変動が判決によって宣言されたときに，当該法律関係の変動が生じる旨を規定することがある。この場合に原告としては，まず請求の内容として，法律関係とその変動の原因となる法律要件を主張し，その上で，訴えの内容として，法律関係の変動を宣言する本案判決を求める。離婚訴訟の場合についていえば，婚姻関係と離婚原因が請求の内容にあたり，婚姻関係の消滅，すなわち離婚の宣言が訴えによって求められる本案判決の内容にあたる。

形成訴訟における訴訟物は，上の意味での法律要件すなわち形成原因であり，判決は，その存否を既判力をもって確定する。それに加えて，形成判決と呼ばれる請求認容判決は，主文中で法律関係変動の宣言を行い，判決の確定にともなって，法律関係を変動させる効力，すなわち形成力をもつ。したがって，形成判決の確定までは法律関係の変動が生じないから，当事者としては，それ以前は変動を前提とした法律関係を主張しえない。訴訟物たる形成原因は，それにもとづいて原告が判決による形成を求められるという趣旨から形成権と呼ばれることもあるが，上の理由から実体法上の形成権とは区別される[5)]。

いかなる場合に形成の訴えが要求されるかは，法律によって個別的に規定される。法は，団体の法律関係や人事法律関係のように，その性質上画一的に法律関係の変動を規制する必要がある場合について，形成の訴えを規定する。ただし，確認の訴えという表現が用いられている場合であっても，判決効が第三

解する。

5)　実体法上の形成権，たとえば契約の解除権の場合には，私人が相手方に対して解除権行使の意思表示をなした事実が発生すれば，それを前提とする法律効果，原状回復などを訴求することができる。

者に拡張されるなどの根拠にもとづいて法律関係の画一的変動が求められるとして，解釈上形成の訴えとされることがある[6]。逆に，民法424条にもとづく詐害行為取消権のように，裁判上の請求がなされる旨が規定されていても，権利行使の実効性を確保する趣旨から形成の訴えにあたらないと解釈されうる場合もある[7]。結局，形成の訴えにあたるかどうかは，法が規定する訴えのそれぞれについて，法律関係の画一的変動の要請が強いかどうかを基準として決する以外にない。

次に形成の訴えの類型としては，実体法上の形成の訴え，訴訟法上の形成の訴え，および形式的形成の訴えの3つが分けられる。まず，前2者は，変動の対象となる法律関係の種類によって区分される。実体法上の形成の訴えのうち，婚姻関係についての婚姻無効または取消し（民742・743，人訴2①），離婚（民770，人訴2①），嫡出性の否認（民775，人訴2②），認知（民787，人訴2②）などが，人事法律関係の変動を目的とする形成の訴えである。また，合併無効

6）たとえば，会社法830条にもとづく株主総会決議不存在確認・無効確認の訴えが形成の訴えにあたるとする議論が有力である。しかし，かりに形成の訴えにあたるとすると，本文に述べたように，判決確定までは決議の不存在や無効を主張できなくなるので，慎重な考慮が必要になる。注釈会社法(5)383頁以下〔小島孝〕参照。

7）ただし，形成訴訟または形成訴訟と給付訴訟が合体したものとするのが判例（大連判明治44・3・24民録17輯117頁，最判昭和39・6・12民集18巻5号764頁，最判昭和50・12・1民集29巻11号1847頁〔民法424の6 I 後段参照〕）であり，通説でもある（酒井一「債権者取消訴訟の性質」松本古稀270頁）。民法424条の6第1項前段が，「受益者に対する詐害行為取消請求において，債務者がした行為の取消しとともに，その行為によって受益者に移転した財産の返還を請求することができる」のは，このような考え方を立法化し，一つの訴えの中で形成宣言を求める請求と財産の返還請求との単純併合（本書674頁）を認めるものである。したがって，訴訟物は，形成宣言（取消し）を求める請求と返還請求との2つになる。

形成の効果は，形成判決の確定によってはじめて生じるのであるから（本書632頁），返還請求の部分は，それを条件とする将来給付請求の一種と解されるが，立法者が当然に訴えの利益（135。本書189頁参照）を認めたことを意味する。後段の価額償還請求についても，同様である。以上の詳細については，伊藤眞「改正民法下における債権者代位訴訟と詐害行為取消訴訟の手続法的考察」金融法務2088号36頁（2018年）参照。これに対し，形成訴訟でないとすれば，債権者は，取消しの意思表示がなされたことを請求原因として，給付あるいは確認訴訟を提起することになる。また，抗弁によって取消権を行使できる可能性もある。注釈民法(10)785頁以下〔下森定〕(1987年）参照。

なお，破産法上の否認権についても類似の問題があるが，破産法173条1項は，「訴え，否認の請求又は抗弁によって」破産管財人が否認権を行使する旨を規定していることに注意しなければならない。伊藤・破産法・民事再生法636頁，637頁参照。

（会社 828 I ⑦⑧），会社の設立無効（同項①），株主総会決議取消し（会社 831 I），一般社団法人等の組織に関する同種の訴え（一般法人 264・266 I）などが，団体法律関係の変動を目的とする訴えである。さらに，特別手続によるものとしては，行政処分取消し（行訴 8）も，行政処分にもとづく法律関係の変動を目的とする訴えである。いずれの場合においても，対象とされた実体法上の法律関係が形成判決の確定とともに変動する点では共通性がある[8)]。

これに対して，訴訟法上の形成の訴えの場合には，訴訟法上の法律関係または地位について変動を生じさせることが目的とされる。たとえば，確定判決の変更を求める訴え（117）の場合には，定期金賠償を命じる確定判決の既判力や執行力，再審の訴え（338）の場合には，確定判決の形式的確定力や既判力などを消滅させることが訴えの目的とされる。また，民事執行法上の請求異議の訴え（民執 35），第三者異議の訴え（同 38）も，それぞれ債務名義の執行力を消滅させること，または特定の目的物に対する関係で執行力を消滅させることを目的とする形成の訴えである。配当異議の訴え（民執 90）も，執行裁判所による配当内容の定めの変更または取消しを求めるものとすれば，この類型に属する。

最後に形式的形成の訴えは，法律関係の変動を目的とする点では，他の類型の形成の訴えとその性質を同じくするが，訴訟物たる形成原因または形成権が存在しない点に特徴がある。たとえば，民法 258 条 1 項にもとづく共有物分割の訴えの場合には，当事者は，裁判所に対して分割を請求するだけであり，いかなる法律要件事実にもとづいていかなる内容の分割が請求されうるかは規定されていない。したがって，裁判所の審判の対象となる権利関係が存在しない。

---

8)　変動の効果が判決確定時を基準時として生じるのか，それとも遡及するのかという問題がある。効果が遡及することは，訴えの目的たる法律関係が発生した後に形成された他の法律関係を覆すことになるので，法的安定性を害しても，なお変動の効果を遡及させなければならないと判断される場合にのみ，遡及効が認められる。したがって遡及効は，明文の規定がある場合（認知について民 784），および法律関係の性質上これを認めざるをえない場合（嫡出否認の場合）に限定される。これに対して，法が遡及効の不存在を明らかにしていることも多い（民 748 I・808，会社 839 など）。しかし，同一の種類の形成の訴えについても，変動の対象となる法律関係の具体的内容に応じて遡及効の有無を決すべき場合もある。会社法 831 条 1 項にもとづく株主総会決議取消しの訴えについては，遡及効が第三者を害さないかどうかを，決議の内容に即して考える議論が一般的であったが（注釈会社法(5)348 頁以下〔岩原紳作〕参照），再検討の必要がある。注 *36* 参照。

いわば，訴えという申立ては存在するが，訴訟上の請求または訴訟物が存在しないといってよい。この意味で，形式的形成の訴えは，訴訟の形式はとっているが，権利関係の確定を目的とするものではなく，その実質は非訟事件であり，ただ，対象となる法律関係の重要性などの政策的理由から訴訟手続とされているにすぎない。形式的という表現がされるのは，このためである。この類型に属する訴えの例としては，上記のもののほか，父を定める訴え（民773），および土地境界確定の訴えがある[9]。

9）共有物分割の訴えについては，最判平成25・11・29民集67巻8号1736頁が，その本質を非訟事件であるとし，遺産分割前の遺産共有の状態にある共有持分について価格賠償の方法による分割の判決をする場合には，遺産共有持分を取得する者に対し，賠償金の保管や支払に関する定めをすることができる旨を判示する。これに対して，鶴田滋「共有者の内部紛争における固有必要的共同訴訟の根拠と構造」伊藤古稀404頁は，訴訟物は共有権にもとづく分割請求権であり，不分割の契約が存在すれば，請求棄却判決がなされ（最判昭和27・5・2民集6巻5号483頁），ただ分割について裁判所に裁量権が付与されていると説く。この訴えの歴史的・比較法的考察については，鶴田滋・共有者の共同訴訟の必要性（2009年）参照。このように解すれば，処分権主義の適用もありうる。新注釈民訴(4)945頁〔山本和彦〕。また，秦公正「共有物分割の訴えの審理に関する一考察」高橋古稀720頁は，全面的価格賠償による分割を許容する最判平成8・10・31民集50巻9号2563頁の下では，原告の利益を保護するために請求棄却判決もありうるとする。

境界確定の訴えについては，かつては裁判所構成法（明治23法6）14条に規定が存在したが，同法廃止後は，判例および実務慣行上認められてきた。その訴えの性質については，本文に述べたように，土地の公法上の境界を定めるものであり，実質は非訟事件とする考え方が判例（最判昭和43・2・22民集22巻2号270頁〔百選〈6版〉33事件〕）・通説であるが，所有権の範囲を確認する訴えであるとする考え方も有力である。新堂210頁以下，小島211頁など参照。しかし，公法上の土地の境界は，所有権の範囲とは別の法律関係であり，独自に確定をする必要があることを考えれば，判例・通説の考え方が支持される。この考え方の下では，境界確定は，所有権にもとづく土地明渡請求訴訟の先決関係になるものではないから，それを中間確認訴訟として提起することも許されない。最判昭和57・12・2判時1065号139頁。これに対して，山本・基本問題63頁以下は，公簿上の境界確定を目的とする筆界確定訴訟と私的な所有権の範囲確定を目的とする訴訟の2つに分け，前者を実質的当事者訴訟（行訴4）にあたるものとする。

なお，不動産登記法平成17年改正によって，簡易な手続によって隣接土地間の境界を定めるために，登記官による筆界特定の手続が設けられた（不登6章）。ただし，これによって民事訴訟の手続による境界確定訴訟（筆界確定訴訟）が排除されるわけではなく，境界確定訴訟によって境界が確定されていれば，重ねて筆界を特定する意味はなく（不登132Ⅰ⑥参照），また，境界確定訴訟の判決が確定すれば，それと抵触する範囲において登記官による筆界特定はその効力を失うが（不登148），境界確定訴訟の中では，裁判所の釈明処分を通じて，筆界特定にかかる資料の利用が図られるので（不登147），実際には，両者が一体のものとして運用されることになろう。したがって，今後は，従来の境界確定訴訟の役割は，筆界特定と境界確定訴訟（筆界確定訴訟）によって担われることとなる。以上について，秦愼也「不動産登記法等の一部を改正する法律の概要」民事法情報226号

形式的形成の訴えの訴訟法上の特色としては，処分権主義および弁論主義が妥当しないことが挙げられる。処分権主義および弁論主義は，訴訟物たる権利関係について私的自治の原則が妥当することにその根拠をもつが，この訴えの場合には，訴訟物たる権利関係が存在しないので，2つの原則が妥当しない。その結果，境界確定の訴えを例にとれば，原告は，隣接する土地の境界線を定めることを申し立てれば足り，確定を求める特定の境界線を示す必要はない。かりに原告が特定の境界線を示したとしても，裁判所は，その境界線を越えた境界線を定めることも許されるし，控訴審における不利益変更禁止の原則も妥当しない[10)]。また，法律関係を基礎づける要件事実が存在しない以上，それについての真偽不明もありえない。したがって裁判所は，境界線が不明であることを理由として請求棄却判決をすることは許されず，職権にもとづいて何らかの境界線を定めなければならない。

ただし，当事者適格については，土地の境界線にもっとも密接な利害関係をもつという理由から，隣り合う土地の所有者に当事者適格が認められる[11)]。

22頁，29頁（2005年）参照。

父を定める訴えの形式的形成訴訟としての特質については，松本・人訴法458頁参照。

平成30年民法（相続法）改正によって創設された，受遺者などの負担する遺留分侵害額支払債務についての相当の期限の許与の請求（民1047Ⅴ）についても，これを形成の訴えとすれば，本文に述べた趣旨から，形式的形成の訴えに属するといえよう。堂薗幹一郎ほか編著・一問一答・新しい相続法127頁（2019年）参照。

10)　原告の主張する境界線に拘束されないことについて，大連判大正12・6・2民集2巻345頁〔百選ⅠA20事件〕，不利益変更禁止の原則が適用されないことについて，最判昭和38・10・15民集17巻9号1220頁〔百選ⅠA19事件〕がある。

また，処分権主義が妥当しないため，原告の主張する境界線を越えた境界線を定めたとしても，処分権主義違反にはならず，逆に，原告の主張する境界線の内側に境界線を定めた場合にも一部認容にはならない。しかし，境界確定訴訟における本案判決に対する上訴が認められる以上，上訴の要件たる不服の存在（本書763頁）が必要であり，不服の存在を判断する際には，原告の主張通りの境界線が認められた場合またはそれを超えた境界線が認められた場合には，不服を否定し，原告の主張する境界線より内側に境界線が定められた場合には，不服を肯定し，上訴の利益を認めることになると，後者は，「一部認容」に類するということもできる。

訴訟上の和解（本書528頁），請求の放棄や認諾（本書520頁）が制限されるのも，同様の理由からである。新注釈民訴(3)14頁〔越山和広〕参照。

11)　この当事者適格は，所有権が訴訟物となるという理由ではなく，境界線に密接な利害関係をもつという法政策的な理由から認められたものである。登記名義人であっても，真実の所有者でなければ，適格は認められない（加藤新太郎「境界確定訴訟の当事者適格」塩崎勤編・不動産訴訟法――裁判実務大系(11)455頁，460頁（1987年）参照）。し

第3節　訴え提起の態様と時期

訴えは，原告が裁判所に対して本案判決を求めるものであり，裁判所は，訴訟要件が具備されている場合には，本案判決をすることを義務づけられる。訴えの基本的な内容としては，1人の原告が1人の被告に対して1つの請求を定立するものである。これに対して，訴えとしては1個であるが，その中において定立される請求についてみると，同一当事者間に複数の請求が定立され，または複数の原告もしくは被告の間に請求が定立されることがある。いずれの場合でも，訴えは1個であるが，その内容たる請求が複数になる。慣用的に前者を訴えの客観的併合と呼び，後者を訴えの主観的併合または共同訴訟と呼ぶ。しかし，いずれの場合であっても，訴えは1個であるから，それに対する判決も1個である。

また，訴え提起にもとづいて裁判所が訴状を被告に送達すると（138 I），訴訟係属が発生する。訴訟係属の効果は，送達という裁判所の訴訟行為にもとづくものであるが，その原因となる訴えを独立の訴えと呼ぶ。これに対して，すでに訴訟係属が存在することを前提として，同一の手続内で併合審判を受ける目的で請求が定立される場合がある。原告による訴えの変更（143），中間確認の訴え（145），被告による反訴（146），第三者による独立当事者参加（47），共同訴訟参加（52），選定者にかかる請求の追加（144）などがこれにあたる。これらの場合には，複数の請求について1つの手続で審判がなされ，判決も1つになる。

たがって，たとえ土地の一部が隣地所有者によって時効取得または承継取得されても，隣地所有関係が認められる限りは，当事者適格が存続するが（最判昭和58・10・18民集37巻8号1121頁〔百選〈3版〉42事件〕，最判平成7・3・7民集49巻3号919頁〔百選 I A 21事件〕，最判平成11・2・26判時1674号75頁），土地の全部が時効取得され，隣地所有関係が消滅すれば，当事者適格も否定される（最判平成7・7・18裁判集民176号491頁）。

関連する問題としては，当事者適格の基礎となる土地所有権について自白が成立しうるか，所有権の帰属が認められないときに裁判所は，訴え却下か，それとも請求棄却の判決をなすべきかなどの問題がある。奈良次郎「『形式的形成訴訟』の特色についての考察」判タ908号4頁，5頁以下（1996年）参照。

第4節　訴訟要件

第1項　訴訟要件の意義

裁判所が訴えを受理し，訴訟係属が発生すると，当事者と裁判所との間には，訴訟法律関係が発生し，裁判所は，訴えに対する訴訟行為を義務づけられる。原告によって求められる裁判所の行為は，本案判決であるが，裁判所が本案判決の言渡しを行うための要件として，いくつかのものが訴訟法上定められている。これらが訴訟要件と呼ばれる。したがって，訴訟要件は，本案判決の対象である実体法上の権利関係の要件とは区別される。

訴訟要件は，すでに訴訟法律関係が成立していることを前提とするものであるから，訴訟成立の要件ではなく，本案判決がなされるための要件としての性質をもつ。また，本案判決の要件であることから，訴訟要件は，口頭弁論の終結時において具備される必要があり，またそれで足りる。したがって，当事者能力または裁判権もしくは審判権のような例外的な場合を除いて，裁判所は，訴訟要件が具備されていなくとも本案の審理を行うことができる。また，裁判長または裁判所は，訴状の補正命令（137）または移送（16 I）によって，訴訟要件の欠缺を除去せしめることができる。しかし，口頭弁論終結時までに訴訟要件が具備されない場合には，裁判所は，訴えを却下する終局判決を行う。この判決は，本案判決に対して，訴訟判決と呼ばれる。

第2項　訴訟要件の審判

以上の説明を前提とすると，裁判所は，訴訟要件の具備を確認した上で本案判決をなすべきことになる。すなわち，訴訟要件についての判断が本案についての判断に先行する。しかし，審理の過程において訴訟要件の存否よりも先に，本案，すなわち原告の請求に理由がないことが明らかになった場合であっても，直ちに請求棄却判決をすることは許されず，裁判所が訴訟要件の存否を確認しなければならないかどうかについては判断が分かれる。

有力説は，被告の利益保護を主たる目的とする訴訟要件，たとえば仲裁合意の抗弁や任意管轄，あるいは無益な訴訟の排除を目的とする訴訟要件，たとえば訴えの利益などの場合には，それらについて判断することなく請求棄却判決をなすことが許されると主張する[12]。ただし，訴訟能力などのように，訴訟要件の不存在が本案判決の取消し，または再審の事由となるときは，このような取扱いはできない。もちろん，請求認容判決の場合には，訴訟要件が具備されていなければならない。

しかし，訴訟要件が本案判決言渡しを裁判所がなすための要件である以上，その判断を経ることなく請求棄却判決の言渡しを認めるのは，問題がある。もちろん，訴訟要件の中で弁論主義に服するとされる事項，たとえば仲裁合意の抗弁などの場合には，その旨の主張がなされていなければ，裁判所は，あえてその存否を確認する必要はない。また，当事者適格のように職権探知の妥当しない訴訟要件に関しては，当事者がそれを争わない限り，裁判所が自ら立ち入って判断することは，実際上困難であろう。しかし，少なくとも職権調査に服する訴訟要件については，用いられうる資料にもとづいてその具備を確かめるべきである。また，抗弁事項に属する訴訟要件についても，当事者がその欠缺を主張しているにもかかわらず，裁判所がそれについての判断をすることなく，本案について請求棄却判決をなすことは許されない[13]。

12） 鈴木正裕「訴訟要件と本案要件との審理順序」民商57巻4号507頁（1968年），新堂235頁以下。この考え方をより徹底させ，訴訟要件が本案判決の要件であるという原則そのものの修正を提案するものとして，坂口裕英「訴訟要件論と訴訟阻却（抗弁）事由」兼子還暦(中)223頁がある。

13） 有力説の背景には，訴訟要件の欠缺を理由として訴え却下判決をなすよりも，請求棄却判決をするほうが紛争の抜本的解決につながり，かつ，被告の利益にも合致するという判断がある。しかし，本案判決をすることが常に紛争の抜本的解決につながるとはいえないし，また，訴えの利益にみられるように，被告にとっても，訴訟要件の欠缺を主張することについて固有の利益が認められる。さらに，当事者適格については，訴訟担当の場合を考えると，請求棄却判決の効力が第三者の不利に及ぶ可能性があり，この点からも有力説には問題がある。竹下守夫「訴訟要件をめぐる二，三の問題」司法研修所論集65号1頁（1980年）参照。また，富越和厚「訴訟要件」実務民訴〔第3期〕(3)135頁は，控訴審が請求認容の心証を懐いた場合の問題などを指摘する。

なお，訴訟要件相互間の審理順序については，一般的な要件から個別的な要件へと説かれるのが通常であるが，実務上の指針であって，法律上の拘束力をもつものではない。右田堯雄「訴訟要件相互間の審理の順序」産大法学11巻2＝3号184頁，210頁（1977年）参照。

訴訟要件の具備は，事実審の口頭弁論終結時を基準として判断すべきであるが，その後に訴訟要件にかかる事実が変動したときには，職権調査事項としての性質から，上告審と

第3項　訴訟要件の種類

訴訟要件は，裁判所が本案判決の言渡しをするための要件であるが，原告の側からみれば，本案判決による権利保護を求めるための要件としての性質をもっている。本案判決の対象たる請求内容の特定，および本案判決の基礎となる資料の提出は，処分権主義および弁論主義によって当事者の判断に委ねられるが，そもそも請求が本案判決による紛争解決になじむかどうかは，当事者の判断に委ねられるべきものではない。そこで，訴訟要件については，当事者の主張の有無とはかかわりなく裁判所の職権にもとづいてその存否の判断を行うこととし，また，公益性の強い訴訟要件については，判断のための資料も職権によって収集することとされる。したがって，訴訟要件の存否は，職権調査事項であり，かつ，一定の訴訟要件については，職権探知主義が妥当する。ただし，被告の利益保護を目的とする訴訟要件については，職権調査の対象とせず，弁論主義に服させる場合もある。不起訴の抗弁，仲裁合意の抗弁（仲裁14 I 本文），訴訟費用についての担保提供の抗弁（75）などがこれにあたる。また，職権調査には服するが，職権探知の対象とならないものとして，任意管轄，訴えの利益，当事者適格などが挙げられる。

訴訟要件の類型としては，本案判決についてその存在が要求される積極的要件と，その不存在が要求される消極的要件とがある。後者は，訴訟障害と呼ばれる。当事者能力は前者の例であるし，二重起訴は，後者の例である。訴訟要件の種類としては，①訴訟係属の前提となる訴訟行為の有効性，すなわち原告による訴え提起および裁判長による訴状送達の効力，②当事者の実在および当事者能力，③訴訟能力および訴訟代理権，④裁判権および管轄権，⑤訴訟費用の担保提供，⑥訴えの利益および当事者適格，⑦不起訴の合意および仲裁合意

しては，原則としてそれを考慮し，本案判決を破棄し，訴訟判決をすることになろう。詳細については，富越・前掲論文137頁参照。

また，訴訟要件の基礎たる事実の存否について証明責任の規律が適用されるかどうかの議論がある（堤龍弥「訴訟要件の証明責任」松本古稀381頁以下）。弁論主義の適用がない訴訟要件の基礎たる事実について，本来の証明責任を観念できるかどうかは問題であるが，少なくとも，本文に述べる積極的要件については，その基礎たる事実が明らかでなければ，訴訟判決を，消極的要件については，その基礎たる事実が明らかでなければ，本案判決をすべきである。

の不存在，⑧二重起訴の不存在などが挙げられる。これらの訴訟要件のそれぞれについては，関連する箇所で説明することとし，以下では，訴えの利益および当事者適格について説明を行う。

第4項 訴えの利益

民事訴訟は，具体的権利義務をめぐる紛争を解決するためのものであり，したがって，紛争の対象が権利関係として認められない場合，または，たとえ権利関係を対象とするものであっても，本案判決によって当該紛争を解決することが期待できない場合には，裁判所が本案判決をなす要件に欠ける。このような意味で問題にされるのが，訴訟要件としての訴えの利益である。訴えの利益の中には，2種類のものがある。

第1は，訴えによって定立されている請求が本案判決の対象となりうるものかどうかを問題とするものであり，通常，権利保護の資格と呼ばれる。第2は，権利保護の資格が満たされていることを論理的前提とした上で，当該事件の事実関係を考慮して，本案判決によって訴訟物についての争いが解決されうるかどうかを問題とするものであり，通常，権利保護の利益と呼ばれる。狭義で訴えの利益概念を用いる場合には，これを意味する。なお，訴訟物は，具体的権利関係として定立されるから，本案判決による紛争の解決可能性を問題にするときにも，当該権利関係の客観的性質，および訴訟物と当事者との間の主観的関係という2つの面において権利保護の利益が問題となりうる。しかし，後者の問題は，当事者適格として別に取り上げるので，ここでは，前者の問題のみを説明する。

1 権利保護の資格——法律上の争訟と審判権の限界

権利保護の資格に属する事項と権利保護の利益に属する事項との区別は，かならずしも一義的に明確ではないが[14]，一般的には，権利保護の資格は，当

---

14) 両者の区別については，三ヶ月章「権利保護の資格と利益」民訴講座(1)119頁以下参照。いずれについても，原告の訴訟追行を正当化するに足る利益が問題となる。山木戸・論集130頁参照。

なお，権利保護の資格，すなわち法律上の争訟概念については，本文に述べる民事訴訟の領域における判例法理とは別に，行政訴訟の領域において，普通地方公共団体の議会における法律上の係争については，一般市民法秩序と直接の関係を有しない内部的な問題に

該訴訟における具体的事情とかかわりなく，請求の内容が本案判決の対象となりうるかどうかにかかわる。この問題は，実定法上の概念としては，裁判所法3条1項にいう法律上の争訟に関して争われ，法律上の争訟に該当しないものは，裁判所の審判権の外におかれる。

法律上の争訟の意義について判例は，第1に，訴訟物が当事者間の具体的権利義務または法律関係とみなされること15)，第2に，訴訟物についての攻撃防御方法が法令の適用に適するもの16)という2つの基準を掲げ，これは，学

とどまる限り，その自主的，自律的な解決に委ねるべきであり，裁判所の司法審査の対象とはならないとする判例法理がある（最大判昭和35・10・19民集14巻12号2633頁，最判平成30・4・26判時2377号10頁）。議会の自律性を尊重するものであると理解する。

しかし，最大判令和2・11・25民集74巻8号2229頁は，上記の最大判昭和35・10・19を変更し，地方議会の議員に対する出席停止の懲罰処分は，議会の自律的権能にもとづく裁量的判断であるものの，議員の職務遂行に与える重大な影響を前提とすれば，司法審査の対象になり，法律上の争訟にあたると判示した。本件では，懲罰処分にともなう議員報酬の減額分の支払いも請求されているが，上記判示においては，あえてその点に言及していないことに注意すべきである。出席停止処分が議員報酬の減額につながるような場合には，処分の適否が一般市民法秩序と直接の関係を有するものとして，司法審査の対象となるとする裁判例（仙台高判平成30・8・29判時2395号42頁）があったが，それよりも広く司法審査の対象となることを認める趣旨と理解される。ただし，司法審査の対象となるとしても，懲戒処分が違法とされるかどうかの判断については，議会の自律性が考慮されよう。宇賀克也裁判官の補足意見および最判平成31・2・14民集73巻2号123頁参照。

15)　当事者の具体的権利義務とかかわりなく，抽象的に法令の違憲・無効の確認を求める場合（最大判昭和27・10・8民集6巻9号783頁），住職や司祭など宗教上の地位の確認を求める場合（最判昭和44・7・10民集23巻8号1423頁〔百選〈6版〉14事件〕）などが，この基準にもとづいて法律上の争訟性が否定される場合にあたる。ただし，檀徒など本来は宗教上の地位であっても，それが法律上の地位としての性質を併有する場合には，権利保護の資格が認められる（最判平成7・7・18民集49巻7号2717頁〔百選ⅠA12事件〕）。名取りなど，伝統芸能の流派組織上の地位が，職業活動や事業活動の基礎となっている場合には，その除名処分（破門）の効力を争い，名取りの地位確認を求めることは，法律上の争訟にあたる（東京地判平成28・5・25判時2359号17頁およびその控訴審判決である東京高判平成28・12・16判時2359号12頁。本判決は，上告棄却・不受理決定により確定している）。

また，生成中の権利などについては，権利保護の資格を認めるべきかどうかの問題がある。松尾卓憲「訴えの利益の概念と機能再考」民訴雑誌43号238頁，240頁（1997年）参照。

なお，行政事件ではあるが，専攻科修了認定について審判権を認め，法令を適用した審査をした最判昭和52・3・15民集31巻2号280頁，単位認定について審判権を否定した最判昭和52・3・15民集31巻2号234頁がある。

16)　政党の除名処分についての審判権を肯定し，適正手続が履践されたことを肯定した最判昭和63・12・20判時1307号113頁がある。これに対し，攻撃防御方法が宗教上の教

説上でもほぼ異論なく承認されている。たとえば，近年多発している宗教団体の内部紛争の例についていえば，住職の地位確認を求める訴えは，それが宗教上の地位であり，具体的権利義務または法律関係にあたらないという理由から，権利保護の資格を欠く。これに対して，住職の地位を前提とする宗教法人の代表役員の地位の確認が求められる場合には，訴訟物は法律上の地位であるから，第1の基準に抵触することはない。

もっとも，この場合にも，訴訟物たる地位を判断する前提問題として住職の地位の存否について判断をする必要が生じるが，これは理由中の判断であり，宗教上の地位の存否を既判力をもって確定するものではないから，権利保護の資格を失わせるものではない[17]。しかし，住職選任の手続などが宗教上の教義の解釈にかかるような場合には，裁判所は，経験則にもとづいて事実を認定し，それに法令を適用して結論を得ることができないから，上の第2の基準に抵触することとなり，権利保護の資格が否定される。

ただし，第2の基準の適用については，学説上では種々の議論がある。訴訟物たる法律上の地位を基礎づけるための法律要件事実が宗教上の地位の取得であり，それが宗教上の教義にかかわるときには，その事実が証明されなかったものとして証明責任の原則を適用すれば足りるとするもの，また，団体内部で宗教上の地位の取得が承認されているなどの間接事実を基礎として，宗教上の地位の取得を推認すればよいとする議論などがある。

しかし，証明責任によるのであれ，また事実上の推定にもとづくのであれ，宗教上の教義にかかわる事実自体を事実認定の対象とすることは不可能である。むしろ，宗教団体の自律権を尊重する立場から，本来の立証主題である教義にかかわる事実に代わって，団体内部において地位の取得が承認されている事実を宗教上の地位の取得を基礎づける事実とみなすべきである。承認の事実は，経験則による事実認定になじむものであるから，裁判所はこれに法令を適用し

義にかかわり，したがって，法令の適用による解決に適さないとされたものとして，最判昭和56・4・7民集35巻3号443頁〔百選〈2版〉1事件〕，最判平成元・9・8民集43巻8号889頁〔百選Ⅰ1事件〕，最判平成5・7・20判時1503号3頁，最判平成5・9・7民集47巻7号4667頁，最判平成21・9・15判タ1308号117頁〔平成21重判解・民訴1事件〕がある。

17) 最判昭和55・1・11民集34巻1号1頁〔百選〈6版〉2事件〕などの判例がある。

て，本案についての判断をすることができる。同じく自律権を尊重すべき団体，たとえば地方議会における処分の効力にかかる紛争についても，同様に考えるべきである[18]。

2　権利保護の利益

上に述べた基準に照らして，権利保護の資格が認められたとしても，なお当該事件における具体的事実関係に照らして，原告の請求について本案判決をすることが紛争解決に適するものかどうかの判断がなされなければならない。これが権利保護の利益と呼ばれるものであり，狭義の訴えの利益は，これを意味する。訴えの利益の内容としては，3つの類型の訴えに共通するものと，それぞれの類型の訴えに固有のものとがあるが，まず，共通するものについて説明する。

(1)　訴え提起の必要性および許容性

まず，訴えの利益が認められるためには，請求について本案判決を得る必要

---

18)　宗教団体の自律権を根拠とした立証主題の変更である。伊藤眞「宗教団体の内部紛争に関する訴訟の構造と審判権の範囲」宗教法10号154頁（1991年），同「宗教団体の内部紛争と民事審判権の限界――判例法理の狭間にあって」宗教法41号67頁（2022年）参照。なお，この問題に関する判例・学説の内容については，高橋宏志「宗教団体内部の懲戒処分と裁判所の審判権（蓮華寺事件）」私法判例リマークス1号203頁（1990年），高橋(上)330頁以下，日渡紀夫「審判権の限界についての一試論(1)(2･完)」民商109巻6号93頁，110巻1号61頁（1994年），瀬木199頁が詳しい。最判平成11・9・28判時1689号78頁における元原反対意見，最判平成14・2・22判時1779号22頁〔百選〈3版〉2事件〕における河合反対意見および亀山反対意見は，本文のような考え方を採用している。そして，前掲最判平成31・2・14（注*14*）が，市議会議員に対する厳重注意処分とその公表が名誉毀損にあたることを主張した損害賠償請求について，それが名誉という私法上の権利利益の侵害を理由とする以上，法律上の争訟に含まれるとしつつ，請求の当否（本案）の判断に際しては，議会の自律的な判断を尊重すべきであるとしているのは，団体の性質の差異を別にすれば，本文の考え方に沿うものと思われる。

これに対し，山本・基本問題39頁以下は，自律的決定を尊重するという基本的立場をとりながら，世俗的権利の判断にあたっては，さらに法の規律が適用される場面がありうることを示唆する。

なお，大阪高判平成22・1・28判タ1334号245頁は，訴訟要件たる代表者の権限（37・34）についてではあるが，本案の判断の前提問題ではないことなどから，特段の事情のない限り，団体の自治的決定内容にしたがって代表権限を認めて差し支えないとする。代表者の権限が訴訟要件の問題にとどまり，訴訟物たる権利の判断に影響を与えるものでない以上，判例法理の下でも，この判決のような考え方を支持すべきである。これに対し，東京地判平成21・12・18判タ1322号259頁は，反対の立場をとるが，この考え方でも，争点が作出されたものであったり，教義にかかる当事者の主張が信義則違反と評価されるときには，その主張にかかわりなく訴訟要件の充足を認めることになろう。

性が存在しなければならない。たとえば，同一の請求について原告がすでに請求認容の確定判決を受けているときには，この必要性が否定され，訴えの利益が認められない。次に，法律上で本案判決を求めることが禁止されていることの基礎にも，訴えの利益の否定がある。たとえば，142条による二重起訴の禁止，262条2項による再訴の禁止，および人事訴訟法25条による再訴の禁止などがその例である。これらの場合には，すでに本案判決を求める機会が与えられていることが根拠となって，訴え提起が禁止される。また，実体的権利関係以外の訴訟法上の権利関係については，法律で定める特別の手続によってのみその確定を求められることがある。訴訟費用償還請求権の額（71）や訴訟代理権の存否[19]などがその例である。これについても訴えの利益が否定される。

これに対して，当事者間に不起訴の合意や仲裁合意が存在する場合にはどうか。訴権は，当事者間の権利関係に関する紛争を解決するためのものであることを考慮すれば，当事者双方が，本案判決による解決を放棄することを一律に禁止する理由はない。したがって，これらの合意の存在が認められれば，訴えの利益が否定される。もっとも，訴訟物たる権利関係が当事者間の合意によって自由に処分できるものでない場合には，不起訴の合意などの効力も否定される。なぜならば，権利関係が私的自治に服さない以上，当事者の意思によって権利関係についての公権的解決の可能性を排除することも不当だからである[20]。ただし，以上のような趣旨からして，これらの合意は，その対象とな

---

19)　最判昭和28・12・24民集7巻13号1644頁。訴訟代理権を証すべき書面の真否確認について，最判昭和30・5・20民集9巻6号718頁〔百選〈3版〉35事件〕。

20)　離婚訴訟については，協議離婚が認められることを考慮すると，婚姻関係についての処分の自由が否定されているとはいえないが，不起訴の合意の効力を認めると，正当な事由がある場合でも離婚権が否定されることになり，公序良俗に反するおそれがあるので，不起訴の合意は無効である。

なお，財産権上の請求に関する不起訴の合意の効力は，本文に述べたように，原則として肯定すべきであるが，訴えに先立って民間調停機関（ADR）による調停を利用する旨の合意がある場合に，調停を経ないでなされた訴え提起を適法とする裁判例として，東京高判平成23・6・22判時2116号64頁がある。しかし，時効の完成猶予および更新の必要など，特別の事情がある場合を除けば，この種の合意を有効とし，調停を経ることなく提起された訴えの利益を否定すべきである。これに対して，山本和彦「ADR合意の効力」栂＝遠藤古稀49頁は，一定の要件の下に，訴権制限合意としてこの種の合意の効力を認める前提に立ち，訴えを却下するのではなく，訴訟手続の中止などの措置（裁判外紛争解決26参照）をとるべきであるとする。川嶋隆憲「ADR前置合意の効力に関する一考察」春日古稀744頁も同様の見解と理解できる。

る権利関係を特定して行われる必要があり，それが特定されていない場合には，裁判を受ける権利の保障に反するものとして，合意は無効とされる。

(2)　給付の訴えの利益

給付の訴えについては，訴訟物たる給付請求権についての履行期が口頭弁論終結時に到来しているかどうかによって，現在の給付の訴えと将来の給付の訴えとが区別され，訴えの利益を考えるに際しても，この区別が前提とされる。

ア　現在の給付の訴えの利益

すでに履行期の到来している給付請求権を訴訟物とする現在の給付の訴えについては，特別に訴えの利益が問題とされることはない。これは，給付請求権の内容として，裁判上その履行を求められる権能が含まれていることによる（民414 I 本文参照）。被告が任意履行の意思をもっているか，または原告が提訴前に履行の催告をなしたかなどの事情は，訴えの利益の有無とはかかわりがない。ただし，請求権が訴求権能を欠く場合，すなわち自然債務については，訴えの利益が否定される。

当該請求権を強制執行の方法によって実現することが法律上または事実上不可能もしくは困難であることも，訴えの利益を否定する理由とはならない。たとえば，夫婦の同居協力義務や不代替的作為義務の一部のものについては，間接強制などの方法によってこれを強制的に実現することが法律上許されないが，そのことは，これらの義務を訴訟物として原告が給付訴訟を提起することを妨げるものではない。訴訟物たる給付請求権に対して仮差押えがなされている場合も同様である[21]。また，債務者の責任財産が存在しないなどの理由から強制執行による満足が事実上期待できない場合にも，訴えの利益が否定されることはない[22]。さらに，債権者が債務名義となる執行証書（民執22⑤）を所持し

また，株主代表訴訟（会社847以下。本書202頁）のように，訴訟物（会社の被告取締役に対する損害賠償請求権）たる権利関係が原告株主の処分に服するとはいえない場合にも不起訴の合意の効力を認めるべき合理性がある（垣内秀介「会社・株主間契約――民事手続法学の視点から」田中亘＝森・濱田松本法律事務所編・会社・株主間契約の理論と実務431頁（2021年））。この場合には，訴訟物そのものではないが，それに関する自らの訴訟追行権が原告株主の処分に委ねられているとみることができる。

21）　ただし，仮差押えの解除を条件とする給付判決をなすか，確認判決をなすかという問題がある。高橋(上)352頁参照。前者の考えが妥当である。

22）　法律上強制執行ができるかどうかの問題は，民法414条1項の解釈と関係する。伝

ている場合であっても，請求権の存在を既判力をもって確定する必要があるので，訴えの利益が認められる[23]。もちろん，すでに確定した給付判決を所持しているときには，債権者は重ねて訴えを提起することは許されないが，判決原本が滅失したときなどには，なお訴えの利益が認められる[24]。

イ　将来の給付の訴えの利益

将来の給付の訴えの利益は，あらかじめその請求をなす必要がある場合にのみ認められる（135）。これは，弁論終結時に訴訟物たる給付請求権の履行期が到来していないにもかかわらず，本案判決を求める地位を認めるためには，そ

統的には，同項にいう強制履行は，直接強制を意味すると解されていたので（我妻栄・債権総論〈新訂版〉90頁（1964年）参照），本文のような説明も同項に反することはない。現在の民法414条1項本文は，債務について履行の強制可能性を定め，直接強制など，その方法については，民事執行法などの手続法に委ねている。潮見・概要65頁，中田・債権総論95頁参照。

なお，問題となる請求権自体の強制執行が不可能であっても，債務不履行による損害賠償請求権などの可能性は残されているので，請求権の存在を既判力をもって確定する意味がある。これに対して，いわゆる自然債務の場合には，裁判上履行を求める権能自体が欠けており，ただ，任意の給付の受領権能のみが存在すると考えられるので，訴えの利益に欠けることになる。自然債務の概念については，注釈民法〈新版〉（10 I）417頁以下〔奥田昌道＝潮見佳男〕参照。

また，事実上請求権の実現が困難である例としては，資力の不足のほかに，不動産登記法68条との関係で，登記名義人の一部の者に対する抹消請求訴訟が考えられるが，この場合にも，訴えの利益が否定されることはない。最判昭和41・3・18民集20巻3号464頁〔百選〈6版〉19事件〕。これに対して，不執行の合意によって，法律上，請求権の強制履行権能が制約されているときには，訴訟物たる請求権の属性を明らかにするために，給付判決の主文において強制執行の不可を明らかにすべきである（最判平成5・11・11民集47巻9号5255頁）。ただし，萩澤達彦「給付の訴えと確認の訴えの役割分担再考」伊藤古稀452頁は，このような場合には，確認判決をすべきであると論じる。

23）　大判大正7・1・28民録24輯67頁。和解調書，調停調書についても，その既判力を否定すれば，執行証書の場合と同じ結論になる。

24）　時効の完成猶予および更新（改正前民法にいう時効中断）の必要があるときにも重ねて給付の訴えを提起することを認めるのが判例（大判昭和6・11・24民集10巻1096頁）・通説である（ただし，萩澤・前掲論文（注22）459頁は，確認の訴えを認めれば足りるとする）。また，口頭弁論終結後に訴訟物たる債権を譲り受けた第三者は，執行文付与の訴え（民執33）を提起することができるが，当該債権が自己に帰属することを既判力をもって確定する利益があり，訴えの利益が認められる。執行判決を求める訴えができる場合（民執24）も同様である。その他，引渡命令（民執83），仮執行宣言失効にともなう原状回復（260 II），および仮処分取消しにともなう原状回復（民保33）など，簡易な債務名義取得の方法が認められている場合にも，同様の理由から訴えの利益が肯定される（引渡命令について，最判昭和39・5・29民集18巻4号725頁，仮執行宣言について，最判昭和29・3・9民集8巻3号637頁）。

れを正当化するに足る利益が原告に存在しなければならないことを意味する。もちろん，かりに請求認容判決がなされた場合であっても，判決主文には履行期が示され，強制執行も履行期が到来してはじめて許される（民執27Ⅰ・30Ⅰ）。

あらかじめ請求をなす必要は，2つの類型に分けられる。第1は，履行期が到来してもその履行が合理的に期待できない事情が存在する場合である。たとえば，被告たる債務者が現在すでに義務の存在あるいは内容を争っているときには，履行期が到来した時点での任意の履行を期待しがたいから，このような事情があるものと認められる。債務者が履行期の到来した元本債権および利息債権の存在を争っているときに，債権者が口頭弁論終結時後の利息の支払を求める場合，あるいは土地・家屋の明渡義務の存在が争われているときに，弁論終結時後明渡済みにいたるまでの賃料相当額の損害金の支払を求める場合などにおいては，基本となる権利関係そのものが争われることによって，派生的給付について将来の履行が期待できないと考えられる[25)]。また，履行期到来済みの賃料支払義務が争われている場合に将来の賃料の支払を求める場合など，継続的・反復的給付のうち履行期到来分が争われるときにも，将来の履行が期待できないものと考えられる。

第2は，給付の性質上，履行期の到来時において即時の給付がなされないと，

25）　第1次的請求として物の引渡しを求め，第2次的請求として，将来，物の引渡しが不能となった場合の損害賠償請求を併合する場合，後者は，代償請求と呼ばれる。代償請求も，その履行が将来の履行不能または執行不能という条件にかかっているから（大連判昭和15・3・13民集19巻530頁〔百選26事件〕），将来の給付の訴えの一種であるが，本文に述べたのと同様の理由から，訴えの利益が肯定される（執行不能にあたらないことを理由に訴えの利益を否定したものとして，最判昭和63・10・21判時1311号68頁がある）。また，離婚訴訟に財産分与請求を併合する場合にも，後者は，形成判決である離婚判決の確定にかかっているから，将来の給付の訴えになるが，訴えの利益は肯定される。

詐害行為取消訴訟において取消宣言を求める請求と受益者に対する返還請求などの給付訴訟が併合されている場合（注7）における給付請求も，取消宣言判決の確定を条件とする意味で，将来の給付の訴えになるが，民法424条の6は，その利益を法定したものである。伊藤・前掲論文（注7）41頁参照。なお，詐害行為取消しの効果として返還義務が判決の確定とともに行為時に遡って発生することについては，最判平成30・12・14民集72巻6号1101頁参照。

これに対して，確定判決の変更を求める訴え（117。本書573頁）の基礎となる定期金賠償を求める訴えの性質についての議論があるが（新注釈民訴(3)143頁〔本間靖規〕），損害金の支払方法にかかるものにとどまるとすれば，将来の給付を求める訴えにはあたらない。

債務の本旨に反する結果となるか，または原告が著しい損害を蒙る場合である。その例としては，演奏会における演奏のように，一定の日時に行われなければ債務の本旨に合致しない作為義務の履行請求，定期売買（民542 I ④）にもとづく履行請求，あるいは債権者の生活保護のための扶養料請求などが挙げられる。

なお，公害訴訟などにおける将来の不法行為にもとづく損害賠償請求に関しては，議論が多い。所有権にもとづく土地・家屋などの明渡訴訟に併合される将来の賃料相当額の損害賠償請求も将来の不法行為を原因とするものであるが，先にみたように訴えの利益が肯定される。それは，将来の請求権の発生原因である不法行為の継続が予想されること，請求権の額が明確であること，および債務者が，請求異議の訴えの方法によって，明渡しによる請求権の消滅などを将来主張することが予測される場合に，消滅の事由があらかじめ明確になっていることなどの理由による。これに対して，同じく将来の損害賠償請求権であっても，これらの理由が妥当しない場合には，訴えの利益を否定すべきことになる[26]。

26） 実質的には，訴えの利益を認めた上で，債務者の側から請求権の不発生や消滅にかかる事実を請求異議の訴え（民執35）の事由として主張させるか，それとも，訴えの利益を否定し，将来，請求権の履行期が到来した段階で債権者に対して再び訴えの提起を要求するかの判断にかかわる（中野・論点 I 139頁以下参照）。訴えの利益を認めるとすれば，将来の給付を命じる確定判決の既判力（高田裕成「将来の法律関係の確定を求める訴えとその判決の既判力」青山古稀189頁参照）によって，口頭弁論終結時において想定する将来の給付請求権の存在を確定し，その不発生などにかかる起訴責任と立証の負担を債務者の側に課すことになる。

このような一般論は，最大判昭和56・12・16民集35巻10号1369頁〔百選〈6版〉20事件〕（大阪国際空港事件）において示され，最判平成28・12・8判時2325号37頁もそれを確認している。しかし，具体的事案においては，将来における請求権の発生・消滅の事由がどの程度明確に予測されるかについての判断が分かれ，それが訴えの利益の有無の判断に影響を及ぼす。上記の昭和56年判決における団藤反対意見，伊藤眞「将来請求」判時1025号23頁（1982年），麻生利勝＝山田秀雄「L. R. Mと損害賠償法理(2)――将来の損害賠償請求」NBL 492号59頁，62頁（1992年），松浦馨「将来の不法行為による損害賠償請求のための給付の訴えの適否」中野古稀(上)187頁，207頁以下，堤龍弥「継続的不法行為に基づく将来の損害賠償請求訴訟における請求適格について」民訴雑誌65号11頁（2019年），瀬木207頁参照。上記の平成28年判決の原審である東京高判平成27・7・30判時2277号84頁は，一定期間に限ってみれば，不法行為が継続する高度の蓋然性が認められ，かつ，損害不発生の立証負担を債務者側に課すことが不合理といえない事情があるとして，訴えの利益を肯定している。これを覆した上告審判決を踏まえれば，航空機の騒音に起因する将来請求について，訴えの利益が認められる可能性は存在しないこと

(3) 確認の訴えの利益

給付訴訟の場合には，実体法上の給付請求権が訴訟物になるので，通常は権利保護の資格が問題となることはない。これに対して，確認訴訟においては，確認の対象となりうるものは論理的には無限定であるので，まず，権利保護の資格の有無を法律上の争訟性に照らして判断し，次に権利保護の利益の有無を判断する必要がある。

ア　確認の対象――権利保護の資格

民事訴訟は，法律上の争訟の解決を目的とするものであるから，確認の対象となりうる訴訟物も，権利関係に限られるのが原則である。ただし，権利関係については，訴訟当事者がその主体となっている場合に限らず，他人間の権利関係の確認も権利保護の資格を認められる。もっとも，その場合には，さらに確認の利益が問題となる。これに対して，事実関係や，権利関係以外の社会関係，たとえば宗教上の地位の存否などは確認の対象となりえない。しかし，問題は，事実関係や社会関係が複数の権利関係の前提となっており，個別の権利関係を確認の対象とするよりも，事実関係などを確認の対象とする方が権利関係全体に関する紛争の解決に適するとみられる場合である。法も証書真否確認の訴え（134の2（旧134））を認めることによって，確認の対象を事実関係に拡げることを認めている[27]。

になろう（小池裕裁判官補足意見参照）。

なお，最判平成19・5・29判時1978号7頁〔平成19重判解・民訴3事件〕（米軍横田基地事件）は，大阪国際空港事件の判断枠組みを踏襲しているが，それを変更すべきであるとする田原反対意見が付されている。また，最判昭和63・3・31判タ668号131頁は，駐車場土地の共有者の一人の他の共有者に対する将来賃料相当額の不当利得返還請求について，将来の賃料収入が不確実であることから将来の給付の訴えの利益を否定し，最判平成24・12・21判時2175号20頁もこれを引き継いでいるが，同判決に付された千葉勝美裁判官の補足意見は，このような判断は，目的物が駐車場であることを重視したものであり，判例法理として過度に一般化すべきものではないと説く。

27）証書の真否とは，証書の記載内容が真実かどうかを意味するものではなく，作成名義人の意思にもとづいて作成されたかどうかを意味する。最判昭和27・11・20民集6巻10号1004頁。これは，証書の真否が判決によって確定されることによって，権利関係自体についての紛争が解決または予防されることに着目して，法が，特に事実関係を確認の対象として認めたものである。確認の対象となる書面については，いわゆる処分証書，たとえば遺言書，手形あるいは契約書など，その記載内容自体によって法律関係の成立などが証明されるものが含まれる。しかし，医師の診断書など，法律関係の証明には役立つが，それが直接法律関係を基礎づけるものではない文書は，含まれない。最判昭和27・12・

法がこのような例外を認めている趣旨に照らせば，過去の事実関係であっても，その確認が現在の法律関係をめぐる紛争の抜本的解決に適切，かつ，不可欠であるような場合には，確認の対象として差し支えない[28]。また，宗教上の地位も確認の対象となりえないのが原則であるが，宗教上の地位が法律上の地位を内包している場合，または宗教法人についての法律上の地位，もしくはそれに関連する権利義務をめぐる紛争の包括的解決の前提となっている場合であれば，適法と認められる余地がある[29]。

イ　確認の利益――権利保護の利益

確認の対象を権利関係に限定する原則を前提とすると，権利関係の基準時が問題となる。基準時としては一般に，現在の権利関係でなければならないと説かれるが，その趣旨は，以下のようなものである。訴訟物たる私人間の権利関係は，私人の法律行為その他法律に定められる事由にもとづいて変動する。したがって，ある権利関係について争いが生じても，すでに何らかの事由にもとづいてその権利関係が過去のものとなっていれば，過去の権利関係の存否を確認しても，確認判決が紛争解決にとって有効・適切なものとはいえない。変動の結果として権利関係が消滅したのであれば，それをめぐる紛争も存在しないとみられるし，新たな権利関係が形成されたのであれば，新たな権利関係を確認の対象とする方が紛争の解決につながる。過去の権利関係については，確認

12民集6巻11号1166頁，最判昭和28・10・15民集7巻10号1083頁〔百選79事件〕，最判昭和42・12・21判時510号45頁〔続百選34事件〕。

28）　その典型例が，いわゆる国籍訴訟である。最大判昭和32・7・20民集11巻7号1314頁〔百選I 60事件〕。ここでは，日本国籍の取得が自己の意思にもとづくものではなく，日本人を父とする出生によるという過去の事実の確認が，アメリカ国籍の回復を求めうる地位という法律関係をめぐる争いの解決に不可欠のものとして，確認の対象性を認められた。

ただし，法律行為の効力確認を除外すれば，事実について確認の利益が認められる場合は少ない。中野貞一郎「確認訴訟の対象」判タ876号7頁，8頁（1995年）参照。

29）　前掲最判昭和44・7・10，最判平成7・7・18（以上，注15）参照。判例・学説の動向については，伊藤眞「宗教団体の内部紛争と裁判所の審判権」判タ710号4頁以下（1989年）参照。

さらに，期限の利益も，それが法律行為の附款にもとづくものとすれば，債務の態様の内容として確認の対象となりうる。東京地判平成22・4・23判時2096号96頁。また，共同不法行為者間の負担割合確認の訴えも，それが求償請求権の基礎たる法律関係にあたるとみれば，確認の対象となりうる。宇野聡「共同不法行為者間における負担割合確認の訴え」福永古稀297頁参照。

の利益が認められず，現在の権利関係を確認の対象としなければならないと説かれるのは，このような理由にもとづくものである。ここで，現在とは，口頭弁論終結時を意味する。

しかし，上記のことはあくまで確認の利益の有無に関する基本的判断基準であり，過去の権利関係や法律行為の効力の確認が，かえって現在の権利関係をめぐる紛争の解決にとって適切である場合には，確認の利益を認めて差し支えない[30)]。法も，株主総会決議不存在確認・無効確認の訴え（会社 830），社員総会等の決議不存在確認・無効確認の訴え（一般法人 265），および行政処分の無効確認の訴え（行訴 36）などの訴えを認めている。株主総会決議は，権利関係の前提となる法律行為としての性質をもち，それにもとづいて種々の権利関係が成立するものであり，かつ，過去になされた法律行為と考えられる。

しかし，法は，派生的権利関係を確認の対象とすることに代えて，それらの基礎にある決議の存在や効力を確認することが，紛争の抜本的，かつ，一挙的解決に資することに着目して，これについて確認の利益を認めたものである。法に特別の規定がない場合であっても，同様の趣旨から法律行為の効力について確認の利益が認められている例として，遺言無効確認の訴えがある[31)]。もちろん，法律行為だけではなく，権利関係が過去のものとなっている場合であっても，確認の利益が認められれば，訴えは適法なものとして取り扱われる[32)]。

30）　法律行為の効力確認は，しばしば確認の対象の問題として捉えられるが，本文で述べたように，確認の利益の問題として捉えるのが正しい。山木戸・論集 109 頁参照。

31）　最判昭和 47・2・15 民集 26 巻 1 号 30 頁〔百選〈6 版〉21 事件〕，最判昭和 56・9・11 民集 35 巻 6 号 1013 頁。もちろん，法律上の利益欠缺から確認の利益が否定されることはありうる。財産上の権利義務に影響を受けるにすぎない第三者が提起する養子縁組無効確認の訴えについて，最判昭和 63・3・1 民集 42 巻 3 号 157 頁参照。ただし，意思表示の効力確認であっても，それが直接に法律関係に結びつかないときは，確認の利益が認められない。名古屋高判平成 23・2・17 判時 2116 号 75 頁。もっとも，村上正子「確認訴訟機能の多様化に関する一考察」伊藤古稀 650 頁は，本件の事案では，行為の効力確認が将来の契約関係形成の基礎となるという視点から，判旨を批判する。

32）　その例としては，親子の一方が死亡した後の親子関係存在確認の訴え（最大判昭和 45・7・15 民集 24 巻 7 号 861 頁〔百選〈6 版〉A 8 事件〕）がある（人訴 2 ②・12 Ⅲ 参照）。親子の双方が死亡している場合でも，法定相続分の差異として法定相続人たる地位という身分関係に直接の影響が生じるときには，親子関係不存在確認の利益が認められる（最判令和 4・6・24 判時 2547 号 18 頁）。

　遺産確認の訴えについても，これを過去の権利関係にかかわるとする考え方もあるが，

また，確認の利益の内容として，即時確定の利益が説かれる。これは，訴訟物が確認の対象となりうるものであり，また，訴訟物の性質について上記の確認の利益が認められることを前提とした上で，当事者間の具体的事情を考慮して，紛争解決のために確認判決が必要であり，かつ，確認判決が紛争解決にとって適切であることを意味する。まず，必要性の面からは，被告が訴訟物たる権利関係の存否を争っていること，時効の完成猶予および更新の必要があること，あるいは公簿の記載の訂正を求めなければならないことなどが，必要性を基礎づける事実の例として考えられる[33]。

判例は，遺産分割前の共有関係という，現在の権利関係にかかわるものと解している（最判昭和61・3・13民集40巻2号389頁〔百選〈6版〉22事件〕）。また，特別養子審判の確定によって，実親子関係が過去のものとなる場合であっても，審判に準再審事由があれば，なお，実父が戸籍上の父を被告として親子関係不存在確認を求める利益が認められる（最判平成7・7・14民集49巻7号2674頁）。檀信徒総会決議不存在確認について，それが役員の地位など決議の効力を前提として連鎖的に生じる種々の紛争を抜本的に解決するための適切，かつ，有効な手段であるという理由から確認の利益を認めた最判平成17・11・8判時1915号19頁も，このような考え方に沿ったものである。

また，賃料増減額確認請求訴訟の訴訟物について，時点説，すなわち増減請求の効果が生じた時点での賃料額とすることを認めた最判平成26・9・25民集68巻7号661頁も，紛争解決にとっての実効性の視点から過去の法律関係の確認の利益を認めたものと理解できる。同判決における金築裁判官の補足意見，勅使川原和彦「賃料増減額確認請求訴訟に関する若干の訴訟法的検討」松本古稀244頁参照。既判力との関係については，本書585頁参照。また，審理において釈明権の行使が求められるとするものとして，石田秀博「釈明権の機能」松本古稀318頁がある。

これに対して，特定の財産が特別受益財産（民903Ⅰ）に含まれることも，過去の法律関係の一種とみられるが，その確認が相続分をめぐる紛争の解決につながらないという理由から，確認の利益が否定される（最判平成7・3・7民集49巻3号893頁〔百選ⅠA15事件〕）。

33）　大判昭和13・11・26新聞4355号11頁。被告が原告の権利を争い，それが第三者に属すると主張する場合にも確認の利益が認められる。最判昭和35・3・11民集14巻3号418頁。また，定額郵便貯金債権の最終的な帰属が遺産分割の手続において決せられるべきことになるのであるから，遺産分割の前提問題として，民事訴訟の手続において，同債権が遺産に属するか否かを決する必要性も認められる（最判平成22・10・8民集64巻7号1719頁）。

これに対して，自己名義の保存登記をするための前提としての現在の権利関係である所有権確認請求の場合でも，被告が当該目的物についての自らの所有権を主張しておらず，また，保存登記実現のために他に適切な手段が存する場合には，確認の利益が認められない。最判平成23・6・3判時2123号41頁。

なお，本文中に述べたように，被告が訴訟物たる権利関係の存否を争っていることが確認の利益の基礎であるとすれば，争わない旨を陳述したときには，確認の利益が消滅するかという問題がある。しかし，口頭弁論においてその趣旨の陳述がなされたとすれば，請

これに対して，適切性の面では，次のような例が考えられる。第1に，将来の権利関係は，たとえその存在の確認を行っても，将来において変動が生じうるから，確認判決が紛争解決にとって適切であるとはいえない[34]。第2に，

求の認諾（266）として扱うべきであろうし，被告がそのような意思を裁判外で表明したとしても，将来において争う蓋然性が認められるときには，確認の利益が存続する。このことは，積極的確認訴訟か消極的確認訴訟かを問わない。

また，小林・前掲論文（注4）61頁，63頁は，確認の利益に関する枠組の中心に即時確定の利益を据え，対象や方法選択などをその外延に位置付け，裁判所の判断順序や当事者の証明負担を整序する。

34）遺言者が生前に受遺者に対して遺言無効確認を求めることは，将来において遺言が取り消されたりする可能性を考えると，即時確定の利益を欠く（最判昭和31・10・4民集10巻10号1229頁）。また，いまだ自己の法律上の地位が定まらない，相続財産分与審判前の特別縁故者（民958の2Ⅰ）が，遺言無効確認を求めることも確認の利益を欠く（最判平成6・10・13家月47巻9号52頁〔百選ⅠA14事件〕）。推定相続人が被相続人と第三者との間の法律行為の無効確認を訴求することも，推定相続人が相続財産に対して確定的な法律上の地位をもつものではないという理由から，即時確定の利益が否定される（最判昭和30・12・26民集9巻14号2082頁〔百選Ⅰ63事件〕）。

最判令和元・7・22民集73巻3号245頁は，無名抗告訴訟（抗告訴訟〔行訴3Ⅰ〕のうち同法3条2項以下において個別の訴訟類型として法定されていないもの）たる，職務命令に服従する義務不存在確認の訴えの利益について，それが職務命令への不服従を理由とする懲戒処分の予防を目的とする差止めの訴えと目的を同一にする以上，懲戒処分がなされる蓋然性の存在が訴訟要件であると判示している。懲戒処分がなされる抽象的可能性では足りず，紛争解決にとっての適切性の視点から，具体的事情にもとづく蓋然性の存在を求めるものと理解する。ただし，ここでいう蓋然性は，必然性とは異なり，将来なされるべき処分を招来すると合理的に認められる具体的事情があれば足り，高度の蓋然性までを意味するとは解されない。

本判決は，無名抗告訴訟たる確認の訴えの利益に関するものであるが，民事訴訟において，将来発生する権利義務の基礎たるべき現在の法律関係確認の利益に関する判断枠組としての意義もあろう。

ただし，これらの場合にも，例外的に確認の利益が認められることも考えられる。大阪高判平成7・3・17判時1527号107頁（上告審である最判平成11・6・11家月52巻1号81頁〔百選〈6版〉24事件〕はこのような考え方を否定），中野貞一郎「遺言者生存中の遺言無効確認の訴え」奈良法学会雑誌7巻3・4号51頁，65頁（1995年），野村・前掲書（注4）364頁参照。

もっとも，発生自体が将来の条件成就にかかるときであっても，条件付権利として現在の権利関係とみなされれば，即時確定の利益が認められる限り，確認の利益が認められる（賃貸借契約期間中の敷金返還請求権について，最判平成11・1・21民集53巻1号1頁〔百選〈6版〉25事件〕，勅使川原和彦「将来の権利関係の確認請求訴訟における確認対象適格に関する覚書」高橋古稀584頁）。もちろん，解除条件付権利または義務として成立している場合には，当然に確認の利益が認められる。受遺者等の遺留分権利者に対する目的物返還義務が目的物の価額の弁償などの解除条件にかかっている場合（民旧1041Ⅰ参照）について，最判平成21・12・18民集63巻10号2900頁参照。また，同判決は，「遺留分権利者から遺留分減殺請求を受けた受遺者等が，民法1041条所定の価額を弁償する

積極的確認および消極的確認の双方が可能であるときには，消極的確認を求める訴えは即時確定の利益を欠く[35]。第3に，形成権や請求権の存在（積極的）確認訴訟も即時確定の利益を欠く。形成権の場合であれば，それを行使した結果として生じる法律効果を前提として給付訴訟や確認訴訟を提起することが紛争解決にとって適切であるし，請求権の場合には，端的にそれを訴訟物として給付の訴えを提起することが求められるからである。

(4)　形成の訴えの利益

いかなる場合に形成判決による権利関係の変動が認められるかについては，法に規定が設けられている。したがって，それらの規定にもとづいて形成の訴えが提起されていれば，当然に訴えの利益が認められ，その有無について争いが生じることはない。

ただし，判例・通説は，訴訟係属中に訴訟外の事実の変動によって，当該権

旨の意思表示をしたが，遺留分権利者から目的物の現物返還請求も価額弁償請求もされていない場合において，弁償すべき額につき当事者間に争いがあり，受遺者等が判決によってこれが確定されたときは速やかに支払う意思がある旨を表明して，弁償すべき額の確定を求める訴えを提起したときは，受遺者等においておよそ価額を弁償する能力を有しないなどの特段の事情がない限り」，確認の利益があるとするが，受遺者等と遺留分権利者との間における確認訴訟の紛争解決機能を重視したものと思われる（村上・前掲論文（注 *31*）636頁）。

下級審の裁判例として，東京地判平成24・7・20判時2172号47頁は，建物賃借人が修繕費用担保のために賃貸人に差し入れた預り金の返還金額が将来において変動しうることを認めながら，確認訴訟の紛争予防機能を重視して，口頭弁論終結時における預り金残額についての確認の利益を認めている。

35）　ある目的物について，原告の使用権原の有無が争われているときには，原告は，被告の所有権の不存在確認ではなく，自己の使用権原の確認を求めるべきである（最判昭和54・11・1判時952号55頁）。もちろん，消極的確認について原告が独自の利益をもつ場合には，訴えが適法とされる（商標権について，最判昭和39・11・26民集18巻9号1992頁〔百選Ⅰ62事件〕）。第二順位の抵当権者が，第一順位の抵当権者による競売の実行を阻止するために（民執183Ⅰ①参照），第一順位の抵当権の不存在確認を求めることは許される（ただし，大判昭和8・11・7民集12巻2691頁は否定）。これに対して，前掲最判令和2・9・7（注 *4*）は，被告の原告補助参加人に対する損害賠償請求権の不存在確認を原告が求める利益を否定しているが，確認判決が原告自身の法律上の地位に関する不安を除去するために必要かつ適切とはいえないことを重視したものである。

また，債務不存在確認の本訴が係属中に当該債務の履行を求める反訴が提起されたときには，本訴の確認の利益は消滅する（最判平成16・3・25民集58巻3号753頁〔百選〈6版〉26事件〕）。これは，反訴の訴訟物たる給付請求権（債務）について本案判決がなされることを前提としており（坂本恵三「債務不存在確認の訴えと給付の反訴」春日古稀220頁参照），何らかの理由で反訴が不適法な場合は別である。

利関係が過去のものとなった場合には，訴えの利益が認められるのは，過去の権利関係の変動を求めることについて原告がなお法律上の利益を有する場合だけに限られるとする。たとえば，取締役の選任を内容とする株主総会決議取消しの訴えについてみると，訴訟係属中に当該取締役の任期が満了して，その者が退任すれば，特別の事情のない限り訴えの利益は消滅する[36)]。訴訟係属中に取消しの対象とされる決議と同一内容の決議が繰り返された場合についても，先行決議に関する訴えの利益が消滅するとするのが，判例・通説である[37)]。行政処分に対する取消訴訟についても同様の問題があるが，行政事件訴訟法は，上に述べた考え方を明文をもって規定する[38)]。

---

36)　最判昭和45・4・2民集24巻4号223頁〔百選〈6版〉28事件〕。その他，関連する判例・学説の詳細については，注釈会社法(5)334頁以下〔岩原紳作〕，瀬木218頁参照。訴えの利益が否定される実質的根拠は，形成判決が確定してもその効果が遡及するわけではないので，すでに取締役が行った行為がさかのぼって無効とされることはないこと，また，すでに支払われた報酬も当然に不当利得になるわけではないことなどに求められる。しかし，現行会社法の下では，決議を取り消す旨の確定判決に遡及効が認められると解されるので（会社839第1括弧書・834⑰。江頭憲治郎・株式会社法〈第8版〉372頁（2021年）参照），このような根拠については，再検討の必要がある。注8および受川環大「株主総会決議の瑕疵の連鎖と決議の瑕疵を争う訴えの利益」加藤哲夫古稀25頁参照。事業協同組合の役員選挙の取消しを求める訴え（第1の訴え）が係属中に役員の任期が満了し，旧役員の招集にかかる新役員選挙がなされた場合でも，新役員選挙決議不存在確認請求（第2の訴え）が併合されているときは，取消しを求める訴え（第1の訴え）の利益が消滅しないとする最判令和2・9・3民集74巻6号1557頁は，取消確定判決の遡及効を前提とし，二つの請求が一つの訴訟手続で審判されること（本書672頁）を重視したものと理解できる。株式会社の取締役選任決議取消しの訴えについても，同様に考えられよう。福島洋尚「取締役選任決議の取消しと瑕疵連鎖・訴えの利益」金商1609号1頁（2021年）参照。ただし，第1の訴えの利益が認められるためには，第2の訴え提起が不可欠であるかどうかについては，議論がある。越山和広「形成の利益について」本間古稀88頁参照。

37)　最判平成4・10・29民集46巻7号2580頁〔百選ⅠA16事件〕。

38)　行政事件訴訟法9条1項括弧書。その解釈として，期間の経過などによって行政処分によって形成された法律関係が過去のものとなった場合にも，なお訴えの利益を認めたものとして，最大判昭和40・4・28民集19巻3号721頁，最判昭和40・8・2民集19巻6号1393頁，最判昭和43・12・24民集22巻13号3254頁，最判平成27・12・14民集69巻8号2404頁などがあり，訴えの利益の消滅を認めた判例として，最大判昭和28・12・23民集7巻13号1561頁〔百選〈3版〉37事件〕がある。

ただし，最判平成28・3・4民集70巻3号827頁は，議案を否決する株主総会決議取消しの訴えについて，決議によって新たな法律関係が生じることはなく，決議の取消しによって法律関係が変動するものではないことを理由として，訴えの利益を否定している。否決の決議を取り消すことについての法律上の利益が完全に否定されるとまではいえないが，形成訴訟としての特質を重視したものと解される（千葉勝美裁判官の補足意見参照）。

しかし，このような判例・通説の考え方には疑問がある。たとえば，第一審判決においては，株主総会決議の手続についての瑕疵が認められて取消判決がなされ，それに対して被告が控訴し，控訴審係属中に上記のような理由から訴えの利益が消滅して，訴え却下判決がなされることは，訴訟についてかならず一定程度の時間を要することを考えれば，原告の本案判決を求める権利，すなわち裁判を受ける権利を否定する結果となる。決議取消しの訴えについては，決議によって具体的不利益を受けるかどうかにかかわりなく株主に当事者適格が認められているのであり（会社 831 I），そのことは，決議の違法性を除去すること，いいかえれば決議を適法に行わせること自体が，訴えの利益を基礎づける原告の法的利益であることを法が認めたものである[39]。

訴えの利益の基礎がこのような組織法上の利益である限り，決議にもとづく個別的な法律効果や法律上の地位がその後の事情によって消滅しても，決議取消しを求める訴えの利益が消滅することはない。行政処分の取消しを求める訴えの場合であっても，その違法性を除去すること自体に行政処分の相手方たる原告が法的利益をもつと考えれば，行政処分にもとづく個別的利益の存否とは別に，訴えの利益の存続を認めることができる[40]。このように考えることは，決議取消訴訟や行政処分取消訴訟を法が形成訴訟として認めた趣旨にも合致する。一般社団法人等の社員総会等の決議に関しても，同様に考えられる（一般法人 266 参照）。

第5項 当事者適格

訴訟物たる権利関係について，本案判決を求め，または求められる訴訟手続上の地位を当事者適格と呼ぶ。当事者適格は，原告適格と被告適格とに分けら

39） 決議取消しを求める権利は，株主の共益権に属するという根拠から同様の結論をとるものとして，中島弘雅「株主総会決議訴訟の機能と訴えの利益(3・完)」民商 99 巻 6 号 785 頁，804 頁（1989 年）がある。また，中島弘雅「役員選任決議の瑕疵を争う訴えの利益について」金商 1616 号 2 頁（2021 年）は，前掲最判令和 2・9・3（注 36）が従来の判例・通説を見直すべききっかけとなると指摘する。

40） 学説の中でも，これに近い考え方を示すものがある。詳細については，伊藤眞「訴えの利益」雄川一郎＝塩野宏＝園部逸夫編・現代行政法大系(4) 行政争訟 I 237 頁，258 頁以下（1983 年）など参照。もちろん，処分そのものが行政庁によって取り消されたときには，違法性の除去を求める原告の利益も消滅する。

れ，また，当事者適格が認められる当事者を正当な当事者と呼ぶ。さらに，当事者の側からみると，正当な当事者とされることは，本案判決を求めるための訴訟追行が正当化されることを意味するから，当事者適格は，訴訟追行権とも呼ばれる[41]。当事者適格も訴訟要件の1つであるが，当事者についての他の訴訟要件，すなわち当事者能力や訴訟能力が，具体的な訴訟物とかかわりなく，もっぱら当事者の人的属性に着目して判断されるのに対して，当事者適格は，当事者と訴訟物との関係に着目して，裁判所が本案判決をすべきかどうかを判断するものである。

また，訴えの利益との関係については，次のように考えられる。訴えの利益のうち権利保護の資格は，請求の内容が一般的に裁判所による審判に適するものかどうかを問うものであるから，当事者適格とは重なり合うところがない。権利保護の利益も，訴訟物について本案判決を行うことが当該紛争の解決に適切かどうかを問題とするものであるから，当事者適格とは理論的に区別される。もっとも，後に述べるように，確認訴訟の場合には，確認の利益と当事者適格とが密接不可分の関係にある。

なお，当事者適格の有無は，当事者それぞれについて判断されるのが原則であるが，固有必要的共同訴訟においては，共同訴訟人たるべき者全員が当事者となってはじめて当事者適格が認められる。

1　当事者適格の判断基準

訴えは，原告が被告を相手方とする請求を定立し，裁判所に対して本案判決を求めるものである。本案判決の確定によって，当事者間において訴訟物たる権利関係の存否が確定され，また，執行力や形成力などの効力が発生する。したがって，訴権の行使は，訴訟物たる権利を実体法上処分するのと類似の効果をもつ。それを前提とすると，訴訟物たる権利関係の主体に当事者適格を認めることが原則になる[42]。給付訴訟では，請求権の主体が原告適格をもち，そ

41）　もっとも，当事者適格と訴訟追行権概念の同視は，学説上の歴史的所産であり，後者に統一すべきとの議論も存在するが，前者には判決の名宛人たるべき者の判断枠組を示す役割もあり，あえて統一の必要はない。中本香織「わが国における当事者適格概念の生成過程」早稲田法学94巻2号85頁（2019年）参照。

42）　より正確にいえば，訴訟物である権利関係の主体であると主張し，または主張される者に当事者適格が認められる。給付訴訟における原告適格について，最判平成23・2・

の相手方に被告適格が認められる。確認訴訟においても，訴訟物たる権利関係の主体に当事者適格が認められる。形成訴訟においては，当事者適格が独立に議論されることは少ないが，形成判決による変動の対象となる法律関係の主体に当事者適格が認められるのが原則である（人訴12など）。ただし，これについてはいくつかの例外が認められる。

第1は，権利主体の意思または法律の規定などによって，特別に第三者が権利関係について管理権を認められ，それにもとづいて当事者適格が与えられる場合である。訴訟担当がこれにあたる。

第2は，他人間の権利関係の確認の訴えにみられるように，訴訟物たる権利関係の主体でない当事者が，その権利関係の確認について独自の法律上の利益をもつ場合である。訴訟物たる権利関係の確認が紛争の解決にとって適切なものであるかどうかを問う点では，この問題は，確認の利益の中に含まれるともいえる。しかし，この場合には，権利関係そのものとは別の原告独自の法律上の利益が問題にされる点で，厳密には，訴えの利益と区別された当事者適格の問題とみなされる[43]。

15判時2110号40頁〔平成23重判解・民訴2事件〕，給付訴訟における被告適格について，最判昭和61・7・10判時1213号83頁参照。最判平成27・9・18民集69巻6号1711頁は，区分所有建物の共用部分の使用に起因する区分所有者の不当利得返還請求権を区分所有者の団体のみが行使できる旨が定められていることを根拠とし，区分所有者は不当利得返還請求権を行使することができないとして，請求を棄却した原判決を是認している。上記のような考え方に沿うものと理解する。訴え却下判決の可能性との対比検討については，吉原知志「区分所有法における権利行使主体としての『団体』(1)」法学論叢183巻1号55頁（2018年）参照。

ただし，主張している法律関係からみて，請求権の主体たりえない者が当事者とされている場合については，訴え却下の訴訟判決をすべきとする学説もある。徳田和幸「給付訴訟における当事者適格の機能について」福永古稀114頁，本間靖規「当事者適格の機能領域」徳田古稀28頁参照。

43）　他人間の権利関係の確認について当事者適格を認めた例として，大判昭和5・7・14民集9巻730頁がある。これに対して，前掲最判昭和30・12・26（注*34*）は，一般論として当事者適格が認められることを前提としながらも，訴えの利益を否定している。また，遺言無効確認の訴えについての特別縁故者（民958の2Ⅰ）の当事者適格を否定した例として，前掲最判平成6・10・13（注*34*），法人の代表役員たる地位の存否確認について当事者適格を限定した例として，最判平成7・2・21民集49巻2号231頁〔百選〈5版〉14事件〕，最判平成8・6・24判時1575号50頁〔百選〈3版〉A8事件〕がある。

さらに，配当異議訴訟（民執90）などは，法が他人間の権利関係について第三者に当事者適格を認めた例である。その他，後順位抵当権者が先順位抵当権者による抵当権の実行を防ぐために，先順位抵当権の不存在確認を求める例も，当事者適格が一般に承認され

2 訴訟担当

当事者適格は，訴訟物たる権利関係の主体に認められるのが原則である。しかし，この原則に対する例外の1つとして，訴訟担当の概念がある。訴訟担当とは，権利義務の主体以外の第三者が，主体に代わって訴訟物についての当事者適格を認められる場合を指す。第三者が他人間の権利関係の確認を求める場合などと異なって，担当者たる第三者が，本来権利関係の主体に帰属する訴訟追行権を行使するところに訴訟担当の特徴がある。訴訟担当は，担当者が当事者適格を取得する原因に応じて，法が定める効果にもとづく法定訴訟担当と，主体の意思にもとづく任意的訴訟担当とに分けられる。なお，訴訟担当は，担当者自身が当事者となる点で，訴訟代理と異なる。

(1) 法定訴訟担当

法は，さまざまな理由にもとづいて，第三者が他人の権利関係について訴訟追行権を行使することを認めている。その内容については，訴訟追行権付与の目的が担当者たる第三者の利益保護か，被担当者たる権利関係の主体の利益保護かによって，狭義の法定訴訟担当と職務上の当事者とに分けられるのが通常であるが，両者の区別は相対的なものにすぎず，法定訴訟担当としての基本的性格に差異を生じるものではない。

ア　狭義の法定訴訟担当

狭義の法定訴訟担当の例としては，債権質権者（民366），代位債権者（民423），株式会社における責任追及等の訴え（株主代表訴訟・多重株主代表訴訟）の株主（会社847～847の3），一般社団法人における責任追及の訴えの社員（一般法人278），差押債権者（民執157），破産管財人（破80）などが挙げられる[44]。

ているものである。近時の裁判例としては，建物上の抵当権者による建物所有者の土地賃借権確認について確認の利益を認めるもの（東京高判昭和58・3・14判時1089号52頁）と否定するもの（東京高判平成23・8・10金融法務1930号108頁）が分かれているが，土地賃借権の有無は，抵当権の把握する担保価値そのものを左右するから，前者が正当である。

なお，給付訴訟についての例外として，訴訟物たる請求権の相手方たりえない者について当事者適格を否定し，請求棄却でなく訴え却下判決をなすべきであるとの考え方があるが，そのような例外を認める理由はない。中野・論点I 103頁，福永有利「給付訴訟における当事者適格」中野古稀(上)217頁，231頁参照。

44) 代位債権者は訴訟担当者でなく，自己固有の当事者適格をもつという見解も有力である。福永有利「当事者適格理論の再構成」山木戸還暦(上)34頁，64頁。しかし，第三

これらは，いずれも法の規定にもとづいて担当者に当事者適格，すなわち訴訟

債務者の利益を重視すると，この考え方をとることはできない。議論の詳細については，高橋上 251 頁以下参照。

なお，持分会社の社員の責任を追及する訴えの提起を請求した社員の資格は，機能的には株主代表訴訟における株主の資格に類似しているが，法定訴訟担当構成ではなく，社員が原告持分会社の代表者となることとされている（会社 602 本文）。詳細については，江頭憲治郎「合同会社における社員の責任を追及する訴訟」青竹正一先生古稀記念・企業法の現在 441 頁（2014 年），同・続・会社法の基本問題 265 頁（2023 年）参照。

さらに，区分所有建物の共有部分の不正使用に起因する各区分所有者の持分割合に応じた不当利得返還請求権について，建物の区分所有等に関する法律の規定（建物区分 3 前段・18 Ⅰ本文・Ⅱ）の趣旨に照らし，共用部分の管理を区分所有者の団体に委ねる旨の規約などがある場合には，団体のみが管理権を行使し，当事者適格を認められるとする最判平成 27・9・18（注 *42*）も，法定訴訟担当の一態様と考えられる。

また，詐害行為取消訴訟において原告たる取消債権者が債務者の行為についての取消宣言を求める請求に併合して，受益者から債務者への返還請求を併合する場合（民 424 の 6。伊藤・前掲論文（注 7）41 頁）には，後者の返還請求権は債務者の権利であるから，取消債権者は，それを代わって行使することとなり，その限りでは，法定訴訟担当に属する。同 42 頁。

破産管財人の基本的地位が破産財団所属財産について破産者に代わって管理処分権を行使する法定訴訟担当者であることに異論はないが（伊藤・破産法・民事再生法 224 頁），否認権の行使（破 173 Ⅰ）のように，破産管財人独自の権能についても法定訴訟担当構成を取るべきかどうかについては，検討の必要がある。佐藤鉄男「法定訴訟担当者としての破産管財人」加藤哲夫古稀 407 頁参照。

社債管理者（会社 705 Ⅰ）および社債管理補助者（令和元年改正会社 714 の 4 Ⅱ②）については，会社法制定前から代理人か法定訴訟担当かについての議論がある（「〈シンポジウム〉社債管理制度と社債発行会社の倒産」金融法研究資料編（15）50 頁〔松下淳一〕（1999 年）参照））。「自己の名をもって」（債権管理回収業に関する特別措置法 11 Ⅰ，暴力団 32 の 4 Ⅰ））とか「原告又は被告となる」（建物区分 26Ⅳ）などの文言が用いられていないことからすれば，法令上の訴訟代理人（本書 167 頁）と位置づけるのが立法者の意思に沿うと考えられるが，債券管理会社の任意的訴訟担当を認めた後掲最判平成 28・6・2（注 *64*）との関係を考えれば，法定訴訟担当とする考え方に合理性が認められる。代理人とする場合には，債券の保有者を訴訟当事者として特定しなければならないことの負担も考慮する必要があろう。

そして，最近の立法例として，所有者不明土地・建物問題を解決するための民法令和 3 年改正（法律 24 号）によって創設された所有者不明土地・建物管理人制度が挙げられる。管理命令が発令されると，対象土地等についての管理処分権は管理人に専属し（民 264 の 3 Ⅰ・264 の 8 Ⅴ），対象土地等に関する訴えについては，管理人を原告または被告とすることとなり（民 264 の 4・264 の 8 Ⅴ），対象土地等の範囲ではあるが，不明所有者に代わって管理人に当事者適格が認められるので，破産管財人と同様の法定訴訟担当に属する。このことは，「表題部所有者不明土地の登記及び管理の適正化に関する法律」（令和元年法律 15 号）にもとづく特定不能土地等管理者にも妥当する（同法 21 Ⅰ・23 Ⅰ）。

なお，訴訟担当者と被担当者間の実体法律関係について，善管注意義務（民 644）を措定する考え方がある（堀野出「訴訟担当者の善管注意義務と訴訟追行の効果の規律」民訴雑誌 69 号 18 頁（2023 年））。特別の規定（破 85 Ⅰ，民 1012 Ⅲなど）がある場合は別とし

追行権が与えられるものであるが，その基礎として，権利関係についての実体法上の権能が与えられる場合と，そうでない場合とがある[45]。実体法上の権能が与えられる場合には，権利関係の主体に対しては，逆に管理処分権が剝奪，または制限される効果が生じると理解されていたが，債権者代位権について民法423条の5は，債務者の管理処分権が排除されない旨を明らかにした。債権者としては，債務者の管理処分権を制限しようとすれば，仮差押え（民保50Ⅰ）や差押え（民執145Ⅰ）によることになる。

もっとも，このように被代位債権についての管理処分権が代位債権者と債務者に分属することは[46]，代位債権者の法定訴訟担当者としての地位に変化を生じるものではなく，後に述べるように（本書625頁），担当者に対する判決の効力は，115条1項2号によって被担当者に対して拡張される。したがって，

て，訴訟担当者一般に善管注意義務まで課すべきかどうか疑問がある（会社852Ⅱ参照）。

45）　債権質権者・代位債権者の場合には，自己への給付を求めることができ（民366Ⅰ・民423の3），給付を受けたものを自己の債権の弁済に充てることができる。ただし，債務の一部免除や債権譲渡の権能が含まれるかどうかは疑問である。これに対して，破産管財人の場合には，免除や譲渡の権限までが含まれると解される。差押債権者も，自己に対する給付を求めることができる（民執155Ⅰ）。

しかし，株式会社における責任追及等の訴え（株主代表訴訟）の場合には，会社に対する給付を求められるのみで，自己に対する給付を求めることはできないから，実体法上の権能は与えられていない（会社847ⅠⅢ・850Ⅰ参照）。これらの差異は，差押命令にもとづく執行の方法や担当者による訴訟上の和解の可否などに影響を及ぼす。伊藤眞「株主代表訴訟の原告株主と執行債権者適格（上）（下）」金融法務1414号6頁，1415号13頁（1995年），同「株主代表訴訟における訴訟法上の諸問題」東京大学法科大学院ローレビュー2巻141頁（2007年）参照。ただし，多数説は，代表株主に執行担当者の資格を認め，配当は会社に対して行われるべきであるとする。小田司「株主代表訴訟における勝訴株主の執行担当」栂＝遠藤古稀791頁。

さらに，代表株主に仮執行宣言にもとづく仮執行債権者としての適格を認めるべきかという問題もある。東京地判令和4・7・13判例集未登載参照。仮執行にもとづく原状回復や損害賠償請求（260Ⅱ。本書655頁）の問題を考えれば，本執行について代表株主の執行債権者適格を認めるとの立場を前提としても，仮執行については，より慎重に考えるべきである。特に，訴訟物たる請求権の帰属主体である会社が被告取締役側に補助参加している場合には（会社849Ⅲ。本書718頁），会社は，仮執行宣言の執行債権の存在を争っているのであり，にもかかわらず代表株主が仮執行を行い，その結果として生じうべき損害賠償責任などを会社が負担することは，問題が多い。ただし，いわゆる東京電力株主代表訴訟判決（前掲東京地判令和4・7・13）に関して，代表株主の仮執行債権者適格を肯定した裁判例があると仄聞する。

46）　中本香織「訴訟担当概念の比較法的考察と民事訴訟法115条1項2号の適用対象に関する一試論」早稲田法学93巻1号159頁（2017年）は，これを並存的訴訟担当と呼ぶ。

請求棄却判決の場合には，被担当者にとっては，その権利を失う結果が生じる。このような結果を防ぐための方法としては，被担当者が担当者による訴訟に参加することが考えられ，民法423条の6が，代位債権者に債務者に対する訴訟告知を義務づけたことは，被担当者たる債務者の訴訟参加の機会を保障するための措置であるが，いかなる参加の形態が認められるかは，どのような理由にもとづいて参加を求めるかによって決まる47)。

イ　職務上の当事者

法は，権利関係の主体が訴訟追行権を行使することが困難な場合などにおいて，当該主体および相手方の紛争解決を求める利益を保護するために，一定の法律上の職務にある第三者に当事者適格を付与することがある。これが，職務上の当事者と呼ばれるものであり，その例としては，人事訴訟事件における検察官（人訴12Ⅲ，民744Ⅰ），成年後見人および後見監督人（人訴14），海難救助料請求訴訟における船長（商803Ⅱ）などが挙げられる。これらの第三者は，訴訟物たる権利関係について独自の実体法上の地位をもっているわけではなく，一定の職務にあることにもとづいて，法が担当者としての適格を与えたものである。訴訟担当者の地位そのものをみれば，狭義の法定訴訟担当と異なるところはないが，当事者適格を付与する法の趣旨が異なる48)。

---

47)　訴訟追行権が担当者によって行使されていることを前提とすると，被担当者に当事者適格はなく，したがって，補助参加しかありえない。ただし，判決の効力が拡張されるので，その地位は，共同訴訟的補助参加になる。もっとも，被担当者が担当者の訴訟追行権そのものを否認するのであれば，独立当事者参加の余地がある。なお，代位訴訟について，115条にもとづく判決効の拡張そのものを否定する学説も有力であるが，第三債務者の利益を考えると，その考え方をとることはできない。

以上が改正前民法の下での解釈であるが，現行民法423条の5の下では，債権者代位訴訟の提起後も債務者の管理処分権が存続するので，共同訴訟的補助参加，独立当事者参加に加えて，共同訴訟参加も許容される（本書748頁）。山本和彦「債権法改正と民事訴訟法――債権者代位訴訟を中心に」判時2327号123頁（2017年），薮口康夫「改正民法下における債権者代位訴訟の現在地と未来」小林古稀249頁参照。

48)　遺言執行者については，相続人の代理人とする民法の規定が存在するにもかかわらず（民旧1015），判例（最判昭和43・5・31民集22巻5号1137頁など）・通説は，民法旧1012条1項の文言などを考慮して，これを職務上の当事者としていた。もちろん，争いの対象となる権利が遺言執行者の管理処分権に服することが前提となる（最判平成10・2・27民集52巻1号299頁参照）。最判令和5・5・19判タ1511号107頁は，相続財産についての遺言執行者の職務権限を基準として，当事者適格の有無を判断している。

平成30年改正後の民法1012条1項は，「遺言執行者は，遺言の内容を実現するため，相続財産の管理その他遺言の執行に必要な一切の行為をする権利義務を有する」と規定し

(2)　任意的訴訟担当

権利関係の主体が訴訟追行権を第三者に授与し，第三者がその授権にもとづいて当事者適格を取得する場合を任意的訴訟担当と呼ぶ。しかし，これを無制限に認めることは，訴訟代理人を弁護士に限定する趣旨（54Ⅰ）が潜脱され，また，訴訟行為をなさしめるために財産の管理処分権を移転すること，いわゆる訴訟信託の禁止（信託10）に抵触する。そこで，手形の取立委任裏書（手18），区分所有建物の管理者（建物区分26Ⅳ），サービサー（債権管理回収業に関する特別措置法11Ⅰ），適格都道府県センター（暴力団32の4Ⅰ），および選定当事者（30）のように，法が明文の規定をもって認める場合[49]以外については，何ら

て，このことを明らかにし，同1015条は，これを受けて，「遺言執行者がその権限内において遺言執行者であることを示してした行為は，相続人に対して直接にその効力を生ずる」と規定している。遺言執行者の権限に属するかどうかの争いが生じた場合の訴訟法上の取扱いについては，笠井正俊「相続法改正と手続法上の問題点」ジュリ1541号71頁（2020年）参照。

　また，遺言執行者は，遺贈の対象となった財産についての管理処分権（民1012Ⅰ）を根拠として，遺言受益者への登記名義の移転を求めるなどの請求について原告適格を認められる（相続させる遺言について，最判平成11・12・16民集53巻9号1989頁）。ただし，遺言受益者の当事者適格も失われるわけではないとされているので（最判昭和62・4・23民集41巻3号474頁など），両者が併存する状態になる。詳細については，八田卓也「遺言執行者の原告適格の一局面」井上追悼371頁以下参照。

49)　もっとも，商法学の通説は，被裏書人を裏書人の代理人と解している。平出慶道・手形法小切手法411頁（1990年）参照。なお，債権譲渡の形式をとっていても，その態様などからみて，訴えの提起などの訴訟行為をさせることを主たる目的としていると認められるときは，訴訟信託の禁止（信託10）に該当し，債権譲渡を無効と判示するものとして，福岡高判平成29・2・16判タ1437号105頁がある。ここでは，信託譲渡の効力が問題となっているが，場合によっては，受託者の訴訟行為を排除したり，その効力を否定することも考えられる。訴訟信託の禁止規定は，旧信託法以来のものであるが，弁護士代理の原則（54Ⅰ本文。本書157頁）との関係などについて，岡伸浩「訴訟信託禁止の制度趣旨再考(1)～(4)」慶應法学21号29頁（2011年），22号111頁（2012年），23号67頁（2012年），25号93頁（2013年），岡186，194，196頁がある。

　訴訟行為をさせることを主たる目的としたものであるかどうかの判断基準については，堀野出「訴訟信託禁止規定と隣接諸制度」上野古稀96頁参照。信託行為（信託2Ⅱ）の時期や態様からみて，目的財産に関する訴訟追行を主たる内容としているかどうかであろう。岡伸浩「訴訟信託の禁止に関する考察」新井誠ほか編・信託法制の展望468頁（2011年），岡205頁参照。このような判断基準を適用して，訴訟信託該当性を否定した裁判例として，東京高決平成31・2・14金商1564号28頁がある。

　また，適格都道府県センターについては，京都地決令和元・9・20判時2459号11頁参照。八田卓也「暴対法上の適格団体訴訟制度の解釈による拡張可能性について」神戸法学雑誌71巻1号11頁（2021年）は，明文の規定のない任意的訴訟担当の視点から同判決を分析する。

かの基準をもってその範囲を制限する必要がある。

ア 選定当事者

権利関係の主体である多数人が存在し，しかもそれらの者の間に共同の利益が認められる場合には，それらの者がその中から全員のために訴訟追行すべき者を選定することによって，その者に全員のための訴訟追行権を与えることができる（30Ⅰ）。選定される者を選定当事者，選定する者を選定者と呼ぶ。選定は，選定当事者に全員のための訴訟追行権を付与する効果をもつ，選定者単独の訴訟行為である[50]。全員が個別的に訴訟行為を行うことに比較すると，選定当事者のみが当事者となり，かつ，判決の効力が全員について生じるので，訴訟手続が単純化される長所がある。

(a) 選定の要件　選定が有効になされるためには，現に当事者の地位に就いているか，またはその地位に就くべき複数の選定者の存在が前提となる。したがって，原告側の選定についてみれば，訴え提起前に選定をなし，選定当事者が全員のために訴えを提起すること（30Ⅰ），または全員について訴訟係属が生じた後に，その中から選定当事者を選ぶことができる（30Ⅱ）。さらに，共同の利益を有する訴訟外の第三者であっても，係属中の訴訟の原告または被告を選定当事者とすることが許される（30Ⅲ）。これは，現行法によって創設された制度であり，追加的選定と呼ばれる。旧法下では不適法とされた追加的選定が許容されたのは，訴訟の帰趨を見定めて第三者が選定当事者を通じて訴訟に加わることが，多数当事者にかかわる紛争の実効的解決につながると判断されたためである[51]。

50） したがって，選定当事者たるべき者の承諾を要しない。ただし，選定者と選定当事者との間に実体法上の委任関係などが存在しなければ，選定当事者は，選定者のために訴訟行為をなすべき義務を負うものではない。

なお，これと関連する立法論として，選定者を募るための広告があった（改正要綱試案第二 当事者　一 選定当事者（注））。これは，本文で述べる追加的選定の可能性を前提として，選定当事者たるべき者が広告によって追加的選定者を募ることを認めて，選定当事者制度の機能を高めようとするものである。広告は，不特定多数の者に対して訴訟係属の事実を通知し，選定を事実上誘引する目的でなされる。しかし，このような当事者による提訴準備に関する事実行為を訴訟法上に規定することの疑義などから，立法が見送られた。研究会58頁以下参照。ただし，考え方の実質は，新たな集団的消費者被害救済制度（注68）に継承されている。

51） 研究会50頁以下参照。

次に選定者たる多数人が共同の利益を有し，選定当事者がその多数人中に含まれることが必要である。ここでいう共同の利益とは，多数人によるまたは多数人に対する請求が同一の事実上または法律上の原因にもとづき，かつ，主要な攻撃防御方法を共通にすることを指す[52)]。もっとも，多数人が1個の団体を形成する場合には，たとえ当該団体に権利能力が認められない場合であっても，団体に当事者能力が認められるから（29），選定当事者制度を利用することはできない（30 I）[53)]。

(b)　選定行為　　選定は，権利関係の主体が具体的に特定された訴訟について個別的に訴訟追行権を授与するものであり，多数決による選定はありえない。したがって，多数人の中で選定についての意見が対立するときには，選定に積極的な者のみが選定を行うことになる。また，選定行為自体についての方式は定められていないが，選定当事者の資格は，書面をもって証明されなければならないこととの関係で（民訴規15後段），選定書が作成される。なお，選定行為に瑕疵があっても，補正および追認の余地がある（34 Ⅲ）。

選定は単独行為であるので，選定者は，何時でも選定を取り消すことができる（30 Ⅳ）。ただ，取消しは，これを相手方に通知しないとその効力を生じない（36 Ⅱ）。取り消された結果として，選定者の当事者適格が復活するが，選定者は，他の者を改めて選定当事者とすることもできる[54)]。

(c)　選定者の地位　　選定の効果は，選定当事者に選定者のための訴訟追行権を付与することである。したがって，原告側について訴訟係属前に選定がなされたときには，選定当事者は，自己も含めて総員のために訴えを提起するこ

52)　大判昭和15・4・9民集19巻695頁〔百選12事件〕，最判昭和33・4・17民集12巻6号873頁〔百選〈3版〉16事件〕など。典型的な例としては，共同所有者，連帯債務者，同一不法行為にもとづく被害者などが挙げられる。

53)　29条の適用が認められる場合には，実体的には団体の構成員全員に帰属する権利関係についても，訴訟上は，団体が当事者能力および当事者適格を認められる。したがって，選定当事者の制度を利用する必要がないというのが，30条1項の趣旨である。もっとも，民法上の組合にみられるように，29条の適用可能性はかならずしも一義的に明らかではないので，実際には，この点を問題として選定行為の効力を否定することは避けるべきであろう。

54)　選定が取り消されると，すでに選定者の請求についての訴訟係属が発生しているので，選定者が当然に共同訴訟人として当事者の地位を取得する。研究会58頁参照。なお，選定の取消しおよび変更の通知については，裁判所への書面による届出がなされる（民訴規17後段）。

とができる[55]。訴訟係属中に選定がなされ，その事実が書面によって証明されたときには，選定者は，訴訟から脱退する（30Ⅱ）。48条の場合と異なって，当事者の脱退行為を要せず，選定によって当然に当事者の地位が消滅する[56]。

なお，被告側の選定についても訴訟係属前と係属後とを区別する必要がある。訴訟係属前に選定がなされているときには，訴訟物については，選定当事者のみが当事者適格をもつから，選定者を被告とする訴えは不適法になる。したがって，原告は，選定当事者を被告として訴えを提起する。また，係属中に選定がなされたときには，選定者は，原告側の場合と同様に，当然に訴訟から脱退する（30Ⅱ）。したがって，裁判所は，選定当事者を訴訟当事者として判決をすることになるが，その前提として原告は，選定当事者に対する請求の趣旨を訂正する必要がある。

また，30条3項による追加的選定の場合には，選定者のための，または選定者に対する請求が新たに定立される必要がある。そこで，144条は，訴えの変更に準じて，選定当事者またはその相手方が請求を追加することを認めた[57]。ただし，請求の追加が訴訟手続を遅滞させることになる場合，または請求の追加が不当と認められる場合には，それが認められないことがある（144Ⅲ・143Ⅰ但書Ⅳ）。また，控訴審における請求の追加に関しては，相手方の

55）ただし，選定はあくまで訴訟追行権の付与であり，和解などとの関係で権利関係についての管理処分権の付与は認められても，権利の帰属が変更されるものではない。したがって，給付訴訟の請求の趣旨としては，選定者に対する給付を求めることとなり，請求認容判決もこれに対応したものになる（判決主文について，平城恭子「選定当事者と給付判決の主文」判タ1049号56頁（2001年）参照）。通説は，選定当事者を第1次的な執行債権者とし，選定者は，承継執行文を得て，執行を行うことが可能（民執23Ⅰ②）であるとするが（中野貞一郎「代表訴訟勝訴株主の地位」判タ944号41頁，42頁（1997年），高橋(下)415頁），むしろ給付命令の名宛人である選定者を本来的な執行債権者とすべきである。議論の詳細については，梅本421頁，伊藤・前掲論文(下)（注45）14頁，長谷部由起子「外国国家に対する民事執行の可能性——ソブリン債に係る償還等請求事件を素材として」酒井一編・国際的権利保護制度の構築211頁（2021年）参照。選定後（脱退後）も，選定者の訴訟主体としての地位が残るという視点から，このような考え方に賛成するものとして，草野芳郎「選定当事者と選定者との関係についての一考察」青山古稀145頁，150頁がある。

56）ただし，選定当事者たる原告は，請求の趣旨を訂正する必要がある。もっとも，これは，訴訟物について新たに訴訟係属を発生させるものではないから，訴えの変更にはあたらない。

57）形としては，選定当事者による請求の追加であるが，実質的には，追加的選定者による主観的追加的併合としての性質をもつ。研究会52頁参照。

同意を要する（300Ⅲ）[58]。

選定当事者は，選定者のために一切の訴訟行為をすることができる。選定当事者が複数選定されているときには，それらの者は，必要的共同訴訟人として訴訟行為を行う。訴訟行為の中には，訴えの提起はもちろん，訴えの取下げ，請求の放棄・認諾，および和解などが含まれる。そのための特別の授権を受ける必要もないし，逆に，選定行為の中でこれらの訴訟行為を制限しても無効である[59]。和解には，その前提として，訴訟物についての実体上の管理処分権が必要になるが，選定行為の中にはその権能の付与が含まれているからである。もっとも，訴訟物以外の事項についての和解が可能かどうかは，選定行為そのものによって決めることはできず，それに付随して，選定者から選定当事者に対して，どのような授権がなされたかによって決定される。

なお，選定当事者の地位は，選定の取消しまたは選定当事者の死亡によって消滅する。ただし，選定の取消しについては，36条2項による通知を要する。複数の選定当事者がいる場合には，一部の者の地位が消滅しても，他の者が訴訟追行をすることになるが（30Ⅴ），選定当事者が1人も存在しなくなった場合には，選定者全員または新選定当事者が受継するまで，訴訟は中断する（124Ⅰ⑥）。もっとも，訴訟代理人がいる場合には，この限りでない（124Ⅱ・58Ⅲ）。

イ　狭義の任意的訴訟担当

法律の規定によって認められている場合以外に任意的訴訟担当の適法性を認めるべきかどうかについては，考え方が分かれる。一方で，任意的訴訟担当を広く認めることによって多数当事者訴訟の法律関係を単純にできる長所が認められるのに対して，他方では，これを広く認めることが，弁護士代理の原則などの潜脱を生ぜしめる危険があると指摘される。そこで，現在の支配的な考え

58）　控訴審における反訴の場合と同様に，請求の内容が重なり合うときには同意を不要とする解釈論も考えられるが，新たな当事者間の訴訟法律関係の成立にかかわるので，より慎重に考えられるべきである。研究会56頁参照。

59）　訴訟代理人の場合と異なって，55条2項の制限は適用されない。最判昭和43・8・27判時534号48頁〔百選〈6版〉A3事件〕。もっとも，選定を特定の審級に限定することは，個別的な訴訟行為の制限ではないので許される。前掲大判昭和15・4・9（注52）。これを制限しても，選定の変更が認められているので（30Ⅳ），実益がない。

方は，合理的理由がある場合にのみ任意的訴訟担当の適法性を認めるべきであるとしているが，合理的理由の内容については，次のように考えられる。

古くから適法と認められてきた任意的訴訟担当の例としては，講の世話人がある。判例は，特定の講員に対して講の構成員全員がもつ講金の取立請求権について，世話人が講金の取立管理に関する包括的な管理処分権を与えられていることを理由として，構成員全員のための任意的訴訟担当者としての資格を肯定する60)。さらに，民法上の組合の業務執行組合員についても任意的訴訟担当者の資格を認め，その際に，次のような一般的判断基準を示した。すなわち，第1に，弁護士代理および訴訟信託禁止の原則の潜脱のおそれがないこと，第2に，訴訟担当をなさしめる合理的必要のあることである61)。

第1の要件に関しては，訴訟物たる権利についての実体上の管理処分権とともに訴訟追行権が担当者に授与されており62)，担当者が被担当者と共同の利益を有する者の1人であるか，それに類する者63)であることが認められると，

---

60) 大判昭和11・1・14民集15巻1頁など。

61) 最大判昭和45・11・11民集24巻12号1854頁〔百選〈6版〉12事件〕。

62) 組合規約などによる包括的授権では足らず，当該訴訟物についての個別具体的授権を要するとの説もあるが，そのような区別をする理由はない。もちろん，包括的授権の中に訴訟追行権の付与が含まれていないと解される場合は別である。東京地判平成3・8・27判時1425号94頁参照。授権が認められないとした裁判例として，東京地判令和3・11・30判時2533号31頁がある。授権の態様および撤回（取消し）可能性については，垣内秀介「任意的訴訟担当における授権をめぐって」高橋古稀235頁，236頁参照。

なお，すでに担当者の訴えにもとづく訴訟係属が発生した後の授権の撤回（取消し）については，選定当事者の場合（30Ⅳ。注54）と同様に，被担当者が当事者の地位を取得すると考えるべきであろう。

また，担当者の和解権限についても議論があるが（堀野出「任意的訴訟担当者の和解権限」高橋古稀375頁），訴訟物についての管理処分権を付与されている以上，これを認め，被担当者に対する拘束力を認めるべきである。もちろん，合理的範囲を逸脱した和解について被担当者から責任を追及されるかどうかは別の問題である。

63) 選定当事者としての共同の利益をもつ者である場合だけではなく，組合員の権利についての労働組合，構成員たる住民の権利についての環境保護団体などもこれに含まれる。これに対して，被担当者が当事者となるべき訴訟について担当者が補助参加の利益をもつ場合に，第1の要件が満たされるとする議論もあり，実質関係説と呼ばれる（福永有利「任意的訴訟担当の許容性」中田還暦(上)75頁，84頁，新堂299頁）。確かに，訴訟の結果について固有の利害関係を有することは，第1の要件を基礎づける事情の1つではあるが，それが補助参加の利益と合致することは必要ではない。補助参加の利益自体も一義的に明確とはいえない。また，権利関係について担当者が精通し，権利主体と同程度以上の知識経験をもつなどの事情も，それ自体が第1の要件を満たすものではない。

弁護士代理などの原則を潜脱するものではないといえる。また，担当者と被担当者との間に継続的関係が存在することも，このような結論を補強しうる。第2の要件に関しては，被担当者の数が多数に上ることから，担当者による訴訟追行が権利の実現を容易にするとか，被担当者が外国人であり，日本における訴訟追行に困難があるとか[64]，被担当者の権利実現が担当者の本来的任務であるとか，または被担当者の権利実現について担当者が固有の法的利益をもつなどの事情が，それを満たす例として考えられる[65]。

ウ　拡散的利益と紛争管理権

環境保護の利益や消費者の利益など不特定多数人によって共同で享受されている利益については，それが法律上の利益であるかどうかという本案に属する問題と同時に，いかなる者がそれについて訴訟追行権を認められるかの当事者適格に関する訴訟要件の問題とがある。利益の主体である個々の住民や消費者に当事者適格を認めるのでは，多数の訴訟が提起されることになり，被告の負担も大きい。そこで，訴訟物たる権利について個別的授権がなされたかどうかとかかわりなく，訴え提起前に紛争解決のための行為をなしている者に当事者適格を認める紛争管理権概念が提唱された。これは，同種の紛争についてのアメリカのクラス・アクションやドイツの団体訴訟の考え方と共通するものであ

64）　東京地判平成3・8・27判時1425号100頁。なお，近時の裁判例である東京地判平成25・1・28金融法務1981号125頁は，円貨債券の管理会社による任意的訴訟担当の適法性を否定し，その理由の一つとして，権利帰属主体である債権者が自ら訴訟追行をすることが困難であるとか，弁護士に訴訟委任をすることが困難であるとの事実を認めることができないとしているが，権利帰属主体自身による訴訟追行の困難さは，合理的必要性をみたす事情の一つにすぎず，昭和45年大法廷判決（注61）の趣旨からしても，債券の管理会社としての業務遂行の一環であること自体が合理的必要性を基礎づけるといえよう。鶴田滋〔判例批評〕判時2336号（判評703号）165頁（2017年）参照。

そして，最判平成28・6・2民集70巻5号1157頁〔百選〈6版〉13事件〕は，この事案において訴訟担当を認めるべき合理的必要があり，かつ，担当者の属性からして弁護士代理などの原則を潜脱するおそれは認められないとして，任意的訴訟担当の適法性を肯定した。昭和45年大法廷判決（注61）の判断枠組の適用のあり方を示したものといえる。本判決の評価や事件のその後の経緯と法的問題点については，長谷部・前掲論文（注55）209頁，瀬木188頁参照。

65）　物の買主が第三者から追奪請求を受けたときに，買主に対して担保責任を負う売主が買主のための担当者となる場合などが挙げられる。なお，中野・論点Ⅰ121頁は，担当者が固有の利益をもつ場合に限って，任意的訴訟担当を認めるべきであるとする。また，現行法立案過程における議論については，伊藤眞「任意的訴訟担当概念をめぐる解釈と立法」鈴木正裕先生古稀祝賀・民事訴訟法の史的展開89頁（2002年）参照。

る[66]。

しかし，判例は，権利主体からの授権を前提としない第三者の当事者適格は認められないとして，この考え方を否定した[67]。これに対する学説の側の対応としては，利益主体たる住民などのために団体の任意的訴訟担当を認めるべきであるとし，紛争管理権の要件として主張された，訴え提起前の紛争解決行動などは，先に挙げた要件である弁護士代理の原則などを潜脱するおそれのないことを基礎づけるものとする。そして，拡散的利益について担当者たる団体が訴訟追行をすることによって，はじめて権利の実現が図られることが，第2の要件である合理的必要を満たすものとする[68]。

66） 伊藤・当事者118頁以下，伊藤眞「米国における当事者適格理論発展の一側面(1)(2・完)」民商81巻6号753頁，82巻1号1頁（1980年），同「ドイツ連邦共和国における環境保護と団体訴訟(1)(2・完)」民商83巻2号189頁，83巻3号367頁（1980年），第一東京弁護士会司法研究委員会編・集団代表訴訟（クラス・アクション）の研究（1996年），上原敏夫・団体訴訟・クラスアクションの研究3頁（2001年），髙田昌宏「団体訴訟の機能拡大に関する覚書き」福永古稀35頁，山本和彦「環境団体訴訟の可能性」福永古稀175頁，小島256頁参照。

67） 最判昭和60・12・20判時1181号77頁〔百選〈3版〉18事件〕。本判決に対する評価としては，高橋(上)292頁，伊藤眞〔判例解説〕淡路剛久＝大塚直＝北村喜宣編・環境法判例百選〈2版〉8事件（2011年），佐藤鉄男〔判例解説〕同〈3版〉6事件（2018年）参照。また，環境訴訟に属する新たな訴訟類型としては，気候（変動）訴訟という概念が説かれている。島村健「気候変動に対する司法的保護」法時95巻3号58頁（2023年）参照。

68） 伊藤眞「紛争管理権再論」竜嵜還暦203頁，222頁。このような形で紛争管理権説が再構成されたことについては，学説上かなりの支持を受けている。高田裕成「訴えの利益・当事者適格」ジュリ971号213頁，219頁（1991年），加藤新太郎「複雑訴訟の課題」ジュリ971号233頁，235頁（1991年），中野・論点Ⅰ124頁，新堂288頁など参照。ただし，福永有利「新訴訟類型としての『集団利益訴訟』の法理」民訴雑誌40号61頁，67頁（1994年）は，再構成によって紛争管理権は当事者適格を直接基礎づけるものでなくなったと批判する。

差止請求訴訟について本文に述べたところと同一の方向での議論を展開するものとして，堀野出「団体の任意的訴訟担当について」同志社法学47巻2号165頁，206頁以下（1995年）がある。また，以下に述べる近時の立法も踏まえた理論的考察として，山本和彦「集団的利益の訴訟における保護」民商148巻6号606頁（2013年），伊藤眞「消費者被害回復裁判手続の法構造――共通義務確認訴訟を中心として」曹時66巻8号1頁（2014年）参照。

なお，消費者契約法の平成18年改正によって，内閣総理大臣による適格認定を受けた消費者団体が事業者等の違法行為に対する差止請求をすることが認められた（同法12Ⅰ～Ⅳ）。これは，適格消費者団体に対して実体法上の差止請求権を付与するものであるから（上原敏夫「消費者団体訴訟制度（改正消費者契約法）の概要と論点」自正57巻12号67頁（2006年）），法律構成としては，紛争管理権の考え方とは異なっているが，拡散的利益について訴訟上の保護を図ろうとする発想においては，共通するところがある（三木

エ　法人の内部紛争における当事者適格

法人の内部紛争に起因して法人の意思決定たる決議の効力が争われることがある。この種の訴訟の中で株主総会決議取消しの訴えや社員総会決議取消しの訴えなどについては，法が原告適格の規定を設けており（会社831Ⅰ・828Ⅱ，一般法人266Ⅰ・264Ⅱなど），また取消しの訴えなどに関する被告適格も法定されている（会社834各号，一般法人269各号）。これに対して，取締役会や理事会などの決議の効力，あるいは当事者適格に関する規定が設けられていない法人の意思決定の効力確認訴訟については，訴えの利益が認められているが69)，当

浩一「訴訟法の観点から見た消費者団体訴訟制度」ジュリ1320号61頁（2006年）参照)。さらに，独占禁止法や景品表示法違反の行為に関して同様の検討がなされていることについては，山本豊「独占禁止法・景品表示法への団体訴訟制度の導入について」ジュリ1342号101頁（2007年）参照。

また，多数の消費者にかかわる少額の損害賠償などについての実効的救済のために，損害賠償請求権成立の基本的要件たる事業者の行為の違法性などの確認を求める原告適格を適格消費者団体に認める考え方が平成23年8月に公表され（消費者委員会「集団的消費者被害救済制度専門調査会報告書」。その概要について，加納克利ほか「集団的消費者被害救済制度の検討状況について」NBL 963号50頁（2011年）参照），これを基礎として「消費者の財産的被害の集団的な回復のための民事の裁判手続の特例に関する法律」（平成25法96）が成立した。鈴木敦士「消費者裁判手続特例法案の概要」NBL 1016号31頁（2014年），三木浩一「消費者集合訴訟制度の理論と課題」同41頁参照。

この法律の下では，対象消費者（消費者被害回復2⑥）の事業者（同②）に対する金銭支払請求権である対象債権（同⑤）の基礎となる義務，すなわち共通義務について，特定適格消費者団体が確認の訴えを提起する原告適格を認められる（同④・3Ⅰ）。この共通義務は，特定適格消費者団体からみると他人である対象消費者と事業者の間の対象債権の基礎となる概括的法律関係であり，法が特別に特定適格消費者団体に当事者適格を付与したものである点で，法定訴訟担当や任意的訴訟担当とは，その性質を異にする。詳細については，伊藤眞・前掲論文曹時12頁，同・消費者裁判手続特例法32頁（2016年），上原敏夫「集団的消費者被害回復手続の理論的検討」伊藤古稀32頁参照。もっとも，特定適格消費者団体の固有権（山本和彦・前掲論文626頁（山本・研究Ⅰ 499頁）），法定訴訟担当（三木浩一「消費者集合訴訟制度の構造と理論」伊藤古稀600頁），任意的訴訟担当とするもの（八田卓也「消費者裁判手続特例法の当事者適格の観点からの分析」千葉恵美子ほか編・集団的消費者利益の実現と法の役割398頁（2014年））などの考え方も有力である。

なお，同法の令和4年改正によって，共通義務確認訴訟の対象となる請求の範囲が拡大された。伊吹健人ほか「消費者裁判手続特例法改正の概要」NBL 1224号76頁（2022年）参照。

また，関連する法改正として，独立行政法人国民生活センター法等の一部を改正する法律（平成29法43）による，センター法3条の改正，10条7号および43条の2の追加，特例法75条4項の追加などがある。伊藤・前掲消費者裁判手続特例法に関する商事法務ウェブサイト補訂情報欄参照。

69)　学校法人の理事会決議無効確認について，最判昭和47・11・9民集26巻9号1513

事者適格については，解釈によってその帰属を決する以外にない。

原告適格は決議の効力について法律上の利害関係をもつ者に対して与えられることになるが，被告適格を誰に認めるべきかについては，考え方の対立がある。現在の支配的な考え方は，法人自身に被告適格が認められるとし，その理由として，次の点を挙げる。第1に，これらの訴訟は，法人の意思決定の効力を争うものであるが，意思の主体が法人である以上，その効力の争いについて法人自身に当事者適格が認められるという。第2に，第三者が当事者となる判決の効力は，法人に及ばず，したがって紛争の解決に役立たないという[70]。

これに対して，紛争の実質を重視し，決議の効力について原告と正反対の利害関係をもつ者，たとえば無効と主張される決議によって選任された理事などを被告とすべきであるとする有力説も存在する[71]。しかし，訴訟物たる権利関係の主体に当事者適格を認める原則がある以上，法人の被告適格を否定することはできず，判例・通説が支持される。もっとも，法人に被告適格を認めることを前提として，それと並んで理事などにも被告適格を認める考え方はなお有力である。確かに，これらの者が実質的な利害関係をもつことは否定できないが，その利害関係は，これらの者の地位が訴訟物たる決議の効力を論理的に前提としているにとどまり，補助参加の利益は肯定されるが，独立の当事者適格の基礎として認めることはできない[72]。法人の代表者は，法人の構成員によって法人の利益を代表する者として選任されるのであるから，法人自身に被

頁〔百選〈6版〉A 9事件〕がある。

70)　判例は，最判昭和36・11・24民集15巻10号2583頁〔百選〈6版〉A 32事件〕，最判昭和42・2・10民集21巻1号112頁〔続百選14事件〕などがある。新株発行不存在確認請求に関する，最判平成9・1・28民集51巻1号40頁も同様の考え方をとる。詳細については，注釈民訴(1)514頁以下〔高見進〕参照。理事会における理事選任決議の無効確認訴訟の被告適格は，法人にのみ認められ，決議によって選任された理事は，共同訴訟人にもなりえない。

71)　谷口安平「判決効の拡張と当事者適格」中田還暦(下)51頁，66〜67頁参照。論者の意図は，実質的利害関係をもつ者を当事者としてその者に対する手続保障を図らなければならないという点にある。

72)　注釈会社法(5)340頁〔岩原紳作〕。また，有力説が，被告側について固有必要的共同訴訟の成立を認めるのか，それとも類似必要的共同訴訟にとどめるのかも意見の一致をみない。中島弘雅「法人の内部紛争における被告適格について(6・完)」判タ566号20頁，28頁（1985年）。判例は，法人の役員たる地位自体が訴訟物となる訴訟においても，法人にのみ被告適格を認める。前掲最判昭和44・7・10（注*15*）。

告適格を認めることによって，法人構成員全体の利益が訴訟上適切に代表されうるし，また，判決の効力が構成員を含む一般第三者に拡張されることも，法人に被告適格が認められることによって根拠づけられる。

第5節　訴え提起の方式と訴訟物

訴え提起とは，被告に対する請求について裁判所の本案判決を求める原告の行為である。その要件として法は，いくつかの規定を設けている。まず，訴え提起の方式について，訴状という書面を原告が裁判所に提出して行うことが要求される（134 I（旧133 I））。訴状には，以下に述べる事項を原告が記載し，作成者たる原告またはその代理人が記名押印し（民訴規2 I），訴額に応じた申立手数料を納付するための印紙を貼用し（民訴費3・4・8本文。ただし，オンラインバンキングなどを利用した現金納付の可能性を認める8条但書がある），被告に送達するための副本を添えて提出される（138 I，民訴規58 I）。

これに対し，令和4年改正は，電子情報処理組織による申立てとして訴状を含む申立書面のオンライン提出を認めている（132の10以下（未施行））。オンライン提出を選択するか，書面による提出を選択するかは，原告の選択に委ねられるのが原則であるが，訴訟代理人等には，オンライン提出が義務づけられる（132の11 I）。専門的知見にもとづき職務として訴訟行為をする特質を重視したものである（本書162頁）。申立手数料についても電子納付によらなければならない（民訴費3 II・8 I ①（未施行））

これに対して，簡易裁判所においては，簡易な手続によるという理由から（270），書面によらない口頭での起訴が認められる（271・273）。方式を簡略なものとし，訴え提起を容易にするための特則である。請求の原因に代えて，紛争の要点を明らかにすれば足りることも（272），同様の趣旨にもとづく。この場合には，訴状の記載事項に該当する事項について裁判所書記官の面前において原告が陳述をなし，裁判所書記官がそれを調書に記載する（民訴規1 II）。この起訴調書は，訴状に代わるものであり，被告に対しては，調書の謄本が送達される（民訴規40 II）。申立手数料も，調書に印紙を貼付する方法によって納付するのが原則とされる（民訴費8本文，改正8 II本文（未施行））。

以上は，訴え提起という原告の訴訟行為を前提とするものであるが，それ以外に，起訴前の和解の申立て（275Ⅱ）および督促異議の申立て（395）の場合のように，訴えの提起とは別の訴訟行為について法が，それらを訴え提起とみなすことがある。

第1項　訴状の記載事項

訴状の必要的記載事項は，133条2項（改正134条2項）によって法定され，それが具備されているか否かは，裁判長による審査の対象となる（137）。記載事項の内容によって，訴えの本質的部分，すなわち本案判決を求める原告，判決の相手方たる被告，および審判の対象となる訴訟物が特定される。訴えは，原告の請求についての審判を目的とする訴訟法律関係を両当事者と裁判所との間に成立させることを目的とするものであるので，そのために必要な事項を訴状において特定させることが，法の趣旨である。したがって，これらの事項の記載のない訴状は，訴訟法律関係成立の前提要件を満たしえないものとして却下される。

さらに民事訴訟規則は，訴状について後に述べる広義の請求原因事実，すなわち請求を理由づける事実，それに関連する重要な間接事実や証拠等の記載を要求する（民訴規53Ⅰ・54）。これらの記載は，それらの事実の主張や証拠の存在を裁判所および相手方に知らしめ，適切，かつ，迅速な争点の整理を行うためのものである。これらの記載を欠くことは，訴状却下の原因にはならないが，原告としては，訴訟手続上の義務としてこれらの事項を訴状に記載しなければならない。

1　当事者および法定代理人の表示

当事者としては，原告および被告が他の者から識別できる程度に特定されなければならない。通常は，氏名および住所によって特定がなされるが，商号，雅号，または芸名などによる特定も認められる（民訴規2Ⅰ①）[73]。しかし，特

73）　もっとも，原告が犯罪被害者である場合の住所や被告が振り込め詐欺の加害者とされている場合の漢字名や住所の特定には，困難性が認められ，実務上の工夫がなされている。近藤壽邦ほか「当事者の特定と表示について」判タ1248号54頁（2007年）参照。裁判例として，東京高判平成21・12・25判タ1329号263頁がある。また，電子メールで用いられたIPアドレスなどによる被告の表示が不適法として訴状が却下された例として，

定はこの表示のみによってなされなければならないから，「別紙目録記載の土地の所有者」という表示では，特定がなされたとはいえない。訴訟担当者および職務上の当事者については，「破産者甲破産管財人乙」のように，当事者適格の根拠を示す肩書きを示さなければならない。これは，判決の効力が被担当者などにも拡張されることを明確にするためである。

当事者が法定代理人によって代理される者である場合，または法人の場合には，法定代理人（31）または代表者（37）を表示しなければならない。たとえば送達などの関係で（102），訴訟行為を行うべき者を明らかにするためである。これに対して訴訟代理人の表示は，その不記載が訴状却下の原因となるわけではないが，手続上の義務として要求される（民訴規2 I ①）。

ただし，以上の原則に対する例外として令和4年民事訴訟法および民事訴訟規則改正によって当事者に対する住所，氏名等の秘匿制度が設けられた（133～133の4，民訴規3 I ②）。これは，訴状などにおける住所，氏名等が相手方に知られることによって，訴えの提起などの申立てをする者が社会生活を営むのに著しい支障を生じるおそれがある状況を想定したものであるが，手続の内容については，本書361頁以下で説明する。

2　請求の趣旨

請求の趣旨とは，訴えをもって審判を求める請求の表示を意味する。したがって，原則として請求認容の判決主文に対応し，給付判決の場合には，債務名義として執行によって実現されるべき被告の義務を明らかにする[74)]。請求の趣旨の具体例として，給付の訴えにおいては，「被告は，原告に対して金◯◯

実情731頁参照。

74)　この点に関連して，抽象的不作為請求の問題がある。不作為請求も給付訴訟に属するから，禁止されるべき被告の行為が請求の趣旨の中に表示される必要がある。たとえば，特定地上の建物建築禁止などである。これに対して，公害訴訟などにおいて「原告の住居内に◯◯デシベル以上の騒音を到達させてはならない」という請求の趣旨が掲げられることがある。この場合には，禁止されるべき結果が示されているだけであって，その原因となる被告の作為が具体的に示されているわけではないので，抽象的不作為請求と呼ばれる。その適法性については議論があるが（安永祐司「抽象的不作為請求・判決と強制執行に関する考察(一)」法学論叢183巻5号40頁（2018年）参照），禁止される行為の結果が特定されることによって具体的不作為義務の範囲が合理的に限定されるものであれば，抽象的不作為請求も適法と認められる。これを債務名義とする執行の方法は，間接強制による。名古屋地判昭和55・9・11判時976号40頁，名古屋高判昭和60・4・12下民34巻1～4号461頁〔百選〈4版〉32事件，百選I 73事件〕。

円を支払え」，または「被告は，原告に対し長野県○○市○町○丁目○番○号の土地を明け渡せ」などの表示が掲げられる。確認の訴えでは，積極的確認の例として，「原告が，茨城県○○市○町○丁目○番○号の土地につき，所有権を有することを確認する」，消極的確認の例として「原被告間の平成○年○月○日締結の消費貸借契約にもとづく原告の被告に対する金○○円の債務の存在しないことを確認する」などが考えられる。形成の訴えの場合には，「原告と被告とを離婚する」，「平成○年○月○日開催された被告会社の株主総会における○○の決議を取り消す」などが請求の趣旨の例として挙げられる。いずれの場合でも，請求の趣旨は，請求を特定し，それに対応する被告の防御の目標を定める。もっとも，確認訴訟の場合には，対象となる権利関係を記載する請求の趣旨自体によって訴訟物が特定されるが，給付訴訟および形成訴訟については，給付の内容や形成の目的が複数の権利関係によって基礎づけられる可能性があり，請求の趣旨のみによって訴訟物が特定されるとはいえない。これに関しては，後に述べる訴訟物論の議論がある。

なお，請求の趣旨に期限または条件を付することができるかどうかは，場合に応じてその適否が分かれる。期限については，訴えが一般に現在の権利関係を訴訟物として主張するものであることに対応して，これを付することは許されないが，将来の給付の訴え（135）は，その例外である。条件については，それを付することが審判の対象の特定を妨げるときには許されないが，そのようなおそれがない場合には許される。後者の例として，予備的申立て，および代償請求が挙げられる。

第2項　請求の原因

請求原因（請求の原因）とは，請求の趣旨に表示される権利関係を成立させる事実，または請求の趣旨の内容たる給付や形成を基礎づける権利関係を成立させる事実を指す。これが必要的記載事項とされるのは，前記のように請求の趣旨のみでは訴訟物が特定されない場合が存在するからである。いかなる範囲で訴訟物の特定のために請求原因事実の記載を要するかという点については，訴訟物論との関係があるが，金銭や代替物の一定数量の給付を求める訴えの場合には，訴訟物論のいかんを問わず，請求原因事実による特定が必要である。

これは，請求の趣旨に掲げられる給付が，請求原因事実ごとに別個独立のものとして発生する給付請求権によって基礎づけられることによる[75]。この意味で，訴訟物を特定するのに必要とされる請求原因事実のことを狭義の請求原因と呼ぶ。134条（旧133）2項2号の請求原因は，これを意味する。民事訴訟規則53条1項はこれを明らかにしたものである。他方，訴訟物たる権利関係を基礎づける事実を広義の請求原因と呼ぶ。民事訴訟規則53条1項でいう請求を理由づける事実がこれにあたる[76]。

狭義の請求原因の記載は，訴訟物の特定のために不可欠であるので，その記載の有無は，裁判長の訴状審査の対象となる（137）。また，訴訟物が特定することによって，被告による請求の認諾，または原告による請求の放棄も可能になり，さらに，必要最低限の請求原因事実が弁論に上程されることによって，被告欠席のときにも擬制自白（159Ⅲ）の成立が認められるから，裁判所が請求認容判決を言い渡すことが可能になる。また，請求原因の変更は訴えの変更として取り扱われるが（143Ⅰ），ここでいう請求原因も，狭義のそれを意味している。これに対して，広義の請求原因の記載は，訴状の適法要件ではないが，手続上の義務としてその記載が要求される（民訴規53Ⅰ）[77]。この手続上の義務は，裁判所および当事者に課される公正迅速な訴訟運営義務および信義誠実な訴訟追行義務（2）の発現とみられる。

75）　請求の趣旨に表示される，被告の原告に対する金○○円の給付は，○月○日の売買契約，○月○日の消費貸借契約など，複数の原因にもとづいて成立しうる。

76）　学説上，同一識別説と理由記載説との対立が存在した。前者は，請求原因の意義を本文のように把握するのに対して，後者は，請求の正当性を基礎づけるのに必要な事実をすべて必要的記載事項としての請求原因とする。両者の違いは，次のような場合に現れる。所有権確認訴訟においては，目的物と所有権の主体を特定すれば，訴訟物は特定され，原告の所有権について被告の自白（権利自白）が成立すれば，請求認容判決が可能になる。したがって，同一識別説では，狭義の請求原因の記載は不要である。兼子164頁，定塚孝司・主張立証責任論の構造に関する一試論386頁（1992年）参照。これに対して，理由記載説の下では，原告は，その所有権の取得原因事実をもあらかじめ請求原因として記載しなければならない。もっとも，このような場合は例外的なものであって，実際には，両者の間に常に差異が生じるわけではない。

77）　旧法下の実務でもすでにそのような慣行が行われていた。プラクティス59頁，小山稔「モデル訴状，答弁書の試み」判タ664号19頁（1988年），畠山保雄「モデル訴状と審理の進め方」判タ664号32頁（1988年）など参照。

第3項　訴え提起に対する裁判所の行為

訴状提出によって訴え提起がなされると，裁判所は，事務分配の定めにしたがって，訴状を当該裁判所に所属する特定の裁判体に配付する。配付を受けた裁判体の裁判長は，134条（旧133）2項に定める事項の記載および提訴手数料の納付という形式的要件についての審査を行い，欠缺が認められれば，その補正を命じ（137Ⅰ，民訴規56），補正がなされなければ訴状を却下する（137Ⅱ・137の2（未施行））。これに対して欠缺が認められず，または補正されたときには，送達が行われる[78]。訴状却下命令に対しては，原告は即時抗告をすることができる（137Ⅲ・137の2Ⅶ本文（未施行））[79]。

裁判長によって審査された訴状は，その副本を被告に送達しなければならない（138，民訴規58Ⅰ）。送達事務は，裁判所書記官が取り扱う（98Ⅱ）。ただし，訴状に記載された被告の住所が誤っているとか，または被告が法定代理人によって代理される者であるにもかかわらず法定代理人の表示がないなどの事由によって送達ができないときには，裁判長は，その補正を命じ，これに応じなければ，訴状を却下する。送達費用の予納がないときには，予納命令によって同様の措置がとられる（138Ⅱ）。なお，被告の住居所が判明しないときには，公

78）　事務分配の定めは，下級裁判所事務処理規則6条および8条にもとづいて行われる。また，訴状審査の権限をもつのは，法文上では裁判長であるが，現行法下では，第一審が原則として合議体ではなく，単独体の裁判官に対して事件の配付がなされるから（裁26Ⅰ），裁判長の権限は，単独裁判官が行使することになる。例外については，秋山ほかⅢ140頁参照。また，訴状自体から訴訟要件や本案要件の欠缺が明らかである場合にも，裁判所は，訴状を却下することなく，それを受理した上で，訴えを却下する（140）。東京高決昭和38・9・16東高民時報14巻9号251頁。その場合には，訴状を被告に送達することを要しない。最判平成8・5・28判時1569号48頁。なお，訴状審査の実際に関しては，岩井一真「訴状審査に関する実務上の諸問題」松本古稀286頁以下，新注釈民訴(3)221頁〔笠井正俊〕が詳しい。

79）　形式的要件の欠缺が看過されて訴状の副本が被告に送達された後に裁判所が欠缺を発見したときには，まず本条を類推適用して，裁判長が補正を命じ，原告がこれに応じないときには，裁判所が判決をもって訴えを却下する（140）。

なお，訴訟救助却下決定に対する即時抗告の抗告状に所定の印紙を貼付していなかったために，原審裁判長から納付を命ずる補正命令を受けたにもかかわらず，納付をしなかったために抗告状却下命令が発せられたが，その確定前に抗告人が手数料を納付したときには，不納付の瑕疵は補正され，抗告状は当初に遡って有効になるとする判例（最決平成27・12・17判タ1422号72頁）があるが，この考え方は，訴状却下命令にも妥当しよう。

示送達の可能性が残されている（110）。

訴状の被告への送達がなされると，訴訟係属の効果が発生し，裁判所と両当事者との間に訴訟法律関係が成立する。それにもとづいて裁判所は訴訟の審理を進めるべき義務を負い，第1回の口頭弁論期日を指定し，当事者双方を呼び出す（139，民訴規60Ⅰ本文）。期日の呼出しは，呼出状（改正94条1項（未施行）の電子呼出状の送達）など相当と認められる方法によってなされる（94Ⅰ）。原告が呼出費用を予納しないときには，被告に異議がない場合に限って，裁判所が決定によって訴えを却下することができる（141Ⅰ）。

第1回期日は，原則として訴え提起から30日以内でなければならない（民訴規60Ⅱ）[80]。ただし，裁判所は，口頭弁論を指定せず，直ちに事件を弁論準備手続等に付することができる（民訴規60Ⅰ但書）。

第4項　訴　訟　物

訴訟物とは，原告の訴え，具体的には訴状の請求の趣旨および原因によって特定され，裁判所の審判の対象となる権利関係を指す。訴訟物に関しては，特定の問題があるとともに，特定された訴訟物を前提として，二重起訴の禁止（142），訴えの変更（143），請求の併合（136），再訴の禁止（262Ⅱ），および既判力の客観的範囲（114）などの訴訟法上の効果が決定される。したがって，訴訟物の特定の基準は，訴訟手続上重要な意義をもっているが，これに関してかねてから旧訴訟物理論と新訴訟物理論の対立がある[81]。

確認訴訟においては，権利関係または法律上の地位そのものが請求の趣旨として掲げられる。そして権利関係は，原告の主張する請求原因事実にもとづく法律効果としてその存否が決定される。たとえば，特定物についての原告の所

80）　もっとも，第1回期日をどの時期に設定するかは，その後の審理の方式と密接な関係がある。実務上では，大別すると，早期に第1回期日を指定する方式と書面による準備手続を先行させる方式が存在する。小島武司ほか・民事実務読本Ⅱ75頁（1990年）参照。

81）　この議論は，昭和30年代から現在に至るまで継続している。新堂・争点効（下）305頁以下，小島264頁参照。また近時でも，新権利保護説という訴訟目的論から新訴訟物理論を再構成する山本・基本問題88頁以下，新訴訟物理論を基礎としながらも，事実関係の同一性を基準として訴訟物を特定する二分肢説をとる松本＝上野208頁がある。ただし，本文に述べた各種の効果との関係で，訴訟物概念の相対性を説く有力説（中野・論点Ⅰ20頁以下）がある。本書も二重起訴の範囲などについて同様の考え方をとる。

有権を被告が争っているときに，相続または法律行為など原告が主張する請求原因事実の存在が認められれば，所有権の原告への帰属という判断が成立する。この場合には，争いの対象となる事実，すなわち権利関係を基礎づける事実と請求の趣旨に示された権利関係が直接に結びついており，したがって，権利関係そのものを訴訟物とする以外に，訴訟物についての法律構成はありえない。確認訴訟について訴訟物論の対立がみられないのは，このような特質のためである。しかし，給付訴訟および形成訴訟については，事情が異なる。

1　給付訴訟の訴訟物

給付訴訟について，たとえば，所有者たる土地賃貸人が賃貸借の終了後も目的土地を明け渡さない賃借人に対して明渡訴訟を提起する事案を考える。請求の趣旨は，目的土地の明渡しであるが，それを基礎づけるために複数の請求権およびその原因たる請求原因事実が考えられる。第1は，原告の土地所有と被告の土地占有である。この事実からは，物権的請求権たる返還請求権という実体法上の権利が成立し，その権利にもとづいて，原告は被告に対して明渡しを求められる。第2に，賃貸借終了の事実にもとづいて賃貸人は賃借人に対して目的物の返還を求める権利を取得し（民601），その権利の内容として，原告は，被告に対して土地の明渡しを求められる。紛争の基礎となっている社会生活関係の中では，この2種類の事実は，別個独立のものではないが，実体法上の請求権の発生原因としては，別個のものと考えられる。

そこで，実体法上の請求権の個数に着目して，上の場合に2つの訴訟物が成立しうるとするのが，旧訴訟物理論であり，判例およびかつての通説はこれを採用し，また現在の実務もこれにもとづいて運営されている[82]。本書もこの立場をとる。ただし，旧訴訟物理論の立場に立っても，原告が訴訟物たる権利について法律上の性質決定をすることは，訴訟物の特定のために必要ではなく，また，かりに特定の権利を主張したとしても，それが裁判所を拘束するものでもない。原告に求められることは，特定の権利関係を基礎づけるに足る事実を

82）判例は，最判昭和35・4・12民集14巻5号825頁，最判昭和36・4・25民集15巻4号891頁〔百選63事件〕がある。学説としては，兼子164頁以下，兼子＝竹下・民訴66頁，秋山ほかⅢ17頁，梅本234頁，新注釈民訴(3)93頁〔笠井正俊〕，瀬木47頁などがあるが，現在はむしろ少数説である。実務については，秋山ほかⅢ17頁以下参照。

主張することであり，それにもとづいて法律上一定の権利関係が成立し，その内容として請求の趣旨に表示された給付内容が正当化されるものであれば，訴訟物が特定される。

(1)　訴訟物論争

旧訴訟物理論に対する批判として新訴訟物理論があり，学説上ではこれが多数説である。新訴訟物理論は，上の例についてみると，訴訟物の特定基準を次のように説明する。確かに，所有権にもとづく物権的請求権としての明渡請求権と賃貸借終了にもとづく債権的請求権としての返還請求権は，それぞれその法律上の性質を異にするが，両者は結局当該土地の明渡しという1個の給付を求める地位を基礎づけるものであり，この給付を求める地位自体を訴訟物と考えるべきであるという。そして，同一の社会生活関係から不法行為にもとづく損害賠償請求権と債務不履行にもとづく損害賠償請求権の2つが発生しうる場合，あるいは占有権にもとづく返還請求権と所有権にもとづく返還請求権とが並立する場合などについても，同様の取扱いを主張する。

訴訟物の特定についてこのような構成をすることによって新訴訟物理論は，次のような帰結を導く。すなわち，最大の問題は，既判力の客観的範囲であるが，旧訴訟物理論の下では，実体法上の請求権ごとに訴訟物が分断され，所有権にもとづく明渡請求で敗訴した原告であっても，賃貸借終了にもとづく返還請求の後訴を提起することが妨げられない。このことは，紛争の一回的解決の要請に反し，相手方当事者や裁判所に不当な負担を強いる結果となるという。また，請求の併合や訴えの変更，あるいは二重起訴に関しても，訴訟物が分断される結果として，手続が不当に煩雑になり，また技巧的な説明を余儀なくされると批判する[83]。もちろん新訴訟物理論の下でも，給付を受ける地位を基

---

83)　代表的なものは，選択的併合の概念である。同一目的物について所有権にもとづく返還請求と占有権にもとづく返還請求とが定立されている場合には，旧訴訟物理論によると，2つの請求が併合されていると考えられる。したがって裁判所は，常に両請求について判決主文の中で判断することが必要になる。しかし，このような無意味な結果を避けるために，いずれかの請求が認容されることを解除条件として，他の請求についての審判の申立てがなされているとするのが，選択的併合の考え方である。兼子367頁。

これに対して新訴訟物理論の側からは，いずれかが認容されれば，他方については審判を求めないという原告の意思は，訴訟物を特定する責任を果たしたものとはみられず，結局は，実体法上の請求権が訴訟物特定の要素ではなく，それを基礎づける攻撃防御方法に

礎づけるための攻撃防御方法として実体法上の請求権の発生要件を充足する事実を主張しなければならない。ただ，複数の請求権を基礎づける要件事実の主張がなされている場合であっても，それらの請求権にもとづいて給付を求める地位が1個のものとみなされる限り，複数の訴訟物が定立されるものではないとするところに，旧訴訟物理論との差異が存在する。

同一の社会生活関係にもとづく紛争を原告が恣意的に分断することを許さず，紛争の一回的解決を図ることの合理性を強調した点で，新訴訟物理論の果たした意義は大きい。上の例においても，賃貸借契約終了の事実が窺えるにもかかわらず，原告が所有権にもとづく明渡請求権の要件事実のみを主張するときには，裁判所としては，賃貸借契約終了を基礎づける事実の主張について釈明権を行使すべきであろう。多くの場合には，原告は，釈明に応じて請求原因事実を補充するであろうから，理論構成の問題は別として，旧訴訟物理論と新訴訟物理論との間に生じる実務上の差異はそれほど大きなものではない。

ただし，原告があくまで物権的請求権に対応する請求原因事実しか主張せず，それについて請求棄却判決が確定した場合において，明渡しを求める地位自体が訴訟物であるとして，賃貸借終了にもとづく返還請求を既判力によって遮断すべきかどうかについては，疑問がある。新訴訟物理論は，請求権が競合する場合においても，実体法秩序が1回の給付しか認めないことを遮断の論拠とする。しかし，結果として1回の給付のみが正当化されることが，異なる実体法上の請求権について審判を受ける機会を当然に遮断する結論を導くものではない。同一当事者間で特定物について複数の売買契約が締結された例などを考えると，実体法秩序が1回の給付しか認めないことは，かならずしも請求権競合に特有の問題ではなく，訴訟物特定の基準となりうるかどうか疑わしい。

また，実体法上の請求権の性質が給付を求める地位の内容に影響をもたざる

すぎないことを認めたものであると批判される。三ヶ月・研究(1)79頁以下，三ヶ月・双書99頁以下参照。もっとも，選択的併合の概念自体は，この場合以外にも認められている概念である。最判平成元・9・19判時1328号38頁〔百選Ⅰ74事件〕，法律実務(2)151頁以下参照。

なお，新訴訟物理論は，現在の多数説であり，これに属するものとして，三ヶ月・全集86頁以下，新堂309頁以下，齋藤129頁以下，小山152頁，高橋(上)44頁以下などがある。また，旧訴訟物理論の下での判断枠組が，信義則の法理などを用いて変化したことについては，小林秀之「民事訴訟理論と訴訟実態（実務）との関係」伊藤古稀282頁参照。

をえないことも，新訴訟物理論の問題点として指摘されている。たとえば，不法行為と債務不履行にもとづく請求権競合の場合に，反対債権による相殺が許されるかどうか，所有権にもとづく返還請求権と賃貸借終了にもとづく返還請求権の競合の場合に，造作買取請求権の行使が許されるかどうかなどは，主張される請求権の法的性質によって決定されることになるが，このような性質決定を訴訟物特定の要素から排除することが，新訴訟物理論の問題点として指摘される84)。

(2)　請求権の競合と訴訟物

したがって，訴訟物の特定に関しては，旧訴訟物理論を前提として，実体法上の請求権を基準とすべきである。先の土地明渡請求の例や，列車事故による乗客の鉄道会社に対する損害賠償請求の例を考えると，確かに，紛争の原因となる社会生活関係は1個である。しかし，実体法がその中から土地所有と賃貸借契約終了，または加害行為と運送契約などのそれぞれ異なった事実にもとづいて別個の請求権が発生することを認めている以上，請求の趣旨に表示された給付を求める地位も，権利関係または法律上の地位としては，実体法上の請求権ごとに別個のものとなる。もちろん原告としては，1個の請求権についてその満足を受ければ，他の請求権については，その行使の必要がなくなるが，そのことは，それぞれの請求権に応じて訴訟物が特定されること自体を否定する理由にはならない。

旧訴訟物理論の問題点である紛争の分断は，先に述べたように，裁判所による適切な釈明権の行使，および後に既判力の客観的範囲に関連して説明する，訴訟上の信義則による遮断効を認めれば，実際上の解決が図れる。また，二重の給付判決を避けるための選択的併合の法理も，以下のような点を考えると，不当なものとは思われない。訴訟上の申立てに条件を付すこと一般については，

84)　加藤雅信・現代民法学の展開559頁以下（1993年），同「実体法学からみた訴訟物論争」新堂編・特別講義127頁以下など参照。もっとも，旧訴訟物理論に対しても，法的性質決定の再施の問題が生じる例として，破産法253条1項2号の「悪意」が挙げられる。高橋(上)35頁以下。しかし，訴訟物として既判力をもって確定されるのは，不法行為にもとづく損害賠償請求権の存在であり，それが，故意または過失にもとづくものかは，理由中の判断であり，したがって，その故意を破産法上の悪意と評価するかどうかも，訴訟物についての性質決定の問題とは区別される。

第5章第6節第2項の説明に譲るが，訴訟手続を不安定にせず，かつ，条件を付すことについて合理的理由が認められれば許される。請求権競合が問題となる場合には，その基礎となる社会生活関係が同一のものである限り，請求原因事実そのものには違いがあっても，審理の内容に関しては，2つの請求の間に密接な関連性が認められる。したがって，選択的併合を認めたからといって，被告の応訴に困難を来したり，裁判所の審理に重複・矛盾が生じるものではない。また，原告の立場からみれば，同一の社会生活関係にもとづいて同一の目的を実現するために別個・独立の実体法上の請求権を行使しうる立場にあるので，同一訴訟の中で相互に解除条件を付して，審判の申立てをさせることについて合理的な理由がある[85]。

同一訴訟において選択的併合の関係にある2つの訴訟物が定立されているときには，裁判所は，予備的併合の場合と異なって，審判の順序が拘束されているわけではないので，いずれの訴訟物について審判をしても差し支えない[86]。

---

85)　本文の説明は，訴え提起の当初から訴訟物が選択的に併合されていることを想定しているが，請求原因が所有権であり，これに対する抗弁が賃貸借契約，そして再抗弁としてその終了が主張される場合もありうる。これを訴えの追加的選択的併合と構成することは困難であるとの指摘がなされ（加藤・前掲書（注84）564頁，同・前掲論文（注84）130頁），そのことが旧訴訟物理論の問題点として批判される。しかし，再抗弁としての賃貸借契約の終了は，被告の占有正権原を消滅させ，請求原因を理由あるものとするための主張であるから，請求原因の変更ではありえず，したがって訴えの変更と構成する余地はない。訴訟物はあくまで物権的返還請求権にとどまる（兼子一「給付訴訟における請求原因」菊井献呈(上)271頁，277頁参照)。借地借家法33条の問題などは，この種の物権的請求権についても同条を類推適用すべきかどうかという実体法の解釈の問題にすぎない。もちろん，賃貸借終了の事実を請求原因事実の追加として主張する場合には，訴えの選択的追加的併合になる。このように考えると，旧訴訟物理論の考え方に論理的矛盾が存在するわけではない。

ただし，被告の立場からみると，賃貸借契約が終了していないという理由で，原告の請求が棄却された後に，再び賃貸借契約の終了を請求原因として目的物の返還を求める原告の後訴が前訴判決の既判力によって遮断されないという問題が残る（新堂・争点効(上)207頁)。確かに，後訴は既判力による遮断の対象たりえないが，被告としては，賃借権確認の反訴を提起することによってこのような問題の発生を防止することができるし，また，信義則によって後訴を排斥する余地も残されている。

86)　訴訟物たる競合する請求権のいずれかについて裁判所が審判することによって，付随する実体法上の効果に差異が生じることがある。家屋明渡請求訴訟では，費用償還請求権や造作買取請求権などがその例として挙げられる（加藤・前掲書（注84）559頁参照)。しかし，原告としては，選択的併合の方式によって訴訟物を定立した以上，いずれかが審判の対象とされることに付随して，実体法上不利益を受けることは甘受しなければならない。

一方の訴訟物について認容判決がなされれば，他方の訴訟物についての審判の申立てに付された解除条件が成就したものとされるから，それについて裁判所は審判する必要はない[87]。また，訴えの併合など，訴訟物を基礎とする他の訴訟法上の効果も，実体法上の請求権によって特定される訴訟物を基準として決定される。もっとも，法文上，訴訟物そのものを基準とする訴えの変更や既判力の客観的範囲と異なり，二重起訴の禁止については，142条の「係属する事件」の解釈を柔軟にすることによって，訴訟物より広い範囲での禁止の効果を生じさせることが可能である。

従来，訴訟物理論の対立がみられた分野としては，これまで述べたもののほかに，占有権にもとづく請求と本権にもとづく請求，あるいは手形にもとづく請求と原因関係債権にもとづく請求などの例があるが，いずれについても実体法上の請求権を基準として訴訟物を特定することによって妥当な解決が図られる。

たとえば，旧訴訟物理論を前提とすれば，占有を侵奪された所有権者は，所有権という本権にもとづく返還請求と占有権にもとづく返還請求との両者を別個の訴訟物として訴求することができる。これに対して新訴訟物理論を前提とすると，両者は1個の訴訟物として扱われる。紛争の一回的解決という点からは，新訴訟物理論が優れているようにみえるが，これまで述べたように，裁判所の釈明権行使，信義則による遮断効の拡張，あるいは二重起訴の範囲の拡張などを前提とすれば，旧訴訟物理論による解決が相手方当事者の利益を侵害するとまではいえない。逆に，民法202条1項の存在などが新訴訟物理論の障害になる[88]。手形金請求については，新訴訟物理論内部でも対立があるが，本

87)　ただし，第一審で請求認容判決がなされても，上訴審との関係では，解除条件が確定的に成就するわけではない。この意味では，審判申立ての消滅という解除条件成就の効果は，当該審級に限られる。

　また，請求棄却の判決主文は，併合されている両請求の双方を棄却するとの趣旨を含むものである。

88)　もっとも，三ヶ月・研究(3)3頁以下は，民法202条1項の立法史の分析を前提として，同条は，占有訴権と本権にもとづく訴権とを並立させるものではなく，実体法上の請求権の競合を認めれば十分であるとする。この指摘は正当なものであり，請求権競合を前提として両者の関係を考えればよい。両者を別個の訴訟物として，本権にもとづく返還請求訴訟で敗訴した原告に，重ねて占有権にもとづく返還請求訴訟を提起することを認めるのは，不合理なようにみえるが，実体法が，自力救済を禁止する趣旨（内田貴・民法Ⅰ

書の立場では，手形債権と原因関係債権は，別個の訴訟物となる[89]。

(3) 実体法上の請求権の個数

以上の議論は，同一の生活事実関係にもとづいて実体法上複数の請求権が競合する関係にあることを前提としているが，いわゆる法条競合の場合には，請求権としては単一であるから，訴訟物が複数になるものではない[90]。また，新実体法説と呼ばれる考え方は，これまで例として示した事例において，請求権の根拠となる実体法規範が複数存在しても，最終的に成立する請求権は単一であるとするので，いずれの場合にも訴訟物は1つになる。しかし，いずれも実体法規範および実体法上の請求権の考え方に関するものであり，訴訟物その

〈第4版〉424頁（2008年）参照）から，占有を独立の法律上の権利として認めた以上，このような結論になるのはやむをえない。もちろん，訴訟上では，本文に述べたような解決は考えられる。議論の詳細については，高橋(上)45頁以下参照。

なお，関連するものとして，民法202条2項との関係で占有の訴えに対して本権にもとづく反訴を提起できるかという問題があるが（勅使川原和彦「民法202条の訴訟法的考察」早稲田法学70巻1号1頁，27頁以下（1994年）参照），最判昭和40・3・4民集19巻2号197頁〔百選〈6版〉32事件〕は，占有保全の訴えに対して所有権にもとづく返還請求の反訴を提起することを適法とし，双方が認容される可能性を認めている。民法202条2項の趣旨は，占有権自体を法的利益として保護するところにあるが，上記のような反訴を認めることは，この趣旨に反するものではない（立法の沿革については，石井紫郎「占有訴権と自力救済」法協113巻4号537頁，551頁以下（1996年）に詳しい）。また，占有回収の訴えに対して，本権にもとづく返還請求を将来の給付の訴えとしてできるかなどの問題も議論されるが，これは，将来の給付の訴えの適法要件一般の問題にすぎない。訴訟物について本書と同様の結論をとるものとして，勅使川原・前掲論文106頁以下がある。

89) 訴訟物を1つとするものとして，新堂317頁以下，2つとするものとして，三ヶ月・全集110頁がある。議論の詳細については，高橋(上)52頁以下参照。手形訴訟でない通常の手続において手形金請求に対して原因関係欠缺の抗弁が提出され，これが認められて請求が棄却されたときに，原告が原因関係債権を再び訴求できるのが不合理であると批判されるが，信義則による遮断効の拡張，あるいは被告が原因関係債権不存在確認の反訴を提起することなどによって対処できる。

その他，やや特殊なものであるが，同一行為に起因する独禁法25条にもとづく損害賠償請求訴訟と民法709条にもとづく損害賠償請求訴訟との関係が議論され，現在の通説は，最判昭和47・11・16民集26巻9号1573頁および最判平成元・12・8民集43巻11号1259頁〔百選〈3版〉67事件〕を典拠として，両訴の訴訟物を別異と解しているが，なお議論の余地があり，少なくとも信義則の適用を検討すべき事案は存在しよう。

90) 一般に，不法行為と債務不履行双方にもとづく損害賠償請求権について法条競合が説かれるが，そのほかに，物権的返還請求権と賃貸借終了にもとづく債権的返還請求権との間にも法条競合が説かれることがある。加藤・前掲書（注*84*）547頁以下，奥田昌道・債権総論〈増補版〉618頁以下（1992年）など参照。また，法条競合概念に対しては，新訴訟物理論からの評価と批判がある。三ヶ月・研究(1)129頁以下。

ものの考え方に変更を生じさせるものではない。訴訟物はあくまで，給付を求められる実体法上の地位，すなわち請求権を論理的前提とするものであり，その請求権自体をどのように構成するかは，実体法に委ねられるものだからである。

また，賃貸借契約の終了事由，たとえば期間満了，合意解約，もしくは無断転貸借などの賃借人側の背信行為にもとづく解除，または賃料不払いによる解除などの事由ごとに，個別的に請求権が発生するのか，それともこれらの事由のいずれかを問わず賃貸借終了にもとづく単一の返還請求権が発生するのかも，基本的には実体法の問題である。近時は後者の考え方が有力であり，私見もこれを支持するが，訴訟物そのものの理論構成を左右すべきものではない。不法行為にもとづく損害賠償請求権について，被侵害利益ごとに請求権が分断されるかどうかの問題[91]についても，同様に考えられる。

2　形成訴訟の訴訟物

以上に述べたことは，給付訴訟における請求権を形成訴訟における形成を求める法的地位に置き換えれば，形成訴訟についても妥当する。したがって，同一当事者間の婚姻関係の解消のように，たとえ形成を求められる法律関係が同一であり，紛争の基礎となっている社会生活関係が同一とみなされる場合であっても，離婚原因などの形成要件が複数存在すれば，訴訟物たる形成を求める法的地位は，別個になる。しかし，離婚原因の解釈として，離婚を求める法的地位は，婚姻を継続しがたい重大な事由（民770 I⑤）にもとづくものであり，不貞または悪意の遺棄などの離婚事由（同項①～④）は，その例示にすぎないとすれば，離婚事由のいかんを問わず訴訟物は1個のものとみなされる[92]。

しかし，これは実体法の解釈の問題であり，訴訟物固有の問題ではない。同様のことは他の形成訴訟についても当てはまる。株主総会決議取消訴訟についても，取消事由としての瑕疵ごとに（会社831 I）訴訟物が区別されるのかどうかについて争いがあるが，同一決議についてその取消しを求める地位は，当該

91）　最判昭和48・4・5民集27巻3号419頁〔百選〈6版〉69事件〕は，同一事故による同一の身体傷害を理由とする財産上の損害と精神上の損害の賠償請求権は，1個であると判示する。

92）　水野紀子「離婚」星野英一ほか編・民法講座7巻143頁，150頁（1984年），秋山ほかⅢ54頁参照。

決議についての手続上または内容の瑕疵という事実にもとづいて生じるものであり，その瑕疵に相当する具体的事実によって区別されるものでないとすれば，訴訟物は単一と考えられる[93]。一般社団法人等の社員総会等の決議に関しても，同様である（一般法人266 I 参照）。

第6節　訴訟物についての処分権主義

訴訟物たる権利関係は，実体法上は，私的自治の原則の下にその主体たる当事者の自由な管理処分に委ねられる。訴訟法上も，このことを反映して，いかなる権利関係について，いかなる形式の審判を求めるかは，当事者の判断に委ねられる。これが訴訟物についての処分権主義であり，246条がこれを規定する。したがって，処分権主義の根拠は，訴訟物たる権利関係についての当事者の処分権に求められるが，その機能としては，被告に対して防御の目標を提示する手続保障の役割をもっている。もっとも，処分権主義自体は，訴訟の終了についても妥当し，訴えの取下げ（261），上訴の取下げ（292・313），請求の放棄・認諾（267），および訴訟上の和解（267）などの基礎ともなっている。さら

93）　注釈会社法(5)352頁〔岩原紳作〕参照。また，関連する問題として，会社法831条1項柱書の出訴期間との関係で，取消事由の追加主張が許されるかという問題がある。判例（最判昭和51・12・24民集30巻11号1076頁〔百選〈3版〉A 14事件〕）および通説は否定説をとるが，肯定説が妥当である（注釈会社法(5)361頁〔岩原紳作〕参照）。もっとも，問題はさらに進んで，会社法830条にもとづく決議不存在確認の訴えおよび決議無効確認の訴えを通じて，訴訟物を1つのものとして把握するかどうかが議論されており，これを肯定する有力説がある（霜島甲一「総会決議の取消・無効を主張する訴訟の訴訟物」実務民訴(5)3頁，16頁，新堂334頁など）。しかし，不存在確認と無効確認の訴えを確認訴訟とし，これに対して取消訴訟を形成訴訟とする限り，これらの訴えにおける訴訟物を同一のものとして把握することは難しい。確認訴訟における訴訟物は，決議の効力ないし有効な決議の存在であるのに対して，形成訴訟における訴訟物は，本文に述べたように，訴訟物論のいかんを問わず，取消しを求める法的地位と構成せざるをえないからである。

旧人事訴訟手続法9条に定める各類型の訴えの相互関係についても，再訴禁止の範囲に関連して，類似の議論があった。しかし，現行人事訴訟法25条は，「同一の身分関係についての人事に関する訴え」とすることによって再訴禁止の範囲が訴訟物とは別であることを明らかにしている。

また，詐害行為取消訴訟を形成訴訟とする前提に立ち，その被保全権利の変更は，攻撃防御方法の変更にすぎないとする最判平成22・10・19金商1355号16頁も，同様の考え方に立脚しているものと思われる。

に，上訴審における不利益変更・利益変更禁止の原則（304・313）の基礎にも，処分権主義がある。ここでは，訴訟物についての処分権主義を説明する。

処分権主義は，私的自治の原則をその理念的基礎とするために，私的自治が制限される権利関係については，処分権主義も制限されることがある。後に述べるように，人事訴訟においては，請求の放棄などが制限されるし，また団体関係訴訟においても，問題がある。さらに，私人間の権利関係が訴訟物とならない，形式的形成訴訟，たとえば境界確定の訴えなどにおいては，処分権主義が著しく制限される[94]。

第1項　申立事項――審判の形式および手続の指定

246条は，当事者の申立事項が裁判所による審判の対象となることを規定する。ここでいう申立事項は，訴訟物およびそれについての審判の形式を含み，訴状の請求の趣旨および原因によって特定される。裁判所は，申立事項の範囲内で申立てに理由があるか否かを審判しなければならないことが，処分権主義の帰結である。これに違反した判決は，上訴によって取り消されうる。ただし，当事者が上訴審において申立てを変更すれば，その瑕疵が治癒される可能性がある。

給付，確認，形成の審判形式は，原告によって特定され，それが裁判所を拘束する。たとえば，原告が給付判決を求めているにもかかわらず，裁判所が期限未到来を理由として訴訟物たる請求権について確認判決をなすことは許されない[95]。原告が現在の給付を求めているときに，期限の未到来を理由として将来の給付を命じることは，請求の一部認容と同視されるので，訴えの利益が満たされれば可能である。しかし，逆に将来の給付請求に対して現在の給付を命じることは，申立ての範囲を超えた権利を認めるものとして，処分権主義に

94）ただし，境界確定訴訟（本書177頁）においても，「訴えなければ裁判なし」という不告不理の原則自体は妥当するので，処分権主義が完全に排除されるわけではない。

その他，訴え以外の申立てについて処分権主義が適用されるかという問題がある。権利関係の確定を目的としない非訟事件の申立てに関しては，一般に処分権主義の適用は排除される。最判昭和41・7・15民集20巻6号1197頁（離婚の訴えにともなう財産分与申立て），東京地判昭和35・12・24下民11巻12号2765頁（親権者指定の申立て）。

95）大判大正8・2・6民録25輯276頁。

反する。また，主位的請求と予備的請求という形で，原告が申立てに条件を付している場合には，裁判所はその条件に拘束される。さらに，審判の手続についても，当事者にその選択権が与えられている場合には，裁判所がそれを無視することは許されない。したがって，手形訴訟（350以下）や少額訴訟（368以下）が提起されているのに対して，通常訴訟手続による審判をすることは，処分権主義に反する。

第2項　訴訟物の範囲

裁判所は，当事者によって特定された訴訟物についてのみ審判を行う。訴訟物の範囲については，すでに説明した訴訟物理論の対立があるが，実体法上の権利を基準として訴訟物を構成する立場を前提とすると，請求権競合の場合において，原告の主張事実にもとづく権利と異なる権利にもとづいて請求を認容することは，処分権主義違背にあたる[96)]。

訴訟物を特定することは，原告の責任であり，すでに述べたように，訴訟物を特定しない訴状は，裁判長の命令による却下の対象となる。この点に関連して，請求金額を明示しない給付請求が許されるかどうかが争われる。不法行為にもとづく損害賠償請求においては，原告があらかじめ損害額を算定することが容易ではないし，また，原告が定立した損害額の上限に裁判所が拘束されるのも合理的ではないという判断を基礎とするものである。しかし，被告の防御および訴額の算定などの点を考えると，立法的手当なしにこの考え方を採用することは難しい[97)]。

---

96)　法定解除にもとづく原状回復請求に対して，不当利得を理由として認容すること（最判昭和32・12・24民集11巻14号2322頁），振出人に対する手形金請求に対して，手形保証を理由として認容すること（前掲最判昭和35・4・12（注*82*）），賃借権にもとづく妨害排除請求に対して，占有権を理由として請求を認容すること（最判昭和36・3・24民集15巻3号542頁），不法行為にもとづく損害賠償請求に対して，債務不履行を理由として請求を認容すること（最判昭和53・6・23判時897号59頁）などがその例にあたる。ただし，原告の主張する請求権と別個の請求権の発生原因事実が訴状に記載され，または追加的に主張される場合には，選択的併合の形で訴訟物が定立されているとみられるので，後者を訴訟物として扱っても，処分権違背とはならない。

97)　このような考え方を提唱するのは，五十部豊久「損害賠償額算定における訴訟上の特殊性」法協79巻6号720頁（1963年）などである。なお，改正の過程では，訴えの提起後一定の時期までに請求金額を特定すれば足りるとの考え方が検討の対象とされたが（検討事項　第三 訴え　二 5 請求額を明示しない損害賠償請求参照），特定すべき時点を

処分権主義違反となるかどうかは，申立てと判決内容とを比較して，その内容たる権利関係について，後者が前者の範囲内かどうかが基準となる。したがって，権利関係の細部において申立てと判決内容が異なっても，当然に処分権主義違反の問題を生じるわけではない[98]。また，当事者の申立ての形式的表示と判決内容が食い違っても，その判決内容が申立ての趣旨の合理的範囲に含まれれば，処分権主義違反は生じない[99]。

1　一部認容判決

訴訟物の範囲に関してしばしば問題となるのが，いわゆる一部認容の判決である。債権額は，債権の内容をなすものであるから，金銭給付請求などに対し

明確にするのが困難であるなどの理由から見送られた。新注釈民訴(4)951頁〔山本和彦〕も，本書と同様の考え方をとる。

98)　大判昭和8・6・15新聞3576号13頁（変更登記の対象たる建物の坪数など），最判昭和32・1・31民集11巻1号133頁（賃貸借契約における賃料額）。

99)　大判明治39・11・2民録12輯1419頁（共同の登記義務の履行に代えて，単独の登記義務の履行を命じること），最判昭和36・2・28民集15巻2号324頁（現実の引渡しに代えて，指図による占有移転を命じること），最判昭和40・4・16民集19巻3号658頁（被告の所有権取得無効確認に代えて，原告の所有権を確認すること），最判昭和44・5・29判時560号44頁（抹消登記に代えて更正登記を命じること），最判昭和49・6・27民集28巻5号641頁〔倒産百選〈3版〉42事件〕（否認にもとづく抹消登記に代えて，否認の登記を命じること），最判平成22・12・16民集64巻8号2050頁（真正な登記名義の回復を原因とする移転登記に代えて，贈与を原因とする移転登記を命じること）などがその例にあたる。

現在の給付を求める訴えについて，弁済期未到来と判断されるときには，将来の給付を求める趣旨を含むものと解される場合には，裁判所は，将来の給付を命じる判決をなしうるとするのも，その例である。最判平成23・3・1判時2114号52頁〔倒産百選〈6版〉99事件，平成23重判解・民訴10事件〕。ただし，新注釈民訴(4)968頁〔山本和彦〕は，将来給付を命じることが請求棄却よりも原告にとって当然に有利とはいえないとして，疑問を呈する。最判令和元・9・13判時2434号16頁の事案でも，水門の即時開門を求める訴えに対して一定の猶予期間を設けて開門を命じる判決をするのであれば，同様の問題があるが（西川佳代「将来の給付判決をめぐる若干の問題」加藤新太郎古稀88頁），特段の事情がない限り，将来の給付を命じることが原告の意思に沿うものと考えられる。

これに対して，原告が共有保存登記のうちの一部の者の持分に関する部分の抹消登記手続を求めているのに対して，保存登記全部の抹消登記手続を命じることは，処分権主義に違反する。最判平成22・4・20判タ1323号98頁。また，原告が自らの土地賃借権の存在のみの確認を求めているときに，地代額の確認をあわせてすることは，処分権主義に違反する。最判平成24・1・31裁時1548号2頁（最判昭和44・9・11判時572号23頁参照）。

なお，ここでは，評価規範としての処分権主義を問題としているが，審理においては，裁判事項が申立事項の範囲を超えることのないよう，行為規範としての処分権主義に留意しなければならないことを説くものとして，林道晴「申立事項と裁判事項論と訴訟の審理」実務民訴〔第3期〕(2)147頁がある。

て，請求の量的範囲を超えて給付を命じることは処分権主義違反にあたる。逆に，量的範囲内でその一部の給付を命じ，残部の請求を棄却することは処分権主義に抵触するものではない。これが一部認容判決と呼ばれる。また，一部認容は，このような量的範囲に限られず，請求の質的一部を認容することも，処分権主義に違反しないものと解されている[100]。この点に関して，条件付給付判決，引換給付判決が問題となる。

たとえば，家屋明渡請求訴訟において正当事由を補完する事情として（借地借家28），原告が一定額の立退料の支払と引換えに明渡しを求めたのに対して，裁判所が，相当と認める額まで立退料を増額して明渡しを命じることも質的な一部認容として許される。立退料の負担付の明渡請求権を立退料を増額することによって一部減縮したとみなされるからである[101]。原告の給付請求に対して，被告が同時履行や留置権の抗弁を提出した場合には，引換給付判決がなされうるが，これも質的一部認容の例である[102]。もちろん，引換給付判決がな

100）　最判昭和24・8・2民集3巻9号291頁（家屋の全部明渡しに代えて，一部明渡しを命じること），最判昭和30・6・24民集9巻7号919頁（1筆の土地についての移転登記に代えて，分筆の上その一部についての移転登記を命じること），前掲最判昭和36・2・28（注99）（建物買取請求権の行使を前提として，建物収去・土地明渡しに代えて，建物退去・土地明渡しを命じること），最判昭和38・2・22民集17巻1号235頁（登記の全部抹消に代えて，一部抹消を命じること）などの例がある。

　また，限定承認の抗弁が提出されたときには，相続財産の限度での支払を命じる判決がなされうる（大判昭和7・6・2民集11巻1099頁〔百選65事件〕）。これも質的一部認容の例であるが，給付の内容そのものの減縮ではないので，「その余の請求を棄却する」という表示はなされない。新堂・争点効下15頁。一時金請求について定期金の支払を命じることも，期限の利益を付与したとみれば，質的一部認容になる。新注釈民訴(4)959頁〔山本和彦〕。

101）　最判昭和46・11・25民集25巻8号1343頁〔百選〈6版〉70事件〕。したがって，逆に，立退料の額を減額して明渡しを命じることは，処分権主義に反する。また，原告が無条件の明渡しを求めているときに，立退料の支払を条件として明渡しを命じることは，質的一部認容にあたるようにみえるが，立退料の負担のない明渡請求権と立退料の負担付明渡請求権とでは，その内容に同一性が認められないので，一部認容とはみなされない（新注釈民訴(4)971頁〔山本和彦〕は反対。堤龍弥「一般条項と処分権主義」上野古稀273頁は弁論主義の問題とする）。もちろん，裁判所としては，釈明によって原告の申立ての趣旨を明らかにすることが望ましい。

　ただし，そもそも立退料については処分権主義の適用がないとする学説も有力である。坂田宏「立退料判決と民訴法186条」奥田昌道先生還暦記念・民事法理論の諸問題(上)337頁，356頁（1993年）参照。

102）　大判明治44・12・11民録17輯772頁（同時履行の抗弁），最判昭和33・3・13民集12巻3号524頁（留置権の抗弁），最判昭和45・9・24民集24巻10号1450頁（清算金

されるかどうかは，被告の抗弁事実が訴訟物たる原告の請求権の内容を変更する法律効果を生じさせるか否かによる[103)]。

2　債務不存在確認請求と一部認容

債務不存在確認請求については，特に金銭債務に関して訴訟物の特定の問題がある。金銭債務の場合には，発生原因と金額によって債務が特定される。したがって，原告は，これによって債務を特定した上で，その全部または一部が存在しないことの確認を求めるべきである。債務不存在確認の訴えの利益が認められるのは，被告が原告に対して債務の存在を主張している場合であるから，原告としては，被告の主張する債務額にもとづいて金額を特定することになる。もっとも，損害賠償請求など，被告が債務額を明らかにしない場合には，原告にとって債務金額を特定することがかならずしも容易でない。したがって，訴え提起の段階では，金額を特定しない債務不存在確認の訴えを認めざるをえない。しかし，訴訟における被告の主張などにもとづいてその後に請求の趣旨を訂正させ，金額を特定させるべきである[104)]。以上の点を前提として，処分権主義との関係を検討すると，次のようにいえる。

まず，債務の全額，たとえば100万円について不存在確認が求められている

支払の抗弁）。

103)　したがって，手形金請求訴訟において被告から受戻証券である旨の主張がなされても，引換給付判決をする根拠とはならない。受戻証券性の主張は，手形金債権の内容に影響をもたないからである。大判昭和8・5・26民集12巻1353頁。ただし，近時の手形学説は受戻しの主張を同時履行の抗弁と同視するので（平出・前掲書（注49）90頁），これを前提とすると，引換給付判決がなされる。

104)　林・前掲論文（注99）143頁。積極的確認の場合には，金額の特定を要するし（最判昭和27・12・25民集6巻12号1282頁〔百選〈2版〉43事件〕），また金額が特定されないと，訴額の算定が不可能である。訴え提起の時点では，「民事訴訟費用等に関する法律」4条2項を類推適用して，訴額を160万円とみなす措置がとられるが（金井繁二ほか・訴額算定に関する書記官事務の研究〈補訂版〉39頁（2002年）参照），これはあくまでかりの措置である。

もっとも学説上では，金額の特定を要しないとする説が有力である。浅生重機「債務不存在確認訴訟」新実務民訴(1)368頁，酒井一「債務不存在確認訴訟」実務民訴〔第3期〕(2)124頁参照。預金債権の差押えなどにみられるように，他の債権から識別することが目的であれば，かならずしも金額の特定を要しないが，債権そのものの存否を既判力によって確定するためには，金額の特定を要する。注釈民法(10)136頁〔山下末人〕参照。なお，債務の不存在または消滅にかかる事実の記載は，請求を理由づける事実（民訴規53 I）として必要であり，また，確認の利益を基礎づけるものとなる。酒井・前掲論文126頁参照。

のに対して，裁判所が，債務の一部，たとえば10万円の債務の存在を認めるときには，100万円の債務のうち10万円を超える債務の不存在を確認し，その余の請求を棄却する。また，原告が100万円の債務のうち10万円の債務の存在を自認し，それを超える債務の不存在確認を求めているのに対して，裁判所が，20万円の債務が存在すると認める場合にも，同様に100万円の債務のうち20万円を超える債務の不存在を確認し，その余の請求を棄却する[105]。この場合には，不存在確認が求められている部分のみが訴訟物になるが[106]，その訴訟物と判決内容を比較すると，いずれも，量的一部認容にあたる。

さらに，原告が債務の上限を示さず，10万円を超える債務の不存在のみの確認を求めているときには，不存在確認を求められる債務の総額を請求原因などから明らかにした上で，20万円の債務の存在が認められれば，先の例と同様に一部認容判決をすべきである[107]。

3　一部請求

金銭その他の不特定物の給付を目的とする債権にもとづく給付訴訟において，原告が債権のうちの一部の数額についてのみ給付を申し立てる行為を一部請求

105）　この場合に既判力によって確定されるのは，訴訟物となっている90万円の債務のうち10万円の債務の存在と，80万円の債務の不存在である。原告が自認する10万円の債務の存在は，訴訟物になっていないので，既判力の対象とならない。一部請求の場合に債権全額が訴訟物になること（本書239頁）と比較すると，一個の債権のうち存在部分と不存在部分とを分けているという差異がある。

これに対して，裁判所が5万円の債務の存在を認める場合であっても，5万円を超える債務の不存在を確認することは，処分権主義に反する。したがって，原告の申立ての全部認容，すなわち10万円を超える債務の不存在確認にとどめるべきである。

106）　実体法上の債権そのものが訴訟物にならず，その一部が訴訟物になるという点では，給付訴訟における一部請求と類似性が認められる。しかし，一部請求は，存在する債権を原告の意思にもとづいて訴訟物として分断するのに対して，この場合には，存在する部分と存在しない部分とを分けているのであるから，原告の意思のみにもとづいて実体法上の債権を訴訟物として分断することにはならない。

107）　最判昭和40・9・17民集19巻6号1533頁〔百選〈6版〉71事件〕。原告の意思を尊重して請求棄却判決をすべきであるという考え方もあるが，10万円を超える部分が訴訟物となっている以上，それに対する裁判所の判断を示すべきである。なお，この点に関しては，坂田宏「金銭債務不存在確認訴訟に関する一考察(1)」民商95巻6号818頁，824頁（1987年）参照。また，新注釈民訴(4)962頁，965頁〔山本和彦〕は，原告の意思を尊重するとの視点から，不法行為にもとづく損害賠償債務不存在確認訴訟などを例にとり，なにがしかの損害が生じていることが認定できたときは，一部認容ではなく，全部棄却判決をすべきであるという。このような考え方の下では，被告たる債権者の利益は，反訴によって守られることになろう。

と呼ぶ。それが訴訟法上問題となるのは，1個の債権にもとづく給付を処分権主義を根拠として分断することが許されるか，いいかえると，一部請求について請求認容または棄却の判決が確定したときに，その既判力が後の残部請求に対してどのような効果を及ぼすかについて判断が分かれるためである。したがって，一部請求の問題自体は既判力の客観的範囲に関するものであるが，処分権主義および訴訟物の概念にかかわるために，ここで説明する108)。

一部請求に対する判決の残部請求に対する効果を考える際には，一部請求の訴訟物をどのように構成するかによって判断が分かれる。たとえ1個の債権であっても，給付を求められる一部についてのみ担保権が付されている場合，または一部のみが反対給付にかかる場合などにおいては，その部分のみが訴訟物となるという考え方もあり，また判例は，給付が求められている部分が債権全額の一部であることが明示されているときには，その一部のみが訴訟物になるという考え方をとる109)。しかし，本書ではこれらの考え方と異なって，特定

---

108)　一部請求は訴訟物の特定を欠くという議論もあるが（兼子・研究(1)417頁），訴権の濫用に属する極端な事例を除いては，一部請求自体の訴えの利益が否定されることはない。また，一部請求を行うことの合理的根拠としては，試験訴訟が挙げられる。試験訴訟とは，勝訴の見込みを立てることが困難な損害賠償請求訴訟などにおいて，訴訟費用の負担などを回避するために，一部請求をなし，残部については，それを前提として裁判上または裁判外の解決を求めるものである。

109)　最判昭和34・2・20民集13巻2号209頁〔百選36事件〕，最判昭和37・8・10民集16巻8号1720頁〔百選〈4版〉81①事件，百選Ⅱ147事件〕。一個の金銭債権を数量的に区分してその一部を請求する場合だけではなく，精神的慰謝料部分と財産上の損害部分を区分して，そのいずれかを請求するときなども，両者が一個の事象に起因する以上，一個の損害賠償債権を構成し（前掲最判昭和48・4・5（注*91*），最判平成6・2・22民集48巻2号441頁），一部請求の問題となる。前者が数量的一部請求と呼ばれるのに対し，後者は，特定一部請求と呼ばれる（佐瀬裕史「一律請求における数量的一部請求と特定一部請求」加藤新太郎古稀172頁。同論文では，いわゆる一律請求の事例について，その特定性を問題とする）。また，多数人に影響する事故に起因する損害のうち個別事情にもとづく損害を除く共通損害に限る旨を明らかにする集団的明示，後遺症にもとづく損害賠償請求権のように（本書241頁），最終口頭弁論時までに判明した損害のみを訴求する時的明示などが考えられる。

明示の有無は，請求の趣旨および請求原因の記載を総合してなされるのが原則であるが，請求権の性質，明示の期待可能性，あるいは相手方の認識などの事情から明示されていたものと解すべき場合がある（最判平成20・7・10判時2020号71頁〔平成20重判解・民訴7事件〕，福岡高判平成21・7・7判時2069号59頁，高橋宏志「一部請求判例の分析」松本古稀226頁）。明示がなされたと認められなければ，当該請求額を債権全額とする訴訟物が定立されたことになり，既判力もその範囲について生じる。最判昭和32・6・7民集11巻6号948頁〔百選〈6版〉76事件〕。この考え方は，学説でも有力説として支持さ

の基準があるかどうか，または一部であることが明示されているかどうかを問わず，常に債権全体が訴訟物となり，既判力の客観的範囲もそれを基準として決定されると考える。その理由は，以下のようなものである。

第1に，実体法上の権利関係を訴訟物とすることを前提とした場合には，先に債務不存在確認訴訟について説明したように，数額は，金銭債権特定のために不可欠の要素であり，全体の債権とは別に，一部の金額のみを目的とする債権が存在するものではない。したがって，原告が請求の趣旨において債権全額のうち一部のみの給付を求めているときにも，それは，給付命令の上限を画するという効果しかもたず，訴訟物は，その一部を含む債権全体となる。

第2に，請求の趣旨および判決主文において表示されるのは，一部にすぎないが，訴訟物は，請求の趣旨および原因を総合して権利関係として特定されるのであるから，債権全部を訴訟物とすることは妨げられない。

第3に，訴訟外において債権の一部行使ができることとの均衡が問題とされるが，訴訟においては，権利関係を訴訟物としてその存否を確定することが目的とされるのであるから，訴訟外の権利行使とは目的が異なる。第4に，一部のみの給付を求める原告の意思は，給付命令の上限を画するものと解すれば足りる。第5に，試験訴訟にみられるように，一部請求は原告側の便宜に資するものであるが，被告側の応訴の負担を考えれば，原告の便宜のみを優先させる

れている。秋山ほかⅡ503頁，条解民訴〈2版〉531頁〔竹下守夫〕，梅本930頁，小島281頁，瀬木63頁など。

訴求された一部を超える債権が存在することを前提とし，相殺の抗弁に理由があると認められるときに，受働債権額を，一部請求額ではなく債権全額とすることとの関係で（本書598頁），上記の判例理論を確認する判例が存在するが（最判平成6・11・22民集48巻7号1355頁〔百選〈6版〉108事件〕），本書のように，債権全額が訴訟物となるという考え方をとっても，同じ結論が導かれる。なお，一部請求の場合においても債権全部についての審判が必要になるとの理由から，残部請求を信義則によって排斥した判例として，最判平成10・6・12民集52巻4号1147頁〔百選〈6版〉75事件〕がある。これに対して一部請求額のみが訴訟物となるという考え方の理由については，松本＝上野633頁以下に詳しい。また，岡庭幹司「明示的一部請求棄却判決確定後の残部請求」伊藤古稀97頁は，平成10年判決の説く信義則が過度に一般的であり，当該事案の残部請求は，信義則違反にあたらないと説き，名津井吉裕「一部請求後の残部請求の処理」高橋古稀938頁は，訴訟物相互間に先決関係が存在する場合の既判力（本書581頁）の問題として構成する。

その他，全面否定説と呼ばれる考え方，すなわち明示の有無を問わず，また請求認容・棄却を問わず，残部請求を排斥する考え方も有力である（新堂338頁，高橋(上)107頁，山本・基本問題117頁以下など）。

ことはできない[110]。

以上のような根拠から，一部請求においても債権全部が訴訟物になると考えられる。したがって，一部請求について棄却判決が確定したときには，債権全部の不存在が確定され，残額請求は，既判力によって遮断される。また，一部請求について認容判決が確定したときにも，債権全部の存在が既判力によって確定されるが，それが残額請求についてどのような効果を及ぼすかは，一部であることが明示されているかどうかによって異なる。明示されていないときには，当該債権の金額が給付を求められた金額をもって確定されたのであり，後にそれと矛盾する主張をなすことは，既判力の双面性に反するものとして許されない[111]。

これに対して明示の一部請求後の残額請求訴訟においては，原告は，既判力をもって存在を確定された債権の残額についてその給付を求めるのであるから，既判力が残額請求を遮断する効果をもつことはない。しかし，本来債権全額について訴求できたにもかかわらず，あえて一部請求をなし，なお残額請求の後訴を提起するのであるから，残額請求については，訴えの利益が要求される。すなわち，当該債権に関する訴権の行使としては，一部請求で足りるとの意思を前訴において明らかにした以上，原告は，なお後訴による残額請求を行うことについて，それを正当化するに足る訴えの利益を主張しなければならない[112]。

---

110)　訴訟費用の負担を回避する必要は，訴額の算定基準，訴訟救助，および法律扶助の問題として考えられるべきであり，一部請求の訴訟物の問題に持ち込むべきではない。

その他，相殺の抗弁について自働債権の一部について既判力が生じることをもって，一部請求を認める根拠とする考え方もあるが，相殺の自働債権が訴訟物そのものになるわけではないから，ここでの議論に適するものではない。結局のところ，判例のように，請求されている一部のみを審判の対象と考えるのか，私見のように，明示の基礎となっている債権全体を訴訟物とするのかは，原告の処分権についての評価に起因する。高田裕成「一部請求論について」伊藤古稀 377 頁参照。

111)　兼子・研究(1)394 頁，414 頁参照。なお，認容判決の場合に，給付命令を超える部分の確定が処分権主義との関係で問題となるが，明示行為の中に債権全体の確認申立てが含まれていると考える。

112)　もっとも，前訴で債権全額の存在が確定されているにもかかわらず，被告が残額を訴訟外で弁済することを拒絶するときには，訴えの利益が肯定されるから，本文に述べたことは，特に原告に過大な負担を課するものではない。なお，このようにいうと，結果と

4　後遺症にもとづく損害賠償請求の取扱い

一部請求と関連してしばしば問題とされたのが，不法行為の後遺症にもとづく損害賠償請求である。すなわち，いったん不法行為にもとづく損害賠償請求訴訟で勝訴した原告が，前訴の口頭弁論終結後に判明した後遺症にもとづく損害賠償を求めることについて，それが一部請求に該当するかどうかが争われる。同一の不法行為にもとづく損害賠償請求権は1個であることを前提とすれば，前訴は一部請求であり，後訴は残額請求にあたる。しかし，この場合には，後訴を前訴判決の既判力によって遮断することは，実質的にみて不当である。判例は，前訴が明示の一部請求に該当するときには，後遺症にもとづく残額請求を適法なものと認めている[113)]。しかし，明示の有無を基準とすることは，実質的妥当性を欠く結果が生じることを否定できないし，逆に，後遺症にもとづく請求がなされる場合には，常に前訴における明示を擬制するというのでは，一部請求理論自体に破綻を生じる。原告に対する手続保障，すなわち，原告が後遺症にもとづく請求を前訴でなしえなかったことを理由として残額請求を許容する多数説の立場も，一部請求理論一般との関係が問題となろう。

この問題は，一部請求の問題として扱われること自体に無理がある。一部請求の場合には，前訴において原告が債権全部の数額を明らかにすることが可能

しては，一部請求を自由に認めたことになるとの批判も考えられるが，原告としては，被告が残部の履行を拒絶する危険を考慮すれば，再度の訴訟追行の負担を覚悟しなければならないから，無意味な一部請求をすることは考えられない。また，被告は，二重の応訴負担を免れようとすれば，確定された訴訟物に即して，訴訟外で残部の履行をすることができるから，その負担が過大ともいえない。

113）　最判昭和42・7・18民集21巻6号1559頁〔百選〈6版〉77事件〕，最判昭和61・7・17民集40巻5号941頁〔百選〈6版〉78事件〕（賃料相当額の損害賠償請求）。たとえば，最終口頭弁論期日までに判明した損害を求める趣旨が明らかにされていれば，一部請求であることの明示がなされたとみることができる。後遺障害の悪化について明示を認めた裁判例として，東京地判平成29・10・25判タ1451号194頁がある。

これに対して学説においては，明示の有無にかかわらず，原告が後遺症について前訴においては請求をなしえなかったことを理由にして，損害賠償請求を認める考え方が多数である。新堂340頁，上田196頁，松本＝上野205頁，梅本922頁，条解民訴〈2版〉534頁〔竹下守夫〕，小島285頁など。判例理論に対する批判を前提として，むしろ既判力の弾力化によって合理的解決を図ろうとする論者もある（山本弘「将来の損害の拡大・縮小または損害額の算定基準の変動と損害賠償請求訴訟」民訴雑誌42号25頁，44頁（1996年），同・研究236頁）。また，高田裕成「既判力の標準時について」高橋古稀914頁は，前訴の訴訟物は同一態様の損害が継続する限度での損害賠償請求権であり，既判力ある判断の拘束力もその限りで生じるとの考え方を提示する。

であることを前提として，請求認容および棄却判決が残額請求にどのような訴訟法上の効果を及ぼすかを考えるものであるが，後遺症の場合には，債権全額を前訴において明らかにすることは不可能であり，したがって，一部請求の考え方になじむものとはいえない。むしろ，前訴の口頭弁論以後に明らかになった後遺症にもとづく損害賠償請求権は，同一不法行為にもとづくものではあるが，別個の被侵害利益によるものとして，実体法上別の権利であるから，前訴の訴訟物とは別の訴訟物となり，何ら前訴判決による訴訟法上の制限または効果を受けるものではないと考えるべきである[114]。

第7節　訴え提起の効果

原告が訴状を裁判所に提出することによって，原告と裁判所との間の訴訟法律関係が成立し，裁判所の裁判長が訴状を審査し，これを適法なものと認めて，訴状副本の被告への送達が行われると，裁判所と両当事者間に訴訟法律関係が成立する。この状態を訴訟係属と呼ぶ。したがって，訴訟係属は，訴状が被告へ送達されることによって生じるといえる。訴訟係属によって，訴訟参加・引受け（42・47・49～52）や訴訟告知（53）などの訴訟行為の前提要件が満たされ，また，関連裁判籍の発生（47・145・146）などの法律効果が生じる。二重起訴の禁止もこの効果の1つである。

第1項　二重起訴（重複起訴）の禁止

両当事者間において特定の訴訟物について訴訟係属が生じていることを前提

114）飯塚重男「判決の既判力と後遺症」新実務民訴(4)137頁，156頁参照。このような考え方は，後訴の訴訟物を既判力の基準時後に生じた事由にもとづく請求権と捉えるものであり，時的限界説と呼ばれる。基準時後の事由かどうかは，原告がそれを予見できたかどうかという主観的なものではなく，基準時後に支出された治療費，または基準時後の死亡の事実にもとづく慰謝料などのように客観的なものでなければならない（最判昭和43・4・11民集22巻4号862頁〔百選Ⅱ149事件〕）。

これに対しては，後遺症損害が基準時前に具体化していたときには，既判力によって遮断され，不当な結果を生じるとの批判があるが，このような結果が不当とはいい切れない。また，訴訟物として別個になるから，原告は，前訴判決の既判力を後訴において自己の有利に援用できないが，信義則などの援用可能性を認めれば，不当な結果は避けることができる。

として，同一訴訟物またはそれに密接に関連する訴訟物について当事者が重ねて本案の審理を求めることを禁止する原則を二重起訴の禁止と呼ぶ。この禁止に反する後行の訴えは，訴訟要件を欠くものとして却下される。法文上では，同一訴訟物またはそれに密接に関連する訴訟物の範囲は，同一事件として規定されている（142）。この原則は，同一事件について二重の応訴を強いられる被告の負担，および重複する審理や相矛盾する審判を避ける公の利益を考慮したものである。

1　二重起訴禁止の要件

禁止の要件は，当事者および事件の同一性である。これに対して裁判所の同一性は必要がない。二重起訴禁止は，わが国の裁判権を行使する裁判所の間における審理の矛盾・抵触を避けるためのものであるから，いずれの裁判所に起訴がなされる場合であっても，この原則の適用可能性がある。ただし，二重起訴は，「更に」という文言から理解されるように，独立の訴えを提起することを意味するから，係属中の訴訟手続において反訴を提起したり，訴えを追加的に変更したりすることは，禁止の対象とされない。したがって，訴えの利益が認められる場合，たとえば債権についての消極的確認訴訟の被告が当該債権にもとづいて給付訴訟の反訴を提起することは，二重起訴に該当しない[115]。

(1)　当事者の同一性

禁止の要件としてまず，当事者の同一性が要求される。ただし，原告と被告の地位が同一である必要はなく，それが逆転しても，同一性は認められる。消極的確認訴訟の被告が，訴訟物たる債権について給付の訴えを別訴として提起する場合などがこれにあたる。また，訴訟担当の場合に，権利帰属主体たる被担当者は，担当者と同一当事者とみなされる。担当者の訴訟追行権は，本来は被担当者に帰属するものであり，同一の訴訟追行権を担当者と被担当者の双方

115）民法423条の5前段の下では，債権者代位訴訟の係属後も債務者が自ら請求することができるが，その場合であっても，別訴を提起することは，訴訟物と当事者適格の同一性を基準とすれば，二重起訴となる（山本・前掲論文（注47）123頁，伊藤・前掲論文（注7）43頁，新注釈民訴(3)258頁〔本間靖規〕参照）。しかし，債務者が47条にもとづいて債権者代位訴訟に独立当事者参加（47）または共同訴訟参加（52）をなし，被代位債権を訴求することは，二重起訴禁止に抵触しない。最判昭和48・4・24民集27巻3号596頁〔百選〈6版〉103事件〕。ただし，松本博之「重複起訴の成否」中野古稀(上)347頁，364頁以下は別訴としても二重起訴にあたらないとする。

が行使することは，二重起訴禁止の趣旨に反するので，当事者の同一性があると考えられるからである[116]。

(2) 事件の同一性

事件の同一性が認められるのは，第1に，訴訟物が同一である場合である。通説は，この場合のみについて事件の同一性を認める[117]。訴訟物は，請求の趣旨および原因によって特定されるから，給付訴訟と給付請求権の不存在確認訴訟のように，かならずしも請求の趣旨が同一でない場合にも，事件の同一性が認められることがある。第2に，訴訟物が同一でない場合にも，訴訟物たる権利関係の基礎となる社会生活関係が同一であり，主要な法律要件事実を共通にする場合には，142条にいう事件としての同一性が認められる。本書が，このような考え方をとる理由は，以下の通りである[118]。

第1に，大正15年改正前旧民事訴訟法195条2項1号は，同一の訴訟物について訴えが提起されることを要件としていたが，現行法は，それに代えて事件の概念を用いており，それにもかかわらず事件の概念を訴訟物概念に一致させる必然性はない[119]。

第2に，審理の重複・抵触を防止し，相手方当事者および裁判所に不当な負担を生じさせることを避けるという，二重起訴禁止原則の趣旨に照らすと，訴訟物が同一の場合のみに事件の同一性を認めるのは，対象が限定されすぎる。訴訟物自体は，実体法上の請求権または権利関係を基準として特定されるというのが本書の考え方であるが，審理内容の重複・抵触が生じるのは，その場合に限らない。判例では，二重起訴の成立が否定されているが，賃借権にもとづ

116) 債権者代位訴訟について，大判昭和14・5・16民集18巻557頁〔百選Ⅰ47事件〕がある。

117) 訴訟物の同一性を理由として二重起訴禁止の法理を適用した判例として，最判令和4・6・17裁判所ウェブサイトがある。

118) 基準をどのようにするかを別として，住吉博「重複訴訟禁止原則の再構成」法学新報77巻4～6号95頁（1970年），新堂224頁などが二重起訴禁止の範囲を訴訟物の枠を超えて拡大する考え方をとる。瀬木83頁は，これを拡大された重複起訴と呼ぶ。基本的にこれを支持しつつ，前訴優先原則そのものの弾力化を説くものとして，三木浩一「重複訴訟論の再構築」法学研究68巻12号115頁，165頁（1995年）がある。

119) 審議の過程では，訴訟物に代えて事件という文言が意識的に採用されたことが強調されている。司法省編纂・民事訴訟法中改正法律案理由書125頁（1926年）（立法資料全集(13)198頁），法曹会編・第51回帝国議会民事訴訟法改正法律案委員会速記録400頁（1929年）（立法資料全集(13)486頁）参照。

く引渡請求訴訟と賃借権確認の訴え[120]，所有権にもとづく引渡請求訴訟と所有権確認の訴えなど，いずれの場合についても，二重起訴の成立を認めるべきである。請求権競合が問題となる事案についても二重起訴の成立が認められる[121]。

したがって，従来議論の対象とされてきた事例の中で，同一物についての原告の所有権確認と被告の所有権確認については，一律に二重起訴の成否を決することはできず，両者の所有権取得原因が，1の取引など同一の社会生活関係に関連する場合にのみ，二重起訴の成立が認められる。このような基準では，二重起訴の成否を画一的に決定することができないとの批判もあろうが，現行法が，立法政策として，訴訟物の概念に代えて事件の概念を採用した以上，やむをえないものである。

2　二重起訴禁止の効果

二重起訴禁止は訴訟要件に属し，かつ，当事者の利益保護のみを目的とするものではないから，職権調査事項に属し，職権探知に服する。したがって，裁判所は，当事者の主張の有無を問わず，二重起訴と認められる場合には，後訴

---

120)　最判昭和33・3・25民集12巻4号589頁（賃借権確認）。もっとも，通説も，弁論の併合の方法によって併合審理を実現すべきであるとする。秋山ほかⅢ180頁。しかし，弁論の併合については，官署としての同一裁判所に係属する事件でなければならないという制約もあり，また，定型的に審理の矛盾・抵触を避ける必要がある場合について，弁論の併合という裁判所の裁量的処分に委ねることは好ましくない。

なお，二重起訴禁止原則が適用され，それにもかかわらず，後訴について訴えの利益が認められる場合には，原告であれば，訴えの変更，被告であれば反訴によってその訴権を行使することになり，訴権そのものが否定されるわけではない。

121)　従来の議論の中では，請求の基礎の同一性（住吉・前掲論文（注*118*）95頁）または主要な争点の共通性（新堂224頁）などが事件の同一性を判断する基準として提唱されてきた。具体的事例についての結論に関しては，本書の立場と大きな違いはないものと考えられるが，訴えの変更の要件である請求の基礎は，この場合には広すぎるし，また，争点は審理の過程で形成されるものであるから，二重起訴か否かを決定する基準としては適切と思われない。もっとも，通説の立場でも，142条の類推適用という根拠から，厳格な訴訟物の枠を超えて二重起訴の成立を認める考え方が有力になっている（中野・論点Ⅰ37頁参照）。むしろ問題は，いかなる基準にもとづいて類推適用を認めるかであろう。一部請求についても，判例にしたがって一部のみが訴訟物になるとの前提に立つとしても（本書238頁），一部請求訴訟係属中に残部請求を別訴の形で提起することが当然に許容されるものとはいえないとされており（後掲最判平成10・6・30（注*124*）），訴えの変更による残部請求の追加（本書678頁）が可能であることを前提とすれば，特段の事情が認められない限り，審理の重複や既判力の抵触のおそれがある別訴の提起は，二重起訴禁止の趣旨に反するというべきである。

を不適法として却下しなければならない。もっとも，訴訟物が同一でないにもかかわらず，二重起訴とされるときはもちろん，同一であっても後訴に訴えの利益が認められるときには，訴えの変更または反訴としてであれば適法なものになる余地があるので，裁判所は，後訴が別訴として提起されたときにも，弁論の併合が可能であれば，却下に代えて併合を行うことが望ましい。

なお，裁判所が二重起訴に気づかないままに前訴と後訴について判決がなされたときには，後訴判決は上訴審において取り消されうる。また，両者の判決が確定し，既判力の内容が抵触するときには，もはや前訴と後訴という起訴の前後は問題とならず，後の確定判決が前の確定判決の既判力に抵触するものとして取り消されうる（338 I ⑩）[122]。

3　相殺の抗弁と二重起訴の禁止

甲が乙に対してある債権の弁済を訴求し，逆に，乙が甲に対して別の債権の弁済を求める別訴を提起した場合において，甲が訴求中の債権を自働債権として別訴において相殺の抗弁を主張することが二重起訴にあたるかどうかが問題とされる。これは，抗弁後行型と呼ばれるが，逆に，相殺の抗弁が先行し，その自働債権を別訴において訴求する抗弁先行型においても，同じ問題が生じる。いずれの場合であっても，自働債権の存否について審理の重複が生じるし，また，相殺の抗弁に対する判断については既判力が生じるので（114 II），判断の矛盾・抵触の可能性もある。このような理由から，有力説は，二重起訴禁止原則の適用または類推適用を認め，判例もこの考え方を採用する[123]。まず，抗弁後行型について考える。

二重起訴禁止原則は，同一訴訟物または同一社会生活関係にもとづく複数の訴訟物について，別の訴訟手続によって本案判決を求めることを許さない趣旨を表したものである。上の場合に，訴求債権および抗弁の基礎として主張され

122）　本書の考え方を前提とすると，二重起訴には該当しても，訴訟物が異なるので既判力の抵触は生じないことがありうる。たとえば，前訴判決では，所有権にもとづく原告の返還請求が棄却され，後訴では，原告の所有権確認請求が認容されるような場合がこれにあたる。このような結果は好ましくはないが，被告についてみると，二重起訴を主張せずに判決の確定を招いたのであるからやむをえない。

123）　学説の詳細については，秋山ほかIII 183頁，河野正憲・当事者行為の法的構造 75頁以下（1988年），小島 291頁以下参照。

る自働債権は，同一の債権であり，ただ，後者が訴訟手続上では訴訟物とされていないことにとどまる。しかし，114条2項の趣旨を考慮すれば，相殺の自働債権は，訴訟物に準じるものとして裁判所の審判の対象となっている。したがって，この場合には，142条を類推適用して，相殺の抗弁を却下すべきである[124]。

次に，抗弁先行型について考える。この場合についても，基本的考え方は，抗弁後行型と同様である。抗弁後行型と区別して，二重起訴の成立を否定する

124）最判昭和63・3・15民集42巻3号170頁〔百選Ⅰ80事件〕，最判平成3・12・17民集45巻9号1435頁〔百選〈6版〉35①事件〕も，二重起訴の成立を認める。もっとも，相殺の抗弁が却下されても，実体法上相殺権が否定されるわけではないので，後に請求異議訴訟において相殺が異議事由として主張される可能性は残る。ただし，相殺の担保的機能や防御機能などに着目して，このような結論に反対する論者もある（佐野裕志「相殺の抗弁と二重起訴禁止」一橋論叢117巻1号47頁，51頁（1997年），松本博之「相殺の抗弁と重複起訴」福永古稀536頁以下，同「民事訴訟法学と方法論」実務民訴〔第3期〕(1)109頁など）。なお，一部請求に関する判例理論（本書238頁）との関係で，残部を相殺の抗弁に用いることは二重起訴の禁止に抵触しないとされる（最判平成10・6・30民集52巻4号1225頁〔百選〈6版〉36事件〕）。

反訴請求債権を本訴請求債権に対する相殺の抗弁の基礎として用いることも，反訴が予備的反訴に変更されることを前提とすれば，判断の矛盾・抵触の可能性を生ぜず，二重起訴禁止の趣旨に反するものではない（最判平成18・4・14民集60巻4号1497頁〔百選〈5版〉A11事件〕）。本件における自働債権（反訴訴求債権）が請負代金債権であり，受働債権（本訴訴求債権）が当該請負にかかる瑕疵修補に代わる損害賠償債権であり，両者の間に相殺期待が認められること（民636・637参照）を指摘するものとして，杉本和士「請負契約における瑕疵修補に代わる損害賠償債権と報酬債権に関する実体法と訴訟法」栂＝遠藤古稀175頁がある。これに対し，松本博之「相殺の抗弁と重複起訴」福永古稀536頁以下，同「民事訴訟法学と方法論」実務民訴〔第3期〕(1)109頁は，相殺の防御的機能を重視し，判断の矛盾抵触は，運用によって回避できることなどを理由として，判例に反対する。

さらに，最判平成27・12・14民集69巻8号2295頁は，本訴の訴求債権が時効によって消滅したと判断される場合には，予備的に同債権を反訴の訴求債権に対する相殺の自働債権として用いることが許されると判示する。民法508条の趣旨を重視し，かつ，予備的な主張であることを前提とすれば，本訴と反訴の分離による審理の重複や判断の矛盾抵触のおそれがないことを考慮したものと理解できる。杉本和士「二重起訴禁止と相殺の抗弁との関係に関する判例の展開」上野古稀241頁参照。

また，最判令和2・9・11民集74巻6号1693頁〔百選〈6版〉35②事件〕が，請負工事に起因する請負人の請負代金請求（本訴）と瑕疵修補に代わる注文者の損害賠償請求（反訴）の係属中，本訴訴求債権を自働債権とし，反訴訴求債権を受働債権とする反訴における相殺の抗弁を適法とするのも，両請求間の牽連性が強く，弁論の分離可能性が否定され（本書690頁注*45*），したがって，二重起訴禁止の類推適用の根拠である既判力の矛盾抵触や審理の重複のおそれがないことを理由とするものである。

論拠としては，相殺の抗弁が通常予備的抗弁として提出されることを考慮すると，それにもかかわらず別訴を二重起訴とするのは，相殺権者に酷であるといわれる。しかし，相殺の抗弁が予備的なものとして提出されるのは，事実上の蓋然性にすぎないし，また，予備的抗弁の場合にも，相殺権者としては，反訴を提起することによって，給付判決を得る利益を満足させることができる[125]。したがって，抗弁先行型についても，二重起訴の成立を認めるべきである[126]。

第2項　その他の効果
——時効の完成猶予および更新（中断）の効果

訴えの効果として法律上特別の効果が認められる場合がある。時効の完成猶予および更新（民147。改正前民法147条1項では時効中断），悪意占有の擬制（民189Ⅱ），手形上の償還請求権の時効の進行（手70Ⅲ），および出訴期間その他の除斥期間の遵守（民201・426・747Ⅱ・777，会社828Ⅰ・831Ⅰ柱書，一般法人264Ⅰ・266Ⅰ柱書，行訴14）などがその例として挙げられる。これらの効果の発生および消滅の時期は，明文の規定がある場合のほかは，それぞれの規定の趣旨にもとづいて定められる。

時効の完成猶予（中断）または法律上の期間の遵守の効果は，原則として訴えを提起した時に発生するとされているので（147），訴状の提出（受付）時（134Ⅰ（旧133Ⅰ）），訴えの変更書面の提出時など（143Ⅱ・144Ⅲ・145Ⅳ）または裁判所書記官に対する口頭起訴の陳述時（271）に生じる。時効の完成猶予（中断）の効果発生の基準時が訴え提起時とされているのは，訴状送達までの時間

---

125)　反訴も予備的になる。東京高判昭和42・3・1高民20巻2号113頁。前掲最判平成18・4・14参照（注*124*）。

126)　中野貞一郎「相殺の抗弁(下)」判タ893号4頁，10頁（1996年）は，2つの型で結論を区別することは筋が通らないとする。ただし，論者自身は，いずれの型についても二重起訴類推否定説である。これに対して，二重起訴の成立を肯定する裁判例として，東京高判平成8・4・8判タ937号262頁がある。

また，債務者の同一の行為を対象とする複数の詐害行為取消訴訟についても，審理の重複，相手方の応訴負担，既判力の抵触可能性（民425参照）を考えれば，二重起訴禁止の趣旨を重視し，後行の詐害行為取消請求は，共同訴訟参加の方法（本書747頁）によらせることも検討に値しよう。伊藤・前掲論文（注7）45頁。

の経過が原告に不利に働くのを防ぐためである。

ただし，改正前民法では，時効の中断の効果は，訴えの取下げまたは却下によって消滅するとされたが（民旧149），現行民法では，旧149条に対応する規定は存在せず，訴えが却下または取り下げられた場合は，民法147条1項柱書括弧書にいう「権利が確定することなくその事由が終了した場合」にあたり，終了の時から6ヶ月を経過するまで完成猶予の効果が継続する。出訴期間およびその他の除斥期間の遵守に関しても，同様に解される。請求が棄却される場合には，権利そのものの存在が否定されるので，時効の完成猶予（中断）は問題とならない。なお，いったん時効が完成猶予（中断）されると，訴訟係属中は時効が再び進行することはないが，判決が確定し，訴訟係属が消滅すると，その時点から時効の進行が始まる（民147Ⅱ）。

これに対して，悪意占有の擬制は，被告の善意・悪意にかかわるものであるので，訴状の被告への送達を基準時とする。手形上の償還請求権の時効の進行（手70Ⅲ）に関しても，被告の第三者に対する償還請求権の問題であるので，訴状の送達時が基準時とされる。また，訴えが却下または取り下げられると，時効は当初から進行しなかったことになる[127)]。

原告が訴状に取消し，相殺，または解除などの形成権行使の意思表示を記載したときには，それが被告に送達されることによって実体法上の効果が生じるが，これは，たまたま形成権行使の意思表示が訴状の送達の形式をもって行われただけであり，訴え提起という訴訟行為の効果とは区別される。ただし，訴えが取り下げられたり，却下されたりする場合には，当事者の意思解釈として形成権行使の効果も生じないとするのが合理的である。

上に述べたように，訴え提起によって完成猶予（中断）の効力が生じるが，その根拠は，訴え提起が権利行使の方法とされるところにある。したがって，

127）ただし，学説の対立がある。兼子177頁，新堂228頁，条解民訴〈2版〉853頁〔竹下守夫＝上原敏夫〕など多数説は，取下げなどによって時効の進行は影響を受けないとする。これに対して，秋山ほかⅢ258頁は，本書と同様の考え方をとる。本書516頁に述べたように，現行民法147条1項柱書括弧書は，訴えの取下げ等の場合でも6ヶ月は時効の完成猶予の効果が存続することとしているが，すでに訴えの取下げ等によって訴訟が終了している以上，償還請求権についての消滅時効を進行させるべき理由はない。なお，整備法においても手形法70条は改正の対象となっていない。

取下げの場合には，権利行使が行われなかったとみなされるし，また，却下の場合には，裁判上の請求としての権利行使の資格が欠けることになるので，いずれの場合にも完成猶予（中断）の効果が生じない[128]。ただし，民法147条1項柱書括弧書の下では，訴えの取下げや却下によって訴訟が終了しても，6ヶ月を経過するまでは完成猶予の効力が残る。

もっとも，権利行使は，かならずしも給付訴訟による必要はなく，完成猶予（中断）の対象となる権利またはその基礎となる法律関係についての積極的確認の訴えによることもできる。さらに，債務者が消極的確認の訴えを提起したのに対して，被告たる債権者が債権の存在を主張して応訴をすることによっても権利行使の意思が認められ，完成猶予（中断）事由が生じたものと扱われる[129]。

給付訴訟であれ，また確認訴訟であれ，対象となる権利自体が訴訟物となっているときには，それについて完成猶予（中断）の効果が認められるが，それ以外にも，権利行使の意思が訴訟上で明確にされていれば，攻撃防御方法たる権利についても完成猶予（中断）の効果が認められる。

たとえば，請求異議訴訟の被告が債権の存在を主張する場合，動産の引渡請求訴訟の被告が留置権の抗弁を提出し，その被担保債権の存在を主張する場合，あるいは所有権にもとづく登記手続請求訴訟の被告が目的物について自己の所有権を主張する場合などがこれにあたる[130]。

なお，一部請求との関係で，1個の債権についての一部のみを訴求したときに，債権全体について完成猶予（中断）の効力が生じるかどうかという問題があるが，先に述べたように，一部請求の場合にも債権全体が訴訟物となるので，

---

128)　このような考え方は，権利行使説と呼ばれる。これに対して，中断の根拠を判決によって権利が確定されることに求める考え方を権利確定説と呼ぶ。秋山ほかⅢ258頁，中野ほか・講義198頁参照。権利が確定することなく訴訟が終了しても6ヶ月を経過するまで完成猶予効が残る現行民法147条1項の下では，権利行使説をとる以外にない。

129)　大判昭和5・6・27民集9巻619頁（積極的確認の訴え），大連中間判昭和14・3・22民集18巻238頁（消極的確認の訴え）。消極的確認の訴えに対する応訴では，弁論において被告が債権の存在を主張したときに完成猶予（中断）の効果が生じる。

130)　大判昭和17・1・28民集21巻37頁（請求異議訴訟），最大判昭和38・10・30民集17巻9号1252頁（留置権の被担保債権の主張），最大判昭和43・11・13民集22巻12号2510頁〔百選〈3版〉44①事件〕（所有権の主張），最判昭和44・11・27民集23巻11号2251頁（抵当権の被担保債権の主張）。

完成猶予（中断）の効力も債権全体について認められる[131]。

131）ただし判例は，いわゆる明示の一部請求理論を前提として，一部であることが明示されているときには，その一部についてのみ裁判上の請求としての完成猶予（中断）の効力が生じ，残部については生じないとするが（前掲最判昭和34・2・20（注109），最判昭和43・6・27裁判集民91号461頁，最判昭和45・7・24民集24巻7号1177頁〔百選〈3版〉44②事件〕（ただし，一部請求の明示があったことを否定して，債権の同一性の範囲内で全部について時効中断（完成猶予）効を肯定）），最判平成25・6・6民集67巻5号1208頁〔平成25重判解・民訴1事件〕は，残部についても，権利行使の意思が継続的に表示されているとはいえない特段の事情が認められない限り，裁判上の催告としての効果が認められるとした。その後に訴えの変更によって残部の請求が追加されれば，裁判上の請求としての時効中断（完成猶予）の効力が生じる。知財高判平成25・4・18判時2196号103頁。以上のことは，現行民法の下でも妥当する。潮見・概要38頁，大村・道垣内・ポイント72頁，新注釈民訴(3)367頁〔笠井正俊〕。

なお，支払督促（382）にも，訴えと同様に，裁判上の請求として時効の完成猶予（中断）の効力が認められる（民147Ⅰ②）。しかし，法定期間内に仮執行宣言の申立てをしないと，支払督促は失効し（392），時効の完成猶予（中断）も効力を生じないが，民法147条1項の下では，6ヶ月の完成猶予効が残る。そして，最判平成29・3・13判時2340号68頁は，同一債務者に対する関係で，貸金債権の支払督促によって本訴の訴訟物たる保証債務履行請求権について時効の完成猶予（中断）の効力が生じることはないと判示している。時効の完成猶予（中断）の要件として厳密な意味での両債権の同一性を求めたというよりも，両債権の行使が相容れない関係にあり，支払督促の請求債権を本訴の訴訟物たる債権と同視できない事例と評価したものと理解する。この判例法理は，現行民法の下でも妥当する。

第5章　訴訟の審理

訴訟の審理とは，訴訟係属の発生によって両当事者および裁判所の間に訴訟法律関係が成立したことを前提として，原告の訴えが適法なものであるかどうか，ならびに請求に理由があるかどうかについて，裁判所の判断資料を形成するために，当事者および裁判所が行う行為の総体を意味する。審理は，事実の主張や証拠の提出などの当事者の行為，および主張された事実を整理し，提出された証拠について証拠調べを行うなどの裁判所の行為を中心として進められる。これらの当事者および裁判所の行為は，それぞれ無関係に行われるのではなく，相互に他を前提としあう行為の連鎖としてなされる。したがって，それらの行為の総体を内容とする審理も，行為の連鎖として手続の性質をもつ。

審理手続については，一方で，当事者の裁判を受ける権利を保障するとともに，他方で，裁判所の適正，かつ，迅速な判断形成を可能にするために，法がいくつかの基本的な原則を規定する。それらの諸原則の中でもっとも基本的なものは，当事者主義と職権主義である。当事者主義は，審理手続を構成する行為の主体を当事者とするものであり，これに対して職権主義は，行為の主体を裁判所とするものである。

しかし，民事訴訟が，私人間の紛争について，納税者の負担において運営されている裁判所が審判を行う性格をもつものである以上，その手続の構造も純粋な当事者主義または職権主義をとることはありえず，立法者は，行為の性質に応じて，当事者主義と職権主義とを組み合わせている。2つの原則は，民事訴訟の目的を実現するために適切に組み合わされるべきものであり，相互に排斥的性質をもつものではない。法2条が定める裁判所および当事者の責務もこのことを前提としたものである。

第1節　審理手続の進行と裁判所の訴訟指揮権

審理手続を形成する行為の中には，訴えの適否および請求の当否について裁判所の判断資料を形成するための行為と，その目的を実現するためにそれらの行為を連鎖的に行わせるための行為の両者が含まれる。後者が手続の進行に関する行為であり，これについては，基本的に職権主義が妥当し，裁判所に訴訟指揮権と呼ばれる権能が付与される[1]。訴訟指揮権は，手続を進行させるために裁判所が行うすべての行為の源泉となるものであり，具体的には，期日指定など審理の進行そのものに関する行為，および釈明権の行使など審理の内容を整序する行為などが含まれる。訴訟指揮権が適切に行使されることによって，審理が適正，かつ，迅速に運営され，また争点が整理・圧縮され，その結果として，適切な訴訟上の和解または判決による紛争の解決が可能になる[2]。

第1項　訴訟指揮の主体

訴訟指揮権は，受訴裁判所に帰属するのが原則である（89・151～155）。しかし，受訴裁判所が合議体であるときには，裁判長がそれを行使する場合がある（148・149・203，民訴規118～122など）。また，裁判長自身に訴訟指揮権が帰属することもある（93Ⅰ・137）。受命裁判官や受託裁判官についても，その権限の範囲内において訴訟指揮権が認められる（206・215の4，民訴規35）。

1）　ただし，職権主義は，判断権能の帰属主体および判断にもとづく行為の主体が裁判所であることを意味するものであって，判断を形成する過程において裁判所が当事者の意見を聴取することを妨げるものではない。当事者の意見が合理的なものである限り，裁判所としてもそれを尊重することが，手続保障の観点からも望ましい（168・170Ⅲ・175・202Ⅱ，民訴規121・123Ⅰなど）。この点に関して，那須弘平「訴訟代理人としての弁護士の役割と活動」理論と実務(上)333頁，345頁参照。

2）　この意味で，訴訟指揮権の行使は，審理における裁判官の職務の中心となるものである。裁判官としては，適正に訴訟指揮権を行使し，かつ，それについて当事者の納得を得ることを目標としなければならない。注釈民訴(3)19頁〔伊藤眞〕参照。また，裁判官主導型や当事者自立型などの視点から審理の態様を分析し，訴訟指揮権のあるべき姿を記述するものとして，加藤新太郎「訴訟指揮の構造と実務」実務民訴〔第3期〕(3)82頁がある。

第2項　訴訟指揮権の内容

訴訟指揮権は，裁判所もしくは裁判長の事実行為または訴訟行為としてなされるが，その目的から以下のように分類される。

第1は，審理の進行に関する行為である。その内容としては，期日の指定および変更（93），期間の伸縮（96），中断手続の続行命令（129）などが含まれる。

第2は，審理の整序に関する行為である。これは，具体的な審理の状態に応じて，効率的な審理を進めるための措置を意味し，弁論の制限・分離・併合（152），弁論の再開（153），裁量移送（17・18），時機に後れた攻撃防御方法の却下（157）などがこれに含まれる。

第3は，期日における当事者の訴訟行為の整理に関する行為である。裁判長による口頭弁論の指揮（148）がこれに属する。この指揮権によって裁判長は，当事者本人，代理人，その他訴訟関係人に対して発言を命じたり，逆に禁じたりする。もっとも，この権能は，あくまで特定事件における審理を効率的に進めるために当事者および関係人に対して行使されるものであり，一般的に法廷秩序を維持するための法廷警察権（裁71）とは，その趣旨を異にする。第4は，訴訟関係を明瞭にするための措置である。当事者の主張の趣旨を明らかにし，あるいは主張を整序させることによって，審理の対象となる争点を明確にするなどの目的をもつ。期日における釈明権（149），および釈明処分（151）がこれに属する。

第3項　訴訟指揮権の行使方法

訴訟指揮権は，裁判長による口頭弁論の指揮のように事実行為としてなされる場合もあり，また，裁判所や裁判長による裁判として行われる場合もある。裁判の形式をとる場合には，裁判長や裁判官による裁判は，命令の形式をとり，裁判所による裁判は，決定の方式をとる。もっとも，決定または命令という裁判の形式によって訴訟指揮権が行使される場合であっても，その裁判は，裁判機関に対する自己拘束力を欠き，いつでも取り消される可能性がある（120）。これは，審理の進行の手段である訴訟指揮権の行使に弾力性をもたせる趣旨である。

訴訟指揮権は，裁判所の職権によって行使されるので，当事者が指揮権の発動を申し立てても，裁判所がそれに拘束されたり，また，申立てに対する判断を要求されるわけではない。ただし，法は，当事者の利害に重大な影響をもつ訴訟指揮権の行使に関しては，当事者の申立権を認める。移送の申立て（17・18），攻撃防御方法の却下（157），期日の指定・変更（93 I Ⅲ），中断手続の受継（124 以下）などがこれに属する。これらの場合には，申立てに対して，裁判所が裁判の形で許否の判断を示さなければならない。

第2節　期日，期間および送達

審理手続は，当事者および裁判所の行為の連鎖であるために，それらの行為がなされる時間について規制する必要がある。期日および期間は，これに関するものである。また，各種の行為がなされた事実およびその内容を他の主体に知らしめることによって，行為の効果を発生させ，それに対応する行為を促す必要がある。送達は，これに関するものである。

第1項　期　　日

期日とは，当事者および訴訟関係人ならびに裁判所が会合して訴訟行為をなすための時間を意味する。後に述べる審理の基本原則，特に口頭主義および直接主義の要請にもとづいて，審理は，期日を中心として進められる。期日が開かれる場所のうち法廷は，裁判所またはその支部で開かれるのが原則である（裁 69 I）。ただし，弁論準備手続期日や口頭弁論期日がウェブ会議の方式で行われるときには（本書 286 頁，312 頁），会合といっても，現実的空間を共有するのではなく，映像および音声を通じた時間を共有することを意味する。

職権進行主義の原則によって期日の指定は，裁判所が行う。具体的には，合議体の手続においては裁判長，その他の手続においては，これを主宰する裁判官の命令の方式によってなされる（93 I，民訴規 35）。当事者にも期日指定の申立権が認められる（93 I）。申立てを認めるときには，裁判長などが期日を指定する。申立てを却下するときにも，審理の進行を拒絶する効果があるので，却下の裁判は裁判長が命令の形式で行う。却下命令に対しては，抗告の方法による不服申立て（328Ⅰ）が許されることがある[3]。

なお，訴えの取下げや訴訟上の和解によってすでに手続が終了している場合に，当事者がそれらの訴訟行為の無効を主張し，手続が係属中であるという前提に立って期日指定の申立てをなすことがある。この申立てに対しては，裁判所は，訴訟手続終了の法律効果の有無を判断しなければならないので，口頭弁論を開き，判決の形式で裁判を行う[4]。

期日の指定にあたっては，あらかじめ年月日，開始時刻，および場所が特定される。ただし，やむをえない場合を除いて，日曜日その他の一般の休日を避けなければならない（93Ⅱ）。

1　期日の呼出しおよび実施

期日の呼出しとは，指定期日を関係人に告知し，その出頭を命じる裁判所の訴訟行為を指す。呼出しがなされることによって，関係人は，期日に出頭すべき義務を負う。呼出しは，期日における訴訟行為について関係人に対して手続保障を与える趣旨があるので，呼出しがなされないままに開かれる期日の実施は違法である[5]。

呼出しは，呼出状（電子呼出状）の送達，当該事件について出頭した者に対する期日の告知，その他相当と認める方法によって行われる（94Ⅰ（未施行））[6]。裁判所書記官は，電子呼出状を作成したときは，最高裁判所規則で定めるところにより，これをファイルに記録しなければならない（同Ⅱ（未施行））。

告知とは，裁判長または裁判所書記官が期日指定の内容を口頭で関係人に伝

3）不服申立てが許されるのは，期日指定の申立てにもとづいて特別の効果が生じる場合である（263）。もっとも，却下命令が必要なのは，このような場合に限られ，他の場合には，申立ては職権の発動を促すにすぎないから，裁判の必要はないという考え方をとれば（秋山ほかⅡ324頁），却下命令に対しては，常に抗告が許されることになる。しかし，93条1項が申立権を規定している以上，申立てに理由がないときにも，それを放置すべきではない。

4）大決昭和6・4・22民集10巻380頁〔百選78事件〕（和解），大決昭和8・7・11民集12巻2040頁（訴えの取下げ）。

5）この違法は，責問権の喪失によって治癒されうるが，治癒されないときには，上訴および再審の事由となる（312Ⅱ④・338Ⅰ③類推）。

6）旧154条1項および2項では，呼出状の送達を原則とし，例外として相当な方法による呼出しを認めていたが，現行法は，簡易呼出しと呼ばれる方法を一般化したものである。

達することを意味する[7]。相当と認める方法としては，通常郵便または電話など裁判所書記官が適当と認めるものが選択される。ただし，呼出状の送達および出頭者に対する告知以外の方法による呼出しを行った場合には，呼出しを受けた旨を記載した書面が当事者等から提出されない限り，当事者等に対して法律上の制裁その他期日の不遵守による不利益を帰すことはできない（94 Ⅱ Ⅲ（未施行））。制裁としては，当事者や証人などに対する訴訟費用の負担（63・192），証人に対する過料または罰金など（192・193），不利益としては，釈明すべき攻撃防御方法の却下（157 Ⅱ）や擬制自白（159 Ⅲ）などが挙げられる。

期日のうち口頭弁論期日の開始は，指定された日時および場所において裁判長その他手続を主宰する裁判官が呼び上げることによってなされる（民訴規62）。呼上げは，期日の開始を宣言する裁判所の行為であるが，実務上は裁判所書記官や廷吏（裁判所事務官）によって代行される。また，期日は，弁論，証拠調べ，または判決言渡しなど，目的たる事項が終了すれば，裁判長などの終了宣言によって終了する。ただし，終了宣言は，明示的なものである必要はない。これに対して，目的たる事項に立ち入らずに期日を終了することを延期と呼び，事項に立ち入ったにもかかわらず完了しないので，審理を次回期日に持ち越すことを続行と呼ぶ。いずれの場合にも，次回期日が告知されるのが通常である[8]。

2　期日の変更

期日の変更とは，指定期日の実施前にその指定を取り消し，これに代わる期日を指定する裁判長の命令（93 Ⅰ）を指す[9]。当事者に事情が存する場合には，

---

7)　裁判長が期日で告知したときは，その旨が口頭弁論調書や弁論準備手続調書に記載され，裁判所書記官が告知したときは，告知を受けた者から期日請書が提出される。

なお，出頭しない者に対しては，呼出状の送達その他相当と認められる方法による呼出しがなされるが，旧法下の判例は，次回期日が判決言渡期日であるときには，呼出状の送達を不要としていた（最判昭和23・5・18民集2巻5号115頁，最判昭和56・3・20民集35巻2号219頁など）。しかし，主として最高裁判所の判決言渡しに関して当事者に対する手続保障の見地からこの結論に対する批判も有力であったので，現行法の下では，規則によって判決言渡期日の日時が裁判所書記官から当事者に通知されることとなった（民訴規156本文）。

8)　期日の延期，続行は，期日の開始を前提としている点で，変更と区別され，法はそれについて特別の要件を設けていない。しかし，特に延期については，審理の遅延という視点からは変更と同様の結果をもたらすことから，変更に準じた取扱いをすべきである。注釈民訴(3)476頁〔荒木隆男〕参照。

変更を認める必要があるが（民訴規36），無制限に変更を認めることは，審理の遅延の原因となるので，法は，期日の性質を考慮して，いくつかの要件を設けている。

まず，弁論準備手続における最初の期日[10]および弁論準備手続を経ていない口頭弁論における最初の期日については，両当事者の合意にもとづく変更申立てによって無条件で変更が認められる（93Ⅲ但書）。これは，未だ審理が開始されていないことを顧慮したものである。これに対して，第2回以降の口頭弁論等の期日の場合には，顕著な事由が存在する場合のみに変更申立てが認められる（93Ⅲ本文）。顕著な事由とは，93条4項にいうやむをえない事由より広い範囲の事情を意味すると解されているが，具体的には，民事訴訟規則37条が顕著な事由にあたらない例を示している。

これを前提として，一般的には，期日に出頭して，訴訟行為をなすことが困難な事情があり，かつ，その事情にもとづいて期日の変更を認めないことが当事者の弁論権を不当に制限すると認められることと解される[11]。なお，両当事者の間に合意が成立しない場合の最初の期日の変更についても顕著な事由の存在が要求されるが，93条3項の趣旨を考慮すると，より緩やかに判断すべきである。

弁論準備手続を経た口頭弁論期日の変更は，やむをえない事由が存在する場合に限って認められる（93Ⅳ）。弁論準備手続は争点および証拠の整理を目的とするものであり，それを経た事件については，集中審理が要求される（182）ことからわかるように，計画的審理が予定されている。そこで口頭弁論期日の変更には厳格な要件が課される。やむをえない事由とは，顕著な事由より限定されたものであり，当事者または代理人の出頭が合理的にみて不能と評価され

9）理論的には，期日指定の取消しは，裁判所の決定であり，新期日の指定は裁判長などの命令であるともいえるが，通説は，両者を一体のものとして裁判所の決定としていた。注釈民訴(3)458頁〔萩原金美〕。ただし，令和4年改正による法93条1項は，手続の機動性を重視し，変更全体を裁判長の権限とした。

10）最初の期日とは，最初に指定された期日を指すものであり，変更などを前提とした実際の第1回期日を指すものではない。最判昭和25・10・31民集4巻10号516頁。

11）判例・学説の詳細については，注釈民訴(3)449頁以下〔萩原金美〕，草野芳郎「期日の規律」実務民訴〔第3期〕(3)33頁，35頁参照。もっとも，実務はかならずしも厳格ではない。

る事情を指す[12]。

なお，たとえ弁論準備手続を経ていない事件であっても，争点整理が完了した事件においては，事実および証拠についての調査が十分に行われていないことを理由とする期日の変更は許されない（民訴規64）。

以上に述べた変更の要件が満たされないときには，裁判長は，命令をもって変更申立てを却下する。この決定に対しては，審理の進行についての裁判所の職権を尊重する趣旨から，不服申立てが許されない[13]。また，変更決定に対しても，同様に不服申立てが否定される。

3　期日の種類

期日は，そこにおいてなされる当事者および裁判所の訴訟行為の内容に応じて，いくつかの種類に分けられる。口頭弁論期日（87の2（未施行）・149・159Ⅲ・139），弁論準備手続期日（170），進行協議期日（民訴規95），判決言渡期日（民訴規156），証拠調べの期日（240），和解期日（89ⅡⅢ・261Ⅲ・275ⅡⅢ）などが法および規則に規定されている期日の種類である。なお，法文上は，口頭弁論の期日または和解の期日などの表現が用いられる。

第2項　期　　間

一定の時間の経過について訴訟法上の効果が付与される場合に，その時間の経過を期間と呼ぶ。法は，一方で適正，かつ，迅速な審理の進行のために各種の訴訟行為について期間を定め，他方でそれによって生じる不利益を避けるために期間の伸縮および追完を認める。ただし，職務期間は，法律効果が生じない点で，また除斥期間は，期間の伸縮や追完の余地が認められない点で，本来の期間と区別される。本来の期間を真正期間または固有期間と呼ぶのに対して，後者を不真正期間と呼ぶ。真正期間の種類は，以下のように区分される。

12）　最判昭和28・5・29民集7巻5号623頁。当事者や訴訟代理人の急病が例として考えられる。草野・前掲論文（注11）34頁参照。

13）　大決昭和5・8・9民集9巻777頁。もっとも，上訴または再審の方法による救済を認めるべきであるとの有力説がある。しかし，変更申立却下決定そのものの誤りを理由とするよりも，結果として重大な攻撃防御方法の提出を妨げられたことを上告理由または上告受理申立理由として認めれば足りる。秋山ほかⅡ328頁参照。

1　行為期間・猶予期間

行為期間とは，当事者が訴訟行為をなすべき期間を意味する。この期間内に訴訟行為がなされないと，期間の懈怠とみなされ，訴訟行為について失権その他の効果が生じる。行為期間は，審理手続の適正，かつ，迅速な進行を実現するためのものであり，その例としては，訴状の補正期間（137 I・137の2 I（未施行）），準備書面提出期間（162 I），期日指定申立期間（263），上訴期間（285・313・332），控訴審における攻撃防御方法提出期間（301）などが挙げられる。

猶予期間とは，中間期間とも呼ばれ，当事者の利益保護のために，行為をなす前提として認められる，一定時間の猶予を意味する。109条の3第1項3号（未施行），112条1項および2項がその例として挙げられる[14)]。

2　法定期間・裁定期間

期間の長さが法律上一定のものとされているものを法定期間と呼び，裁判等によって長さが定められるものを裁定期間と呼ぶ。法定期間の例としては，除斥・忌避原因の疎明期間（民訴規10 III），公示送達発効の猶予期間（112 I II），控訴期間（285）などがあり，裁定期間の例としては，訴訟能力などの補正期間（34 I），訴訟費用計算書等の提出期間（民訴規25 I），担保提供期間（75 V），訴状の補正期間（137 I・137の2 I（未施行）），準備書面提出期間（162 I），控訴審における攻撃防御方法提出期間（301）などがある。

3　通常期間・不変期間

法定期間のうち，裁判所がその期間を伸縮できないものを不変期間と呼ぶ（96 I）。主として裁判に対する不服申立期間について，法が不変期間を定めることがある（285・332・342・357・378・393など）。もっとも，不変期間についても，裁判所が付加期間を定めることは許される（96 II）。その場合には，付加期間と本来の期間とを合算した期間が不変期間となる。

不変期間以外の法定期間については，原則として伸縮が可能であり[15)]，ま

---

14)　本条の期間が猶予期間にあたるかどうかについては争いがあるが，通説は，2週間の期間を経て，はじめて公示送達の効力が発生し，それを前提として当事者が訴訟行為をすることが可能になるという趣旨から，猶予期間にあたるとしている。

15)　もっとも，法律上伸縮について制限が設けられることがあり（たとえば112 III），また，訴訟係属の効果にかかわるもの（263），当事者の手続上の利益に関するもの（315 I，民訴規194，民訴387・392）についても，その性質上伸縮は許されないと解される。

た，裁定期間についても，同様にその伸縮が認められる（民訴規38）。ただし，伸縮については，当事者の申立権は認められず，裁判所の職権によって行われる。

4　期間の計算

期間の計算方法は民法の例による（95Ⅰ）。したがって，期間の起算日がその日の午前零時をもって始まる場合を除いて[16)]，初日不算入の原則がとられる（民140）。そして，期間の末日の終了をもって期間が満了するが（民141），その末日が土曜日，日曜日，その他「国民の祝日に関する法律」（昭和23法178）に規定する休日等にあたるときには，その翌日をもって期間が満了する（95Ⅲ）。

法定期間の場合には，法定の事由が生じた時に期間の進行が開始する。これに対して，裁定期間の場合に，裁判によって始期を定めたときには，その始期から期間の進行が開始するが，それが定められなかったときには，裁判が効力を生じた時から期間が進行する（95Ⅱ）。たとえば，137条1項にもとづく訴状の補正命令の場合に，何日内とのみ定めて，始期を定めなかったとすれば，この命令は，原告に対する告知によってその効力を生じるから（119），その時から期間の進行が開始する。期間の進行は，訴訟手続の中断および中止の間は停止し，その解消とともに，さらに全期間の進行が始まる（132Ⅱ）。

5　訴訟行為の追完

不変期間を徒過した場合にも，それが当事者の責めに帰すことができない事由によるときには，その事由が消滅してから1週間以内（外国にいる当事者については2ヵ月以内）に限って訴訟行為を行うことが許される。これを訴訟行為の追完と呼ぶ（97Ⅰ）[17)]。追完期間の伸縮は認められない（97Ⅱ）。なお，不変期

---

16)　110条3項にもとづいて判決が公示送達の対象とされたときには，112条1項但書によって掲示を始めた日の翌日に効力を生じる。これは，翌日の午前零時に効力を生じる趣旨であるので，控訴期間の計算にあたっては，初日が算入される（大阪高判昭和34・2・17下民10巻2号316頁）。

17)　規定上では，訴訟行為の追完は不変期間に限って認められるが，それ以外の場合，たとえば上告理由書提出期間（315Ⅰ・316Ⅰ②，民訴規194）についても類推適用されるかどうかについて考え方の対立がある。明文の規定に反することを主たる理由とする否定説（最判昭和33・10・17民集12巻14号3161頁）も，期間経過後の期間の伸長を認めるのであれば，肯定説との間に大きな違いはない（上告理由書提出期間の伸長について，最

間への不算入の制度（109の3Ⅱ（未施行））は，機能としては追完に類する。

当事者の責めに帰すことができない事由としては，法文に掲げられている「裁判所の使用に係る電子計算機の故障」（97Ⅰ（未施行））のほか，第1に，天災地変などによって書面の提出が遅れることが挙げられる。天災地変以外の事由であっても，通常人の合理的な予測の範囲を超える日本郵便株式会社社員の争議行為などの事由は，これに含まれる。

第2に，訴訟行為の前提となる送達が公示送達の方法によりなされたことが挙げられる。公示送達は，その方法の性質上，当事者が送達がなされた事実を了知することは困難である。そこで，1つの考え方としては，公示送達自体を責めに帰すことができない事由として扱うものであるが，このような考え方は，公示送達制度の意義を失わせる。したがって，公示送達がなされたことが受送達者側の合理的期待に反する場合に限って追完を認めるべきである[18]。

第3は，訴訟代理人またはその補助者の過失によって不変期間が徒過された場合である。しかし，一般的には，代理人などの過失は，相手方との関係では，本人のそれと同視されるから，責めに帰すべき事由によらないものとして追完を認めるべきではない。したがって，責めに帰すべき事由の存否は，本人ではなく，訴訟行為をなすべき代理人について判断される[19]。もちろん，代理人

判昭和43・5・2民集22巻5号1110頁参照）。

なお，刑事訴訟法366条には，刑事施設にいる被告人の上訴についての特則があるが，民事訴訟への準用はなく，当該事件の具体的事情を考慮しても控訴の追完が認められないとした原決定を是認した最決平成21・3・19実情454頁，最決平成23・6・9実情577頁がある。

18）　被告が住民票記載の住所に居住しており，原告もこれを知っていたにもかかわらず公示送達の申立てがなされた場合（最判昭和42・2・24民集21巻1号209頁〔百選〈5版〉A12事件〕）には，被告としては，住所地における送達を期待し，公示送達は，被告の合理的期待に反する。逆に，自己に不利な内容の判決が言い渡されることが予想されるにもかかわらず，被告がその住所を明確にしないために第一審判決の公示送達がなされたときには，被告としては，その住所における送達を期待すべきではなく，むしろ，判決の言渡しについて積極的に調査すべきであるから，追完は許されない（最判昭和54・7・31判時944号53頁）。したがって，公示送達申立人の側の故意・過失は，受送達者の合理的期待を推認させる事実として扱われるべきである。

19）　代理人について，最判昭和24・4・12民集3巻4号97頁，最判昭和33・9・30民集12巻13号3039頁，その補助者について，最決昭和25・9・21民集4巻9号433頁，最判昭和27・8・22民集6巻8号707頁がある。もっとも学説は，代理人の補助者の過失の事案においても，追完を否定することに対して批判的である。高見進「訴訟代理人の補助者の過失と上訴の追完」小室＝小山還暦(上)344頁。しかし，問題は，代理人弁護士の執

の本人に対する義務違背は，別の問題である。

現行法下の追完は，それ自体が独立の訴訟行為ではなく[20]，不変期間の徒過によって不適法とされる訴訟行為が適法なものである旨の主張である。したがって，未だ対象となる訴訟行為がなされていないときには，その主体が，追完の期間内にそれをなすとともに，責めに帰すべからざる事由によって不変期間の遵守ができなかったこと，および訴訟行為が追完の期間内になされていることを主張・立証する。

これに対して，すでに訴訟行為がなされているときには，適法性を基礎づける主張・立証のみで足りる。裁判所は，追完の成否，すなわち当該訴訟行為の適法性について中間判決をもって判断することもできるが，終局判決中で判断しても差し支えない。また，上訴の追完の場合に，形式上すでに確定している判決にもとづく執行を停止させるか否かの判断については，上訴にともなう執行停止の規定である403条1項2号または3号ではなく，再審にともなう執行停止の規定である同条同項1号を類推適用すべきである[21]。

第3項　送　　達

送達とは，当事者その他の訴訟関係人に対して，訴訟上の書類の内容を了知させるために，法定の方式にしたがって書類を交付し，または交付を受ける機会を与える裁判所の訴訟行為である。加えて，送達には，その行為の内容を公証する行為がともなう。送達にともなう法律効果としては，訴訟係属の発生あるいは不変期間の進行などが挙げられる。

審理手続の中で当事者に対して訴訟行為をなすための手続保障を与えるには，

務体制であり，代理人と本人との間で解決すべきものである。従業員の隠匿行為を理由とする追完申立ての否定例として，東京高判平成19・9・26判時1994号48頁がある。

なお，特殊な追完事由として，起算点についての従来の実務慣行に従った不服申立てについては，その実務慣行が誤りとされたときには，期間の徒過が当事者の責めに帰すことができないものとされる（最決平成15・11・13民集57巻10号1531頁〔百選〈6版〉A34事件〕）。

20）　大正15年改正前旧民事訴訟法174条は，現行法の追完に対応するものとして，原状回復の申立てという独立の訴訟行為を予定していた。

21）　通説の考え方であるが，1号の厳格な要件をそのまま適用すべきかどうか，疑問がないわけではない。立法論としては，刑事訴訟法362条ないし365条の上訴権回復手続が参考になる。

裁判所および相手方当事者の行為の内容が記載された訴訟上の書類の内容を了知させるか，少なくとも了知する機会を与え，それを前提として，以後の審理手続を進めなければならない。これが送達制度の目的である[22]。そして，手続の適法性について争いが生じるのを避けるためには，送達の事実を公証する必要がある。これが，送達に公証行為がともなう理由である。送達は，裁判所が行う訴訟行為として裁判権の行使に含まれるので，わが国の裁判権に服さない者に対しては，送達をなすことはできない。なお，送達に類似する概念として，通知，公告，送付，および直送がある[23]。

法が送達を要求している書類にはさまざまなものがあるが，訴状（138 I），控訴状（289 I）など，訴訟法律関係発生の基礎となる当事者の訴訟行為に関する書面，判決書（電子判決書）（255 I（未施行）など）など，不変期間の開始という点で当事者に対する手続保障とかかわる書面，訴訟告知書（民訴規 22 I）など，その他重要な事項にかかわる書面に大別される[24]。

送達は，裁判所の訴訟行為であるが，それをなすことについて当事者の申立てを要するとする当事者申立主義と，その申立てを要しないとする職権送達主義とが対立する[25]。現行法は，職権送達主義を原則とし（98 I），公示送達についてのみ当事者申立主義を採用する（110）。これは，審理全体について職権

22）したがって，訴状の有効な送達がなされないままに判決が確定した場合には，338 条 1 項 3 号の再審事由が認められる。最判平成 4・9・10 民集 46 巻 6 号 553 頁〔百選〈6 版〉111 事件，最決平成 24・11・8 実情 628 頁〕。さらにこれを進めて，手続保障を重視する立場から，判決を当然無効とするものとして，中山幸二「民事訴訟における送達の瑕疵・擬制と手続保障」神奈川法学 31 巻 1 号 83 頁，102 頁（1996 年）がある。また，外国判決の送達（当事者による送達）が受送達者に到達しなかった場合において，118 条（外国裁判所の確定判決の効力）3 号にいう公の秩序との関係で，わが国の送達制度が手続保障としての意義を持つことを説示するものとして，最判平成 31・1・18 民集 73 巻 1 号 1 頁がある。118 条 3 号との関係については，本書 583 頁注 *169* 参照。

23）通知および公告は，事実等を伝達する行為を指すが，通知（民訴規 65，民訴 127，民訴規 104）は，方式の定めがない点で（民訴規 4 I），また公告（民執 64 V，破 10）は，特定人に対するものではなく，一般人に対するものである点で送達と区別される。これに対して送付は，送達と同様に，訴訟関係書類を伝達する行為を指すが，送達の厳格な方式によらないものである（民訴規 47）。直送は，当事者が相手方に対して直接に送付を行う方法を指す。

24）旧法の送達書類の範囲は広すぎるという理由から，現行法ではそれを限定し，多くを送付に委ねることとした。一問一答 122 頁。

25）立法例としては，送達の実施そのものを当事者に委ねる当事者送達主義がありうるが，現行法には，そのような概念を入れる余地はない。

進行主義が採用されていることの反映である。

1　送達機関

送達行為の主体は，裁判所であるが，送達の事務は，裁判所書記官が取り扱うのが原則である（98Ⅱ）。ここでいう事務とは，送達すべき書類を作成または受領し，送達を受ける者すなわち受送達者，送達実施機関，送達方法，および送達場所を決定した上で，送達を実施させ，かつ，送達実施後に送達実施機関から送達報告書を受領するなどの行為が含まれる。受訴裁判所の裁判所書記官は，この事務を送達地の裁判所書記官に嘱託することができる（民訴規39）。また，一定の事項については，裁判所書記官が，裁判所の命令にもとづいて送達を行うことがある（110Ⅱ）。

送達の実施にあたる機関を送達実施機関または吏員と呼ぶ。執行官または郵便の業務に従事する者が実施機関になるのが原則であるが（99。101（未施行）），執行官に代えて廷吏を（裁63Ⅲ），出頭者に対する送達について裁判所書記官を（100。102（未施行））実施機関とするなどの例外が認められる。外国における送達についてわが国の外交使節が実施機関となるのも，例外に属する（108，民訴規45）。実施機関は，送達に関する事項を記載した送達報告書を作成して，送達の主体である裁判所に提出しなければならない（109。100Ⅰ（未施行）。書面に代わる電磁的記録媒体の提出もできる（同Ⅱ））。この報告書は，送達に関する事実を明らかにして，後日の紛争を予防するためのものであるので，それを欠いても，送達の効力には影響がない。したがって，送達の実施を他の証拠方法によって立証すれば，送達は有効なものとして取り扱われる[26]。

2　受送達者

受送達者は，送達名宛人とも呼ばれ，その者を名宛人として送達が行われるべき者である。誰が送達名宛人になるかは，送達書類の内容に応じて法がこれを規定する。これに対して現実に訴訟書類を受領する者を送達受領者と呼び，後に述べるように，送達の方法によっては，名宛人と受領者が異なることが認められる。

名宛人は，当事者など訴訟関係人本人を意味するのが原則であるが，その者

---

26)　口頭弁論調書の証明力に関する160条3項（同Ⅳ（未施行））の類推適用はない。大判昭和8・6・16民集12巻1519頁。

が訴訟無能力者であるときには，法定代理人が名宛人になる（102 I。99 I（未施行）。なお法定代理人によって代理される被保佐人などについても同様に解すべきである）。法人の代表者についても同様である（37）。また，訴訟代理人が選任されているときには，その者が名宛人となるが，本人を名宛人として送達を行っても，違法とまではいえないとするのが判例である[27]。なお，数人の代理人が共同して代理権を行うべき場合であっても，送達はそのうちの1人に対してすれば足りる（102 II。99 II（未施行））[28]。刑事施設に収容されている者に対する送達は，刑事施設の長を名宛人として行われる（102 III。99 III（未施行））。

3　送達場所の届出

旧法下では，個別的事件について当事者またはその代理人から送達受領のための授権を受ける送達受取人の届出制度が設けられていた。この制度は，受訴裁判所の所在地に住所などの送達場所を有しない当事者等に対する送達を迅速，かつ，確実に行うことを目的としたものであったが，郵便その他の通信手段や交通手段が完備されている現在，送達受取人の届出制度は実務上ほとんど利用されていないことから，その廃止が主張されていた。現行法は，この制度を廃止し，受訴裁判所の所在地に送達場所を有するか否かにかかわりなく，当事者等に一般的に送達場所の届出義務を課すこととした。これが送達場所の届出制度である（104，民訴規41・42）[29]。なお，令和4年改正104条施行後の送達場所の届出は，送達が書類によってなされる場合に限られる。

届出がなされた場合には，住所等の本来の送達場所の存在にかかわらず，書類の送達は届出場所においてなされる（104 II）。そして，この場所において送達をすることができなかった場合には，送達場所宛に付郵便送達が可能になる（107 I ②）。当事者等が送達場所の届出をしない場合には，最初の送達は住所等の本来の送達場所において実施されるが，2回目以降の送達は，直前の送達を

27）　最判昭和25・6・23民集4巻6号240頁〔百選 I 57事件〕。

28）　代理権の共同行使およびこれに類するものとしては，法定代理人については，共同親権者（民818 III），数人の破産管財人（破76 I 本文）などにその例がある。これに対して，訴訟委任にもとづく訴訟代理人については，56条の規定が存在するので，本条の適用は考えられない。

29）　研究会104頁，106頁参照。送達場所届出制度が設けられたことによって，旧法の書類単位の送達から，事件単位の送達への転換が図られたと説明される。

した場所においてすれば足り，その場所で送達ができなかったときには，その場所宛に付郵便送達が許される（104Ⅲ・107Ⅰ③）。

また，いずれの場合であっても，その後の訴訟手続において同一の当事者等に対しては，引き続いて他の書類も付郵便送達によることが許される（107Ⅱ）。送達場所の届出制度は，送達の円滑な実施によって手続を迅速に進めるとともに，送達制度の本来の趣旨である当事者に対する手続保障を強化することを目的としたものであり，届出義務の懈怠に対して上記のような不利益が課されることは，この目的を実現するための措置である。

4　送達の方法――書類の送達

送達の目的は，名宛人に対して訴訟書類の内容を了知させ，または了知する機会を与えることにある。したがって，法は，送達の方法として，書類をもって送達すべき場合には，書類の謄本を名宛人に交付する，交付送達を原則とし，それができない場合に他の送達方法をもって代えることとしている（101。102の2（未施行））。

(1)　交付送達

交付送達とは，名宛人に対して現実に送達書類の謄本を交付する送達方法を意味する（101。102の2（未施行））。交付送達は，さらに，送達場所，送達受領者，および送達実施機関によって，いくつかの類型に区分される。まず，送達場所については，名宛人の住所，居所，営業所，または事務所において送達が行われるのが原則である。ただし，法定代理人に対する送達は，本人の営業所または事務所で行ってもよい（103Ⅰ）。これらの送達場所が手続中に変更された場合には，新たな住所などが送達場所となる[30)]。

ア　就業場所における送達

これは，送達場所による区別である。交付送達は，名宛人の住所などにおいてなされるのが原則であるが，補充的な送達場所として，就業場所[31)]が認められている（103Ⅱ）。これは，国民の生活形態の変化によって，住所などにお

30）しかし，新たな住所などを送達事務取扱者たる裁判所書記官が調査する負担を避けるために，104条および107条は，送達場所の届出義務を課し，義務の懈怠に対する制裁として，一定の不利益を課すこととしている。

31）就業場所とは，名宛人が現実に勤務する場所を指す。最判昭和60・9・17判時1173号59頁。

ける送達が困難な場合が少なくないことを考慮して，昭和57年の改正によって設けられ，現行法に引き継がれたものである。

就業場所における送達が認められる場合としては，第1に，住所等の本来の送達場所が知れないとき，第2に，本来の送達場所における送達に支障があるとき，第3に，名宛人が就業場所における送達を申し出たときの3つである。第2の要件に該当する事情としては，昼間不在，長期不在，あるいは名宛人が受領を拒絶して，かつ，差置送達も行うことができないことなどが挙げられる。

これらの要件の存否については，送達事務取扱者たる裁判所書記官が判断する。なお，就業場所における送達についても，補充送達および名宛人に対する差置送達が許されるが[32]，補充送達の相手方が受領を拒絶した場合の差置送達は許されない（106 II III）。差置送達は，相手方が書類の受領義務を負うことを前提としているが，106条2項の場合には，この受領義務が存在しないからである。

イ　出会送達

出会送達も交付送達の一種であるが，送達場所による区別であり，本来の送達場所ではなく，送達実施機関が名宛人と出会った場所において書類を交付する方法を意味する。出会送達がなされる場合は，第1に，名宛人が日本に住所などの送達場所を有することが明らかでないときである（105前段）。たとえ外国の住所等が判明している場合であっても，名宛人の日本における立回り先が判明していれば，裁判所書記官は，送達実施機関に対してこの方法による送達を指示することができる。第2に，日本において住所等を有することが明らかであるか，または送達場所の届出をしている名宛人であっても，送達を拒まなければ，出会送達が許される（105後段）。ただし，この場合には，受領義務が存在しないので，差置送達は許されない。

ウ　裁判所書記官送達

これは，送達実施機関および送達場所による区別である。その所属する裁判所の事件について出頭した者に対しては，裁判所書記官が送達を行うことがで

32）ただし，補充送達を実施したときには，名宛人の利益を保護するために，裁判所書記官からその者に対する通知がなされる（民訴規43）。本来の送達場所と違って，代人と名宛人との関係が必ずしも密接でないことを考慮したものである。

きる（100。102（未施行））[33]。これを裁判所書記官送達または簡易送達と呼ぶ。これも交付送達の一種である。この場合には差置送達が許される。

エ 補充送達

これは，送達受領者による区別である。送達場所において名宛人に出会わないときには，使用人その他の従業者，または同居者で，送達の受領について相当のわきまえのある者[34]に対して送達実施機関が書類を交付することができる（106Ⅰ）。法が送達の実施を円滑に行うために，名宛人のために事務を処理する者，または生活を共にする者に送達書類の受領義務を課したものである。これらの者は，代人とも呼ばれるが，法律上は，送達受領についての法定代理人としての性格をもつ[35]。ただし，就業場所における送達の場合には，受領義務は課されず，任意に受領する代人に対してのみ補充送達がなされる（106Ⅱ）。

なお，日本郵便株式会社の営業所の窓口において名宛人に対して書類を交付することは，105条後段の出会送達とみなされるが，この場合にも，補充送達が認められる（106Ⅰ後段）。

オ 差置送達

105条後段や106条2項の場合を除いて，送達の名宛人や代人は，送達書類を受領すべき義務を負っている。そこで，これらの者が正当な理由なく受領を拒んだ場合には，法は，送達実施機関が送達場所に書類を差し置くことを認めている（106Ⅲ）。送達の円滑，かつ，迅速な実施を目的とする制度であり，差

33） 旧163条では，当該事件について出頭した者に限定していたものを拡張したものである。

34） 事理弁識能力は，年齢および精神的能力などから判断される。大判大正14・11・11民集4巻552頁，仙台高判平成5・12・27判時1496号100頁参照。

35） 配偶者などの同居者であって，名宛人との間に事実上の利害関係の対立が存在し，名宛人による了知が期待しえない場合でも，補充送達が違法になるものではないが，名宛人に対する手続保障が欠けるために，再審事由（338Ⅰ③）が認められる。最決平成19・3・20民集61巻2号586頁〔百選〈6版〉38事件〕，最決平成21・3・10実情458頁。また，現代においては，同居者の概念自体が多様化していることを指摘するものとして，佐藤鉄男「民事手続法における同居者」中央ロー・ジャーナル19巻2号69頁（2022年）がある。

中山幸二「送達と再審――手続保障の二重構造論・再論」高橋古稀1061頁は，補充送達や付郵便送達について形式的手続保障を目的とした送達擬制とし，実質的手続保障を確保するための手段として再審による救済を位置づける。

置きによって送達の効力が生じる。受領拒絶には，開扉拒絶などの出会拒絶も含まれるが，実施機関が送達を受領すべき者を特定していることが前提となる。受領を拒絶する正当事由としては，名宛人の表示が異なる，もしくは名宛人が刑事施設に収容されているにもかかわらず住所に送達がなされる（102Ⅲ。99Ⅲ（未施行）参照），または代人の資格がない者に対して補充送達がなされるなど，送達が適式に行われていない事情がこれに該当する。

⑵　付郵便送達

裁判所書記官が名宛人の住所など本来の送達場所に対して書留郵便等によって送達書類を発送し，発送の時に送達の効力を生じさせる方法を付郵便送達と呼ぶ（107）。この場合に，裁判所書記官は，送達事務取扱者であると同時に，送達実施機関の地位も併有する[36]。交付送達の場合には，たとえ差置送達であっても，送達書類を名宛人の支配圏内に置くことによってはじめて送達の効力が生じるが，付郵便送達は，書類の到達とはかかわりなく送達の効力を生じさせるところにその特徴がある（107Ⅲ）。したがって，当事者など関係人に対して，訴訟書類の内容を了知させ，または了知する機会を与えるという送達制度の趣旨に照らすと，付郵便送達は，補充的な送達方法にとどめられる。なお，就業場所に対する付郵便送達は許されない。

付郵便送達が認められる第1の場合は，本来の送達場所および就業場所における交付送達，補充送達，および差置送達ができなかったときである（107Ⅰ①）。裁判所書記官送達や出会送達の不能は要件ではない。第2の場合は，届け出られた送達場所における送達について同じく交付送達等ができなかったときである（107Ⅰ②）。第3の場合は，送達場所届出義務が懈怠され，かつ，104条3項に定める場所における交付送達等ができなかった場合である（107Ⅰ③）。第2および第3の場合においては，その後に送達すべき書類についても引き続き付郵便送達によることができる（107Ⅱ）。付郵便送達を行うか否かは，送達事務取扱者たる裁判所書記官の判断に委ねられる[37]。なお，令和4年改正に

36）　したがって，郵便の業務に従事する者が送達実施機関となって交付送達を実施する場合とでは，送達実施機関の点でも，また，送達の効力発生時の点でも異なる。

37）　最判平成10・9・10判時1661号81頁〔百選〈6版〉37①事件〕参照。

特に消費者信用関係の事件においては，交付送達が不能になっても直ちに付郵便送達を実施すべきでなく，休日・夜間における速達郵便による特別送達を試みた上で付郵便送達

よる107条が施行されると，電子情報処理組織による送達ができる場合も，付郵便送達は許されない。

(3) 公示送達

公示送達とは，裁判所書記官が送達書類を保管し，名宛人が出頭すればいつでもこれを交付する旨を裁判所の掲示場に掲示するなどして行う送達方法である。ただし，呼出状については，その原本を掲示場に掲示する（111，民訴規46 I）。

送達場所が不明の場合には，交付送達や付郵便送達は不可能であり，名宛人が裁判所へ出頭しなければ裁判所書記官送達も不可能であり，また，名宛人の所在が不明であれば，出会送達もできない。このような場合であっても，送達を行わなければ，訴訟手続を進めることができず，当事者の裁判を受ける権利が実現されないことになる。そこで法は，掲示場への掲示の方法によって名宛人が送達書類を了知する機会を与えられたものとみなし，これによって送達の効力を発生させることとした。これが公示送達の制度の趣旨である。公示送達は，以下の要件が満たされる場合に，原則として当事者の申立てにもとづき，裁判所書記官によって行われる。

なお公示送達は，私法上の意思表示の相手方が特定されず，またはその所在

を実施するとか，付郵便送達を実施したときにも，書留郵便と併せて普通郵便を送付するなどの運用が行われてきた。勝野鴻志郎＝上田正俊・民事訴訟関係書類の送達実務の研究〈改訂〉157頁（1986年），中山幸二「郵便に付する送達制度の問題点」神奈川法学22巻3号43頁（1987年），東孝行「郵便に付する送達の諸問題」判タ640号36頁（1987年），雨宮眞也「付郵便送達制度の問題点」NBL 502号30頁（1992年），新堂幸司「郵便に付する送達について」鈴木禄彌先生古稀記念・民事法学の新展開509頁（1993年）など参照。このような考え方を前提として，民事訴訟規則44条は，付郵便送達に付随する通知の制度を設けている。ただし，同条は訓示規定である。条解規則95頁。

なお，裁判所書記官は，本来の送達場所における送達が不送達に終わった場合には，申立人に就業場所における送達の可能性について資料の提出を求め，その上で付郵便送達の実施について判断する。東京高判平成4・2・10判タ787号262頁，伊藤眞〔判例研究〕金融法務1331号62頁（1992年）参照。

また，付郵便送達は，送達場所などにおける補充送達などができなかったことを要件とするから，送達実施機関たる郵便局職員が，当該場所が受送達者の基本的送達場所にあたるとの認識を持てなかったため補充送達などを試みたということはできない場合には，付郵便送達が違法となり，再審事由（338 I ③。本書813頁）があるとした原決定を是認した最決令和元・12・11判例集未登載（小林宏司ほか「許可抗告事件の実情－令和元年度」判時2452号5頁）がある。当該事案の特質は別として，裁判所書記官の裁量判断との関係が問題となろう。

が不明の場合に，意思表示の方法としても用いられる（民98）。しかし，管轄裁判所および公示の手続が異なることから，訴状に解除や相殺などの意思表示を記載し，これを公示送達の方法によって送達するときでも，旧法の下では，私法上の意思表示到達の効力を発生させるためには，別にそのための手続をとる必要があったが，113条は，これについて特則を設け，訴訟関係書類の公示送達の手続をとることによって，意思表示到達の効力を認めることとした[38]。

ア　公示送達の要件

公示送達が認められるのは，以下の場合である（110 I）。第1は，当事者の住所，居所，その他の送達場所が不明のときである（110 I ①）[39]。不明とは，申立人が主観的に不知であるというだけでは足らず，出会送達のための所在も含めて，通常の調査方法によっては送達場所が判明しないことを意味する。ただし，令和4年改正の施行後は，電子情報処理組織による送達ができる場合を除く（同括弧書）。その方法による送達が可能なためである。

第2は，107条1項にもとづく付郵便送達ができない場合である。補充的送達場所としての就業場所が判明していても，付郵便送達が許されないために，公示送達を認める必要がある（110 I ②）。第3は，外国における送達について，108条にもとづく嘱託が不可能な場合，または嘱託しても送達の目的を達する見込みがないと認められる場合である（110 I ③）。第4は，外国の管轄官庁に嘱託がなされた後6カ月を経過しても送達報告書の送付がない場合である

38）ただし，訴訟関係書類の公示送達とは，要件および効果について，若干の違いがある。一問一答120頁参照。

また，訴えが取り下げられたり，却下されたりした場合に，私法上の意思表示の効果が影響を受けるかどうかの問題があるが，この場合には，訴訟行為と私法行為とが併存し，しかも合理的な当事者の意思として公示送達による私法上の意思表示の効力を維持するものと考えられる。研究会109頁以下参照。

39）当事者のみならず，法定代理人，法人の代表者，補助参加人，訴訟引受人，被告知者も含まれる。これに対して，現実に出頭しなければ目的を達しない，証人の呼出しなどは，公示送達の対象とならない。

なお，裁判所書記官の調査が不十分であったとして訴状の公示送達を無効とし，原判決を取り消したものとして，大阪地判平成21・2・27判タ1302号286頁がある。裁判所書記官による調査の内容については，上田正俊「送達」実務民訴〔第3期〕(3)55頁参照。

また，近時の裁判例として，札幌地決令和元・5・14判タ1461号237頁〔百選〈6版〉A11事件〕は，合理的な努力を尽くせば申立人が相手方の送達場所を知りえた事情が存在するにもかかわらず，送達場所不明としてなされた訴状等の公示送達を無効とした上で，それが再審事由（338 I ③）にあたるとしている。本書813頁参照。

(110Ⅰ④)。

イ　公示送達の手続

公示送達は，当事者または参加人などそれによって訴訟上の利益を受ける者が申立てをなし，裁判所書記官によって行われるのが原則である（110Ⅰ）。申立人は，上の要件のいずれかにあたる事実を証明しなければならない。申立てに関する裁判所書記官の処分については，所属裁判所に対する異議が認められる（121）。いったん公示送達が認められると，同一の事件および名宛人について，また同一の審級においては，110条1項4号の場合を除いて2回目以降の送達も公示送達によることが許される（110Ⅲ）。

例外的に，訴訟の遅滞を避けるために必要なときには，申立てを前提とせずに，受訴裁判所の決定をもって公示送達を行うことも許される（110Ⅱ）。当事者双方が所在不明となった場合，または一方当事者が行方不明となったにもかかわらず，相手方が公示送達の申立てをしない場合などが例として挙げられる。

公示送達は，裁判所書記官が送達実施機関として掲示を行うことによって完了するが，裁判所書記官は，公示送達の事実を官報または新聞紙に掲載することができる（民訴規46Ⅱ）。これは，名宛人に公示送達の事実を知る機会を与えるための措置である。もっとも，実際にはほとんど行われていない。

ウ　公示送達の効力および名宛人に対する救済

公示送達は，原則として，掲示がなされてから2週間が経過することによってその効力を生じる（112Ⅰ本文）。この2週間は，猶予期間としての性質をもつ。ただし，同一の当事者に対して2回目以降職権によってなされる公示送達については，猶予期間を設ける意味がないので，掲示等をなした日の翌日に効力を生じるものとされる（112Ⅰ但書）。逆に，外国にいる者に対する公示送達については，6週間の猶予期間が置かれる（112Ⅱ）。これらの期間は，法定期間の一種であるが，延長のみが可能であり，短縮は許されない（112Ⅲ）。

公示送達の事実を知らずに訴訟行為をする機会を逸した名宛人に対する救済としては，2種類のものが考えられる。第1は，97条にもとづく訴訟行為の追完である。ただし，名宛人は，公示送達を受けたことが自己の責めに帰すべき事由によるものではないという特別の事情を主張・立証しなければならない[40]。申立人が名宛人の住所を知りながら公示送達の申立てをなしたとか，または裁判所書記官が要件の有無について十分な調査をしないままに公示送達を行ったなどの事情がこれにあたる。

第2は，申立人が公示送達の要件の欠缺を知りながら申立てをなしたことを理由として，名宛人たる当事者が再審の訴えを提起する方法である。要件に欠ける公示送達であっても，直ちに判決が無効となるものではないが，いわゆる確定判決の騙取にみられるように，原告が裁判所書記官を欺いて公示送達をなさしめた場合には，338条1項5号の再審事由が成立しうる[41]。

5　電磁的記録の送達

これは，令和4年改正によって創設された送達制度である（未施行）。電磁的記録の送達については，2種類の方法がある。

(1)　出力書面による送達

1つは，電磁的記録に記録されている事項を出力することにより作成した書面を4に述べた書類の送達として行う方法である（109）。

40）　追完の可能性自体については，大判昭和16・7・18民集20巻988頁，最判昭和36・5・26民集15巻5号1425頁，前掲最判昭和42・2・24（注*18*）がこれを認める。

41）　ただし，338条2項の要件が満たされる必要がある。これに対して有力説は，より広く救済を認めるために，同条1項3号の類推適用を主張する（小山昇「不実の申立てに基づく公示送達を受けた者の救済について　後編」北海学園大学法学研究25巻1号1頁，38頁（1989年），中山幸二「送達の擬制と再審」青山古稀296頁，山本弘「送達の瑕疵と民訴法三三八条一項三号に関する最近の最高裁判例の検討」青山古稀536頁，同・研究348頁など）。しかし，公示送達が適法になされている以上，それにもとづく確定判決が当然に取り消されるべきものとはいえない。これは，公示送達の制度を採用する以上やむをえない結果である。したがって，例外的な場合についての救済として，上訴の追完，および5号の再審事由を認めれば足りる。判例もこのような考え方をとり（大判昭和10・12・26民集14巻2129頁〔百選85事件〕，最判昭和57・5・27判時1052号66頁），通説もこれを支持する。注釈民訴(3)613頁〔下田文男〕，秋山ほかⅡ454頁など参照。

もちろん，騙取者に対する損害賠償請求は可能であるが（最判昭和44・7・8民集23巻8号1407頁〔百選〈6版〉81事件〕），既判力によって確定された権利を実質的に覆すべき理由があるかどうかが問題となる（最判平成10・9・10判時1661号81頁〔百選〈6版〉37②事件〕，最判平成22・4・13裁時1505号12頁）。既判力の作用場面としては，確定された権利とその不存在を理由とする損害賠償請求権が相互に矛盾関係に立つことになろう（本書581頁）。もっとも，学説上では，故意や悪意によって相手方の訴訟関与の機会を奪って取得した確定判決については，既判力の拘束を認めないとする考え方も有力である。本間靖規「判決の不当取得」実務民訴〔第3期〕(6)239頁参照。

ただし，当事者の申立てにもとづく公示送達について無効の可能性を広く認めれば（秋山ほかⅡ453頁），再審による救済をより広く認めることが考えられる。

(2) システム送達

他の１つは，電子情報処理組織による送達である（109の2Ⅰ）。これをシステム送達という。システム送達は，電磁的記録に記載されている事項を受送達者が閲覧またはダウンロードできる措置をとるとともに，その旨の通知を発する方法による（同本文。以下，システム送達の通知とする）。この方法は，受送達者がその方法により送達を受ける旨の最高裁判所規則で定める方式による届出をしている場合に限る（同但書。以下，システム送達受領の届出とする）。届出をする場合には，最高裁判所規則で定めるところにより，通知を受ける連絡先を受訴裁判所に届け出なければならない（109の2Ⅱ前段）。この場合においては，送達受取人をも届け出ることができる（同後段）。通知は，届け出られた連絡先に宛ててするものとする（109の2Ⅲ）。

ア　システム送達の効力発生時期

この方法による送達の効力発生時期は，次のいずれか早い時である（109の3Ⅰ柱書）。第1は，受送達者が電磁的記録に記録されている事項を閲覧した時である（同①）。第2は，受送達者が電磁的記録に記録されている事項について，その使用に係る電子計算機に備えられたファイルへの記録（ダウンロード）をした時である（同②）。第3は，システム送達の通知が発せられた日から1週間を経過した時である（同③）。したがって，受送達者が第1の閲覧または第2のダウンロードという作為をしないときでも，システム送達の通知が発せられた日から1週間を経過すると，送達の効力が生じるが，受送達者がその責めに帰することができない事由によって閲覧またはダウンロードをすることができない期間は，1週間の期間に算入しない（109の3Ⅱ）。受送達者保護のための規律である。

イ　システム送達受領義務者

システム送達は，それを受ける旨を届け出た者に限って行うが（109の2Ⅰ但書），電子情報処理組織による申立てを義務づけられる者（132の11Ⅰ各号）については，届出をしていない場合であっても，システム送達をすることができ，この場合においては，システム送達の通知をすることを要しない（109の4Ⅰ）。この場合には，システム送達の通知が発せられた日に代えて，システム送達の措置がとられた日が1週間の起算点になる（同Ⅱ）。

このような特例が設けられたのは，令和4年改正の基調であるIT化の理念の具体化として，弁護士等の専門職が電子情報処理組織による申立てを義務づけられることは，訴訟行為をする前提となる送達を受けるについても，システム送達を受けることを義務化する趣旨である。

ウ　公示送達の場合

公示送達についても，システム送達の特質を反映した特則が設けられている。公示送達の方法については，送達すべき電磁的記録に記録された事項につき，いつでも送達を受けるべき者に出力書面（109）を交付し，または当該事項について受送達者が閲覧またはダウンロードをすることができる措置（109の2Ⅰ本文）をとるとともに，その措置がとられた旨の通知を発すべきことを公示する（111柱書・②）。公示送達の効力発生の時期（112Ⅰ），公示送達による意思表示の到達（113前段）においても，システム送達を前提とした改正が加えられている。

第3節　訴訟手続の停止

裁判所は，係属する訴訟手続を進行させる義務を負うが，逆に一定の事由が発生した場合には，手続を進行させることを禁じられる。これが訴訟手続の停止と呼ばれるものであり，一定の事由にもとづく法律効果である点で，裁判所が期日の指定をしないために事実上手続が停止する場合と区別される[42]。手続が停止している間は，期間も進行しないし[43]，当事者および裁判所が訴訟行為を行ってもその効力は生じない。これに違反した場合には，当事者が手続関与の機会を奪われたものとみなされ，上訴または再審による救済が与えられる（312Ⅱ④・338Ⅰ③）。

ただし，無効な訴訟行為も責問権の喪失（90）によって治癒されうるし，また，中断を解消させることを目的とする受継の申立てやそれに対する裁判は，

42）　実務上期日を「追って指定」する形で，事実上手続の進行が止められることがある。もちろん，当事者が期日に欠席するなどして手続の進行を遅滞させることも，本文にいう停止とは区別される。

43）　132条2項。期間の進行が中断し，続行などによって再び進行を開始するのではなく，続行によって全期間が最初から進行を始める趣旨である。

その性質上中断中に行うことが可能である。さらに，口頭弁論終結後に手続が中断したときには，もはや当事者に訴訟行為をなす機会を与える必要がないので，裁判所は，判決の言渡しをすることができる（132 I）。

手続の停止を生じさせる事由を大別すると，中断と中止とに分けられる[44]。中断は，訴訟当事者または法定代理人について，訴訟行為をなす資格・能力を喪失させる事由が発生した場合，その者またはその者に代わる者が訴訟行為をなしうる状態になるまで，手続を停止するものである（124，破 44）。これに対して中止は，裁判所または当事者が訴訟行為を行うことを不可能にする事由が発生した場合，その事由が止むまで手続を停止するものである（130・131）。その他特別のものとして，除斥・忌避の申立てにともなう停止がある（26）。

第1項　訴訟手続の中断

中断とは，法定の中断事由の発生によって訴訟手続停止の効果が発生することを意味するものであり，その事由についての裁判所や当事者の知不知とはかかわりがない。中断事由を分類すると，当事者能力の喪失，訴訟能力の喪失，法定代理権の消滅，および当事者適格の喪失に区分される。

1　当事者能力の消滅

訴訟は，従来の当事者の当事者能力が消滅し，別の当事者が前者の当事者適格を承継した場合に中断する。自然人の死亡（124 I ①）および法人の合併による消滅（124 I ②）がこれに属する。合併以外の解散事由の場合には，法人は，清算手続の範囲内で存続するから，手続は，当然には中断せず，清算が終了し，法人格が消滅するときには，中断ではなく，訴訟終了の効果が生じる[45]。

44）　その他，大正 15 年改正前旧民事訴訟法 188 条は当事者の合意にもとづく休止を認めていたが，現行法はその制度を廃止した。

45）　自然人の死亡についても，訴訟物たる権利が一身専属的である場合においては，手続は中断せず，訴訟は終了する。最大判昭和 42・5・24 民集 21 巻 5 号 1043 頁〔百選 II A 46 事件〕（生活保護法にもとづく医療扶助に関する行政処分取消訴訟），最判平成元・10・13 判時 1334 号 203 頁〔平成元重判解・民訴 3 事件〕（配偶者の一方を被告とした婚姻無効確認訴訟），最判平成 16・2・24 判時 1854 号 41 頁（文書非開示処分取消訴訟）参照。また，被告が訴訟物たる原告の権利を相続する場合にも，混同によって訴訟の基本構造である 2 当事者対立が消滅するので，中断ではなく，訴訟が終了する。

なお，人事訴訟の係属中に原告が死亡した場合には，原則として訴訟は当然に終了する（人訴 27 I。ただし人訴 41 II の特則がある）。人事法律関係の変動などを求める地位は，

2　訴訟能力の喪失，法定代理人の死亡，法定代理権の消滅

後見開始の審判や未成年者に対する営業許可の取消しなどの事由によって当事者が訴訟能力を失ったときには，自ら訴訟行為をすることができなくなる。また，法定代理人が死亡し，または代理権を失ったときにも，本人自身が訴訟行為をすることができず，かつ，本人のために訴訟行為をなす者が存在しないから，訴訟が中断する（124 I ③）。ただし，保佐人や補助人が法定代理人である場合には，4 に述べるように，中断が生じないことがある。これに対して，訴訟代理権の消滅は，本人が直ちに訴訟行為をなすことができるから，中断事由にならない。

3　当事者適格の喪失

第三者が権利関係の帰属主体に代わって，訴訟担当者たる当事者として訴訟行為をなす資格をもつ場合において，その資格を喪失すると，有効に訴訟行為をなすことができなくなり，また，権利関係の帰属主体自身も直ちに訴訟行為を行うことができない。そこで法は，このような場合において訴訟手続の中断を認める。

第1は，信託財産に関する訴訟の係属中当事者である受託者等の任務が終了（信託 56 I 等）した場合である。新受託者等による受継がなされるまで，手続が中断する（124 I ④）。

第2は，一定の資格を有する者が，他人のために当事者となっている訴訟においてその資格を喪失したときである（124 I ⑤）。法定訴訟担当者および職務上の当事者がこれに該当し，救助料支払に関する船長（商 803 II），破産管財人（破 80），成年後見人または成年後見監督人（人訴 14），遺言執行者（民 1012 I）などがその例として挙げられる。また，講の講元，または民法上の組合の業務執行組合員などの任意的訴訟担当者も，ここに含まれる。ただし，同じく法定訴訟担当であっても，代位債権者（民 423）または取立債権者（民執 157）の場合には，被担当者のための資格ではなく，自己の債権実現のための訴訟担当で

原告の一身に専属するとの考え方による。また，被告死亡の場合には，被告適格に関する規律（人訴 12 II III）に即して，検察官による受継が定められる（人訴 26 II）。ただし，離婚，嫡出子の否認または離縁を目的とする人事訴訟の係属中に被告が死亡した場合には，訴訟は当然に終了する（人訴 27 II）。婚姻関係，嫡出親子関係または養親子関係の一身専属性を重視したものである。

あるから，ここには含まれない[46]。

第3は，選定当事者の全員がその資格を喪失した場合である（124Ⅰ⑥）。一部の者がその資格を喪失しても，残余の者が訴訟追行をすることができるから（30Ⅴ），中断の原因にはならない。中断した訴訟は，新たな選定当事者または選定者全員によって受継される。

第4は，当事者が破産手続開始の決定を受けた場合である。破産手続開始の決定によって破産財団の管理処分権は，破産者から破産管財人に移転するので（破78Ⅰ），それにともなって訴訟が中断する（破44Ⅰ）。中断した訴訟は，破産法の規定にしたがって破産管財人が受継するなどの措置がとられる（破44Ⅱ・127Ⅰ）。ただし，その受継がなされる前に破産手続が終了すれば[47]，破産者の管理処分権が回復されるので，破産者が受継することになる（破44Ⅵ）。また，いったん破産法による受継がなされた後であっても，破産手続が終了すれば，再び訴訟が中断し，破産者がこれを受継する（破44ⅣⅤ）[48]。

第5は，所有者不明土地管理命令（民264の2Ⅰ）が発せられた場合である。この命令によって土地等の管理処分権は，所有者から所有者不明土地管理人に移転するので（民264の3Ⅰ），それにともなって訴訟が中断する（125Ⅰ前段）。

46）資格にもとづく担当者の場合には，権利義務の帰属主体に代わって担当者が訴訟追行をなすことが予定されており，したがって，担当者の資格喪失の事実が生じたときには，新たな担当者が受継するまで手続を中断させる必要がある。これに対して，代位債権者などの場合には，自己の権利を保全することが訴訟の目的であるから，その権利を失えば，訴えが却下されることとなり，手続が中断するわけではない。ただし，権利の帰属主体などが訴訟承継を行う余地はある。もちろん，代位債権者が死亡した場合は，ここでの問題とは別であり，124条にもとづく中断・受継がなされる。

なお，責任追及等の訴えにおける株主（会社847）は，代位債権者と同様に考えられるというのが支配的見解であるが，株主の共益権にもとづく訴訟であることを考えれば，資格にもとづく訴訟担当として扱うのが適当である。一般社団法人の社員も同様である（一般法人278）。

47）破産の廃止または配当終結などの事由にもとづいて破産手続が終了する（破216以下）。

48）その他，破産法にもとづく特殊な中断・受継として，債権者代位訴訟および詐害行為取消訴訟が債務者に対する破産手続開始の決定によって中断する場合がある（破45Ⅰ）。これは，破産手続開始の決定にともなって，責任財産保全のための当事者適格が個々の破産債権者から破産管財人に移転することを反映したものであるが，訴訟当事者たる代位債権者などに生じた事由ではない，債務者に対する破産手続開始の決定を中断事由としている点で，破産法44条1項の中断とは性質が異なる。伊藤・破産法・民事再生法451頁参照。

その後の受継等の手続は，破産の場合と同様である（同後段・125Ⅱ）。所有者不明建物管理命令（民264の8Ⅰ）が発せられた場合も同様である（125Ⅲ）。

4　中断が生じない場合

中断が生じないとは，中断事由の発生にもかかわらず，訴訟手続停止の効果が生じないことを意味する。具体的には，上記の**1**，**2**および**3**のうち第1ないし第3の中断事由が発生した当事者に訴訟代理人が存在する事実があると，停止の効果発生が妨げられる（124Ⅱ）。訴訟代理権は，中断事由の発生によっては消滅せず（58ⅠⅡ），訴訟代理人は，新当事者のために訴訟行為をなすことができるから，手続を停止させる必要がない[49]。ただし，訴訟代理人は中断事由の発生を裁判所に書面で届け出ることを義務づけられる（民訴規52）。

また，合併をもって相手方に対抗することができない場合（124Ⅳ），および被保佐人や被補助人が訴訟行為をすることについて保佐人等の同意を得たか同意が不要の場合[50]（同Ⅴ）にも，中断事由（同Ⅰ②③）の発生にもかかわらず，中断の効果は生じない。保佐人等が法定代理人となっている場合であっても（民876の4Ⅰ・876の9Ⅰ），被保佐人等が直ちに訴訟行為をすることができるときには，手続を中断させる必要がないからである。

破産にかかわる中断（破44Ⅰ）に関しては，124条2項の規定は適用されない。これは，破産管財人と破産者との間に利害関係の対立が存在するためである。所有者不明土地建物にかかわる中断（125ⅠⅢ）についても，同様である。

5　中断の解消

中断事由にもとづく停止の効果は，当事者の申立てにもとづく受継決定，ま

---

49)　訴訟代理人が上訴の特別授権を受けていないと，当該審級の終局判決の送達時に手続が中断する。大決昭和6・8・8民集10巻792頁〔百選20事件〕。

訴訟法律関係からみれば，受継の手続をとるまでもなく，新当事者が訴訟当事者となることを前提としている。ただし，当事者の表示を新当事者に改めるためには，新当事者の側から承継の事実を主張・立証することを要する。秋山ほかⅡ609頁参照。

これに対して，わが国政府の新たな外国政府の承認により，従前の外国政府から派遣されていた者の外国国家を代表する地位が消滅した場合には，外国国家の利益を尊重するために，訴訟代理人があっても，訴訟手続が中断する（最判平成19・3・27民集61巻2号711頁〔平成19重判解・民訴2事件〕）。

50)　被保佐人および被補助人について同意不要とされるのは，応訴行為（32Ⅰ・40Ⅳ）の場合であり，被補助人について同意不要とされるのは，同意権付与の審判（民17Ⅰ）がされていない場合である。

たは裁判所の続行命令によって消滅し，手続が再び進行する。

(1) 受　継

受継とは，中断事由の発生によって停止している訴訟手続を新当事者などに続行させるための手続である。中断事由が発生すると，相続人などの承継人は，当然に新当事者としての地位を取得する。しかし，当事者として訴訟行為を行うためには，受継の手続を経なければならない。すなわち，受継は，承継人が当事者としての地位を取得するための手続ではなく，裁判所が手続を続行し，新当事者が有効に訴訟行為をなしうる前提となる手続である[51)]。なお，受継の手続は，当事者による申立ておよびそれについて裁判所がなす判断によって構成されるが，中断解消の効果は，受継申立てそのものにもとづいて生じる。

中断事由が生じた側の当事者として新たに訴訟追行をなすべき者は，受継義務にもとづいて受継の申立てをする（124 I）。新追行者は，それぞれの中断事由ごとに法定されている。また，相手方当事者にも申立権が認められているのは（126），すでに係属している訴訟を続行させることについて相手方当事者も手続上の利益をもつことを考慮したものである。申立ては，受訴裁判所に対してなされる。終局判決の送達後に訴訟手続が中断したときにも，その判決を行った裁判所に対して申立てをなすべきであり，上級審裁判所にすべきものではない（128 II）[52)]。受継申立てがなされた事実は，裁判所が相手方に通知する（127）。なお，申立ては書面でなされることを要し（民訴規 51 I）[53)]，解釈上の例外を除いて，上訴の提起や期日指定の申立てにともなう黙示の申立てを認めることはできない。なお，所有者不明土地建物や破産にかかわる中断にもとづ

---

51)　この意味で，受継は，49 条および 50 条にもとづく訴訟承継とは異なる。また，破産法 44 条 6 項のように，受継の手続を経ることなく，新当事者が当然に手続を受継し，訴訟行為をなしうる場合もある。

52)　これに対して，上訴とともにするときには，受継の申立ても上訴審裁判所になすことができるとする判例があり（大判昭和 7・12・24 民集 11 巻 2376 頁〔百選 87 事件〕），これを支持する学説も有力である（新堂 444 頁参照）。しかし，条文の文言との関係，および中断中の上訴を適法なものとみなせるかなどの問題がある。斎藤ほか(5) 334 頁以下〔遠藤功＝奈良次郎＝林屋礼二〕参照。現行法では，上訴状は原裁判所に提出されることとされたので（286 I・314 I・318 V・331），このような問題は通常生じない。誤って上訴裁判所に対して申立てがなされたときには，事件を原裁判所に移送すべきである。

53)　申立てには，受継資格を明らかにする資料が添付されなければならない（民訴規 51 II）。

く受継については，125条1項後段・2項・3項や破産法44条2項・4項ないし6項がこれを定める。

裁判所は，申立てに対して申立人の適格や要件を職権をもって調査し，受継の適否を判断する。理由がないと認めるときには，却下決定をなす（128 I）。却下決定に対しては，抗告が認められる（328 I）。これに対して，申立てに理由があると認めるときは，口頭弁論終結前の中断か否かによって取扱いを異にする。口頭弁論終結前のときには，受継の要件が満たされていると判断されれば，裁判所は，期日を指定して審理を続行すれば足り，独立の裁判を要しない。受継に関する争いは，終局判決に関して，当事者適格などの問題として主張させれば足りる。

しかし，口頭弁論終結後の中断の場合には，受継についての裁判をする必要がある（128 II）。これは，判決の名宛人を明らかにし，不服申立ての機会を保障するための措置である[54]。なお，この場合に，受継の申立てとともに，上訴が提起されたときには，申立てによって中断が解消し，適法に上訴がなされていることになるから[55]，移審の効果が生じ，原審ではなく，上訴審が受継申立ての適否を判断する。上訴審が受継申立てを却下すれば，中断の状態が続いていることになるから，上訴は，遡って不適法なものとなる。

(2) 続行命令

受継義務を負う当事者が申立てを怠る場合には，裁判所は，職権によって当事者に対して続行命令を発し，手続の中断を解消することができる（129）。続行命令を発することができるのは，中断の当時訴訟が係属する裁判所である[56]。なお，続行命令後の指定期日に当事者双方が欠席すれば，263条の適用

54）128条2項は，判決書等送達後の中断について規定する。これは，上訴の起算点を明らかにする趣旨である。しかし，本文に述べたように，判決の名宛人を明らかにし，受継の判断を当事者が争う機会の保障を重視すれば，判決言渡し後はもちろん，口頭弁論終結後の中断についても，口頭弁論中で受継について争われる可能性がないので，独立に受継決定が行われなければならないとするのが通説の見解であり，本書もそれを支持する。なお，この種の受継決定の当否については，それを理由とする終局判決に対する上訴が認められる（最判昭和48・3・23民集27巻2号365頁〔百選II 191事件〕）。

55）大判昭和7・10・26民集11巻2051頁。

56）受継の申立てを経ずに上訴のみがなされたときに，上訴裁判所が続行命令を発することができるとするのは，大判昭和13・2・23民集17巻259頁〔百選88事件〕，受継申立権者でない者がした受継申立ておよび上訴を前提として，正当な受継申立権者に対して

がある。

第2項　訴訟手続の中止

中止は，中断と並ぶ手続の停止原因であり，裁判所または当事者が訴訟行為を行うことを不可能にする事由が発生した場合，その事由が止むまで手続が停止する。

1　天災その他の事由によって裁判所の職務執行が不能となった場合（130）

裁判所が中止の決定をなすことは事柄の性質上期待できず，中止事故の発生によって手続は当然に停止し，また，事故が止むことによって手続が当然に進行する。ただし，期間の進行などを明らかにするために，裁判所としては，中止による停止の期間を記録にとどめる必要がある。

2　当事者の訴訟続行について不定期間の故障がある場合（131）

天災等の事由によって当事者と裁判所との間の交通が途絶するとか，当事者が重病にかかるなどの故障が発生して，それが相当期間継続することが予想される場合が，不定期間の故障にあたる。ただし，130条の場合と異なって，本条の場合には，裁判所の決定によってはじめて停止の効果が生じる（131Ⅰ）。裁判所としては，期日の延期および代理人の選任可能性などを考慮して，中止の可否を決める。そして，故障が止んだ場合には，裁判所が中止決定を取り消し（131Ⅱ），それによって手続が続行される。

なお，当事者の故障とは別に，先決的法律関係について他の裁判所に事件が係属するときに，法律上中止が認められることがある[57]。

上訴裁判所が続行命令を発することができるとするのは，大判昭和14・12・18民集18巻1534頁〔百選Ⅱ184事件〕であるが，いずれも理論的な問題がある。秋山ほかⅡ623頁参照。

57）　特許法54条・168条，民事調停法20の3第1項，家事事件手続法275Ⅰ，裁判外紛争解決手続の利用の促進に関する法律26条1項，公害紛争処理法42の26第1項など参照。このような規定がない場合にも，解釈論として先決的法律関係についての訴訟係属などを理由として，裁判所が中止決定をなすことができるかが問題となる。積極説をとる下級審裁判例（札幌高函館支決昭和31・5・8高民9巻5号326頁）および学説（条解民訴〈2版〉676頁〔竹下守夫＝上原敏夫〕など）と，多数説である消極説が対立する。消極説は，明文の根拠に欠けること，および期日の「追って指定」という実務上の手段によって対応できることを根拠とする。しかし，当事者間の意見が対立する場合がありうることを考えると，実務上の手段による対応には限界があり，上記の特別規定の類推適用として，裁判所による裁量的中止を認めるのが妥当である。なお，この問題は，国際的二重起訴の

第4節　口頭弁論およびその準備

当事者が訴えを提起し，訴訟係属が生じると，裁判所は，訴えの適法性が認められる限り，請求の当否についての判断を示す義務を負う。その判断資料を形成するために行われる審理は，おおむね次のような手続構造によって組み立てられる。

第1は，訴訟物たる権利関係の存否の判断に必要な事実を裁判所の判断資料とするための手続である。原告の請求原因事実はもちろん，被告の抗弁事実など，権利関係の判断のために必要な事実およびそれに関連する間接事実の提出は，すべてこの手続に含まれる。これを事実主張と呼ぶ。

第2は，これらの事実のうち裁判所の判断の対象となるべき事実を確定する手続である。自白の拘束力を前提とすると，裁判所の判断の対象となるのは，当事者によって争われる事実のみだからである。これが争点整理と呼ばれる。第1と第2の手続を併せて，弁論と呼ぶ。

第3は，争いとなる事実についての証拠申出，およびそれについての証拠調べの手続である。この3つの手続の相互関係をどのように構成するか，およびそれぞれの手続をどのような原則の下で進めるかについては，立法例によって考え方が分かれる。まず，3つの手続の相互関係については，現行法は，適時提出主義および証拠結合主義の下に，3つの手続を段階的に区別せず，一体のものとして進めることを原則としている。したがって裁判所は，証拠の申出および証拠調べを介在させつつ，当事者に弁論を行わせ，争点を整理することが許される。

次に3つの手続を規律するものとしては，以下に述べるように，弁論主義，直接主義，および口頭主義などの原則が採用されている。もっとも，これらの原則の内容は，かならずしも固定的なものではなく，適正，かつ，迅速な審理の実現のために，解釈によって修正される。しかし，憲法82条1項の規定によれば，少なくとも弁論の中心的部分および証拠調べの手続は公開の法廷にお

場合にも生じる。

いて行うことが要請され，その方式として口頭弁論が用いられる（87 I）。以下，まず，口頭弁論を中心とした審理に適用される諸原則の内容を説明する。

第1項　審理方式に関する諸原則

審理は，裁判所が訴訟物についての判断に必要な事実を確定し，その事実の存否の判断に必要な資料を得るために行われるものである。憲法によって保障される裁判を受ける権利，および訴訟物たる権利関係が私人間のものであることを考えると，審理においては，訴訟物についての判断資料提出の機会を当事者に保障することが必要である。これが，双方審尋主義に象徴される手続保障の理念である。また，適正な裁判として当事者によって納得されるためには，争いある事実について，裁判所が真実を発見することが要請される。口頭主義や直接主義などの原則は，この要請を満たす役割をもつ。さらに，手続保障や真実発見の要請は，当事者だけではなく，裁判権の源泉である国民の負託に応えるためのものでもある。弁論および証拠調べの一般国民への公開を要求する公開主義は，裁判所がこの負託に応えることを担保する目的をもっている。

1　双方審尋（審理）主義

双方審尋主義は，当事者が請求について自己に有利な判決を求めるためになす行為，すなわち事実および証拠を含む攻撃防御方法の提出について，両当事者に平等な機会を与えなければならないとする原則である。双方審尋という表現は，裁判所の側からみたものであるが，当事者の側からみた場合には，武器平等の原則，または当事者対等の原則と呼ばれることもある。憲法82条の対審は，この原則を意味し，したがって，87条1項にもとづく口頭弁論においては，双方審尋主義が貫かれる。双方審尋は，裁判所と当事者の関係だけでなく，両当事者間において互いに相手方の主張・立証を直接に聴取し，それに対応する攻撃防御方法を提出する機会を保障する趣旨を含んでおり，したがって，裁判所の面前で両当事者が対席する手続が予定されている。

ただし，令和4年改正によるウェブ会議の方法による口頭弁論の期日の規定（87の2 I，民訴規30の2）が施行されれば，現実の物理的空間としての面前と対席ではなく，オンラインによる面前と対席が付け加わることになる。その際には，通話者が誰であるか，通話者の所在する場所の状況がこの手続を実施するために適切なものであることの確認が必要であり（民訴規30の2Ⅰ）[58]，それを含めてウェブ会議にて手続を行ったことを口頭弁論の調書に記載しなければならない（同Ⅱ）。

これに対して，権利関係の確定そのものを目的としない民事保全手続などにおいては，口頭弁論が必要的とされず（87Ⅰ但書），双方審尋主義が厳格に適用されるわけではない。しかし，これらの手続においても，一方審尋にもとづく裁判に対して相手方からの異議申立てがなされれば，双方立会いの審尋期日が開かれるなどの形で（民保29），双方審尋主義の趣旨が尊重されている。審尋についても，オンラインによることができる（87の2Ⅱ（未施行））。通話者の確認についても同様である（民訴規30の3）。

なお，双方審尋主義によって攻撃防御の機会を与えられた当事者が，それを利用しなかった場合には，一定の不利益を課されてもやむをえないというのも，この原則の帰結である。相手方や裁判所の行為について訴訟手続の違反を主張する権能である，責問権の喪失（90）などにその趣旨が現れている[59]。

2　口頭主義

審理における当事者および裁判所の訴訟行為を口頭によって行わせる原則を口頭主義と呼ぶ。これは，訴訟行為を書面によって行わせる書面主義と対立する。口頭主義の長所としては，後に述べる直接主義と結合されることによって，当事者の陳述にもとづいて裁判所が直接に事実を把握し，またはその事実について新鮮な心証を形成することができ，その結果として，弾力的，かつ，無駄のない審理が期待できるといわれる。これに対して短所としては，複雑な事実についての正確な陳述が困難であること，また陳述の結果についての記憶を裁判所が正確に保存しにくいことなどが挙げられる。歴史的にみると，近代の訴訟法典は，口頭主義の原則を採用し，わが国も，当初から口頭主義を原則としている[60]。

58）場所の状況の適切性については，無関係の第三者が立ち会っていないことや静ひつさが確保されていることなどが挙げられる。確認の方法を含め，橋爪信ほか「『民事訴訟規則等の一部を改正する規則』の解説」曹時74巻12号23頁，24頁（2022年）参照。

59）最判昭和26・3・29民集5巻5号177頁，最判昭和27・6・17民集6巻6号595頁〔百選ⅠA24事件〕。

60）口頭主義の歴史的発展については，小室直人「口頭主義の限界」民訴雑誌7号57頁

現行制度は，必要的口頭弁論に象徴されるように口頭主義を原則としつつ，その欠点を除去するために，以下のように，補充的に書面主義を採用している（民訴規1Ⅰ参照）。第1に，訴えの提起（133Ⅰ（改正134Ⅰ）），訴えの変更（143Ⅱ），請求の追加（144Ⅲ），中間確認の訴え（145Ⅳ），訴えの取下げ（261Ⅲ），控訴（286Ⅰ），および上告（314Ⅰ）などの審理の基礎となる重要な訴訟行為について書面を要求する。第2に，準備書面（161Ⅰ）または上告理由書（315Ⅰ）のように，事実上および法律上の主張を整理するために書面の提出が要求される。第3に，口頭陳述の結果を保存するために調書（電子調書）の作成が義務づけられる（160Ⅰ（未施行））。第4に，裁判の内容を明らかにし，それに対する上級審の審査を担保するために，判決書（電子判決書）または判決言渡調書（電子調書）が作成される（252～254（未施行））。

もっとも，法の建前とは異なって，口頭弁論の形骸化という表現に象徴されるように，口頭主義の実質が書面主義によってとって代わられ，その弊害として，争点整理の散漫化や審理の遅延が生じていると批判される[61)]。このような批判を受けて，旧法下の理論および実務は，口頭主義の復活，あるいは口頭主義と書面主義の効率的な結合の方向を目指していた。たとえば，争点整理の局面においては，法律要件事実を中心として準備書面，紛争実態の解明を中心として陳述書などの書面を当事者が提出し，併せて主張の細部の解明，ならびに事実および証拠の評価などについて口頭による争点整理の場を通じて，裁判所が争点を整理圧縮する方策がとられる[62)]。現行法は，さらにこれを進め，

(1961年)，竹下守夫「『口頭弁論』の歴史的意義と将来の展望」講座民訴④1頁以下参照。

61）　口頭弁論は，「準備書面に記載の通り」という形式的陳述をなす場と化していると指摘される。詳細については，注釈民訴(3)7頁〔伊藤眞〕参照。また，173条にもとづく弁論準備手続の結果陳述に関して，口頭主義の実質化を説くものとして，山田敏「弁論準備手続⑤」新大系(2)333頁，345頁以下がある。

なお，日本語に通じない者または耳が聞こえない者等については，154条および民事訴訟規則122条に特則がある。

62）　具体的な実務の運用については，新しい審理方法75頁以下参照。さらに，民事調停（本書3頁）や労働審判手続（本書15頁）の運用経験を踏まえて，民事訴訟，特に争点整理手続における口頭主義の活性化を説くものとして，林道晴「口頭による争点整理と決定手続」田原古稀995頁，定塚誠「労働審判制度がもたらす民事司法イノベーション」判時2251号7頁以下（2015年）がある。また，争点整理を中心に裁判所と当事者間の口頭による問答を口頭議論と呼び，その意義を重視するのが近時の傾向である。口頭議論を媒介として，裁判所主導・当事者協働型の争点整理を説くものとして，伊藤眞「争点整理の過

一方で通信技術などの利用によって口頭主義の徹底を図るとともに（170Ⅲ・204，民訴規123など），争点整理および証拠調べの場面において，適正な審理を実現するために必要があるときには，書面主義と口頭主義とを相互の短所を補う形で取り入れている（175以下・205・278，民訴規91・124など）。ウェブ会議方式の争点整理（いわゆるフェーズ1）はこれを進め，令和4年改正170条以下の規定（未施行）もこれを前提としている。

3　直接主義

事実認定のための弁論の聴取や証拠の取調べを受訴裁判所の裁判官自身が行う原則を直接主義と呼ぶ[63)]。これは，他の者が聴取した弁論や取り調べた証拠を基礎として裁判官が事実認定を行う間接主義と対立する。直接主義は，口頭主義と結合され，裁判官が自分自身の五官の作用にもとづいて事実認定を行うことができる点で，間接主義に対する長所をもっている。しかし，審理の途中における裁判官の交代可能性（249ⅡⅢ），あるいは証人が遠隔の地に居住している可能性など（184・185）を考慮すると，間接主義をまったく排除することはできない[64)]。令和4年改正185条3項の規定（未施行）による受命裁判官などによるオンライン方式の証拠調べも，間接主義の現れと考えられる。

249条1項が口頭弁論に関与した裁判官が判決をなすべきことを要求するのは，直接主義を明らかにしたものである。直接主義違反は，上告理由になる[65)]。しかし，裁判官が交代した場合に，すでに行われた弁論や証拠調べを

去，現在，未来――民事訴訟に対する市民と企業の信頼を支えるもの」判タ1455号34頁（2019年），中本敏嗣「争点整理の在り方」司法研究所論集129号272頁（2020年）があり，口頭議論を妨げる主因たる「持ち帰り問題」解消のための方策を提示するものとして，定塚誠「労働審判制度が民事訴訟法改正に与える示唆」春日古稀789頁，村田渉「口頭による争点整理の手法に関する一試論」加藤新太郎古稀152頁がある。

なお，民事裁判手続のIT化（本書34頁）は，口頭主義の実質化につながるとの意見もあるが（二本松利忠「民事裁判手続のIT化と口頭主義」金融法務2116号1頁（2019年）），伝統的な実務運用を前提とすると，むしろ口頭主義のいっそうの形骸化，口頭議論の衰退を招くおそれもある。むしろ，IT化による空間移動時間の消滅，時間短縮の効果を口頭議論の活性化につなげるべきことを説くものとして，伊藤眞「コロナ禍と訴訟運営――IT化と甦る口頭主義」判時2474号157頁（2021年）がある。

63）　この意味での直接主義のことを講学上，形式的（主観的）直接主義と呼ぶことがある。これは，伝聞証拠の排除を目的とする実質的（客観的）直接主義と区別するためである。注釈民訴(3)10頁〔伊藤眞〕，新注釈民訴(4)1045頁〔山田文〕参照。

64）　その他，間接主義は，続審制をとる上訴審においても採用されている（296Ⅱ）。

65）　312条2項1号の絶対的上告理由にあたる（最判昭和32・10・4民集11巻10号

新しい裁判官の面前で繰り返すこと[66]を避けるために，249条2項は，弁論の更新手続を規定する。この手続においては，従前の弁論の結果が陳述されるにすぎないので，形式的には直接主義が維持されているが，実質的には，間接主義に近くなる。もっとも，同条3項は，一定の場合について，当事者からの申出にもとづく証人尋問のやり直しを規定しており，直接主義の趣旨が没却されているわけではない。また，直接主義は，口頭主義のみに結びつけられるものではなく，書面主義と結合される場合もある（158・277・319）。

4　公開主義

弁論，証拠調べ，および判決の言渡しを一般に公開された法廷において行う原則を公開主義と呼ぶ。公開主義は，当事者以外の一般第三者が審理を傍聴できることを保障するものであり，当事者のみの在廷を許す当事者公開主義および審理の非公開を意味する訴訟密行主義と区別される。

公開主義は，憲法上の要請である（憲82）。その趣旨としては，審理の適正さを一般国民の監視によって確保することが挙げられる。ただし，憲法上公開が要求されるのは，対審および判決の言渡しである。対審とは，裁判所の判断の対象とされるべき事実を審理に上程する手続，すなわち口頭弁論，およびその事実について法廷で行われる証拠調べを意味する。これに対して上程されるべき事実を整理するために行われる弁論準備手続などの争点整理手続[67]，受託裁判官による法廷外の証拠調べ，および必要的口頭弁論が行われない決定手続の審理などについては，憲法上の公開原則は妥当せず，法も，これらについ

1703頁）。また，338条1項1号の再審事由にも該当すると解される。新注釈民訴(4)1054頁〔山田文〕。

66）　刑事訴訟法315条にもとづく公判手続の更新においては，証拠調べなどをやり直すのが原則である。刑事訴訟規則213条の2参照。

67）　169条2項にいう「相当と認める者の傍聴を許すことができる」との規定は，非公開を前提としたものである（研究会204頁，加藤新太郎「争点整理手続の整備」理論と実務(上)207頁，217頁参照）。和解期日も，その性質上非公開である。旧法下の弁論兼和解期日の非公開性について，小島武司「民事訴訟改革の基本問題」曹時43巻3号12頁（1991年），伊藤眞「民事訴訟における争点整理手続」曹時43巻9号21頁（1991年）など参照。吉原裕樹「ウェブ裁判（裁判手続IT化）の憲法論」判時2481号100頁（2021年）は，弁論準備手続に公開原則が適用されず，口頭弁論の回数が減少することによる公開主義の空洞化を指摘する。現行法下では，弁論準備手続の結果の陳述（173。本書313頁）などの機会を活かして，口頭弁論期日における口頭議論（注62）を行うことが考えられる。

て公開を規定しない。

(1)　訴訟記録の閲覧等（書面による訴訟記録の閲覧等）

もっとも，訴訟記録については，公開原則そのものが適用されるわけではないが，法は，公開原則の趣旨を尊重して，一般第三者の閲覧権を認める（91 Ⅰ）ことを原則としつつ，謄写等を求めることができるのは，当事者および利害関係を疎明した第三者に限られるとしている（同ⅢⅣ）。他方，公開を禁止した口頭弁論にかかる訴訟記録については，その性質を考慮し，当事者および利害関係を疎明した第三者に限り閲覧の請求を認めている（同Ⅱ前段）。和解調書における和解条項についても同様である（同後段（未施行））。

ただし，当事者が，私生活についての重大な秘密や営業秘密の侵害を理由として閲覧等の制限の申立てをなし，これが認められたときには，第三者は閲覧等の権能を否定される（92，マスキング処理をした書面の作成・提出など申立ての方式等について民訴規34 Ⅰ～Ⅷ）[68]。加えて，令和4年改正によって加えられた92

68)　閲覧は閲読すること，謄写は筆写や機器を用いて内容を写し取る行為として区別できるが，閲覧に際してメモをとることも，それが謄写とみなされない程度であれば許される。

なお，いわゆるプライバシーの侵害が当然に閲覧制限の理由になるわけではなく，秘密の公開によって社会生活が破壊される程度に重大な侵害でなければならない。研究会99頁参照。基本事件が報道等によって広く知れ渡っていることや，第三者がすでに訴訟記録を閲覧していることを理由として，閲覧等制限の申立てを否定した裁判例として，東京高決平成27・9・11判時2320号40頁がある。

また，閲覧制限がされた記録に記載された秘密を相手方当事者が洩らした場合の実体法上の責任については，加藤新太郎「民事訴訟における秘密保護の手続」理論と実務(上) 367頁，384頁，森脇純夫「秘密保護のための訴訟記録の閲覧等の制限」新大系(1)253頁，272頁参照。

関連するものとして，平成16年の特許法改正（平成16法120）などによって，準備書面の記載などの形で審理に上程される営業秘密の保護のために導入された秘密保持命令の制度がある（特許105の4など）。その趣旨については，伊藤眞ほか「〈座談会〉司法制度改革における知的財産訴訟の充実・迅速化を図るための法改正について(下)」判タ1162号4頁（2004年）参照。

なお，傍聴人がメモをとることは，公開原則そのものの問題ではないが，判例は，公開原則の趣旨に照らして，メモの自由を認めている。最大判平成元・3・8民集43巻2号89頁。写真の撮影や録音等については，民事訴訟規則77条参照。従来は，適用対象が法廷に限られていたが，期日一般についての規律を設けたことが令和4年の改正内容であり，制限対象行為の詳細については，橋爪ほか・前掲論文（注58）41頁参照。

そのほか，裁判官の執務との関係で閲覧が認められない時期があるのはやむをえないが，法の趣旨を損なわないよう，適切な運用が望まれる。また，法廷における傍聴人のメモの場合と同様に，閲覧者のメモのとり方についても，IT機器の普及などを考慮した検討が

条9項（未施行）は，営業秘密の侵害を理由とする閲覧等の制限の申立てがあった場合において，当該申立てにかかる営業秘密がその訴訟の追行の目的以外の目的で使用されるおそれがあるなどの要件の下に，電磁的訴訟記録中当該営業秘密が記録された部分を別の形で保存した上で消去するなどの措置を裁判所がとることを認め，その後に申立てを却下する裁判が確定したときには，その部分を電磁的訴訟記録のファイルに記録すべきことを定める（同X）。

また，関連するものとして，当事者識別情報の秘匿制度（133以下。本書361頁）の一環として以下の規律が設けられた（施行済み）。すなわち，私生活についての重大な秘密の侵害を理由とする閲覧等の制限の申立てがあった場合において，その申立て後に第三者がその訴訟に参加をしたときは，裁判所書記官は，その申立てをした当事者に対し，その参加後直ちに，その参加があった旨を通知しなければならない（92Ⅵ本文）。参加をした第三者（独立当事者参加人，共同訴訟参加人，補助参加人）は，閲覧等の制限決定がなされた場合であっても，当事者として閲覧等をすることが可能になるので[69]，閲覧等の制限の申立てをした当事者に対してその旨を知らせる趣旨である。したがって，その申立てを却下する裁判が確定したときは，通知をする必要はない（同但書）。

通知をした裁判所書記官は，通知があった日から2週間を経過する日までの間，参加をした者（参加人）に申立てにかかる秘密記載部分の閲覧等をさせてはならない（92Ⅶ本文）。この間に，参加をした第三者が閲覧等をすることによって申立てをした当事者の利益が損なわれるおそれを考慮したものである。したがって，秘匿決定があった場合の訴訟記録等の閲覧等の制限の申立て（133の2Ⅱ）がされたときは，その手続による閲覧等の制限がされるために，2週間の閲覧等の制限は適用されない（92Ⅶ但書）。

また，参加があった旨の通知（92Ⅵ）や閲覧制限（同Ⅶ）は，参加人に申立ての対象とされる秘密記載部分の閲覧等をさせることについて申立てをした当

必要になろうが，撮影や謄写との関係が問題である。記載内容そのものを光学的方法や筆写によって記録するのが撮影や謄写，内容に関する閲覧者自身の認識を手記などの方法によって記録するのがメモということになろうが，実際には両者の区別が微妙なこともあろう。

69）民事訴訟法92条1項柱書にいう当事者は参加人を含むと解されている。秋山ほかⅡ254頁参照。

事者のすべての同意があるときは，適用しない（同Ⅷ）。同意は，申立てをした当事者が通知や閲覧制限によって保護される利益を主張しないことを意味するからである。

これに対し，訴訟記録の謄写などについては，当事者および利害関係を疎明した第三者に限って，これを裁判所書記官に対して請求することができる（91Ⅲ）。録音テープまたはビデオテープなどについても，当事者または利害関係を疎明した第三者の請求があるときは，裁判所書記官は，その複製を許さなければならない（同Ⅳ）。謄写や複製について，当事者を別として，利害関係を疎明した第三者に限るのは，訴訟記録そのものが外部に公開されることによって生じうべき不利益と訴訟記録の内容について利害関係を有する第三者の利益との調和を図ることを目的とする規律である。

利害関係は，単なる感情的または経済的なものでは足りず，第三者が当事者となっている訴訟の訴訟物たる権利の存否の判断について，特定の訴訟記録を書証として提出する必要があるなどの法律上の利害関係を有する第三者でなければならない。また，利害関係の疎明がなされたかどうかについての判断権者は，裁判所書記官であるが，その判断に対しては，異議の申立てが認められ，その裁判所書記官が所属する裁判所が，決定で，裁判をする（121）。したがって，謄写についての第1次的判断権者は，裁判所書記官であるが（裁60Ⅱ参照），裁判所書記官は，その判断をするに際し，第2次的判断権者である裁判官の意見を聴くなどのことは許されよう（同Ⅳ参照）。

また，訴訟記録の閲覧，謄写および複製の請求は，訴訟記録の保存または裁判所の執務に支障があるときは，することができない（91Ⅴ）。ここでいう支障には，当該記録を使用中である場合などのほかに，たとえば，裁判所が仲立ちして成立した当事者間の合意にもとづいて提出された文書を他の訴訟の当事者や第三者が謄写することによって，合意当事者の期待が裏切られ，以後の訴訟手続の円滑な進行が妨げられるおそれなども含まれよう。

⑵　電磁的訴訟記録の閲覧等

令和4年改正によって訴訟記録が原則として電子化されることとなり，これが電磁的訴訟記録と呼ばれ，それ以外の非電磁的訴訟記録と区別される（91Ⅰ括弧書・92Ⅰ括弧書）。従来からの書面による訴訟記録（非電磁的訴訟記録）の閲覧等は(1)に述べた方法によるが，電磁的訴訟記録の閲覧等の方法は以下の通りである（未施行）。

訴訟記録が電磁的訴訟記録として裁判所の電子計算機に備えられたファイルに記録されている場合にも，一般第三者の閲覧請求権が認められる（91の2Ⅰ）。そして，当事者および利害関係を疎明した第三者は，最高裁判所規則で定める方法によって電磁的記録に記録されている事項について複写（ダウンロード）を請求することができる（同Ⅱ）。

当事者および利害関係を疎明した第三者は，裁判所書記官に対し，訴訟記録の内容を証明する書面や電磁的記録の交付等を請求することができる（同Ⅲ）。非電磁的訴訟記録すなわち書面による訴訟記録の正本，謄本もしくは抄本の交付請求（91Ⅲ）に対応するものである。公開を禁止した口頭弁論にかかる記録の閲覧および裁判所の執務に支障がある場合の閲覧等の制限は，非電磁的訴訟記録の閲覧等の場合と同様である（91の2Ⅳ）。

(3)　訴訟に関する事項の証明書の交付請求

訴訟に関する事項の証明書とは，判決の確定証明書，上訴がない旨の証明書，事件の係属の証明書などを意味するが，当事者および利害関係を疎明した第三者は，裁判所書記官に対しその交付を請求することができる（91Ⅲ）。令和4年改正による91条の3（未施行）は，書面による証明書の交付請求に加え，電磁的記録の電子情報処理組織（オンライン）による提供請求を認めている。

(4)　審理の非公開

公開原則の例外として，公序良俗が害されるおそれのある場合には，裁判官の全員一致の判断によって審理を非公開とすることができる（憲82Ⅱ）。この場合の公序良俗が国家の安寧秩序を含むことについては，見解の一致がみられるが，それ以外の場合については争いがある。しかし，実定法秩序が営業秘密などの利益を法律上の利益として保護しているときに，審理の公開によってその利益が害されることが定型的に予想されるときには，その法秩序が公序にあたるものと解される[70]。

70)　したがって，立法として，営業秘密などの保護のために非公開審理を行う手続を設けても，裁判官の全員一致の判断を前提とする限り，憲法違反の問題が生じるものではない。議論の詳細については，伊藤眞「営業秘密の保護と審理の公開原則(上)(下)」ジュリ

憲法82条の趣旨を人事訴訟における当事者本人もしくは法定代理人または証人に対する尋問について具体化したものが，人事訴訟法22条の規定である。人事訴訟は，身分関係の形成または存否の確認を目的とするものであるが，その審理にかかわるものとして，当事者本人や証人が人に知られたくなく，かつ，知られることによって社会生活上の支障を生じる事実資料が多く，またそのような資料が提出されなければ，人事法律関係について適正な審判を行うことが困難である。そこで，憲法82条2項本文が認める例外の範囲で非公開審理の手続を設ける合理的必要が認められる。

人事訴訟法22条1項が，当事者本人や証人などが，「当該人事訴訟の目的である身分関係の形成又は存否の確認の基礎となる事項であって」（身分関係事項性），「自己の私生活上の重大な秘密に係るものについて尋問を受ける場合に」（秘密の重大性），その当事者らが「公開の法廷で当該事項について陳述をすることにより社会生活を営むのに著しい支障を生ずることが明らかであることから」（社会生活上の著しい支障）「当該事項について十分な陳述をすることができず」（陳述の困難性），かつ，「当該陳述を欠くことにより他の証拠のみによっては当該身分関係の形成又は存否の確認のための適正な裁判をすることができないと認めるとき」（証拠としての不可欠性）という，極めて厳格な要件を設けているのは，身分関係に係る適正な裁判を実現するために必要最小限の範囲に限定して非公開審理を認めることによって，当事者本人や証人らが上記の秘密について陳述できる環境を整備しようとするものである。

この制度の内容を要約すれば，身分関係事項に係る重大な秘密が公開法廷における証言の形で公開され，社会生活上の著しい支障が生じることをおそれて，当事者本人等が自らの陳述を抑制する結果が生じると認められるときに，その陳述の証拠としての不可欠性を要件として，非公開審理を許すものといえる。

1030号78頁，1031号77頁（1993年），長谷部恭男・憲法〈第8版〉313頁（2022年）参照。このような考え方を前提として，人事訴訟法の規定を踏まえ，立法の課題としても検討され（改正要綱試案補足説明　第四 口頭弁論及びその準備　七 秘密保護の手続　後注について（改正要綱試案補足説明31頁下段参照），平成14年11月18日における司法制度改革推進本部知的財産訴訟検討会（第2回）議事録参照），特許法等の平成16年改正によって，営業秘密を理由とする当事者尋問等の公開停止の規定が設けられた（特許105の7，不正競争13など）。伊藤ほか・前掲座談会（注*68*）18頁参照。

ここで問題となっている秘密そのものを保護しようとするのであれば，証言拒絶権を拡充すべきであるが（196参照），それでは，人事訴訟の審理において十分な事実資料にもとづく適正な審理を実現するという目的を達しえない。当事者尋問等を非公開の法廷において実施するのは，私生活上の重大な秘密に係る事実資料の提出を容易にするための措置である。

公開停止は，当事者本人や証人などの意見を聴いた上で，裁判所が，具体的事項を特定して裁判官の全員一致により決定で行う（人訴22ⅠⅡ）。公開停止がなされるときは，公衆を退廷させる前に，その旨を理由とともに言い渡し，また，当該事項の尋問が終了したときは，再び公衆を入廷させなければならない。なお，公開停止に関する決定の誤りは，絶対的上告理由となる（312Ⅱ⑤）。

5　集中審理主義と併行審理主義

多数の訴訟が提起される現状では，1つの裁判所が同時に複数の事件について受訴裁判所となっているのが通常であるが，その場合の審理の方法として，まず1つの事件の審理を集中的に継続し，それが終了した後に別の事件の審理に入る原則を集中（継続）審理主義と呼ぶ。これに対して，1つの裁判所が同時に複数の事件の審理を併行して行う方法が併行審理主義と呼ばれる。集中審理主義の長所としては，裁判所が1つの事件の審理に集中できるために，口頭主義・直接主義の利点を生かして，適正，かつ，迅速な審理を実現できることが挙げられる。しかし，複雑な事件について集中審理を行うと，他の事件の審理開始が遅れるという短所も指摘される。また，特に証拠調べについて集中審理を行うためには，事前に争点および証拠が整理されていることが不可欠であるが，わが国の審理の実態がそれに適さないという指摘もなされる。

多数の国民に対して適時に紛争解決の機会を提供しなければならない，司法の責任を考えると，審理全体については，併行審理を原則とせざるをえない。しかし，証拠調べ，特に人証に関しては，集中審理の長所は明白である。そこで現行法は，弁論準備手続などによって争点が整理され，かつ，証拠収集手段が拡充されたことを前提として，争点整理が終了した後に証人などの人証の証拠調べを集中して行うものとした（182，民訴規101）。旧法下の実務としては，併行審理方式が一般的であったが，適正な審理の実現および訴訟促進の必要が強調されるにともない，争点整理を前提とする集中証拠調べが拡大する傾向にあった。現行法は，このような実務の発展を正当なものとして，制度化したものである[71]。

6　当事者進行主義と職権進行主義

審理手続の進行についての決定権を裁判所に与える原則を職権進行主義と呼び，これに対して当事者に決定権を与える原則を当事者進行主義と呼ぶ。相対立する当事者の主張を前提として，裁判所が中立的機関としての判断を示すものであるという民事訴訟の基本的目的に照らすと，判断資料を得るための審理の進行についても，判断機関たる裁判所の決定権を認めるのが合理的である。このような理由から，現行法は，訴訟指揮権や期日指定権について説明したように，職権進行主義を基本としている。

もっとも，判断の資料たる訴訟資料・証拠資料の提出については，弁論主義の下に当事者の決定権が認められていることとの均衡上，法も，当事者進行主義をまったく排除しているわけではない。当事者による最初の期日の変更可能性（93Ⅲ）は，それを示すものである。また，法および規則の規定中には，裁判所が当事者の意見を聴いて審理に関する事項を決定する旨の規定が散見されるが（168・175・202Ⅱ・207Ⅱ，民訴規121など），これらも職権進行主義に当事者の意思を反映させようとするものである。さらに，このような規定が存在しない場合であっても，現実の訴訟の進行にあたっては，裁判所は，合理的範囲内で当事者の意思を尊重し，円滑な審理の実現を図るべきである。

7　適時提出主義と法定序列主義

裁判資料，すなわち訴訟資料と証拠資料は，弁論主義の下では当事者による攻撃防御方法の提出を通じて審理に上程される。その提出の時期をめぐって，法定序列主義と随時提出主義の2つの原則が対立する。法定序列主義の下では，原告による請求原因の主張，被告による抗弁，原告の再抗弁，被告による再々

---

71)　注釈民訴(3)15頁〔伊藤眞〕，西口元ほか「チームワークによる汎用的訴訟運営を目指して(1)～(5・完)」判タ846号7頁，847号11頁，849号14頁，851号18頁，858号51頁（以上，1994年），伊藤眞ほか「〈座談会〉民事集中審理の実際」判タ886号4頁以下（1995年），新しい審理方法133頁以下参照。

なお，集中証拠調べの実施にあたっては，反対尋問権に代表される当事者の立証権の保障が不可欠であるが，適切な争点整理や尋問実施前の陳述書の提出などによってこの前提が満たされる。塚原朋一「集中証拠調べの理念，効用及び実践」理論と実務(下)39頁，62頁以下，村田渉「集中証拠調べ」実務民訴〔第3期〕(4)164頁参照。

抗弁という，攻撃防御方法の段階ごとに審理の対象となる事実が確定され，確定された事実を前提として証拠申出にもとづいて証拠調べが行われる。したがって，原告の再抗弁の段階では，もはや請求原因の追加主張は許されないし，また，証拠調べの段階に入れば，事実に関する主張を追加・変更することはできない。弁論と証拠調べの分離にみられる法定序列主義の特徴は，証拠分離主義とも呼ばれる。

これに対立する随時提出主義の下でも，請求原因や抗弁などは，訴訟物との関係で論理的順序にしたがって審理されるのが原則であるが，それぞれについての審理が自己完結的なものではなく，当事者は，必要があれば随時に攻撃防御方法の修正や追加を行うことができる。さらに，証拠についても，随時の事実主張に結合された形で証拠の申出がなされ，裁判所は，弁論と証拠調べとを厳格に分離することなく，争いとなる事実について適切な時期に証拠調べを行うことができる。随時提出主義の下での弁論と証拠調べとの関係は，証拠結合主義と呼ばれる。

法定序列主義の下では，失権をおそれて，当事者が仮定的主張を多くなす傾向を生じること，証拠の申出にもとづいて争点を整理することが困難になるなどの問題が生じることを考慮すれば，随時提出主義が優れているといえる（旧137）。しかし，事実と証拠を総合評価して争点を決定し，合理的理由がある場合に事実や証拠の追加提出を許すという随時提出主義の趣旨が誤解され，当事者がその準備の程度や訴訟戦術上の考慮から事実や証拠の提出順序を決定し，その結果として審理が遅延するという現象が目立ったために，現行法の立法者は，随時提出主義の本来の趣旨を明確にするために，適時提出主義という新しい概念を設けた（156）。

適時提出主義の目的は，争点の整理・圧縮を前提とした，効率的，かつ，弾力的な審理の実現を図るところにあるので，攻撃防御方法の提出が円滑な審理の進行を妨げ，相手方当事者に不当な負担を生じさせる場合には，その提出が制限されることがある。157条1項にもとづく時機に後れた攻撃防御方法の却下，釈明に応じない攻撃防御方法の却下（157 II），準備書面等の提出期間の定め（162。同 I（未施行）），中間判決（245）にともなう攻撃防御方法提出の制限などがこれに属する。また，弁論準備手続などの争点整理手続終了後の攻撃防御方法の提出については，相手方に対する説明義務が課されることがあるが（167・174・178），この義務も適時提出義務を背景としたものである。特に，集中証拠調べを実施するためには，攻撃防御方法が適時に提出されることが前提条件となる[72)]。令和4年改正による準備書面等の提出期間経過後の理由説明義務（162Ⅱ（未施行））も，同様の考え方にもとづくものである。

8　計画的進行主義

訴訟物たる権利関係について適正，かつ，迅速な判断を行うためには，裁判所が紛争の全体像を把握した上で，判断の対象とすべき事項を確定し，その中で争いのない事実と争いのある事実を区分し，争いのある事実についての判断に必要となる証拠の種類や内容を把握した上で，特に証人尋問などの人証についての立証計画を立てて審理を進めることが不可欠である。このような審理のあり方を計画的進行と呼ぶとすれば，すべての事件について計画的な審理の進行が求められる。また，計画的進行を実現する上では，これまでに説明した審理の諸原則を前提とすれば，裁判所と当事者がそれぞれの責務を踏まえて訴訟行為を行い，必要な協力をすることが求められる。平成15年改正によって新設された147条の2が，裁判所の公正迅速訴訟進行努力責務と当事者の信義誠実訴訟追行責務（2）の具体化として，裁判所および当事者は，訴訟手続の計画的な進行を図らなければならないと規定するのは，このような趣旨を表したものである。

以上のような一般的規律としての計画的進行に加えて，複雑な事件については，計画的な審理の進行実現のためにより具体的な規律が必要になる。147条の3第1項が，「審理すべき事項が多数であり又は錯そうしているなど事件が複雑であることその他の事情によりその適正かつ迅速な審理を行うため必要があると認められるときは」，裁判所が当事者双方との協議結果を踏まえて，審

72）　集中証拠調べを実施するためには，弁論と証拠調べ，特に証人尋問とを手続的に区別することが必要になる。証人尋問の段階になって新たな主張が提出されたりするのでは，集中審理は不可能になるからである。しかし，この区別はあくまで一応のものであり，証人尋問の結果として，事前に予想されなかった新たな事実が発見されたような場合には，それについて弁論の追加または修正が許される。逆に，争点整理を目的とする弁論の段階でも，書証などの取調べは不可欠である。したがって，適時提出主義を説き，また集中証拠調べを実施することは，決して手続を証拠分離主義を含む法定序列主義に回帰させることを意味するものではない。

理の計画を定めなければならないと規定するのは，このような理由による。争点が多数かつ錯綜しているなどの複雑な事件では，審理の計画的な進行を図るのは当然であるが，それにとどまらず，裁判所および当事者の訴訟行為が適切な時期になされるような具体的な審理の計画を当事者双方と協議し，策定する義務を裁判所に課したものである。改正前は大規模訴訟に関する特則として定められていた審理の計画（民訴規旧165）をより一般化した意義をもつ。

審理の計画における必要的記載事項は，第1に，争点および証拠の整理を行う期間，第2に，証人および当事者本人の尋問を行う期間，第3に，口頭弁論の終結および判決の言渡しの予定時期である（147の3Ⅱ各号）。審理の計画においては，特定の事項についての攻撃防御方法提出期間など，上記の事項以外にも計画審理のために必要な事項を定めることができる（147の3Ⅲ）。攻撃防御方法提出期間は，審理の計画にもとづいて事後的にも裁判長が定めることができる（156の2）。

他方，審理の計画は弾力的なものでなければならない。計画的進行主義は，適時提出主義から法定序列主義への回帰を目的とするものではなく，したがって審理の計画についても，合理的な理由が認められれば，上記の期間などの変更を弾力的に認め，より適切な計画審理を実現すべきである。このような考え方にもとづいて，147条の3第4項は，審理の現状および当事者の訴訟追行の状況等の事情を考慮して必要があると認めるときは，当事者双方との協議の結果を踏まえて，裁判所が審理の計画を変更できると規定する。ただし，ここでいう変更の必要性とは，手続の進行からみて合理的なものでなければならず，単なる訴訟行為の懈怠の結果などを考慮することは，計画的進行主義の精神と背馳する。

審理の計画において，または審理の計画にもとづいて特定の事項についての攻撃防御方法提出期間が定められている場合に，当事者がその期間経過後に提出した攻撃防御方法は，それによって審理の計画にしたがった手続の進行に著しい支障を生じるおそれがあると認めたときには，申立てまたは職権によって裁判所が却下の決定をなす（157の2本文）。このような攻撃防御方法の取扱いを時機に後れた攻撃防御方法の却下に関する一般規定（157Ⅰ）に委ねることは，計画的進行主義にもとづく審理の計画の意義を没却するところから，特別の規律が設けられたものである。ただし，当事者が攻撃防御方法提出期間を徒過したことについて相当の理由があることを疎明したときには，却下決定はなされない（157の2但書）。提出期間が当事者との協議や当事者からの意見聴取にもとづいて定められていることを考えれば，ここでいう相当の理由とは，攻撃防御方法提出についてあらかじめ予想しえなかった支障の発生など，客観的にみても提出期間の徒過を許容すべき合理的なものでなければならない。

第2項　口頭弁論の必要性

裁判所が当事者による訴えまたは上訴について裁判するためには，原則として口頭弁論を開いて審理を行わなければならない（87Ⅰ本文Ⅲ）。これは必要的口頭弁論と呼ばれるが，裁判資料提出について当事者に手続保障を与える趣旨にもとづくものである。したがって，口頭弁論は審理そのものと等置され（152・153など），弁論の終結は審理の終了を意味する。ただし，法律に特別の規定がある場合には，口頭弁論を開くことなく訴え，上訴または異議申立てに対する裁判をすることが許される（78・140・256Ⅱ・290・319・359・378Ⅱ）。これらの例外規定は，訴えなどについての形式的瑕疵にもとづいてそれを排斥するとか，新たな訴訟資料を必要とせずに裁判を行うことができる場合に関するものである。

口頭弁論とは，公開法廷において両当事者が対席し，受訴裁判所に対する口頭の陳述によってそれぞれの主張事実を提出する審理の方式を意味する。ただし，令和4年改正によって映像と音声の送受信による通話の方法による口頭弁論（ウェブ会議方式）が導入されたので（87の2（未施行）），対席は，必ずしも法廷という空間の共有を意味しないことになろう。必要的口頭弁論の原則が妥当する範囲では，口頭弁論に顕出される事実以外の事実は訴訟資料とならない。もっとも，法が口頭陳述を擬制する場合は別である（158・277）。

これに対して，決定の方式による裁判をもって完結すべき事件については，口頭弁論を開くかどうかは，裁判所の裁量によって決められる（87Ⅰ但書）[73]。これを任意的口頭弁論と呼ぶ。いかなる場合に決定による裁判がなされるかは，

73）決定は，受訴裁判所の裁判であるが，命令は，裁判長などの裁判官による裁判である。決定より簡易な裁判である命令も，任意的口頭弁論の方式で行われる。

法の規定によって定められるが，一般的基準としては，実体権の存否そのものの確定を目的としない事項についての裁判が決定の方式で行われ，その中には訴訟手続に関する付随的事項についての裁判が多く含まれる。付随的事項については，当事者に与えられるべき手続保障の程度も軽減されるというのが，任意的口頭弁論の趣旨である。

必要的口頭弁論に対する任意的口頭弁論の特徴は，第1に，当該事項の審理について口頭弁論を開くかどうかが裁判所の裁量的判断に委ねられることである。第2に，仮に口頭弁論が開かれたときでも，そこに顕出された資料はもちろん，口頭弁論に提出されない資料，たとえば書面なども裁判所の判断資料となる[74]。

任意的口頭弁論が開かれないときには，裁判所は当事者を審尋することができる（87Ⅱ）。審尋とは，口頭または書面などの方式を問わず，当事者に陳述の機会を与えることを意味する。口頭弁論が開かれないときにも，当事者に対する手続保障を考慮したのが，審尋の制度が設けられている理由である[75]。しかし，審尋は，口頭弁論と異なって，公開法廷で行われる必要はなく，また，当事者双方の対席も必要ではない[76]。審尋は受命裁判官に行わせることもできる（88）。審尋の方法については，令和4年改正によりウェブ会議または電話会議によって行うことが認められた（87の2Ⅱ（未施行））。

---

74)　任意的口頭弁論を開く場合としては，当該事項のために特別に口頭弁論を開くときと，請求についての必要的口頭弁論の中で当該事項についての弁論がなされる場合とがある。後者の場合においても，当該事項との関係では，任意的口頭弁論としての性質が失われるものではない。注釈民訴(3)89頁〔竹下守夫〕参照。その他，必要的口頭弁論と任意的口頭弁論の手続的差異についても，同書参照。

75)　したがって，ここでいう審尋は，当事者に対して事実などに関する主張の機会を与えるためのものであり，証拠調べの方法ではない。もっとも，第三者を相手方とする審尋は，証拠調べとしての性格をもつ（187，民執5）。

76)　審尋を行うかどうかも裁判所の裁量的判断による。もっとも，法は，一定の場合に必要的審尋を規定する（50Ⅱ・199Ⅰ・223Ⅱ・346Ⅱなど）。また，逆に審尋が禁止されることもある（386Ⅰ）。なお，証拠調べとしての審尋には，双方対席主義が妥当する（187Ⅱ）。林道晴「決定手続における対審審理による手続保障」実務民訴〔第3期〕(3)224頁は，各種の決定手続を通観し，対審審理の規定がない事件においても，それに適する場合には，積極的に対審審理を行い，争点整理や事案の解明を図るべきことを提言する。

第3項　口頭弁論の準備

必要的口頭弁論の手続においては，当事者によって口頭弁論に上程された事実のみが，証拠調べの手続を経て，裁判所の判断の対象となる。具体的には，原告の請求原因事実の主張，それに対する被告の認否，被告の抗弁事実の主張，それに対する原告の認否，原告の再抗弁事実の主張，それに対する被告の認否という形で，審理の対象となる事実は，実体法上の要件事実を軸として連鎖的に主張される。そして，これらの主張の応酬を通じて，訴訟物についての判断を行うために論理的に不可欠で，かつ，当事者間で争いとなる事実，すなわち争点が確定され，証拠調べを通じて，それらの事実の存否についての裁判所の判断が形成されるというのが，審理の構造である。その審理構造の中で，争いとなる事実の確定，すなわち証拠調べの対象となる事実を確定することを争点整理と呼ぶ。争点整理を通じて一方当事者が不要な主張を撤回したり，逆に，相手方の主張を認めたりすることによって，争点が整理・圧縮され，裁判所が効率的な証拠調べを実施することが可能になる。

なお，争点整理と密接に関係するが，これと区別されるものとして，争点整理方式の選択など事件の進行にかかわる事項がある。裁判所は，訴訟の初期の段階で適切な進行計画を立案し，かつ，必要があるときは，当事者と協議の上でその細部を確定し，あるいはそれを修正することが求められる。そのための制度としては，最初の口頭弁論期日前における参考事項の聴取（民訴規61），および進行協議期日（民訴規95～98）がある。

音声の送受信による通話の方法による進行協議期日については，令和4年民事訴訟法改正にともなう民事訴訟規則96条の改正により，従来の遠隔地要件と一方当事者出頭要件が削除され（民訴規96Ⅰ），通話者や通話場所の確認などに関する規定が整備され（民訴規88ⅡⅢ），かつ，訴えの取下げ，請求の放棄および認諾の制限（民訴規96旧Ⅲ）を削除し，それらの行為をすることが可能となった[77]。それを受けて，同条3項は，調書の記載事項に関する規律を設け

77）弁論準備手続において同様の制限を設けていた民事訴訟法旧170条5項が平成15年改正によって削除されたことが理由となっている。橋爪ほか・前掲論文（注*58*）35頁参照。

ている。

1　争点整理の手段と方式

法は，争点整理のために，当事者に対して準備書面と当事者照会の2つの手段を認める。準備書面は，当事者が口頭弁論において主張しようとする事実や，相手方の主張に対する陳述を書面に記載し，これをあらかじめ裁判所および相手方当事者に送付することによって，これに対応する主張を相手方に準備せしめ，それらの主張が期日において口頭で陳述されることによって，争点整理をなさしめようとするものである。これに対して当事者照会は，主張または立証の準備のために当事者が相手方に対して直接に照会をなし，事実や証拠についての相手方の情報を把握することによって，争点整理のための準備を可能にするものである。

これらの手段を前提として，裁判所は争点整理のための手続を主宰するが，その手続として現行法は，準備的口頭弁論，弁論準備手続，および書面による準備手続の3種類を認める[78)]。準備的口頭弁論は，本来の口頭弁論期日にお

---

78)　旧法下では，準備手続（旧249）のほかに，準備的口頭弁論（旧民訴規26）が認められ，これに加えて，弁論兼和解という実務上の方策が採用されていた。弁論兼和解は，準備手続の欠陥に対応するために発達した実務慣行であり，その法的性質，および公開の要否などについて議論があった。しかし，準備手続について指摘された欠陥を除去し，これに代わるものとして弁論準備手続が立法化された以上，現行法下では弁論兼和解をなすことは許されない。柳田幸三ほか「新民事訴訟法の概要(5)」NBL 604号48頁，49頁（1996年）参照。ただし，山本和彦「弁論準備手続①」新大系(2)248頁，261頁は，復活の可能性に言及する。弁論兼和解についての詳細は，最高裁判所事務総局・弁論兼和解の標準的な運用への提言（1991年）参照。なお，争点整理における当事者（訴訟代理人）と裁判所の役割分担について積極的提言を試みるものとして，近藤昌昭「民事司法のあるべき姿について」門口退官714頁がある。

さらに，争点整理の現状が現行民事訴訟法制定時から後退していることを指摘し，口頭審理を中心とする活性化の方策を説くものとして，伊藤眞＝秋山幹男＝福田剛久「〈鼎談〉これからの民事訴訟法・民事訴訟法学に期待すること」論ジュリ24号86頁（2018年），山本和彦「争点整理手続の過去，現在，未来――口頭審理期日立法再論」高橋古稀797頁などがある。

最近のIT化（本書34頁）の一環として，書面による準備手続（本書314頁）の運用形態たるウェブ会議が実施されていること，さらに，一方当事者の出頭を要する弁論準備手続（本書312頁）についても，立法論としてウェブ会議による実施を検討する動きがあることについて，内海博俊「判決手続におけるウェブ会議の利用」ジュリ1548号57頁，60頁（2020年）参照。

また，事案の特質や主張立証方法が多岐にわたるなどの事情から争点整理が困難とみられる事件における対策について，河合芳光ほか「争点整理に困難を伴う非典型的な訴訟に

いて争点整理を行うものであるのに対して（164），弁論準備手続では，口頭弁論とは異なった公開を要しない期日が開かれ（169），そこにおいて両当事者の主張が交換され，それに関連する証拠が提示されることによって，争点整理が行われ，その結果を当事者が口頭弁論に上程する（173）。

書面による準備手続は，当事者が期日に出頭できないときなどの事情があるときに，準備書面の提出，およびこれを補充する電話会議システムやウェブ会議システムによる協議を通じて争点を整理し，その結果を口頭弁論に上程するものである（175・176・176の2（未施行）・177）。裁判所が争点整理の方法として3種類のもののうちいずれを選択するかは，事案の性質などを考慮して職権で決定されるが，弁論準備手続または書面による準備手続を選択する場合には，それらが本来の審理方法である口頭弁論に代わるものであることを考慮して，法は，裁判所が当事者の意見を聴くことを義務づける（168・175）。

2　準備書面

準備書面とは，期日において陳述を予定する事項を記載して当事者が裁判所に提出する書面を意味する。口頭弁論については，簡易裁判所の手続を除いて（276 I），準備書面の提出が要求される（161 I）。法および規則は，準備書面の提出時期について，提出当事者に対し，相手方が記載事項について準備をするのに必要な期間を見越して裁判所に提出[79]することを要求し（162（I。未施行），民訴規79 I），期間経過後に提出する当事者は，裁判所に対し，その期間を遵守することができなかった理由を説明しなければならない（162 II（未施行））。

同時に準備書面は，当事者から相手方に直送される（民訴規83）[80]。なお，直送を困難とする事由があるときは，裁判所から相手方に送達または送付がな

おいて争点整理の道筋をつけるために裁判所及び当事者が取り組むべき課題について(1)～(3)」判タ1465号5頁（2019年），1466号5頁（2020年），1467号5頁（2020年）参照。

79）　提出は，ファクシミリによることができる（民訴規3）。直送についても同様である（民訴規47 I）。

80）　旧法下では，提出期間の趣旨が遵守されず期日にいたってはじめて準備書面が提出され，口頭弁論期日は準備書面の形式的陳述の場と化しているという問題が指摘された。しかし，このような慣習は旧法下でも徐々に改善されていた。プラクティス80頁以下参照。

される（民訴規47Ⅳ）。

準備書面に記載する事項は，161条2項ならびに民事訴訟規則2条1項および79条2項ないし81条に規定されている。ここでいう攻撃防御方法（161Ⅱ①）は，主要事実のみにとどまらず，間接事実，重要な証拠の所在，および法律上の主張など，争点を明確にするために必要なあらゆる事項を含み，また，相手方の請求および攻撃防御方法に対する陳述（161Ⅱ②）も，単純な自白や否認のほかに，否認の理由となる間接事実の主張や関連する証拠の所在などを含む（民訴規79Ⅱ～Ⅳ・80Ⅰ・81）[81]。なお，訴状の目的は，請求の定立であるが，同時に原告側の最初の準備書面としての役割をもつ（民訴規53Ⅲ）。これに対して，被告側の最初の準備書面は，答弁書と呼ばれる（民訴規80）。

準備書面は，口頭弁論の準備のためのものであるので，そこに記載した事項は，口頭弁論において陳述することによって訴訟資料となる。もっとも，記載されなかった事項であっても，期日において陳述が許されないわけではない。ただし，記載された事項については，準備書面が送付されることによって，相手方がこれに対応する訴訟行為を行う機会が与えられているのに対して，記載されなかった事項については，そのような機会が保障されていない。そこで，法は，記載された事項については，相手方欠席の場合にも，期日における陳述を許すのに対して[82]，記載されなかった事実[83]については，相手方が出席した場合に限って陳述を許すこととしている（161Ⅲ。改正161Ⅲ（未施行））。ただ

81）　訴状および答弁書には，重要な書証の写しが添付され（民訴規55・80Ⅱ），また準備書面と併せて，引用文書の写しが提出・直送される（民訴規82）。すでに旧法下の実務慣行として準備書面には証拠説明書や書証認否書が添付されることが確立されていた。プラクティス79頁参照。

82）　その結果，擬制自白が成立する可能性がある（159Ⅲ）。

83）　ここでいう事実が証拠の申出を含むかどうかについては，考え方の対立がある。事項と事実とを区分する文理解釈にしたがえば，証拠については，本条を適用せず，相手方不在廷のときにも，証拠の申出を許すことになるが，相手方の手続保障との関係で，このような考え方をとることはできない。180条2項にもとづいて期日前の証拠申出がなされているときは別である。

もっとも，当該証拠に関連する要証事実がすでに口頭弁論において主張され，または準備書面に記載されているときには，証拠申出が準備書面に記載されていなくとも，相手方としては，証拠提出を合理的に予測できる。したがって，証拠申出を認め，裁判所は，それについて証拠調べを行うことができる（前掲最判昭和27・6・17（注59））。それ以外の場合には，本条の趣旨を尊重して，証拠申出を認めるべきではない。

し，相手方が対応する訴訟行為をなすために続行期日を開く必要が生じたときには，陳述を許された当事者が訴訟費用の負担を命じられることがある（63）。

その他，提出当事者が最初の口頭弁論期日などに欠席しても，準備書面記載事項を陳述したものとみなされる（158・170Ⅴ・277），相手方が本案に関する答弁書を提出した後は，訴えの取下げに相手方の同意を要する（261Ⅱ）などの効果が，準備書面提出にともなって生じる[84]。

3　当事者照会

当事者照会制度は，争点整理の前提となる事実主張や証拠提出の準備について，釈明権行使などの裁判所の権能の発動によらず，当事者間の直接の応答によってこれを行うことを可能にするとの目的をもったものである。この制度は，当事者間の自主的情報交換によって，争点整理についての裁判所の負担を軽減するという機能をもつ[85]。

当事者照会の対象事項は，当事者が主張または立証を準備するために必要な事項のすべてにわたるが，法（163①～⑥）は，以下のような照会については，相手方の回答義務を否定する。第1は，主張または立証の準備の目的に合致しない照会である。具体的または個別的でない照会（163①），相手方を侮辱し，または困惑させる照会（163②），すでにした照会と重複する照会（163③），意見を求める照会[86]（163④）がこの類型に属する。第2は，相手方に不当な負担を生じさせる照会である。相手方が回答するために不相当な費用または時間

84）準備手続前に提出された準備書面に記載された事実は，準備手続において陳述されなかったときでも，口頭弁論において主張しうるとの旧255条3項の規定は，弁論準備手続の終結に失権効がともなわないこととの関係上，現行法には規定されなかった。

85）理念としては，アメリカ法における質問書制度の影響がある。伊藤眞「開示手続の理念と意義(上)」判タ786号6頁，10頁（1992年），河野正憲「当事者照会①」新大系(2)144頁，152頁，新注釈民訴(3)659頁〔高田裕成〕参照。照会に適するか否かの判断にあたっては，照会者側の必要性と相手方の負担を比較し，前者が後者を上廻るかどうかを考えなければならない。秋山幹男「証拠収集手続(2)――当事者照会」理論と実務(上)421頁，428頁，立案の経緯および裁判所の関与についての議論は，証拠法大系(5)236頁〔志知俊秀〕参照。

86）ここでいう意見とは，法令の解釈や事案の内容などについて一般的な評価を意味するものであって，争点となりうべき具体的事実についての認識や事件の帰結を左右すべき法解釈などについての見解を意味するものではない。したがって，ある事実について自白するかどうかを照会することは許される。研究会174頁参照。この点は，証人尋問の場合（民訴規115Ⅱ⑤）と異なる。

を要する照会（163⑤）がこれに属する。第3は，証言拒絶権によって保護される事項についての照会（163⑥）である。

当事者照会の手続は，以下のようなものである。照会は，訴訟の係属中相手方に対して照会書を送付することによって行われる（163，民訴規84Ⅰ）。なお，令和4年改正は，電磁的方法による照会および回答を認めている（163Ⅰ本文ⅡⅢ（未施行））。

照会書には，当事者および代理人の氏名などのほか，照会事項，照会の必要性，回答期間などが記載され，照会事項は，項目を分けて記載されなければならない（民訴規84ⅡⅣ）。照会に対する回答も書面によってなされ（163，民訴規84Ⅰ），その内容も照会事項の項目に対応して記載されなければならない（民訴規84Ⅳ）。なお，照会事項が法163条各号に該当することを理由として回答を拒絶する場合には，その条項を記載しなければならない（民訴規84Ⅲ）[87]。

当事者照会は，裁判所が関与して行われるものではなく，したがって，回答拒絶が正当なものであるかどうかについて裁判所の判断が示される余地はなく，また，不当な回答拒絶に対する制裁も予定されていない。したがって，照会当事者としては，回答拒絶がなされた場合には，裁判所による釈明権の行使などを求める以外にない。しかし，訴訟法上の義務として回答義務が存在する以上，正当な理由なくその履行を拒絶することは，当事者に課される信義誠実訴訟追行義務に違反するし，また，代理人たる弁護士については，弁護士倫理違反の問題も生じうる[88]。

4　弁論準備手続

弁論準備手続とは，口頭弁論期日外で，受訴裁判所または受命裁判官が主宰

87）　民事訴訟規則84条3項の文言としては，複数の照会事項のうちの一部について拒絶する場合に，その根拠となる条項を示すことが要求され，照会事項すべてについて回答を拒絶する場合には，条項を示す必要がないと解する余地がある。すなわち，その場合には，回答義務自体が否定されるから，根拠通知義務も認められないとの考え方である。しかし，このような解釈は，当事者照会制度の円滑な運用を妨げることになるので，回答義務と根拠通知義務とは別個の手続上の義務であるとして，すべてについて回答を拒絶する際にも根拠たる条項を通知することが要求される。回答義務の性質については，新注釈民訴(3) 658頁，670頁〔高田裕成〕参照。

88）　弁護士職務基本規程4条・5条・74条・76条，竹田真一郎「当事者照会③」新大系(2)183頁，188頁参照。これに対し，証拠法大系(5)282頁〔志知俊秀〕は，回答義務を前提としても，実際上，弁護士倫理上の問題の発生は想定しがたいとする。

し，当事者双方が立ち会うことができる期日において争点整理手続を意味する（168・169 I）。この手続は，旧法における準備手続（旧249）を改正して，その問題点を解決したものである[89]。

裁判所は，争点整理のために必要があると認めるときは，当事者の意見を聴いて，事件を弁論準備手続に付することができる（168）。ほとんどすべての事件においては，証拠調べに入る前に争点整理の必要が認められるが，書面による準備手続を別としても，裁判所は，争点整理の方式として，公開法廷における準備的口頭弁論の方式か，弁論準備手続かいずれか適切なものを選択しなければならない。その選択は，個別的事件の特性に応じて決定される以外にないが，一般的な基準としては，次のような点が挙げられる。

準備的口頭弁論が公開法廷で行われるのに対して，弁論準備手続は，傍聴の可能性こそ認められるものの（169 II），公開を要しない期日で行われる。争点整理の目的を考えれば，単に法廷か法廷外かという場所の問題だけではなく，当事者および裁判所が事実および証拠について緊密に意見を交換しながら争点整理を進めることが望ましい[90]。その意味では，弁論準備手続が原則的な争点整理の方式であるといえよう。しかし，事件の性質によっては社会的関心が高く，争点整理自体について広く一般人の傍聴を認めることが合理的と考えられる場合もある。このような事件については，準備的口頭弁論による争点整理が適する。また，弁論準備手続でできる訴訟行為の範囲は旧法下の準備手続と比較すると拡大されたが，なお証人等の証拠調べなど，準備的口頭弁論と比較すると限定されている。したがって，争点整理の過程で人証を介在させる必要がある事案などにおいては，準備的口頭弁論を選択する必要がある。いずれにしても，訴訟行為の範囲が限定される点からも，また手続を円滑に進める上からも，弁論準備手続を選択するについては，裁判所は，当事者の意見を聴かな

89）失権効がかえって争点整理を妨げるなどの準備手続に対する批判については，伊藤眞・民事訴訟法 I 228 頁（1995 年）参照。また，弁論準備手続期日を公開法廷で開くことも許されるとの考え方があるが，169 条 2 項によって裁判所が個別的に傍聴の可否を判断することが義務づけられている以上，このような考え方をとることはできない。研究会 203 頁参照。

90）伊藤眞「民事訴訟における争点整理手続」曹時 43 巻 9 号 25 頁（1991 年），福田剛久・民事訴訟の現在位置 340 頁（2017 年）参照。

ければならない（168）。

通常は，裁判所が第1回口頭弁論期日を開き，また必要に応じて進行協議期日（民訴規95）を開いて，審理の進め方を決定した上で，事件を弁論準備手続に付すことになるが，当事者に異議がなければ，口頭弁論期日を経ずに弁論準備手続に付すことも可能である（民訴規60Ⅰ但書）。

弁論準備手続の主宰者は，受訴裁判所であるのが原則であるが（168），これを受命裁判官に委ねることもできる（171Ⅰ）。旧法下の準備手続を主宰する裁判官は，必ずしも受訴裁判所の構成員ではなく（旧民訴規18），そのことが準備手続の実効性を妨げているとの批判がなされたので，現行法の下では，争点整理と口頭弁論における審理との連続性を確保するために，受訴裁判所かその構成員である受命裁判官が手続を主宰することとされた[91]。

(1)　弁論準備手続における審理

弁論準備手続を行う裁判所は，期日を指定して，当事者を呼び出す（93Ⅰ・94）。弁論準備手続期日は，口頭弁論ではないので，公開の法廷で行われる必要はないが，当事者双方が立ち会うことができなければならないし（169Ⅰ），裁判所が相当と認める者の傍聴が許される（169Ⅱ本文）。また，当事者が申し出た者については，原則として傍聴が許される（169Ⅱ但書）。

裁判所は，争点および証拠を整理するために，釈明権の行使（149），釈明処分（151），弁論の制限，分離もしくは併合（152Ⅰ），攻撃防御方法の却下（157），および準備書面の提出期間の定め（162）などの訴訟行為を行うことができるし（170Ⅴ），準備書面の提出を命じることもできる（170Ⅰ）。また，争点整理の過程で和解を試みることもできる（89）。当事者が訴えの取下げ，請求の放棄または認諾をすることも許される（261Ⅲ・266Ⅰ）。準備書面の陳述を認める必要もあろう。

弁論準備手続は，本来は証拠調べの手続ではないが，争点整理には証拠の整理が不可欠であること，人証の取調べについて審理計画を立てるには，文書の

91）　受命裁判官も基本的には受訴裁判所と同一の権限を有する（171Ⅱ本文・Ⅲ参照）。なお，かつては，文書の証拠調べが許されなかったが（171旧Ⅱ本文括弧書），平成15年改正によって改められた（171Ⅱ本文括弧書，民訴規142Ⅰ参照）。改正の理由等については，小野瀬厚＝武智克典編著・一問一答平成15年改正民事訴訟法89頁（2004年）参照。

取調べが不可欠であること，文書の取調べは公開法廷で行わなければならない意味が少ないことなどを考慮して，裁判所が証拠の申出に関する裁判および文書の証拠調べをすることができるとされている（170Ⅱ）。加えて，令和4年改正（170Ⅱ（未施行））では，電磁的記録に記録された情報の内容にかかる証拠調べ（231の2Ⅰ），調査の嘱託にかかる調査の結果の提示（186Ⅱ），尋問に代わる書面等に記載または記録された事項の提示（205Ⅲ・278Ⅱ），鑑定人の意見に代わる書面等に記載または記録された事項の提示（215Ⅳ・278Ⅱ），鑑定の嘱託にかかる鑑定の結果の提示（218Ⅲ）をすることができるとされている。

また，文書提出命令申立てや補助参加の申出に関する裁判など，口頭弁論期日外ですることができる裁判をなすことも許される（以上について，170Ⅱ）。受命裁判官が手続を主宰する場合には，これらの行為のうち裁判をすることは許されないが（171Ⅱ本文括弧書），文書の証拠調べ，調査の嘱託（186），鑑定の嘱託（218），文書を提出してする書証の申出（219）や文書送付の嘱託（226）についての裁判をすることは許される（170Ⅱ・171Ⅱ本文・Ⅲ）。これらの行為は，争点整理に必要な証拠の収集手段であり，かつ，対象者に対して訴訟法上の義務を課すものではないことが根拠となっている。なお，令和4年改正においては，電磁的記録を提出してする証拠調べの申出や電磁的記録の送付の嘱託についての裁判が付加される（171Ⅲ（未施行））。

当事者の一方が最初の弁論準備手続期日に欠席したときには，欠席者から準備書面が提出されていれば，その内容が陳述されたものとみなされて審理が行われる（170Ⅴによる158の準用）[92]。2回目以後の期日の欠席については，158条の準用はない[93]。このような場合または準備書面等提出義務の懈怠の場合には，裁判所は，弁論準備手続を終結し（170Ⅴ・166），または弁論準備手続に付する裁判を取り消すことができる（172）。

当事者双方が期日に欠席したときには，訴えの取下げの擬制（263），新期日の指定，弁論準備手続の終結または弁論準備手続に付する裁判の取消しの3つ

92）旧251条の措置は，実務上利用されていないことを理由に廃止された。

93）旧法下では，続行期日についても158条（旧138条）の準用を認めるのが多数説であったが，簡易裁判所に関する277条のような規定がない以上，解釈論として無理がある。秋山ほかⅢ396頁参照。

の方法の中から適切なものを裁判所が選択することができる。これは，裁判長に委ねられた訴訟指揮権の行使に属する（170Ⅴ・148）。ただし，当事者にも取消しの申立権が認められるし，当事者双方の申立てがあるときは，弁論準備手続に付する裁判を取り消すことを裁判所が義務づけられる（172但書）。当事者双方の意思が明確であるにもかかわらず，弁論準備手続を続行しても，争点整理の遂行は期待できないし，むしろ準備的口頭弁論などの方法によって争点整理を行うことが合理的であるとの判断にもとづくものである。

裁判所は，当事者が遠隔の地に居住しているとき，その他相当と認めるときは，当事者の意見を聴いて，いわゆる電話会議システムの方法やウェブ会議システムの方法によって弁論準備手続を行うことができる。ただし，当事者の一方は期日に出頭していなければならない（改正前170Ⅲ）。期日に出頭せずこの手続に関与した当事者は，期日に出頭したものとみなされる（170Ⅳ）。これに対し令和4年改正による170条3項（施行済み）は，遠隔地要件と一方当事者の出頭要件を削除し，ウェブ会議や電話会議による弁論準備手続を認めている。IT化の一環として，争点整理の機能を高めるためのものと評価できる。なお，電話会議を行う際の通話者や通話者の所在場所の状況の確認に関する規定が整備された（民訴規88ⅡⅢ）[94]。書面による準備手続についても同様である（民訴規91ⅡⅢ）。

(2)　弁論準備手続の終結

争点整理の目的が達せられた場合，またはそれが期待できないことが明らかになった場合には，裁判所は弁論準備手続を終結する（170Ⅴ・165・166）。前者の場合には，裁判所は，その後の証拠調べによって証明すべき事実を当事者との間で確認する（170Ⅴ・165Ⅰ）。裁判所が相当と認めるときは，その事実を調書に記載する（民訴規90・86Ⅰ）[95]。また，裁判長は，相当と認めるときは，争

94)　民事訴訟規則改正前88条2項は，通話先の場所の確認を必要としていたが，遠隔地要件の削除やプライバシーの尊重などの配慮から，改正規則はそれを不要としている。調書記載事項から通話先の電話番号や場所を削除しているのも（同Ⅲ），携帯電話の普及やプライバシーの尊重を理由とする。書面による準備手続についても同様である。橋爪ほか・前掲論文（注58）30頁，32頁参照。

95)　旧250条1項の下では，裁判所が手続の結果を要約し，攻撃防御方法や証拠方法を記載した準備手続調書が作成されることになっていたが（旧民訴規21～24），これが煩瑣であり，かえって準備手続の利用を妨げたとの反省にもとづいて，本文のような制度に変

点整理の結果を要約した準備書面の提出を当事者に求めることができる（170 Ⅴ・165Ⅱ，民訴規90・86Ⅱ）。後者の場合には，弁論準備手続に付する決定の取消し（172）によって対応することになる。

当事者は弁論準備手続の結果を口頭弁論において陳述しなければならない（173）。これは，必要的口頭弁論の原則を前提として，口頭主義および直接主義の要請を満たすための措置である。当事者は，調書や準備書面にもとづいて口頭弁論における陳述をなす。その際には，その後の証拠調べにおいて証明すべき事実を明らかにしなければならない（民訴規89）。なお，当事者は，弁論準備手続の結果を一体のものとして口頭弁論に上程すべきであり，その一部のみを選択して陳述することは許されない。

旧法の下では，準備手続の終結には失権効がともなったが（旧255Ⅰ本文），現行法は，失権効の制裁がかえって争点整理の円滑な運用を妨げるとの判断を前提として，相手方に対する理由説明義務を課することとした（174・167）。すなわち，弁論準備手続終結後に攻撃防御方法を提出した当事者は，相手方の求めに応じてその理由を説明しなければならない[96]。この義務違背の事実は，時機に後れた攻撃防御方法の却下（157Ⅰ）の要件である，故意または重過失認定の資料となる[97]。

更された。ただし，調書への記載によるかどうかはともかく，証明すべき事実の確認は必要であり，その後の手続の進行の前提となる。松村和德・手続集中論247頁（2019年）参照。

なお，証明すべき事実として確認されないものの中には，自白が成立した事実も含まれるが，それ以外にも，争いがあるが，すでに提出された書証など以外に証拠調べが予定されないものも含まれる。研究会185頁参照。

96）説明の方式について，民事訴訟規則87条参照。また，運用のあり方について，小山稔「争点整理総論」新大系(2)210頁，227頁参照。

しかし，この説明義務が機能していないことを背景として，信義則の理念を基礎とした失権効の導入が提唱されており（三木浩一＝山本和彦編・民事訴訟法の改正課題（ジュリ増刊）（2012年）87頁），これに対して積極的な評価をするものとして，福田剛久「失権効再考」伊藤古稀564頁がある。ただし，伊藤・前掲論文（注*62*）36頁，定塚・前掲論文（注*62*）791頁，中本・前掲論文（注*62*）288頁は，適切な形での心証開示を通じて裁判所が争点整理を主導することによって改善が期待できるとする。

97）研究会189頁，柳田ほか・前掲論文（注*78*）(4)NBL603号20頁，27頁（1996年）参照。弁論の全趣旨との関係については，勅使川原和彦「適時提出主義①」新大系(2)385頁，404頁参照。

5　準備的口頭弁論

争点および証拠の整理を口頭弁論期日において行う手続を準備的口頭弁論と呼ぶ（164）。ただし，準備的口頭弁論が開かれるのは，裁判所が自ら主宰して争点整理を行う必要があると認めるときであるから，裁判所は，単に当事者に準備書面を陳述させるだけではなく，具体的事情を把握するために陳述書の提出を求め，釈明処分として当事者やそれに準じる者を出頭させて口頭の陳述を行わせ，また文書の取調べによって積極的に争点整理を進めることが予定されている。いわゆるラウンド・テーブル法廷は，準備的口頭弁論による争点整理に適したものである[98)]。

準備的口頭弁論の目的は，争点整理であるが，その法律上の性質は口頭弁論にほかならないから，これを主宰する裁判所は，受訴裁判所であり[99)]，そこに顕出された資料は，当然に訴訟資料となる。したがって，弁論準備手続と異なって，手続の結果を改めて口頭弁論に上程する必要はない（173参照）。準備的口頭弁論に付する裁判が存在するわけではないから，その取消しもありえない（172参照）。また，訴えの変更や参加の許否などについての中間的裁判や証拠調べについても制限はない。しかし，その他の点，すなわち証明すべき事実の確認，当事者による要約準備書面の提出，準備的口頭弁論の終了，集中証拠調べの実施，準備的口頭弁論終了後の攻撃防御方法提出についての理由説明義務などは，争点整理手続の性質によるものであるから，弁論準備手続の場合と同様である（165～167・182）。

6　書面による準備手続

準備的口頭弁論や弁論準備手続においては，期日において当事者と裁判所が口頭で協議しつつ争点整理を行うことが予定されているが，遠隔の地に居住しているなど，当事者が争点整理のために期日に出頭することが困難な事情がある場合には，裁判所は，当事者の意見を聴いて，書面による準備手続によって争点整理を行うことができる（改正前175）。この手続の特徴は，準備書面の提

98）　ラウンド・テーブル法廷と準備的口頭弁論との関係については，最高裁判所事務総局・民事訴訟の審理の充実促進に関する執務資料11頁以下（1992年）参照。

99）　実務上では，準備的口頭弁論を専門に担当する部を官署として同一の裁判所内に設けることは可能であり，かつて新件部として実施されたこともある。ただし，この措置は，理論的には，受訴裁判所の構成の変更として扱われる。注釈民訴(3)96頁〔竹下守夫〕。

出・交換と，それを補充する電話会議システムの利用によって，書面と口頭陳述を結合することによって，期日を開くことなしに争点整理を進め，それが終結した段階で口頭弁論において裁判所と当事者の間で争点を確認し（177），引き続いて集中証拠調べを実施する（182）点にある。ただし，令和4年改正によって準備的口頭弁論についてもウェブ会議方式が可能となり（87の2Ⅰ（未施行）），弁論準備手続の遠隔地要件や一方当事者出頭要件が削除され，書面による準備手続についても遠隔地要件が削除されたため（170Ⅲ（施行済み）・175（未施行）），3つの争点整理手続の差異は小さくなったといってよい。

この手続を主宰するのは，原則として受訴裁判所の裁判長であるが，高等裁判所においては受命裁判官によることもできる（176Ⅰ）。弁論準備手続と異なって（171参照），高裁の受命裁判官に限定されたのは，当事者の出頭なしに争点整理を成功裡に行うためには，相当の経験を要すると考えられたためである。ただし，この限定は，令和4年改正にもとづく176条1項（未施行）では削除された。

この手続においては，準備書面の適時の提出・送付が不可欠であるために，準備書面提出期間を定めることが必要的とされる（176Ⅱ。176Ⅰ（未施行））。また，書面の伝達だけでは，争点整理に必要な情報を裁判所および当事者が共有することが困難である場合に備えて，裁判所は，電話会議システムやウェブ会議システムを利用することによって争点整理に必要な事項を協議することができ，その結果を裁判所書記官に記録させることができる（176Ⅲ。176Ⅱ（未施行））。裁判長等は，準備書面の内容や電話会議システムやウェブ会議システムによる陳述について釈明権を行使し，争点整理を進めることになる（176Ⅳ（Ⅲ。未施行）・149）。釈明権の行使は，電話やファクシミリ，ウェブ会議システムを利用して行われる[100)]。

書面による準備手続において当事者が準備書面の提出を懈怠するときには，準備的口頭弁論または弁論準備手続と異なって，裁判長等は，手続を終了することをせず（166参照），書面による準備手続に付する裁判を取り消す（120）。手続の終了にともなって当事者の理由説明義務が発生するが，例外的手続であ

100）　この釈明は，期日外釈明になるので，裁判所書記官に命じて行わせることができる（民訴規92・63Ⅰ）。

る書面による準備手続についてこのような不利益を生じさせることは合理的でないと考えられたためである。

この手続による争点整理が完了したと判断されるときは，裁判長等は手続を終了する旨の裁判をなし，その際に当事者に対して争点整理の結果を要約した準備書面の提出を求めることができる（176Ⅳ（Ⅲ。未施行）・165Ⅱ）。また，終了後の最初の口頭弁論期日においては，裁判所と当事者との間で争点を確認し，争点たる事実が調書に記載する（177，民訴規93）。これによってその後の証拠調べの対象となる事実が弁論に顕出される。なお，手続終了後に提出される攻撃防御方法について理由説明義務が課されることは，他の争点整理手続の場合と同様であるが（178，民訴規94），説明義務は，口頭弁論における要約準備書面の陳述または争点の確認の時点を基準として発生する[101]。

第4項　口頭弁論の実施

口頭主義の要請から，当事者の申立ておよび主張は，口頭弁論期日において陳述しなければ訴訟資料として取り扱われない。したがって，訴えが提起されたときは，裁判長が口頭弁論期日を指定し（民訴規60），最初の口頭弁論期日では，原告が訴状にもとづいてその請求を陳述し，これに引き続いて両当事者が請求原因事実や抗弁事実などの主張を行う。弁論準備手続において主張された事実についても，その結果が当事者によって口頭弁論において陳述されて，はじめて訴訟資料たりうる（173）。ただし，陳述は両当事者がなす必要はなく，一方当事者がすれば足りる。したがって，相手方が期日に欠席をしている場合でも，陳述は妨げられない。ただし，手続保障の視点から，準備書面記載の事実に限られる（161Ⅲ）。なお，証拠調べも，直接主義および公開主義の要請から，法が裁判所外の証拠調べを認める場合以外には（185など），口頭弁論期日において行われなければならない。

口頭弁論は審理の中核をなすものであり，したがって，その進行は，裁判所の訴訟指揮権に服する。しかし，法は，審理の態様が当事者の手続保障に重大

101）　その理由は，この手続が口頭弁論において提出を予定される主張の事前の整理であり，手続終了に直接に理由説明義務の発生を結びつけられない点に求められている。一問一答221頁参照。

な影響を及ぼすことを考慮して，審理の進行に関する裁判所の訴訟行為について いくつかの類型を定め，かつ，その要件を規定している。ただし，これらの行為は訴訟指揮権の行使に属するので，原則としては当事者がその当否を争うことはできない。

1　弁論の続行・更新・終結・再開

ある期日において審理が終結しない場合には，次回期日が指定され，弁論が続行される。弁論が数期日にわたる場合でも，そこにおいて提出された資料は一体のものとして扱われる。これを口頭弁論の一体性と呼ぶ。また，口頭弁論の途中で裁判官の更迭が生じたときには，直接主義の要請を満たすために，裁判所は，当事者に従前の弁論の結果を陳述させる。これを弁論の更新と呼ぶ(249Ⅱ)。審理が進行し，終局判決をなすに足る訴訟資料・証拠資料が得られたと裁判所が判断するときには，弁論を終結する（243Ⅰ参照)。もっとも，当事者の主張や証拠を補充する必要があると認めたときには，裁判所は，弁論の再開を命じることができる（153)。ただし，当事者には再開申立権はなく，再開を命じるか否かは，裁判所の裁量的判断に委ねられる[102)]。

2　弁論の制限・分離・併合

1個の訴訟手続において審理されている事件について，裁判所は，適正，かつ，迅速に審理を進行させる目的のために，請求または争点ごとに審理の範囲を制限し，または審理を分離し，また別の手続によって審理されている数個の事件を1個の手続で審理するために，弁論の併合を命じることができる（152Ⅰ)。これらの裁判は，決定の方式によってなされる。ただ，いずれも訴訟指揮に属する裁判であり，当事者の申立権は認められない[103)]。

---

102)　しかし，裁判所の裁量権も無制限なものではなく，弁論を再開して当事者に攻撃防御方法提出の機会を与えることが，手続的正義の要求するところであると認められるような事案では，弁論の再開を否定することが違法とされる。最判昭和56・9・24民集35巻6号1088頁〔百選〈6版〉39事件〕。手続的正義一般との関係で本判決の位置付けを試みるものとして，笹田栄司「統治構造において司法権が果たすべき役割(七)」判時2391号122頁（2019年)，新注釈民訴(3)508頁〔伊東俊明〕がある。

103)　したがって，当事者が申立てをなしても，裁判の形式で裁判所がこれに応答する義務はない。ただし，実際には，当事者の申立てなしに裁判所がこれらの裁判をなすことは稀であり，申立てがなされた場合には，何らかの形で裁判所の判断が示される。しかし，訴訟法律関係上の義務としては，裁判所は，当事者の申立てに対する裁判の義務を負うものではない。

(1) 弁論の制限

1個の手続において数個の請求が審理され，または1個の請求について数個の争点が審理の対象となるときに，審理の整序のために，裁判所は，弁論や証拠調べを1個の請求や争点に限定することができる。たとえば，損害賠償請求事件において責任の有無と損害額の双方が争点となっているときに，弁論をまず責任に限定し，損害額の審理と切り離したり，本案の審理を行う前に範囲を訴訟要件に制限した弁論を行わせたりする例が考えられる。審理の結果，責任がないことが明らかになれば，損害額の審理を行うまでもなく請求棄却の終局判決がなされるし，責任が存在すると認められれば，裁判所は，中間判決をなすこともできる（245）。しかし，弁論の分離と異なって，制限の対象となった事項も，それ以外の事項も，審理の順序こそ区別されるが，同一の手続において審理されるものであるから，訴訟資料・証拠資料，および弁論の全趣旨（247）は共通である。また，請求に対する判決も1個のものとしてなされる。

(2) 弁論の分離

訴えの併合，反訴，または弁論の併合などの原因にもとづいて，1個の手続において数個の請求が審判の対象となっているときには，裁判所は，1個の手続で審理をなし，1個の判決を言い渡すのが原則である。しかし，審理の輻輳を避けるために裁判所は，ある請求についての審理を他の請求に関する審理から切り離すことができる。この裁判を弁論の分離と呼ぶ。分離をなすか否かも原則として裁判所の裁量に委ねられるが[104]，必要的共同訴訟（40），同時審判申出共同訴訟（41），および離婚訴訟の本訴と反訴などの場合には，1個の手続で審理することが要求されるので，分離は許されない。選定当事者によって複数の請求が定立されている場合も同様である（144参照）。

分離前の訴訟資料・証拠資料は，分離後のそれぞれの手続でも当然に資料とされるが[105]，分離後のそれぞれの手続に上程される訴訟資料・証拠資料は区

104）　もっとも，一方の請求が他方の請求の先決関係にあるとき，または複数の請求間の主要な争点が共通しているときには，弁論を分離すべきではないとする有力説がある。新堂558頁。しかし，このような要素も裁判所が裁量権を行使する際に考慮すべき事情とすれば足りる。注釈民訴(3)197頁〔加藤新太郎〕，新注釈民訴(3)333頁〔中山幸二〕，498頁〔伊東俊明〕，瀬木257頁参照。

105）　大判昭和10・4・30民集14巻1175頁。

別され，判決も別個になされる。ただし，裁判所の管轄には影響を生じない(15)。

(3) 弁論の併合

官署としての同一裁判所に係属している数個の訴訟を同一の手続で審判することを決定する裁判を弁論の併合と呼ぶ。したがって，数個の訴訟のいずれかの受訴裁判所が併合決定をなす。共同訴訟や訴えの客観的併合などが，当事者の訴訟行為によって複数の請求に対する同一裁判所の審判義務を生じさせるものであるのに対して，弁論の併合は，同一の効果を裁判所自身の訴訟行為によって生じさせるものであるところに，その特徴がある。

弁論の併合を命じるか否かも原則として裁判所の裁量に委ねられるが[106)]，類似必要的共同訴訟の場合を中心として法が併合を要求する場合もある（会社837，一般法人272）。この場合には，裁判所が併合を命じないと，手続が違法となる。逆に，弁論の併合も請求の併合の一般要件を満たす必要があり，したがって，同種の訴訟手続によらない請求については，併合を命じることはできない[107)]。なお，官署としての同一裁判所に係属する事件であることが要求されるのは，併合されるべき事件が同一裁判所の管轄に属するものでなければならないことを意味する[108)]。

弁論併合の効果として，併合決定以降の審理が1個の手続としてなされるのは当然であるが，併合前の証拠資料の取扱いについては，考え方が対立する[109)]。すなわち，当事者による援用があってはじめて併合後の訴訟において

106）ただし，債権の譲渡人と譲受人が債権譲渡の効力をめぐって対立し，双方が債務者に対して履行請求訴訟を提起している場合のように，複数の請求の間に主観的択一関係があり，その併合が求められている場合，または共同被告たるべき一部の者を欠く固有必要的共同訴訟とその一部の者に対する別訴の併合が求められた場合などにおいては，裁判所は併合を命じるべきである。併合を命じないことは，裁量権の逸脱として違法になる。注釈民訴(3)191頁〔加藤新太郎〕。

107）通常訴訟，行政訴訟，人事訴訟などは異種の手続になる。もっとも，行政事件訴訟法16条ないし19条，人事訴訟法17条のように特別の規定が存在する場合には，この限りではない。

108）同一管轄裁判所のうち，どの裁判体をもって受訴裁判所とするかは，事務分配の問題にすぎないから，併合されるべき事件の配点を変更して，同一の受訴裁判所に複数の事件が係属する形にした上で，それらの弁論を併合する形をとる。

109）学説の詳細については，注釈民訴(3)204頁以下〔加藤新太郎〕参照。判例としては，最判昭和41・4・12民集20巻4号560頁〔百選Ⅱ117事件，続百選59事件〕があるが，

証拠資料となるという考え方と，その援用を不要とし，当然に証拠資料となるという考え方の対立である。本書では，当事者に対する手続保障を重視する立場から，援用必要説をとる。ただし，併合を促す申立てをなした当事者については，その申立ての中に援用の意思表示が含まれる。また，自己が当事者として関与した証拠調べの結果については，すでに手続保障が与えられているので，援用を要しない[110]。

これに対して併合の申立てをなしていない当事者については，援用の意思表示を要するが，黙示の意思表示でも足りるので，特に異議を唱えずに，併合後の審理において当事者が訴訟行為をなす場合には，援用があったものとみなされる。しかし，従前の証人尋問の結果などについて双方または一方当事者が援用を拒絶するときには，その証人について証人尋問を再び実施することになる。152条2項は，このような趣旨にもとづいて尋問の機会がなかった当事者の申出にもとづいて，改めて証人尋問を実施しなければならないと規定している。

弁論が併合された事件については，判決も1個のものとしてなされるのが原則である。また，弁論の併合を経ずに，同一の受訴裁判所において審理されている別個の事件について1個の判決を言い渡すことを判決の併合と呼ぶ。主要な争点を共通にしている場合には，数個の事件について1個の判決が言い渡されることによって上級審における審理の重複，および判断の矛盾・抵触を避けることができるので，弁論の併合に準じて，判決の併合という裁判所の訴訟行為を認めることが合理的である[111]。

併合前の証拠調べの結果が併合後の事件において同一の性質のまま証拠資料となると判示するのみで，直接に援用の要否について判示していない。続百選59事件〔伊藤眞〕参照。ただし，援用を必要とするときにも，証人尋問の結果そのものが証拠資料となるのであって，それを記載した調書が文書として証拠方法となるものではないことは，本判決がいう「同一の性質のまま」という考え方からの帰結である。なお，実際上議論の意味は少ないが，証拠資料ではなく，訴訟資料，すなわち従前の弁論の結果についても同様の問題がある。

なお，援用不要説でも，判断の基礎となるべき証言について再尋問の申請があったときには，それを採用すべきであるとの立場をとれば（証拠法大系(2)8頁〔大竹たかし〕），実際上，大きな差異は生じない。

110）したがって，併合の結果が請求の客観的併合になるときには，援用を要しないことになる。問題は，請求の主観的併合を生じる場合に，併合の申立てをなさず，かつ，問題となる証拠資料の形成に関与しなかった当事者についてのみ生じる。

111）新堂559頁以下。その他現在ではこれを認めるのが多数説である（新注釈民訴(3)

第5項　口頭弁論の懈怠

弁論の開始から終結まで口頭弁論が複数の期日にわたって開かれる場合であっても，口頭弁論の一体性の原則によって，提出された訴訟資料および証拠資料は，すべて判決の基礎となる。その資料を収集するための審理の進め方については，適正，かつ，迅速な審理を実現するために適時提出主義の原則が設けられている（156）。また，口頭弁論の準備がなされ，裁判所が争点を整理した上で証拠調べを実施する目的を実現するためには，適時提出主義の発現として，当事者による資料の提出時期または順序について一定の制限を設ける必要がある。時機に後れた攻撃防御方法の却下（157 I）は，この必要を満たすためのものである。さらに，指定された口頭弁論期日に欠席する形で当事者が口頭弁論を懈怠することも考えられる。これを放置して，その者によって訴訟資料などが提出されるのを待つのみでは，いたずらに審理が遅延し，相手方当事者や納税者の利益も害されることになるので，法は，欠席に対しても一定の措置を定めている。

1　時機に後れた攻撃防御方法の却下

弁論主義の下では，裁判資料となる事実および証拠方法の提出は，原則として当事者に委ねられる。主張される事実は，主要事実を中心として，原告の請求の成否を判断する前提として相互に関連し，また証拠は，裁判所による認定の資料として，それぞれの事実と密接不可分に結びついている。審理においては，まず，弁論準備手続などの争点整理段階において，請求の成否の基礎となる事実およびそれに関連する間接事実や証拠が整理され，その中で当事者間で争いになり，証拠調べを要する事実が明らかにされ，それについて証拠調べが実施される。もちろん，争点整理の段階で別の請求原因事実の追加や変更がなされたり，証拠調べがある程度進んだ段階において再抗弁事実が付加され，または相手方の立証に対応して，新たな証拠の申出をなす必要などが生じうることは否定できない。

しかし，合理的理由がないままにこのような新たな攻撃防御方法の提出を許

502頁〔伊東俊明〕）。もちろん，判決の併合を否定しても，弁論を再開した上で，併合決定を行えば，同様の目的は達しうる。

せば，次のような混乱が生じる。すなわち，一方で，すでに行われた主張や証拠調べが無駄になり，相手方当事者や裁判所に無用の負担をかけることになるとともに，他方で，新たな主張や証拠申出が続出することは，さらにそれに対応する相手方の主張や立証を誘発することとなり，審理を遅延させ，迅速な紛争の解決に対する当事者や社会の期待を裏切る結果となる。

(1)　適時提出主義と時機に後れた攻撃防御方法

157条1項が時機に後れた攻撃防御方法の却下を規定し，適時提出主義を具体化しているのは，このような結果を避けようとするものである。ただし，ある攻撃防御方法の提出が時機に後れたものかどうかは，より以前の適切な時機にその攻撃防御方法を提出することが期待されたか否かによって決定されるものである。したがって，一方当事者がいかなる事実および証拠を準備しているかが争点整理が終了する段階までに明らかになっていなければ，それらに対応する攻撃防御方法を相手方が提出することも期待しえない。この意味で，時機に後れた攻撃防御方法の制限は，争点整理およびその前提となる事実および証拠の開示と密接な関連をもつ。

(2)　時機に後れた攻撃防御方法の却下の要件

裁判所が157条1項にもとづいて攻撃防御方法の却下をなすためには，第1に，時機に後れて提出されたものであること，第2に，それが当事者の故意または重大な過失にもとづくものであること，第3に，それについての審理によって訴訟の完結が遅延することの3つの要件を満たす必要がある。なおここでいう攻撃防御方法とは，事実主張，証拠申出のほかに，否認，自白の撤回など，それにもとづいて審理の必要を生じさせる当事者の訴訟行為を含む[112)]。

---

112)　ここでいう審理が本案についての審理のみならず，訴訟要件についての審理をも含むかという問題がある。判例（最判昭和42・9・14民集21巻7号1807頁）は，訴訟要件が職権調査事項であることを理由にして，157条1項の適用を否定する。しかし，職権調査事項であっても，判断の基礎となる証拠については，弁論主義が適用されることがあるから，一律に本条の適用を否定すべきではない。注釈民訴(3)274頁〔山本克己〕参照。これに対して，本案の申立て，すなわち訴えの変更や反訴の提起は，本条の適用範囲外である。

また，最判令和元・11・7判時2435号104頁は，労働契約上の地位確認などを求める訴えにおいて，解雇について労働契約法17条1項にいう「やむを得ない事由がある」といえないから無効であるとした第一審判決に対して被告が控訴をし，労働契約期間の満了による終了を主張したところ，これを時機に後れた攻撃防御方法として却下した原審の措

第1の要件に関して，時機に後れたかどうかは，当該攻撃防御方法が提出されるまでの審理の進行状況を考慮して，より早く，かつ，適切な時機にその提出が期待できたか否かを基準として判断される。したがって，この要件が満たされたかどうかは，それぞれの事件における審理の進行状況，および当該攻撃防御方法の性質に応じて裁判所が判断する以外にない。しかし，弁論準備手続などの争点整理手続が行われたときには，そこにおいて提出されなかった攻撃防御方法については，特段の事情が認められない限り，時機に後れたものとみなされる。また，訴状や答弁書において記載を求められる重要な間接事実や証拠についても，それが記載されないままに，後に提出されるときには，時機に後れたものとされる可能性がある[113)]。

さらに，準備書面の提出や証拠の申出について提出期間が定められることとの関係で（162），期間経過後の攻撃防御方法の提出が時機に後れたものとされる可能性もある。控訴審において新たな攻撃防御方法が提出されたときにも，第一審の審理経過を考慮して，時機に後れたかどうかを判断すべきである[114)]。また，控訴審において攻撃防御方法の提出期間が定められた場合にも（301），期間後の提出は，争点整理後の攻撃防御方法の提出と同様に，時機に後れたものと評価されうる。

第2の要件として，時機に後れたことについての当事者の故意または重過失が必要になる。この要件は，第1の要件とは独立のものであるが，後れて提出

置を違法とした。その理由は，第一審の口頭弁論終結時に契約期間が満了していたことが明らかであるから，第一審は，その事実をしんしゃくする必要があった以上，控訴人が原審においてそれを指摘することは，時機に後れた攻撃防御方法の提出とはいえず，むしろ控訴審の判断遺脱（本書792頁参照）にあたるというものである。労働契約期間の満了の事実が第一審の弁論に現れていたことを前提とし，それについての指摘は，時機に後れた攻撃防御方法の提出に該当しないことを判示したものと理解できる。

113）　訴訟上の相殺の抗弁への157条1項の適用可能性については，理論的な争いがある。しかし，相殺適状の事実がすでに発生していた以上，訴訟上の相殺の意思表示も，他の攻撃防御方法と同様に，より適切な時機になすべきであったと判断される余地はある。大判昭和17・10・23法学12巻520頁。ただし，相殺の抗弁が却下される場合には，実体法上の相殺の効力も生じない。新注釈民訴(3)552頁〔田邊誠〕参照。

その他，時機に後れた攻撃防御方法として新たな主張を却下した裁判例として，東京地判平成22・1・22判時2080号105頁，東京地判平成22・2・12判タ1343号167頁がある。

114）　現在の控訴審が続審主義をとっていることからの帰結である。大判昭和8・2・7民集12巻159頁〔百選38事件〕，最判昭和30・4・5民集9巻4号439頁。その結果，控訴審における更新権は，一定の制限を受ける。

されたことについて何らの合理的理由が認められなければ，重過失が推定される。167条や301条2項による理由説明義務が懈怠されたときには，何らの合理的理由がないものとして差し支えない。

第3の要件として，訴訟の完結を遅延させることが必要である。遅延させるかどうかは，当該攻撃防御方法を却下した場合に予想される訴訟完結の時点と，それについて審理を行った場合の訴訟完結の時点とを比較して判断される[115]。したがって，すでに弁論が終結しているか，または当該攻撃防御方法を却下すれば直ちに弁論を終結できる場合に多く却下がなされることになるが，続行期日が予定されているときであっても，審理の遅延がありえないわけではない。ただし，新たな証拠調べを要しない主張の追加や，直ちに取調べが可能な証拠の申出は，訴訟の完結を遅延させるものに該当しない[116]。

却下は，相手方当事者の申立てまたは職権によってなされる。却下は，独立の決定によっても，また終局判決の理由中の判断によってもよい。いずれの場合であっても，不服申立ては，終局判決に対する上訴の方法による（283）。相手方当事者の申立てを却下する決定についても同様である[117]。なお，攻撃防御方法が却下されない場合であっても，その提出によって訴訟を遅延させたと認められるときには，勝訴当事者に遅滞によって生じた訴訟費用の負担が命じられることがある（63）。

2　趣旨不明瞭な攻撃防御方法の却下

攻撃防御方法の趣旨が不明瞭であれば，相手方当事者はそれに対する認否な

115）　絶対的遅延概念と呼ばれる。これに対して，当該攻撃防御方法が適時に提出された場合の審理完結の時点と，後れて提出された場合の審理完結の時点とを比較する考え方を相対的遅延概念と呼ぶ。新注釈民訴(3)545頁〔田邊誠〕参照。

116）　建物買取請求権の行使が，建物の時価を認定するための証拠調べの必要を生じさせるときには，訴訟の完結を遅延させるものとされる。最判昭和46・4・23判時631号55頁〔百選〈5版〉45事件〕。もちろん，却下されても，実体法上の買取請求権自体が失われるわけではない。時機に後れ，かつ，重大な過失が認められるにもかかわらず，訴訟の完結を遅延させるものとされなかった例として，知財高判平成25・4・11判時2192号105頁がある。

117）　却下の判断は，口頭弁論において行われているので，328条1項の要件には該当しない。もっとも，却下について裁量の余地があることを理由に不服申立て自体を否定する学説も有力であるが，要件に該当するかどうかについては，裁判所の判断に委ねられるが，要件が法定されている以上，却下自体について自由裁量性を認めることはできない。秋山ほかⅢ385頁，法律実務(3)62頁参照。

どができず，裁判所がそれを訴訟資料として取り扱うこともできない。したがって，それについては，裁判所が釈明権を行使して（149），趣旨を明瞭にするよう促すことになる。これに対して当事者が釈明をなさず，または釈明をなすべき期日に出頭しないときには，裁判所は，その攻撃防御方法を却下することができる（157Ⅱ）[118]。攻撃防御方法のうち証拠の申出に関しては，その趣旨が不明であれば採用されないから（180Ⅰ・181Ⅰ），本条によって却下されるのは，事実に関する主張に限定される。却下の手続は，157条1項の場合と同様である。

3 口頭弁論における当事者の欠席

指定された口頭弁論期日に当事者双方もしくは一方が出頭せず，または出頭しても弁論を行うことなく退廷した場合には，弁論によって裁判所に提出されるべき訴訟資料が得られない。法は，このような場合について，欠席の態様および期日の性質に応じて，いくつかの取扱いを定めている。

(1) 双方の欠席

事件の呼上げによって口頭弁論期日が開始されても（民訴規62），呼び出された当事者双方が出頭せず，または出頭しても弁論をなすことなく退廷したときには，裁判所は，期日の終了を宣言する。ただし，証拠調べおよび裁判の言渡しについては，当事者の在廷を要しないので（183・251Ⅱ），当事者の欠席にもかかわらず裁判所がこれを行うことができる。

期日終了とともに裁判所は，事件が裁判に熟したと認めれば（243Ⅰ），弁論を終結することができる[119]。しかし，その状態に至っていなければ，審理を続行する必要がある。そのために，裁判所は，職権によって期日を指定することもできるが[120]，当事者による期日指定の申立てを待つのが通常である。ただし，244条は，審理の現状および当事者の訴訟追行の状況を考慮して相当と認めるときは，裁判所が終局判決をすることができる旨を規定する。客観的にみれば，なお主張立証の可能性が考えられるような事案であっても，双方が期

118） 本項による却下の要件は，趣旨が不明瞭なこと，および釈明に応じないことの2つであるが，釈明をなすべき時期などについては，裁判所の判断の余地がある。

119） 最判昭和41・11・22民集20巻9号1914頁〔百選Ⅰ91事件〕。

120） 大判昭和12・12・18民集16巻2012頁。

日に欠席するという当事者の訴訟追行の態様を考慮して，それらの可能性を度外視して，裁判所が終局判決をなすことを認めたものである。すなわち，裁判所は，当事者欠席の事実自体を証拠資料として判断することが許される[121]。

欠席当事者が1カ月以内に期日指定の申立てをなさないときには，訴えの取下げが擬制されて，訴訟が終了する（263前段）。また，当事者双方が連続して2回，口頭弁論期日に出頭せず，または弁論をしないで退廷したときにも同様に取り扱われる（263後段）[122]。本条の規定は，弁論準備手続についても適用される。また，控訴審手続にも準用されるが（292Ⅱ），控訴審の場合には，控訴の取下げが擬制される。

(2)　一方の欠席

適式に期日への呼出しが行われたにもかかわらず，一方当事者が期日に出席せず，また出席しても弁論を行わない場合には，相手方当事者の裁判を受ける権利を保障するために，裁判所は手続を進める必要がある。ただし，そのために法が定める措置は，欠席期日が最初の期日であるか，続行期日であるかによって異なる。

121）　それまでに提出された裁判資料によっては，裁判をなすに熟したと認められないときであっても，欠席の事実と併せて裁判所が熟したと認めうるところに本条の意義がある。一問一答286頁参照。ただし，宇野聡「審理の現状に基づく判決についての一考察」香川法学16巻2号191頁，218頁（1996年），加藤新太郎「不熱心訴訟追行に対する措置②」新大系(3)300頁，316頁，新注釈民訴(4)921頁〔中西正〕は，一方当事者欠席の場合と比較すると，双方当事者欠席の場合に，本条を適用して裁判に熟したと認められる場合は限定され，むしろ訴え取下げの擬制（263）を原則とすべきであるという。その他，審理の現状にもとづく判決をすべきかどうかの考慮要素については，村田渉「当事者の欠席」実務民訴〔第3期〕(3)116頁参照。

122）　旧238条の下では，期日指定申立ての期間が3カ月であり，かつ，263条後段の規定が存在しなかったために，両当事者が合意して，欠席と期日指定の申立てを繰り返せば，手続は実際上休止することになる。このような行為は，不熱心訴訟追行と呼ばれるが，それに対する裁判所の措置としては，次のようなものが考えられた。第1は，弁論の終結である。ただし，不熱心訴訟追行の事実自体をもって，裁判に熟したことの資料とできるかどうかが問題となった。第2は，期日指定申立てを権利の濫用として却下する方法である。その結果として旧238条が適用される。第3は，特に原告の態度に着目して，訴えの利益欠缺を理由に訴えを却下する方法である。詳細については，小島武司「不熱心訴訟追行の訴訟法的評価」新堂編・特別講義410頁以下，新注釈民訴(4)1247頁〔越山和広〕参照。現行法において期間が1カ月とされ，かつ，後段が設けられたのは，このような問題の解決のためである。

ア　最初の期日の欠席

欠席者が原告の場合には，口頭主義の要請から，訴状の陳述がなされないと，請求の定立が認められず，裁判所の審判の対象が定まらない。そこで，欠席原告のために，準備書面を兼ねる訴状の陳述を擬制する必要が生じる。そのこととの公平上，欠席被告についても，すでに提出された答弁書その他の準備書面に記載した事項が陳述されたものとして取り扱う（158）。これは，口頭主義の原則を維持しつつ，裁判所が審理を進めることを可能にするための措置である[123]。弁論準備手続との関係では，次のような取扱いがなされる。まず，弁論準備手続の最初の期日についても，本条が準用される結果（170Ⅴ），準備書面の擬制陳述が認められる。弁論準備手続を経た最初の口頭弁論期日についても，本条の適用可能性が認められる[124]。

これらの規定でいう最初の期日とは，かならずしも第1回の指定期日に限られず，弁論が実際に行われる最初の期日を指す。控訴審においても，その最初の期日について本条が適用される[125]。控訴の申立ておよびその理由，ならびにこれに対する相手方の主張を擬制し，手続を進めるためである。

擬制陳述にもとづく審理は，通常の場合と異ならない。出席当事者の事実主張は，あらかじめ提出された準備書面記載のものに限定されるが（161Ⅲ），それが欠席当事者が提出した準備書面の中で明らかに争われていない限り，擬制自白の成立が認められる（159Ⅲ）。また，その準備書面の上に積極的に自白の意思が記載されていれば，擬制自白ではなく，自白の成立が認められる。逆に，争われている場合には，審理が続行され[126]，証拠調べの上で裁判所が本案判

123）　当事者の一方が欠席した場合における判決の方式としては，欠席判決主義と対席判決主義とがある。前者は，欠席の事実自体をもって欠席者に不利な判決の基礎とするものであり，後者は，欠席者についての最低限の陳述を擬制し，それにもとづいて本案判決を行うものである。大正15年改正前旧民事訴訟法は欠席判決主義をとったが（同法246以下），旧法および現行法は，対席判決主義をとる。本条は，それを可能にするための措置を定めるものである。注釈民訴(3)250頁〔長谷部由起子〕参照。

124）　弁論準備手続の結果については，出席当事者からその陳述がなされるので（173），欠席当事者の陳述を擬制する必要はない。

125）　大判昭和15・8・17民集19巻1487頁，前掲最判昭和25・10・31（注10），新注釈民訴(3)562頁〔田邊誠〕。なお，上告審でも，口頭弁論が開かれる場合には，158条の適用可能性がある。

126）　続行期日の指定が必要かどうかは，証拠調べの必要性などにもとづいて裁判所が判断する。大判昭和8・4・25民集12巻870頁〔百選39事件〕参照。

決をすることになる。これが対席判決主義の帰結である[127]。

イ　続行期日における欠席

続行期日において当事者の一方が欠席した場合について，法は特別の取扱いを定めない。したがって裁判所は，従前の弁論の結果と当該期日における出席当事者の弁論などを総合し，裁判に熟すると判断すれば，弁論を終結する。しかし，なお審理が必要であると判断すれば，裁判所は，続行期日を指定する。ただし，244条は，当事者双方の欠席の場合と同様に，審理の現状および当事者の訴訟追行の状況を考慮して相当と認めるときは，裁判所が出頭した当事者の申出にもとづいて終局判決をすることを認める。その趣旨は，双方欠席の場合と同様であるが，欠席当事者の責任を明らかにする趣旨から，出頭当事者の申出がある場合に限ったものである[128]。

最初の期日について規定される陳述擬制を続行期日にまで適用できるかどうかについては，多少の議論があるが，これを肯定することは，口頭主義の実質を失わせるので認められない。ただし，簡易裁判所の手続については，当事者の裁判所への出頭の負担を軽減する趣旨から，続行期日においても陳述擬制が認められる（277）。

第6項　口頭弁論調書

口頭弁論の経過を明らかにするために裁判所書記官によって作成される文書を口頭弁論調書と呼ぶ。調書は，期日ごとに作成され（160 I），訴訟記録に編綴されて保存される。これは，双方審尋主義，直接主義，および公開主義など，口頭弁論について適用される準則の遵守を確保し，また，当事者や裁判所の訴訟行為の内容を公証する役割をもつ。ここでいう口頭弁論は，広義の意味であり，証拠調べを含むが，証拠調べ期日についての口頭弁論調書は，実務上，証拠調べ調書，またはその内容に即して，証人尋問調書，検証調書などと呼ばれる。口頭弁論調書に関する法および規則の規定は，審尋期日など口頭弁論以外

127）　請求の放棄・認諾が欠席当事者の準備書面に記載されているときに，その効力を認めてよいかどうかについては，旧法下では考え方が分かれていたが，266条2項は，裁判所がその効力を認めうると規定する。

128）　出頭当事者は，自己に不利な終局判決がなされるおそれがあるかどうかを判断した上で，申出を行う。一問一答286頁，新注釈民訴(4)924頁〔中西正〕。

の期日についても準用される（民訴規78）[129]。

なお，令和4年改正によって従来の調書に代えて電子調書の制度が設けられた（160・160の2（未施行））。電子調書とは，期日または期日外における手続の方式，内容および経過等の記録および公証をするために裁判所書記官が作成する電磁的記録である（160Ⅰ括弧書）。裁判所書記官は，電子調書を作成したときは，最高裁判所規則で定めるところにより，これをファイル（91の2Ⅰ括弧書）に記録しなければならない（160Ⅱ）。

電子調書の内容に対する当事者等の異議を述べた場合の措置（160Ⅲ），口頭弁論の方式に関する規定の遵守についての電子調書の証明力（同Ⅳ）は，それぞれ現行法における調書についての異議の記載（同Ⅱ），口頭弁論の方式の遵守についての調書の証明力（同Ⅲ）に対応する。また，電子調書の更正（160の2）は，電子調書の特質を考慮した新設規定である。

1　調書の作成者

調書は，口頭弁論に立ち会った裁判所書記官が作成する。それ以外の者によって記載された内容は，後述の調書の証明力を認められない[130]。この場合の裁判所書記官の調書作成権限は，裁判官の補助者としてのものではなく，訴訟手続上の公証機関として受訴裁判所から独立したものである[131]。したがって，調書には，裁判所書記官の記名押印，および裁判長の認印がなされるが（民訴規66Ⅱ），裁判所書記官の記名押印を欠けば，証書の成立が否定される。これに対して裁判長の認印は，記載内容の正確性を認証するためのものである。なお，裁判長の認印は，支障がある場合には，陪席裁判官の認印などによって代えることができる（民訴規66Ⅲ）。

2　調書の記載事項

調書の記載事項は，形式的記載事項（民訴規66Ⅰ）と実質的記載事項（民訴規

129）ただし，裁判資料の形成を目的としない和解期日については，口頭弁論調書に関する規定の準用もないから，その経過を明らかにする和解期日調書は作成されない。もちろん，和解そのものの内容を公証する役割をもつ和解調書は別である。注釈民訴(3)343頁〔三宅弘人＝中島肇〕参照。

130）最判昭和33・11・4民集12巻15号3247頁〔百選〈3版〉50事件〕。

131）ただし，裁判所法60条4項にもとづいて裁判官が裁判所書記官に対して命令を発する余地はある。

67 I III）とに分けられる。

形式的記載事項は，事件の表示，裁判官などの氏名，出頭当事者および代理人などの氏名，弁論の日時および場所，弁論公開の事実，または非公開の事実および理由を含む。これらの事項は，期日がいかなる形式によって行われたかを示すものである。

これに対して，実質的記載事項として規則は，和解などの重要な訴訟行為，審理の計画に関する事項，訴訟の進行に関する事項，証拠調べの結果，裁判言渡しの事実などを挙げる。弁論については，各種の申立てなど弁論の進行の要領のほかに，攻撃防御方法の内容など弁論の内容の要領が記載される。ただし，訴訟が，和解など裁判によらないで完結した場合には，完結時から1週間以内に当事者が記載の申出をなさない限り，裁判所書記官は，証拠調べの結果の記載を省略することができる（民訴規67 II）。

裁判所書記官は，裁判所が適当と認めるときには，書面などを調書に引用した上で，訴訟記録に添付することができる。この場合，添付された書面などは，調書の一部となる（民訴規69）。さらに，裁判所書記官は，裁判長の許可を得て，証人等の陳述を録音テープまたはビデオテープに記録し，これをもって調書の記載に代えることができる。ただし，訴訟の完結までに当事者の申出がなされたとき，または上訴審の審理に必要なときには，裁判所書記官は，証人等の陳述を記載した書面を作成しなければならない（民訴規68）[132)]。

また裁判所は，必要があるときには，弁論または証拠調べを速記官に速記させ，反訳した速記録または速記原本を記録に添付して，調書の一部とすること

132)　この規定は，集中証拠調べが実施される場合には，証人尋問調書作成の必要が少なくなることを前提としたものである。条解規則151頁参照。ただし，裁判長が許可をする際に当事者は，意見を述べることができる（民訴規68 I）。これは，反対尋問のために当事者が調書を利用する便宜を考慮したものである。また，同条2項にもとづいて作成される書面は，あくまで上訴等に関する当事者の便宜のためのものであり，書面が調書の一部となるものではない。なお，東京高判平成24・7・25判時2165号84頁は，簡裁の手続において証人の陳述の調書記載が省略されたときに（民訴規170 I・227 I），裁判所が録音テープ等（民訴規170 II・227 II）を書面化し，それを訴訟記録として，事実認定の資料とすることは，民事訴訟規則68条2項が予定するところではなく（条解規則358頁参照），違法であるとする。もっとも，控訴審における弁論の更新（296 II。本書779頁）に関する判例法理（最判昭和34・4・9民集13巻4号504頁）を前提とすれば，あえて違法とするまでもないとの考え方もあろう。

もできる（民訴規70～74）。裁判所は，弁論または証拠調べを録音させることもできる（民訴規76）。

3　関係人への開示

調書は，訴訟記録の一部として当事者などがこれを閲覧することができる（91）。これに関し令和4年改正（未施行）があったことは，本書291頁に述べた通りである。また，当事者その他の関係人が調書の記載について異議を述べたときには，その趣旨が調書に記載される（160Ⅱ。160Ⅲ（未施行））。これは，調書の記載内容の正確性に疑問をもった関係人に対して，その内容を開示し，異議申立ての機会を与え，裁判所書記官が異議を正当と認めれば，記載を訂正するための措置である[133]。

4　調書の証明力

調書が存在する限り，口頭弁論の方式に関する規定の遵守に関しては，調書を証拠方法とする証明のみが許される（160Ⅲ本文。電子調書について160Ⅳ本文（未施行））。口頭弁論の方式とは，いかなる方式によって弁論が進められたかを示す事項であり，裁判所の構成，出頭当事者などの氏名，および弁論の公開など，主として民事訴訟規則66条1項にいう形式的記載事項に対応する。法は，方式に関する争いによって審理が遅延することを避けるために，調書作成の方式が法定され，かつ，当事者に異議申立ての機会が与えられていることを前提として，調書に絶対的証拠力を認めたものである。これは，自由心証主義の例外としての法定証拠主義に属する[134]。

これに対して，弁論の内容，すなわち当事者の攻撃防御方法，自白，あるいは証人の陳述などについては，本条は適用されず，当事者は，調書以外の証拠

133）　異議があった旨を記載し，調書の記載を訂正しなかった裁判所書記官の措置を適法とした判断を是認した判例として，最決平成26・10・23実情728頁がある。

ここでいう訂正とは別に，異議なく確定された調書について裁判所書記官が，明白な誤謬を理由としてその記載内容を更正することも可能である。更正が許容される範囲については，新注釈民訴(3)592頁〔黒野功久〕参照。

なお，旧146条1項では，関係人の申立てにもとづいて裁判所書記官が法廷において調書の記載を読み聞かせる旨が規定されていたが，調書作成の実務からみてその実行を期待しがたいので（小野田禮宏「口頭弁論調書の作成と更正」新実務民訴(2)55頁，61頁参照），現行法においては読み聞かせの制度は廃止された。

134）　ただし，裁判所書記官の記名押印などの有効要件を欠けば，この証明力も認められない。大判昭和6・5・28民集10巻268頁〔百選41事件〕。

方法をもって証明を試みることが許され，裁判所は，自由心証によって内容を判断する[135]。

第5節　事案の解明

訴訟物たる権利関係の存否について裁判所が判断を行うための資料，すなわち裁判資料の収集は，公開主義，口頭主義，および直接主義などの諸原則を前提とすると，口頭弁論において行われなければならない。そこで，裁判資料の収集について，当事者および裁判所という訴訟手続の主体がどのように役割を分担するかが問題となるが，この問題を規律するのが，弁論主義および釈明権の概念である。

第1項　弁論主義

弁論主義とは，訴訟物たる権利関係の基礎をなす事実の確定に必要な裁判資料の収集，すなわち事実と証拠の収集を当事者の権能と責任に委ねる原則である。現行法の規定，すなわち159条・179条，人事訴訟法19条・20条，行政事件訴訟法24条などの規定は，民事訴訟の一般原則としての弁論主義を前提としたものである。もっとも，一定の事項については，弁論主義に対立する概念である職権探知主義および職権調査主義の原則が採用されているので，現行法下においても弁論主義が一律に適用されるわけではない。

弁論主義の具体的内容は，以下の3つに区分される。第1に，権利関係を直接に基礎づける事実，すなわち主要事実については，当事者による主張がなされない限り，裁判所は，これを判決の基礎とすることはできない。この原則から，主張責任の概念，および判決の基礎となる事実によって構成される訴訟資料とその認定のための証拠資料の区別などが派生する[136]。第2は，主要事実

135)　もちろん，弁論の内容についても調書の記載は，事実上の推定力を認められる。最判昭和30・11・22民集9巻12号1818頁。最判昭和45・2・6民集24巻2号81頁。これを前提とした実務上の対応については，佐藤・民事控訴審190頁参照。

136)　ここでいう主張責任は，いわゆる客観的主張責任，すなわちある事実が弁論に現れなかった場合に，その結果としていずれの当事者が不利益を受けるかを意味する。いずれかの当事者によって当該事実が主張されたときには，主張責任は問題とならない。したが

について当事者の自白の拘束力が認められることである。第3は，いわゆる職権証拠調べの禁止であり，事実認定の基礎となる証拠は，当事者が申し出たものに限定される。これに対して，職権調査の対象事項に属する事実については，第1および第2の原則が排除され，さらに第3の原則も排除されることがある。職権証拠調べが行われる審理の方式を職権探知と呼ぶが，職権調査事項のうちこれに服するものがある137)。

1　弁論主義の根拠

民事訴訟の基本原則としてなぜ弁論主義が採用されているかを説明する議論として，本質説，手段説，法主体探索説，多元説，および手続保障説などが唱えられているが138)，本質説が妥当であり，その内容は以下のようなものである。

訴訟物たる私人間の権利関係は，私的自治の原則に服し，当事者の自由な処分に委ねられる。弁論主義は，その権利関係の判断のための裁判資料の収集について私的自治の原則が適用されることを根拠としたものである。上に述べた

って，主張責任を負わない当事者が自己に不利益な事実を進んで陳述したときにも（先行自白），裁判所はその事実を認定することが可能であり，弁論主義違反の問題は生じない。最判昭和41・9・8民集20巻7号1314頁〔百選Ⅰ108事件〕。主張責任の所在の有無にかかわらず，いずれの当事者から主張された事実でも判決の基礎となりうることを，主張共通の原則と呼ぶ。なお，主張共通の原則を前提として釈明権行使のあり方を説くものとして，最判平成9・7・17判時1614号72頁〔百選〈6版〉46事件〕がある。

また，証拠については，一方当事者が提出したものを相手方当事者が主張する主要事実認定の資料とすることができ，これを証拠共通の原則と呼ぶことがあるが（証拠法大系(2)3頁〔大竹たかし〕），証拠が事実認定の資料として自由心証主義による評価の対象となる以上，当然の結論である。間接事実についても，同様に考えられる。

137)　通説（兼子205頁，新堂494頁など）にしたがえば，職権調査は，ある事項を職権でも顧慮しなければならないかどうかに関するものであり，そのための資料たる事実および証拠をいかなる方式によって収集するかにかかわる，弁論主義および職権探知とは別の次元に属するという。しかし，職権調査の対象となる事項に関する事実について弁論主義が適用され，自白の拘束力が認められることは考えられない。三ヶ月・全集167頁参照。

もっとも，訴訟要件に関する職権調査においては，自白の拘束力のみが排除され，主張責任の原則は妥当するという考え方も有力である。松本博之「訴訟要件に関する職権調査と裁判上の自白」大阪市立大学法学雑誌35巻3・4号116頁，137頁（1989年）参照。

138)　それぞれの議論の内容については，注釈民訴(3)52頁〔伊藤眞〕，小島368頁参照。山本・基本問題132頁以下では，私的自治に根拠を求めつつも，判決段階と審理段階，自己に有利な事実と不利な事実という区別に即して，弁論主義の機能を分析する。また，垣内秀介「主張責任の制度と弁論主義をめぐる若干の考察」青山古稀91頁は，主張共通の原則（注136）との関係では，弁論主義は，事実主張の面での当事者の支配権を尊重しながら，裁判官による実体的真実発見を確保する意義を有するという。

弁論主義の第1の内容，すなわち主要事実についての当事者の提出責任は，その事実にもとづく権利関係について私的自治が認められることを反映している。同様に，第2の内容たる自白の拘束力も，いかなる主要事実について裁判所の判断を求めるかという点についての当事者の支配権を認めるものである。また，第3の内容たる職権証拠調べの禁止も，私的自治に服する権利関係存否の判断は，当事者が提出する証拠にもとづいて行えば足り，裁判所が職権によって証拠を収集する必要はないとする点で，やはり私的自治を理念的基礎としている[139]。

なお，私的自治を理念的基礎とする点では，弁論主義と処分権主義は，共通性をもつ。しかし，弁論主義が事実および証拠にかかわるものであるのに対して，処分権主義は，審判の対象の定立および処分にかかわるものであり，訴訟物の範囲の確定，ならびに訴訟上の和解，請求の放棄・認諾，および訴えの取下げなどの審判要求の撤回の根拠となる。その点で，両者が区別される。

2　弁論主義と真実義務

争いとなる事実について裁判所の真実発見の努力が要請されることは，裁判を受ける権利の保障に内在するものといってよい。真実発見のためには，裁判官が，その全人格を基礎として，証拠に対する適正な評価をなし，また適切な経験則を適用して，事実の存否の判断を行うことが必要である。もっとも，弁論主義の下では，証拠の提出は当事者の責任と権限に委ねられるので，真実発見にも限界があるといわれる。

しかし，裁判所としては，釈明権の行使を通じて当事者に対して証拠の提出を促し，真実発見につとめるべきことは当然であり，また，当事者の側にも真実義務が課されるから，弁論主義の下でも真実発見の要請は妥当する。ここでいう真実義務とは，当事者が，ある事実について真実と信じるところに反する陳述をしたり，虚偽の陳述を基礎づける証拠を提出することを禁じ，あるいは逆に，真実を基礎づける証拠の提出を要求することを意味する[140]。このよう

---

139)　弁論主義の下では，当事者は，事実や証拠提出の機会を保障され，相手方もそれらに対する防御を行えば足りるという意味で，弁論主義は，手続保障の機能をもっている。しかし，手続保障は，弁論主義の妥当範囲外でも当てはまるものであり，むしろ手続保障の理念が弁論主義の中に現れていると考える方が正しい。したがって，弁論主義と手続保障とを同一視することは両者の関係を誤るものといわざるをえない。

に真実義務は，主観的真実に反する事実の陳述および証拠の提出を禁止するものであり，当事者に証拠提出の責任を委ねる弁論主義と矛盾するものではない。

また，真実義務と関連するものとして完全陳述義務が説かれることがある。この義務の内容として，当事者は，その有利不利を問わず，知る限りの事実を主張し，証拠を提出しなければならないものとすると，完全陳述義務は，弁論主義およびその内容たる主張責任・証明責任の原則に抵触する。しかし，弁論準備手続などの争点整理手続において裁判所が当事者に対して，事実や証拠の開示を求めたとしても，その開示は，直ちに口頭弁論における事実の主張や証拠の申出を意味するものではなく，主張責任などを負う当事者が，開示された事実および証拠の中から自己の側にとって有利なものを口頭弁論において主張・提出することになる。この意味で，争点整理手続において完全陳述義務を根拠にして裁判所が当事者に対して開示を求めたとしても，弁論主義との矛盾が生じるものではない[141]。

3　事実に関する弁論主義の適用対象

弁論主義の内容のうち，主張責任および自白の拘束力は，いずれも事実に関するものであるが，そこでいう事実が主要事実のみを意味するのか，それとも間接事実をも含むのかが問題となる。

しかし，弁論主義の根拠を私的自治に求める以上，その対象も権利関係の発生・消滅・変更の原因となる主要事実に限られるという結論が導かれる。これ

140）中野・推認154頁以下に詳しい。真実義務の実定法上の根拠としては，209条や230条が挙げられる（山本・研究Ⅰ370頁参照）が，ここで前提とされる真実義務の内容も，あくまで当事者の主観的真実である。岡伸浩「民事訴訟における真実概念の多層的構造」慶應法学48号15頁（2022年）。また，信義則を理由として主観的真実に反する陳述禁止が説かれることもある（2参照）。なお，真実義務違反に対する制裁としては，230条などに定められるもののほか，弁論の全趣旨として違反当事者に対する不利な心証が形成されることが挙げられる。

金美紗・民事訴訟における当事者の主張規律264頁以下（2020年）は，主張責任と別に主張規律の概念を立て，真実義務の具体化として当事者に対し自らの主張を裏付けるための調査，場合によっては撤回義務を説く。行為規範として信義誠実訴訟追行義務（2。本書375頁）に沿ったものと評価できる。

141）伊藤眞「開示手続の理念と意義(上)(下)」判タ786号6頁，787号11頁（1992年）参照。否認の理由開示が要求されること（民訴規79Ⅲ）も，完全陳述義務と関連する。森勇「積極否認と訴訟への影響」新大系(2)62頁，75頁，金・前掲書（注140）334頁参照。

に対して，いったん弁論に上程され，相手方によって争われる主要事実についての裁判所の認定は，247条にもとづいて自由な心証によってなされる。したがって，裁判所が証拠調べなどの中で知った間接事実であっても，それが当事者によって弁論に上程されない限りは，主要事実認定の資料とすることができないとするのは，自由心証主義を不当に制約する。このような見地から弁論主義の適用対象は，主要事実に限定される[142]。もっとも，その前提として，ある事実を主要事実とみるか間接事実とみるかの問題がある[143]。

しかし，弁論主義の適用対象とならない間接事実についても，それが主要事実の認定を左右する性質のものであり，かつ，それについて当事者の間に争いが予想されるときには，手続保障の見地から，裁判所は，釈明権の行使を通じて，当事者にその事実の主張を促すことが望ましい。もっとも，釈明によって主張が求められたにもかかわらず，当事者が当該事実の主張を行わないときには，弁論主義が適用される主要事実の場合と異なって，裁判所がその事実を認定することも許される。なお，間接事実については，自白の拘束力も否定されるが，自白をなした当事者自身に関しては，否認の機会を放棄したものとみなされる余地がある。

(1)　一般条項についての弁論主義の適用

過失や正当事由など，法律要件事実が具体的事実そのものではなく，具体的事実についての評価を前提としたものとして規定されている場合には，主要事実は，評価の対象となる具体的事実とみなされ，弁論主義もそれについて適用される。また，狭義の一般条項のうち，権利濫用および信義則については，そ

142）　最判昭和27・12・25民集6巻12号1240頁，最判昭和38・11・15民集17巻11号1373頁，最判昭和46・6・29判時636号50頁〔百選〈6版〉A13事件〕などがある。判例および学説の詳細については，青山善充「主要事実・間接事実の区別と主張責任」講座民訴④376頁以下，高橋(上)424頁，小島377頁参照。

143）　しばしば問題となったものとして，所有権取得の経過来歴と代理人による契約締結の事実がある。所有権取得の経過来歴に関する事実は，それが相手方の主張する経過来歴事実に対する積極否認事実にとどまる限りは間接事実であるが，相手方の所有権喪失を基礎づける抗弁事実の場合には，主要事実となり，弁論主義の適用対象となる。最判昭和55・2・7民集34巻2号123頁〔百選〈6版〉42事件〕。代理人による契約締結の事実は，主要事実ではなく，したがって，当事者の主張なくして裁判所がその事実を認定できるというのが判例の考え方であるが（最判昭和33・7・8民集12巻11号1740頁〔百選〈6版〉43事件〕），学説はこれを批判している。大江(1)421頁，注釈民訴(3)61頁以下〔伊藤眞〕，瀬木296頁参照。

れぞれの評価の前提となる具体的事実が主要事実として弁論主義に服する。ただし，公序良俗違反の評価は，高度の公益性を含むものであるから，この場合には，その内容たる事実が弁論において主張されないときであっても，裁判所は，他の事実から主要事実の存在を推認し，公序良俗違反を認定しうる144)。

(2) 権利抗弁

留置権や同時履行の抗弁権などの権利抗弁の場合には，それらを基礎づける客観的事実だけではなく，権利を行使する旨の当事者の意思表示が要求される。したがって裁判所は，その意思表示の事実が主張されない限りは，権利抗弁を判決の基礎とすることはできない145)。これに対して，民法418条または722条2項にもとづく過失相殺の抗弁は，権利抗弁ではなく，したがって，当事者による過失相殺の主張がなされない場合でも，裁判所は，それを判決の基礎とすることができる146)。

---

144)　竹下守夫「弁論主義」演習民訴〈新版〉377頁，注釈民訴(3)66頁〔伊藤眞〕など参照。これに対して，権利濫用や信義則は，当事者の利益保護を主たる目的とする法理であるから，その基礎となる事実については，弁論主義が適用される。最判昭和39・10・13民集18巻8号1578頁参照。また，山本・研究I 253頁は，権利濫用および信義則についても，さらにその根拠にもとづく類型に応じた取扱いを主張するが，支持すべきものと考える。もっとも，松本博之・民事訴訟における事案の解明59頁（2015年）は，正当事由や過失そのものを主要事実とする立場に立ち，主張責任や証明責任の負担を軽減する方策として，相手方当事者に対して具体的事実の陳述や証拠提出義務を課すべきであるとする。また，瀬木288頁は，評価根拠事実と評価障害事実との区別に疑問を呈する。

なお，最判平成30・6・1民集72巻2号88頁〔百選〈6版〉61事件〕は，有期契約労働者と無期契約労働者との労働条件の相違に関する「不合理と認められるもの」という評価的要件（労契20）について，その評価を基礎づける事実と評価を妨げる事実をそれぞれ主要事実とし，主張立証責任を分配する旨を判示し，過失や正当事由に関し，本文に述べた考え方を明らかにしている。また，この種の評価的または規範的要件について，それを基礎づける事実についての証明責任と区別して，論証責任という概念を説く議論もある。山本和彦「『論証責任論』に関する一考察」加藤新太郎古稀208頁参照。

145)　最判昭和27・11・27民集6巻10号1062頁〔百選〈6版〉47事件〕。もっとも，基礎たる事実が弁論に現れているときには，裁判所は，権利抗弁について釈明権を行使すべきである。最判昭和45・6・11民集24巻6号516頁〔百選〈6版〉48事件〕参照。また，権利抗弁はかならずその主体によって主張されなければならないという意味で，主張共通の原則の例外をなす。坂田宏「権利抗弁概念の再評価(2・完)」民商110巻6号973頁，991頁（1994年）参照。

146)　最判昭和43・12・24民集22巻13号3454頁〔百選〈6版〉A15事件〕。これに対して，過失相殺の基礎となる債権者の過失に該当する事実については，弁論主義が適用される。大江(4)752頁，注釈民訴(3)68頁〔伊藤眞〕参照。

(3) 法規ないし法的観点

事実に関する裁判資料の提出は，当事者の責任に委ねられるが，法令の解釈適用については，裁判所が責任を負う。したがって，法規に関しては，弁論主義の適用がない。もっとも，法規の事実への当てはめ，すなわち法的観点は，事実そのものの主張と不可分の関係にある。当事者がある法的観点を前提として，それに当てはまる事実主張をなしているときに，裁判所が同一の事実にもとづいて別の法的観点を採用することは，弁論主義違反の問題を生じるものではないが，それによって当該当事者および相手方の攻撃防御方法に影響が生じる。したがって，弁論権を尊重する趣旨に照らして，裁判所は，釈明権を行使して，法的観点の内容を当事者に対して指摘しなければならない[147]。

(4) 事実の同一性

弁論主義は，当事者によって主張される事実と裁判所によって認定される事実との間の同一性を要求するが，両者の間に完全な同一性が欠ける場合であっても，社会的事実としての同一性が認められれば，弁論主義違反の問題を生じない。その例として，契約の成立日時や，過失の内容である医療行為が行われた日時などの食違いが許されることがある。これに対して，診療上の過失が問題となっているときに，注射器の消毒不完全という主張事実に代えて，注射液の不良を認定することは，弁論主義違反と評価される[148]。

147）講学上，法的観点摘示（指摘）義務と呼ばれる。注釈民訴(3)69頁〔伊藤眞〕，林道晴「抜本的な紛争解決と釈明」伊藤古稀522頁，園田賢治「法的観点指摘義務の類型化についての一試論」徳田古稀203頁参照。問題の例として，最判昭和41・4・12民集20巻4号548頁〔百選〈6版〉A14事件〕がある。

また，当事者が主張していない信義則の法理を適用するにあたっては，釈明権の行使を通じて，その適用にかかる攻撃防御方法の主張を促さなければならないとした最判平成22・10・14判タ1337号105頁〔百選〈6版〉50事件，平成22重判解・民訴2事件〕も重要である。

148）契約の成立の日時に関して，大判大正9・3・13民録26輯317頁がある。診療上の過失に関して，最判昭和32・5・10民集11巻5号715頁〔百選〈3版〉68事件〕，最判昭和39・7・28民集18巻6号1241頁〔百選〈6版〉56事件〕は，注射器の消毒不良と注射液の不良という2つの事実の食違いについて弁論主義違反を否定し，これを支持する学説も有力である。高橋(上)438頁参照。三木浩一「規範的要件をめぐる民事訴訟法上の諸問題」石川＝三木13頁は，過失を根拠づける主要事実として，注射液の不良または注射器の消毒不完全という具体的事実の上位概念である，何らかの過失行為の選択が許されていると説明する。

(5) 事実の主張

裁判所が認定しうる事実は，当事者によって口頭弁論において主張されたものに限定される。弁論の内容などを斟酌して，なされるべき事実主張が欠けていると判断するときには，裁判所は，釈明権の行使によってその主張を促す(149)。もっとも，弁論の全趣旨（247）を考慮すると，ある事実が主張されていると認められるときには，明示的な主張が欠ける場合であっても，それを認定することが許される149)。

4 主張責任と事案解明義務

弁論主義の下では，ある事実が口頭弁論において主張されない場合には，裁判所はその事実を認定することが許されず，その事実にもとづく法律効果の発生が認められない。その結果として，その法律効果を自己に有利に援用しようとする当事者は，不利益を受ける。これが主張責任の概念であり，ある事実についていずれの当事者が主張責任を負うかは，当該事実についての証明責任の所在によって決定される。証明責任は，本来は立証の段階で問題となるものであるが，弁論主義によって事実の提出そのものが当事者の責任とされることの結果として，その事実について証明責任を負う当事者が併せて主張責任を負うことになる。

もっとも，例外的に証明責任と主張責任とが食い違うことがないかどうかについては，考え方の対立がある。たとえば，履行遅滞にもとづく損害賠償請求において，債権者たる原告は，不履行の事実について証明責任を負わず，逆に債務者たる被告が履行の事実について証明責任を負う。これが通説の考え方である。それにもかかわらず，訴えの有理性を根拠づけるために原告は，不履行の事実を主張しなければならないという有力説が存在する150)。

---

149) 手形法16条1項にもとづく裏書連続の主張について，最大判昭和45・6・24民集24巻6号712頁〔百選〈2版〉70事件〕がある。これに対する批判として，坂井芳雄・裁判手形法〈増補第4版〉397頁以下（1988年）参照。

このような問題は，弁論終結後判決起案の段階で裁判所が事実主張の不十分性に気づいたときに生じる。本文に述べたような処理は，判決による釈明などと呼ばれることがある。しかし，本来弁論の全趣旨は証拠資料に類するものであり，それを基礎として訴訟資料たる主要事実を認定することは好ましくない。審理のあり方としては，適切な釈明権行使が期待される。

150) 中野・現在問題213頁以下。通説の考え方については，司法研修所編・民事訴訟に

確かに，損害賠償請求を求める以上，それに関連する事情として原告が不履行の事実を明らかにすることは望まれるが，それが直ちに主張責任の負担を意味するものとは考えられない。実体法の解釈として，損害賠償請求権が契約自体にもとづいて発生すると考えるのであれば，通説の解釈が支持される。また，法律上の推定に関しても主張責任と証明責任との関係が問題になるが，この点は，法律上の推定に関して説明する。

主張責任および証明責任によって，当事者は，事実および証拠の提出責任を負うことになるが，その者が事実および証拠に接近する機会が乏しく，他方，相手方当事者がその機会をもつ場合には，当事者間の公平を回復するという理由から，相手方に対して事案解明義務を課し，事実および証拠の提出を求める考え方がある[151]。

実定法上の概念として事案解明義務およびそれにもとづく主張責任の転換が認められるかどうかはともかくとして，製造物責任訴訟などにおいては，証拠の偏在などの事情によって，主張責任がそれを負担する当事者にとって過大なものとなる場合があることは否定できない。そのような場合に，争点整理の手続などにおいて裁判所が，釈明権や釈明処分の手段を通じて，主張責任を負わない相手方当事者に対して事実や証拠の所在を明らかにするよう求めることが望ましい。相手方当事者は，訴訟上の信義則にもとづく義務として，それに応じる義務を負う。したがって，裁判所は，それに応じなかったことを弁論の全趣旨として評価することが許される。

おける要件事実第一巻〈増補版〉21頁（1986年），大江(4)78頁参照。もっとも，不履行の事実についての証明責任が債権者に帰属するという考え方をとれば，主張責任と証明責任の存在は一致する。倉田卓次監修・要件事実の証明責任 債権総論31頁以下（1986年）参照。

151)　春日偉知郎・民事証拠法研究233頁以下（1991年），同「民事訴訟における事案解明（論）について」司法研修所論集95号39頁以下（1996年），新注釈民訴(4)57頁〔大村雅彦〕参照。主張責任などを負う当事者が，自己の権利主張に合理的な基礎があることを明らかにし，それにもかかわらず，事案の解明をなしえない状況が存在することを証明すれば，事実および証拠提出の責任が相手方当事者に課されるという。

なお，この点に関して，否認の根拠を明示することの義務づけがある（民訴規79Ⅲ。理由付否認の義務づけと呼ぶこともある。秋山ほかⅢ495頁参照）。否認の本質は，相手方が証明責任を負う事実を認めない旨の陳述であるが（本書368頁），証明責任の負担を軽減し，また，争点整理の実効性と迅速性を確保することを目的としている。特許法104条の2，不正競争防止法6条も，この考え方を具体化したものである。

5 弁論主義の適用範囲

すでに述べたとおり，弁論主義は，訴訟物たる権利関係についての私的自治を根拠とするものであるから，私的自治が妥当しない権利または法律関係については，弁論主義の適用も排除される。

(1) 訴 訟 要 件

訴訟要件は，訴訟法律関係にかかわるものであり，公益性をもち，一般に私的自治になじむものではないから，弁論主義の適用は排除される。しかし，訴訟要件の公益性にも程度の差があり，専属管轄のように高度の公益性を認められる訴訟要件については，弁論主義が全面的に排除されて，証拠についても職権探知主義がとられる。これに対して，その他の訴訟要件については，主張責任および自白の拘束力は排除されるものの，職権証拠調べまでが要求されるものではない。さらに，任意管轄や仲裁契約など当事者の利益保護を目的とする訴訟要件に関しては，弁論主義の適用を認めて差し支えない[152]。

(2) 人事訴訟およびその他の特別訴訟

人事訴訟においては，人事法律関係の特質から，弁論主義が制限ないし排除されている。弁論主義についていえば，時機に後れた攻撃防御方法の却下（157），審理計画にもとづく提出期間徒過による攻撃防御方法の却下（157の2），擬制自白（159 I），当事者本人の不出頭等にもとづく真実擬制（208），文書提出命令違反にもとづく真実擬制（224），筆跡等の対照用文字筆記命令不服従にもとづく真実擬制（229 IV），審理の現状にもとづく裁判（244）および自白（179）の規定が，人事訴訟において不適用とされ（人訴19 I），他方，職権探知主義が採用されているのは（人訴20前段）[153]，この趣旨を現したものである。

行政事件訴訟においては，民事訴訟法の規定が準用されるので（行訴7），基本的には弁論主義が妥当する。もっとも，行政事件訴訟法24条は，職権証拠

152） 詳細については，高島義郎「訴訟要件の類型化と審理方法」講座民訴② 105頁，110頁以下参照。

153） 人事訴訟における自白の排除については，松本・人訴法76頁参照。旧人事訴訟手続法は，婚姻事件および養子縁組事件に関して片面的職権探知を規定し（同法14・26），親子関係事件について双面的職権探知を規定していた（同法31 II）。現行法は，これを改め，人事訴訟一般について判決の結論とかかわりなく職権探知を認めることとした（松本・人訴法64頁）。ただし，手続保障の要請から，職権によってしん酌する事実および職権証拠調べの結果について当事者の意見を聴かなければならない（人訴20後段）。

調べを規定するが，これは職権探知主義を採用したものではなく，弁論主義を職権証拠調べによって補充する趣旨といわれる[154]。したがって，主張責任および自白の拘束力は，行政事件訴訟においても認められる。

株主総会決議取消訴訟など会社法上の決議の効力を争う訴訟については，通説は，団体的法律関係の性質および判決の対世効を根拠として弁論主義が排除されるという。しかし，団体的法律関係の発生・変更・消滅といえども，基本的には当事者の意思に委ねられており，また対世効を受ける利害関係人は，訴訟参加などの方法によってその利益を守ることができる。したがって，この種の訴訟においても原則として弁論主義の適用が認められる[155]。

第2項　釈　明　権

裁判所は，訴訟関係を明瞭にするために事実上および法律上の事項に関して当事者に問いを発し，または立証を促すことができる。裁判所のこの権能を釈明権と呼ぶ。合議体裁判所の場合には，裁判長が代表して釈明権を行使する（149 I）。ここでいう訴訟関係とは，当事者による請求，主張，および立証に関連するすべての事項を意味する。訴訟係属が発生している以上，申立てに対する審判を行うことは裁判所の義務に属するが，そのためには，訴訟関係が明瞭であることを要する。

もちろん，請求の定立については処分権主義が妥当し，事実および証拠の提出については弁論主義が妥当するから，それらの事項について最終的判断権は当事者に委ねられるが，裁判所は，当事者間の公平に配慮しつつ，事実について真実を発見し，また法の適用によって正義が実現されるよう，事実や証拠の提出を促すことが要請される。したがって，訴訟関係を明瞭にするという釈明権の目的は，すでになされている主張の趣旨が不明瞭であるときに，それを明瞭にさせるという消極的な意味だけではなく，他の主張や証拠資料から合理的

154）杉本良吉・行政事件訴訟法の解説83頁（1963年），南博方＝高橋滋編・条解行政事件訴訟法〈第4版〉491頁（2009年），園部逸夫編・注解行政事件訴訟法92頁（1989年）など参照。

155）小室直人「形成訴訟における処分権主義・弁論主義の制限」西原寛一先生追悼論文集・企業と法(上)364頁（1977年），注釈会社法(5)345頁〔岩原紳作〕，新注釈民訴(4)71頁〔佐藤鉄男〕など参照。

に予測される主張や証拠の提出を促すという，積極的意味を含んでいる[156]。

もっとも，時効の抗弁提出を促す釈明に典型的にみられるように，釈明権行使の結果は，一方当事者に対して有利に働くことがある。裁判所は当事者の代理人ではないから，すでに提出されている資料にもとづいて合理的に予測される範囲を超える主張を促すことは許されない。その意味で行き過ぎた釈明は，忌避事由となりうる。しかし，合理的範囲にとどまる限り，裁判所は，積極的に釈明をなすべきものであり，それを怠った場合には，釈明義務違反として上告理由が認められる。釈明権行使の結果として，一方当事者に有利または不利な訴訟状態が生じうることは，真実発見の任務を担う裁判所の釈明権行使を制約するものではない。

釈明権は，上記のような目的のために口頭弁論期日または期日外において行使されるものであるが，これと類似するものとして，151条にもとづく釈明処分がある（特則として行訴23の2がある）。釈明処分は，訴訟関係を明瞭にする目的，および裁判所がそれを行うという点では，釈明権と類似性をもつが，違いとしては次の点が挙げられる。

すなわち，釈明権は，裁判所が主張・立証などの訴訟行為を当事者に促す手段であるのに対して，釈明処分は，当事者本人またはその法定代理人に対して口頭弁論期日への出頭を命じ，当事者の事務処理者や補助者に陳述をさせ（151Ⅰ①②），当事者の所持する文書等の提出を命じ，留置し（同項③④），検証をし，もしくは鑑定を命じ（同項⑤），または必要な調査を嘱託する（同項⑥）

156）　釈明権と弁論主義との関係については，考え方の対立がある。裁判所が当事者の主張・立証における矛盾，誤謬を指摘し，その是正の機会を与えるというのが，釈明権の目的をもっとも狭く解する立場であり，これに対して，不明瞭を正す釈明にとどまらず，当事者の訴訟追行能力の差異を考慮して，当事者が当然になすべき資料の提出を促す釈明，いわゆる新資料提出の釈明も許されるという考え方がある。これが通説である。本文に述べたところも，基本的にはこの考え方に即したものであるが，訴訟追行能力の差異という消極的理由を根拠とするのではなく，真実発見と正義の実現という積極的根拠にもとづいて新資料提出の釈明を認めるものである。

このような考え方については，奈良次郎「訴訟資料収集に関する裁判所の権限と責任」講座民訴④125頁，131頁以下，注釈民訴(3)74頁〔伊藤眞〕，林・前掲論文（注147）520頁参照。さらに，実務運用の観点として説かれる「事件のスジ」について，事件の解決のあり方が実体規範的正義・社会通念的正義の実現と調和するよう審理を進める上で釈明権が果たすべき役割を指摘するものとして，加藤新太郎「事件のスジの構造と実務」伊藤古稀211頁がある。

などの方法を通じて，裁判所自身の行為によって事実関係を明らかにする手段である。釈明処分の結果として，裁判所が事実関係について一応の心証を形成することはありうるが，これは，事件の概要を把握し，争点を整理するための手段であり，手続に関しては証拠調べの規定が準用されるが（151Ⅱ。同Ⅳ（未施行）），心証形成については，争いとなる事実についての証拠調べとは区別される。なお，令和4年改正によって電磁的記録に関する釈明処分について規定が新設されている（151Ⅰ③ⅡⅢ（未施行））。

1　釈明権の行使

釈明権は，裁判所に帰属する権限であるが，合議体においては，裁判長がこれを行使し（149Ⅰ），陪席裁判官は，裁判長に告げてこれを行使することができる（149Ⅱ）。当事者は，もちろん釈明権を行使することはできないが，裁判所に対して釈明権の行使を求めることができる（149Ⅲ）。これを求問権と呼ぶ。

なお，旧法下では，釈明権の行使は口頭弁論期日に限られ，ただ，裁判長は，期日前に釈明準備命令を発して，期日における釈明に対する準備をさせることとされていたが（旧128），現行法は，実務上の必要を満たすために期日外での釈明も認めることとした。期日外の釈明に応じた当事者の訴訟行為は，期日においてなされることになるが，相手方当事者としては，期日外釈明がなされた事実，およびその内容を知る利益があるので，重要な事項に関する期日外釈明については，その内容が裁判長などから相手方に通知される（149Ⅳ）[157]。

釈明権の行使に対して当事者が異議を述べたときには，裁判所は，決定の形式をもって異議について裁判を行う（150）。釈明権が行使されたにもかかわらず，当事者がそれに応じない場合には，その攻撃防御方法が不明瞭であるという理由からそれについて不利な判断を受けたり，補充されるべき攻撃防御方法が提出されないために不利益を受けたりすることがある。もっとも，これらは釈明等に応じなかったこと自体を理由とする制裁とはいえない。しかし，法は，当事者が釈明に応じず，または釈明をすべき期日に欠席したことに対する制裁

157）　その他期日外釈明に関しては，裁判長などがこれを裁判所書記官に命じて行わせることができること，重要な事項についての期日外釈明の内容は訴訟記録上明らかにされることが定められている（民訴規63）。詳細については，新注釈民訴(3)468頁〔野村秀敏〕参照。

として，釈明の対象たる事項についての攻撃防御方法の却下を規定する（157Ⅱ）。

2　釈明権の範囲――釈明義務

釈明権は，裁判所に帰属する権能であるが，当事者の申立てに対して判決をなす義務を負っている裁判所としては，事案を解明するために適切に釈明権を行使することは，訴訟法上の義務でもある。したがって，釈明権を行使すべきであるにもかかわらず，裁判所がそれを怠るときには，釈明義務違反として上告または上告受理申立理由になる（312Ⅲ・318Ⅰ）。もっとも，弁論主義の下では，訴訟資料・証拠資料提出の責任は，当事者に課されているのであるから，裁判所による釈明権の不行使が，すべて釈明義務違反と評価されるわけではない。具体的な訴訟の状態に照らして，釈明権が行使されなければ不合理な結果が生じる場合であって，かつ，適切な申立てや主張をなさなかった当事者が釈明権不行使の違法を主張することが訴訟上の信義則に反しない場合に，はじめて釈明義務違反が肯定される。

なお逆に，行き過ぎた釈明権行使がなされたとしても，それが異議によって排除される可能性，または忌避などの形で裁判官の公平が問われることは別として，釈明権行使にもとづく当事者の主張などが無効とされることはない。判例によって釈明権を行使すべきものとされた事例としては，以下のようなものがある[158]。

(1)　申立てに関するもの

当事者，特に原告による申立てが不明瞭な場合，たとえば主張事実を前提とすれば，他の種類の請求権を訴訟物とするのが適当な場合，または原告の主張を善解すれば，請求の趣旨を改めることが適当な場合などにおいては，裁判所の釈明義務が肯定される[159]。これらは，多くの場合に訴えの変更を生じさせるものであるが，一般に訴えの変更を促す釈明権行使も許され，かつ，当事者

---

158)　注釈民訴(3)121頁以下〔松本博之〕参照。

159)　不法行為にもとづく請求を不当利得にもとづく請求に改めるべき場合（大判昭和8・6・15裁判例7巻民事141頁），売買無効確認の訴えを現在の権利関係の確認の訴えに改めるべき場合（前掲最判昭和41・4・12（注*109*）），原告数に応じて分割された給付請求を分割債権の割合に応じた給付請求に改めるべき場合（最判昭和58・10・28判時1104号67頁），当事者である権利能力のない社団の共有持分権確認について，原審までの手続経過から，社団構成員全員に総有的に帰属すること（本書131頁）の確認を求める趣旨に改めるべき場合（最判令和4・4・12判時2534号66頁）などの例がある。

の訴訟追行能力や訴えの変更を余儀なくされる事情などを考慮して裁判所に釈明権行使が期待される場合には，釈明義務が肯定される[160)]。特に，本書のように旧訴訟物理論を採用する場合には，紛争の抜本的解決という視点からも，裁判所は，同一の社会生活関係が前提とされている限り，請求原因の変更による訴えの変更について積極的に釈明権を行使すべきである。

(2)　事実および証拠に関するもの

権利関係を基礎づける事実を主張することは，当事者の責任に属する。しかし，現に主張されている事実が，それ自体不明瞭であったり，また申立てや証拠との関係が明らかでなかったりするときには，裁判所は，その不明瞭を正す釈明を行うべきである。また，それにとどまらず，弁論の趣旨に照らしたときに，合理的通常人を前提とすれば，現に主張されている以外の事実主張が期待される場合には，釈明権の行使を通じて，新しい事実主張をする意思の有無を確認すべきである[161)]。このことは，同時履行や留置権の抗弁についても，同様に当てはまる。債務者が，一方で債務の存在を認めながらも，無条件の履行義務を争い，またこれらの抗弁を基礎づける事実が弁論に現れているときには，

---

160)　前掲最判昭和45・6・11（注 *145*）は，原告の本来の請求を認容できない場合であっても，訴訟の経緯や訴訟資料などからみて，別個の法律構成にもとづく事実関係が主張されるのであれば請求を認容することができ，紛争の根本的な解決が期待できるにもかかわらず，原告が明らかな誤解または不注意のためにその主張をしないときには，訴えの変更を示唆する釈明を行うことが許されるとしている。その分析として，瀬木302頁参照。

学説では，このような判例を前提として，勝敗の蓋然性，法律構成の難易，従来の訴訟資料・証拠資料の利用可能性，当事者の実質的公平などを考慮して，釈明義務違反を決するべきであるとされる。中野・推認254頁参照。

161)　最判昭和44・6・24民集23巻7号1156頁，最判昭和45・8・20民集24巻9号1339頁〔倒産百選〈6版〉38事件〕，最判昭和51・6・17民集30巻6号592頁〔百選〈2版〉74事件〕など多くの判例がある。証拠の申出についても同様である。最判平成8・2・22判時1559号46頁。詳細は，注釈民訴(3)132頁以下〔松本博之〕参照。

また，近時の重要判例である最大判平成22・1・20民集64巻1号1頁では，当事者の主張立証すべき事実について釈明権不行使の違法があるとする法廷意見と，訴訟の経緯などからみて，当事者に主張立証の機会が保障されていた以上，釈明権不行使の違法はないとする反対意見の対立がみられる（訴訟理論研究会「〈座談会〉民事訴訟手続における裁判実務の動向と検討　第1回」判タ1343号20頁（2011年）における松下淳一発言参照）。

前掲最判平成22・10・14（注 *147*）も，信義則の適用にあたって，適切な攻撃防御方法の機会を保障するために，裁判所が釈明権を行使しなければならないとされた事例である。

上記の2つの事件における釈明権行使の意義や必要性を明らかにするものとして，林・前掲論文（注 *147*）524頁がある。

裁判所は，抗弁提出の意思の有無について釈明権を行使すべきである。時効の援用についても，権利の取得や債務の消滅など時効にもとづく法律効果が主張され，また一定の期間の経過が弁論に現れているときには，援用について釈明権の行使が期待される[162]。

第3項　職権探知・職権調査

弁論主義の根拠は，訴訟物たる権利関係についての私的自治に求められるので，その根拠が妥当しない訴訟法律関係を基礎づける事実については，弁論主義の適用が制限または排除される。これが職権調査事項と呼ばれるものである。もっとも，弁論主義が全面的に排除されるか，それとも制限されるにすぎないかは，問題となる法律関係の性質によって決せられる。訴訟要件の中で，公益性が強い要件，すなわち裁判権，専属管轄，除斥原因，当事者能力，訴訟能力，あるいは二重起訴の禁止などについては，弁論主義が全面的に排除され，主張責任や自白の拘束力が否定されるだけでなく，職権証拠調べまでが行われる。

したがって，公益性の強い訴訟要件については，まず当事者の主張の有無を問わずその存否の調査がなされるという意味で職権調査が行われ，加えて，判断資料の収集について職権証拠調べがなされる。このような審理の方式を職権探知と呼ぶ。これに対して，公益性が弱い訴訟要件については，自白の拘束力などは排除されるが，職権証拠調べが行われるわけではなく，証拠に関する弁論主義が認められる。

さらに，訴訟要件であっても，もっぱら当事者の利益保護を目的とするもの，たとえば，仲裁契約の抗弁や訴訟費用の担保の提供については，職権調査の対

162）この種の事項に関する釈明義務について大審院判例は積極的であったが（その背景について水野浩二「葛藤する法廷(三・完)」北大法学論集67巻6号1874頁（2017年）参照），最高裁判例は消極的であるのが，一般的傾向である。大判昭和18・9・28民集22巻997頁（同時履行の抗弁，肯定），最判昭和24・6・4民集3巻7号235頁（同時履行の抗弁，否定），前掲最判昭和27・11・27（注*145*）（留置権，否定），最判昭和31・12・28民集10巻12号1639頁（取得時効，否定）などがある。また，加藤新太郎「釈明の構造と実務」青山古稀127頁は，釈明義務にかかる判例法理が裁判官主導型審理をもたらすとして，当事者自立型に移行するために釈明義務違反の主張について信義則の制約を課すべきことを説く。いずれにしても，裁判所としては，釈明権行使の場面などに配慮し，両当事者間の公平に反することのないよう留意しなければならない。佐藤・民事控訴審198頁参照。

象とならず，主張責任および自白の拘束力が認められ，すべての面で弁論主義が適用される。その他，人事訴訟，行政訴訟，および団体関係訴訟などにおける弁論主義の制限については，すでに説明した。

弁論主義と処分権主義とは，私的自治という共通の根拠をもつので，人事訴訟などにおいては，処分権主義も一定の範囲で制限される。すなわち，訴えの提起および取下げについては，処分権主義が妥当するが[163]，請求の放棄・認諾および和解は，原則的に排除され（人訴19Ⅱによる民訴266・267の適用排除），離婚および離縁の訴えについて一定の条件の下で許容されるにすぎない[164]。

第4項　専門委員制度

医事関係訴訟，知的財産関係訴訟あるいは建築関係訴訟などの専門訴訟と呼ばれる訴訟の審判には，一般通常人が備えることを期待しえない専門的知見を要することが多い。問題は，いかなる方法によって必要な専門的知見を裁判所が獲得するかであるが，この問題は，専門的知見の供給源と専門的知見が求められる審理の場面とに分けられる。専門的知見の供給源としては，裁判所を構成する裁判官自身の知識，裁判所調査官および鑑定人があり，また審理の場面としては，争点整理，和解および証拠調べが考えられる。しかし，裁判官自身の専門的知見には自ずから限界があり，また裁判所常勤職員としての裁判所調査官の専門的知見の範囲や内容にも制約がある。さらに，鑑定は，釈明処分としての鑑定（151Ⅰ⑤）を別とすれば，証拠調べの方法であり，専門的知見の獲得をすべて鑑定に依存することもできない。このような認識を基礎として，審理に必要な高度の専門的知見を，審理に必要なすべての場面において裁判所に提供することを目的として，平成15年改正によって設けられたのが専門委員の制度である（92の2以下）。

もっとも，専門的知見の内容は，常に一義的に確定されているとは限られず，その提供主体の信頼性や知見の内容について争いが生じることも考えられるので，法は，専門委員の関与について裁判所が当事者の意見を聴き，場合によっ

163）　再訴禁止の効果（262Ⅱ）も発生しうる。

164）　詳細については，第6章第1節第2項請求の放棄・認諾および同第3項訴訟上の和解に関して説明する。

ては同意を求め，また専門委員の説明（非訟33Ⅰでは意見）を当事者に開示して，当事者がそれについて意見を述べたり，証拠調べの実施を求めたりする機会を保障している[165)]。

専門委員の訴訟への関与を審理の場面ごとに分類すると，第1に，争点整理等の場面が挙げられる。争点整理においては，裁判所は，何が重要な事実であり，取調べの対象とすべき証拠が何かなどを整理しなければならないが，そのためには専門的知見を要する。そこで，専門的知見にもとづく説明を聴くために専門委員の手続関与が認められる（92の2Ⅰ前段）。ただし，関与させるについては，当事者の意見を聴かなければならない（同）。また，専門委員の説明は，書面で，または口頭弁論期日，弁論準備手続期日もしくは進行協議期日に

---

165) 専門委員制度導入の経緯，運用の実情，将来の課題については，奥宮京子「専門委員制度の実情と課題」門口退官563頁，桃崎剛「医療訴訟の審理運営について」判タ1505号11頁（2023年）参照。専門的知見獲得の方法とそれにかかわる問題点全体については，伊藤眞「専門訴訟の行方」判タ1124号4頁，12頁（2003年）参照。なお，専門委員の任命，任期，解任および待遇については，専門委員規則（平成15最高裁規20）が制定された。なお，特許権などの侵害にかかる訴訟については，平成30年の特許法改正（平成30法33。令和元年7月1日施行）によって，書類提出命令に関するイン・カメラ手続（特許105Ⅱ）にまで専門委員の関与が拡大される一方，関与について当事者の同意を要するとされている（特許105Ⅳ。本書484頁）。

同じく専門的知見の供給源である鑑定人と比較したときに，証拠方法の一つであり，当事者の申出を前提とする鑑定（180Ⅰ。本書454頁）と比較すると，専門委員に求められる中立性はより高度なものであるとの指摘があるが（福永清貴「民事訴訟における専門家の『中立性』」上野古稀61頁），役割は別として，専門的知見に求められる中立性は共通していると思われる。当事者双方の同意があれば，当該事案における具体的事項についても意見を述べることを認め，それを弁論の全趣旨とすることができるとの考え方があるが（三木浩一「民事訴訟における専門委員制度の現状と課題」法学研究92巻1号152頁（2019年）），両当事者の同意がある場合には，専門委員の説明を書面化したものを書証として扱い，その内容について攻撃防御の機会を与える方が望ましい（関口・後掲論文75頁）。ただし，鑑定の対象となるべき事項（本書454頁）や尋問の対象事項を明確にするために専門委員の知見を活用することは有益と思われる。杉浦徳宏「専門訴訟における専門委員の活用に関する実務上の諸問題」加藤新太郎古稀57頁，関口剛弘「専門訴訟における裁判の正当性について」同書78頁，82頁参照。

また，平成16年の裁判所法および民事訴訟法改正（平成16法120）によって，知的財産に関する事件における裁判所調査官の手続上の地位が明らかにされた（裁57Ⅱ，民訴92の8・92の9，民訴規34の11）。従来は，裁判体に対する内部的補助機関であった裁判所調査官が，訴訟手続上の主体として位置づけられたことが，その特徴である。今後は，専門的知見の供給源としての専門委員と裁判所調査官の適切な役割分担が実務運営にとって重要になる。伊藤ほか・前掲座談会（注*68*）(上)判タ1160号4頁，15頁（2004年）参照。

おいて口頭でなされることによって（同後段，民訴規34の2 I），その内容が当事者に開示され，当事者がそれに対して意見を述べる機会が保障される（民訴規34の5）。また，期日外における専門委員の説明についても，当事者に対する手続保障が図られている（民訴規34の3）。裁判所による専門委員に対する準備指示についても，同様に手続保障が図られる（民訴規34の6）。令和4年改正による92条の2第2項（未施行）では，書面による説明に代えて，最高裁判所規則の定めるところにより，書面に記載すべき事項を電子情報処理組織を使用してファイルに記録する方法または電磁的記録を記録した記録媒体を提出する方法による説明を行うことを認めている。

第2に，裁判所は，証拠調べをするにあたり，訴訟関係または証拠調べの結果の趣旨を明瞭にするため必要があると認めるときは，専門委員を手続に関与させ，専門的知見にもとづく説明をさせることができる（92の2 II 前段。92の2 III 前段（未施行））。この場合にも，関与について当事者の意見を聴き，また，専門委員の説明が当事者に開示されることは，争点整理の場合と同様である。さらに，証拠調べの期日において専門委員に説明をさせるときに，必要な場合には，専門委員か証人等に対して直接に発問をすることが許されるが，その際には，当事者の同意がなければならない（92の2 II 後段。92の2 III 後段（未施行））。証人等に対する直接発問が，裁判所による尋問に類似した意義をもちうるために，当事者に対する手続保障をより慎重に図る趣旨である。また，専門委員による説明の際に証人退廷の措置をとりうることは（民訴規34の4），証言内容に対する影響を排除するためである。

第3に，裁判所が和解の勧試を行う際に，和解期日において専門的知見にもとづく説明を聴くために専門委員を手続に関与させることができる。ただし，この場合には，関与について当事者の同意が必要である（92の2 III。92の2 IV（未施行））。和解の本質が当事者間の合意であることを重視して，当事者に対する手続保障をより慎重にしたものである。

なお，いずれの場面における専門委員の関与についても，専門委員か遠隔地に居住しているなど，裁判所が相当と認めるときは，当事者の意見を聴いて，音声の送受信により同時に通話をすることができる方法（いわゆる電話会議システムやウェブ会議システム）を用いて，専門委員の説明などを行わせることができる（92の3，民訴規34の2Ⅱ・34の7）。なお，令和4年改正による92条の3（未施行）は，遠隔地要件を削除している。IT化の方針に沿ったものである。

以上，第1ないし第3のいずれの場合であっても，専門委員の数は，各事件について1人以上とし，どの専門委員をあてるかは，裁判所が当事者の意見を聴いて指定する（92の5ⅠⅡ）。

そのほか，専門委員の手続関与に関しては，裁判所は，相当と認めるときは，申立てによりまたは職権で専門委員を手続に関与させる決定を取り消すことができ，また，当事者双方の申立てがあるときは，決定を取り消さなければならないとの規律が設けられている（92の4，民訴規34の8）。当事者双方が専門委員の関与に否定的であるときには，専門委員がその役割を果たすことが期待できないし，それ以外にも，専門委員による専門的知見の提供が審理に必要ないと判断するときには，申立てまたは職権によってその関与を排除する趣旨である。

以上のことは，受命裁判官または受託裁判官が手続を主宰する場合でも同様であるが（92の7本文，民訴規34の10），証拠調べにおける関与（92の2Ⅱ。92の2Ⅲ（未施行））については，関与，関与の取消しおよび専門委員の指定は，受訴裁判所が行う（92の7但書）。

なお，専門委員は，非常勤の裁判所職員であるが（92の5ⅢⅣ），中立的専門家としての知見の提供を求められることから，裁判官の除斥および忌避に関する規定（23～25，民訴規10～12）が準用される（92の6，民訴規34の9）。忌避事由として認められるためには，一方当事者との間に特別な人的または組織的関係が存在するとか，基本事件の帰趨に利害関係を有するなどの事情が必要である（最決平成26・10・23実情729頁参照）。

第5項　訴えの提起前における証拠収集の処分等

わが国の民事訴訟の構造では，訴え提起前の事実資料，すなわち事実や証拠の収集は，証拠保全というわずかな例外を除けば，当事者の自主的努力に委ねられ，それを民事訴訟手続の中に組み込んだり，あるいは裁判所がそれに関与する手続は設けられていなかった。しかし，訴え提起前に当事者が事実や証拠を収集し，あるいは事実などに関する認識を交換することは，訴訟物や請求原因を適切に構成するためにも，係属後の審理の基礎となる事実資料を充実させ，また当事者間の自主的な争点整理を進めることによって，適正，かつ，迅速な審理を実現するためにも，また訴え提起前に和解によって紛争を解決するためにも，大きな意義を有する。立法者は，このような見地に立って，平成15年改正において民事訴訟法典中に訴えの提起前における証拠収集の処分等という新たな章を設けたものである[166]。

この手続は，訴え提起前であるにもかかわらず，一方当事者に対して訴訟法上の権能を認め，他方相手方当事者に対して義務を課すものであり，まずその根拠が問題となる。法132条の2第1項本文による提訴予告通知制度は，この根拠に対応するものである。すなわち，提起しようとする訴えにかかる請求の要旨および紛争の要点等を記載した書面（132の2Ⅰ本文・Ⅲ，民訴規52の2ⅠⅡ）を被告となるべき者に送付した者（予告通知者と呼ばれる）と相手方（被予告通知者と呼ばれる）との間には，訴訟係属に準じる状態（以下，準訴訟係属と呼ぶ）が発生し，その効果として訴え提起に必要な事実資料を収集する権能が認められ，相手方は，それに対応する義務を負う。被予告通知者側も，予告通知に対して答弁の要旨を記載した書面を送付して返答すれば（答弁返答と呼ぶ），予告通知者と同様の権能が認められる（132の3Ⅰ，民訴規52の3）。令和4年改正（未施行）は，後述の予告通知者の場合と同様に，被予告通知者側についても，電磁的方法による回答を求める旨の照会（132の3Ⅰ），電磁的方法による返答，電磁的方法による照会，被照会者たる予告通知者の電磁的方法による回答を認める（同Ⅱ）。

なお，相手方に不当な負担が生じるのを避けるため，予告通知にはできる限り訴え提起の予定時期を明らかにすることが求められるし（民訴規52の2Ⅲ），予告通知から4カ月が経過したとき，または相手方の求めがあるときには，訴え提起の予定の有無や予定時期を明らかにしなければならない（民訴規52の8）。

---

166)　立案の過程では，以下に述べる内容の他に，アメリカ法の証言録取書（deposition）を参考として，公証人の面前における陳述録取書などの制度の新設も検討されたが，実現に至らなかった。伊藤・前掲論文（注165）8頁参照。訴えの提起前における証拠収集の処分が機能していないことを指摘し，申立要件の緩和などを説くものとして，春日偉知郎「独立証拠手続の最前線」河野古稀68頁がある。

1　提訴前の予告通知者・被予告通知者照会（予告通知者等照会）

予告通知者および答弁要旨書を送付した被予告通知者（以下，予告通知者等と呼ぶ）に認められる第1の権能は，提訴前の照会である。すなわち，予告通知者等は，通知をした日から4カ月以内に限り，訴えを提起した場合の主張または立証を準備するために必要であることが明らかな事項について，相当の期間を定めて，書面で回答するよう，相手方に対して書面で照会することができる（132の2Ⅰ本文・132の3Ⅰ前段，民訴規52の4ⅠⅡⅣⅤ）。趣旨としては，提訴後の当事者照会（163）に対応するものであるが，本来の訴訟係属発生前であり，また濫用的照会によって相手方に不当な負担が生じるおそれがあるために，照会期間を4カ月以内に限ること，主張または立証準備のための必要性が明らかであることなどの要件が設けられている。また，重複する予告通知にもとづいて，予告通知者や被予告通知者が重ねて照会をなすことも許されない（132の2Ⅳ・132の3Ⅱ。132の2Ⅶ・132の3Ⅲ（未施行））。

なお，令和4年改正では（未施行），(ア)書面による予告通知者が，書面による照会に対して，被予告通知者の選択によって書面による回答または電磁的方法による回答を選択するよう，書面による照会をすること（132の2Ⅰ本文），(イ)書面による照会に代えて，被予告通知者の承諾をえて電磁的方法による予告通知をすること（同Ⅳ），(ウ)書面による予告通知者が，被予告通知者の承諾をえて電磁的方法による照会をすること（同Ⅴ），(エ)書面による回答を求められた被予告通知者が，書面による回答に代えて，予告通知者の承諾をえて電磁的方法による回答をすること（同Ⅵ）を認める。いずれも，IT化の考え方に沿ったものである。

さらに照会内容についての制限として（132の2Ⅰ但書・132の3Ⅰ後段），①当事者照会が許されない場合（163各号・132の2Ⅰ但書①），②相手方または第三者の私生活についての秘密に関する事項についての照会であって，これに回答することによって，その相手方または第三者が社会生活を営むのに支障を生じるおそれがある場合（132の2Ⅰ但書②），③相手方または第三者の営業秘密に関する事項についての照会である場合（132の2Ⅰ但書③）が規定される。ただし，②および③については，相手方がこれに回答することをその第三者が承諾した場合には，回答義務が認められる（132の2Ⅱ）。

上記の回答義務免除事由のうち，①は，当事者照会と同様の理由によるものであるが，②および③は，予告通知者等照会に特有のものである。②は，いわゆるプライバシーのうち，特に重大なものを意味するが，訴訟係属前の照会であるところから，証言拒絶権事由（163⑥・196・197）に含まれるか否かと関わりなく，回答義務を免除するものである。

上記の免除事由に該当しない限り，予告通知者等照会に対して相手方は，回答義務を負う。したがって，照会に対する相手方の対応としては，照会事項に対する回答を行う，またはいずれかの免除事由に該当するので回答しない旨を返答することの2つが考えられる（回答の方法および内容に関する規律について民訴規52の4ⅠⅢ～Ⅴ参照）。これに対して，何らの返答をしない場合，または免除事由を明らかにしないまま回答しない旨を返答する場合は，いずれも回答義務に違反する。もっとも，法は，当事者照会の場合と同様に，回答義務違反に特別の制裁を設けていない[167]。しかし，回答義務違反が後の訴訟において裁判所の自由心証による評価の対象となることは当然であり，また，回答義務者側の弁護士については，弁護士倫理違反の問題が生じる[168]。

2　訴えの提起前における証拠収集の処分

予告通知者等に認められる第2の権能は，裁判所に対して証拠収集の処分を申し立てることである。申立ての要件は，訴え提起後の立証に必要であることが明らかな証拠となるべきものであり，加えて申立人が自らそれを収集することが困難であると認められることである（132の4Ⅰ本文）。裁判所は，相手方の意見を聴いて，これらの要件が満たされていると判断すれば，以下のような処分をすることができる。ただし，収集に要すべき時間または嘱託を受けるべき者の負担が不相当なものとなることその他の事情により，相当でないと認め

167）立案の過程では議論があり，また照会の濫用を防ぎつつ，その実効性を担保するための方策として照会の権能を弁護士によって代理されている当事者に限るとの考え方も有力であったが，実現されなかった。伊藤・前掲論文（注165）6頁以下参照。

ただし，この制度は現状では十分機能しておらず，その活性化のために裁判所と弁護士会との間の意見交換などが提言されている。林道晴「提訴前の証拠収集についての展望」春日古稀163頁，165頁参照。

168）関連するものとして，弁護士職務基本規程5条（信義誠実）や74条（裁判の公正と適正手続）などがある。予告通知によって準訴訟係属が生じている以上，訴訟代理人の職務からみても，予告通知者等照会は，裁判手続の一部をなすものと評価すべきである。

るときは，この限りではない（132の4Ⅰ但書）。証拠としての明白な必要性および自らの手による証拠収集の困難性の存在，ならびに収集処分をすることの不相当性の不存在という厳格な要件が設けられているのは，予告通知者等照会の場合と同様に，本来の訴訟係属発生前であることと，制度濫用のおそれがあるためである。さらに，すでに行った予告通知と重複する予告通知またはこれに対する返答にもとづいて処分の申立てをすることが禁じられるのも（132の4Ⅲ），濫用のおそれに対処するためである。また，いったん処分を命じた後であっても，処分が相当でないと認めるときには，裁判所は，その処分を取り消すことができる（132の4Ⅳ）。

証拠収集処分の申立ては，予告通知がされた日から4カ月の不変期間内にしなければならない（132の4Ⅱ本文。申立ての方式について民訴規52の5，申立ての添付書面について民訴規52の6参照）。ただし，期間の経過後に申立てをすることについて相手方の同意があれば，この限りではない（132の4Ⅱ但書）。また，処分の申立てについての裁判に対しては，不服申立てが認められない（132の8）。手続を簡易なものとする趣旨である。なお，申立てについての裁判に関する費用は，申立人の負担となる（132の9）。証拠収集は，本来申立人の責任に属するという考え方にもとづく。

処分の内容としては，文書の送付嘱託（132の4Ⅰ①），電磁的記録の送付嘱託（132の4Ⅰ①（未施行）），調査の嘱託（同項②），専門的知見にもとづく意見陳述の嘱託（同項③）および執行官による現況調査（同項④）である。文書提出命令など証拠の所持者に対して強制力を及ぼすものを避け，相手方などの協力が得られる範囲で，予告通知者等の証拠収集に裁判所が協力しようとするものである。処分の申立てをすべき管轄裁判所は，申立人もしくは相手方の普通裁判籍所在地，嘱託を受ける者の所在地などを管轄する地方裁判所となる（132の5Ⅰ）。

処分の手続等に関しては，文書もしくは電磁的記録（未施行）の送付，調査結果の報告または意見陳述をすべき期間の定め（132の6Ⅰ），調査嘱託などに対する報告または意見陳述の方式（同条Ⅱ），文書送付などの申立人および相手方への通知（同条Ⅲ），送付文書などの裁判所による保管（同条Ⅳ。132の6Ⅴ（未施行））および処分の手続等（同条Ⅴ。132の6Ⅵ（未施行））に関する規律が設けられ（細目について民訴規52の7参照），また事件の記録の閲覧等については，132条の7が定める。

なお，令和4年改正（未施行）においては，調査の嘱託を受けた官公署等（132の4Ⅰ②）もしくは専門的知見にもとづく意見陳述の嘱託を受けた者（同③）または現況調査を命じられた執行官（同④）は，書面による調査結果の報告または意見の陳述（132の6Ⅱ）に代えて，最高裁判所規則で定めるところにより，これを電子情報処理組織を使用してファイルに記録するなどの方法によることができる（同Ⅲ）。また，文書または電磁的記録の送付などがなされたときにおける相手方への通知（132の6Ⅳ前段）については，送付にかかる文書や電磁的記録を記録した記録媒体などについては，ファイルへの記録（132の13）はなされない（132の6Ⅳ後段）。事件の記録の閲覧等については，132条の7が，非電磁的証拠収集処分記録と電磁的証拠収集処分記録に分けて閲覧等の請求について定める。閲覧等の請求が認められるのは，申立人および相手方である（同後段）。

第6節　口頭弁論における当事者の訴訟行為

民事訴訟手続においては，当事者および裁判所が，訴訟手続の進行に即して，さまざまな訴訟行為をなし，その結果として訴訟資料および証拠資料が形成され，さらにそれにもとづいて別の訴訟行為がなされ，最終的には，判決言渡しや訴訟上の和解の成立など，手続の終了をもたらす訴訟行為によって締め括られる。このような意味で訴訟手続は，相互に有機的に関連する訴訟行為の連鎖から成り立つといってよい。裁判所の訴訟行為に関しては，訴訟指揮権および釈明権に関して説明したので，以下では，当事者の訴訟行為を中心として説明する。

第1項　訴訟行為概念の意義と種類

訴訟行為は，狭義では訴訟法上の法律効果を生じさせる行為を意味するが，広義では裁判資料形成のための事実行為[169)]を含む。このうち，法律行為としての訴訟行為については，私法上の法律行為との区別が問題となるが，当該行為の主たる効果を基準にして両者を区別する主要効果説を採用すべきである。もっとも，これを前提とした場合でも，特定の行為がいずれの性質を有するかが問題となり，行為の要件または効果について争いが生じることがある。この点は後に説明する。訴訟行為は，以下のような種類に区別される。

1　行為の時期および場所を基準とする区別

訴訟係属前に行われる訴訟行為として，管轄の合意（11）および不起訴の合意などがある。訴訟委任や仲裁合意（仲裁2Ⅰ）も，訴訟係属前に行われることが多い。次に，訴訟係属前後に，期日外で行われる行為として，選定当事者の選定（30ⅠⅢ）などがある。また，執行認諾行為（民執22⑤）のように，訴訟手続とかかわりなく行われる訴訟行為もある。これに対して，本案の申立てや攻撃防御方法の提出は，訴訟手続内の期日において行われる訴訟行為である。

2　行為の内容・性質を基準とする区別

第1に，当事者が裁判所に対して一定の行為をなすことを求める行為として，訴えおよび上訴などの本案の申立て，ならびに期日指定の申立て（93Ⅰ）および証拠の申出（180）などの訴訟上の申立てが挙げられる。裁判所は，これらの申立てに対して何らかの行為をすることを義務づけられるが，裁判所の行為は，必ずしも当事者の申立ての内容を実現するものとは限らない。したがって，申立てという当事者の行為の性質は，意思表示より意思の通知に近い。

第2に，当事者が裁判資料を裁判所に提出する行為として，事実や法律に関する陳述が挙げられる。これは，行為の性質としては，観念の通知に属するとされているが，法律効果の発生をともなうものではないので，むしろ事実行為とすべきである。

第3に，訴えの取下げ（261），上訴の取下げ（292・313），請求の放棄または認諾（266），および訴訟上の和解（267）など，訴訟終了などの法律効果を発生させることを目的とする行為が挙げられる。これらは，意思表示としての性質をもつ。管轄の合意（11），仲裁合意（仲裁2Ⅰ），不起訴の合意，または上訴に

---

169)　事実の主張などは，観念の通知として分類されるのが通常であるが，それ自体にもとづいて法律効果が生じるわけではないので，事実行為とするのが正しい。なお，訴訟行為概念の発展については，小山昇「日本における訴訟行為論の現状」民訴雑誌20号54頁（1974年），河野正憲・当事者行為の法的構造3頁以下（1988年）など参照。

関する合意も，訴訟契約として，訴訟上の意思表示に分類される。

なお，職権進行主義にみられるように，訴訟手続は，裁判所が当事者の利益を尊重しつつ，最終的判断権を保持して進められるべきものであり，法律の規定にもとづく場合以外に，当事者の合意にもとづいて自由に手続を変更することは認められない。これを任意訴訟の禁止と呼ぶ。しかし，処分権主義や弁論主義の趣旨を考えれば，訴えの提起，訴訟の終了，あるいは証拠の提出については，当事者の合意の効果を認めても，手続の安定を害したり，職権進行主義の趣旨に反することはない。不起訴の合意，訴え取下げの合意，上訴取下げの合意，あるいは証拠契約などの効力が認められるのは，このような理由にもとづく[170)]。

3　行為の目的を基準とする区別

訴訟行為の目的に照らして，取効的訴訟行為と与効的訴訟行為の区別がなされる[171)]。取効的訴訟行為とは，申立て，事実主張，立証申出など，裁判所に対して裁判をなすことを求め，またはそれを基礎づけるための資料を提供する行為を意味する。これに対して与効的訴訟行為とは，直接に訴訟法上の効果を発生させる行為を指す。訴訟手続における訴訟行為としては，前者が中心となる。

第2項　訴訟手続における訴訟行為

訴訟行為の中では，口頭弁論を中心とする訴訟手続において行われるものが重要な意味をもっているので，以下その内容を説明する。

1　申　立　て

申立てとは，裁判所に対して，判決や訴訟手続上の裁判，証拠調べ，または送達などをすることを求める当事者の訴訟行為であり，法文上では，申出あるいは申請と呼ばれることもある。申立ては，特別の規定がある場合を除いて，

---

170)　竹下守夫「訴訟契約の研究(1)」法協80巻1号1頁，63頁（1964年），青山善充「訴訟法における契約」岩波講座・基本法学4巻241頁，253頁（1983年）など参照。また，山本和彦・民事訴訟審理構造論404頁以下（1995年）は，当事者と裁判所の合意にもとづく審理計画の定立という視点から，より広い範囲で合意の効力を認めることを提言する。

171)　三ヶ月・全集268頁以下，三ヶ月・双書312頁，松本＝上野129頁参照。

書面または口頭のいずれの方式によってもなすことができる（民訴規1Ⅰ。インターネットを通じたオンライン申立ての可能性について，民訴132の10・397,「民事訴訟法第百三十二条の十第一項に規定する電子情報処理組織を用いて取り扱う督促手続に関する規則」（平成18最高裁規10）等参照)。ただし，訴訟手続の安定の要請から，合理的な理由が認められない限り，申立てに条件を付けることは許されない。

ア　オンライン申立て

令和4年改正（未施行）によるオンライン申立て，すなわち電子情報処理組織による申立て等に関する132条の10は，その可能性（同Ⅰ)，書面等（同第2括弧書）による申立てとみなすこと（同Ⅱ)，ファイル（91の2Ⅰ）への記録時に裁判所に到達したものとみなすこと（同Ⅲ)，書面等の署名等に代わる最高裁判所規則で定める氏名または名称を明らかにする措置（同Ⅳ)，電磁的記録の送達すなわちシステム送達（同ⅤⅥ）を規定する。

そして，委任を受けた訴訟代理人（本書156頁）および国または地方公共団体の指定代理人は，原則としてオンライン申立てによること（132の11Ⅰ)，およびシステム送達を受けるための届出を義務づけられる（同Ⅱ)。これは，訴訟手続に関する専門的知見を備えた者が迅速な進行に協力すべき責務があることを重視したものである（本書162頁)。ただし，裁判所の使用にかかる電子計算機の故障その他その責めに帰することができない事由によりオンライン申立て等ができない場合には，その義務は課されない（同Ⅲ)。

イ　書面等による申立て等

オンライン申立てが義務づけられる場合を除いて，申立て等が書面等によって行われたときは，裁判所書記官は，その書面等に記載された事項（以下の除外事項を除く）をファイルに記録しなければならない（132の12Ⅰ柱書本文)。ただし，その事項をファイルに記録することが困難な事情があるときは除く（同但書)。

除外事項は，第1に，その書面等に記載された営業秘密がその訴訟の追行の目的以外の目的で使用され，またはその営業秘密が開示されることにより，その営業秘密にもとづく当事者の事業活動に支障を生ずるおそれがあり，これを防止するために裁判所が特に必要があると認めるときにおける，その営業秘密である。

第2に，申立人の住所，氏名等の秘匿の申立てに際して申立人が秘匿事項を届け出た場合における，その秘匿事項である。

第3に，その書面等に記載された秘匿事項記載部分について閲覧等の制限の申立て（133の2Ⅱ）がされた場合において，裁判所が必要があると認めるときにおける，その秘匿事項記載部分である。

ウ　書面等による申立てのシステム送達

書面等による申立て等がファイルに記録されたときには，その送達はシステム送達をもって本来の送達方法に代えることができる（132の12ⅡⅢ）。

エ　その他裁判所に提出された書面等に記録された事項のファイルへの記録等

裁判所書記官は，申立て等にかかる書面のほか，手続において裁判所に提出された書面等または電磁的記録を記録した記録媒体に記載され，または記録されている事項をファイルに記録しなければならない（132の13Ⅰ柱書本文）。記録の除外事由は，イと同様である。

⑴　本案の申立て

原告が訴えをもって判決を求め，これに対して被告が請求の棄却を求める申立ては，終局判決を求める申立てという意味で，本案の申立てと呼ばれる。仮執行宣言（259）および訴訟費用の負担についての裁判（67）も，終局判決に含まれるので，それらに関する申立ても本案の申立てとされる。同様に，上訴に関する両当事者の申立ても，本案の申立てに分類される。口頭主義の要請にもとづいて，本案の申立ては，当事者によって口頭弁論において陳述される。ただし，被告による請求棄却の申立て，および被上訴人による上訴棄却の申立てについては，すでに原告または上訴人によって審判の対象が定立されている以上，それらが欠けていても裁判所は本案判決をなすことができる[172]。

⑵　訴訟上の申立て

訴訟手続上の事項についての申立てを訴訟上の申立てと呼ぶ。管轄の指定（10ⅠⅡ），移送（16～19），除斥・忌避（23・24），特別代理人選任（35Ⅰ），訴訟

172）　また，訴訟要件は，そのほとんどが職権調査または職権探知事項とされていることとの関係で，当事者による却下の申立てがない場合であっても，裁判所は，訴え却下判決をすることができる。

引受け（50Ⅰ・51），時機に後れた攻撃防御方法の却下（157Ⅰ），期日指定（93Ⅰ），受継（126），証拠の申出（180）などについては，法律上申立権が認められている。したがって，裁判所は，申立てがなされれば，それを認めるか否かの判断を示すことを義務づけられる。もっとも，裁判所の職権の発動を促すために申立てがなされる場合もあるが，この場合には，裁判所は，申立ての適否についての判断を義務づけられない。弁論の併合・分離・再開などについての申立ては，この類型に属する。

(3)　申立人の住所，氏名等の秘匿（当事者識別情報秘匿制度）

訴えの提起をはじめとして（134Ⅱ①，民訴規53Ⅳ），訴訟手続上の申立てに際しては，申立人を特定するために，申立人の氏名や住所を表示する必要がある。しかし，犯罪行為の被害者であると主張する者が加害者を被告として訴えを提起する場合のように，訴えの提起をきっかけとする被告からの報復をおそれるなどの理由から，訴権を行使することを断念せざるをえないという事象がみられる。このような問題を解決するために，訴えの提起を含む各種の申立て等（申立ておよび申述。132の10本文第1括弧書参照）に際して，申立人の住所，氏名などの情報を秘匿することを認める制度が，民事訴訟法令和4年改正によって創設された[173]。

他方，被告など相手方当事者にとっては，原告など申立人の氏名や住所が秘匿され，代替呼称や代替住所のみを表示した書面等が送達されることは，その防御にとって重大な支障を生じるおそれがあり，双方審尋（審理）主義（本書286頁）の実質を損なうおそれがある。法133条以下が秘匿決定について厳格

173）　秘匿決定や秘匿決定取消しの要件については，伊藤眞「当事者識別情報秘匿制度の運用に望む――対審（当事者対等主義）との緊張関係」判時2564号99頁（2023年）参照。現行法下においても，原告となるべきDVや犯罪の被害者が，加害者による報復をおそれて提訴を断念する場合などを想定し，氏名を旧姓にする，住所を旧住所にする，訴訟代理人弁護士の事務所とするなどの実務運用が報告されている（「証拠収集手続の拡充等を中心とした民事訴訟法制の見直しのための研究会」第1回議事要旨4頁（2021年，商事法務研究会ウェブサイト））。

なお，以下に述べる当事者識別情報秘匿制度が施行された後であっても，現在行われている実務運用が許容されるかどうかという問題がある。しかし，訴訟による救済を求める原告の利益と適正な防御を展開する被告の利益との調和を図るために新たな制度が設計・施行され，法および規則によって要件と手続が明定された以上，現行法の下ですでに係属中の訴訟を除けば，新制度の下でなお従前の実務運用を許すべき理由があるかは疑わしい。

な要件を設定し，相手方当事者の防御に支障を生じるときは，その取消しを認めるなどの措置を定めているのは，このような点を考慮したものである。

ア　秘匿決定の要件

申立人やその法定代理人の住所等（住所，居所その他その通常所在する場所）の全部または一部が当事者に知られることによって申立人等が社会生活を営むのに著しい支障を生じるおそれがあることが，秘匿決定の要件である（133 I 前段）。

これは，申立人として性犯罪にもとづく損害賠償請求権を主張する原告，当事者としてその加害者である被告を例として想定すれば，①社会生活を営むのに著しい支障，および②そのおそれの存在を意味する。①の例としては，加害者による暴力や精神的圧迫によって平穏な家庭生活や社会活動に支障を生じることなどが考えられる。その支障は著しいといえなければならないので，不快など軽度のものでは足りず，社会生活を営むのが不可能とまではいえなくとも，それが危うくなる程度に達していることが必要である。

②のおそれとは，①の支障が現実に発生していることまでは要しないが，抽象的な発生可能性では足りず，被告の従来の行動などの事実から相当程度の蓋然性をもって予測されなければならない。

申立人やその法定代理人の氏名等（氏名その他当該者を特定するに足りる事項）に関する秘匿決定の要件も同様であるが（133 I 後段），上記の例でいえば，氏名等が特定されない原告からの訴えに対する防御をしなければならない被告の裁判を受ける権利（憲 32）を考えれば，住所等の秘匿と比較して，①の支障および②のおそれについては，事案の特質に応じて，さらに厳格な判断がなされるべきである。

イ　秘匿決定の手続

秘匿決定の手続は，秘匿対象者（申立人またはその法定代理人）の書面による申立てによって開始する（133 I 前段，民訴規 52 の 9①）。申立てをするときには，秘匿事項届出書面（秘匿決定の対象となる秘匿事項（住所等または氏名等））のほか，秘匿事項届出書面である旨の表示，秘匿対象者の電話番号等の事項を記載し，秘匿対象者が記名押印した書面（民訴規 52 の 10）[174]によって裁判所に届け出なければならない（133 II）。訴状等には，電話番号等の記載がなされないときでも（民訴規52の12Ⅱ参照），裁判所が，これらの事項を把握し，以後の手続を進めるための規律である。届出書面の提出方法については，民事訴訟規則3条1項2号の規定があり，重要事項を含むため，ファクシミリによる提出は認められない。

申立人等は，アで述べた①および②の要件が満たされていることを疎明しなければならない（133Ⅰ前段）。手続上の裁判であるために疎明とされているが（本書383頁），当事者の裁判を受ける権利や双方審尋（審理）主義という民事訴訟の基本原則にかかわることを考えれば，特に氏名等に関しては，証明に近い立証を求めるべきである。

秘匿決定の申立てがあったときは，その申立てについての裁判が確定するまで，当該申立てにかかる秘匿対象者以外の者は，秘匿事項届出書面の閲覧もしくは謄写またはその謄本もしくは抄本の交付の請求をすることができない（133Ⅲ）。秘匿の利益を暫定的に保護するための措置である。

申立てを受けた裁判所は，①および②の要件について判断し，申立てを却下するか，または秘匿決定をする。却下決定に対しては，即時抗告による不服申立てが認められ（同Ⅳ），秘匿決定に対しては，取消しの申立てが認められる（133の4Ⅰ）。

裁判所は，秘匿決定をする場合には，その決定において，当該秘匿対象者の住所または氏名に代わる事項を定めなければならない（133Ⅴ前段）。本書では，これを代替住所または代替氏名と呼ぶ。これらは，被告など相手方当事者の応訴のための措置であり，当該事件，その事件についての反訴や参加，強制執行などの手続においては，代替住所や代替氏名の記載を秘匿対象者の住所や氏名の記載とみなすこととされている（同後段）。

また，氏名について秘匿決定があった場合には，規則の規定による秘匿対象者の押印は不要であり（民訴規52の12Ⅰ）[175]，住所等について秘匿決定があった場合には，規則の規定による秘匿対象者の郵便番号および電話番号等の記載

174）記名押印が求められるのは，秘匿対象者本人が自らその内容の正確性を確認するなどの必要性を満たすためである。橋爪ほか・前掲論文（注58）7頁。

175）押印および郵便番号等の記載が不要とされる書面の例は，橋爪ほか・前掲論文（注58）15頁参照。

は不要である（同Ⅱ）。

ウ　秘匿決定があった場合における閲覧等の制限の特則

ここでいう特則とは，訴訟記録の閲覧等に関する一般原則を定めた91条に対する特例を定めたものであることを意味する。

秘匿決定があった場合には，秘匿事項届出書面の閲覧もしくは謄写またはその謄本もしくは抄本の交付の請求をすることができる者を秘匿対象者に限る（133の2Ⅰ）。秘匿決定の実効性を確保するための特則である。これに加え，裁判所は，書面による申立てにより（民訴規52の9②），決定で，訴訟記録等中，秘匿事項届出書面以外のものであって秘匿事項記載部分（秘匿事項または秘匿事項を推知することができる事項が記載され，または記録された部分）の閲覧もしくは謄写またはその謄本もしくは抄本の交付またはその複製の請求をすることができる者を当該秘匿決定にかかる秘匿対象者に限ることができる（133の2Ⅱ）。申立てがあったときから申立てについての裁判が確定するまでの間においても閲覧等の制限がされる（同Ⅲ）。なお，申立ての際の手続は，民事訴訟規則52条の11第1項（秘匿事項記載部分の特定）[176)]，第2項（申立ての時期），第3項（秘匿事項記載部分を除いた文書等（マスキング書面）の作成および提出）が定め，申立てを認容する決定に関する手続は，同条第4項（決定における秘匿事項記載部分の特定），第5項（決定等に応じたマスキング書面の作成および提出），第6項（一部取消決定等の裁判が確定したときの新たなマスキング書面の作成および提出），第7項（マスキング書面の閲覧等）が定める。

閲覧制限の申立てを却下した決定に対して即時抗告が許されること（133の2Ⅳ），閲覧制限の決定に対してその取消しの申立てができること（133の4Ⅰ，民訴規52の9③）は，秘匿決定申立てについての裁判の場合と同様である。

エ　送達をすべき場所等の調査嘱託があった場合における閲覧等の制限の特則

送達をするために当事者またはその法定代理人の住所，居所その他送達をすべき場所について調査の嘱託（151Ⅰ⑥Ⅱまたは186）をした場合において，その

176）　秘匿事項記載部分を特定していない申立ては，裁判所書記官の事務処理に困難を来すこと（橋爪ほか・前掲論文（注58）11頁）ばかりでなく，閲覧を求める利益を損なうために違法と評価すべきである。

調査結果の報告が記載された書面は，訴訟記録の一部となるが，それが閲覧されることにより，当事者らが社会生活を営むのに著しい支障を生じるおそれがあることが明らかであると認めるときは，その書面などの閲覧等をその当事者または法定代理人に限る決定をすることができる（133の3前段）。氏名その他当事者またはその法定代理人を特定するに足りる事項についての調査の嘱託の場合も，同様である（同後段）。

この措置は，調査の嘱託をした裁判所の職権によってなされるもので，当事者などの申立てによるものではないが，閲覧等を求める者は，決定の取消しの申立てをすることができる（133の4Ⅰ）。

オ　秘匿決定の取消し等

秘匿決定（133Ⅴ），秘匿事項届出書の閲覧等の制限決定（133の2Ⅱ），調査嘱託があった場合における閲覧等の制限決定（133の3）によって秘匿される情報の主体以外の者は，訴訟記録等の存在する裁判所に対し，その要件を欠くこと，またはこれを欠くに至ったことを理由として，その決定の取消しの申立てをすることができる（133の4Ⅰ）。これらの決定は，秘匿決定等と呼ばれるが（同括弧書），社会生活を営むのに著しい支障を生じるおそれがあることが明らかであると認めるときという要件が共通していることから，①決定の前提となる要件を欠いていること，または②決定後の事情の変化によって要件を欠くに至ったことを理由とする取消しの申立てを認めるものである。

①は，実質的には，秘匿決定等に対する不服申立てであるが，申立人にあたる原告の氏名や住所等を知ったからといって，被告は，原告に物理的または心理的圧迫などを加えるおそれを生じさせる人格ではないとか，そのような環境にはないなどの事由が，②は，事後的な事情変化によって秘匿決定等の正当性が失われたことを根拠とするものであり，刑事事件で被告が犯人でないことが明らかになった場合，DV保護命令が取り消された場合，相手方が秘匿事項について既に了知しており，根拠となる疎明資料を提出した場合，圧迫行為を行わない旨の誓約書を裁判所に提出した場合などが考えられる。

カ　閲覧等の許可の請求

秘匿決定等によって秘匿される情報の主体以外の当事者は，秘匿決定等がある場合であっても，自己の攻撃防御方法に実質的な不利益を生じるおそれがあるときは，訴訟記録の存する裁判所の許可をえて，秘匿決定があった場合における秘匿事項届出書の閲覧等の制限（133の2Ⅰ），訴訟記録等中の秘匿事項記載部分の閲覧等の制限（同Ⅱ），送達をすべき場所等の調査嘱託があった場合における閲覧等の制限（133の3Ⅰ）にかかる部分について，閲覧等の請求をすることができる（133の4Ⅱ，民訴規52の9④）。これは，秘匿された住所等や氏名等についての情報が得られなければ，実質的な攻撃防御を展開することに支障を生じるおそれがありうることを考慮したものであり，請求原因事実を争う根拠として秘匿対象者の住所等や氏名等を知ることが必要である場合などが考えられる。

閲覧等の許可の請求の申立てがあり，その原因となる事実について疎明があったときは，裁判所は，閲覧等を許可しなければならない（133の4Ⅲ）。なお，許可の裁判があったときは，その許可の申立てにかかる当事者またはその法定代理人，訴訟代理人もしくは補佐人は，正当な理由なく，その許可によってえられた情報を，当該手続の追行の目的以外の目的のために利用し，または秘匿決定等にかかる者以外の者に開示してはならない（同Ⅶ）。目的外利用が禁止されるのは，許可が攻撃防御方法の展開を保障するためのものであることを理由とする。目的外利用は，訴訟法上の義務違反のみならず，秘匿対象者に対する損害賠償義務の理由にもなる。

キ　秘匿決定等の取消しまたは閲覧等の許可の裁判の手続

裁判所は，秘匿決定等の取消しの申立て（133の4Ⅰ）または閲覧の許可の請求の申立てについて裁判をするときは，利害関係人の意見を聴かなければならない（同Ⅳ）。利害関係人とは，秘匿決定または訴訟記録中の秘匿事項記載部分の閲覧制限決定の場合には，当該決定にかかる秘匿対象者（同①），送達をすべき場所等の調査嘱託があった場合における閲覧等の制限決定の場合には，その決定にかかる当事者または法定代理人（同②）である。

取消しの申立てについての裁判および閲覧等の許可の申立てについての裁判に対しては，即時抗告が許され（133の4Ⅴ），それらの裁判は，確定しなければその効力を生じない（同Ⅵ）。なお，秘匿事項記載部分の閲覧等を制限する決定（133の2Ⅱ）の一部について秘匿決定の取消しの裁判（133の4Ⅰ）が確定したとき，または閲覧等の請求を許可する裁判（同Ⅱ）が確定したときは，閲覧制限の申立てをした者は，遅滞なく，秘匿事項記載部分のうち取消しの裁判または許可の裁判にかかる部分を除いたものを作成し，裁判所に提出しなければならない（民訴規52の11Ⅵ）。取消しまたは許可の裁判が確定した後の閲覧等の対象を明らかにするための措置である。

そこで，閲覧等の対象となるのは，申立人が閲覧等の制限の申立てに際して対象となる文書等から秘匿事項記載部分を除外したもの（同Ⅲ），申立人が閲覧等の制限決定にもとづいて決定において特定された秘匿事項記載部分を除外したもの（同Ⅴ），または申立人が閲覧等の制限決定の一部を取り消すなどの裁判が確定したときに秘匿事項記載部分のうち取消しの裁判または許可の裁判にかかる部分を除いたもの（同Ⅵ）が提出された場合には，当該文書等の閲覧等は，その提出されたものによってさせることができる（同Ⅶ）。閲覧等の制限の手続の段階に応じて閲覧等の対象を明らかにするための措置である。

ク　閲覧等用秘匿事項届出書面

秘匿事項届出書面の閲覧等は，秘匿対象者に限られるが（133Ⅲ・133の2Ⅰ），秘匿決定の一部について取消しの裁判（133の4Ⅰ）が確定し，または秘匿事項届出書面の一部について閲覧等の許可の裁判（同Ⅱ）が確定したときは，秘匿決定の申立人（秘匿対象者）は，遅滞なく，すでに提出した秘匿事項届出書面から取消しまたは許可の裁判にかかる部分以外の部分（秘匿事項または秘匿事項を推知することができる事項が記載された部分に限る）を除いたもの（閲覧等用秘匿事項届出書面。マスキング処理をした秘匿事項届出書面）を作成し，これを裁判所に提出しなければならない（民訴規52の13Ⅰ）。この場合には，秘匿事項届出書面の閲覧または謄写は，閲覧等用秘匿事項届出書面によってさせることができる（同Ⅱ）。閲覧等用秘匿事項届出書面は，秘匿決定取消決定などによって秘匿性を解除された事項を内容としているのであるから，これを閲覧の対象とする趣旨である。

2　判断資料提出行為——主張・立証

事件について裁判所が審理・判決をなすために必要な事実および証拠を提出する当事者の行為が，判断資料提出行為であり，当事者間の関係に着目して，攻撃防御方法提出行為とも呼ばれる[177)]。判断資料提出行為は，資料の性質に応じて，法律上の主張，事実上の主張，および立証の3つに分けられる。これらも口頭主義の原則によって，口頭弁論においてなされることを要する。

(1)　法律上の主張

法律上の主張は，狭義では，要件事実に対する法規の適用の効果，すなわち権利関係の発生・消滅・変更の主張を意味する。目的物についての所有権取得や弁済にもとづく債権消滅の主張などがその例である。相手方がその主張を認める旨の陳述をなすと，権利自白として扱われる。請求の放棄・認諾は，権利関係についての陳述である点では，法律上の主張と類似の性質をもつが，訴訟終了の効果を生じさせる訴訟行為であり，判決のための資料提出行為とはみなされない。

広義の法律上の主張は，外国法を含む法規の存否，内容，解釈，適用についての主張を含む。「裁判官は法を知る」の法諺に示されるように，法規の発見・解釈・適用は，裁判所の責任に属するものであり，当事者の主張は，その参考とされるにすぎない。しかし，当事者に対する手続保障を強調する近時の議論においては，裁判所が当事者に対して，適用可能性のある法的観点を指摘する義務，および裁判所に対して法的観点の開示を求める当事者の請求権などが認められるべきであるとされる。厳密な意味での義務および請求権が認められるかどうかはともかく，裁判所の当事者に対する手続保障の内容として，事実主張の前提となる法的観点を当事者に明らかにすることが望まれる。

(2)　事実上の主張

事実上の主張とは，要件事実に該当ないし関連する事実を裁判所に報告する当事者の行為である。事実に関する当事者の陳述であっても，当事者本人尋問に対する供述は，事実を立証するための証拠資料であり，事実上の主張には含まれない。

一方当事者による事実上の主張に対する相手方の対応は，否認，不知（159 Ⅱ），沈黙（159 Ⅰ），自白（179）の4つに区分される。不作為である沈黙を含めて，これらの行為も事実に関するものであるので，事実上の主張に含まれる。また，一方当事者が主張する事実にもとづく法律効果を前提としながら，相手

177）　厳密には，攻撃防御方法には，責問権の行使や時機に後れた攻撃防御方法の却下申立てなど，裁判所の権限行使を求める訴訟行為が含まれるので，判断資料提出行為より広い範囲にわたる。

方が，その法律効果の発生を妨げ，またはそれを消滅させる目的で，別の事実を主張することを抗弁と呼ぶ[178]。

一方当事者が前後して相矛盾する事実上の主張をなすときには，一般的な経験則としては，後の主張によって前の主張が取り消されたものとして扱われる。しかし，複数の主張の順序に当事者が条件を付ける場合には，それが訴訟手続の安定を害する不合理なものでない限り，いずれも訴訟資料として扱われる。これらは，仮定的主張または仮定的抗弁と呼ばれる。原告がその所有権の取得原因として，売買契約の存在を主張し，これが認められないときには，取得時効の完成を主張するのが仮定的主張の例であり，貸金返還請求訴訟における被告が，第1に金銭を受領した事実を否認し，予備的に弁済を主張するのが，仮定的抗弁に該当する。

裁判所は，まず本来的主張について審判をなし，それが認められないときに仮定的主張について審判をするのが通常であるが，法律上は，当事者が付した主張の順序に拘束されるものではない。攻撃防御方法たる事実についての判断は，判決理由中の判断であり，既判力が生じないからである。しかし，相殺の抗弁については，既判力が生じるので（114Ⅱ），それが仮定的に主張されているときには，本来的主張が認められない場合にはじめて，審判の対象となる（東京地判平成22・7・27判時2090号34頁）。

(3)　立　　証

裁判所に対して証拠を提出する当事者の訴訟行為は，挙証または立証と呼ばれる。その内容としては，証拠の申出（180），証人に対する尋問（202Ⅰ），および当事者本人尋問に対する陳述などが含まれる。

---

178)　抗弁の種類としては，最初の抗弁に対抗するための再抗弁，さらにそれに対抗するための再々抗弁などがあるが，その性質は，最初の抗弁と同一である。否認においても，別の事実を主張する理由付否認が存在するが，別の事実が独立に法律効果の変動につながるものではない点で，抗弁と区別される。なお，相殺の抗弁に対する相殺の再抗弁は法律関係を不安定にするという理由から許されない（最判平成10・4・30民集52巻3号930頁〔百選〈6版〉41事件〕）。

抗弁と呼ばれるものであっても，訴訟要件の欠缺を理由に本案の弁論を拒む妨訴抗弁，相手方の申し出た証拠方法について，証拠能力の欠缺などを理由としてその不採用を主張する証拠抗弁などは，本来の抗弁とは区別される。また，訴訟上の抗弁は，訴訟上の主張である点で，実体法上の抗弁権とも区別される。

3　訴訟行為の撤回・取消し

訴訟行為のうち，申立ては，裁判所に対して一定の行為をなすことを求めるものであるから，裁判所が求められた行為をするまでは，当事者は，申立てを自由に撤回できるのが原則である。撤回によって，裁判所は求められた行為をするかどうかの判断義務を免れる。これに対して，裁判所が行為をなした後は，撤回は許されない[179]。また，申立てに対応して，相手方当事者が一定の行為をなしたときには，相手方の地位を保護するために申立ての撤回が制限されることがある（261Ⅱ）。

主張についても，弁論主義の下では，原則として自由に撤回が認められる。撤回された主張事実は，訴訟資料とならない。ただし，撤回そのものが弁論の全趣旨として証拠資料となる可能性はある。自白については，相手方の信頼を保護するために，その撤回について特別の要件が課される。これに対して，職権探知主義の下では，主張の撤回の効力が認められない。いったん主張された事実は，職権によって収集された事実と同じ取扱いを受けるからである。

訴訟上の合意など意思表示としての性質をもつ訴訟行為については，その取消しを考えることができるが，手続の安定性の要請から，私法行為の取消しと同様に考えることはできない。この点は，次項で訴訟行為への私法規定の適用に関して説明する。

4　訴訟行為と条件

私法行為については，特別の制限がある場合を除いて，条件を付すことが許されるが，訴訟行為については，手続の安定性の要請から，合理的理由のある場合を除いて，条件を付すことが許されない。期限についても，同様の理由から許されないものと解される。

申立てに関して，訴訟外の事実を停止条件または解除条件とする申立ては，不適法とされる[180]。また，相互に関係のない2つの請求について，一方が排斥されることを条件として他方について審判を求めることも，手続の不安定を招くので，不適法とされる。これに対して，手続の不安定を生じることがない

179）　証人尋問の申出について，最判昭和32・6・25民集11巻6号1143頁〔百選〈6版〉A19事件〕。これに対して訴えの取下げは，終局判決後も判決確定までは許されるが（261Ⅰ），これは，訴えの最終的目的が確定判決の取得とみなされるためである。

という判断にもとづいて，法が停止条件を許容している場合もある。259条にもとづく仮執行宣言の申立て，および260条2項にもとづく原状回復・損害賠償の申立ては，本案の勝訴または本案判決の変更を停止条件とする申立ての例である。

明文の規定がない場合であっても，許容される例として予備的申立てがある。これは，2つの請求の間に論理的矛盾関係があることを前提として，主位的に第1の請求について無条件に審判を求め，それが認められることを解除条件として第2の請求について審判を求めるものである。第2の請求についての申立てが予備的申立てと呼ばれる[181]。これが適法とされるのは，主位的申立てと予備的申立てとの間に密接，かつ，論理的矛盾関係が存在し，たとえ解除条件が成就したときでも，予備的申立てについての審理が無駄になったり，被告の応訴の負担が徒労に帰すことがないためである。これに対して，予備的申立ての一種である，主観的予備的申立てについては，その適法性が争われる。

主張の提出について条件を付すこと自体は，すでに述べたとおり，仮定的主張および仮定的抗弁として認められ，条件を付すことが主張を不適法とするものではない。しかし，その条件は，裁判所に対する拘束力を欠く。この点が申立てについての条件と異なる。

訴訟上の合意などの意思表示について条件を付すことが許されるかどうかは，条件と意思表示との間に合理的関係があり，かつ，手続の不安定が生じないかどうかによって決められる。訴えの変更が許されることを条件として，旧訴を取り下げるという意思表示，あるいは被告が一定の金銭を支払うことを条件として訴えを取り下げるという合意は，この要件を満たすので，適法なものとみなされる。

180）　大判明治38・2・28民録11輯272頁。訴訟外での給付がなされないことを条件として，訴えが提起された事例である。

181）　売買代金についての主位的請求と，売買無効を前提とした目的物返還の予備的請求，貸金返還請求と，消費貸借無効を前提とした不当利得返還請求（最判昭和38・3・8民集17巻2号304頁）などの例がある。これに対して，論理的矛盾関係が認められず，予備的申立てとしての条件を満たさないとされた例として，東京地判平成18・10・24判時1959号116頁がある。

第3項　訴訟行為と私法行為

訴訟行為は，その主たる効果が訴訟法上の効果である点で，私法行為と区別される。しかし，実際には，訴訟手続の内外で行われる訴訟行為について，同時に私法行為としての効果も認めざるをえないことがあり，このような場合に両者の関係が問題となる。

1　形成権の訴訟上の行使

取消権，解除権および相殺権などの実体法上の形成権が，まず訴訟外の意思表示の形で行使され，その事実が弁論において主張される場合には，私法行為たる形成権の行使と，訴訟行為たる形成権行使の事実の陳述が明確に区別される。しかし，弁論において形成権行使の意思表示とその陳述とが一体の行為としてなされるときには，両者の関係について考え方が分かれる。具体的問題としては，第1に，実体法上の形成権行使に条件を付することが許されないこととの関係で，訴訟上仮定的主張が許されるか，第2に，相手方不在廷のときに形成権行使の効果が発生するか，第3に，訴訟代理権が形成権行使についての代理権を含むか，第4に，形成権行使についての意思表示の瑕疵が訴訟行為の効力に影響するか，第5に，訴えの取下げや攻撃防御方法の却下などの原因によって訴訟行為としての効果が失われたときに，なお形成権行使の効果が残るかなどが議論の対象となる。

従来の議論の中では，形成権行使も訴訟行為としてなされるという訴訟行為説，私法行為と訴訟行為とが併存するという併存説，1個の行為が両者の性質を併有するという両性説，および2つの行為の併存を認めながら，訴訟行為の効力が失われれば，私法行為が撤回されるとみる新併存説などが説かれている。現在の多数説は，以下に述べる理由から新併存説を採用し，本書もこれを支持する。

すなわち，私法行為としての形成権行使が相手方当事者に対してなされるものであり，他方，訴訟行為としての陳述が裁判所に対してなされるものである以上，訴訟行為説および両性説のように，1個の行為を前提とすることは困難である。したがって，理論的には併存説を前提とせざるをえないが，攻撃防御方法の却下などによって訴訟行為が失効するときには，私法行為としての形成権行使の効果も生じなかったものとして扱うのが妥当である。もちろん，当事者の合理的意思解釈として，訴訟行為の効力にかかわりなく形成権行使の意思を維持するとみられるときには，その効果も残存する。判例もほぼこのような考え方に沿ったものとみなされる[182]。

2　訴訟上の合意

管轄の合意（11），不起訴の合意，訴え取下げの合意，訴訟上の和解（267），および証拠契約など訴訟手続に関する両当事者の合意については，その性質および効果に関して議論の対立がみられる[183]。考え方としては，私法契約説と訴訟契約説とが対立しているが，訴訟契約説が近時の多数説である[184]。しかし，形成権の行使について述べたのと同様の理由から，訴訟上の合意においては，その内容にしたがって私法上の契約と訴訟上の契約とが併存しうると考えるべきである。たとえば，訴え取下げ契約の場合には，私法上の契約としては，原告が被告に対して訴え取下げという訴訟行為をなす義務を負担する。しかし，同時に訴訟上の契約の効力として，訴訟係属消滅の効力が発生する。したがって，原告が訴え取下げの義務を履行しない場合であっても，被告が合意の事実を主張・立証すれば，裁判所は，訴訟係属が消滅したものとして，訴訟終了宣言をなす[185]。他の種類の合意についても同様に考えられる。

182）　形成権行使の効果が維持されるものとしては，訴えの取下げによっても解除権行使の効果が失われないとする大判昭和5・1・28評論19巻民法343頁，大判昭和8・1・24法学2巻1129頁があり，逆に，意思解釈にもとづいて形成権行使の効果が失われるものとして，相殺に関する大判昭和9・7・11法学4巻227頁がある。

その他の論点についての帰結は，以下の通りである。第1に，仮定的主張は，形成権行使そのものではなく，訴訟行為としての主張に条件を付するものであるから，許される。第2に，実体法上の形成権行使については，何らかの方法で意思表示が相手方に到達する必要がある。第3に，訴訟代理権は，攻撃防御方法に必要な範囲での実体法上の権利行使を含む。第4に，意思表示の瑕疵が直接訴訟行為を無効にすることはないが，瑕疵に関する実体法の規定が類推適用されることはありうる。

183）　許容性自体も問題となりうるが，すでに任意訴訟の禁止に関連して述べたように，裁判所固有の権限を侵害したり，訴訟手続の安定を害するものでない限り，有効なものと認められる。

184）　もっとも，伝統的には，私法契約説が通説であり，判例にも採用されている。学説については，注釈民訴(3)32頁以下〔伊藤眞〕，小島422頁。判例は，最判昭和44・10・17民集23巻10号1825頁〔百選〈6版〉87事件〕が，私法契約説を前提とした取扱いをしている。

185）　これに対して，私法契約説を前提とすれば，原告が訴え取下げの義務を履行しない

3　訴訟行為に対する私法規定の適用可能性

意思表示としての性質をもつ訴訟行為，たとえば，管轄の合意（11），請求の放棄・認諾（266），訴訟上の和解（267），あるいは訴えや上訴の取下げ（261・292・313）などについて，民法の詐欺，強迫，または錯誤など，意思表示の瑕疵に関する規定が適用され，それらの行為が取り消されうるかまたは無効となるかどうかが問題となる[186]。通説は，以下の理由から私法規定の訴訟行為への適用可能性を否定する。

第1に，訴訟行為は，裁判所を相手方としてなされるものであり，意思表示の瑕疵を理由として取消しや無効の主張を認めることは，手続の安定性を害する。第2に，意思表示の瑕疵が認められるときには，多くの場合338条1項3号または5号の再審事由を類推適用して，その行為を無効とすることができるから，救済の道が閉ざされてはいないことなどの理由が挙げられる。判例もこの考え方を採用している[187]。これに対して近時の有力説は，意思表示の瑕疵が問題となるときに，常に刑事上罰すべき他人の行為が介在するとはいえないこと，特に錯誤に関しては，再審事由の類推適用による無効の主張が認められる可能性は少ないことなどを理由として，私法規定の適用可能性を認めるべきことを主張する。

同じく訴訟行為であっても，管轄の合意や証拠契約のように，それを前提として当事者や裁判所の訴訟行為が行われ，訴訟法律関係が形成されるものについては，訴訟手続の安定の要請が強いから，判例・通説がいうように，再審事

ときには，裁判所は，訴えの利益欠缺を理由として訴えを却下すべきことになる。訴訟契約説は，本文と同様の結論をとるが，私法上の合意の存在を完全に否定すると，原告の訴え取下げ義務を説明することが困難になる。

186）　管轄の合意や和解のように，私法行為と訴訟行為の併存が認められるときには，私法行為については当然に私法規定の適用がある。しかし，たとえば，和解の内容である合意が無効になったことのみでは，訴訟終了効などの訴訟行為の効力は失われないので，なお訴訟行為の効力を問題とする必要が生じる。新注釈民訴(4)1296頁〔中西正〕参照。ただし，現在の民法95条では，錯誤が無効の原因ではなく，取消しの理由とされ（同Ⅰ），善意でかつ無過失の第三者に対抗することができないとされた点（同Ⅳ）に注意する必要がある。訴訟手続安定の要請から，取消しの原因（同ⅡⅢ）については，厳格に解することとなろう。

187）　最判昭和46・6・25民集25巻4号640頁〔百選〈6版〉86事件〕は，訴えの取下げに関して，詐欺による取下げがなされたときには，338条1項5号に照らして，取下行為が無効となり，かつ，無効の主張については，同条2項の要件は不要であるとする。

由が認められる場合にのみ行為を無効とすべきであろう。ただし，再審の適法要件である有罪判決の確定は不要である。これに対して，訴えの取下げ，請求の放棄・認諾，あるいは訴訟上の和解のように，訴訟係属を消滅させる訴訟行為の場合には，手続の安定の要請よりも当事者の利益保護を重視し，意思表示の瑕疵に関する私法規定の類推適用を認めて差し支えない。ただし，行為の性質上，純然たる私法行為に比較すると，錯誤の成立，または表意者の重大な過失は，厳格に判断される。

第4項　訴訟行為と信義則

私法行為については，民法1条2項の信義則および同条3項の権利濫用禁止原則が適用される。これに対して，ほとんどの当事者の訴訟行為は，裁判所を相手方とするものであるが，両当事者の訴訟行為は裁判所の訴訟行為と相互に結合しあいながら，訴訟資料を形成し，判決や和解の基礎を作るものである。当事者が互いに相手方がもつ裁判を受ける権利を尊重しなければならないものであるとすれば，このような役割をもつ当事者の訴訟行為も，相手方の攻撃防御方法提出の機会を保障し，かつ，裁判所が適正・迅速に訴訟資料を形成しうるという目的に沿うものでなければならない。民事訴訟法2条が，従来の判例の考え方を前提として，当事者の訴訟行為について信義誠実訴訟追行義務を課したのは，このような趣旨にもとづくものである[188)]。

なお，厳密な意味での信義則は，当事者間の特別な関係を根拠として特定の行為の効力を制限しようとするものであるのに対して，権利濫用禁止の原則は，制度的または公共的見地から行為の効力を制限するものとして区別される[189)]。しかし，広義の信義則は，権利濫用禁止原則を含むものとして使われるから，ここでもそれを前提とする。

---

188)　研究会21頁参照。旧法下でも，民法の規定の類推適用という形で，訴訟行為への信義則の適用可能性は一般に認められていた。最判昭和34・3・26民集13巻4号493頁，最判昭和41・7・14民集20巻6号1173頁〔百選Ⅰ13事件〕など。学説については，中野・推認177頁以下参照。ただし，真実発見の要請が強い人事訴訟では，信義則の適用が排斥されることがある。東京高判昭和40・11・18判タ188号157頁。

189)　中野・訴訟関係73頁，松浦馨「当事者行為の規制原理としての信義則」講座民訴④251頁，254頁，林屋礼二「民事訴訟における権利濫用と信義則の関係」新実務民訴(1)173頁，174頁など参照。

信義則が訴訟行為に適用される結果として，当事者は，行為規範として信義にしたがい，誠実に訴訟行為をしなければならず，また裁判規範として，信義則に違反する訴訟行為は，裁判所によって却下されるか，訴訟行為本来の効力が否定されることがある。具体的に信義則違反とされる訴訟行為は，次の4つの類型に分類される。

1　訴訟上の権能の濫用の禁止

当事者が申立権を認められている場合であっても，以下のような場合には，申立てが濫用として排斥される。まず，訴訟上の申立ての中では，忌避申立て（24）の濫用が挙げられる。忌避は，公平な裁判を受ける権利を当事者に保障するための制度であるが，訴訟を遅延させるための申立てであると認められるときには，濫用として排斥される。また，期日指定の申立て（93Ⅰ）についても，訴訟引延ばしの手段と認められれば，却下がなされる。

次に本案の申立てに関しては，訴権の濫用が挙げられる。訴え提起の時期，および従来の紛争の経緯などを考慮して，原告が訴訟物についての紛争解決を求める正当な利益を有しないと認められるときには，訴えが訴権の濫用として却下される[190)]。

---

190)　最判昭和51・9・30民集30巻8号799頁〔百選〈6版〉74事件〕，最判昭和53・7・10民集32巻5号888頁〔百選〈6版〉29事件〕，上訴権の濫用として，最判平成6・4・19判時1504号119頁〔平成6重判解・民訴6事件〕，親子関係不存在確認請求について，最判平成18・7・7民集60巻6号2307頁〔平成18重判解・民12事件〕など参照。配偶者の不貞を理由とする離婚および慰謝料請求の前訴で勝訴した者が，自らの子と信じた子が他人の子であったことを理由として重ねて慰謝料請求を提起したことを信義則によって排斥した東京高判平成21・12・21判時2100号43頁，情報の独占を利用した請求認諾を信義則によって排斥した名古屋高判平成22・7・29判時2103号33頁も，この類型に属する。

また，訴え提起が不法行為を構成する可能性もある（最判昭和63・1・26民集42巻1号1頁〔百選〈6版〉34事件〕，最判平成21・10・23判タ1313号115頁（訴訟理論研究会・前掲座談会（注*161*）16頁における松下淳一発言参照），最判平成22・7・9判タ1332号47頁参照）。さらにそれを前提として，原告に担保提供義務が課されることがある（会社847の4Ⅱ，一般法人278Ⅵなど）。なお，自ら損害発生の原因たる行為をなした者が損害の発生を訴訟上否認することは信義則に反するという最判平成23・2・18判時2109号50頁も，この類型に属すると考えられる。

また，花村良一「民事裁判手続の実効性の確保としての制裁関連規定の現状」田原古稀929頁は，簡易な訴え却下などを立法の課題とする。

2　訴訟上の禁反言

当事者の訴訟行為が，その者がすでに行った訴訟行為と矛盾するものである場合には，相手方の信頼を害するという趣旨から，矛盾する訴訟行為が禁止されることがある。ただし，相手方の信頼が害されると認められるためには，第1に，先行行為についてどの程度の信頼が生じていたか，第2に，後行の矛盾行為を認めることによってどのような不利益が相手方に生じるか，第3に，矛盾行為が禁じられることによって，その者自身にどのような不利益が生じるか，第4に，矛盾行為をせざるをえなくなった事情などを裁判所が総合的に判断する必要がある。矛盾行為には，同一請求に関するもの[191]に限られず，同一の紛争に関するものとみなされれば，他の請求についての行為も含まれる[192]。

191）　前掲最判昭和34・3・26（注188）は，受継手続をとることなく控訴をなした当事者について，後に受継の欠缺を理由として訴訟行為の無効を主張することが信義則に反するとしている。前掲最判昭和41・7・14（注188）も同様の事案に関して，信義則違反を認める。また，最判平成7・11・9家月48巻7号41頁〔平成8重判解・民訴1事件〕もこの類型に属する（ただし，信義則適用を否定）。

192）　最判昭和51・3・23判時816号48頁〔百選〈5版〉42事件〕は，契約の無効を前提として本訴請求がなされたのに対して，その有効を前提として被告が反訴請求をなし，これに対して原告が本訴請求を放棄して，契約の有効を前提とする再反訴をなしたところ，被告が反訴請求を放棄し，契約の無効を再反訴に対する抗弁として主張した事案である。判決は，この抗弁が信義則に反するものとしている。最判令和元・7・5判時2437号21頁〔百選〈6版〉40事件〕も，金銭の授受が消費貸借にもとづくものであることを否認の理由として主張し，それが認められて，2度にわたる前訴で請求棄却の確定判決をえた者が，その後，当該消費貸借にもとづく貸金返還請求訴訟において，一転して消費貸借契約の成立を否認することは信義則違反となりうるとしている。本文に述べた第1ないし第4の判断枠組に沿ったものと評価できる。

また，訴訟外の行為との関係で，訴訟行為たる否認が信義則に反し，その効力を認められないとする判例として，最判平成16・10・26判時1881号64頁，最判平成18・3・23判時1932号85頁，前掲最判平成23・2・18（注190）などがある。福本知行「信義則による事実主張の制限と立証軽減」石川＝三木27頁参照。

さらに，最判令和3・4・16判時2499号8頁は，遺言の有効確認を求める後訴提起が関連紛争に関する前訴との関係で信義則に反するかどうかが問題となった事案であり，原審が信義則違反を理由として訴えを却下したのに対し，最高裁は，以下の理由から信義則違反を否定して，原判決を破棄している。

まず，信義則違反を理由として後行行為（後訴）の効力を排斥するためには，先行行為（前訴）の結果にもとづく相手方の信頼が合理的なものでなければならないとの規範を設定し，①財産全部を相続させる旨の遺言を受けた法定相続人の一人（前訴被告）と他の法定相続人（前訴原告）との間の前訴（他の法定相続人の相続分を前提とする登記手続請求など）において，遺言の効力が争点として裁判所の判断対象とならなかったこと，②前訴

3　訴訟上の権能の失効

長期間にわたって訴訟上の権能が行使されないと，その不行使について相手方の信頼が形成され，結果として権能の行使が信義則によって制限されることがある。通常抗告や異議などの申立てについてこの法理が適用されることは，異論をみないが，訴えという本案の申立てについての適用可能性については，考え方が分かれる。訴えは，裁判を受ける権利として憲法上保障されたものであるから，単に紛争発生から提訴までに長期間が経過したというだけでは，訴権の失効が正当化されるものではない。長期間の経過によって，相手方がどのような法律関係を形成したか，訴えが提起されることによってその法律関係がどのような影響を受けるか，また長期間の不提訴はどのような理由にもとづくものであるかなどについて総合的に判断した上で，裁判所が信義則適用の是非を決しなければならない[193]。

4　訴訟状態の不当形成の排除

一方当事者が手続上の地位を取得するために，その基礎となる事実を故意に作出したり，逆に事実の発生を妨げたりした場合には，信義則を根拠として地位の取得が否定されることがある。たとえば，併合請求の裁判籍を取得することを目的として，他の者を共同被告として付け加えることが，管轄選択権の濫用とされる[194]。この類型は，先行行為との矛盾を問題とするものでない点で，

と後訴によって実現される利益が異なること，③遺言の有効性に関する後訴原告（前訴被告）の主張は一貫し，矛盾挙動とはいえないことなどから，法定相続分にもとづく請求が前訴確定判決によって認められたことによって生じた後訴被告（前訴原告）の信頼が合理的なものとはいえないとする。さらに，④後訴原告（前訴被告）が前訴において反訴を提起し，その根拠として後訴被告（前訴原告）が法定相続分相当の債務を負担している旨を主張していることについては，反訴請求が棄却されている以上，前訴における反訴によってえた利益と矛盾する利益を後訴によって求めているともいえないと判示する。

当該事例に即した判断ではあるが，信義則適用の根拠となる相手方（前訴本訴原告・反訴被告，後訴被告）の信頼について合理性という判断枠組を設定し，その判断のための事情を明らかにし，加えて，行為者（前訴本訴被告・反訴原告，後訴原告）自身についても，先行行為（前訴反訴）によって利益を受けているかを考慮しなければならないとした点で，本文に述べた信義則適用の要件に関する新たな判例法理の展開とみることができる。ただし，信義則適用の適否が問題となったのが，訴え提起という重要な訴訟行為であることに留意すべきであろう。

193）　下級審裁判例は，訴権の失効を認めるものと否定するものとに分かれている。注釈民訴(3)47頁〔伊藤眞〕参照。

194）　札幌高決昭和41・9・19高民19巻5号428頁〔百選〈6版〉A2事件〕。その他，債

禁反言と区別され，また，訴訟上の権能自体ではなく，その基礎となる事実を不当な目的で作出するものである点で，訴訟上の権能の濫用の禁止とも区別される。

第7節　証　拠

訴訟物たる権利義務についての判断をはじめ，訴訟手続上の判断は，すべて法を適用して行われる。裁判所が法を適用するためには，その前提として事実の存否を確定しなければならない。裁判が，法規を大前提とし，事実を小前提として行われるとされるのは，このことを意味する。

事実の存否を確定するための手段として，現行法は，複数のものを認める。第1に，当事者間に争いのない事実，すなわち一方当事者が自白した事実については，裁判所は，これをそのまま判断の基礎としなければならない。これは弁論主義の帰結である。第2に，裁判所に顕著な事実についても，裁判所は，これをそのまま判断の基礎とすることができる。顕著な事実としては，公知の事実および裁判所が職務上知りえた事実の2種類があるが，いずれについても，その事実の客観性が根拠となっている。第3に，この両者を除く事実については，裁判所は，弁論の全趣旨および証拠調べの結果にもとづいてその存否を認定しなければならない（179・247）[195]。これが事実認定と呼ばれる。もっとも，弁論の全趣旨は，事実認定の資料としては補充的なものであり，証拠調べの結果が第一次的なものであるから，通常は，事実認定は証拠調べの結果にもとづいてなされる。

当事者間に争いのある事実について，それが顕著な事実とみなされない限り，証拠にもとづく事実認定が必要とされるのは，裁判所の判断の客観性を担保するためである。裁判所を構成する裁判官は，その職務上，法については十分な

務者の住所地を偽って，支払命令（支払督促）の申立てをなし，債務名義を取得しても，その効力が否定される（最判昭和43・2・27民集22巻2号316頁〔執行保全百選8事件〕）。

195）　これに対して，刑事訴訟法317条ないし319条では，事実一般について証拠による認定が要請され，裁判上の自白の拘束力はない。ただし，解釈上，顕著な事実の一類型である公知の事実については，証拠による認定を要しないとされている。

知識をもつ。しかし，事実は，それぞれの事件に特有のものであり，裁判所は，審理の過程を通じてその判断を形成する以外にない。国民に対して公正な裁判を受ける権利を保障するためには（憲32），当事者によって提出されるものであれ，裁判所が職権によって収集するものであれ，判断の資料を証拠という客観的存在として法廷に提出させ，公開法廷においてそれについての証拠調べを行うことを通じて，裁判所が判断を形成する以外にない。すでに審理の基本原則として述べた，公開主義や直接主義は，このような目的を達成するためのものである。

第1項　証拠の概念

証拠とは，認定の対象となる事実についての裁判所の判断資料を意味する。判断資料は，証拠の取調べという訴訟行為を通じて形成されるが，取調べの対象となる有形物を証拠方法と呼ぶ。これに対して，取調べの結果として得られる判断資料を証拠資料と呼び，さらに，証拠資料の中で，当該事実についての裁判官の心証形成の原因となるものを証拠原因と呼ぶ。

1　証拠方法

証拠方法の種類は，証人，鑑定人，当事者本人，文書，検証物の5つに法定されている。前3者は，いずれも人が証拠方法となっているので，人証と呼ばれ，後2者は，いずれも物が証拠方法となっているので，物証と呼ばれる。具体的な人証または物証が証拠方法となりうる資格を証拠能力と呼ぶ。現行法の自由心証主義の下では，原則として証拠能力には制限がないが，後に述べる違法収集証拠に関しては，証拠能力が問題となる[196)]。

2　証拠資料

証拠方法が取り調べられた結果として形成される判断資料が，証拠資料と呼ばれる。証言，鑑定意見，文書の記載内容，検証物の形状などがこれに属する。証拠資料が裁判官の心証形成に寄与する程度を証拠価値，証拠力または証明力と呼ぶ。証言内容や文書の記載内容の真実らしさがこれに該当するが，自由心証主義の下では，証拠価値の判断は，裁判官に委ねられている。

196）　これに対して，刑事訴訟では，伝聞証拠の排除など，証拠能力の制限が存在する。小林・証拠法19頁参照。

証拠資料は，事実認定の資料であるから，認定されるべき事実を指す訴訟資料とは区別される。したがって，当事者尋問に対する当事者本人の供述は，あくまで証拠資料であり，これをもって事実の主張に代えることはできない。もっとも，現行法は，弁論の全趣旨を事実認定の資料とすることを許しているので，訴訟資料は，同時に証拠資料に類する性質を認められる。

証拠資料が事実認定の資料として機能する態様は，いくつかに分けられる。ある証拠資料が直接に主要事実に関する判断資料となる場合には，その証拠を直接証拠と呼ぶ。これに対して，間接事実や補助事実に関する判断資料となる証拠資料については，その証拠は，間接証拠と呼ばれる。

第2項 証明と疎明

ある事実の存在または不存在が証明の対象となる場合に，裁判官は，当該事項に関して確信に至る程度の心証を形成することが要求される。これは，訴訟制度の最終的目的が権利関係を確定することにあり，したがって，その前提となる事実の認定に関しては，真実発見の要請が妥当することを反映したものである。もっとも，いかなる程度の心証をもって確信と呼ぶかは，一義的に決められる性質のものではない[197]。

判例は，因果関係の証明に関して，「一点の疑義も許されない自然科学的証明ではなく，経験則に照らして全証拠を総合検討し，特定の事実が特定の結果発生を招来した関係を是認しうる高度の蓋然性を証明することであり，その判定は，通常人が疑を差し挟まない程度に真実性の確信を持ちうるものであることを必要とし，かつ，それで足りる」としている[198]。ここでは，単なる裁判

197） 主観的確信は，事実についての高度の蓋然性によって裏付けられたものでなければならないというのが，一般的説明である。太田勝造・裁判における証明論の基礎16頁（1982年），春日・前掲論文（注 *151*）46頁参照。

198） 最判昭和50・10・24民集29巻9号1417頁〔百選〈6版〉54事件〕，最判平成12・7・18判時1724号29頁。ただし，実体法上の要件事実自体を相当の蓋然性をもつ事実であると解する余地はある。最判平成12・9・22民集54巻7号2574頁参照。本判決の意義，その前後の下級審裁判例の動向，および証明度一般の軽減につながる可能性などについては，平野哲郎「イギリス・アメリカ・カナダ・オーストラリアにおける機会喪失論と日本の相当程度の可能性（2・完）」龍谷法学46巻4号180頁，190頁，196頁（2014年）が詳しい。なお，証明主題が，ある事実の存在の疑いとされた場合も，同様に考えられる。秋山幹男「名誉毀損訴訟」伊藤古稀1294頁参照。なお，刑事裁判における有罪の証明度に

官の主観的確信ではなく，事実に関する高度の蓋然性が証拠によって基礎づけられたかどうかが，通常人による確信を基準として決定されなければならないとされている。

証明は，証拠調べ期日を中心とする審理手続という，制約された時間の中で行われなければならず，そのために用いられうる証拠の範囲も無限定ではありえない。したがって，自然科学的証明の表現が適切か否かはともかくとして，万人が疑いを差し挟む余地のない確信の形成を要求することは，裁判所および当事者に対して不可能を強いることになる。逆に，訴訟制度が納税者の負担による公の制度として設けられている以上，単なる蓋然性を基礎として裁判所が確信を形成することは，裁判所の事実認定に対する通常人の信頼を危うくする結果となる。判例が，通常人が疑いを差し挟まない程度の高度の蓋然性を基礎として確信を形成することを要求するのは，このような趣旨として理解される[199]。

したがって，この意味での高度の蓋然性および確信は，証明主題たる事項の性質，およびそれを証明するために用いられうる証拠の範囲によって決定される相対的なものであり，絶対的基準が存在するわけではない。公害や独禁法違反行為にもとづく損害賠償請求など現代型訴訟において，原因行為と損害との間の因果関係を証明する方法として，統計学的証明や疫学的証明の利用が説かれることがあるが，因果関係の証明手段としてこれらの方法によらざるをえない場合には，その方法によって高度の蓋然性についての確信が形成される[200]。

関して最決平成19・10・16刑集61巻7号677頁参照。

なお，刑事裁判における証明度と民事裁判における各種の要証事実の証明度を比較して，それが誤判の社会的コストとの関係で決定されるべきことを説くものとして，太田勝造「統計学の考え方と事実認定」伊藤古稀71頁がある。

199）　村上博巳・民事裁判における証明責任1頁以下（1980年）では，最高度の真実蓋然性，高度の真実蓋然性，軽度の真実蓋然性などの段階が区別され，民事訴訟における証明は，高度の真実蓋然性にあたるとされる。

200）　鶴岡灯油訴訟（最判平成元・12・8民集43巻11号1259頁〔百選〈3版〉67事件〕）のような類型の訴訟における因果関係は，価格協定の事実がなかったとすれば，その他の経済的変動要因を考慮に入れた場合，どのような市場価格が形成されるかを問題とするものであり，統計学的証明方法に依存することなしには，高度の蓋然性について裁判官の確信を形成することは困難である。伊藤眞「独占禁止法違反損害賠償訴訟(上)(下)」ジュリ963号54頁，965号53頁，55頁（1990年），牧厚志「価格カルテル事件における損害賠償額の推定――計量経済分析による鶴岡灯油事件の再考察」ジュリ1579号52頁（2023

しかし，実体的権利関係確定のための前提事実を認定するのではなく，その保全のための一応の処分をするとか，手続上の事項に関する裁判をなす場合にまで証明が要求されると，裁判所が迅速に手続を進めて裁判をなすことができず，制度の目的を実現することが妨げられる結果となる。そのような場合に法は，証明に代えて，疎明の概念を立て，高度の蓋然性についての確信にまで至らなくても，相当程度の蓋然性が認められれば，ある事項を裁判所が認定できるものとする。疎明のための証拠方法についても，このような目的を達するために，裁判所が即時に取り調べうるものに限定される（188）。これを疎明方法の即時性と呼ぶ。即時性をもつ証拠とは，法廷に在廷する証人（在廷証人）や，疎明を行う当事者が現に所持する文書を意味する[201]。

第3項　厳格な証明と自由な証明

証明は，証拠にもとづいて行われることを要するが，その手続に関して法

年）参照。

また，集団的疾病について，原因物質と損害発生との間の関係を個々の被害者について証明することが困難である場合にも，ある集団に対してある発病因子が作用しうる条件が満たされ，その因子による発病が通常人が納得しうる程度に合理的に説明しうるものであれば，証明がなされたものと考えられる。これが疫学的証明の意義である。詳細については，小林・証拠法75頁，証拠法大系(2)36頁〔西田隆裕〕参照。

伊藤眞「証明，証明度および証明責任」月刊法教254号33頁（2001年），同「証明度をめぐる諸問題」判タ1098号4頁（2002年）は，さらに一歩を進めて，証明度を高度の蓋然性から相当の蓋然性に引き下げるべきことを提唱し，近時は，これが有力な考え方になっている（須藤典明「実務からみた新民事訴訟法一〇年と今後の課題」民訴雑誌55号113頁（2009年），新堂571頁，小島442頁，瀬木336頁）。そして，須藤典明「民事裁判における原則的証明度としての相当程度の蓋然性」伊藤古稀339頁は，消極的誤判を避け，充実した立証活動にもとづく適正な事実認定を通じて，実体的真実を発見し，民事裁判に対する国民の信頼を確保するためにも，相当（六・四）程度の蓋然性を原則的証明度とすべきであると論じる。両説の比較については，新注釈民訴(4)15頁〔大村雅彦〕参照。判例の立場は，依然として，高度の蓋然性説であるが，本書も，このような議論を受けて，相当の蓋然性説に転換する。

なお，高度の蓋然性または相当の蓋然性のいずれを基準とするかによって，事実認定の結果に差異が生じうることを具体的事件について示すものとして，加藤新太郎「民事事実認定と刑事判決との関連」中央ロー・ジャーナル14巻1号24頁（2017年）がある。また，高度の蓋然性を基準としながら，要証事実の性質などを考慮して，例外的に証明度を引き下げる考え方については，松本博之・証明軽減論と武器対等の原則69頁，85頁（2017年），新注釈民訴(4)984頁〔山本和彦〕参照。

201)　旧267条2項によって認められていた疎明代用保証・宣誓の制度は，実務上ほとんど使われることがなかったなどの理由にもとづいて廃止された。

(180以下) は，一定の方式を定める。この方式によって行われる証明が厳格な証明と呼ばれる。すなわち，当事者から申出がなされた証拠について裁判所がその採否を決し，採用された証拠について両当事者対席の下に公開法廷で所定の方式にしたがってその取調べが行われるのが原則である。訴訟物たる権利関係についての判断の基礎となる主要事実およびこれに関連する事実の証明は，厳格な証明の方式によらなければならないことは当然であるが，訴訟上争いとなる事実のすべてについてこの方式をとらなければならないとすることは，手続の迅速な進行を阻害し，かえって適正な審理の実現を妨げるおそれがある。

そこで，職権調査事項たる訴訟要件に関する事実，経験則，あるいは決定手続によって判断すべき事項に関して，上の方式によらない証明が許されると説かれる。これが自由な証明の概念である[202]。しかし，訴訟要件に属する事実に関する証拠調べについて，立会権など当事者の手続保障を否定すべき理由はないし (187Ⅱ)，また，任意的口頭弁論の方式によって行われる決定手続における証拠調べについても，それが法廷で行われる限り，同様のことがいえる。経験則についても，後に述べるように，当然に証明の方式が緩和されるべきものともいえない。もっとも，証人尋問の順序 (202Ⅰ Ⅱ) や証人尋問と当事者尋問の先後 (207Ⅱ)，および文書の成立 (228Ⅰ) などについては，上に述べたような事項についてこれらを適用する必要はないと思われるので，自由な証明の概念をまったく排除することはできない[203]。

---

202)　この概念は，元来刑事訴訟手続に関して発達したものであり，刑事訴訟手続では，民事訴訟手続に比較して，証拠能力の制限が厳格であることを前提とした議論である。小林・証拠法21頁，野田宏「自由な証明」実務民訴① 289頁，村松俊夫「証拠における弁論主義」岩松裁判官還暦記念・訴訟と裁判255頁，270頁 (1956年)，髙田昌宏「『自由な証明』の現在」上野古稀247頁参照。概念の特徴としては，証明と疎明のように，証明度に関する区別ではなく，証明の方法に関する区別とされる。

203)　高橋宏志「自由な証明」新堂幸司ほか・演習民事訴訟法② 208頁 (1985年) 参照。なお187条にもとづく証拠調べとしての審尋は，自由な証明概念になじむものである。研究会236頁参照。証拠法大系(2)60頁〔森英明〕は，訴訟要件の中でも，法律上の争訟性 (本書183頁) や将来の給付の訴えの利益 (本書189頁) などの存否の判断は，厳格な証明によるべきものとする。事項の重要性を踏まえた手続保障の必要性を考慮すれば，妥当な見解と考えられる。

第4項　証明を要しない事項

訴訟物たる権利関係について裁判官が判断するための前提事項のうち，事実は原則として証明の対象となるが，法規については，原則として証明の必要はなく，また，事実判断の媒介としての役割を果たす経験則についても，常に証明が必要であるとはいえない。法規について証明の必要がないのは，わが国の裁判制度が法律の知識・素養のある者を裁判官に任用することとしているためであり，また，経験則について証明が必要でない場合があるのは，合理的通常人であれば当然に備えている経験則が存在するためである。

1　外国法規等の証明

外国法規を法規範の一種としてその探知を裁判所の職権によらしめるか，それとも，事実の一種として当事者による証明に委ねるかについては，現在でも議論の対立がみられる[204)]。しかし，外国法が適用されるのは，わが国の抵触法である法の適用に関する通則法の適用の結果であること，かりに適用されるべき外国法の内容が不明であっても，証明責任による解決には適さないことなどを考えれば，基本的には外国法といえども法規範の一種として裁判所が職権によってそれを探知する責任を負う。しかし，司法制度のあり方から考えれば，わが国の裁判官が当然に外国法について専門的知識を有することは期待されておらず，また費用の点から考えても，職権による探知には限界がある。

したがって，裁判所は，当事者に対して書証や鑑定の方法によって外国法の内容を証明するよう求めることができる。もっとも，これは厳格な証明である必要はなく，自由な証明で足りる。ただし，当事者による証明が成功せず，また，裁判所の探知によっても外国法の内容が明らかにならない場合でも，証明責任による解決をなすことはできず，裁判所は，外国法に代わる何らかの法規を適用しなければならない[205)]。また，自白の拘束力も認められない。このよ

204）　三ヶ月博士は，前者を規範説，後者を事実説と呼び，自身は，両者の中間的考え方を提唱する。三ヶ月章「外国法の適用と裁判所」澤木敬郎＝青山善充編・国際民事訴訟法の理論 239 頁以下（1987 年）。これに対する批判として，石黒一憲「外国法の適用と裁判所」三ヶ月古稀(上)441 頁がある。

205）　その場合の処理としては，法廷地実質法適用説，近似法説，条理説，補助的連結説などの学説が国際私法学上対立する。石黒・前掲論文（注 204）458 頁，証拠法大系(2)

うに考えると，外国法規は，裁判の作用上では法規としての性質をもつが，同時にその探知のための手続については，事実に近い性質をもつといえよう。内国法であっても，特殊な慣習法などについては，同様の取扱いをすべきである。

法律の制定の基礎にかかわる社会・経済的事実は，法適用の対象となる主要事実や間接事実と区別されて立法事実と呼ばれることがある。これが特に議論の対象となるのは，事実であるにもかかわらず，法適用の対象ではなく，むしろ適用されるべき法の内容・解釈にかかわる性質をもつためである。したがって，これについては，第一次的には，当事者による証明に委ねられるが，通常の事実と異なって弁論主義の適用が制限され，自白の拘束力も排除される。また，裁判所が適宜の方法によって立法事実に関する証拠を収集することも許される[206)]。

2　経験則の証明

訴訟における事実認定は，複数の間接事実からいくつかの推論の段階を経て主要事実についての判断に到達するのが通常である。事実そのものは，1回限りの歴史的事実であるが，裁判官が上のような推論を行うためには，経験則を利用せざるをえない。経験則とは，経験から帰納された事物に関する知識や法則であり，事実そのものと異なって，一般的通用性をもつ。その内容としては，一般常識に属する論理法則から専門科学上の法則までが含まれる[207)]。

経験則は，事実に関する推論ばかりではなく，証拠の評価や当事者の弁論の理解にも不可欠であり，事実認定過程のすべての局面に組み込まれているといってよい。証明との関係で経験則が議論の対象となるのは，一般的法則として

23頁〔西田隆裕〕参照。

その他，関連する問題としては，外国法の解釈・適用の誤りを理由とする上告可能性などがある。山本克己「外国法の探査・適用に伴う民事手続法上の諸問題」法学論叢130巻1号1頁以下（1991年）参照。

206)　もちろん，手続保障の理念にもとづいて収集した証拠を当事者に開示し，それを争う機会が保障されることが望ましい。立法事実の取扱いに関しては，太田勝造・民事紛争解決手続論139頁以下（1990年），山本克己「民事訴訟における立法事実の審理」木川古稀下21頁以下，原竹裕「裁判による法創造と事実審理(1)」一橋大学研究年報法学研究28巻169頁，216頁以下（1996年）が詳しい。

207)　新堂581頁，後藤勇・民事裁判における経験則9頁（1990年），加藤新太郎「民事事実認定と経験則」実務民訴〔第3期〕(4)61頁，杉山悦子「経験則論再考」高橋古稀483頁など参照。

事実そのものとは区別されるという性質と，事実認定の中で働くものとして法規とも区別される性質とを併有しているためである。すなわち，事実としての性質を重視すれば，これを当事者による証明に委ね，また弁論主義に服させることになるが，法規に近いものとして扱うのであれば，むしろ裁判所がその収集について責任を負うことになる。

経験則については，事実に関する判断法則として，原則として事実と同様の取扱いがなされるべきである。したがって，裁判所がその私知にもとづく経験則を事実認定に用いることは許されず，書証または鑑定などの証拠方法にもとづいてこれを認定しなければならない[208]。しかし，合理的通常人であれば，誰しも疑いを差し挟まないような日常的経験則については，公知の事実（179）に準じるものとして証明の必要はない。問題は，日常的経験則と証明を要する専門的経験則の限界であるが，裁判所の合理的判断に委ねる以外にない。ただし，裁判所がその判断を著しく誤った場合には，当事者は，事実認定に関する基本原則に反するものとして上訴によってこれを争う余地がある。

3　争いのない事実

当事者が自白した事実については，証明の必要がない（179）。これが弁論主義の帰結であることはすでに説明した。また，積極的に自白行為がなされない場合でも，一方当事者が相手方の主張を明らかに争わないという事実について，法が自白成立の効果を認めることがある。これを擬制自白と呼ぶ（159）。

(1)　裁判上の自白

自白とは，一方当事者が口頭弁論または弁論準備手続[209]において行う事実

---

208)　小林・証拠法55頁，本間義信「訴訟における経験則の機能」講座民訴⑤63頁，80頁以下，杉山・前掲論文（注*207*）508頁参照。判例としては，最判昭和36・4・28民集15巻4号1115頁がこのような考え方を示す。

ただし，経験則は裁判所の判断作用に用いられるものであるので，これについて自白の拘束力を認めるべきではない。自由心証主義（247）が侵害される結果となるからである。

209)　自白は，「裁判所において」（179）するものであるから，口頭弁論のみでなく，弁論準備手続も含まれる。書面による準備手続が含まれるかどうかについては，準備書面の提出のみによる自白の成立が否定されることとの関係で否定せざるをえない。なお，弁論準備手続における自白の成立については，それが争点整理の過程におけるものであることを考慮すれば，弾力的に運用すべきである。出口雅久「弁論準備手続における自白の取扱い」松本古稀302頁，笠井正俊「争点証拠整理のための口頭議論をめぐって」高橋古稀471頁参照。

の陳述であって，相手方によってなされる事実の主張と一致し[210]，かつ，その事実にもとづく法律効果が自白当事者に不利な訴訟行為を指す。自白の効果として，当該事実は証拠にもとづく裁判所の事実認定の対象とならず，裁判所はこれを判決の基礎としなければならない。また自白当事者も陳述の撤回を制限される。これに対して，口頭弁論または弁論準備手続外でなされた自白は，裁判外の自白と呼ばれ，裁判上の自白と区別される。裁判外の自白については，自白の事実自体がその対象たる事実を認定するための資料として扱われるだけであり，自白本来の効果が認められるわけではない。

自白の効力は，弁論主義を根拠とするものであり，その対象となるのは，事実に限られ，さらに事実の中の主要事実に限定される。もっとも，以下に述べるように，権利の成立などの法律関係についての自白も，訴訟行為の主体たる当事者の意思としては，その基礎となる主要事実についての陳述を含んでいると解されるので，その限りで自白としての効力が認められる。また，弁論主義が根拠となる以上，間接事実についての陳述は本来の自白とは認められないが，この問題も後述する。

ア　自白の対象

上に述べたように，自白は，その根拠が弁論主義に求められることから，その対象も，権利関係を直接に基礎づける主要事実に限定されるのが原則である。

(a)　権利自白　　権利関係についての裁判所の判断は，事実を小前提とし，法規を大前提として行われる。事実が自白の対象となりうること，逆に，法規の存在または解釈が自白の対象となりえないことについては，疑問の余地がない[211]。これに対して権利関係については，判断が分かれる。訴訟物たる権利関係について原告がその主張に理由がないことを認め，または被告が原告の主張に理由があることを認める場合には，それぞれ請求の放棄または認諾（266）として扱われる。しかし，訴訟物たる権利関係の前提となる権利関係についての陳述は，請求そのものに関するものではなく，自白の対象の問題として扱わ

210）一致する陳述の具体的態様としては，相手方主張の事実を「認める」または「争わない」という意思の表示とするか，もしくは内容的に一致する陳述をなすか，2つの態様がありうる。高橋(上)475頁。しかし，いずれについても自白の効果が認められる。

211）最判昭和30・7・5民集9巻9号985頁〔百選〈6版〉52事件〕，最判昭和42・11・16民集21巻9号2430頁。

れる。

この種の陳述は，2つに分けられる。第1は，「過失を認める」または「正当事由の存在を認める」などの陳述であり，具体的事実に関する陳述ではなく，それに対する評価を前提とした法律判断を当事者が陳述する場合である。すでに弁論主義に関して述べたように，この場合の主要事実は，過失などの評価の前提となる具体的事実であるから，上のような陳述は，自白とはいえず，それが裁判所を拘束するものではない。したがって，裁判所は，当事者が過失を認めているにもかかわらず，なお弁論に顕出された具体的事実を評価して過失を否定することも可能である。ただし，弁論の状況から当該陳述が法的評価の前提となる具体的主要事実を一括して自白しているものとみなされる場合には，それらの事実についての自白とみなされる余地がある[212]。

第2は，主要事実にもとづく法律効果の成否に関する陳述がなされる場合である。所有権にもとづく物の引渡訴訟における被告が原告の所有権を認める旨を陳述する場合がこれにあたる。これが狭義の権利自白である。これを本来の自白と同様に取り扱うべきかどうかについては，見解の対立がみられるが[213]，基本的には，権利関係の成否は裁判所の判断に委ねられるべきものであるから，それについて自白の成立を否定すべきである。

ただし，第1の場合と同様に，権利の成否の基礎となる具体的事実がすでに相手方当事者から主張され，権利自白がそれらの事実を包括的に認める趣旨であれば，具体的事実についての自白としての効果を認めてよい。結局自白の成否を決するのは，具体的訴訟状態を前提として，自白当事者の陳述を事実に関

212）東京地判昭和49・3・1下民25巻1～4号129頁〔百選〈5版〉A18事件〕は，すでに相手方から具体的事実が陳述され，かつ，自白当事者が当該事実の内容を正確に理解していると認められる状況においては，「過失を認める」旨の陳述に自白の拘束力が認められるとする。また，状況によっては，概括的事実の主張であっても，過失に関する自白の成立を認めてよい場合もある。酒井一「民事訴訟における主張事実」徳田古稀195頁参照。

213）判例・学説の詳細については，松本博之・民事自白法162頁以下（1994年），菱田雄郷「裁判上の自白法則」実務民訴〔第3期〕(4)94頁参照。肯定説および否定説のほかに，権利自白がなされると，相手方はその権利主張を基礎づける必要がなくなるが，基礎となる事実が争われ，事実認定の対象となる場合には，裁判所は，権利自白に反する法律判断をすることが許されるという制限的否定説がある。兼子246頁。しかし，基礎たる主要事実が争われているときには，そもそも自白の成立する可能性はないし，また，本文に述べる理由によって自白の成立が認められるにもかかわらず，後にその基礎たる事実を当事者が争うときは，自白の撤回の問題として考えれば足りる。

する陳述とみなすことができるかどうかという，訴訟行為の意思解釈である[214)]。

(b)　経験則・顕著な事実　　経験則は，事実に関する判断法則として，証明については，事実と同様の取扱いをされる。しかし，自白の対象は，その趣旨から主要事実に限定されるべきものであるから，経験則に関する自白は成立しえない[215)]。実質的に考えても，一般的判断法則の有無・内容を当事者の意思によって決定することは妥当ではない。

また，裁判所に顕著な事実，すなわち公知の事実や裁判所が職務上知りえた事実に反する事実を当事者が認めた場合に自白が成立するかどうかについても，見解の対立が存在する。自白の対象を主要事実に限定するときには，これらの事実が主要事実となることは稀であるので，議論の実益は少ない。理論的には，自白は当事者の証明の対象となる事実を前提としているのであるから，証明の対象とならない公知の事実などを自白の対象として取り扱うことは背理といわざるをえない[216)]。

(c)　間接事実・補助事実　　間接事実は，裁判所がそれに経験則を適用して，主要事実存否の判断材料とする事実である。また，補助事実は，文書の成立の真否など，証拠の信頼性にかかわる事実である。これらの事実について自白が成立するかどうかについては，従前から争いがある。伝統的には，自白の根拠が弁論主義に求められることを根拠として，間接事実などについての自白の成

---

214)　そのような意思解釈が成立するためには，相手方当事者が法律効果の主張とともに，その基礎たる具体的事実を主張していることが必要である。相手方当事者が，所有権の取得または売買の成立などの法律効果のみを主張するときには，他方当事者が，それを認める旨の陳述をしても，事実に関する自白としては扱いえない。竹下守夫「裁判上の自白」民商44巻3号442頁（1961年）参照。

もっとも，社会一般における所有権の受け止め方を考えれば，相手方当事者の現在の所有を認める旨の陳述を他方当事者がしている場合には，それを審理の基礎として差し支えないし，前主のもと所有と前主から相手方当事者への承継にあたる事実について，前主のもと所有を認める旨の陳述を他方当事者がしている場合にも，それを審理の基礎とすることができる。秋吉仁美「不動産関係訴訟の証明責任・要件事実」実務民訴〔第3期〕(5)59頁，小泉博嗣＝上原卓也「動産関係訴訟の証明責任・要件事実」同77頁参照。

215)　大判昭和8・1・31民集12巻51頁〔百選45・49事件〕。

216)　学説の中には，兼子248頁，山本・基本問題164頁のような肯定説も存在するが，多数説は，自白の成立可能性を否定する。三ヶ月・全集390頁，新堂588頁，注釈民訴(6)113頁〔佐上善和〕など参照。

立は否定されてきた。判例もこの考え方をとる[217]。したがって，一方当事者によって主張された間接事実などについて相手方当事者がそれと一致する陳述を行ったとしても，裁判所は，証拠にもとづいてそれと異なる事実を認定することも許されるし，また自白当事者も，その陳述を撤回することについて特別の制限を受けない。

これに対して近時の考え方は，間接事実の自白は裁判所を拘束するものではないが，自白当事者に対する拘束力が認められるとか，さらに進んで，裁判所に対する拘束力も認められ，裁判所は，当該間接事実にもとづいて主要事実の推認を行うことができる，ただし，裁判所が別の間接事実を証拠にもとづいて認定し，その結果として主要事実について異なった認定をすることは妨げられないという[218]。

しかし，以下に述べるような理由から，このような考え方をとることはできない。第1に，自白制度の趣旨が弁論主義にもとづいて主要事実についての相手方の証明の負担を免除し，争点を圧縮するところにある以上，間接事実について自白の効力を認めるのは，この趣旨を逸脱する。第2に，自白された間接事実が裁判所を拘束し，裁判所がその事実を主要事実認定の資料としなければならないとすることは，自由心証主義の原則に反する[219]。補助事実に関しても，同様の理由から自白の成立が否定される[220]。

(d) 不利益な事実　　自白の定義によれば，当該事実にもとづく法律効果が

---

217) 最判昭和31・5・25民集10巻5号577頁，最判昭和41・9・22民集20巻7号1392頁〔百選〈6版〉51事件〕。

218) 第1の考え方は，三ヶ月章・判例民事訴訟法251頁（1974年）（前掲最判昭和41・9・22（注217）に対する判例評釈），第2の考え方としては，新堂587頁，小林・証拠法238頁，松本・前掲書（注213）91頁以下，高橋(上)493頁，小島453頁，菱田・前掲論文（注213）91頁，高田裕成「間接事実の自白」松本古稀358頁，新注釈民訴(4)77頁〔佐藤鉄男〕など参照。

219) もちろん，間接事実についての自白の事実そのものが裁判外の自白と同様に間接事実として扱われる可能性があること，また，自白の撤回が157条1項や信義則(2)など，攻撃防御方法一般に適用される原則に服することは当然である。また，この問題は，ある事実を主要事実とするか間接事実とするかという問題とも関連するが，両者は，論理的には別個の問題である。これに対して山本・基本問題166頁は，自白の争点圧縮機能を強調しつつ，間接事実についての自白の拘束力を肯定する。松本＝上野333頁も自白の成立を肯定する。

220) 最判昭和52・4・15民集31巻3号371頁〔百選Ⅰ105事件〕。

自白当事者に不利益となる場合に自白の成立が認められるが，いかなる場合に不利益と認められるかについては，考え方が分かれる。たとえば，貸金返還請求訴訟において被告が金銭授受の事実を認める旨の陳述をすれば，それは貸金返還請求権の発生要件事実の1つについて，証明責任を負う原告の証明負担を免れさせ，結果として請求権の発生という法律効果発生の前提条件の1つが満たされる意味で，被告に不利益なものと評価される。すなわち，この考え方は，当該事実について相手方が証明責任を負う場合において，その事実に関する相手方の主張と一致する主張が自白当事者によってなされたときに，相手方の証明責任の負担を免れさせる趣旨で，不利益な陳述として自白の成立を認めるものであり，証明責任説または挙証責任説と呼ばれる[221)]。本書は，後に述べる理由からこの考え方をとる。

その他の考え方としては，証明責任の所在を問わず，自白当事者の敗訴につながる可能性のある事実について自白を認めるものがあり，敗訴可能性説と呼ばれる。上記の証明責任説との具体的違いとしては，自己が証明責任を負う事実についての不利益陳述も自白の対象となる。たとえば，所有権確認訴訟の原告が，その所有権取得を基礎づける事実として訴外Aからの相続を主張し，被告がそれを前提としてAの被告に対する売買を主張したのに対して，原告がその主張を翻して，Bからの売買による取得を主張することが，いったんAからの相続について自白が成立し，後にそれが撤回されたものとする[222)]。

この例からわかるように，当事者が自己の証明責任に属する事項について，いったん特定の事実を主張しながら，後にそれと矛盾する事実を主張するときに，先に主張された事実が当該当事者の敗訴につながる可能性がある点をとらえて，不利益な事実として自白の成立を認めるところに，この考え方の特徴がある。しかし，有利な事実か不利益な事実かが一義的に確定できないところに

221）　三ヶ月・全集388頁，三ヶ月・双書426頁，注釈民訴(6)109頁〔佐上善和〕，新注釈民訴(4)76頁〔佐藤鉄男〕，瀬木344頁など。判例もこの考え方を採用する。大判昭和8・2・9民集12巻397頁〔百選46事件〕，大判昭和8・9・12民集12巻2139頁，大判昭和11・6・9民集15巻1328頁，最判昭和54・7・31判時942号39頁など。

222）　新堂584頁，小林・証拠法244頁，松本＝上野331頁，山本・基本問題161頁以下，小島448頁，菱田・前掲論文（注213）87頁など参照。この例は，原告の主張が先行しているので，いわゆる先行自白に属する。

問題があり[223]，実質的にも，矛盾した陳述をしているにすぎない当事者に対して，自白にもとづく拘束力を課してよいかどうかという疑問がある。

自白の成立が認められないとしても，矛盾した陳述をなすことは，弁論の全趣旨として事実認定に不利な影響を生じうることはもちろん，時機に後れた攻撃防御方法としての制限，さらに極端な場合には，信義則による制約などが課される可能性があり，何らの制限を受けないというわけではない。証明責任説に対しては，証明責任の分配が争われることによって，自白の成否が左右されることが問題であるとの指摘がなされるが[224]，これは，証明責任の分配の問題であって，それによって自白の成立基準を動かすべきものではない。自白の成立可能性を広く認めれば，争点整理が促進されるとの考え方も主張されているが，有利・不利という多義的な基準にもとづいて自白の拘束力が認められることは，かえって当事者にとって予測可能性が失われ，円滑な争点整理が妨げられる結果となる[225]。

ある事項に関する当事者の事実主張が複数の事実から成り立っているときには，相手方の証明責任を基準として，自白が成立する部分としない部分とが分けられる。これを自白の可分性と呼ぶ。たとえば，貸金返還請求訴訟における被告が，金銭授受の事実を認め，かつ，それが贈与であり，返還約束は存在しなかったという陳述を行う場合には，金銭授受の事実について自白が成立する。返還約束に関する贈与の主張は，理由付否認である。また，金銭授受および返還約束の事実を認めながら，併せて弁済の事実を主張するときには，金銭授受および返還約束の2つの事実について自白が成立する。これは制限付自白と呼ばれるが，弁済の部分は抗弁になる。

なお，自白の成立に際しては，まず相手方の事実主張がなされ，自白当事者がそれと一致する陳述を行うのが通常であるが，両者の主張の前後は，自白の

223）　たとえば，貸金返還請求訴訟において，一部弁済の事実を認める旨の被告の主張は，債権の消滅を生じさせるという意味では自己に有利な事実であるが，承認による消滅時効の更新（民152 I）の法律効果との関係では，自己に不利益な事実である。

224）　高橋(上)484頁。

225）　利益・不利益概念が一義的に決められないことから，不利益性を問題とせずに，相手方の主張と一致する陳述について広く自白の成立を認める考え方として，松本・前掲書（注213）26頁以下がある。論者の意図としては，これによって争点整理を促進しようとするものであるが，本文に述べたように，かえって審理の硬直化を招くおそれがある。

成否を決定するものではない。すなわち，自白当事者の陳述が先行し，その後に相手方がこれを援用するときにも自白が成立する。これを先行自白と呼ぶ[226]。もちろんこの場合にも，相手方の援用がなされてはじめて自白が成立するのであるから，それ以前の陳述の撤回は，一般の攻撃防御方法と同様に取り扱われる。

イ　自白の効果および撤回

179条は，自白が成立した事実については，証明が不要になることを規定する。ここでいう証明不要の効果は，当該事実について証明責任を負う当事者に対しては，その責任を免除することを意味し，事実認定の責任を負う裁判所に対しては，自白された事実を訴訟物たる権利関係についての判断の基礎とすることを要求するものである。後者を自白の審判排除効と呼ぶことがある。さらに，自白当事者自身に対しても，その撤回を制限する効果，すなわち不可撤回性が生じる。もっとも，不可撤回性の根拠については考え方の対立があるが，相手方の証明責任免除という特殊な効果をもつ訴訟行為として，主として相手方の利益保護，付随的に争点整理という公益保護の理由から，その撤回が制限されると解すべきである。このような根拠づけは，以下にみるように，自白撤回の要件に関係する。

以上のことを前提として，以下，自白の撤回について説明する。第1に，相手方の同意があるときには，撤回が許される。自白の主たる目的が相手方の証明責任の免除にある以上，保護利益の主体である相手方が同意すれば，自白の撤回を制限する理由がない[227]。第2に，自白が相手方または第三者による刑

---

226)　前掲大判昭和8・9・12（注221）。例としては，貸金返還請求訴訟の原告が一部弁済の事実を陳述して，残額の支払を求める場合，5年間の土地賃貸借の期間満了による土地の返還請求訴訟において原告が，当該賃貸借が一時使用のための建物所有を目的とするものである旨（借地借家2①・3・25参照）を陳述する場合などが考えられる。いずれの場合においても，弁済および建物所有を目的とする事実は，被告の証明責任に属する事実である。

なお，本来の自白が，相手方の陳述事実を認識した上で自覚的になされるのと比較すると，先行自白は，別の意図でなされた陳述が相手方の援用によって自白として扱われることがあるために，援用までの期間や攻撃防御の態様などを考慮し，自白当事者に対する不意打ちにならないよう裁判所が留意する必要がある。兼子・研究(1)236頁参照。

227)　同意は明示のものに限らず，黙示のものでもよい。最判昭和34・9・17民集13巻11号1372頁。

事上罰すべき行為によって行われた場合である。訴訟行為の撤回[228]は，すでに説明したように私法行為の取消しまたは撤回と要件の面において区別されるが，再審事由に関する338条1項5号の趣旨に照らして，上のような事由が認められるときには，自白の撤回が許される[229]。

第3に，上記のいずれの要件に合致しない場合であっても，自白が錯誤にもとづいてなされたときには，その撤回が許される。自白も当事者の意思にもとづく訴訟行為である以上，撤回自体が時機に後れている場合は別として，錯誤による自白の撤回を許さないのは不合理だからである。錯誤の内容は，真実に反するにもかかわらず，真実と誤信して自白の陳述をなしたことである。したがって，錯誤を主張するためには，その前提として自白事実が真実に反することの証明が要求される。いいかえれば，自白当事者は，本来自己が証明責任を負担していなかった事実について，錯誤の内容として証明責任を負担せざるをえない。

その結果，自白の撤回が認められたとしても，自白にもとづく相手方の証明責任免除の効果は残存するのと同様の結果になる。ただし，当事者が真実に反することを知りながら自白をした場合のように，たとえ自白事実が真実に反するとしても，錯誤を否定すべき特段の事情が存在するときには，自白の撤回は許されない。判例においては，自白された事実が真実に合致しないことの証明がなされた以上，その自白は錯誤によるものと推定され，撤回が許されるとの考え方が示されているが[230]，これは，上のような趣旨と理解される。

228） 訴訟行為の基礎となる意思の瑕疵にもとづくものであるので，取消しという表現が適切であるとも考えられるが，従来の用語法にしたがって，撤回とする。松本・前掲書（注213）51頁参照。

229） 再審と異なって確定判決の既判力を覆すものではないので，338条2項による刑事判決の要件は課されない。最判昭和36・10・5民集15巻9号2271頁。

230） 最判昭和25・7・11民集4巻7号316頁。もっとも，一般的には反真実と錯誤の双方が撤回の要件であるとか，反真実が認められれば錯誤が推定されるなどと説明されている。福永有利「裁判上の自白(2)」民商92巻1号76頁，93頁（1985年），証拠法大系(1)152頁〔渡邉弘〕参照。しかし，訴訟行為としての自白の効力を失わせるためには，錯誤の主張が必要であり，反真実の主張は，その内容をなすものと理解すべきである。これに対して，なぜ自白をしたのかなどの事情は，自白の動機に関するものであり，重過失の基礎とはなりうるが，錯誤自体の内容に関するものではない。

また，過失の有無は問題とならない。最判昭和41・12・6判時468号40頁。ただし，重過失が認められるときには，民法95条3項（改正前民95但書）の類推適用，または信

(2) 擬制自白

当事者が口頭弁論または弁論準備手続において相手方の主張事実を明らかに争わず，また弁論の全趣旨に徴しても争っているものとみなされないときには，その事実について自白が成立したものとみなされる（159Ⅰ・170Ⅴ）。これを擬制自白と呼ぶ。相手方の事実主張に対する当事者の行為としては，これを否認または争う，これを知らないと陳述する，沈黙する，自白するの4種類が考えられる。この中で，不知は否認と同様に扱われ（159Ⅱ），相手方がその事実を証明しなければならない。自白された事実については，証明の必要がない（179）。沈黙，すなわち当事者が明らかに争わない事実は，上に述べたように自白と同様に取り扱われる。これは，審理における争点を決定するための法技術であり，肯認的争点決定主義と呼ばれる[231]。

擬制自白の対象となるのは，自白の場合と同様に，弁論主義に服する主要事実に限定される。ただし，いわゆる権利自白についても，自白と同様に，その中に含まれる事実に関する擬制自白が成立しうる。もっとも，本来の自白が相手方の主張事実と一致する積極的陳述を意味するのに対して，擬制自白は，争わないという消極的行為を意味するので，判決の基礎となる口頭弁論の終結時を基準時として当事者が争っていないかどうかが決定される。したがって当事

義則上撤回が制限されることがある。高橋（上）501頁など参照。

なお，近時の学説として，撤回を自由として，ただ，自白当事者に反真実の証明責任が課されるとか（松本・前掲書（注*213*）53頁，62頁以下），逆に，自白の撤回制限を禁反言によって基礎づけ，自白の時点で当事者が正しく認否をなしうる客観的状況になかったことなどを撤回の要件とすべきであるとの見解もある（池田辰夫「訴訟追行行為における自己責任」新堂編・特別講義319頁，329頁）。しかし，後者の見解については，撤回後に相手方の証明責任を復活させてよいかという問題があり，また前者の見解については，審判排除効などの効果が生じているにもかかわらず，撤回自体を自由としてよいかどうかという問題がある。

この議論の基礎には，自白行為の法的性質およびそれに対する錯誤規定の適用可能性の問題がある（畑瑞穂「裁判上の自白の撤回に関する覚書」松本古稀373頁参照）。現行法の解釈としては，自白は事実の報告または観念の表示と考えざるをえないので，それに対する錯誤規定の適用も，実体規定の類推適用と考えざるをえない。ただし，山本・基本問題169頁は，自白を争点排除の意思表示とした上で，直接に錯誤無効を認める。

231）　沈黙を否認として取り扱う，否認的争点決定主義と対立する。注釈民訴（3）292頁〔坂原正夫〕参照。なお，信義誠実訴訟追行義務（2。本書375頁）に照らすと，自らの支配権内にある事実について不知の陳述をすることは不適切であり，争うのであれば，根拠を示して否認することが望まれる。金・前掲書（注*140*）358頁。

者は，ある事実について，いったんは争わない態度をとっても，後になってその事実を否認し，擬制自白の成立を妨げることができる[232)]。もちろん157条1項にもとづく制限は別である。

当事者が口頭弁論に欠席した場合にも，相手方主張の事実について擬制自白の成立が認められる（159Ⅲ本文）。ただし，一方当事者が欠席の場合に相手方が主張できる事実は，あらかじめ準備書面に記載した事実等に限られるので（161Ⅲ・276Ⅲ），自白の対象もこれらの事実に限定される。この制度は，肯認的争点決定主義を徹底させ，一方当事者欠席の場合にも審理を迅速に進めるためのものである。もっとも，当事者に対する口頭弁論期日の呼出しが公示送達の方法によってなされたときには，手続保障を重視する見地から，擬制自白の成立が妨げられる（159Ⅲ但書）[233)]。したがって，相手方当事者は，その主張事実が争われたものとして，証明責任を負担する。

なお，当事者が提出した準備書面には，相手方主張の事実を争う旨が記載されているが，当事者が欠席したため，準備書面が口頭弁論において陳述されず，また，陳述の擬制（158・277）もなされないときに，弁論の全趣旨として争ったものとみなされるべきかどうかという問題がある。弁論の全趣旨の意義にかかる問題であるが，口頭弁論において陳述されていない以上，たとえ準備書面に争う旨が記載されていても，争われたものと取り扱うべきではない[234)]。

⑶　裁判所に顕著な事実

顕著な事実については，証拠による証明を必要とせず，裁判所は，これを判断の基礎とすることができる（179）。顕著な事実とは，証拠にもとづく証明な

232)　第一審で擬制自白が成立した事実について当事者が控訴審で争えば，控訴審における擬制自白は成立しない。大判昭和6・11・4民集10巻865頁〔百選48事件〕参照。これを制限する考え方があるが（新堂590頁），控訴審における新たな攻撃防御方法提出の制限一般の問題として考えるのが合理的である。

233)　したがって，審理の途中から当事者の所在不明によって公示送達がなされるようになったときには，それ以前に通常の方法による準備書面の送達によって予告された事項については，擬制自白が成立する。大阪地判昭和29・10・5下民5巻10号1679頁など。

逆に，通常の送達による呼出しの場合でも，当事者がその責めに帰すべき事由によらず出頭できなかった場合には，自白の適用を否定するという判例があるが（大連判昭和19・12・22民集23巻621頁），昭和23年改正によって旧140条3項が新設される以前の判例である。

234)　下級審裁判例の対立については，注釈民訴⑶299頁〔坂原正夫〕参照。

しに判断の基礎とされても，当事者および一般人がその存在に疑いをいだかないものであり，公知の事実と裁判所が職務上知りえた事実によって構成される。この種の事実は，裁判上の自白と同様に不要証事実に属するが，弁論主義を根拠とする自白の場合と異なって，主要事実に限定されず，訴訟資料となるあらゆる事実を含む。ただし，これは要証性にかかわる問題であり，主張責任にかかわる問題ではないから，顕著な事実といえども，それが主要事実である場合には，当事者の主張を要する。

ア　公知の事実

歴史上有名な事件，天災地変，または大事故の時期もしくは内容など，不特定多数人が信じて疑わない程度に認識されている事実が公知の事実とされる。公知の事実とされるためには，裁判官自身がその事実を知っていることのほかに，その認識が一般に共有されていることを要する。具体的事実についての裁判官の認識が公知かそれとも私知かが判然としないときには，公知の事実とはいえない。なぜならば，公知の事実とされるためには，事実の内容についてだけではなく，公知性の確信も要求されるからである。当事者による公知性の証明がなければこの確信をもてない場合には，公知の事実として取り扱うべきではない[235)]。ある事実の公知性は，当該事実そのものの内容とは区別され，法律問題として上告または上告受理申立理由になる[236)]。

なお，経験則についても事実の領域に属するものとして，公知とされる場合がある[237)]。

235）法律実務(4)14頁参照。ただし，通説は，公知性の証明を認める。本書の立場でも，裁判所がある事実を公知としてそれについての証拠調べの申立てを却下したときに，当事者が公知性に対する反証を挙げることは許される。反証によって公知性の確信が動揺すれば，裁判所は，証拠調べを実施する。

公知性を認めた近時の判例としては，最判平成23・7・15民集65巻5号2269頁（賃借人による更新料の支払），最大判平成27・12・16民集69巻8号2427頁（DNA検査技術の進歩による親子関係の判定），最大決平成28・12・19民集70巻8号2121頁（定期貯金の利率が通常貯金のそれよりも高いこと）がある。また，公知性のない私知については，髙田昌宏「『裁判官の私知』の利用禁止について――フォルカー・リップ（Volker Lipp）の研究を手がかりとして」高橋古稀511頁が詳しい。

236）判例は，事実問題とするが（最判昭和25・7・14民集4巻8号353頁），学説は，一般にこれに反対する。条解民訴〈2版〉1040頁，注釈民訴(6)131頁〔佐上善和〕，秋山ほかⅣ71頁など参照。

237）大判大正15・11・2新聞2635号9頁。

イ　職務上知りえた事実

公知の事実でない限り，裁判官の私知を判決の基礎とすることはできない(247参照)。しかし，裁判官がその職務を遂行するについて知った事実であって，当該事実の確実性が担保されているものについては，例外として証拠によらないで判決の基礎とすることが許される。その例としては，自己が構成員としてなした裁判所の判決内容[238]，および職務上注意すべき官報公告に掲載された破産手続開始の決定などが挙げられる。これに対して，職務遂行外で裁判官が知りえた事実は，私知として排斥される。ただし，判決内容に関して職務上知りえた事実に含まれるのは，ある裁判所が一定時日に一定内容の判決をなした事実であり，その判決理由中で認定された事実そのものが職務上知りえた事実として扱われるわけではない[239]。

職務上知りえたといえるためには，裁判官が当該事実を記憶していることを要するか，または記録等を調査の上認識できることで足りるかという問題がある。原則としては，記憶されていることを要するが，その細部を記録等の調査によって補充することは許される。また，合議体裁判所の場合には，その構成員たる裁判官の過半数が知っていることが要求される[240]。顕著な事実を争う当事者は，反証を挙げたり，また裁判所が証拠によらず当該事実を判決の基礎とした場合には，上訴によってその内容を争うことができる。

第5項　証拠による事実認定

自白された事実や裁判所に顕著な事実を除いて，判決の基礎となる事実については，裁判所が口頭弁論に現れた資料にもとづいて認定しなければならない。その認定に関する基本原則として，自由心証主義と証明責任とがある。前者は，証拠資料にもとづく事実認定に際して裁判所がよるべき規範を定めるものであり，後者は，証拠資料を用いても証明主題たる事実について裁判所が確信を形成できないときに，その事実の存否をどのように扱うかにかかわる原則である。

---

238)　最判昭和57・3・30判時1038号288頁。

239)　かりにそのようなことが許されるとすれば，裁判官の独立や当事者に対する手続保障が侵害されることになる。伊藤眞「補助参加の利益再考」民訴雑誌41号1頁，15頁(1995年)参照。具体例は，証拠法大系(1)183頁〔秋吉仁美〕，瀬木353頁に詳しい。

240)　最判昭和31・7・20民集10巻8号947頁。

1　自由心証主義

裁判所が判決の基礎となる事実を認定するにあたって，口頭弁論の全趣旨および証拠調べの結果を自由な心証にしたがって評価することを認める原則を自由心証主義と呼ぶ（247）。ここで心証とは，証拠および事実に対する裁判官の判断を意味する。自由心証主義に対立する法定証拠主義の下では，たとえば，ある種の事実の認定には複数の証人の証言を要するとか，または合意成立を証する文書が真正と認められれば，かならず合意を認定しなければならないとか，心証形成の前提となる証拠方法の種類やその証明力に関して法定の制限が設けられる。私人間の関係が単純，かつ，定型的であり，他方，裁判官の判断能力が低い時代には，法定証拠主義が事実認定の原則として用いられたが，近代以降は，社会関係が複雑化し，また裁判官の能力が向上したので，法定証拠主義は，かえって真実発見の妨げとなるという認識が一般化し，自由心証主義が採用されるようになった。

自由心証主義の下では，裁判所は，適法に弁論に顕出されたすべての資料を事実認定の基礎として用いることができる。その資料は，証拠調べの結果として得られる証拠資料と弁論の全趣旨とに大別される。

(1)　証拠調べの結果

証拠方法，すなわち裁判所の証拠調べの対象となりうる証拠の種類は，現行法上証人，鑑定人，当事者，文書，および検証物の5つであるが，当事者から申出がなされた証拠方法について裁判所が証拠調べを行い，その結果として証言または文書の内容などの証拠資料が得られる。裁判所は，証拠資料がもつ証明力を基礎として，事実の存否について確信を形成するが，確信の基礎を形成するに足る証明力をもつ証拠資料を証拠原因と呼ぶ。自由心証主義は，証拠方法の内容，すなわちいかなる証拠方法を証拠調べの対象とするかについて特別の制限を加えず，証明力の有無・程度も裁判官の自由な判断に委ねられる。また，何をもって証拠原因とするかどうかの判断も，裁判官の自由な心証にもとづいて行われる。もっとも，この原則に対しては，以下のような例外がある。

ア　証拠方法・証拠能力の制限

法は，一定の事項に関して証拠方法を制限する。たとえば，法定代理権または訴訟代理権の書面による証明（民訴規15・23 I），口頭弁論の方式遵守に関する調書（電子調書）による証明（160Ⅲ。160Ⅳ（未施行）），疎明のための証拠方法の制限（188），手形訴訟における証拠方法の制限（352Ⅰ），少額訴訟における証拠方法の制限（371）などがこれに属する。忌避された鑑定人の陳述（214Ⅰ後段）も同様である。また，弁論主義の下では証拠制限契約も有効とされるので[241]，それによって証拠方法が制限されることもありうる。これらの制限が課される場合には，それ以外の証拠方法は，証拠方法たりうる資格，すなわち証拠能力を欠くことになる。

イ　伝聞証言・違法収集証拠

証人が自ら見聞した事実ではなく，第三者が見聞した事実について第三者の認識を陳述する証言を伝聞証言と呼ぶ。当該事実を争おうとする相手方当事者は，それを直接見聞した第三者に対する反対尋問を行うことができないままに，伝聞証言が証拠資料となるとの理由から，手続保障の視点にもとづいて伝聞証言の証拠能力が問題とされる。しかし，判例は，証拠力の評価が裁判官の自由心証に委ねられるという理由から，証拠能力を否定する理由はないとする[242]。確かに，現行法の下では，一律に伝聞証言の証拠能力を否定する理由はないが，伝聞証言は，直接には，第三者の見聞という事実に関する証拠資料にすぎず，見聞された事実そのものについては，間接的な証明力しかもたないことに注意しなければならない。

なお，同一の事実について他の裁判所がその判決において行った事実認定も，伝聞証拠の一種である。一般には，伝聞証拠一般の許容性を理由として，この種の判決も書証としての証拠能力をもつと考えられているが，当事者に対する手続保障および裁判官独立の原則に照らして疑問があり，立証主題たる事実に

241）当事者が申し出た証拠からいかなる証拠資料を得るかについては，裁判所の自由心証主義を制約することはできないが，申し出るべき証拠の範囲は，弁論主義によって当事者の判断に委ねられることが，証拠制限契約を認める根拠である。東京地判昭和42・3・28判タ208号127頁〔百選Ⅱ119事件〕。

242）最判昭和27・12・5民集6巻11号1117頁。反対尋問を経ていない証言は，伝聞証拠の一種とみなされるが，その証拠能力も当然には否定されない。最判昭和32・2・8民集11巻2号258頁〔百選〈6版〉62事件〕。証拠法大系(2)74頁〔内堀宏達〕，新注釈民訴(4)1000頁〔山本和彦〕参照。これに対して刑事訴訟手続では，原則として，伝聞証言の証拠能力が否定される。刑事訴訟法320条1項参照。なお，証言に代えて書面を提出することも，本文に述べた理由から，伝聞証拠の一種とされる。伝聞証拠の証拠価値についての裁判例として，大阪高判平成21・5・15判タ1313号271頁がある。

対する関係では，証拠能力を否定すべきである[243]。

次に，違法に収集された証拠の取調べを当事者が申し出た場合に，裁判所がその証拠能力を認めて，取調べの対象とすべきかどうかという問題がある。伝聞証拠の場合には，自由心証によって裁判所がその証拠価値を決定すれば足りるとしても，違法に収集された事実は，証拠価値と直接の関係をもつものではなく，自由心証による評価に委ねれば足りるという理由にもとづいて証拠能力を肯定することは適当ではない。違法に収集された証拠を裁判所が事実認定の資料として用いることは，国民が民事訴訟に期待する公正さを損なうことになるし，また，裁判所が違法行為を是認するとの誤解も与えかねない。

したがって，違法収集証拠については，原則としてその証拠能力を否定すべきである。もっとも，排除を決定するにあたっては，裁判所は，違法性の程度や証拠の価値，および訴訟の性質などの要素を考慮せざるをえないが，少なくとも収集の手段が刑事上罰すべき行為に該当するときには，証拠能力を否定すべきである[244]。

243）　たとえば，すでに主債務者に対する請求認容判決があるときに，保証人を被告とする訴訟において，原告たる債権者が主債務発生事実を証明するための書証として前訴判決を提出する場合などがこれにあたる。詳細については，伊藤・前掲論文（注 239）8 頁以下参照。瀬木 473 頁は，一定の条件の下に証明力を認める。

244）　具体的に証拠能力が争われた例としては，日記と録音テープがある。大判昭和 18・7・2 民集 22 巻 574 頁は，執筆者の同意なしに提出された日記の証拠能力を肯定した。ただし，執筆者が日記の占有を原告に委ねていたという事情がある。東京高判昭和 52・7・15 判時 867 号 60 頁〔百選〈3 版〉71 事件〕は，反社会的手段を用いて採集された証拠については，証拠能力が否定されるという前提に立ちながら，その程度に至らないとして無断録音テープの証拠能力を肯定した。また，盛岡地判昭和 59・8・10 判時 1135 号 98 頁は，当該証拠の重要性などを考慮して，同様にテープの証拠能力を肯定している。東京高判平成 28・5・19 判例集未登載〔百選〈6 版〉63 事件〕も同旨である。

下級審裁判例および学説に関しては，小林・証拠法 135 頁以下，間渕清史「民事訴訟における違法収集証拠(2・完)」民商 103 巻 4 号 605 頁，616 頁以下（1991 年），杉山悦子「民事訴訟における違法収集証拠の取扱いについて」伊藤古稀 311 頁，新注釈民訴(4)426 頁〔名津井吉裕〕参照。間渕論文は，裁判を受ける権利の一内容たる当事者の証明権の限界として違法収集証拠を位置づける。杉山論文は，違法収集証拠排除の根拠を当事者間の信義則および公正な裁判の実現に求め，プライバシーなど絶対的保護に値する利益にかかるものについては，当然に排除し，それ以外の利益にかかるものについては，収集の態様などを考慮して，証拠能力を決定すべきとする。証拠法大系(2)94 頁〔内堀宏達〕，二宮照興「違法収集証拠の論点覚書――弁護士の視点から」栂＝遠藤古稀 520 頁，新注釈民訴(4)995 頁〔山本和彦〕も，信義則を判断の基軸とする。

また，特殊な違法収集証拠として，同意なしに行われた DNA 鑑定がある。春日偉知郎

(2) 弁論の全趣旨

証拠調べの結果と並んで事実認定の基礎となる弁論の全趣旨とは，口頭弁論に現れた一切の資料から証拠調べの結果を除いたものである[245]。すなわち，当事者の陳述の内容，攻撃防御方法の提出態様・態度など，口頭弁論における訴訟行為およびこれに付随する事情がこれに含まれる。訴訟資料と証拠資料を峻別するのが法の原則であるが，訴訟資料といえども，当事者の訴訟行為を通じて裁判所に提出されるのであり，裁判所が当事者の行為自体に対する評価を事実認定の資料として用いることを認めるのが247条の規定の趣旨である[246]。

通常は，弁論の全趣旨は，証拠調べの結果を補充するものとして事実認定のための資料として用いられるが，弁論の全趣旨のみをもって事実認定の資料とすることも許されると解されている[247]。しかし，このような取扱いは，補助事実や軽微な間接事実に限って行われるべきであり，裁判所としては，重要な間接事実や主要事実について証拠調べを経ることなく弁論の全趣旨にもとづいて認定を行うべきものではない[248]。

(3) 証拠契約

証拠契約とは，広義では，判決の基礎となる事実の確定方法に関する当事者

「ドイツの判例から見た『同意なくして行われたDNA鑑定』の人事訴訟における利用限界」小島古稀(上)301頁参照。不正アクセスによって収集した電子証拠についても，どのような基準にもとづいてその証拠能力を判断すべきかという問題がある。町村泰貴＝白井幸夫編・電子証拠の理論と実務225頁〔東海林保〕(2016年) 参照。

245) 大判昭和3・10・20民集7巻815頁。ここでいう資料の中には，口頭弁論期日における陳述，行為などだけではなく，準備手続期日における陳述，釈明処分 (151) にもとづく資料の提出などが含まれる。しかし，単に準備書面に記載されただけの主張などは含まれない。新注釈民訴(4)1003頁〔山本和彦〕。また，当事者尋問や証人尋問に対する陳述態度なども弁論の全趣旨に含ませる考え方があるが，これらは，証拠調べの結果たる証拠資料の一部をなす。

246) なお，159条1項でも弁論の全趣旨という文言が用いられているが，これは，各口頭弁論期日を一体としてみた場合の当事者の弁論内容を意味するものであり，事実認定の資料としての弁論の全趣旨とは区別される。

247) 最判昭和27・10・21民集6巻9号841頁，三ヶ月・全集400頁，新堂598頁，梅本778頁，条解民訴〈2版〉1380頁〔竹下守夫〕，新注釈民訴(4)1006頁〔山本和彦〕など。

248) 記録との照合によって明らかになる限り，判決理由中では，弁論の全趣旨の内容を具体的に説示する必要がないとされていることも（最判昭和36・4・7民集15巻4号694頁〔百選〈3版〉A24事件〕），このような結論をとる理由になる。菊井＝村松Ⅰ1163頁，新注釈民訴(4)1007頁〔山本和彦〕参照。

間の合意を指し，狭義では，証拠方法の提出に関する合意を指す。自白契約，証明責任を変更する合意，事実の確定を第三者の判断に委ねる仲裁鑑定契約などは，前者の例であり，証拠制限契約は後者の例である。これらはいずれも，訴訟上の効果発生を目的とする意味で訴訟契約としての性質をもつ。その効力についても，以下のような理由からこれを認めて差し支えない。

まず，自白契約は，裁判上の自白の対象となりうる事実に関するものであれば，弁論主義の趣旨を尊重して，その効力が認められる[249)]。したがって，裁判所は自白事実に拘束されるし，また，当該事実に関する当事者の証拠申出は却下される。証明責任を変更する合意についても，証明責任の分配が当事者間の公平などを考慮して法によって定められることを考えれば，当事者の意思によってその変更をなすことを排斥する理由に乏しい。さらに，仲裁鑑定契約についても，主要事実について当事者の自白が認められている以上，同じ事実を第三者の判定に委ねることを排斥する理由に乏しいから，その効力が認められる。

証拠制限契約に関しては，裁判所の自由心証を侵害するとの批判が考えられるが，いかなる証拠方法を提出するかは，本来当事者の判断に委ねられ，また，かりに契約締結などの事実に関して，証拠方法を書証に限るとの合意がなされ，その効力が認められたとしても，提出された文書を評価して当該事実について確信を形成するかどうかは裁判所の判断に委ねられるものであるから，これが自由心証主義に違背するものとはいえない[250)]。証拠制限契約に反する証拠方法の申出は，証拠能力に欠けるものとして却下される。

(4)　損害額の認定

金銭債権たる損害賠償請求権の存在を認めるためには，裁判所は，その発生原因たる損害とともに，損害額を認定しなければならず，それについての証明

---

249)　裁判外の自白とは，当事者が訴訟上の効果発生を目的としているという点で区別される。なお，間接事実に関する自白契約については，間接事実に関する自白そのものの効力（本書390頁）の考え方によって左右される。新注釈民訴(4)1002頁注116〔山本和彦〕。

250)　もちろん，すでに取調べの対象となった証拠方法を提出されなかったものとするなどの合意は，自由心証を侵害するので，その効力が認められない。前掲東京地判昭和42・3・28（注241）参照。その他，特定の証拠の証明力を定める契約なども，自由心証主義に反するものとして無効とされる。証拠法大系(1)19頁〔笠井正俊〕，232頁〔小泉博嗣＝前田志織〕，同(2)80頁〔内堀宏達〕，新注釈民訴(4)27頁〔大村雅彦〕参照。

責任は損害賠償請求権を主張する当事者が負う。したがって，たとえ損害の発生そのものについては，証明がなされたとしても，損害額についての立証が証明度に達しなければ，損害賠償請求権は認められない。しかし，このような場合に請求棄却判決をなすことは，当事者間の公平にも合致せず，また社会の納得を得られない。そこで立法者は，証明度の特例として，確信に達していないときであっても，相当な損害額を裁判所が認定できることとした（248）。ただし，損害の性質上その額の立証が極めて困難であるときでなければならない。

すでに旧法の下でも，損害額の証明が困難な場合において一定の条件の下に証明度を軽減する考え方が有力であったが，立法者は，損害発生自体の証明がなされたこと，および損害の性質上その額の立証が極めて困難なことを要件として，この考え方を立法化したものである。もっとも，証明度軽減法理は，証明度にこそ到達していないが，要証事実について一定程度の心証が形成されることを前提とするが，248条の適用は，その場合に限らず，損害額について一定程度の心証が形成されない場合でも，なお，裁判所の裁量評価によって相当な損害額の認定が許される。この意味で，248条は，証明度の軽減，および裁判所の裁量評価双方の趣旨で，自由心証主義（247）の例外を認めるものである[251)]。

損害の発生が認められるにもかかわらず，その額の立証が極めて困難である

---

251)　248条の趣旨については，証明度軽減説，裁量評価説，および折衷説の3説が対立しているが，本文に述べたところは，証明度軽減説を基本にした折衷説に属する。詳細については，伊藤眞「損害賠償額の認定」原井龍一郎先生古稀祝賀・改革期の民事手続法52頁（2000年），小島469頁参照。秋山ほかⅤ140頁，155頁，加藤新太郎「民事訴訟法二四八条の構造と実務」田原古稀1043頁，新注釈民訴(4)1026頁〔山本和彦〕も，この方向である。これに対し，三木浩一「民事訴訟法二四八条の意義と機能」井上追悼416頁は，裁量評価説をとる。

また，不法行為にもとづく損害賠償請求権の反対形相としての不当利得返還請求権（東京地判平成23・6・27判時2129号46頁参照）について，法248条の拡張適用を説くものとして，伊藤眞「民事訴訟法第248条再考――最判平成20年6月10日判タ1316号142頁はパンドラの箱を開けたか？」栂＝遠藤古稀498頁があり，さらに，損害の発生そのものについて類推適用を検討するものとして，川中啓由「因果関係立証の困難性と訴訟法的救済についての一試論」栂＝遠藤古稀448頁があるが，新注釈民訴(4)1030頁〔山本和彦〕は，否定する。

なお，認定すべきは，合理的判断にもとづく相当な損害額であり，控え目な損害額（最判昭和39・6・24民集18巻5号874頁参照）ではない。後者の考え方をとることは，法248条の立法趣旨と調和しない。新注釈民訴(4)1042頁〔山本和彦〕参照。

例の1つとして，個人が居住する家屋が焼失し，その中の家財が失われた場合が考えられる[252)]。この場合には，家財の品目・購入価格・購入年月日などを個別的に証明させ，損害額を認定することが不可能とはいえないが，通常人にその種の証拠方法の保存・提出を求めることは，合理的期待を超えるものと考えられる。したがって，裁判所が所有者の生活程度などから推認して，相当と認められる額の損害を認定することが許される。

第2の例としては，幼児の死亡にもとづく逸失利益が考えられる。被害者が死亡した場合の逸失利益については，成人の場合であっても，統計学的手法による推認に依存せざるをえないが，特に幼児の場合には，推認の基礎となる資料について仮定的部分が多く，統計学的手法によっても到底証明度に達する心証が得られるとはいいがたい。しかし，死亡によって損害発生が明らかになっているにもかかわらず，損害額の証明がなされないとの理由で請求を棄却することが社会的期待に反する結果となるので，やはり相当額の認定が許される。この場合は，利用可能な証拠方法について客観的な制約が存在する結果として，損害額の立証が極めて困難とされる例である[253)]。

252）この類型の損害額について248条の適用を認めた裁判例として，東京地判平成11・8・31判時1687号39頁〔百選〈3版〉69事件〕，横浜地横須賀支判平成23・4・25判時2117号124頁がある。また，平成11年改正にかかる特許法105条の3が，「損害額を立証するために必要な事実を立証することが当該事実の性質上極めて困難であるときは」，裁判所が相当な損害額を認定することができるとするのも，侵害による損害が広い地域にわたる場合など，主としてこの類型の損害額を念頭に置いているものと思われる。なお，金融商品取引法21条の2第6項の規定は，民事訴訟法248条と同趣旨のものである。そして，最判平成30・10・11民集72巻5号477頁〔百選〈6版〉55事件〕は，同趣旨の規定が存在しない同法19条2項にもとづく損害額減免の抗弁について，民事訴訟法248条の類推適用を肯定した。当事者間の衡平を重視し，損害額の証明と対称関係にある減免額の証明負担を軽減するものと評価できる（松尾健一「金融商品取引法19条2項の賠償の責めに任じない損害の額と民事訴訟法248条の類推適用」金融法務2123号36頁（2019年）参照）。同法21条の2第6項との関係については，深山卓也裁判官の補足意見参照。

253）逸失利益とは異なるが，この類型に属する損害賠償額について，248条を適用，またはその趣旨を考慮した裁判例として，東京高判平成10・4・22判時1646号71頁，大阪高判平成10・5・29判時1686号117頁，東京地判平成10・9・18判タ1002号202頁をはじめとして多数の下級審裁判例がある。そして，最判平成18・1・24判時1926号65頁，同平成20・6・10判時2042号5頁〔平成20重判解・民訴6事件〕は，「損害額の立証が極めて困難であったとしても，民訴法248条により，口頭弁論の全趣旨及び証拠調べの結果に基づいて，相当な損害額が認定されなければならない」と判示し，同条の適用を訴訟法規範化している点に注目すべきである。最判平成23・9・13民集65巻6号2511頁，同平成23・9・13判タ1361号114頁も，このような考え方を明らかにしている。判例法理の

これに対して，従前から適用例として挙げられてきたものではあるが，慰謝料額の算定は，ここでの例として不適切と思われる。慰謝料は，精神的苦痛そのものの塡補ではなく，精神的苦痛を和らげるための金銭給付であるとされ，したがって，慰謝料額の算定とは，認定された損害を証拠にもとづいて金銭的価値に転換するものではない。慰謝料額の算定が裁判所の自由裁量にもとづくものとされてきたのは，このことを意味するものである[254]。248条は，その文言からも明らかなように，損害額が事実認定の対象となることを前提として

分析として，秋山ほかV 147頁以下，伊藤・前掲論文（注*251*）「民事訴訟法第248条再考」495頁，新注釈民訴(4)1039頁〔山本和彦〕，瀬木357頁参照。加藤・前掲論文（注*251*）1047頁は，損害額が証明されないときは，請求を棄却すべきであるという判例法理が実質的に一部変更されたとみることができるという。

また，他人の独占禁止法違反行為を理由として，消費者または競業者が損害賠償を請求する場合（消費者について，前掲最判平成元・12・8（注*200*））にも，この類型に属するものとして，248条の適用が考えられる（薮口康夫「独禁法違反民事賠償訴訟における損害額の証明」判タ868号40頁（1995年），伊藤眞「民事訴訟の目的再考」実務民訴〔第3期〕(1)35頁，新注釈民訴(4)1035頁〔山本和彦〕参照）。東京地判平成18・11・24判時1965号23頁参照。この種の予測的損害額についての裁判例として，東京地判平成21・7・9判タ1338号156頁，名古屋地判平成21・8・7判時2070号77頁，名古屋地判平成21・12・11判時2072号88頁，東京高判平成21・12・17判時2097号37頁，東京高判平成21・12・25判時2068号41頁，東京高判平成22・4・22判時2105号124頁，大津地判平成22・7・1判タ1342号142頁，東京高判平成23・3・23判時2116号32頁，東京高判平成23・11・30判時2152号116頁，東京地判平成24・6・22金融法務1968号87頁，東京地判平成28・1・26金融法務2051号87頁，東京高判平成28・9・14金融法務2053号77頁がある。

254）精神的損害についての賠償として慰謝料を認めた大判明治34・12・20刑録7輯11号105頁では，名誉毀損にもとづく損害賠償については，財産上の損害の場合と異なって，当事者がその損害額を証明しない場合であっても，裁判所は諸般の事情を斟酌してこれを定めるべきものとし，また大判明治36・5・11刑録9輯745頁では，非財産的損害の場合には，その原因たる事実を認定した理由を述べれば足り，数額を認定した理由を説示する必要はないとして，慰謝料など精神損害に対する賠償額算定が事実認定の外にあることを認めている。

最判昭和47・6・22判時673号41頁では，傷害の部位程度，後遺症の状態などを具体的事実として認定し，これら諸般の事情にもとづいて一定金額の慰謝料の支払を命じることは違法でないと判示している。ここでは，損害の事実そのものは証明の対象と考えられているが，慰謝料金額，すなわち損害額は証明の対象と考えられていない。詳細については，伊藤・前掲論文（注*251*）「損害賠償額の認定」57頁，秋山ほかV 142頁参照，井上繁規「相当な損害の認定」実務民訴〔第3期〕(3)405頁。

福岡高判平成23・3・8判時2126号70頁は，マンション居室の不適切使用による価格減価分に相当する損害賠償額の認定に法248条を適用したものであるが，買主の心理的負担を根拠とする限り，慰謝料類似の事案といえる。加藤・前掲論文（注*251*）1025頁，新注釈民訴(4)1039頁〔山本和彦〕は，慰謝料も法248条の適用対象とする。

いるが，慰謝料額の算定は，本来の事実認定の領域に属するものではないから，その適用対象外とせざるをえない。

2　証明責任

原告の訴えによって請求についての審判を求められた裁判所は，訴訟要件が具備されているときには，本案判決を言い渡す義務を負う。訴訟物が法律上の争訟に属する権利関係である限り，法令の適用によって法律効果発生の判断をなし，それにもとづいて権利関係存否の判断が可能である。ただし，裁判所によって法令が適用されるためには，その前提となる事実の存否が確定されなければならない。その確定は，当事者が申し出た証拠について証拠調べの結果として得られた証拠資料にもとづいて行われるのが原則であるが，当事者および裁判所の努力にもかかわらず，事実の存否について裁判所が心証を形成しえない事態，すなわち真偽不明の発生は避けられない。このような事態に対処するために法は，証明責任の概念を導入した。

証明責任とは，法令適用の前提として必要な事実について，訴訟上真偽不明の状態が生じたときに，その法令適用にもとづく法律効果が発生しないとされる当事者の負担をいう[255]。

たとえば，貸金返還請求訴訟において，民法587条・587条の2第1項を適用して，原告の金銭返還請求権の発生を認めるためには，当事者間に返還の約束がなされた事実の有無が判断される必要があるが，その点について真偽不明の状態に立ち至ったときに，金銭返還請求権発生の法律効果が認められないこととすれば，返還約束の事実については，請求権を主張する原告が証明責任を負っていることを意味する。

このように，証明責任は，ある法律効果が認められるか，それとも認められないかを決定するものであるから，特定の事実に関していずれかの当事者がこれを負担するものであり，両者がこれを分担することは論理的にありえない[256]。また，証明責任は，その定義上，法律効果の発生などを直接に基礎づ

---

255)　このように，法律要件事実の真偽不明の場合に証明責任によって法規の不適用を決するというのが通説的理解である（ローゼンベルク（倉田卓次訳）・証明責任論〈全訂版〉21頁（1987年），司法研修所編・前掲書（注150）5頁など参照）。

256)　証明責任は，特定の法律効果を前提とするものであるから，同一の事実であっても，それを前提とする法律効果が異なるときには，別の当事者が証明責任を負担することはあ

ける主要事実について成立するものであり，間接事実や補助事実，また経験則や法規について証明責任を考える余地はない[257]。

以上のような考え方に対して，近時の有力説は，証明責任について次のような理解をする。すなわち，実体法規は，一定の要件事実の存在または不存在に法律効果の発生を結びつけており，通説のように事実の真偽不明の状態を基礎として直ちに法規の不適用を導くのは，訴訟上の証明に実体法規範の適用可能性を結びつけるものであり，論理の飛躍があるとする。したがって，真偽不明の状態にもとづいて，まず，事実の存在か，不存在かを決し，それを前提として法規の適用が決められるという。この場合に，真偽不明にもとづいて事実の存否を決する規範は，実体法規範と区別される独自の証明責任規範であるという[258]。しかし，論者が主張する証明責任規範定立の意義のほとんどは，説明の問題であり，また，証明責任規範の源は，実体法規範に求められるというのであれば，あえて独自の規範を定立する必要に乏しい[259]。

りうる。その例として，不法行為の基礎となる過失が，一般の不法行為責任の場合には，原告の証明責任に属するのに対して，自賠法3条にもとづく責任の場合には，無過失についての被告の証明責任に属することが挙げられる。大江(6)435頁参照。

257）　間接事実などの事実が真偽不明のときには，それを前提とする主要事実の証明の問題として考えれば足りる。真偽不明の状態に陥ったときには，その間接事実から主要事実を認定できないとするか，他の間接事実とあわせて，主要事実を認定できるとするか，両様の判断がありえよう。いずれにしても，間接事実について独立に証明責任を観念すべきものではない。経験則についても，それが間接事実から主要事実への推認，または証拠の評価に際して適用されるものであることを考えれば，同様の取扱いで足りる。また，法規については，特に外国法の証明の問題があるが，何を法源と認めるかという問題であり，証明責任の問題とは区別される。

258）　松本博之・証明責任の分配〈新版〉19頁以下（1996年），吉野正三郎・西ドイツ民事訴訟法の現在15頁（1990年），高橋(上)519頁，注釈民訴(6)49頁以下〔福永有利〕，小林・証拠法166頁，春日・前掲書（注 *151*）336頁以下など参照。

259）　条解民訴〈2版〉1016頁〔松浦馨＝加藤新太郎〕，加藤新太郎「要件事実論の到達点」実務民訴〔第3期〕(5)29頁，瀬木363頁参照。訴訟上の証明にもとづいて実体法規範の適用可能性を決することも，実体法規範が第一次的には裁判規範として機能することを考えれば，飛躍とはいえない。その他の証明責任規範説の長所として主張されるところについては，小林・証拠法166頁以下が詳しい。

たとえば，民法415条1項但書にいう債務者の帰責事由について，証明責任が債務者にあることを前提とすると（潮見・新債権総論Ⅰ379頁，中田・債権総論152頁参照），それが真偽不明の場合にも同条が適用され，損害賠償請求権の発生が認められる。この点が通説の問題点であると批判されるが，帰責事由の不存在が権利の発生を妨げる要件事実であり，その真偽不明の場合には，権利の不発生という法律効果が生じないと説明すれば足りる。したがって，これが通説の難点であるとはいえない（大江(4)85頁参照）。問題の

(1)　証明の必要と証明責任

ある法律要件事実についていずれの当事者が証明責任を負担するかは，訴訟前に一義的に定められているものであり，審理における当事者の立証活動によって左右されるものではない。したがって，弁論主義をとらず，職権探知主義を採用する審理においても，証明責任の概念は不可欠である。たとえば，売買契約にもとづいて物の引渡請求をする原告は，契約，すなわち申込みと承諾の事実について証明責任を負う。その結果として原告は，真偽不明状態の発生を避けるために，これらの事実について立証活動を行う。逆に，証明責任を負わない被告の側でも，原告の証明活動にもとづいて裁判官が確信を形成することを妨げるために，立証活動を行うことが通常である。しかし，これは，被告に対して証明の必要という事実上の負担が発生することを意味するのみであり，真偽不明状態にもとづく法律効果の不発生という法律上の不利益，すなわち証明責任が生じることを意味するものではない。当事者の主観的立証活動の必要と区別する意味で，証明責任は，客観的証明責任と呼ばれることがある[260)]。

本質は，債権者・債務者の間の証明責任の分配であり，証明責任規範定立の必要性ではない。

もっとも，証明責任規範定立の意義を説く学説の中には，同規範の根拠を実体法ではなく，信義則（民訴2）などの手続法に求め，ある法律要件事実に関する真偽不明の状態を存在または不存在と決定することを同規範の内容とする。そして，この意味での証明責任が働くのは，当該事実の認定の場面であり，いずれの当事者に事実主張や証拠提出を求めるかという，審理の指針になるのは，主張責任と主観的証明責任であるとする（前田達明「続々・権威への挑戦――法規不適用説 VS. 証明責任規範説」書斎の窓 640 号 11 頁，13 頁（2015 年））。虚偽表示などへの具体的適用について，同「意思表示とは何か」書斎の窓 652 号 21 頁（2017 年）参照。従来の通念を組み替えるものであり，今後の検討の課題となろう。

なお，論者は，主張責任と主観的証明責任は，当事者が主張する法律要件事実との関係で，訴訟の当初から定まっているのに対し，当該事実について真偽不明の状態が生じたときに，それを真または偽とする証明責任は，公平原則にもとづく判断規範を内容とすると説く（同・民法学の展開 76 頁（2012 年），同「引き続き『権威への挑戦』――主張責任と立証責任」書斎の窓 650 号 18 頁（2017 年））。現在の証明責任および証明度に関する通説的見解（注 *200* 参照）が，主張責任および主観的証明責任を負う当事者にとって公平を欠く負担となる場合があることに配慮したものであり，証明度の基準（本書 381 頁）にも関連する。

260）　歴史的には，このような客観的証明責任概念が確立されたのは最近のことである。竜嵜喜助・証明責任論 26 頁以下（1987 年）参照。

なお，近時の有力説として，客観的証明責任概念を否定する考え方がある（佐藤彰一「立証責任論における行為責任の台頭と客観的立証責任概念の意義」立命館法学 165・166

このように，証明責任と対象たる事実についての証明度は，不可分に結びついている。また，弁論主義の下では，証拠の提出が当事者の責任とされているところから，証明責任を負う当事者は，その立証活動によって証明主題たる事実について裁判官の確信を形成しない限り，その主張する法律効果が認められない立場にある。これを前提として，証明責任を負う者が裁判官の確信を形成するために行う立証活動を本証と呼び，それを負担しない当事者による立証活動，すなわち反証と区別する[261]。

(2)　証明責任の分配

法律効果発生の基礎となる特定の法律要件事実について，いずれの当事者が証明責任を負うかを定めるのが，証明責任の分配である。民法117条1項・453条，および自動車損害賠償保障法3条但書のように，法規が明文をもって証明責任の分配を定めることは例外的であり[262]，通常は，法規の解釈によって分配が定められる。その際の解釈基準としては，次のように考えられる。まず，法律効果を権利発生，権利障害，権利阻止または権利消滅の3つに大別す

号582頁（1983年），同「証明責任論の課題(2)」新堂編・特別講義464頁以下，井上治典・民事手続論41頁以下（1993年）など）。論者は，真偽不明の際の裁判規範としての証明責任が，訴訟における立証活動をめぐる当事者の行為規範として合理的に機能しえないと批判し，これに代えて，生活行為規範にもとづく行為規範としての証明責任を提唱する。しかし，このような考え方に対しては，生活行為規範の内容が明確でないなどの技術的批判が加えられる（小林・証拠法175頁参照）ほか，そもそも訴訟による紛争解決基準の定立が，実体法規範を適用して行われるものである点を軽視したものであると考えられる。

261)　もっとも，裁判官の心証がどの程度の証明度に達したかは，当事者に明らかにならないから，本証・反証の区別も，理論的なものにすぎず，絶対的な当事者の立証活動の目標になるわけではない。注釈民訴(6)45頁〔福永有利〕参照。

なお，この点に関連して，主観的証明責任の概念がある（三ヶ月・全集408頁，条解民訴〈2版〉1017頁〔松浦馨＝加藤新太郎〕，注釈民訴(6)38頁〔福永有利〕，太田・前掲書（注*197*）141頁，小林・証拠法170頁，小島479頁など参照）。証明の事実上の必要と区別され，149条，民事訴訟規則53条・80条・81条などにもとづく当事者の立証の行為規範，および当事者に対して立証を促す裁判所の行為規範として，この主観的証明責任が機能するといわれる。この概念を否定する見解も有力であるが（秋山ほかⅣ29頁など），裁判規範である証明責任と区別される行為規範として，この概念を用いることには意義がある。ただし，主観的証明責任の所在は，証明責任の分配によって決定される。主観的証明責任は，証拠提出責任と呼ばれることもある。

262)　民法117条1項適用の結果，代理権授与の事実は，無権代理人の責任を追及される者の証明責任に属する抗弁事実であり，また，自賠法3条の場合には，無過失の事実が加害者の証明責任に属する抗弁事実になる。

る。そして，訴訟物たる権利関係を基準として，それぞれの法律効果が自己に有利に働く当事者が，その法律効果を基礎づける要件事実について証明責任を負う。その際に，ある事実が権利発生など，いずれの法律効果を基礎づけるものであるかは，実体法の解釈によって定まる。

たとえば[263]，給付訴訟において売買代金請求権が訴訟物となっているときには，訴訟物たる権利が認められるためには，請求権発生の法律効果が不可欠であり，それを基礎づける事実について，原告たる債権者が証明責任を負う。その事実は，民法555条の解釈によれば，特定の財産権の移転とその対価としての一定の金銭支払という表示意思の合致である。これは，請求原因事実と呼ばれる。

これに対して，訴訟物たる権利を否定する手段として権利発生の障害，すなわち契約の無効という法律効果が主張されるときには，被告たる債務者がそれを基礎づける事実について証明責任を負う。錯誤による取消し（民95 I）を基礎づけるものとしては，民法95条の解釈にもとづいて表示意思と真意との食違いに該当する事実が挙げられる。これは，抗弁事実と呼ばれる。さらに，原告が自己の権利を基礎づけるために契約の無効という法律効果の発生を妨げようとすれば，民法95条3項1号によって被告の重過失の事実について証明責任を負う。これは，再抗弁事実と呼ばれる[264]。

ここに述べた考え方は，法律効果発生の要件を権利発生などに分類し，それを基礎として証明責任の分配を決する点に着目して，法律要件分類説と呼ばれる。これに対して，証拠との距離，立証の難易，および事実の存在・不存在の蓋然性などの実質的要素を考慮して分配を決すべきであるとする有力説がある。有力説の主張するところが，ある事実を権利発生事実として構成すべきか，それとも権利障害事実として構成すべきかという点に関する実体法規の解釈に際

263）　司法研修所編・前掲書（注150）6頁による。

264）　その他，本事例に関していえば，期限の合意が権利阻止事実として（民135 I）抗弁事実，期限の到来が権利阻止効果を消滅させる事実として再抗弁事実，弁済や相殺は，権利消滅事実として，抗弁事実となる。このような要件事実の構造は，権利発生という法律効果を基礎として段階的に積み重ねられるものであるが，訴訟物たる特定の権利関係を大前提とした相対的なものにすぎない。定塚孝司・主張立証責任論の構造に関する一試論8頁（1992年）参照。

して，上記の事情をも考慮に入れるべきであるというものであれば，それは妥当なものであり，また，法律要件分類説の基本的考え方と矛盾するものではない[265)]。

---

265)　有力説を代表するものとして，石田穣・民法と民事訴訟法の交錯45頁以下（1979年），新堂612頁以下などがある。後者においては，分配が実体法規の解釈によって定められるとの前提に立って，立証の難易，事実の存在蓋然性などを考慮すべきであるとする。

もっとも，かつての法律要件分類説は，規範説と呼ばれたことからも理解されるように，法律要件の分類が実体法規の形式，すなわち本文・但書，もしくは1項・2項などの形式，または文言自体から決せられるとしていた。これは，立法者が証明責任の分配について十分に配慮した上で条文を起草し，かつ，その立法者意思が現在においても妥当なものであるとの前提に立つものである。しかし，このような前提が常に満たされるとはいえないし，また，法規の解釈一般についての考え方としても，立法者意思が絶対的な基準になるものではない。したがって，法律要件の分類にあたっても，法規の形式などに表現されている立法者意思とともに，条文の文言から許される範囲で，事実の存在蓋然性などの実質的事情を取り入れるべきである。このような考え方は，修正された法律要件分類説または修正法律要件分類説と呼ばれることがある（加藤・前掲論文（注*259*）31頁）。しかし，いずれにしても，分類を決するための実体法規の解釈の問題であり，分類自体の合理性や分類にもとづく分配の合理性を疑わせるものではない。加藤・同論文52頁参照。

なお，上記の説明の例として，履行不能にもとづく損害賠償請求訴訟における債務者の帰責事由が挙げられる。民法旧415条後段の表現からは，これが債権者の証明責任に属する権利発生事実と解される余地があるが，実体法の解釈は，ほぼ一致して，民法419条3項との関係などを理由として，債務者の証明責任に属する権利障害事実としている。倉田監修・前掲書（注*150*）65頁以下参照。この点は，現行民法415条1項但書によって，債務者がその免責事由として証明責任の負担を負うことが明らかにされた。

もちろん，実体法規の解釈として，証明責任の分配に関する判断が分かれる場合も多い。準消費貸借契約における旧債務の存在（最判昭和43・2・16民集22巻2号217頁〔百選〈6版〉60事件〕，倉田卓次・民事実務と証明論207頁（1987年）），安全配慮義務の内容および義務違反に該当する事実（最判昭和56・2・16民集35巻1号56頁〔百選Ⅱ121事件〕），賃貸借契約解除に関する「背信行為と認めるに足りない特段の事情」（最判昭和41・1・27民集20巻1号136頁〔百選〈6版〉A18事件〕）などがその例として挙げられる。

損害保険事故の1つである盗難について，外形的事実，すなわち第三者がその目的物をその所在場所から持ち去ったことについて証明責任を負い，持ち去りが被保険者の意思にもとづくものでないことについては，証明責任を負わないとする判例法理（最判平成19・4・17民集61巻3号1026頁。その適用として東京高判平成23・5・23判時2118号136頁）も，保険金請求権の発生にかかる事実について，意思にもとづくものではないという不存在の証明の困難さを回避するために，証明責任を公平の見地から構成したものと理解できる。中島肇「『不存在の証明』をめぐる事実認定の手法」高橋古稀617頁参照。

また，過失，正当事由，不合理と認められるものなど，法が評価的要件を定めている場合には，評価を基礎づける事実と評価を妨げる事実とがそれぞれ主要事実となり（注*144*参照），評価にもとづく法的効果を主張する者が前者について，それを否定する者が後者について証明責任を負う。前掲最判平成30・6・1（注*144*）参照。

(3) 証明責任分配の修正

証明責任を負担する当事者は，当該事実について裁判官の確信が形成されないときには，その有利な法律効果が認められないという不利益を受ける。しかし，そのような結果が社会的正義や当事者間の公平の見地から肯認されないときには，いくつかの方法によって証明責任分配の修正が図られる。

ア　証明責任の転換

実体法の一般規定にもとづく法律要件の分類を特別法において立法者が変更し，同一の事実を異なる性質の法律要件とすることがある。たとえば，一般不法行為にもとづく損害賠償請求権に関しては，加害者の過失に該当する事実は，民法709条による権利発生事実として債権者の証明責任に属する。しかし，自動車事故に起因する損害賠償請求権に関しては，同一の事実であっても，自賠法3条但書によって権利障害事実として債務者たる加害者の証明責任に属する。これは，被害者救済の実効性を確保する視点から，立法政策として立法者が一般不法行為とは異なる証明責任の分配を定めたものであるが，証明責任の転換と呼ばれる。

なお，いわゆる証明妨害に関連して証明責任の転換が説かれることがある。たとえば，224条などは，文書の不提出などの事実を基礎として，裁判所が文書に関する相手方の主張または文書によって証明すべき事実を真実と認めることができる旨を規定するが，証明妨害の法理は，これを一般化して，当事者が故意に訴訟法上の義務に違反して証明妨害行為をなしたときには，その効果として立証主題たる事実についての証明責任が妨害者に転換されると説く[266)]。この考え方を採用する裁判例も存在するといわれるが，当事者の証明活動に関する事実から，証明責任転換の法律効果を導くのは困難である。むしろ，一般的には，妨害行為によって証拠の取調べが不可能になり，証明責任を負う当事者による立証によって確信が形成されないときでも，裁判所は，より低い心証度にもとづいて立証主題たる事実を認定できるとするのが，証明妨害の効果であり，したがって，証明度の軽減を意味すると考えるべきである[267)]。

---

266)　根拠として挙げられる規定としては，そのほかに，229条4項・208条などが挙げられる。証明妨害法理全般については，注釈民訴(7)120頁以下〔野村秀敏〕，新注釈民訴(4)669頁〔名津井吉裕〕参照。

イ　推　　定

推定とは，事実認定の主体が，ある事実にもとづいて別の事実について確信を形成することを指す。前者を前提事実，後者を推定事実と呼ぶ。推定は，その根拠および効果などにもとづいて次の種類に分けられる。

(a)　法律上の事実推定　　法が，前提事実甲にもとづいて法規の構成要件事実乙が推定されるべきことを定めるとき，これを法律上の事実推定と呼ぶ。この規範が裁判規範として働く結果，事実認定の責任を負う裁判所は，前提事実甲の存在について確信を得たときには，推定事実乙についても確信が形成されたものとして取り扱わなければならない。その結果，乙事実について証明責任を負う当事者としては，甲事実について裁判所の確信を形成することによって，乙事実についての証明責任を果たしたものとして扱われる。立法者は，経験則，立証の難易，および当事者間の公平などの諸要素を考慮して[268]，さまざまな

---

267)　注釈民訴(7)132頁以下〔野村秀敏〕参照。証明責任の転換と異なって，証明主題が間接事実や補助事実であっても，証明度の軽減効果は生じる。ただし，自由心証に委ねることは，確信を前提とするから，この考え方は，証明妨害の効果を自由心証に委ねる説とは区別される。証明責任の転換を説く下級審裁判例のうち，東京地判平成2・7・24判時1364号57頁〔百選〈3版〉74事件〕は，弁済受領書交付義務（民486）の懈怠を理由として，実体法の解釈によって立証責任を転換したものとみられる。また，新潟地判昭和46・9・29下民22巻9・10号別冊1頁〔百選Ⅱ113事件〕や，最判平成4・10・29民集46巻7号1174頁〔百選〈6版〉59事件〕などは，証明妨害や証明への非協力が事実上の推定の根拠となることを判示するものであり，証明妨害にもとづく証明責任の転換自体を認めるものではない。

268)　法律上の推定は，しばしば経験則の法規化であるといわれるが，このような説明は誤解を生じさせる。前提事実の存在と推定事実の存在との間に高度の経験則が作用するものであれば，事実上の推定で十分であり，法律上の推定規定を設ける理由に乏しい。逆に，推定規定をみると，民法186条2項にしても，民法772条1項にしても，一応の経験則は存在するものの，かならずしも高度の経験則が働く関係とはいえない。したがって，本文に述べたように，立法者は，経験則を含めたいくつかの要素を考慮して，推定規定を設けたと考えるべきである。兼子・研究(1)309頁参照。不正競争防止法平成27年改正によって新設された同法5条の2が，被告について，技術上の秘密の不正取得等の事実（同2Ⅰ④⑤⑧）および当該技術上の秘密に関連する物の生産等の事実を原告側が立証したときには，被告が当該技術上の秘密を用いて生産等をしたものと推定し，推定を破るためには，被告側が，原告の技術上の秘密とは異なる独自の方法によって生産等を行っているなどの立証を求めるのは，その好例である。

なお，法律上の推定は，証明責任の転換と比較したときに，前提事実の証明負担を残しつつ，相手方に推定を破るための本証の責任を課する点で，より証明責任の負担軽減策として，より公平にかなう性質をもつ。春日偉知郎「医師責任訴訟における法律上の推定規定の意義」栂＝遠藤古稀432頁参照。

推定規定を設けている。もっとも，法が推定の概念を用いている場合であっても，後に述べるように，理論的には法律上の推定に該当しないことも多い。法律上の事実推定とされるためには，推定事実が特定の法律効果の構成要件事実であること，および前提事実にもとづいて形成されるのが，推定事実についての裁判所の確信であることの2つが必要である。

この意味での法律上の事実推定に含まれるものとしては，占有継続（民186Ⅱ），賃貸借の更新（民619Ⅰ），雇用の更新（民629Ⅰ），嫡出（民772Ⅰ），建物の設置または保存の瑕疵（建物区分9），支払拒絶証書作成期間経過前の裏書（手20Ⅱ）などが挙げられる[269]。たとえば，占有継続の事実は，時効取得の要件事実であり（民162），時効による権利取得の法律効果を発生させるためには，20年または10年間の占有継続の事実を証明することが援用者に要求される。しかし立法者は，経験則の存在および立証の難易などの要素を考慮して，前後両時の占有の事実を前提とする法律上の推定を認める（民186Ⅱ）。これは，前後両時の占有という事実が証明されたときには，法律要件事実たる占有継続事実が証明されたものとして，民法162条が裁判規範として適用されることを意味する。

法律上の推定規定が適用されるためには，法律要件事実乙にもとづく法律効果を主張する当事者が，その前提事実甲について証明責任を負う。したがって，その証明責任が果たされない限り，当事者は，推定規定の適用を求めることはできない[270]。しかし，いったん甲事実にもとづいて乙事実が推定されると，法律上の効果として，乙事実の法律要件事実の性質が変更され，それにともなって，証明責任の転換が生じる。

269）　その他，破産法15条2項による支払停止を前提事実とし，支払不能を推定事実とする例が挙げられる。現行破産法は，旧法と異なって，支払不能を実体法上の権利関係の要件事実としているので（破71Ⅰ②・162Ⅰ①など），これも法律上の事実推定に含まれる。不正競争防止法5条2項や特許法102条2項もその例であり，知財高判平成25・2・1判時2179号36頁，知財高判令和元・6・7判時2430号34頁では，その適用が検討対象となっている。

270）　もちろん，当該当事者が推定規定の適用を求めず，本来の立証主題たる乙事実について証明責任を果たし，法規の適用を求めることは可能である。この意味で，当事者にとっては，前提事実を証明して，推定規定および本来の法規の適用を求めるか，それとも，推定事実を証明して，直接に法規の適用を求めるかの選択肢が与えられる。

占有継続の事実の例をとれば，本来権利発生事実である占有継続が権利障害事実と同様に取り扱われ，相手方は，占有の不継続について証明責任を負担する。これが法律上の推定にもとづく証明責任の転換であり，相手方の証明の負担が反証ではなく，本証であるといわれる理由である[271]。推定規定の適用を主張する当事者の側からみれば，推定事実乙に代えて，前提事実甲を立証主題として選択することは，甲をもって法律要件事実乙に代えることが認められることを意味し，したがって，前提事実については，証明責任のみならず，主張責任も負担する。

(b)　法律上の権利推定　　法が前提事実にもとづいて直接に権利の推定を規定する場合がある（民188[272]・229・250・762Ⅱ）。民法188条の場合であれば，占有の前提事実にもとづいて目的物についての占有者の本権，すなわち所有権や賃借権の存在などの権利関係が推定される。本来推定は，前提事実と推定事実との関係を規律するものであることから考えれば，権利推定は，事実推定とは異質なものである[273]。推定規定が適用されるときには，裁判所は，前提事実が認められる限り，当該権利関係の存在を判決の基礎としなければならない。したがって，当事者は，前提事実については，証明責任と主張責任を負担するが，推定される権利の要件事実に関しては，いずれの負担も免れる。

推定を争う相手方は，第1に，前提事実の存否を不明にすることによって，

271）　これに対して，「みなす」という文言による擬制規定が存在する場合には，擬制される乙事実の不存在の証明自体が許されない。たとえば，失踪宣告による死亡の擬制（民31）が働くときには，死亡を争おうとする者は，失踪宣告の取消しを求める以外にない。特許法102条1項および2項を素材とする推定規定の意義と限界については，伊藤眞「特許権侵害損害賠償請求訴訟における推定規定の意義」吉村徳重先生古稀記念論文集・弁論と証拠調べの理論と実践3頁（2002年）参照。なお，特許法102条1項，4項（令和元年改正）および金商法21条の2第3項などの規定は，損害の額に関する立証負担の軽減を目的の一つとする点で，推定規定と共通するところはあるが，それ自体は，損害の額についての実体規定であり，訴訟法上の性質としては，推定規定と区別される。

272）　ただし，民法188条に関しては，それが不動産に関して適用されないことなどを理由として，権利推定に該当しないという有力説がある。藤原弘道・時効と占有205頁（1985年）。

273）　沿革に関しては，松本・前掲書（注258）204頁以下に詳しい。また，法律上の権利推定と区別されるものとして，事実上の権利推定と呼ばれる概念がある。一定の間接事実から所有権のような法律上の権利を直接に推定するものであるが，登記以外にその成否が問題とされた事例として，東京高判平成24・12・12判タ1391号276頁がある。その位置づけについて，加藤新太郎「民事訴訟における論証責任論」春日古稀41頁参照。

推定規定の適用を妨げることができる。第2に，推定規定が働く場合であっても，権利発生原因の不存在または消滅原因たる事実を証明することによって，その効果を覆すことができる[274]。

(c)　意思推定　　私人の意思表示の内容について法が一定の内容を推定する場合がある（民136Ⅰ・420Ⅲ・569ⅠⅡ，改正前民530Ⅲ）。これは，前提事実から推定事実を推定するものではなく，意思表示の解釈を法定するものである。民法136条の場合であれば，債務者は，この推定にもとづいて同条2項による放棄の意思表示をなすことができる。これに対して，放棄の効力を争う者は，期限の利益が債権者の利益のために定められたことを主張・立証する負担を負う[275]。

(d)　法定証拠法則　　裁判所が一定の事実を認定する際に，その根拠とすべき事実が法定されることがある。これは自由心証主義の例外をなすものであり，法定証拠法則と呼ばれる（228ⅡⅣ）。法が推定という用語を用いているにもかかわらず，法律上の推定とは，次の2点で区別される。第1は，推定される事実が，実体法の法律要件事実ではない点である。第2は，したがって推定事実についての証明責任，およびその転換を考える余地がなく，相手方は，推定を覆すために本証の必要がなく，反証で足りる点である[276]。

---

274)　しかし，本文に述べたように権利発生の要件事実が特定されていないので，不存在の立証にあたっては，論理的に可能性があるあらゆる発生原因事実について不存在証明が必要になるし，また，特定の消滅原因事実の証明がなされた場合でも，その後現在に至るまでの間における権利発生の可能性がある以上，厳密には現在の時点で権利が存在しないとはいえない。権利推定に対する反対証明は，このような困難性のために悪魔の証明と呼ばれる。

　この問題を解決するために通説は，推定権利状態と相容れない権利状態の発生原因事実の証明によって権利推定が覆滅されるとする。たとえば，民法250条にもとづく共有持分の推定は，これに反する意思表示の事実が証明されることによって破れるとする。法律実務(4)113頁参照。

275)　意思推定は，事実としての内心の意思の推定ではなく，意思表示の法律的評価の基準としての解釈規定であるといわれる。兼子・研究(3)145頁。前提事実と推定事実の関係を基礎にする法律上の事実推定と異なって，意思表示自体の解釈に関するものであるから，相手方が前提事実を争って，推定を破ることはありえず，ただ，推定と矛盾する意思表示がなされた旨を証明する以外にない。

　なお，本文中に述べた意思推定を定める民法の規定中，改正前530条3項は，現行民法において削除され，「懸賞広告者は，その指定した行為をする期間を定めてした広告を撤回することができない」とする現行民法529条の2第1項本文に置き換えられている。

276)　まず文書上の印影と印章の同一性から本人等の真意にもとづく押印が事実上推定さ

(e) 暫定真実 特定の法律効果の基礎となる複数の法律要件事実が存在するときに，法がある要件事実の証明にもとづいて他の要件事実の存在を推定する場合が暫定真実と呼ばれる（民186Ⅰ，商503Ⅱなど）。たとえば，民法162条1項の規定によれば，取得時効の成立要件事実は，20年間の占有，所有の意思，占有の平穏および公然であるが，同法186条1項によって，占有の事実から他の要件事実は推定される。暫定真実は，推定の構造としても，また，推定事実についての証明責任が相手方に転換される点でも法律上の事実推定と同じものであるが，前提事実と推定事実が同一の法律効果の要件事実を構成している点に特徴がある[277]。

(f) 事実上の推定 法律上の推定の主体が立法者であるのに対して，事実上の推定の主体は，自由心証にもとづいて事実認定を行う裁判所である。裁判所は，争いある事実に関して，証拠から直接主要事実の存在を認定し，または証拠にもとづいて間接事実を認定し，間接事実にもとづいて主要事実の存在を推定する。証拠にもとづく主要事実の証明を直接証明と呼び，間接事実にもとづく主要事実の証明を間接証明と呼ぶ。この推定は，経験則を用いて行われ，事実上の推定と呼ばれる[278]。事実上の推定は，裁判官の自由心証によって立

れ，それを前提として文書の真正，すなわち本人等の意思にもとづく文書の成立が228条4項によって推定される。このように2段の推定が働くので，相手方の反証もそれに応じて行われる。最判昭和39・5・12民集18巻4号597頁〔百選〈6版〉68事件〕。詳細については，加藤新太郎「文書成立の真正の認定」中野古稀(上)575頁，592頁，新注釈民訴(4)46頁〔大村雅彦〕参照。

ただし，2段目の推定を支える経験則は強力なものであるので，推定を破るための事実，たとえば第三者による記載などの事実については，それを裁判所に確信させる程度の証明が必要になろう。名津井吉裕「私文書の真正の推定における証拠法則の再検討」徳田古稀249頁は，このような視点から，法定証拠法則との性質決定に疑問を呈する。これに対し，川嶋四郎「私文書の成立の真正に関する『二段の推定』についての覚書」春日古稀65頁は，特に1段目の推定を支える経験則の脆弱性を指摘する。

277) したがって，法文の表現としては，前提事実を権利発生事実として本文に定め，推定事実の不存在を権利障害事実として但書に規定するのと同様の効果を生じる（春日偉知郎・比較民事手続法研究170頁（2016年））。法律上の推定の場合には，前提事実が要件事実とは別の事実であるため，このような処理は不可能である。兼子・研究(1)312頁参照。もっとも，暫定真実という表現自体が適切かどうかは疑わしい。なお，民法32条の2にもとづく同時死亡の推定も，同法994条1項との関係で暫定真実に属するといわれる。大江(1)267頁。

278) たとえば，裁判所は，売買契約締結の事実の存在について，契約書という証拠と，人はその意思にもとづいて署名捺印をなすという経験則によって確信を形成することもあ

証主題たる事実について確信が形成される過程を示すものであり，法律上の推定と異なって，法律要件事実についての証明責任の転換をもたらすものではない。したがって，要件事実について証明責任を負う当事者は，裁判官の確信を形成しない限り，法規不適用の危険を免れえないし，逆に相手方は，当該事実についての心証を真偽不明に追い込むだけで法規の適用による法律効果の発生を妨げられる。

事実上の推定が成立するかどうかは，証拠および間接事実の証明力，ならびに経験則の蓋然性との間の相対的関係によって決定される。たとえば，手許不如意の状態にある借主が，貸主が金銭授受が行われたと主張する日時の直後にそれに相当する金額をもって第三者に弁済を行った間接事実が認められれば，裁判所は，他に特段の事情が認められない限り，金銭授受の事実を確信することが許されよう。反証の負担を負う借主としては，別の者から融資を得たなど，他の間接事実を裁判所に確信させない限り，上の事実上の推定を覆すことは困難である。このように，証明責任を負わない当事者が主要事実の反証にあたって，その基礎となる間接事実について裁判所の確信を形成する負担を負うことがあるが，これは，証明責任と矛盾するものではない[279]。

事実上の推定に関連して，一応の推定または表見証明の概念が説かれること

る。また，口頭の契約であり，直接証明の基礎となる証拠が十分でないときには，取引前後の事情などの間接事実について経験則を適用して契約締結の確信が形成されることもありうる。なお，東京高判平成24・6・4判時2162号54頁は，法人格の形骸化を推認するための複数の間接事実の内容とそれらの相互関係を詳細に説示している。

なお，用語の問題であるが，間接証拠にもとづく間接事実の認定を間接証明と呼ぶこともある。坂田宏「間接証明に関する一覚書」福永古稀387頁。

279)　この点に関連して，父子関係の証明などを例として，間接反証という概念が説かれることがある。主要事実について反証の負担を負う者は，相手方の本証の基礎となっている間接事実を真偽不明に追い込む立証方法もとりうるし，また，別の間接事実を証明することによって主要事実を真偽不明に追い込むこともできる。後者においては，反証責任を負う当事者は，当該間接事実に関しては，本証の負担と同じ負担を負い，これが間接反証責任と呼ばれる。

この考え方は，因果関係などの証明における原告の証明負担の軽減，その被告への転嫁を目的としたものであるが，事実上の推定を成立せしめる高度の経験則が働くときには，相手方はそれを覆滅するための間接事実の存在を裁判所に確信させなければならないという一般論で十分であり，特別に間接反証の概念を立てる理由に乏しい（伊藤・前掲論文(注*200*)（下)53頁，注釈民訴(6)61頁〔福永有利〕，森宏司「私文書の真正推定再考」田原古稀1118頁，坂田宏「証明の軽減」実務民訴〔第3期〕(4)137頁参照)。また，この問題は，過失や因果関係における主要事実をどのように把握するかにも関連する。

がある。すなわち，不法行為などにもとづく損害賠償請求訴訟において，通常では生じえない事実の発生が認められるときに，過失や欠陥に該当する具体的事実の主張・立証がなくとも裁判所が過失などの要件事実の充足を認め，損害賠償請求権の発生を認めても差し支えないとする考え方である。一応の推定が成立する結果，相手方としては，過失に該当する具体的事実の不存在について主張・立証の負担を負うことになるので，証明責任を負う者の主張・立証の負担軽減につながるといわれる[280]。

しかし，過失などの評価を前提とする抽象的要件事実に関しては，評価の対象となる具体的事実が主要事実となるという一般論を前提としながら，証明負担の軽減という目的のためにその前提を変更することは支持されない。立証の負担を軽減するためには，立証方法の充実を図るべきであり，また，主張の負担を軽減するためには，要件事実の内容を検討すべきである[281]。

第6項　証拠調べの手続

争いある事実について裁判所は，証拠調べの結果にもとづいて事実を認定することが必要になるが，証拠調べは，弁論主義の下では，当事者が申し出た証拠について行われるのが原則である[282]。例外としては，管轄に関する事項の

280）　中野・推認16頁，兼子＝竹下・民訴128頁，春日・前掲書（注*151*）83頁，春日偉知郎「弁護士責任訴訟における証明問題への対応」伊藤古稀202頁，坂田・前掲論文（注*279*）139頁。これに対して，藤原弘道「一応の推定と証明責任の転換」講座民訴⑤127頁以下は，一応の推定の内容がむしろ法律上の推定に近いものと理解した上で，その限界を指摘する。

281）　藤原・前掲論文（注*280*）139頁で指摘されるように，一応の推定が説かれてきた事案類型は，高度の蓋然性をもつ経験則が働く場合である。しばしば引用される前掲最判昭和32・5・10（注*148*）でも，注射器の消毒不完全であれ，注射液の不良であれ，注射行為に際して細菌などを体内に侵入させたことが過失の評価の対象となる主要事実であるととらえれば，あえて一応の推定の法理を援用しなくとも，その結論を支持することができる。

なお，製造物責任法2条2項にいう製造物の欠陥についても，同様に考えることができる。欠陥とは，当該製造物が通常有すべき安全性を欠いていることと定義されている。したがって，たとえば，テレビ受像機を通常の用法によって使用中に発火した事実を主張・立証すれば，原告の責任は果たされたこととなり，特定部品の不良などは，それに関連する事情にすぎない。小林秀之・PL訴訟〈新版〉73頁（1995年）参照。関連する事情の内容については，山本庸幸・注釈製造物責任法37頁（1994年）参照。

282）　一般的な職権証拠調べの可能性を認めていた旧261条は，昭和23年の改正によって削除された。ただし，人事訴訟や行政訴訟では，訴訟物たる権利関係の特質との関係で職

証拠調べ（14），調査の嘱託（186）[283]，鑑定の嘱託（218），当事者尋問（207 I），

権証拠調べが許容される。人事訴訟法20条前段，行政事件訴訟法24条・38条1項・41条1項・43条1項。職権証拠調べを比較的広く認めるドイツ民事訴訟法については，春日偉知郎「証拠調べにおける当事者の支配（Parteiherrschaft）と裁判官の権能（Richtermacht）」上野古稀163頁参照。

なお，特許法等の一部を改正する法律（令和元年法律第3号）によって新設された査証制度（特許105の2以下）は，特許権侵害の事実にかかる特別な証拠収集手続である。査証とは，「調査して証明する」ことを意味し（川上敏寛「令和元年特許法等改正法の概要(上)」NBL 1154号39頁（2019年）），訴え提起後の当事者の申立てにもとづく査証の命令（特許105の2），中立的な専門家たる査証人の指定（105の2の2など），工場等への立ち入りによる査証の実施，査証報告書の作成および裁判所への提出（105の2の4など），査証に応じない場合の真実擬制（105の2の5），当事者による査証報告書の閲覧や謄写等（105の2の7）などの手続からなる。特許権侵害にもとづく損害賠償請求訴訟における証拠の偏在などの事情を考慮し，適正な裁判を実現するために認められた制度として位置づけることができよう。詳細については，佐藤達文「査証手続の概要及びその運用上の課題」ジュリ1541号14頁（2020年），山本和彦「査証手続の比較法と理論的検討」同23頁，川中啓由「知財訴訟における証拠収集手続の拡充」加藤哲夫古稀96頁，手続の細則を定める「特許法による査証の手続等に関する規則」（令和2最高裁規7号）については，棚井啓「特許法による査証の手続等に関する規則の概要」NBL 1175号16頁（2020年）参照。

283）　調査の嘱託は，対象となる事実や経験則などの性質を考慮し，これらについて信頼性の高い知見を有する団体に対して，事実や知識の報告を求めるものである。事実の報告に関しては，調査の嘱託は，証人または書証に代わるものであり，知識の報告に関しては，鑑定に代わるものである。したがって，調査の嘱託は，当該団体からの報告の客観的信頼性が高いと認められる場合に限って行われるべきであり，そうでない場合には，通常の証拠調べの方式による。嘱託に対する報告は，書面の形でなされるのが通常であるが，上記の特質から，当該書面を書証とする必要はなく，当然に証拠資料となる。ただし，当事者が意見を述べる機会を保障するために，裁判所は，必ず報告書を口頭弁論に顕出しなければならない（最判昭和45・3・26民集24巻3号165頁〔続百選67事件〕）。

なお，調査の嘱託は，証拠調べの方法ではなく，釈明処分としてなされることがあるが（151 I ⑥），この場合には，報告書の内容は，弁論の全趣旨（247）として斟酌される。ただし，証拠調べとしての嘱託の場合と同様に，当事者に対する手続保障のために，口頭弁論への顕出は必要とされている（秋山ほかⅣ142頁）。

嘱託を受けた公私の団体（団体に準じる組織を備えた個人事務所などを含む。証拠法大系(5)146頁〔小海隆則〕）は，それに回答する公的な義務を負うものであり，契約などにもとづく守秘義務が当然に回答義務を否定する根拠となるものではない（大阪高判平成19・1・30判時1962号78頁，東京地判平成21・6・19判時2058号75頁，東京高判平成24・10・24判時2168号65頁（ただし，嘱託申出人による回答義務確認の利益および回答拒否に対する損害賠償請求権は否定），新注釈民訴(4)164頁〔濵本章子〕）。これに対し，福本知行「裁判権に服する者の一般公法上の義務という観念について」上野古稀79頁は，証人義務との対比を通じて，嘱託が相手方の回答義務を基礎づけるものではないとする。

しかし，186条が一定範囲の相手方に対し裁判所の嘱託権限を認める以上，制裁の規定を欠くからといって，回答義務を否定する理由にはならない。もちろん，回答義務が公法上のものであるため，その違反が直ちに相手方たる団体の損害賠償責任を発生させるもの

公文書の真否に関する照会（228Ⅲ），検証の際の鑑定（233），訴訟係属中の証拠保全（237），会計帳簿の提出命令（会社434，一般法人122）などが，裁判所の職権による証拠調べの例である。その根拠は，事項の公益性，または証拠調べの緊急性もしくは補充性などさまざまである。なお，釈明処分としての検証など（151Ⅰ⑤⑥）は，証拠調べとしての性質をもたない。

1　証拠の申出

特定の事実の立証のために当事者が具体的証拠を提示して，それについての証拠調べを裁判所に要求する申立てを証拠の申出と呼ぶ。裁判所は，これに対して証拠調べを実施するか否かの判断を示すことを義務づけられる。

証拠の申出には，証拠方法および立証事項を特定し，かつ，立証趣旨，すなわち両者の関係を具体的に明らかにしなければならない（180Ⅰ，民訴規99Ⅰ[284)]）。証拠申出書は相手方に対して直送される（民訴規99Ⅱ）。証拠方法の特定については，それぞれ規定がある（219・231の2（未施行）・232Ⅰ，民訴規106・150）。なお，証拠の申出と証拠提出とは区別され，当事者は，特別の場合（219・231の2（未施行）・232および在廷証人の尋問）を除いて，両者を同時になす必要はない。

訴え提起前にする証拠保全の申立てを除いて，証拠の申出については，手数料の納付を要しないが（民訴費3Ⅰ・別表第1第17項ィ参照），証人等に対する報酬，裁判所書記官の旅費・宿泊料などの費用については，その予納が求められる（民訴費11Ⅰ・12Ⅰ）。ただし，予納は相手方がこれをすることも許される[285)]。予納がなされないときには，裁判所は，証拠調べを行わないことがで

でないことは，弁護士会照会（弁護23の2。本書506頁）の場合と同様である。これに対し，中島弘雅「調査嘱託に対する回答拒絶と不法行為の成否」春日古稀146頁は，嘱託申立人たる訴訟当事者の裁判を受ける権利を重視し，不法行為成立の可能性を認めるべきであるとする。

また，調査の嘱託は，文書提出命令（221）や文書送付の嘱託（226本文）と異なって，裁判所の職権によってすることができるが，当事者にも申立権を認めてよい。ただし，申立ての採否は，裁判所の裁量に委ねられる。証拠法大系(5)139頁〔小海隆則〕。

284)　立証事項の特定に関して特に問題があるのが，証人尋問の申出である。相手方の反対尋問が有効に行われるためには，尋問事項書の記載が具体的であることを要する（民訴規107Ⅱ）。また，証拠の偏在などの事情から立証事項の特定が困難なときには，それを緩やかに解する余地があり，これを模索的証明と呼ぶ。

285)　前掲最判昭和32・6・25（注*179*）。なお，職権による証拠調べにおいても，原則として費用の予納を要するが，立証事項について証明責任を負担する者に予納を命じること

きる（民訴費12Ⅱ。12Ⅲ（未施行））。

証拠の申出は，期日でもなしうるし，期日前にもなしうる（180Ⅱ）。証拠申出に対しては，手続保障および双方審尋主義の趣旨から，相手方に陳述の機会が与えられる（161Ⅱ，民訴規88Ⅰ参照）。書証の成立についての認否を求めるとか，または証拠と立証事項との間の関連性について意見を述べる機会を与えるなどがこれに属する。

なお，これに関連して，証拠抗弁という概念がある。証拠抗弁とは，一方当事者によって申し出られた証拠について，相手方当事者がその証拠能力，または証明力を争う主張を意味する。また，証拠調べ終了後にこれらの事項を争うことも認められる。証拠抗弁は，本来の抗弁と異なって，証明責任の所在とは無関係であるし，また，証明力などに関する裁判所の判断が証拠抗弁の有無によって左右されるものでもない[286]。

(1)　証拠申出の撤回

証拠申出の撤回は，申立ての性質をもつ訴訟行為撤回の一般原則に服する。申出にかかる証拠についての証拠調べが終了したときには，取効的訴訟行為としての性質上，その撤回は認められない[287]。逆に，取調べが開始されるまでは，自由に撤回できる。さらに，その中間の時期，すなわち，取調べ開始から証拠調べの終了までの時期における撤回が問題となる。通説は，相手方に有利な証拠資料が現れる可能性があり，証拠共通の原則を前提とすれば，相手方が同意を与えたときにのみ撤回が許されるとする。しかし，いったん証拠調べが開始されれば，証拠資料の形成も始まっているから，その後に撤回を認めるのは，不自然である。理論的にも，申出にもとづいて裁判所が証拠調べを開始すれば，申立てに対応する裁判所の行為が開始されたものとみられるから，撤回を認めることは不合理である。

撤回は，証拠の申出と同様に，期日および期日前に口頭または書面によって行うことができるが，黙示の撤回も認められる。申出にかかる証拠について証

が考えられる。

286)　ただし，特に書証に関しては，その形式的証拠力の有無と関連させて争点を整理することが，迅速，かつ，適正な審理の実現に不可欠であり，そのために証拠抗弁およびそれを基礎とする証拠弁論が重要な意味をもつ。プラクティス76頁参照。

287)　前掲最判昭和32・6・25（注*179*）。

拠調べを実施しないままに裁判所が弁論を終結するに際して，申出当事者が「他に主張・立証はない」旨陳述したときには，黙示の撤回を認めて差し支えないし，裁判所が証拠決定をしながら証拠調べを実施しないで，弁論を終結しようとするときに，当事者が異議を述べない場合にも，黙示の撤回が認められる[288)]。

(2)　証拠申出に対する裁判所の判断

証拠申出が当事者の申立てとしての性質をもつ以上，裁判所は，これに対する判断を義務づけられる。第1に，裁判所が申出を不適法または不必要として排斥する場合には，その旨の判断を示す必要がある（181Ⅰ）[289)]。もっとも，この判断は，独立の決定の方式でなされることもあるが，判決の理由中で行ってもよい。ただし，却下によって当事者が新たな証拠の申出をなすことが予想されるときには，独立の決定によってその判断が示されることが望ましい。なお，証拠の採否が裁判所の専権に属することとの関係で，却下の理由を示す必要はないが[290)]，証拠能力の欠缺を理由にして却下した場合とか，唯一の証拠方法を却下した場合には，その理由を判決理由中に示すことが必要とされる。それを欠くと，絶対的上告理由にあたる場合がある（312Ⅱ⑥）。第2に，証拠調べについて不定期間の障害がある場合，たとえば病気回復の見込みが立たない証人の場合なども，裁判所は，証拠申出を排斥することができる（181Ⅱ）。

裁判所が当事者の証拠申出を採用して，証拠調べを実施するに際し，その旨の決定を行うことを要するかどうかについては，考え方の対立がある。しかし，黙示の決定をも含んで，無方式の決定で差し支えないが，申出に対して証拠調

---

288)　第1の場合に黙示の撤回を認めるのは，前掲最判昭和26・3・29（注59），第2の場合にも撤回を認めるのは，最判昭和28・10・23民集7巻10号1114頁である。

289)　申出が時機に後れているとか，または立証趣旨が明らかでないとかが不適法とされる理由であり，裁判所が当該事実について十分な心証を得ており，申出にかかる証拠がそれを変更するに足るものでないとかが不必要とされる理由である。

裁判所が申出を排斥する場合にも，かならずしも却下の裁判を要しないとするのが判例であるといわれるが（前掲最判昭和26・3・29（注59）），この判例は，前記のとおり，黙示の撤回を認めたものである。学説の多数は，当事者に申立権を認める以上，裁判所の却下の裁判を要するとする。ただし，口頭弁論にもとづいて却下の裁判がなされると，却下決定に対して独立の不服申立てはできない（328）。

290)　大判大正7・9・5民録24輯1607頁。

べを実施するという裁判所の判断を示すことが必要である[291]。証拠調べが即時になされうるときには，証拠決定に引き続いてそれが実施されるが，新期日を定める必要があるとか，受命・受託裁判官による証拠調べが行われる場合には，当事者に対してそれに立ち会う機会を保障するために，日時・場所が告知される。なお，証拠決定は，訴訟指揮に属する裁判として，何時でもその取消し・変更が可能であり（120），かつ，特別の規定がある場合（223 Ⅶ）を除いて，それに対する独立の不服申立ては許されない。

証拠決定が狭義の口頭弁論に対してどのような効果をもつかについても考え方の対立がある。証拠決定は，口頭弁論を中止する旨の裁判を含み，したがって，それが取り消されるか，または，証拠申出が撤回されなければ，証拠調べの終了までは，裁判所は口頭弁論を開きえないとする見解が有力である。しかし，このような見解は，証拠結合主義の下での円滑な審理の進行を妨げるものであり，採用することはできない。もちろん，特に口頭弁論を中止する旨の宣言がなされていれば別であるが，それ以外の場合には，証拠調べの実施にともなって，事実上口頭弁論が実施できない状態にあるにすぎない。したがって，裁判所は，必要があれば，証拠調べの終了前といえども，その手続を一時中止し，当事者に弁論を行わせることができる。

ある争点について当事者が申し出た証拠が，当該事実に関して取調べの対象となる唯一の証拠であるときに，その申出を却下することが違法であるという考え方がある[292]。弁論主義の下では，証拠の申出が当事者に委ねられているにもかかわらず，唯一の証拠申出を排斥するのは，合理的事実認定のあり方とはいえない。したがって，上の考え方が支持されるが，証拠申出が不適法であるとか，時機に後れているとか，または立証趣旨が不明確であるとか，申出にかかる証拠が事実認定のための合理的基礎たりえないときには，裁判所がその

291）　判例は，かならずしも証拠決定を要しないとする。前掲最判昭和26・3・29（注59）。もっとも，一定の場合に証拠決定がなされうることについては，疑問の余地がないので，その趣旨は，いかなる場合においても形式的な証拠決定をなす必要はないというものと理解される。ただし，本文のように証拠決定を要求する立場でも，黙示の決定が認められるので，結論において大きな差を生じない。なお，証拠決定の沿革については，法律実務(4)171頁以下参照。

292）　大判明治31・2・24民録4輯2巻48頁，新注釈民訴(4)112頁〔佐藤鉄男〕。

申出を排斥しても不適法とはいえない。このことについては，当該証拠が本証であろうと，反証であろうと違いはない。

2　証拠調べの実施

証拠調べは，事実認定の基礎となるものであり，法は，当事者の手続保障および双方審尋主義等の視点から，その方式についての規定を設けている。それに違背した証拠調べは違法であり，責問権の喪失によってその違法が治癒されない限り，証拠調べの結果たる証拠資料を判決の基礎とすることは許されない。

(1)　証拠調べの機関および期日

直接主義および公開主義の原則にもとづいて証拠調べは，受訴裁判所がその法廷内で行う。証拠調べ期日は，広義の口頭弁論期日に属するので，証拠調べ期日においても，裁判所は，証拠調べと区別して当事者に弁論を行わせることができる。もちろん，訴訟指揮として，証拠調べのみを目的とする期日を定めることもできる。

裁判所は，実地検証や臨床尋問など，必要に応じて裁判所外で証拠調べをなすことも許される（185 I 前段）。この証拠調べは，法廷におけるものではなく，したがって公開されず，当事者も弁論をなしえない。裁判所外における証拠調べは，受命裁判官・受託裁判官によっても実施されうる（185 I 後段 II）。いずれの場合でも，証拠調べの結果の要領は，調書に記載される（民訴規 67 I ③～⑤）。また，外国における証拠調べについては，184 条および民事訴訟規則 103 条の特則がある。なお，令和 4 年改正による 185 条 3 項（未施行）は，裁判所は，相当と認めるときは，当事者の意見を聴いて，最高裁判所規則で定めるところにより，映像と音声の送受信により相手の状態を相互に認識できる方法（ウェブ会議方式）によって，裁判所外における証拠調をすることを認める。IT 化の一環であるが，これが実施されれば，裁判所外における証拠調の役割が高められることになろう。

(2)　当事者の立会い

証拠調べが実施される期日および場所は，当事者に告知され，当事者が呼び出されなければならない（94 I）。ただし，証拠保全については，例外がある（240 但書）。期日への呼出しは，手続保障の見地から当事者の立会権を保障したものであるが[293]，当事者の一方または双方が期日に欠席することによってその権利を放棄した場合であっても，裁判所は，証拠調べを実施しうる。

3　証拠調べの結果の援用

受命裁判官・受託裁判官による証拠調べ，外国で行われた証拠調べ，および受訴裁判所が裁判所外でなした証拠調べの結果は，それが口頭弁論において当事者によって顕出されなければ，証拠資料とならないとするのが，判例[294]・通説の考え方である。これは，直接主義・口頭主義の要請によるものと説明される。しかし，このような考え方に対しては，以下のような疑問がある。

第1に，受命裁判官などによる証拠調べは，法が直接主義または口頭主義の例外として認めたものであり，それにもかかわらず，なお当事者による援用がなければ，その結果が受訴裁判所の証拠資料となりえないとするのは不当である。

第2に，外国における証拠調べを除けば，これらの証拠調べは，いずれもわが国の裁判権の行使としてなされるものであり，それにもかかわらず，当事者の援用がなければ証拠資料たりえないとするのは背理である。

第3に，いずれの当事者も証拠調べの結果を援用しなかった場合[295]の取扱いがかならずしも明確ではない。以上の点を考えると，外国における証拠調べの場合は別として，受託裁判官などによる証拠調べの結果は，当然に受訴裁判所の証拠資料となるものと解される[296]。

上記の場合に限らず，証拠調べをなしたときには，当事者は，その結果，すなわち証拠の証明力などについて意見を述べる機会を与えられる[297]。

---

293)　同一期日において証人尋問に引き続いて当事者尋問を実施することが予定されているときに，裁判所が当事者に対して退廷を命じうるかという問題があるが，民事訴訟規則127条が同120条を準用していないことなどを根拠として，否定的に解されている。

294)　大判昭和10・7・2法学5巻357頁，最判昭和28・5・12裁判集民9号101頁。学説については，秋山ほかⅣ121頁参照。

295)　ここでいう当事者の援用とは，証拠調べの結果を陳述する行為を意味するとされるが，証拠調べの結果なるものが，たとえば，尋問に対する証人の陳述のような場合には明確であるが，書証の場合には，かならずしも明確でないなどの問題がある。

296)　民事訴訟規則105条・154条参照。また，最判昭和35・2・9民集14巻1号84頁（本書779頁注*52*）や前掲最判昭和45・3・26（注*283*）を前提とすれば，当事者に援用の機会を与えた上で，それがなされないときには，裁判所自らが提示できるとの取扱いが適当である。証拠法大系(2)242頁〔田代雅彦〕参照。外国における証拠調べの詳細については，新注釈民訴(4)136頁〔手嶋あさみ〕参照。

4 証人尋問

証人とは，証拠方法の1つであり，過去の事実や状態について自ら認識した内容を陳述する人で，当事者本人およびその法定代理人以外の者を指す。証人に対する証拠調べの方法が証人尋問と呼ばれる。また，事実についての認識が専門的知見にもとづく場合には，証人は，鑑定証人と呼ばれる（217）。証拠方法の1つである鑑定人は，これとは区別され，特定の事実に関する認識ではなく，一般的経験則についての陳述を行うものである。

(1) 証人能力

自然人である限り，いかなる者も証人たるべき資格を認められるのが現行法の原則であり，したがって証人能力を制限する規定は存在しない。もっとも，上に述べたように，当事者本人およびその法定代理人については，当事者尋問という別個の証拠調べ手続が予定されているので，証人能力が否定される[298]。それ以外の者は，たとえ補助参加人，訴訟代理人，補佐人，判決の効力を受ける者（115 I ②～④），または受訴裁判所の裁判官その他の職員などの訴訟関係人であっても証人能力を認められるし，証人たるべき者の人的属性，たとえば未成年その他の行為能力の有無なども問題とならない。ただし，これらの属性は，後述の宣誓能力はもちろん，証言の証拠価値に影響しうるのはいうまでもない。

(2) 証人義務

わが国の裁判権に服する者は，等しく証人として証言をなす義務を負う（190）。この意味で，証人義務は一般的義務であるといわれる。すなわち，いかなる者も裁判所によって求められたときには，裁判権に服する者であるという理由のみにもとづいて，証人としての証言を義務づけられる。時によっては，証言を強制されることは，その者にとって精神的負担や経済的不利益をともな

297）いわゆる証拠弁論，すなわち証拠調べの結果について，当事者に受訴裁判所の面前において陳述の機会を与えることが必要である。注釈民訴(6)213頁以下〔柏木邦良〕参照。

298）裁判所が誤って当事者本人を証人として尋問することは違法であるが，当事者の責問権放棄または喪失（90）によって，当事者尋問に対する陳述として扱われる可能性がある（大判昭和11・10・6民集15巻1789頁〔百選52事件〕）。ちなみに，証人とすべき者を当事者本人として尋問した場合にも，同様に責問権の喪失による証言への転換が認められる（最判昭和30・6・24民集9巻7号930頁）。

うことが考えられるが，民事訴訟が真実発見にもとづく紛争解決制度として機能するためには，国民がそのような負担・不利益を甘受しなければならないとの考え方に立って，立法者は，証人義務を一般的義務として規定したものである。証人義務の内容は，出頭義務，証言義務，宣誓義務の3つによって構成される。

ただし，裁判権に服する者であっても，別段の定めがある場合には，証人義務は免除または制限される。別段の定めの例としては，191条による公務員等についての証人義務の免除，196条および197条による証言拒絶権，201条2項ないし4項による宣誓拒絶権が挙げられる。また，証人義務は裁判権への服属を前提とするから，裁判権の及ばない者は，証人義務を負わない[299)]。もっとも，その者が自ら進んで証言をなそうとするときには，裁判所が証人尋問を実施し，証言を証拠資料とすることは差し支えない[300)]。

ア　出頭義務

当事者が期日に同行する証人の場合には，特に出頭を問題とする余地はないが，証人として適式な呼出しを受けた者は，証拠調べ期日に出頭しなければならない。適式な呼出しの効果として，一般的証人義務が具体的出頭義務に転化すると考えられる。不出頭に対する制裁および義務の強制（192～194）は，出頭義務を前提としたものである。

イ　証言義務

証言義務とは，尋問された事項について良心にしたがって真実を述べ，かつ，何事も隠さず，また付け加えないことを内容とする義務である（民訴規112V）。正当な理由なく証言を拒むことに対しては，過料等の制裁が科される（200）。

ただし，証言義務の範囲については，解釈上の争いがある。すなわち，証人が証言をなす際に，尋問事項たる事実に関してあらかじめ書類等の資料を調査

299）　日本国内に居住する外国人のうち，外交官およびその家族などについては，証人義務が免除される。外交関係に関するウィーン条約31条2項等。ただし，派遣国が裁判権免除を放棄した場合には，この限りではない。詳細については，高桑昭「民事裁判権の免除」澤木＝青山編・前掲書（注204）147頁，185頁参照。

なお，証人義務の一般義務性の意義については，福本・前掲論文（注283）68頁が詳しいが，わが国の裁判権に服する者が等しく負う義務と解すべきである。

300）　最判昭和24・7・9刑集3巻8号1193頁。

する義務を負うかどうかである。証言義務は，司法に対する国民の協力義務を基礎とするものであるから，証人に対しては，対象となる事実についてできる限り確信をもって自己の認識を陳述することが望まれる。

証人が自己の認識を陳述する者である以上，認識したことのない事実について調査をなす義務を負わないのは当然であるが，自己の認識を喚起または強化するための調査は義務づけられる。証人がこの義務を怠った場合には，200条にいう「正当な理由なく証言を拒む」ものとみなされることもありうる[301)]。なお，民事訴訟規則119条による筆記等の義務は，証言義務に付随するものであって，証言義務に含まれるものではないので，その拒絶に対して制裁は科せられない。

公法上の制裁とは別に，証言義務の違反が当事者に対する損害賠償責任を基礎づけるかどうかについては，次のように考えられる。すなわち，この義務は，公法上の義務であり，その違反が当事者に対する債務不履行となることはありえない。しかし，義務違反の内容として証人がその認識に反する陳述をしたり，逆に，なすべき陳述をしなかったときには，故意・過失という主観的要件が満たされる限り，不法行為責任が生じる可能性がある[302)]。

ウ　宣誓義務

証人義務は，宣誓義務を含む。宣誓とは，証人が裁判所の面前で良心にしたがって真実を述べる旨を陳述する行為であり，原則として事前宣誓の形をとる（201Ⅰ，民訴規112Ⅰ。宣誓の方式等については，同Ⅱ～Ⅵ参照[303)]）。宣誓義務は，証言内容の真実性を担保するためのものである。しかし，宣誓の趣旨を理解す

301）通説の考え方である。注釈民訴(6)254頁〔藤原弘道〕参照。

302）故意について争いはないが，過失にもとづく損害賠償責任を認めるべきかどうかについては，通説はこれを肯定するのに対して，少数説は，証人の萎縮を理由としてこれを否定する（注釈民訴(6)255頁〔藤原弘道〕参照）。過失を含むとしても，証人の主観的認識を基準とするので，損害賠償責任が成立するのは例外的場合に限られよう。

303）令和4年法改正にもとづく民事訴訟規則112条の改正としては，宣誓書における署名押印に代えて，宣誓の趣旨を理解した旨の記載をさせることができる旨が付加されている。宣誓に関する規定は当事者尋問にも準用され（民訴規127），氏名の秘匿措置を講じているにもかかわらず，宣誓書の署名押印から当事者の氏名が判明し，または推知されることを防ぐ趣旨である。したがって，民事訴訟規則112条4項にいう「相当と認めるとき」とは，こうした事態の発生を防ぐ必要があるときを意味する。橋爪ほか・前掲論文（注58）20頁参照。

る能力をもたない者に宣誓を要求することは無意味であるので，法は，16歳未満の者および宣誓の趣旨を理解できない者を宣誓無能力者として，宣誓義務を免除している（201Ⅱ）。また，法は，証言事項との関係から，宣誓をなさしめてもその効果が期待できず，また偽証罪（刑169）による処罰が過酷な結果を招くと考えられる場合については，裁判所が宣誓を免除しうること（201Ⅲ），および証人が宣誓拒絶権を行使しうること（201Ⅳ）を規定する。上の場合以外は，宣誓拒絶に対して制裁が科され（201Ⅴ），また宣誓を前提とした虚偽の証言に対しては，偽証罪の制裁が存在する[304]。

(3) 証言拒絶権

一般的証人義務の例外として，法は，一定の場合において証言拒絶権を認める。これは，訴訟における真実発見を犠牲にしても法が一定の社会的価値を守ろうとするものであり[305]，したがって，守られるべき社会的価値の内容は，社会の価値観を反映した政策的判断によって決定される。立法政策としてみると，証言拒絶権には2種類のものに分けられる。第1は，証人たるべき者と当事者との間に一定の身分関係があることを理由として，尋問事項の内容を問わず証言拒絶権を認めるものである。第2は，尋問事項の内容に応じた証言拒絶権であり，現行法が認めるのは後者のみである[306]。

現行法が認める証言拒絶権は，3つの類型に分けられる。第1は，191条および197条1項1号にもとづく公務員等の証言拒絶権である。第2は，196条にもとづく私人の証言拒絶権であり，第3は，197条1項2号および3号にもとづく同じく私人の証言拒絶権である。第1および第3のものは，証人たるべ

304）　201条3項および4項の立法論的合理性については，かねてから疑問が呈されている。証人に対して宣誓義務を免除し，または宣誓拒絶を認めることは，真実に反する証言を容認するものであり，是認しがたいといわれる。問題は，宣誓自体の効用にかかわるものであるが（藤原弘道「宣誓の効用――宣誓は証人に真実を語らせることができるか」判タ697号27頁，39頁（1989年）参照），証言をなす以上，証人は真実を語るべきものであり，私見としてもこれらの規定の合理性には疑問をもつ。

305）　伝聞証言の排除など，いわゆる証拠法則の多くは，真実発見の妨げとなる資料を排除することを目的としているが，証言拒絶権は，あえて真実発見を犠牲とするところにその特徴がある。小林・証拠法132頁以下。証拠法大系(3)56頁〔早田尚貴〕は，このような考え方を保護価値重視説と呼び，一定の評価をする。

306）　両者の例や根拠については，伊藤眞「証言拒絶権の研究(1)」ジュリ1051号88頁，89頁以下（1994年）参照。

き者が法律上または契約上一定の事項について黙秘義務を負うことを前提としたものであり，これに対して，第2のものは，特定の事項について証言を要求することが，証人自身の社会的地位または証人と第三者との間の社会的関係を損なうとの立法者の判断を前提としたものである。

ア　公務員の証言拒絶権

191条1項は，公務員または公務員であった者を証人として職務上の秘密について尋問をする場合には，裁判所は，当該監督官庁の承認を得る必要があると規定する。本条の規定は，国家公務員法（昭和22法120）100条1項，地方公務員法（昭和25法261）34条1項，およびその他の特別法に規定される公務員の秘密保持義務を根拠とする。裁判所は，当事者によって提出される尋問事項書の記載から，当該事項が公務員の職務上の秘密にかかわることが明らかであれば，直ちに監督官庁に承認を求める手続をとる。いったん証人として採用された公務員が職務上の秘密を理由として証言拒絶権を主張した場合も同様である（197 I ①)。ただし，証人たるべき者によって当該事項が職務上の秘密に属することの疎明がなされたときに（198)，裁判所がその正当性について判断権をもつかどうかについて考え方が分かれる。

多数説は，199条1項で197条1項1号が除外されていることを理由として，職務上の秘密該当性については，裁判所が判断権をもたず，もっぱら監督官庁の判断に委ねられるとする[307)]。しかし，職務上の秘密概念自体について解釈上の争いがある以上，その該当性についての判断権がもっぱら監督官庁に委ねられ，裁判所に判断の余地が認められないことは，問題が証人能力に関するものであることを考えれば，適切とは思われない。198条にもとづく疎明との関係でも，裁判所の判断権を認めることが手続の構造に合致する。もっとも，199条1項の存在を前提とすると，職務上の秘密該当性が疎明されたときには，

307）　立法の沿革，学説の分布などについては，伊藤・前掲論文（注306）91頁以下参照。また，以下の叙述は，職務上の秘密と職務上知りえた秘密との区別を前提とするものであるが，この点については，伊藤・前掲論文（注306）(2)ジュリ1052号93頁以下（1994年）参照。本文のような考え方を支持するものとして，注釈民訴(6)312頁〔坂田宏〕，研究会242頁における各発言，証拠法大系(3)41頁〔北澤晶〕，新注釈民訴(4)200頁〔山本克己〕，239頁〔杉山悦子〕，瀬木392頁などがある。なお，裁判所が職務上の秘密と認めず，監督官庁に承認を求めない場合には，公務員自身が国家公務員法100条2項の許可を得ることは不要である。研究会245頁における伊藤発言参照。

裁判所は，通常の場合と異なって証言拒絶の当否について裁判するのではなく，監督官庁の承認を求めることになる。なお，疎明がなされなければ，証言拒絶権は認められず，証言拒絶に対しては制裁が科される。

監督官庁の承認拒絶の要件については，刑事訴訟法144条および145条が「国の重大な利益を害する場合」との要件を設けているのに対して，旧法においては，何らの要件が設けられていなかった[308]。そこで，訴訟における真実発見の要請にもとづき刑事訴訟法と類似の承認拒絶要件を設けるべきであるとの立法論が有力となり，191条2項は，「公共の利益を害し，又は公務の遂行に著しい支障を生ずるおそれがある場合」を承認拒絶の要件として規定した。職務上の秘密に該当する事項についての証言がこの要件を満たすかどうかの判断権は，現行法では裁判所ではなく，監督官庁がもつ。

イ　黙秘義務を負う私人の証言拒絶権

197条1項各号は，他人に対して守秘義務を負う者に対して当該事項について証言拒絶権を認める。この中で1号に関しては，すでに公務員の証言拒絶権について説明したので，ここでは，2号および3号について説明する。まず2号は，医師，弁護士，宗教の職にある者など法令または慣習法によって黙秘義務を負う者を制限的に列挙し，これらの者が職務上知った事実で，かつ，黙秘義務を負うものについて証言拒絶権の行使を認めている。その基礎には，これらの専門職業に対する信頼を確保し，専門職業の存立を可能にするという政策的判断があるが，証言拒絶権によって保護される秘密の帰属主体は，患者，依頼者，信徒などである。したがって，これらの帰属主体がその利益を放棄した場合には，証言拒絶権の行使は認められない（197Ⅱ）[309]。また，証言拒絶権は，

308）　ただし，下級審裁判例は，職務上の秘密の解釈について「公表することによって国家利益または公共の福祉に重大な損失，重大な不利益を及ぼすような秘密」と解釈しているので（東京高決昭和44・10・15行裁集20巻10号1254頁，東京高決昭和44・10・15下民20巻9・10号749頁，高松高決昭和50・7・17行裁集26巻7・8号893頁など），実際には，刑事訴訟法類似の要件が設けられているのと同様の結果となっていた。

309）　林昭一「証人の黙秘義務とその免除の法理」松本古稀408頁以下，新注釈民訴(4) 240頁〔杉山悦子〕参照。明示の放棄のほかに，帰属主体が当該事項にもとづいて損害賠償請求訴訟を提起している場合のように，黙示の放棄もありうる。福岡高決昭和52・9・17下民28巻9～12号969頁〔昭和52重判解・民訴 8事件〕。

さらに最決平成16・11・26民集58巻8号2393頁〔平成16重判解・民訴3事件〕は，「黙秘すべきもの」の意義について，「弁護士等に事務を行うこと等を依頼した本人が，こ

証人たるべき者に証言を拒絶する権能を付与するものであるから，その者が証言拒絶権を行使せずに証言を行ったとしても，公法上の制裁などを受けることはともかく，証言自体の証拠能力が否定されるわけではない。

問題は，契約上または社会慣習上黙秘義務を負う者，たとえば金融機関の従業員や報道業務に従事する者などについても，本条にもとづいて証言拒絶権が認められるかどうかであるが，解釈論としては否定すべきである。すなわち，立法者は，訴訟における真実発見を犠牲にしても証言拒絶権を認めるべき者を本条において列挙しているのであり，解釈上これを拡張することは，立法者の意思に反するからである[310)]。ただし，2号にもとづく証言拒絶権は，証人た

れを秘匿することについて，単に主観的利益だけではなく，客観的にみて保護に値するような利益を有するものをいうと解するのが相当である」と判示し，公益実現の過程で弁護士が知り得た事実は，これにあたらないとしている。弁護士の守秘義務の範囲については，手賀寛「守秘義務」ジュリ1529号60頁（2019年）が詳しい。また，弁護士が不正等調査委員会（第三者委員会）の構成員として知りえた事実が証言拒絶権の対象となりうるかどうかについては，伊藤眞「不正等調査委員会報告書と文書提出義務」金融法務2165号30頁（2021年）参照。

なお，文書提出義務の場合（秋山ほかⅣ425頁）と違って，弁護士の依頼者など秘密の帰属主体自身の証言拒絶権は認められない点がいわゆる秘匿特権と異なるが（寺田知洋「米国訴訟におけるAttorney-Client Privilegeの概念とその実務(上)」国際商事法務47巻12号1472頁（2019年）参照），将来の検討課題であろう。伊藤眞「実態解明と秘匿特権との調和を求めて（En quête de l'harmonie）――課徴金賦課手続における実質的手続保障の必要性」判時2367号133頁（2018年），高中105頁，長谷部・後掲論文（注*314*）41頁参照。

独占禁止法の令和元年改正（令和元年法律第45号）によって課徴金減免制度が導入されたことにともなって，その機能を高めるための方策として，不当な取引制限に関する法的意見について事業者と弁護士との間で秘密に行われた通信の内容を記載した文書等を保護する規則や指針等（独禁76参照）を整備することとされたのは，上記の事項に関する行政調査手続という領域に限ったものであるが，このような問題意識を受けたものと理解できる。橋本達裕ほか「『私的独占の禁止及び公正取引の確保に関する法律の一部を改正する法律』（令和元年独占禁止法改正）等について」Law & Technology 86号71頁（2020年）参照。秘匿特権の対象となる事業者と弁護士との間の通信の内容が記録されているかどうかの判別手続については，松本博明＝萩原泰斗「事業者と弁護士との間で秘密に行われた通信の内容が記録されている物件の取扱い（判別手続）について」NBL 1174号4頁（2020年）が詳しい。

また，弁護士の依頼者（秘密の帰属主体）が死亡したときに，利益を放棄したと認められる場合がありうるかについては，手賀寛「依頼者の死亡と弁護士の証言拒絶権」高橋古稀565頁参照。

310)　立法論として現行法の立案過程で集中的に議論されたのは，報道関係者の取材源についての証言拒絶権である。検討事項以来改正要綱試案に至るまで，これを設ける方向での検討が進められたが（検討事項　第五 証拠　二 証人尋問　2 （三） 証言拒絶権，改

るべき者が一定の職業上の地位にあることを要件とするものであり，2号に含まれない職業に従事する者についても，次に述べる3号にもとづく証言拒絶権が認められる可能性がある。

ウ　技術または職業の秘密に関する証言拒絶権

197条1項3号は，証人たるべき者が技術または職業の秘密について証言拒絶権を行使することを認める。これまで説明したアおよびイの類型が，いずれも証人たるべき者が一定の属人的地位を有していることを前提としているのと比較すると，この類型では，技術または職業上の秘密自体を社会的に保護されるべきものとみて，証言拒絶権が与えられているところに特徴がある。

技術または職業の秘密は，不正競争防止法2条6項にいう営業秘密と重なり合う部分が多いが，両者はかならずしも同一ではない。すなわち，民事訴訟法197条1項3号にいう技術の秘密とは，秘密の公開によって当該技術を基盤と

正要綱試案　第五 証拠　二 証人尋問　2 証言拒絶権参照），最終的には，証言拒絶権の対象を取材源に限るかどうかの点で関係方面との調整がつかず，見送られることとなった。

ただし，特別法の規定によって守秘義務が定められている専門職業者については，2号の類推適用によって証言拒絶権を認めるべきであるとの見解が有力である。新注釈民訴(4)241頁〔杉山悦子〕。また，この証言拒絶権の行使主体は，あくまで弁護士等の専門職であり，その依頼者を含まない。その点が，アメリカ法でいうAttorney-Client Privilegeと異なる。新注釈民訴(4)244頁〔杉山悦子〕。

これに対し，同一の内容であっても，それが文書提出義務の除外事由とされている場合には（220④ハ。本書480頁），専門職以外の者，たとえば弁護士の依頼者が当該文書を所持しているときであっても，提出を拒絶できる。秋山ほかⅣ 425頁参照。

しかし，最決令和3・3・18民集75巻3号822頁は，電気通信事業従事者の証言拒絶権について新たな判例法理を示した。当該事案は，証拠保全手続における電気通信事業者に対する検証物提示命令にかかるものであるが，その基礎となる電気通信事業従事者の証言拒絶権について，本決定は，197条1項2号の類推適用として証言拒絶権を認めている。本決定は，法令上の守秘義務（電通事4Ⅰ Ⅱ）を根拠として，電気通信事業従事者への197条1項2号の類推適用を認めた原審の判断を是認した点，同号にいう「黙秘すべきもの」の意義について，前掲最決平成16・11・26（注*309*参照）の法理を適用し，同条1項3号の解釈についての判例法理である利益考量（本書438頁注*314*）に言及せず，送信者情報が客観的にみて保護に値する利益にあたるとして，電気通信事業従事者にいわば絶対的な証言拒絶権を認めている点が注目される。

社会的関心が高まっている送信者情報にかかるという事案の特質のみならず，197条1項2号に掲げる各種職業従事者またはその職にあった者（判旨にいう法定専門職従事者等）以外の職業従事者またはその職にあった者について法令上の守秘義務を根拠として類推適用を認め，かつ，送信者の行為の態様や影響などとの利益考量を経ることなく証言拒絶権を認めた点で大きな影響を持つ判例である。

する利潤追求活動やその他の社会的活動が不可能または困難になるものを指す。したがって，技術自体が財産的価値をもつかどうかを問うものではなく，技術上のノウハウなどのほか，芸術や運動に関する秘訣なども含まれる。ただし，当人が主観的に秘密として管理しているだけでは足りず，客観的な秘密性とその公開による社会的活動上の不利益が認められなければならない。また，職業の秘密とは，秘密の公開によってそれを基礎とする職業活動が不可能または困難になるものを指す[311]。

下級審裁判例および通説は，さらに技術および職業の秘密の中で証言拒絶権の対象となるのは，保護に値する秘密に限定されるとし，保護に値するかどうかは，秘密の公表によって秘密帰属主体が受ける不利益と，証言拒絶によって犠牲になる真実発見および裁判の公正との比較考量によって決定されると主張する。具体的には，当該事件の公益性の程度，代替的証拠の有無，立証事項についての証明責任の所在などを秘密の重要性と比較の上，結論が導かれるといわれる[312]。しかし，このような考え方は，証言拒絶権の本質と調和しない。

311）　その例として，製品の原価，顧客リストなどが挙げられる。注釈民訴(6)319頁〔坂田宏〕，小林秀之「証言拒絶権・秘匿特権」民商90巻4号536頁，543頁以下（1984年），柏木邦良「企業秘密と証言拒絶」新実務民訴(2)113頁，118頁以下など参照。

また，本文に述べた基準に照らし，職業の秘密にあたるとした例として，最決平成26・2・18実情734頁，あたらないとした例として，最決平成19・8・23判時1985号63頁〔平成19重判解・民訴4事件〕がある。さらに，最決平成19・12・11民集61巻9号3364頁〔百選〈4版〉A23事件〕は，金融機関の文書提出義務との関係で，特定の顧客との間の取引履歴を記載した取引明細表の記載内容が職業の秘密に該当するかどうかについて判示し（220④ハ・197Ⅰ③参照），当該顧客との関係で金融機関が守秘義務を負っているとしても，顧客自身が訴訟当事者として提出義務を負うべき場合には，文書所持者たる金融機関も守秘義務によって保護されるべき正当な利益を有しないという理由から，職業の秘密に該当しないとしている。なお，本決定については，田原睦夫裁判官の詳細な補足意見が付されている。

また，最決平成20・11・25民集62巻10号2507頁〔百選〈6版〉65事件，平成20重判解・民訴4事件〕も，その法理を確認する。近時の下級審裁判例としては，東京高決平成22・2・26判時2084号14頁〔金融機関の自己査定資料〕，東京高決平成22・7・20判時2106号37頁〔不動産鑑定評価書添付の賃貸事例一覧表〕がある。

なお，技術または職業の秘密の基礎となる営業秘密として認められるための要件については，営業秘密管理指針（平成15年1月30日制定，同27年1月28日改訂，経済産業省），秘密管理の方法などについては，経済産業省・秘密情報の保護ハンドブック（2016年）が参考になる。

312）　柏木・前掲論文（注311）138頁以下，小林・証拠法133頁，秋山ほかⅣ213頁，注釈民訴(6)322頁〔坂田宏〕，中島弘雅「文書提出義務の一般義務化と除外文書」福永古稀

第1に，代替的証拠の存在については，次のように考えられる。証拠の採否が裁判所の専権に委ねられていることを前提とすれば，他に容易に取り調べられうる証拠が存在し，証言拒絶権が主張される証言なしに十分な心証形成が可能であれば，あえて証言拒絶権の成否について裁判所が判断をなす必要も存在しないのであり，したがって代替的証拠の有無を証言拒絶権成否の判断資料とする必要はない。

第2に，証明責任との関係については，一方当事者の支配権に属する証人の証言拒絶権の援用によって相手方当事者の証明活動が困難になり，その敗訴可能性が高まる場合に証言拒絶権の行使を認めないというのでは，証言拒絶権の意義自体が疑われかねない[313)]。

第3に，事件の公益性の程度にはさまざまなものがあり，明確な基準たりえない。加えて，訴訟における真実発見こそが公益性の内容であり，訴訟の結果が私益にかかるものであろうと，公益にかかるものであろうと，この点に違いはないともいえる。このように考えると，裁判所としては，当該秘密の客観的性質を考慮して，技術または職業の秘密に該当するかどうかを判断すれば十分であり，それ以上に利益考量によって保護すべき秘密かどうかを判断する必要は認められない[314)]。利益考量を判断枠組とすることは，秘密の主体の側にと

429頁，森脇純夫「企業秘密と訴訟審理」実務民訴〔第3期〕(4)199頁，瀬木394頁など参照。証明責任の所在とは，一方当事者の支配下にある証人が証言拒絶権を行使し，証明責任を負う相手方当事者の証明が困難になり，相手方を敗訴させる結果となるときには，証言拒絶権の行使が許されないというものである。利益考量説を採用する下級審裁判例としては，取材源に関する証言拒絶権を認めた札幌高決昭和54・8・31下民30巻5～8号403頁〔百選〈3版〉77事件〕がある。

これに対し，証拠法大系(3)59頁，73頁，79頁〔早田尚貴〕は，一般論として利益考量に対し慎重な立場をとりつつ，技術または職業の秘密に関する証言拒絶権に関しては，立法者が社会経済上の利益を可能な限り保護しようとした判断にもとづくものであるとの理由から，利益考量の対象となるとし，新注釈民訴(4)249頁〔杉山悦子〕も，利益考量を前提としつつ，その場面や考慮要素を限定すべきであるとする。

313)　論者の問題意識は，このような事案で証言拒絶権の行使を認めると，証拠の偏在による当事者間の不公平が増幅されかねないというところにある。しかし，問題の解決は証拠収集手段の拡充に求められるべきものである。

314)　利益考量の可能性が否定されると，裁判所としては，技術・職業の秘密を広く解する方向に向かわざるをえず，かえって真実発見が妨げられるとの議論も予想される。しかし，そのような方向は，適正な審理を実現する責任を担う裁判所として容易にとれないところである。判例（最決平成12・3・10民集54巻3号1073頁〔百選〈6版〉A20事件〕）も，技術または職業の秘密の意義についてこのような考え方をとるものと解される。

っても，証言拒絶権が認められるのかどうかについての予測可能性が失われ，好ましいとは考えられない。

職業の秘密に関連してこれまでもっとも争われたのは，報道に従事する者の取材源の秘密である。前記のとおり下級審裁判例は，利益考量論にもとづいてこれを肯定しているが，取材源を明らかにすることが報道機関の業務遂行を著しく困難または不可能にすると判断されれば，証言拒絶権を肯定すべきである[315)]。

ここでいう秘密が証人自身がその帰属主体になる場合に限られるかどうかについては，考え方の対立がある。立法の沿革を考えると[316)]，法律上の意味で証人自身が秘密の帰属主体である場合に限定する理由はない。他方，たまたま第三者が他人の職業の秘密を知りえたからといって，その第三者に証言拒絶権を認めるべき理由はない。具体的に問題となるのは，従業員や請負人であるが，これらの者は，秘密帰属主体である雇い主や注文主に準じる者として証言拒絶権の行使を認められる。その他，秘密帰属主体から秘密の管理を委ねられ，契

松本＝上野486頁，小島503頁，松本博之「民事訴訟法学と方法論」実務民訴〔第3期〕(1)128頁，松本・前掲書（注*144*）83頁，松本・前掲書（注*200*）246頁，松本・抗告審ハンドブック206頁も本書と同様の考え方をとる。

これに対して，最決平成18・10・3民集60巻8号2647頁〔百選〈6版〉64事件〕は，報道機関の取材源が職業の秘密にあたるものとしつつ，それが証言拒絶権によって保護に値する秘密といえるかどうかは，「当該報道の内容，性質，その持つ社会的な意義・価値，当該取材の態様，将来における同種の取材活動が妨げられることによって生ずる不利益の内容，程度等と，当該民事事件の内容，性質，その持つ社会的な意義・価値，当該民事事件において当該証言を必要とする程度，代替証拠の有無等の諸事情を比較衡量して決すべき」であるとして，利益考量説をとることを明らかにした。金融機関が顧客の財務や業務状況等について分析，評価した情報について同様の判示をするものとして，前掲最決平成20・11・25（注*311*）がある。新注釈民訴(4)531頁〔三木浩一〕，長谷部由起子「弁護士・依頼者間秘匿特権に関する覚書」曹時71巻1号20頁（2019年），同「秘密保護と適正な裁判の実現」小林古稀179頁は，これを支持する。

315)　これに対し，証拠法大系(3)81頁〔早田尚貴〕は，取材源の秘密が法197条1項2号ではなく，同3号の証言拒絶権の範疇に属するとされた以上（本書435頁参照），利益考量にもとづく判断に服するという。比較法的にみると，自由な報道が保障されている国でも取材源に関する証言拒絶権が認められないこともあり，また，197条1項2号に列挙される医師や弁護士などと異なって，取材源たる者が定型的にその氏名等の秘匿を条件として取材に応じているともいえないことを考えると，証言拒絶権付与についての否定的結論も十分考えられる。

316)　大正15年改正前旧民事訴訟法298条5号は，「証人カ其技術又ハ職業ノ秘密ヲ公ニスルニ非サレハ答弁スルコト能ハサルトキ」と規定し，現行法よりも証人自身への秘密の帰属性を明らかにしていた。林・前掲論文（注*309*）410頁参照。

約上黙秘の義務を負っている者も，本人のために証言拒絶権の行使を認められる[317]。

エ　証人または第三者の刑事処罰または名誉侵害を理由とする証言拒絶権

196条は，証言が，証人自身またはその者と一定の身分関係にある者に対する刑事処罰を招くおそれのある事項，または名誉を害すべき事項にかかわるときに，証言拒絶権を認める。証人たるべき者の黙秘義務を根拠とするものではなく，また秘密として保護されるべき社会的価値を根拠とするものでもなく，むしろ憲法38条1項による自己負罪供述強要禁止と類似の趣旨にもとづいて，証人自身の基本的人権を保護しようとするところに，本条による証言拒絶権の根拠が求められる。しかし，保護の対象が証人自身のみならず，広い範囲の親族，後見人，被後見人に及んでいることについては，立法論的な再検討が望まれる[318]。名誉を害すべき事項とは，その者に対する人格的評価を客観的に低下させ，その結果として，社会的地位の保持が困難になる程度に社会的・道徳的非難を招く事項を指す。いわゆるプライバシーよりさらに限定された概念である。このような多義的表現によって証言拒絶権を認めるのが合理的かどうか，上と同様に立法論として再検討の余地がある。

(4)　証人尋問の手続

証人尋問の手続も180条以下の一般原則を前提とするが，具体的には，当事者による証人尋問の申出，裁判所による採否の決定，および尋問の実施という手続段階に分けられる。

---

317)　通説の見解である。学説については，注釈民訴(6)320頁〔坂田宏〕，新注釈民訴(4)250頁〔杉山悦子〕に詳しい。ただし，理由は，契約その他の法律関係によって本文中に述べた者が本人と共同して秘密を管理すべき立場にあり，その意味で本人に準じる者として扱われることに求められる。社会的または倫理的に黙秘の義務があるときには，証言拒絶権を認めるとの考え方があったが（菊井＝村松Ⅱ502頁），本条1項2号にもとづく証言拒絶権との限界が不明確になるおそれがあり，賛成できない（秋山ほかⅣ215頁）。

318)　しかし現行法においても，旧3号（証人ヵ主人トシテ仕フル者）が削除されたにとどまった。研究会250頁参照。なお，証拠法大系(3)67頁〔早田尚貴〕，新注釈民訴(4)231頁〔内海博俊〕は，名誉とプライバシーとを区別すべきであるとする。また，新注釈民訴(4)519頁〔三木浩一〕は，名誉にもとづく証言拒絶権を認めるかどうかについては，証拠の必要性などとの利益衡量を認めるべきであるという。なお，名誉を害すべき事項に関する厳格な判断枠組を適用した原決定を是認した判例として，最決平成17・9・5実情226頁がある。

ア 証人尋問の申出

証人尋問の申出は，いかなる立証事項との関係で，いかなる証人に対して，どのような内容の尋問を行い，かつ，どの程度の時間を要するかを明らかにすることが必要である。適正，かつ，迅速な審理の中核となるのは，争点整理を前提とした集中的証拠調べであり，また，交互尋問による証人尋問が効率的に行われ，証拠資料の充実がもたらされるためには，相手方当事者の反対尋問権が実質的に保障されることが不可欠である。以下に述べる申出の手続もこうした目的を実現するために規定されたものである。

証人尋問の申出は，証人をできる限り一括して指定し，かつ，尋問に要する見込みの時間を明らかにして行わなければならない（民訴規100・106)。加えて，尋問によって証明すべき事実，およびその事実と証人との関係が申出によって明らかにされなければならない（180，民訴規99[319])。さらに，当事者は，尋問事項をできる限り個別的，かつ，具体的に記載した尋問事項書を提出しなければならない（民訴規107)[320]。尋問事項書の記載については，一部にこれを一般的・抽象的に書く傾向があるが，尋問の申出をする当事者は事前に証人と面接して準備をすべきものであるから（民訴規85)，個別・具体的に記載をすることが可能であるし，また，裁判所が証拠調べ期日の準備をなし，相手方当事者が有効な反対尋問の準備をなす上でも，このような傾向は改められるべきものである[321]。

イ 証人尋問の採否

181条1項の一般原則にしたがい，裁判所は，申し出られた証人尋問の採否を決定する。裁判所は，証明すべき事実が不明確で，申出が不適法な場合などのほか，尋問から予想される証拠資料が心証形成に有益でないとか，不要であると判断するときには，申出を却下する。この点で，近時の実務改革の中で一

319） 証人の申出は文書または口頭でなしうるが（180，民訴規1)，実務上では書面によってなされる。

320） 提出されるべき尋問事項書は，2通である（民訴規107Ⅰ)。また申出当事者は，尋問事項書を相手方に直送しなければならない（民訴規107Ⅲ)。証人に対する呼出状には，裁判所に提出された尋問事項書の1通が添付される（民訴規108)。

321） すでに旧法下の実務改革として，改善がみられた。最高裁判所事務総局編・東京地方裁判所における民事訴訟の審理充実方策に関する研究結果報告書89頁（1990年)，大藤敏「東京地裁における審理充実方策」判タ886号44頁，52頁（1995年）など参照。

般化しつつあり，かつ，現行法の基本原則とされた集中証拠調べ（182，民訴規101）との関係について説明する。かつては，集中証拠調べ，特にその中心となる集中証人尋問の下では，裁判所が証人の採否について裁量権を行使する余地が少なくなるとの認識がみられたが[322]，これは，証人申請が争点整理に付随して行われることを軽視したものである。

争点整理の中で双方当事者から書証が提出され，また証人申請がなされたときに裁判所は，争点との関係および証拠全体との関係から必要不可欠な証人を選別し，それについてのみ証人尋問を採用する。この意味で，集中証拠調べの成功のためには，裁判所が証人尋問の採否について適切な裁量権を行使することが重要であるといっても過言ではない[323]。

ウ　証人の呼出し

尋問の前提として証人の在廷が必要であるが，そのための方法としてはいくつかのものがある。第1は，いわゆる在廷証人と呼ばれるものであり，裁判所による呼出しによることなく，証人が期日に出頭する場合である。在廷証人は，実際には申請当事者がその者を同行することがほとんどであり，同行証人と呼ばれる。あらかじめ尋問申出がなされていない在廷証人について尋問の申出がなされたときには，その場において尋問事項書の提出がなされ，かつ，相手方に異議がない場合に限って，裁判所は，申出を採用することができる。

第2は，呼出状の送達による方法である（民訴規108）。呼出しは強制力をもったものであり，不出頭に対しては制裁が科されるが（189・192〜194，民訴規111），実際には，証人をその意に反して出頭させることは容易ではない。実務上では，前述の同行証人が中心となるのは，この理由によるものであり，民事訴訟規則109条も，尋問申出当事者に対して証人の出頭を確保する努力義務を

322）　法律実務(4)212頁参照。

323）　もちろん実務上では，不要と思われる証人についても不採用の決定をするのではなく，申請当事者に対して裁判所の判断の根拠を説明し，自発的な申請の撤回を促すことが通常である。集中証拠調べの前提としての人証の絞り込みの重要性については，三宅弘人「集中証拠調べの準備と配慮」木川古稀(中)73頁，88頁，新しい審理方法88頁以下，加藤新太郎・手続裁量論22頁以下（1996年），研究会227頁以下など参照。集中審理に対立する，いわゆる五月雨式審理においては，真の争点が確定されないままに，証人尋問や当事者尋問が開始，続行されるために，裁判所としては，当事者からの証人尋問申出に対して適切な対応をすることができない。

課している。特に，集中証拠調べ期日においては，証人の不出頭によって期日が空転する危険が大きいので，出頭確保について実務上の工夫がなされている[324)]。

エ　証人尋問の実施

証人が出頭したときには，裁判長は，まずその者が申出にかかる者であることを確認し，その者に宣誓をさせる（201）[325)]。引き続いて尋問に移るが，尋問の順序としては，まず交互尋問方式によって当事者による主尋問および反対尋問がなされ，それを補完するものとして裁判官による補充尋問がなされる。旧法下では，裁判長その他の裁判官は，当事者による交互尋問が終了した後に補充的に尋問を行うのが原則であり，ただ，必要があれば随時介入尋問をすることが認められた。これに対して202条2項は，裁判長が適当と認めるときには，当事者の意見を聴いて，裁判長による尋問を先行させる可能性を規定する。介入尋問については，旧法のとおりである（民訴規113Ⅲ）。

現行法が上記のように尋問の順序変更の規定を設けた趣旨は，次のように理解される。すなわち，従前から補充尋問を行うべき場合として，当事者による尋問が不適切で，立証すべき事項について十分な証言を引き出せない場合などが挙げられていたが[326)]，特に本人訴訟などにおいては，頻繁に補充尋問の必要が生じることを考慮したものである。

---

324)　田村洋三「一裁判官の審理充実と促進を目指した処理方策案の試み」木川古稀(上)528頁，545頁，西野喜一・裁判の過程387頁（1995年），三宅・前掲論文（注323）90頁など参照。なお，証人の不出頭届出義務（民訴規110）も，このことと関連する。

325)　宣誓は一定の証言事項について真実を述べる旨を誓うものであるから，尋問が数期日にわたるときでも繰り返し宣誓をなす必要はない（大判明治35・6・27民録8輯6巻162頁）。しかし，同一証人であっても，別の事項について尋問をなすときには，改めて宣誓させなければならない（大判昭和15・2・27民集19巻239頁〔百選40事件〕，最判昭和29・2・11民集8巻2号429頁）。

なお，交互尋問制採用に至る経緯や尋問の運用に関しては，伊藤眞「〈シンポジウム〉戦後半世紀におけるアメリカ法の継受とその日本的変容——民事手続法」アメリカ法1996−1号92頁（1996年），馬橋隆紀「交互尋問の理論と実務」実務民訴〔第3期〕(4)228頁に詳しい。

また，証人尋問に先立って，裁判所が証言拒絶権の可能性を告知することは必要ではないが（新注釈民訴(4)235頁〔内海博俊〕），状況に応じた運用は求められる。

326)　法律実務(4)222頁，秋山ほかⅣ247頁，研究会254頁など参照。すでに旧法の下でも，当事者が尋問の能力を欠くときには裁判長の尋問を先行させることが解釈として認められている。

なお，直接主義の要請によって，証言は法廷において裁判所の面前でなされるのが原則であるが，例外的に法廷外で証言がなされる場合がある。第1は，受命または受託裁判官による証人尋問である（195・206・268，民訴規125）。証人尋問については，裁判所外での証拠調べ一般（185）よりさらに公開主義・直接主義の要請が強いので，法は厳格な要件を定めている（195①～③）。当事者に異議のないときでも（195④），裁判所が相当と認める場合（185Ⅰ）でなければならない。第2は，いわゆる電話会議システムやウェヴ会議システムを利用した証人尋問である（204，民訴規123）。

令和4年改正による204条（未施行）は，これを進め，裁判所が相当と認めるときは，最高裁判所規則で定めるところにより，電話会議システムやウェブ会議システム（映像と音声の送受信により相手の状態を相互に認識しながら通話できる方法）による証人尋問を認める。その要件は，第1に，証人の住所，年齢または心身の状態その他の事情により，証人が受訴裁判所に出頭することが困難であると認める場合（同①），第2に，事案の性質，証人の年齢または心身の状況などの事情により，証人が裁判長および当事者が証人を尋問するために在席する場所において陳述するときは圧迫を受け精神の平穏を著しく害されるおそれがあると認める場合（同②），第3に，当事者に異議がない場合（同③）である。第1の要件は，現行法の遠隔地要件を削除して，必要な証人尋問を行うことを目的とし，第2の要件は，証人の保護を図りつつ，適正な裁判資料を確保することを目的とし，第3の要件は，第1および第2の要件を満たす場合以外であっても，証人尋問の実施方法について当事者の意思を尊重することを目的とする。ただし，いずれの場合にも，裁判所が相当と認めるときに限られるから，最終的判断は裁判所に委ねられる。

また，公開主義に関するものとして傍聴人の退廷（民訴規121）がある。これは特定の傍聴人が証人を威圧し，自由な陳述が不可能になることを根拠とするものであり，公開を制限する趣旨ではない。

(a)　尋問および陳述の方法　　1期日において尋問すべき証人が複数存在するときには，ある証人の証言中は，裁判長が他の証人たるべき者を退廷させるなどの措置をとり，証人相互を隔離するのが原則であり，例外的に後に尋問すべき証人の在廷を許すことができる（民訴規120）。これを隔離尋問の原則と呼ぶ。その趣旨は，先の証言の内容が後の証人の証言に影響を及ぼすこと，いわゆる証人の汚染を防ぐことにある。しかし，当事者と証人との事前の接触を禁止する法制の下であればともかく，現在の法制の下で証人の汚染をいうことが大きな意義をもつかどうかは疑わしい[327]。隔離尋問を原則とする規定が存在する現在，これを正面から否定することはできないが，実務上の運営としては，その緩やかな運用が望ましい[328]。

関連する問題として，対質の運営がある。対質尋問は，民事訴訟規則118条によって規定されているものであるが，その運営のみならず，意義についても理解の一致をみていない。まず，意義については，法廷において宣誓をなした複数の証人を対席させた上で，それらの証人に対して尋問を実施するというのが一般の理解であるが，証人相互が質問と陳述を交換するものであるとの理解もみられる。しかし，法または規則が尋問の主体として認めているのは，当事者および裁判所であり，証人自身が尋問の主体となることは認められない。実質的にみても，立証事実との関係で証人が適切な尋問をできるかなどの問題があり，一般の理解にしたがうのが妥当と思われる。この意味での対質でも，同一事実について相矛盾する証言をなす証人に対する尋問方法として大きな意義があることが認識され，近年その利用が高まっている[329]。

証人の陳述は，口頭でなされるのが原則である（203本文）。証拠方法としての証人の特性は，口頭陳述を要求することによって，裁判所が，証言内容のみならず，陳述の態度，表情，および振舞いなどを要素としてその証明力を判断しうる点にあり，したがって口頭陳述は証人の証拠調べにとって本質的な要請である[330]。形式的には口頭陳述であっても，書面の記載を朗読する陳述は，

327）特に集中証拠調べではなく，他の証人を次回期日に尋問する場合には，証人の汚染をいうことは意味がない。

328）すでに実務においても，そのような運営がなされている。西口ほか・前掲論文（注71）(3)判タ849号24頁，伊藤ほか・前掲座談会（注71）29頁，研究会256頁など参照。

329）西口元「対質尋問の実証的研究」中村英郎教授古稀祝賀(上巻)・民事訴訟法学の新たな展開265頁（1996年），西口ほか・前掲論文（注71）(3)判タ849号25頁では，従来対質が少なかったのは，複数の証人に対する集中証拠調べが実施されなかったことにも原因があると指摘される。近年の状況については，証拠法大系(3)115頁〔白石史子〕，村田・前掲論文（注71）169頁参照。

330）尋問者が尋問の方法として証人に対して文書，図面等を提示すること（民訴規116）は，口頭陳述の原則と抵触するものではない。なお，刑事訴訟規則199条の10・199条の

口頭陳述とはいえない。もっとも，この原則については，多少の例外がある。

第1は，聴覚等の障害がある者の場合である（民訴規122）。第2は，現行法によって新設された書面尋問の制度である（205，民訴規124）。これは証人たるべき者の状況や証言内容を考慮して，裁判所が相当と認め，かつ，当事者に異議のないときに，証言に代えて書面の提出を認めるものである[331]。第3は，裁判所が書類にもとづく陳述を許可した場合である（203但書）。もっとも，ここでいう書類にもとづく陳述とは，記憶喚起のためにメモを参照する形での陳述を意味し[332]，書類の記載を朗読ないし援用する形での陳述は排除される。

なお，第2の例外である尋問に代わる書面の提出については，令和4年改正によって205条2項（未施行）が新設され，書面に記載すべき事項を最高裁判所規則で定める電子情報処理組織を使用してファイルに記録し，または書面に記載すべき事項にかかる電磁的記録を記録した記録媒体の提出が認められた。そして同条3項（未施行）は，裁判所は，当事者に対し書面に記載された事項またはファイルに記録された事項もしくは記録媒体に記録された事項の提示をしなければならないと定める。IT化の一環であり，当事者に対する手続保障を図る趣旨である。

(b)　証人等の保護のための措置　　犯罪被害者やその相続人が加害者に対して不法行為を理由として損害賠償請求訴訟を提起する場合に典型的にみられるように，証言や当事者本人の陳述が事実の解明にとって必要不可欠であり，他

12参照。

331)　この書面は，当事者から提出されるのではなく，証人たるべき者によって提出される。したがって，証拠資料としての性質からは，この書面は文書ではなく，証言代替物としての性質をもつ。手続の詳細については，中野哲弘「証人尋問②」新大系(3)37頁，43頁以下，証拠法大系(2)108頁〔内堀宏達〕，新注釈民訴(4)306頁〔安西明子〕，417頁〔名津井吉裕〕参照。書面尋問を適切かつ円滑に行うためには，証人を申請する側の当事者（訴訟代理人）が，証言を求める事項の意味内容や範囲を証人が正確に理解するよう説明し，裁判所の補充尋問事項があれば，それについても同様の説明を行うことが不可欠である。弁護士倫理との関係で問題の指摘もあるが（高橋宏志「書面尋問」判タ1006号40～43頁（1999年）），本質的には，法廷における証人尋問の準備に関する規律と変わるところはない。

なお，簡易裁判所の手続においては，当事者に異議がないことを条件とせず，証人もしくは当事者本人または鑑定人の陳述に代えて書面の提出をさせることができる旨の特則がある（278）。

332)　法律実務(4)231頁以下参照。本条は，刑事訴訟規則199条の11に対応するものである。

方，証言等を行うに際して，証人等が著しい不安や緊張を強いられ，いわゆる二次的被害を被るおそれがある。そのことは，これらの者が適正な裁判によってその権利を実現する機会を奪う結果にもつながるおそれがある。こうした認識を背景として，「犯罪被害者等の権利利益の保護を図るための刑事訴訟法等の一部を改正する法律」（平成19法95）によって，民事訴訟法中の証人尋問に関する規定として，203条の2および203条の3が追加され，また，204条が改正され，2号が追加された。これらの規定は，当事者本人尋問にも準用される（210）[333)]。なお，民事訴訟規則にも所要の改正が加えられている。

措置の内容は，付添い（203の2），遮へいの措置（203の3）およびビデオリンク（204②）の3種である[334)]。この3種のうち，付添いおよび遮へいは，証拠調べの基本原則にかかわるものではないので，従来から，裁判長の訴訟指揮（148）の一環として可能であるとされてきたもののうち，一定の要件を満たす場合の措置の内容を明確にしたものである。これに対して，ビデオリンクは，直接主義とかかわるために，従来は，証人等が遠隔の地に居住する場合にのみ認められていたが（204①），これを証人等の保護の必要が認められる場合に拡張したものである。

付添いは，証人の年齢または心身の状態などの考慮事情を踏まえ，証人が尋問を受ける場合に，著しく不安または緊張を覚えるおそれがあると認められることを要件として，裁判長が適当な者の付添いを認めるものであり（203の2Ⅰ），付添者は，不安や緊張を軽減するための存在であるから，陳述を妨げたり，陳述の内容に不当な影響を与えるような言動をしてはならない（同Ⅱ）。付添いを認めるか否かは，裁判長の判断にかかるが，裁判長は，付添いの措置をとる際には，当事者および証人の意見を聴かなければならない（民訴規122の2Ⅰ）。なお当事者は，付添いの措置に対して裁判所に異議を述べることができる（203の2Ⅲ）。

また，事案の性質や証人の年齢または心身の状態，証人と当事者本人または

333)　ただし，犯罪被害者等の加害者に対する損害賠償請求訴訟あるいは犯罪被害者の証言や陳述などは，立法の背景となった事実を述べたものであり，規定自体は，それに限られず民事訴訟一般に適用されうるものである。小野瀬厚「犯罪被害者等の保護に関する民事訴訟法の改正について」民事月報62巻8号13頁（2007年）参照。

334)　対応するものとして，刑事訴訟法157条の4ないし157条の6がある。

その法定代理人との関係（証人がこれらの者の行った犯罪被害者であることを含む[335)]）その他の事情によって，証人が当事者本人またはその法定代理人の面前において陳述するときは圧迫を受け精神の平穏を著しく害されるおそれがあると認める場合であって，相当と認めるときは，裁判長が，当事者本人または法定代理人との間に，一方からまたは相互に相手の状態を認識することができないようにするための措置をとることができる（203の3 I）。これが遮へいの措置と呼ばれる[336)]。証人と傍聴人との間の相互遮へいについても同様である（同II）。措置をとる際に，当事者および証人の意見を聴かなければならないこと（民訴規122の3 I），および措置に対して裁判所に異議を述べることができること（203の3III）は，付添いの場合と同様である。

さらに，事案の性質，証人の年齢または心身の状態，証人と当事者本人またはその法定代理人との関係[337)]その他の事情によって，証人が裁判長および当事者本人が証人を尋問するために在席する場所において陳述するときは圧迫を受け精神の平穏を著しく害されるおそれがあると認める場合であって，相当と認めるときは，裁判所が，映像等の送受信による通話の方法による尋問方式をとることができる（204②）。これが，ビデオリンクと呼ばれるものである（ビデオリンクによる尋問を実施する際に当事者および証人の意見を聴くことや尋問の具体的実施方法については，民訴規123II参照）。

(c)　陳述書の意義と許容性　　適正・迅速な審理の実現のために，争点整理および集中証拠調べの重要性が強調される中で，近時の裁判実務の中で陳述書の利用が広く行われつつある。もっとも，陳述書といっても，その作成主体，記載内容，および提出時期によって訴訟法上の性質は異なる。ここでは，主尋

---

335)　「含む」という表現は，これが典型例であることを示している。小野瀬・前掲論文（注333）19頁。

336)　対応する刑事訴訟法157条の5第1項但書では，被告人から証人の状態を認識することができないようにするための措置については，弁護人が出頭している場合に限っている。憲法37条2項との関係などから，民事訴訟法と差異が存在することについては，小野瀬・前掲論文（注333）20頁参照。

337)　この場合も，証人が犯罪被害者であることが典型例である（203の3 I 括弧書）。小野瀬・前掲論文（注333）24頁参照。その他，対応する規定である刑事訴訟法157条の6との違いについても，同論文23頁参照。犯罪被害者以外の事案におけるビデオリンク方式による証人尋問が適法とされた裁判例として，東京高判平成23・5・20判タ1351号98頁がある。

問に関連して提出されるもので，その作成主体が証人たるべき第三者であるものに限定して説明する[338)]。

陳述書の機能としては，証言予定事項を相手方や裁判所に予告する予告機能，尋問対象とされている事項について関係者の理解を促進する理解補完機能，効果的な人証調べを可能にする尋問補完機能などが指摘されている。争点整理の段階において当事者から提出される陳述書は，その名称はともかく，実質は準備書面か釈明処分に対する陳述に代わるもの（151 I ①②），または純然たる書証とみなされるから，その適法性に問題はない。

問題があるのは，証人尋問または当事者尋問を補完ないし一部代替する機能をもつ陳述書であるが，以下のような条件が満たされれば，その利用は適法なものであり，また，集中証拠調べおよび効果的な反対尋問・補充尋問のために積極的に利用されるべきものと考えられる。もちろん，上記の陳述書の機能のうち，かなりの部分は，尋問事項書の記載の充実によって解決されるものであるが，ディスカヴァリーやディスクロージャーの制度が存在しないわが国においては，陳述書がもつ理解補完機能や尋問補完機能は重要なものと認められるからである。

条件としては，第1に，一体をなしている証言内容のうち，その一部を書証としての陳述書によって代えることは可能であるが，これは当事者の尋問権の実質的放棄を意味するものであるから，両当事者の同意があり，かつ，裁判所が証言内容を考慮して相当と認める場合に限られる[339)]。

第2に，陳述書の内容を援用するとの陳述をもって，主尋問に対する証言に代え，これに対する反対尋問を行わせることは，たとえ当事者の同意がある場

338）陳述書の中で，証拠調べとの関係で提出される「主尋問代用型陳述書」と争点整理との関係で提出される「事案提示型陳述書」が分けられ，前者の中では，当事者尋問に備えて当事者本人から提出されるものが多数を占めている（新しい審理方法77頁，水戸地裁集中証拠調研究会「中小裁判所における民事集中証拠調べの試み(1)」判時1556号7頁，10頁（1996年），新注釈民訴(4)419頁〔名津井吉裕〕参照）。後者は，性質としては準備書面に類似するものと思われる。しかし，前者においても証人から提出されるものもないわけではなく，ここで陳述書について述べるところは，基本的に当事者本人から提出される主尋問代用型陳述書にも当てはまる。

339）従前から，計算関係などについて陳述書が多用されてきたのは，このような場合に属する。プラクティス125頁参照。なお証人申出自体が採用されないときに，証言予定内容を陳述書の形で書証として提出することは，原則として差し支えない。

合であっても，反対尋問制度の趣旨および口頭陳述の原則に照らすと適当とはいえない。したがって，裁判所としては，証人や当事者に対して包括的に陳述内容を援用させるのではなく，適宜記憶喚起および陳述の正確性保持のために陳述書の記載を参照することを認めて，主尋問を行わせる方法によるべきである。ただし，陳述書の内容をそのまま朗読する形の証言は，203条の趣旨に反するので，適法とは認められない[340)]。

なお，陳述書に関係するものとして，改正作業の中で検討された宣誓供述書・陳述録取書がある。改正要綱試案においては，陳述書の作成者が公証人の面前で宣誓の下にその内容に相違ない旨の陳述および署名をなし，公証人がそれを認証した書面，すなわち宣誓供述書と，供述者が宣誓の下に陳述した内容を公証人が録取した書面，すなわち陳述録取書に関する事項が設けられていた。この考え方に対しては，紛争予防機能，証拠保全機能，証拠開示機能などを理由とする賛成論が存在した一方，録取書などをもって証言に代えることはかえって真実発見を妨げるとの批判もなされた[341)]。

このような議論を前提として，最終的には，陳述録取書が不採用となり，宣誓供述書のみが公証人法58条ノ2第1項として採用されるにとどまった。陳述録取書は，両当事者が公証人の面前に出頭して作成されることが望まれるが，わが国の現状では直ちにそのような体制が整備されることは期待できず，他方，両当事者の立会いが保障されない場での陳述録取書の証明力には疑問が呈されていることを考えれば，将来の立法課題とされたこともやむをえない[342)]。

---

340)　伊藤ほか・前掲座談会（注 *71*）26頁，坂元和夫「弁論準備手続④」新大系(2)310頁，327頁，北尾哲郎「書証その他」新大系(3)67頁，71頁参照。したがって，陳述書の内容をなぞるのではなく，その内容を適宜参考とする形で口頭陳述を行わせるべきである。新しい審理方法161頁参照。実務運用上の取扱いとして同様のことを説くものとして，証拠法大系(2)115頁〔内堀宏達〕がある。

341)　改正要綱試案　第五 証拠　四 書証　2。提案の根拠については，石川明ほか「民事訴訟法改正と公証制度」公証法学25号25頁，30頁（1996年），反対論の根拠については，山下孝之＝阿多博文「宣誓供述書・陳述録取書」判タ873号19頁，20頁（1995年）参照。

342)　小林秀之ほか「〈座談会〉民訴改正要綱・民訴法案をめぐって」判タ903号4頁，50頁（1996年）参照。平成15年改正においても検討の対象とされたが，実現しなかった（伊藤・前掲論文（注 *165*）8頁以下参照）。公証人法下の宣誓供述書の運用については，証拠法大系(3)198頁以下〔生島弘康〕参照。

オ　尋問方法に対する規整

証人は，自己の見聞した具体的事実についての認識を口頭で陳述し，その陳述内容が裁判所の事実認定にとっての証拠資料となるものであるから，尋問もその目的に沿って行われなければならない。法および規則は，そのためにいくつかの準則を定立し，その準則に反する尋問については，裁判所は，当事者の申立てまたは職権によってこれを制限することができる（民訴規114・115）。

制限される尋問としては，第1に，立証事項に関連がない質問や重複した質問など，関連性の面から制限されるものが挙げられる（民訴規114Ⅱ・115Ⅱ③④）。

第2に，抽象的，かつ，一般的な質問，もしくは意見の陳述を求める質問，または証人が直接経験しなかった事実についての陳述を求める質問など，証拠方法としての証人に適さないものが挙げられる（民訴規115ⅠⅡ⑤⑥）。

第3に，証人を侮辱し，または困惑させる質問のように，質問の態様が証拠資料の顕出に適さないものがある（民訴規115Ⅱ①）。

第4に，誘導尋問のように，事実認定を誤らせる危険がある質問が挙げられる（民訴規115Ⅱ②）。ただし，誘導尋問，重複尋問，争点に直接に関係のない尋問，意見の陳述を求める尋問，直接経験しなかった事実についての尋問は，正当な事由があれば許される（民訴規115Ⅱ柱書但書）。

この中で誘導尋問とは，尋問者が証言内容を暗示し，証人が肯定または否定の陳述によって答えうる形式をいう。これが制限されるのは，暗示によって証言内容が操作され，証人自身の認識を語るという目的から離れる危険があるからである。しかし，誘導尋問の制限は，刑事訴訟規則199条の3第3項の規定を参考としつつ，弾力的に解釈されるべきである[343)]。また，自己が直接経験しなかった事項についての陳述は，伝聞証言と呼ばれ，無制限に許されるべきものではない。伝聞証言の危険は，陳述される事実が証人の直接の認識にもとづくものではないために，相手方が反対尋問によってその認識の誤謬を攻撃できないところにある。したがって，事実を直接認識した第三者が死亡などの事由によって証人となりえない場合には，真実発見のために伝聞証拠を認めて，

343）反対尋問や敵性証人，および証人の身分や経歴など前置的事実などの例外については，法律実務(4)225頁参照。

反対尋問権の保障を犠牲にせざるをえず，相手方の利益は，証言内容に対する裁判所の自由心証による評価によって守られる[344]。

5　鑑　定

裁判官が事実を認定するためには，必ず経験則の助けを借りなければならない。経験則には，一般通常人が当然知っていることを期待されるものもあれば，科学技術上の知識のように高度に専門的な経験則もある。前者は，一般教養として裁判官が備えるべきものであり，一般人もその信頼性に疑問をいだかないが[345]，後者は，裁判官が当然に備えていることは期待できず，また，たまたま特定の裁判官が個人的な知識としてそれを備えていても，その内容の信頼性は確保されない[346]。鑑定は，このような専門的経験則を事実認定の証拠資料とするための証拠調べであり，その証拠方法が鑑定人である。もっとも，裁判官が専門的知識を補充するための手段としては，調査の嘱託（186），鑑定の嘱託（218），専門委員制度（92の2以下）や調査官制度（裁57Ⅱ）などもあるが，鑑定は，経験則の内容が当事者間の争いの対象となった場合の証拠調べである点にその特徴がある。

鑑定の対象は，争いとなっている具体的事実ではなく，一般的通用性をもつ経験則である。この点で鑑定人と証人とを区別する。もっとも，特別の学識経験にもとづいて知った事実について陳述する者は，鑑定証人と呼ばれ，証人に準じて取り扱われる（217，民訴規135）。たとえば，患者の治療にあたった医師がその者の症状や治療の内容について陳述する場合がこれにあたる。

(1)　鑑定の対象

鑑定の対象は，第1に，証拠の評価，証拠にもとづく事実の推認，および間接事実による主要事実の推認などの過程で作用する経験則である。すでに述べたとおり，当事者によって争われない経験則は別として，争いの対象となる専

---

344)　その他の例外については，注釈民訴(6)382頁〔太田幸夫〕参照。

345)　前掲最判昭和36・4・28（注208）。

346)　高度の専門知識であっても，その内容に争いが生じうるものである限り，裁判所の私知を利用することは許されない。中野・現在問題144頁の考え方に賛成する。通説（たとえば，野田宏「鑑定をめぐる諸問題」新実務民訴(2)153頁，157頁）は，裁判所の私的専門知識の利用を肯定するが，当事者が積極的にそれを争わない場合を考えているものと思われる。杉山悦子「裁判官による専門知識の収集と利用」民訴雑誌69号114頁（2023年）参照。

門的経験則は，事実に準じるものとして証拠調べにもとづいて認定されることを要する。第2に，法規のうち外国法規が鑑定の対象となりうることについても，争いがない。もっとも，本来的性質としては外国法規も法規の一種であるが，外国法について知識を有することはわが国の裁判官としてその職務を遂行するための要件ではなく，したがって，争いある外国法の内容については，鑑定の方法による証明が許される。

これに対して内国法規に関する鑑定の許容性については，判断が分かれる[347)]。法の解釈適用が当事者によって争われたときに，裁判官は，その知見と合理的に必要な範囲での調査にもとづいて結論を決すべきものであり，鑑定に依存すべきものではない。その意味では，内国法規についての鑑定は否定される。当事者が法律上の主張を補強するものとして法律専門家の意見を記載した書面を提出したときには，当事者によって援用される法律上の主張として扱えば足りる。

⑵　鑑　定　人

鑑定人は，学識経験のある第三者であって，鑑定義務は，証言義務と同様に，裁判権に服する者に課せられる一般的義務である（212Ⅰ）。したがって，裁判所によって指定された鑑定人が，証言拒絶権相当の事由などの正当な事由なく鑑定や宣誓を拒む場合には，一定の制裁が科せられる（216）。ただし，専門的な知見にもとづく意見の陳述という鑑定の性質上，鑑定人の意に反してその出頭を確保する勾引は認められない（216参照）。

鑑定人の資格は，かつては自然人に限られていたが，旧法および現行法は官公署や法人に対する鑑定の嘱託を認めるので（218），自然人以外の者も鑑定人資格を認められる。他方，訴訟の結果について利害関係をもつ者の鑑定意見は，その中立性について疑問が生じるので，法は，一定の者を鑑定人から排除し（212Ⅱ），また当事者による忌避も認めている（214，民訴規130）[348)]。

347）　詳細については，加藤・前掲書（注323）250頁参照。論者自身は，積極説をとる。実務上では，自己に有利な法解釈を基礎づけるために当事者が後述の私鑑定として，専門家の法規に関する意見を提出することが多い。伊藤眞「法律意見書雑考――公正中立性の ombre et lumière（光と影）」判時2331号141頁（2017年）参照。また，法の解釈適用の基礎となる立法事実に関する鑑定については，注釈民訴(6)401頁以下〔太田勝造〕が詳しい。

(3) 鑑定の手続

鑑定も証拠申出の一種である349)。したがって，当事者は，鑑定の対象とすべき立証事項を明らかにして鑑定の申出をなす（180Ⅰ，民訴規99Ⅰ・129Ⅰ）。裁判所は，その申出に対する採否を決定し，鑑定を採用するときには，鑑定事項を確定し350)，かつ，鑑定人を指定する（213）。証人尋問の申出が証人を指定してなされる（民訴規106）のと比較すると，当事者による指定は，裁判所の判断資料としての意味しかもたない。これは，鑑定の目的が裁判官の判断作用を補助する経験則等を証明することにあり，したがって，その目的に照らしてもっとも適切な鑑定人を選ぶ権限を裁判官に付与したものである351)。

当事者の申立てがなされないにもかかわらず，裁判所が職権によって鑑定を

348）栂善夫「民事訴訟における鑑定人の忌避について」曹時43巻10号27頁（1991年）では，中立性は代替可能性を考慮して判断されるべきであるという。論理的にはともかく，実際上はこのような考え方をとらざるをえない。また，人脈等の理由から過度に中立性を強調することは，結果として鑑定人選択の幅を狭めることになるので，専門的知識にもとづく判断がゆがめられる危険があるほど強い利害関係がある場合に限って，中立性を問題とすべきである。中野・現在問題149頁以下，証拠法大系(5)15頁〔高橋讓〕，新注釈民訴(4)363頁〔町村泰貴〕参照。

具体的には，一方当事者に有利になる学説を発表していることは，当事者との間に人的なつながりがない限り，忌避の事由とならない。参考となる例として，広島高決昭和53・4・22下民29巻1～4号247頁，東京地判昭和53・8・3判時899号48頁，138頁，最決平成17・9・16実情227頁がある。

349）平成15年改正前は，鑑定を証人尋問に類するものとして，証人尋問に関する規定を包括準用していたが（旧216），証拠方法としての鑑定人の特質を考慮して，立法者は包括準用規定を個別準用規定に置き換え（216，民訴規134。令和4年法改正にともない民事訴訟規則134条について若干の改正がある），かつ，鑑定人の特質に応じた証拠調べの規定を置くこととした（215・215の2など）。

350）鑑定申出の採否は，証拠の採否の問題であるので，基本的には裁判所の裁量に委ねられるが（最判昭和27・5・6判タ21号46頁），前記のとおり，当事者間に争いがある重要な経験則については，特段の事情のない限り，鑑定を採用すべきである。

また，鑑定事項の確定について，畔柳達雄「医療事故訴訟提起後の準備活動――証拠調べの準備」新実務民訴(5)249頁，279頁，木川統一郎＝生田美弥子「民事鑑定書の構造」判タ849号6頁（1994年）参照。論者によれば，鑑定事項を確定するために釈明処分としての鑑定（151Ⅰ⑤）を利用することもできるとされる。さらに平成15年民事訴訟規則改正によって裁判所は，口頭弁論期日などにおいて鑑定のために必要な事項について当事者および鑑定人と協議できることとされた（民訴規129の2）。

351）鑑定人指定の実務については，注釈民訴(6)434頁以下〔畑郁夫〕に詳しい。実際には，信頼できる専門知識をもち，かつ，中立性のある鑑定人を確保することは容易ではない。医事関係訴訟を中心とした近時の鑑定実務の動向については，伊藤・前掲論文（注165）21頁，関口・前掲論文（注165）77頁参照。

行わせることができるかどうかについては，考え方の対立がある。しかし，職権証拠調べの一般規定（旧 261）が昭和 23 年改正によって削除されたこと，職権による鑑定が許される場合について明文の規定があること（218・233），経験則の不明は，最終的には主要事実についての証明責任の問題として解決されることなどを考慮すると，職権鑑定を否定すべきである[352)]。

鑑定人は，必要な調査と自己の知見とを総合して鑑定意見を作成するが，必要があれば，裁判長に証人もしくは当事者本人に対する尋問を求めるだけではなく，裁判長の許可を受けて証人等に対して直接に質問をすることができる（民訴規 133）。これは，鑑定意見作成のために必要な資料を収集する手段を規定したものである[353)]。鑑定意見は，口頭に限らず書面によることもできるし，また複数の鑑定人がいる場合には，共同または各別に意見が述べられる（215 Ⅰ，民訴規 132 Ⅰ）[354)]。

なお，令和 4 年改正による 215 条 2 項（未施行）は，書面で意見を述べることに代えて，鑑定人が，最高裁判所規則で定めるところにより，書面に記載すべき事項を最高裁判所規則で定める電子情報処理組織を使用してファイルに記録する方法，または書面に記載すべき事項にかかる電磁的記録を記録した記録媒体を提出する方法により意見を述べることを認める。裁判所は，当事者に対し，書面に記載された事項（同Ⅰ），ファイルに記録された事項（同Ⅱ）もしくは記録媒体に記録された事項（同Ⅱ）の提示をしなければならない（同Ⅳ）。2 項に定められた方法は，IT 化の一環である。鑑定の嘱託についても，電磁的記録の説明や鑑定の結果の当事者に対する提示が規定されている（218 Ⅱ Ⅲ）。

352）学説の詳細については，注釈民訴(6) 416 頁〔太田勝造〕（消極説），新注釈民訴(4) 352 頁〔町村泰貴〕，栂善夫「科学裁判と鑑定」講座民訴⑤ 247 頁，255 頁（積極説）参照。積極説の根拠の 1 つとして，専門的経験則の認定についての裁判官の不安が挙げられるが，その内容を争おうとする当事者が積極的に鑑定申請をしない以上，裁判官は自己の知見の範囲内で判断せざるをえない。なお，改正作業の初期の段階では，立法論としても検討されていた。検討事項　第五 証拠　三鑑定　2（二）参照。もっとも，職権鑑定の余地を認めても，当事者が費用を予納しなければ鑑定を実施することはできない。

353）改正要綱試案補足説明　第五 証拠　三 鑑定　2 について。刑事訴訟規則 134 条を参考として新たに設けられたものである。

354）いったん，口頭弁論において鑑定意見が提出された以上，鑑定申出の撤回は意味をもたない。最判昭和 58・5・26 判時 1088 号 74 頁。なお，鑑定書を証拠資料とするための行為を顕出と呼び，裁判所が口頭弁論において文書を提出し，当事者に意見陳述の機会を与えることを意味する。証拠法大系(5) 34 頁〔高橋譲〕。

また，鑑定人の意見の内容を明瞭にし，またはその根拠を確認するため必要があると認めるときは，裁判所は，申立てによりまたは職権で，鑑定人にさらに意見を述べさせることができる（215Ⅱ，民訴規132の2）。従来の鑑定においては，いったん鑑定意見が述べられた後にそれを補充させることができるかどうかについて争いがあったことを考慮し，それが可能であることを明らかにしたものである。なお，鑑定人による口頭の意見陳述は，裁判所が相当と認めるときには，いわゆるテレビ会議システムによることが許される（215の3，民訴規132の5）。なお，令和4年改正によって従来の遠隔地要件が廃止された（215の3（未施行））。

意見陳述の前提として，鑑定人は宣誓することを要するが，宣誓は，宣誓書の提出の方式によることもできる（民訴規131Ⅱ）。鑑定書の形式で書面が提出される場合であっても，証拠としての性質はあくまで鑑定であり，書証とは区別される[355)]。

鑑定書の提出によって一応鑑定人の義務は果たされるが，鑑定人に口頭で意見を述べさせる場合には，鑑定人が意見の陳述をした後に，裁判所は，鑑定人に対し質問をすることができる（215の2Ⅰ）。その質問は，裁判長，鑑定申出当事者，他の当事者の順序で行う（215の2Ⅱ，民訴規132の3）。裁判長は，適当と認めるときは，当事者の意見を聴いて，その順序を変更することができる（215の2Ⅲ）。順序の変更については，当事者の異議申立権が認められる（215の2Ⅳ）。証人尋問と異なって，鑑定人の意見陳述には，質問という形式がとられ，かつ，質問の順序も証人尋問の場合と異なっているのは（202Ⅰ参照），平成15年改正の立法者が，証拠方法としての鑑定人の特質を重視したからにほかならない[356)]。

証人尋問と同様に，個別的事項に即していわゆる一問一答方式（民訴規115Ⅰ

---

355)　鑑定書の中では，鑑定主文と鑑定理由が区別して記載され，鑑定意見となるのは，鑑定主文のみとするのが通説の理解である。注釈民訴(6)468頁〔井上繁規〕，野田・前掲論文（注*346*）164頁など。しかし，専門的知見は，結論のみでは意味をなさないものであり，理由と結論が一体となって裁判官の評価の対象となる。したがって，このような区別は意味をもたない。加藤・前掲書（注*323*）247頁以下，清水宏「鑑定評価の在り方に関する一考察」小島古稀(上)491頁の考え方に賛成する。

356)　詳細については，伊藤・前掲論文（注*165*）22頁参照。また，医療訴訟においてカンファレンス鑑定と呼ばれる方式がとられることがある（東京地方裁判所医療訴訟

参照）で行われた鑑定人尋問の方式については，かねてから鑑定人の人格を傷つけるものであるとの反発があり，その反発が，ひいては専門家が鑑定を引き受けることを忌避する原因となっているとの指摘がなされていた。争いの対象となる専門的知見に関する判断材料を裁判所に提供するという鑑定人の役割を考えたときに，鑑定人に対する尋問を証人尋問と同一の方式によって行わなければならない理由は認められず，むしろ体系性のある専門的知見について陳述する鑑定人の特質に応じた証拠調べの方法を採用することが望ましいとの判断にもとづいて上記の法改正が実現された。

鑑定人に対する質問の態様についての制限（民訴規132の4）が証人についてのそれ（民訴規115）と異なっているのも，同様の理由によるものであり，鑑定人に対する質問には具体性は要求されるが（民訴規132の4Ⅱ），個別性は要求されないのは（民訴規115Ⅰ参照），両者の差異を象徴するものである。

なお，以上のような鑑定の手続を踏まないで，鑑定の対象たりうる事項について一方当事者が専門家に依頼し，その報告書を書証として提出することが多く，慣行上私鑑定と呼ばれる。現在の支配的考え方は，これを書証として扱うが，有力な少数説があり，両当事者の合意にもとづいて正規の鑑定意見として取り扱うことができるという[357]。しかし，法規の場合と異なって，経験則は事実に類するものとして書証による証明も可能であること，報告書作成者の適

対策委員会「医療訴訟の審理運営指針（改訂版）」判タ1389号22頁（2013年），新注釈民訴(4)380頁〔町村泰貴〕）。これは，数人の鑑定人からあらかじめ提出された鑑定書の内容について，公開のラウンドテーブル法廷において裁判所および当事者から各鑑定人に対して質問を行い，場合によっては，鑑定人相互間で議論をなさしめる運用である。

複数の鑑定人から医学的知見を提出させ，口頭の質疑および議論によってその客観的信頼性を検証する方式と評価できる。実例として，東京地判平成23・2・24判タ1363号150頁がある。また，専門委員や裁判所が委嘱する鑑定人と当事者が申請する専門家証人をラウンドテーブル法廷において同席させ，あらかじめ提出された鑑定書および意見書にもとづいて同様に口頭の質疑および議論を行わせるカンファレンス尋問の提案もある（平野哲郎「カンファレンス尋問——複数専門家による口頭での知見提供の新しい方法」判時2315号7頁（2017年））。専門委員，鑑定人および専門家証人間の意見交換を通じて，裁判資料としてより信頼性の高い専門的知見の提供を実現しようとするものである。

357）　有力説（中野貞一郎「私鑑定について」判タ642号27頁，29頁（1987年））によると，当事者の合意ができないときには，書証として扱うべきではなく，当事者による弁論の一部とされるという。ただし，論者はその後見解を変更され（中野・現在問題176頁以

格性や判断の内容については，必要があればその者に対する証人尋問によって調査できることなどを考慮すれば，書証としての取扱いが許される358)。

鑑定人は，日当および宿泊料のほか，相当の鑑定料を受ける（民訴費18・26）。そしてこれらの費用は，訴訟費用の一部とされ，当事者によって予納される（民訴費2②・11Ⅰ①・12）。ただし，鑑定が裁判所の経験則についての知識を補充するためのものであることを考慮すれば，立法論としては，訴訟費用敗訴者負担の原則の対象から除外するとの考え方もありうる359)。

6 書　　証

書証とは，裁判官が文書を閲読して，読みとった記載内容を証拠資料とするための証拠調べを意味する。ここでいう文書とは，文字その他の記号によって作成者が思想，判断，または認識を表現した有形物をいう。有形物としては，紙が代表的なものであるが，文書に該当するか否かは，媒体の種類ではなく，媒体上に作成者の精神作用の表現としての思想が表現され，裁判官が閲読の方法によってその内容を感得できるかどうかによって決せられる。したがって，写真，地図，順番札，および境界標などは，思想が表現されていない点で，文書から区別され，準文書（231，民訴規147）として扱われる。もっとも，文書にあたるものであっても，記載された思想ではなく，媒体の形状や記号の特質を証拠調べの対象とするための方法は，書証ではなく，検証である。

(1) 文書の種類

文書のうち，作成者，記載事項，および作成目的に応じて，以下のような種類が分けられる。

下），書証としての提出を認めながら，裁判所が私鑑定の難点を証拠評価にあたって顧慮すべきものとされる。また，争点整理における私的鑑定書の役割を評価し，また，作成者の証人尋問と組み合わせた証拠資料としての意義を説くものとして，証拠法大系(5)46頁〔前田順司〕がある。

358)　加藤・前掲書（注323）259頁，福永清貴「私鑑定の証拠法上の取扱い」早稲田法学73巻1号215頁，222頁以下（1997年），新注釈民訴(4)345頁〔町村泰貴〕，1000頁〔山本和彦〕参照。証人尋問の対象は鑑定書作成に関する事情であるが，実際には鑑定意見の内容にまで立ち入ることになる。なお，法解釈にかかわる事項について当事者が，法学研究者の作成する法律意見書または法律鑑定書と題する書面を提出することがあるが，同じく書証の一種として扱うことになる。伊藤・前掲論文（注347）143頁参照。

359)　注釈民訴(6)407頁〔太田勝造〕参照。論者は，鑑定の中でも，そのもたらす利益が公共的なものについては，公費でそれを負担することも考えられるという。なお，鑑定料に関する実務については，証拠法大系(5)31頁以下参照〔高橋譲〕。

ア　公文書・私文書

公文書とは，公務員がその職務の遂行として権限にもとづいて作成した文書を指し，それ以外の文書を私文書という。公正証書など，作成について正規の方式が定められているときには，それにしたがって作成されたもののみが公文書として扱われる。また，内容証明郵便の証明部分と通信部分，登記済不動産売買証書の登記済記載部分と売買契約部分のように，物理的には1個の文書の中に法律上公文書と私文書が含まれていることがある（ただし，現行不動産登記法では，登記済証が廃止され，登記識別情報に代えられた。不登21本文・22本文）。公文書と私文書の区別の中では，真正の推定に関する違いがもっとも重要なものである（228）。

イ　処分証書・報告文書

処分証書とは，意思表示その他の法律的行為が行われたことを示す文書であり，行為としては，私法上の行為に限らず，公法上の行為も含まれる。その例としては，判決書，行政処分の告知書，契約書，手形，遺言書，解約通知書などがある。これに対して報告文書とは，作成者の見聞，判断，感想，記憶などが記載された文書である。例としては，手紙，帳簿，診断書，受取証などがある。両者の区別は，文書の証明力にかかわる。すなわち，処分証書においては，文書作成の意思と記載内容たる行為の意思とが直接に関係しているので，文書の真正，すなわち作成者の真意にもとづくことが証明されたときには，記載される行為そのものの存在が認定される。これに対して報告文書においては，文書の真正が認められても，記載内容の真実性が直接に基礎づけられるわけではない。

ウ　原本・謄本・抄本・正本・副本

この区別は，同一記載内容の文書をその作成者を基準として区別したものである。原本は，記載内容たる思想の主体自身によって作成された文書を意味する。これに対して，謄本，抄本，および正本は，原本の全部または一部を物理的または電磁的手段等によって写したものであり，写しを行った者が作成者になる。謄本は，全部の写しで，かつ，原本の存在および内容の同一性について謄本作成者が証明を与えたものをいう。公の機関による証明がある場合を認証ある謄本と呼ぶ。抄本は，一部の写しである点だけが謄本と異なる。正本は，謄本と同様に全部の写しであるが，法によって原本と同じ効力を与えられているものをいう。これに対して副本は，原本の一種であるが，特に数通の原本のうち送達に用いられるものを呼ぶ[360]。これら以外のものは，単に写しと呼ばれる（民訴規55・139など）。

⑵　文書の証拠能力および証拠力

文書の証拠調べにあたっては，まず，そもそも特定の文書が証拠調べの対象になりうるか，すなわち証拠能力の問題と，立証事項との関係である文書がどの程度の証拠価値をもつか，すなわち証拠力の問題とが区別される。

ア　文書の証拠能力

文書の証拠能力とは，書証としての証拠調べの対象となりうる適格を意味する。現行法の下では，文書の証拠能力についての制限は存在しないと解されている。その理由は，第1に，刑事訴訟法321条ないし323条と異なって，民事訴訟法には，文書の証拠能力を制限する規定が存在しないこと，第2に，その証拠価値に疑いがある文書でも，証拠能力を否定するのではなく，裁判官の自由心証による証拠力の評価に委ねれば足りることに求められる。ただし，先に述べた違法収集証拠に属する文書は別である。

問題となるものとして，紛争発生後に当事者が自ら作成した文書や証人尋問を回避するために第三者が作成した文書が挙げられる。まず，異論がないものとして，人証が排除される手形・小切手訴訟などの手続において（352 I など），それを潜脱する目的で作成された文書は，証拠能力が認められない[361]。次に，証人たるべき第三者が作成した文書，特に訴え提起後に作成されたものについては，かつての判例は，証人尋問回避のおそれがあり，口頭主義・直接主義に反するものとして，その証拠能力を否定したが，現在の判例理論は，証拠価値の判断を自由心証に委ねれば足りるとして，証拠能力を肯定し，通説もこれを支持する[362]。訴え提起後に当事者が作成した文書についても同様に解されて

360）　訴訟記録の正本，謄本，または抄本については，91条3項，民事訴訟規則33条参照。なお，従来副本は，実務慣行上の概念であったが，現行法の下では，法令上の概念となった。民事訴訟規則22条2項・40条1項・58条1項・162条1項など参照。

361）　東京地判昭和40・8・25下民16巻8号1322頁，注釈民訴⑺16頁〔吉村徳重〕。

362）　かつての判例は，大判明治39・1・18民録12輯55頁，大判大正10・2・2民録27輯172頁，大判大正12・2・3民集2巻42頁など。これを変更して，現在の判例理論を確

いる[363]。

しかし，以下に述べる理由から，判例・通説には賛成しがたい。判例・通説は，当事者または第三者が訴え提起後に作成した文書である事実を自由心証による証拠価値評価の基礎として考慮すれば足りるとするが，自由心証主義は，証拠価値の評価にかかわるものであり，証拠としての適格性の判断に代わるものではない。当事者や証人など本来人証の対象たるべき証拠方法については，主尋問および反対尋問によって証拠資料の形成にかかわる権能を当事者に付与し，また，裁判所も尋問の結果から直接に心証を形成することが要請されるのであり，それを回避するために証言内容を文書として提出することは，原則として許されるべきではない。

もっとも，相手方当事者が証言予定内容を書証とすることに同意し，かつ，裁判所もそれで足りると認めたときは，便宜的取扱いが許される。先に陳述書について述べたところも，このような考え方に沿うものである。当事者に異議がない場合に限って，尋問に代わる書面の提出を裁判所が許すことができるとする民事訴訟法205条の規定の趣旨も，同様のものである。

以上の結論は，挙証者が本来の証拠調べたる人証を回避するために書証を申し出る場合に妥当する。したがって，証人たるべき者が死亡したなど，もはや人証を実施することを不可能または困難とする客観的事情が認められるときには，文書の証拠能力を肯定して差し支えない。

イ　文書の証拠力

文書の証拠力とは，ある文書が立証事項たる事実に関する裁判所の心証に寄与する程度をいう。文書の証拠価値というのも同じ意味である。文書の証拠調べとしての書証は，証拠力および証拠価値を明らかにする手続であるが，作成者の思想を記載する証拠方法である文書の性質から，第1に，記載内容が真に作成者の思想を表現したものであるかどうかを確認し，第2に，その思想内容

立したのは，大判昭和14・11・21民集18巻1545頁〔百選54事件〕である。最判昭和26・5・18判タ13号63頁（ただし，疎明）もこれを確認する。学説としては，新注釈民訴(4)997頁〔山本和彦〕が本書と同様の考え方をとる。

363）　最判昭和24・2・1民集3巻2号21頁，最判昭和32・7・9民集11巻7号1203頁。第三者作成文書，当事者作成文書のそれぞれについて，通説の基礎を作ったものとして，兼子・判例民訴224頁以下，三ヶ月章・判例民事訴訟法280頁以下（1974年）がある。

の真実性，すなわち立証事項に関する心証形成への寄与度を確認する必要がある。前者が形式的証拠力，後者が実質的証拠力の問題である。

(a)　形式的証拠力　　文書の記載内容が作成者[364]の思想の表現であると認められることを形式的証拠力と呼ぶ。文書の真正，すなわち作成者の意思にもとづいて文書が作成されたとの事実が認められれば，通常は形式的証拠力も肯定されるが，習字の目的で作成された文書のような場合には，なお形式的証拠力に欠ける。ここでいう作成者は，記載内容たる思想の主体を意味するものであって，かならずしも媒体上に文字・記号などを直接記入した者を意味するものではない。この点は，後に述べる新種証拠の取扱いに関して問題となる。

形式的証拠力の前提事実として文書の真正が確定されなければならないので，挙証者から文書が提出されると，裁判所は，相手方にその認否，すなわち文書の真正な成立を認めるかどうかを確認する[365]。相手方が成立を争うと，挙証

364)　前提として挙証者が作成者を特定することが必要である。作成名義人のない文書でも，作成者の特定は必要であり，また，偽造文書のように作成者と作成名義人とが食い違う場合もある。作成者不明の文書は，形式的証拠力を欠くから，これを証拠資料とすることはできない（もちろん，検証物として証拠調べの対象とする余地はある。新注釈民訴(4)759頁〔名津井吉裕〕，833頁〔手嶋あさみ〕）。また，挙証者が主張するのと別の者が作成者であると判断されるときにも，改めて別の者を作成者とする書証の申出がなされない限り，当該文書は，事実認定の資料とならないのが原則である。注釈民訴(7)18頁〔吉村徳重〕，加藤・前掲論文（注276）588頁参照。森・前掲論文（注279）1089頁は，このことが弁論主義の内容の一つである職権証拠調べの禁止から導かれるとする。ただし，有力な反対説（伊藤滋夫「書証に関する二，三の問題(上)」判タ752号15頁，18頁(1991年）など）がある。詳細については，新注釈民訴(4)711頁〔名津井吉裕〕参照。代理人作成文書については，顕名などによって代理人作成の事実が明らかになれば，代理人を作成者とすべきである。

365)　認否の態様としては，認める，否認する，不知として争うかの3つがあるが，調査が困難であるなど合理的理由がない限り，不知の主張は避けるべきである。秋山ほかⅢ407頁，新注釈民訴(4)727頁〔名津井吉裕〕参照。不知と陳述しても，それに関する具体的事実が主張されない限り，裁判所は弁論の全趣旨によって成立を認めることが許される。また，否認には理由を明示しなければならない（民訴規145）。主張に対する否認の場合（民訴規79Ⅲ）と同様，争点を明確にする趣旨である。

なお，当事者が成立を認めた場合にそれが裁判所を拘束するかどうかについて争いがある。これはいいかえれば，文書の真正が自白の対象となりうるかどうかの問題であるが，前掲最判昭和52・4・15（注220）は，文書の真正は補助事実であるという理由から，自白の拘束力を否定した。倉田・前掲書（注265）185頁，松本・前掲書（注213）107頁，新注釈民訴(4)735頁〔名津井吉裕〕など有力な反対説があるが，自白の対象についての一般論にしたがい，判例を支持する。もちろん，処分証書の場合のように当事者の陳述が主要事実についての自白とみなされるかどうかは，別の問題である。坂原正夫「私文書の

者は，真正を証明しなければならないが（228Ⅰ），法は，文書の性質に応じていくつかの推定規定を設けている。これらは，法律上の推定と区別され，法定証拠法則と呼ばれている[366]。

まず，228条2項は，公文書について規定し，その方式および趣旨によって公務員が職務上作成した外形が認められれば，真正な成立，すなわち作成者とされる公務員の意思にもとづくものと推定される。ただし，この推定は法律上の推定ではなく，経験則を前提とした法定証拠法則であるので，相手方は，公務員の意思にもとづくものではない旨の反証を挙げることによって，推定を覆すことができる。また裁判所は，文書の真否に疑いがあるときには，職権によって当該官公署に照会することができる（228Ⅲ）。外国の公文書についても同様である（228Ⅴ）。

次に私文書については，本人または代理人による署名または押印にもとづいてその真正が推定される（228Ⅳ）。したがって，挙証者は通常，本人等の意思にもとづく署名または押印の事実を証明することになるが，押印については，文書上の印影が本人等の印章によるとの事実が証明されると，それによって本人等の意思にもとづく押印が事実上推定され，さらに上の法定証拠法則の効果として，文書の真正が推定される。印影と印章の一致→押印の事実→本人等の意思にもとづく文書の成立，という推定の構造は，2段の推定と呼ばれる[367]。

検真と真正の推定(1)」民商97巻2号218頁，244頁（1987年）参照。

また，文書の真正な成立およびその理由は判決書の必要的記載事項（253Ⅰ）ではなく，事実認定の根拠として文書が引用されていれば足りる（最判平成9・5・30判時1605号42頁〔平成9重判解・民訴2事件〕）。

366) 松本・前掲書（注*258*）177頁，坂原・前掲論文（注*365*）(2)民商97巻3号389頁，412頁以下（1987年），新注釈民訴(4)754頁〔名津井吉裕〕などのように，法律上の事実推定説も有力である。論者は，反証によって覆される法定証拠法則は，その名に値しないと主張する。しかし，事実上の推定を裁判官の心証形成についての規範命題化したという点では，たとえ反証によって覆されるものであっても法定証拠法則としての意味はある。なお，上記の有力説を含め，規定の沿革や学説の分岐点などについては，内海博俊「『法定証拠法則』たる『推定』の意義に関する覚書」伊藤古稀47頁が詳しい。また，公文書の真正に関する228条2項についても，同様の議論がある。新注釈民訴(4)765頁〔名津井吉裕〕参照。

367) 前掲最判昭和39・5・12（注*276*），加藤・前掲論文（注*276*）593頁参照。相手方の反証の方法については，加藤論文および坂原・前掲論文（注*365*）(4)民商97巻5号668頁以下（1988年）等に詳しい。なお，2段の推定に関する近時の裁判例として，東京地判平成23・7・28金融法務1948号111頁，東京高判平成23・9・28金融法務1943号

相手方としては，第1段の事実上の推定に対する反証を行うことも，また第2段の法定証拠法則に対する反証を行うことも許される。

以上に述べた文書の真否をめぐる証明について特別の証拠方法の制限はないが，法は，作成者とされる者の他の筆跡または印影の対照による証明が可能である旨を注意的に規定する（229 I）。これは，証拠調べの性質としては検証である。ただし，対照に用いる筆跡や印影が備えられた文書の提出については，書証の規定が準用される（229 II）。また，対照のために適当な筆跡がないときには，裁判所は，対照のための文字の筆記を相手方に命じることができる（229 III）。これは，相手方作成と主張される文書に関するものである。正当の理由のない拒絶に対しては，真正擬制の制裁などが働く（229 IV V）。

(b)　実質的証拠力　　形式的証拠力が認められると，次に，立証主題たる事実を証明することに文書の記載内容がどの程度寄与するものかが問題となる。これが文書の実質的証拠力である。いいかえれば，実質的証拠力は，文書の証拠価値の評価の問題であるから，裁判所の自由心証に委ねられる[368)]。証人や

126頁がある。

ただし，推定の前提事実を覆すには，反証で足りるが（最判昭和50・6・12判タ325号188頁），推定を破るためには，間接反証（注*279*参照）としての本証が求められるとの有力説がある。証拠法大系(4)44頁〔石井浩〕，信濃孝一＝岡田伸太「文書の真正と証拠価値」実務民訴〔第3期〕(4)252頁。

さらに，押印後に文書の加除訂正がなされたことが疑われるときは，2段目の推定は働かないことになるが，加除訂正について第三者が権限を有すると認められるのであれば，真正な成立を肯定してよい（最判昭和53・10・6金融法務878号26頁参照）。信濃＝岡田・前掲論文253頁は，このことを，間接反証を覆す挙証者側の立証とする。

なお，民事訴訟法228条4項と同趣旨の規定として，「電子署名及び認証業務に関する法律」（平成12年法律102号）があり，同法3条は，「電磁的記録であって情報を表すために作成されたもの（公務員が職務上作成したものを除く。）は，当該電磁的記録に記録された情報について本人による電子署名（これを行うために必要な符号及び物件を適正に管理することにより，本人だけが行うことができることとなるものに限る。）が行われているときは，真正に成立したものと推定する」と規定する。電子署名（同法2 I）によって，情報を表すために作成された電磁的記録が署名者の意思にもとづくものであることが推定されるという意味で，本人による電子署名の事実を前提とした，第2段の法定証拠法則に相当する。詳細については，町村＝白井編・前掲書（注*244*）245頁〔東海林保〕，高林淳＝商事法務編・電子契約導入ガイドブック 国内契約編124頁〔福岡真之介〕(2020年）参照。

368)　大判大正2・2・22民録19輯96頁，大判大正8・9・4民録25輯1580頁など。ただし，形式的証拠力を欠く文書，すなわち，挙証者が作成者と主張する以外の者によって作成されたと認められる文書についても，いったん証拠として提出された以上，裁判所の自

当事者の証言に比較すると，文書の証拠価値が高いといわれることがあるが，これもあくまで一応の基準にすぎず，絶対的なものではありえない。もっとも，口頭弁論調書の証明力（160Ⅲ。160Ⅳ（未施行））のように，法が自由心証主義に対する例外を設けている場合は別である。

ただし，文書の性質によっては，形式的証拠力の存在が直ちに実質的証拠力を基礎づけることがある。その例が処分証書であり，契約書などが作成者の意思にもとづいて成立したことが認められれば，記載内容たる契約成立の事実が認められるが，これは文書の性質によるものである[369)]。したがって，報告文書の場合には，たとえ形式的証拠力が備わっていても，記載内容の証拠価値は，作成者の地位，立場，その他の事情を総合的に勘案して決定されなければならない。また，戸籍簿，住民票，登記簿などの公文書の実質的証拠力は，一般に高いといわれるが，これも経験則にもとづいた事実上の推定にすぎない[370)]。

(3)　新種証拠の取扱い

伝統的には，思想を記録し，伝達する媒体としては，紙が用いられ，文書の概念も紙媒体を前提とするものであった。しかし，近年の科学技術の発達の結果，録音テープ，ビデオテープ，磁気ディスクなどの磁気媒体，およびマイクロフィルム，光ディスクなどの光媒体が思想の記録や伝達のために多用されるようになった。これらの新種媒体は，思想の記録・伝達という機能の点においては，文書と同一の機能を果たすものであるが，媒体そのものから視覚によって記載内容を認識することはできず，その内容を閲読するためには，一定の方式にしたがった特別の装置の操作を介在させることを要する点で，文書と区別

由心証によって証拠価値を定めれば足りるから，形式的証拠力の否定が当然に実質的証拠力の否定を意味するものではないとする考え方が有力であるが（秋山ほかⅣ537頁，信濃＝岡田・前掲論文（注*367*）261頁など），形式的証拠力を要求する趣旨と弁論主義との関係（注*364*参照）を考えれば，疑問があろう。証拠法大系(4)51頁〔石井浩〕は，これを前提として，作成者に関する主張の変更を促すなどの訴訟指揮を示唆する。

369）　ただし，厳密にいうと，処分証書性は，契約の意思表示部分に限られ，契約書作成の日時，場所，および立会人などの記載部分は，報告文書であって，疑いがあれば，他の証拠による証明が必要になる。秋山ほかⅣ375頁，注釈民訴(7)22頁〔吉村徳重〕参照。

これに対し，村田渉「処分証書概念の混乱と意思表示の成否」加藤哲夫古稀201頁は，少なくとも争点整理の段階においては，類型的な信用性の高い書証として扱えば足り，報告文書との区別に疑問を呈する。

370）　最判昭和50・7・10金融法務765号37頁など。判例・学説については，松本・前掲書（注*258*）233頁に詳しい。

される。このような特徴は，新種媒体についての証拠調べが求められたときに，裁判所がどのような手続によってそれを行うかの問題を生じさせる。問題を考える上では，媒体上の情報そのものを裁判官が法廷において容易に認識できない種類のものと，それが可能なものとを分ける必要がある。前者に属するのが，コンピューター用磁気ディスクや光ディスクであり，後者に属するのが，録音テープ，ビデオテープ，マイクロフィルムなどである。

前者の媒体については，新種媒体の機能を重視して書証として取り調べるとする書証説と，媒体の性質を重視して，形式的証拠力を裁判官の視覚によって判断できない以上，媒体の形状等を検証によって認識する以外にないとする検証説が対立している。証拠調べの目的が記録された思想の認識にある以上，書証説が妥当と思われるが，それを前提としても，なお，記録媒体そのものを文書の原本とし，それにもとづく印刷媒体を謄本とするか，それとも，印刷媒体を文書原本とするかについても見解が対立する。

しかし，文書の形式的証拠力は，その原本における筆跡や押印に対する裁判官の視覚によって決定されるものである以上，記録媒体そのものを文書とすることは適当ではなく，それにもとづく印刷媒体を文書として扱うべきである[371]。その結果，文書の形式的証拠力は，通常の文書とまったく同様に，文書上の署名・押印などにもとづいて判断されることになり，ディスクなどの記録媒体上の情報と文書の記載内容の同一性などは，文書の実質的証拠力に影響しうる補助事実として，必要があれば，検証や鑑定の手段による証拠調べの対象となるにすぎない。

これに対して，録音テープ，ビデオテープ，およびマイクロフィルムは，磁

---

371)　新書証説と呼ばれる。加藤・前掲書（注 *323*）227 頁以下がこの考え方を提唱し，記録媒体を可能文書，印刷媒体を生成文書と呼び，後者が書証の対象となるとした。これを支持するものとして，条解民訴〈2 版〉1177 頁〔松浦馨＝加藤新太郎〕，春日・前掲書（注 *151*）172 頁，春日偉知郎・民事証拠法論集 64 頁（1995 年），注釈民訴(7)7 頁以下〔吉村徳重〕などがある。

なお，文書の作成者は，記録内容たる思想の主体であり，印刷媒体の作成者と一致するとは限らない。ただし，技術革新や裁判所の設備充実により，印刷媒体を証拠調べの対象とすることに代えて，記録媒体そのものを法廷で再生，聴取，視認する方法にもとづく証拠調べも許されよう。町村＝白井編・前掲書（注 *244*）238 頁〔東海林保〕，新注釈民訴(4)825 頁〔名津井吉裕〕参照。

気媒体や光媒体上に作成者の思想が記録されているときには，文書と共通の性質をもつが，法廷において適切な装置を利用すれば，裁判官が視覚または聴覚によってその内容を直接に認識できる点が異なる。したがって，これらは，文書に準じるものとして書証による証拠調べに適する（231，民訴規 147～149）[372]。

令和4年改正による231条の2（未施行。以下同じ）は，IT化の一環として，電磁的記録に記録された情報の内容にかかる証拠調べの新設規定である。電磁的記録に記録された情報の内容にかかる証拠調べの申出は，挙証者がその電磁的記録を提出するか，その電磁的記録を利用する権限を有する者にその提出を命じることを申し立ててするかのいずれかの方法による（同Ⅰ）。そして，電磁的記録の提出は，最高裁判所規則で定めるところにより，電磁的記録を記録した記録媒体を提出する方法か，または最高裁判所規則で定める電子情報処理組織を使用する方法のいずれかによって行う（同Ⅱ）。

文書提出命令，文書送付の嘱託，文書の留置等に関する規定（220～227），文書の成立に関する規定（228）および文書の成立の真正を争った者に対する過料の規定（230）は，電磁的記録に記録された情報の内容にかかる証拠調べについて準用するが（231の3前段），電磁的記録の特質に応じた修正がなされている（同後段Ⅱ）。

(4)　書証の手続

文書に対する証拠調べを行うには，文書が裁判所の面前に提出される必要がある。そのための方法には3種類のものがある。第1は，挙証者が自ら所持する文書を裁判所に提出する方法である（219）。この提出は，185条および民事訴訟規則142条の場合を除いて，口頭弁論期日または弁論準備手続期日において行われなければならない。これは，180条2項の原則と異なるものである[373]。提出されるのは，原本が原則であるが，正本または認証謄本をもって

372）　加藤・前掲書（注323）233頁。録音テープについては反訳書面が提出されることが多いが，これはテープの内容を取り調べるための文書として扱われる。

373）　最判昭和37・9・21民集16巻9号2052頁。書証は直ちに取り調べることができるから，事前の申出を認める必要がないことが理由として挙げられる。ただし，民事訴訟規則137条は，書証の写しの事前提出を規定するので，書証の内容は，期日前に裁判所および相手方当事者によって了知されることになる。また，同条は，文書の標目，作成者，および立証趣旨を明らかにした証拠説明書の提出および直送も規定する。新注釈民訴(4)473頁〔名津井吉裕〕。外国語文書の訳文添付については，民事訴訟規則138条参照。

これに代えることも許される（民訴規143Ⅰ）。何らかの事情によってこれらが提出できないときには，写しを原本として提出することも許される[374]。また，証人等の尋問において使用する予定の文書については，その提出時期について制限がある（民訴規102）。第2の方法は，文書提出命令の申立て（219）であり，第3の方法は，文書送付の嘱託である（226）。

いずれの場合であっても，裁判所が提出または送付された文書を閲読することによって文書に対する証拠調べが行われる。裁判所は，必要があれば提出・送付文書を留置することができる（227）。また，文書が大部である等，受訴裁判所への提出が困難な事情があるときには，裁判所は，受命裁判官または受託裁判官にその取調べを行わせることができる（185）。その結果は，調書によって受訴裁判所に報告されるが，受訴裁判所は，あらかじめ調書に記載すべき事項を定めることができる（民訴規142Ⅰ）。受命裁判官等が所属する裁判所の裁判所書記官は，調書に文書の写しを添付することができる（民訴規142Ⅱ）[375]。

書証の取調べ，すなわち文書の閲読が終了すれば，文書は提出者に返還される。しかし，他の証拠調べとの関係等の必要から裁判所は，文書を返還しないで留め置くことができる（227）。書証の申出に際して提出される文書の写し（民訴規137Ⅰ）は記録に編綴される[376]。

ア　文書提出命令

相手方当事者または第三者が所持する文書について挙証者は，文書提出命令

374）写しが原本として提出されると，原本との同一性は，写しの証拠価値にかかわる補助事実になる。注釈民訴(7)39頁〔西野喜一〕，新注釈民訴(4)461頁〔名津井吉裕〕参照。PDFファイルの提出は，写しを原本に代えて提出する態様の1つである。三上威彦「民事訴訟における新種媒体の証拠調べとPDFファイルの証拠力」春日古稀187頁。電子メールやX（旧ツイッター）の内容を印刷したものも写しである。近藤昌昭「文書の『原本』について」判タ1467号16頁（2020年）。さらに電子証拠自体の原本性や関連する技術であるデジタル・フォレンジックについては，柳川鋭士「民事訴訟手続における電子証拠の原本性と真正性」情報ネットワーク・ローレビュー17巻14頁（2019年）参照。

375）改正前は，かならず文書の謄本または抄本が添付されることになっていた（旧321Ⅱ）。これは，証拠調べの結果を受訴裁判所に忠実に伝達する趣旨であると説明されていたが，文書の性質・内容にかかわらず必要的添付とすることは合理性に欠けるので，民事訴訟規則では裁判所書記官による裁量的添付に改められた。条解規則302頁参照。

376）改正前は，記録に編綴するために当事者に文書の謄本または抄本を提出させる旨の規定が存在したが（旧322Ⅲ），すでに写しの提出がある以上，このような規定を設ける意義に乏しいという理由で削除された。なお，文書の留置手続の詳細については，新注釈民訴(4)701頁〔名津井吉裕〕参照。

を求める申立てをなすことによって，書証の申出をすることができる。提出命令の申立ては，文書自体の提出とは区別されるので，180条2項の原則に戻って，期日前においてもなすことができる。申立てにもとづいて提出命令が発令され，所持者が文書を裁判所に提出すると，申立当事者がその中から自己の判断にしたがって提出すべき文書を選択して，改めて文書の提出を行うのが実務慣行である。

しかし，法文が文書提出の方法と提出命令申立ての方法とを書証申出の方法として併記していることからみて，このような慣行には疑問があり，命令にしたがって提出された文書について当事者の選択権はなく，当事者の援用を問わずすべてが裁判所の閲読の対象となる。提出命令の申立てが書証の申出として位置づけられている以上，これに重ねて文書提出の方法による書証申出を行わせる必要はない[377]。また，申立当事者は，文書の内容がどのようなものであるかをあらかじめ知りえないところから，模索的証明として提出文書の選択権を認めるべきであるとの議論もある。しかし，模索的証明は，立証の手段を充実させることを目的とするものであり，当事者が自己に有利な証拠の提出のみを選択して提出することを正当化するものではないので，この議論は説得的ではない。

(a)　文書提出命令の申立てと文書の特定　　文書提出命令を申し立てる当事者は，文書の表示，文書の趣旨，文書の所持者，証明すべき事実，および文書提出義務の原因を明らかにして書面による申立てを行わなければならない（221 I，民訴規140 I）。文書の表示は，表題，作成日時，作成者などを含み，趣旨は，文書の内容を示す。表示および趣旨は，両者相まって文書を形式および内容の両面から特定する。特定は，文書提出命令の制度が特定の文書を対象

377)　最決平成12・12・14民集54巻9号2743頁〔百選〈3版〉A28事件〕は，「文書提出命令は，文書の所持者に対してその提出を命ずるとともに，当該文書の証拠申出を採用する証拠決定の性質を併せ持つものである」と説示する。ただし，この点については考え方の対立がある。実務および多数説は，申立当事者が改めて文書として提出したもののみが書証の対象となり，当事者が提出しない文書を裁判所が取り調べて証拠資料を得ることはできないとしている。詳細は，注釈民訴(7)44頁〔西野喜一〕，証拠法大系(4)91頁以下〔萩本修〕。これに対して，文書送付嘱託について，坂井芳雄「訴訟記録取寄申請と送付記録提出行為との関係(その一)」民事法の諸問題 I 248頁以下が，本文に述べたような考え方を示している。

とするものである以上，申立てに不可欠のものであるが，特定の程度は，所持者が形式および内容から当該文書を識別できる程度で足りる[378]。

文書の所持者は，命令の相手方として不可欠なものであり，文書に対する支配権の主体であり，その判断によって提出を決することのできる者を指す。また，証明すべき事実は，裁判所が当該文書の証拠としての関連性を判断するために必要になるが，文書の具体的記載内容があらかじめ申立当事者に明らかになっていることは少ないから，証明すべき事実の記載も，文書の記載内容たる事実そのものではなく，記載内容によって合理的に推認されうべき範囲の事実をもって足りる[379]。文書提出義務の原因は，証人義務などと異なって，提出義務の根拠として複数のものが認められることから（220），裁判所が義務の存否を判断するために要求されたものである。

申立てが適法とされるためには，以上の手続を満たすことが要求されるが，さらに，220条4号の文書に関しては，書証の申出を文書提出命令の申立てによってなす必要があるとの要件が付加される（221Ⅱ）。これは，文書の送付嘱託等の他の手段によって書証の申出が可能になるときには，あえて文書提出命

378）　申立人にとっては，文書は，相手方当事者または第三者の所持にかかるものであるから，厳密な特定をなすことは不可能である。したがって，本文に述べる特定のための手続を前提としても，やむをえない場合には，概括的特定も許される。最決平成13・2・22判時1742号89頁〔百選〈3版〉A27事件〕，前掲高松高決昭和50・7・17（注308）など。多数説もこれを支持する。詳細については，注釈民訴(7)90頁以下〔野村秀敏〕，中島弘雅「文書提出命令の発令手続と裁判」栂＝遠藤古稀546頁参照。住民訴訟の趣旨を考慮して，政務調査費に関する会計帳簿などについて一定程度探索的な申立てが許されるとした原決定を是認した最決平成24・7・18実情624頁があり，取引履歴を記載した業務帳簿等について取引開始日による特定を要するとした原決定を是認した最決平成18・12・6実情284頁があり，特定に関する申立人側と所持者側の事情を総合的に考慮すべきであるとする原決定の判断を是認した最決平成29・10・12実情879頁がある。

また，文書が特定されたとしても，所持人が所持の事実を争うこともありうる。所持の事実に関する立証の責任は，挙証者側にあるが，診療録など，法令上一定期間の保管が義務づけられている文書の場合や，過去の時点での所持が証明された場合などにおいては，所持を否定する側が不存在の立証の責任を負うべきであろう。証拠法大系(4)175頁，176頁〔金子修〕，和久田道雄「文書提出命令申立てにおける対象文書の存否の立証責任」栂＝遠藤古稀525頁，林昭一「文書の『所持』および『所持者』概念について」徳田古稀264頁，新注釈民訴(4)496頁，576頁〔三木浩一〕参照。

379）　大阪高決昭和53・3・6高民31巻1号38頁〔百選Ⅱ132事件〕などの下級審裁判例がある。学説については，注釈民訴(7)95頁〔野村秀敏〕，証拠法大系(4)159頁〔金子修〕参照。

令の申立てを認める必要はないとの考え方にもとづくものである。

次に文書特定のための手続を説明する。上に述べたように，申立人にとっては，あらかじめ文書の趣旨等を十分に把握することがかならずしも容易ではなく，それにもかかわらず文書提出命令申立てを認めようとすれば，概括的特定を許さざるをえない。しかし，所持者の利益を考えれば，概括的特定はかならずしも好ましいとはいえない。222条は，このような理由から，文書の特定のための手続を新設した。具体的には，次のとおりである。すなわち，申立人が文書の表示または趣旨を明らかにすることが著しく困難であるときには，文書提出命令の申立てにあたって，申立てにかかる文書を識別できる事項を明らかにすれば足りる。同時に申立人は，裁判所に対して，所持者に文書の表示または趣旨を明らかにすることを求めるよう申出を行う（222 I）。裁判所は，文書提出命令の申立てに理由がないことが明らかな場合を除いて，この申出にもとづいて表示等を明らかにするよう所持者に求める（同 II）というものである[380)]。

(b)　文書提出義務　　私人間の法律関係が複雑，かつ，高度なものに変化するにともなって，情報についての人の記憶を基礎とする証人と比較して，情報が媒体の上に固定された文書の証拠方法としての意義が高まる。もっとも，証人義務，鑑定人義務，あるいは検証受忍義務が公法上の一般的義務とされているのに比較して，文書提出義務は，従来の法制においては限定的義務とされてきた。

その根拠は，第1に，文書は所有権の対象であり，訴訟上の必要のみにもと

380)　著しく困難であるというためには，当事者照会（163），弁護士照会（弁護23の2），証人尋問（190以下），または当事者尋問（207）などを経なければならないわけではなく，著しい困難性を納得させる事情が明らかにされれば足りる。証拠法大系(4)163頁〔金子修〕参照。

また，裁判所の求めは命令ではなく，したがって所持者がこれに応じないことについての直接の制裁はないが，当初の概括的特定のままに提出命令が発令され，さらに，その不服従に対する不利益が課されうることが（224 III），制裁的役割を果たす。三木浩一「文書提出命令④」新大系(3)178頁，206頁，証拠法大系(4)168頁〔金子修〕，新注釈民訴(4)569頁〔三木浩一〕参照。所持者が文書の表示等を明らかにした場合には，それに応じて申立人が申立ての内容を訂正する。

なお，所持者に対して裁判所が識別可能性について意見を求めたところ，所持者が識別不可能との回答をした事案において，文書提出命令申立てを却下した原決定を是認したものとして，最決令和元・5・24判例集未登載（小林宏司ほか「許可抗告事件の実情－令和元年度」判時2452号7頁）がある。

づいてその提出を強制することは所有権の侵害となること，第2に，文書の記載内容の不可分性から，証明に不要な部分が公開されることになり，所持者に与える影響が大きいことに求められていた[381]。しかし，いわゆる現代型訴訟を中心として証拠の偏在が指摘され，それを解決するために提出義務の拡大が説かれるようになると，限定的義務の考え方に対して疑問が提起され，理念の転換として，証人義務などと同様の一般的義務化が説かれ，解釈論としても，旧312条各号文書の拡張解釈が主張されるに至った。

現行法は，このような解釈論の発展を考慮して，旧法と同様の3つの類型の文書に加えて，立証事項との関連性を根拠とする一般的文書提出義務を認めるに至った。真実発見を内容とする適正な審理の実現に協力することは国民一般の義務であること，宣誓の上尋問にさらされる証人と比較して，提出を強制される文書所持者の不利益がかならずしも大きいとはいえないこと，文書の記載内容の不可分性の問題は，文書の一部提出などの法技術によって解決可能であることなどを考えれば，このような立法の方向は妥当なものと評価できる。

なお，220条にもとづく文書提出義務と会社法434条などにもとづく会計帳簿提出義務との関係については議論があるが，会社法434条などにおいては，特別の要件の定めがないこと，また職権による提出命令も認められることなどを考慮すると，両者は，その性質を異にするものと解される。もちろん，要件が充足されれば，会計帳簿についても文書提出義務が生じる可能性があることは否定できない[382]。

(i)　引用文書　　当事者が訴訟において引用した文書を自ら所持するときには，その提出義務を負う（220①）。立法の趣旨は，以下のように解される。すなわち，当事者が自己の主張を基礎づけるために積極的に文書の存在または

381）　竹下守夫＝野村秀敏「民事訴訟における文書提出命令（2・完）」判時804号（判評206号）116頁，119頁（1976年）参照。ただし，論者自身は，今日のような法主体間の力の不均衡，証拠の偏在が存在する状況では，所持者の処分の自由を根拠として提出義務を限定的義務とするのは，合理的でないとする。同論文125頁。

382）　会社法による提出義務の場合には，224条の制裁規定が適用されないという違いがある。詳細については，秋山ほかⅣ398頁，注釈民訴(7)59頁〔廣尾勝彰〕参照。一般法人法にもとづく会計帳簿の提出義務の場合も同様である。

なお，現行法施行後の文書提出義務に関する判例の動向全体について，伊藤眞「文書提出義務をめぐる判例法理の形成と展開」判タ1277号13頁（2008年）参照。

内容を引用した以上，少なくとも相手方当事者との関係では，文書を秘匿しようとする意思はないと考えられるし，また，その主張は弁論の全趣旨として裁判所の心証に影響を与えるから，相手方当事者に文書の内容についての立証の機会を与えることが公平に合致するというものである[383]。

補助参加人の訴訟行為は，当事者の利益のためにその効力を生じるから，ここでいう当事者には，補助参加人も含まれる。ただし，不提出の制裁については，補助参加人の義務違背を当事者の負担に帰することはできないので，224条ではなく，225条を適用すべきである。引用の方法としては，口頭弁論や弁論準備手続等における主張に限られず，提出されたが弁論で陳述されていない準備書面での言及も含まれ，あるいは，本人の陳述書や本人尋問に対する陳述における言及であってもよい[384]。また，引用の態様としては，上のいかなる方法によってであれ，当事者が自己の主張を正当化するために文書の存在および内容を積極的に援用する必要があり，相手方の照会や裁判所の釈明に答えて当事者が文書の所持を認めても，ここでいう引用とはみなされない[385]。

(ii)　引渡しまたは閲覧請求の対象となる文書　　220条2号は，挙証者が文書の所持者に対してその引渡しまたは閲覧を求めることができる場合に，所持者が文書提出義務を負う旨を規定する。所持者が挙証者に対する関係で引渡しまたは閲覧義務を負う以上，文書の記載内容たる情報については，挙証者もこれを支配する権能を認められており，したがって，文書そのものを挙証者の

383)　東京高決昭和40・5・20判タ178号147頁。引用文書の意義，それについての文書提出義務の沿革などについては，比較法的考察も含め，若林諒「文書提出命令における引用文書について」後藤勇ほか編・民事判例実務研究(7)388頁（1991年）参照。

384)　大阪地決昭和45・11・6訟月17巻1号131頁など。下級審裁判例および学説については，秋山壽延「行政訴訟における文書提出命令」新実務民訴(9)283頁，287頁，注釈民訴(7)68頁〔廣尾勝彰〕，新注釈民訴(4)501頁〔三木浩一〕参照。法人が当事者である場合の法人の代表者による陳述書なども含む。証拠法大系(4)104頁〔萩本修〕参照。ただし，何らかの態様で引用行為があったと認められなければならない。最決平成27・1・20実情792頁。

385)　前掲東京高決昭和40・5・20（注383），東京地決昭和43・9・14行裁集19巻8・9号1436頁。大阪高決平成23・1・20判時2113号107頁は，引用文書にあたるかどうかは，当該文書の存在および内容を引用しながら提出しないことが，信義則に反し公平性を害するかどうかによって決せられるべきであるとする。証拠法大系(4)99頁〔萩本修〕も，同様の趣旨の指摘をする。一連の議論の整理として，畑宏樹「引用文書該当性判断に関する一試論」小林古稀203頁参照。

する立証のために提出せしめることが公平に合致する。引渡請求権が認められるときには，かりに文書提出義務が認められなくとも，挙証者としては，所持者から直接に文書の引渡しを受けた上で，それを裁判所に提出して（219），書証の取調べを求めることができるが，本条が文書提出義務を認めるのは，このような迂遠な手続を回避する意義がある。

挙証者の引渡・閲覧請求権が私法上のものであるときには，それが法令の規定によるものであれ（民487・503Ⅰ・646Ⅰ，会社31Ⅱ・125Ⅱ・231Ⅱ・318Ⅳ・442Ⅲ・684Ⅱ，一般法人14Ⅱ・32Ⅱ・57Ⅳ・129Ⅲ），契約上のものであれ，文書提出義務が認められることについて異論がない[386]。これに対して，公法上の交付・閲覧請求権が認められる場合（91，不登119，戸10など）については，考え方の対立がある。消極説は，立法の沿革，および挙証者としては，訴訟外で正本または謄本の交付を受けて，それを裁判所に提出すれば足りるから，あえて文書提出義務を肯定する理由に乏しいことを根拠にする。しかし，記載内容についての挙証者の支配権能という点では，私法上の請求権と公法上の請求権とを区別する理由に乏しく，また，訴訟外の交付可能性についても同様にいえること，稀にではあるが，正本・謄本ではなく原本の提出を求める必要があることなどを考慮すると，積極説を採用して，提出義務を肯定すべきである[387]。

いずれにしても本号にもとづく提出義務が認められるためには，挙証者と所

386）　関連する判例として，共同相続人の一人に被相続人名義の預金口座の取引経過開示請求権を認めた最判平成21・1・22民集63巻1号228頁〔平成21重判解・民8事件〕，有限会社の決算書などに対する文書提出義務を認めた原審の判断を是認した最決平成16・5・31実情191頁がある。

387）　現行法の規定に相当する大正15年改正前旧民事訴訟法336条1号は，「民法ノ規定ニ従ヒ」との文言を設けており，これが旧民事訴訟法大正15年改正において削除されたのが立法の沿革である。もちろん，積極説（新注釈民訴(4)504頁〔三木浩一〕）を前提としても，通常は，挙証者自身が交付を受けた正本，謄本の提出で足りるから，原本について文書提出義務が争われることは例外的な場合にすぎない。

また，文書送付嘱託に関する226条但書が，正本または謄本の交付請求権が存在する場合を除外していることが消極説の根拠として援用されるが，所持者に対する強制力のない送付嘱託と文書提出義務とを同一に論じることはできない。消極説をとるものとして，法律実務(4)284頁，菊井＝村松Ⅱ614頁，斎藤ほか(8)148頁〔斎藤秀夫＝宮本聖司〕，秋山・前掲論文（注*384*）289頁，証拠法大系(4)107頁〔萩本修〕があり，これを採用する裁判例として，大阪高決昭和62・3・18高民40巻1号26頁がある（議論の詳細については，秋山ほかⅣ402頁参照）。なお，挙証者が情報公開制度によって文書の公開を求めうる場合も，ここに含まれる。

持者との間の法律上の引渡・閲覧請求権の存在が必要であり，それが欠ける場合には提出義務は否定される388)。

(iii)　利益文書　　220条3号は，第1に，挙証者の利益のために作成された文書について文書提出義務を認める。この種の文書は，利益文書と呼ばれるが，その意義については考え方の対立がある。まず，文書作成の目的が挙証者の権利義務や法律上の地位を基礎づけるものであるときには，これを利益文書として扱ってよい。挙証者を受遺者とする遺言書や挙証者を代理人とする委任状などは，挙証者の法律上の地位を基礎づける目的で作成されるものであり，また領収書も，挙証者の債務の消滅という法律効果を基礎づけることを目的として作成される文書である。このように利益文書は，文書の作成目的が挙証者の利益にあることに立法者が着目して，挙証者が当該文書を証明の手段として用いることを認めたものである。したがって，その文書の内容が証拠資料とされることによって，挙証者に事実認定上有利な結果が生じうるというだけでは，利益文書の要件が満たされるものではない。ただし，文書の作成目的の少なくとも一部が挙証者の利益であれば足り，挙証者の利益のためにのみ作成されたことが要求されるものではない。

これに対して，文書が挙証者の法律上の地位等を直接に基礎づけ，かつ，そのことを目的として作成されたものであることを要するとして，直接性を強調する考え方がある389)。しかし，作成目的の少なくとも一部が挙証者の利益であることが明らかであれば，文書の記載内容が遺言書のように直接に法律上の地位を基礎づけるものである場合と，診療録のように診療内容を明らかにして，

388)　東京高決昭和58・12・13判時1105号54頁，新注釈民訴(4)506頁〔三木浩一〕など。もちろん，法文の類推または拡張解釈によって引渡・閲覧請求権が認められるかどうかは別の問題である。高松高決昭和54・7・2下民32巻9～12号1437頁，宮崎良夫〔判例批評〕自治研究57巻5号119頁，126頁（1981年）参照。なお，ここでいう挙証者は，訴訟当事者を意味するが，提出義務を認める趣旨を考慮すれば，訴訟担当（本書202頁）の場合の被担当者を含めてよい。証拠法大系(4)108頁〔萩本修〕参照。

なお，発信者情報の開示請求権などを素材とし，引渡し・閲覧請求権に関する不存在確認訴訟が許されるか，その確定判決が文書提出義務にどのような影響を与えるかなどを検討するものとして，垣内秀介「権利文書の提出命令手続をめぐる若干の問題」本間古稀253頁がある。

389)　秋山ほかⅣ404頁。ただし，同書では，挙証者の利益のために作成されたものが，同時に他人の利益のために作成されたものであってもよいとするので，実際上の差異は少ない。

間接的に診療契約上の義務履行を基礎づけるものである場合とを区別する必要はない。もちろん直接性が認められるときには，作成目的が挙証者の利益にあることも認められやすいが，判断の基準となるのは，作成目的であり，文書の記載内容はそれを推認させる事情にすぎない。ただし，所持者がもっぱら自己使用の目的で作成した文書については，利益文書と認めることはできない。

このような視点から，裁判例で問題となった事例をみると，まず診療録については，法令上義務づけられた作成の目的が診療行為の適正を確保するところにあり，したがって，診療行為の当事者である医師および患者はもちろん，医師を雇用する医療機関や患者の家族など両者に準じるものの利益のために作成されるものといえる。しかし，その範囲を超えて，適正な医療に利害関係をもつその他の者，たとえば診療中に処方された薬の製造販売業者や薬の製造を許可した国の利益のために作成されたものということはできない。診療録作成目的の中には，いわゆる公益が含まれることは否定できず，国などの利益はこの公益の中に含まれるが，この公益は，特定の法主体の利益に還元することができないからである[390)]。

次に賃金台帳については，使用者が賃金計算の基礎となる事項などを保存し，賃金の額を把握するために作成されるものであって，労働者の賃金請求権などを基礎づけるために作成されるものではないとし，挙証者たる労働者にとっての利益文書性を否定するのが下級審裁判例の大勢である[391)]。しかし，労働基準法（昭和22法49）108条によって作成を義務づけられる賃金台帳は，使用者の適正な賃金管理を担保するとともに，労働者の賃金の内容が法令等に照らし

390）　東京高決昭和59・9・17高民37巻3号164頁〔百選Ⅱ128事件〕。これに対して，福岡高決昭和52・7・13高民30巻3号175頁〔百選〈2版〉93事件〕，大阪高決昭和53・6・20高民31巻2号199頁，東京高決昭和56・12・24下民32巻9～12号1612頁などは，製薬会社や国などにとっての診療録の利益文書性を肯定する。

391）　大阪高決昭和40・9・28判時434号41頁，福岡高決昭和48・2・1下民24巻1～4号74頁など。多数説もこれを支持する。松山恒昭「賃金台帳と文書提出命令の許否(上)」判タ437号44頁，52頁（1981年），秋山ほかⅣ404頁，斎藤ほか(8)150頁〔斎藤秀夫＝宮本聖司〕，新注釈民訴(4)508頁〔三木浩一〕。これに対して，利益文書性を認めるものとして，大分地決昭和47・11・30労民24巻1・2号30頁がある。学説としては，小室直人「鑑定意見（昭和五四年三月一五日）」労働法律旬報979号49頁，52頁（1979年）がある。ただし，利益文書性が否定されても，後述の法律関係文書性が肯定される可能性がある。

て適正に算定されることを目的とするものであり，挙証者たる労働者にとって利益文書と考えられる。その他，下級審裁判例で問題となった文書としては，審議会議事録，職員採用試験における採点表，証券取引所において作成される売買申告書，照合書等があるが，これらの文書が挙証者たる特定人の具体的利益を保護する目的をもって作成されると認められるときには，利益文書性が肯定される[392]。

(iv) 法律関係文書　220条3号は，第2に，文書が挙証者と所持者との間の法律関係について作成されたときに，提出義務を認める。この種の文書は，法律関係文書と呼ばれる。所持者は，訴訟当事者たる挙証者との間に特定の法律関係が存在することによって，当事者の挙証に協力する義務として文書提出義務を課される。所持者が相手方当事者である場合には，実際上重なり合うことになるが，ここでいう法律関係は，当事者間のものではなく，当事者の一方と所持者との間のものであることが，この類型の文書提出義務の特徴である[393]。契約書や契約解除通知書などは，法律関係自体が記載されているという意味で，法律関係文書にあたるが[394]，それ以外にも法律関係の構成要件たる事実やそれを基礎づける事項を記載した文書も法律関係文書とされる。すなわち，挙証者・所持者間の契約の義務履行に関して授受された印鑑証明書のように，法律関係の発生または法律関係上の権利義務を基礎づけ，その内容を明らかにし，またはその実現を図るために作成される文書も，上記の趣旨に照らして法律関係文書に含まれる[395]。

392）ただし，東京高決昭和53・5・26下民32巻9～12号1284頁は，審議会議事録について，東京高決昭和53・11・28下民32巻9～12号1356頁は，売買申告・照合書について，東京高決昭和55・1・18下民32巻9～12号1512頁は，口述試験採点表についていずれも利益文書性を否定する。

393）文書に記載される情報が挙証者と所持者の間の法律関係にかかわるときには，その情報の証拠資料としての顕出について挙証者にも支配権能が認められること，いいかえれば，挙証者が文書の内容について持分権を有すること（竹下＝野村・前掲論文（注381）119頁参照）が，法律関係文書提出義務の趣旨であるという説明が一般に受け入れられている。しかし，本文に述べるように，自己使用文書が法律関係文書の例外とならないとする本書の立場では，この説明を修正せざるをえない。

394）商人間の掛売取引およびそれにもとづく商品の引渡しを記録する判取帳もこれにあたる。大判昭和7・10・24民集11巻1912頁。

395）仙台高決昭和31・11・29下民7巻11号3460頁，最決平成19・5・9実情340頁。このような判断枠組を適用し，司法解剖の結果を記載した準文書（電磁的記録による写

なお，所持者がもっぱら自己使用の目的で作成した文書は，法律関係文書にあたらないとするのが，判例であり[396]，通説によっても支持されている。その根拠は，以下のとおりである。すなわち，法文の文言上文書の作成行為に重点が置かれていることは，法律関係またはそれに関連する事項を明らかにする目的の下に文書が作成されたことを意味するから，自己使用文書は法律関係文書たりえないというものである[397]。しかし，利益文書と法律関係文書につい

真）が損害賠償に係る法律関係を明らかにする内容を有しているという理由から法律関係文書性を肯定した判例として，最決令和2・3・24民集74巻3号455頁がある。同決定は，従来の判例法理を前提とするものであるが，文書作成本来の目的が犯罪捜査の資料であっても，それと並んで所持者と挙証者との間の法律関係（適正な解剖を実施すべき関係）を明らかにする目的が認められれば，法律関係文書性を肯定できるとした点に注目すべきである。伊藤眞「証拠保全手続における刑事事件記録等の利用可能性――最三決令和2・3・24民集74巻3号455頁の意義」NBL1240号8頁（2023年）参照。

396）　最決平成11・11・12民集53巻8号1787頁〔百選〈6版〉66事件〕は，220条4号ニにいう自己利用文書該当性について判断をした後，「本件文書が，『専ら文書の所持者の利用に供するための文書』に当たると解される以上，民訴法220条3号後段の文書に該当しないことはいうまでもないところである」と判示しており，その後の最決平成11・11・26金商1081号54頁，最決平成12・3・10判時1711号55頁〔百選〈3版〉78事件〕，最決平成12・12・14民集54巻9号2709頁〔平成12重判解・民訴4事件〕，最決平成13・1・15実情70頁，最決平成23・10・11判時2136号9頁〔平成23重判解・民訴3事件〕，最決平成26・1・16実情733頁も，これを引き継いでいる。この種の文書は，自己使用文書または内部文書と呼ばれる。その例として，会社の稟議書，審議会議事録，教科書調査官の調査意見書，人事考課表，施行事業の内容を示す電磁的記録，政治資金パーティの出席者記録などがあり，逆に自己使用文書にあたらないとされたものとして，航空事故調査報告書，業務提携契約書など（最決平成12・7・17実情34頁），固定資産台帳など（最決平成23・11・30実情568頁）がある。

裁判例の詳細および学説については，伊藤眞「文書提出義務と自己使用文書の意義」法協114巻12号1444頁，1448頁以下（1997年），秋山ほかⅣ408頁以下，注釈民訴(7)82頁以下〔廣尾勝彰〕，新注釈民訴(4)512頁〔三木浩一〕，小島526頁以下，瀬木427頁参照。また，当事者が自らの訴訟追行のために作成した文書，すなわち訴訟等準備文書（ワーク・プロダクト）と自己使用文書概念との関係については，伊藤眞「自己使用文書としての訴訟等準備文書と文書提出義務」佐々木吉男先生追悼論集・民事紛争の解決と手続413頁（2000年）参照。また，実情345頁にこの点に関連する記述がある。

これと対比すべきものとして，いわゆる不正等調査委員会（第三者委員会）報告書があり，多くの場合に何らかの形での公表を予定している以上，自己使用文書性を否定すべきである。詳細については，伊藤・前掲論文（注*309*）金融法務28頁参照。

397）　松山・前掲論文（注*391*）(下)判タ438号52頁，59頁（1981年）参照。論者の説明によれば，契約書のように法律関係の内容を直接に証明できる文書については，その作成目的は問題とならないが，その基礎となる事項にかかる文書については，目的が必要であり，自己使用文書が除外されるといわれる。これに対し，瀬木418頁は，本書と同様の考え方をとる。

ての条文の文言を比較すれば，「法律関係について作成された」ことの意義を作成者の主観的目的と理解することは困難であり，あくまで文書の記載内容が挙証者と所持者との間の法律関係，その構成要件事実，およびそれを基礎づける事実であると解するのが相当である。

このような考え方に対しては，結果として立証主題との関連性のみを根拠として法律関係文書性が肯定されることとなり，3号にもとづく法律関係文書の提出義務を一般義務化するものであるとの批判がなされるが，たとえ立証主題との関連性が存在しても，法律関係文書性は，挙証者と所持者との間の法律関係を基準として決定されるものであるから，両者が当然に一致するわけではない。

従来自己使用文書性を理由として提出義務が否定された例としては，会社内部の稟議書，入試の際の内申書，審議会の議事録，教科書調査官の意見書などがあるが[398]，本書の考え方では，挙証者と所持者の法律関係またはこれを基礎づける事項が記載されている限り，法律関係文書と認められる。ただし，後に述べるように，証言拒絶権に該当する事項が記載されている場合には，その理由から文書提出義務が否定される可能性がある。

(v)　1号ないし3号についてのその他の要件　　旧法においては，証言拒絶該当事由記載文書や自己使用文書の提出義務について特別の規定が設けられていなかったが，多くの裁判例は，特に3号の利益文書および法律関係文書に関して上記のように自己使用文書であることや証言拒絶事由に該当する事項が記載されていることを理由として提出義務を否定してきた[399]。これに対して

398)　前掲最決平成12・3・10（注396）。下級審裁判例については，秋山ほかⅣ409頁以下，注釈民訴(7)82頁以下〔廣尾勝彰〕参照。なお，航空自衛隊事故調査報告書については，東京高決昭和53・11・21下民32巻9～12号1337頁，東京高決昭和57・2・4下民32巻9～12号1625頁が，自己使用文書にあたらないとの理由にもとづいて文書提出義務を肯定しているのに対して，東京高決昭和58・6・25判時1082号60頁は，本書と同様の理由によって提出義務を認めている。また稟議書について，法律関係文書性を肯定し，自己使用文書性が法律関係文書性を否定する根拠とならないとするものとして，東京高決平成10・10・5判タ988号288頁があり，最決平成22・9・13実情522頁は，行政手続上の審査請求に関する記録について，最決平成25・12・25実情683頁は，被留置者診療簿などについて，自己利用文書に該当しないとする原審の判断を是認している。

399)　下級審裁判例および学説の詳細については，秋山ほかⅣ409頁，413頁，注釈民訴(7)84頁以下〔廣尾勝彰〕参照。ただし，従来の学説は，1号および2号文書と3号文書とを明示的に区別していないが，本文に述べたように3号についてのみ考えれば足りる。

現行法は，次に述べる4号文書について証言拒絶事由および自己使用文書性を提出義務の例外として規定したので，3号についての従来の解釈を維持すべきかどうかという問題が生じることとなった[400]。自己使用文書については，1号および2号はもちろん，3号のうち法律関係文書についても提出義務を否定する理由とならないことはすでに説明した。

証言拒絶該当事由記載文書については，1号および2号に関しては，提出義務の趣旨からして問題とならないが，3号に関しては，文書の記載事項について所持者が独自にもつ秘匿利益を保護する証言拒絶該当事由の趣旨からして，196条および197条などの規定を類推適用すべきである[401]。ただし，類推解釈によって明文の規定の例外を設けるものであるから，証言拒絶該当事由の存在に関しては，所持者の側が証明責任を負担する。

(vi)　一般義務文書　　220条4号は，文書の所持者について196条各号または197条1項2号もしくは3号に掲げる事項・事実が記載されている文書，すなわち証言拒絶該当事由記載文書（220④イ・ハ），公務秘密文書でその提出により公共の利益が害されるおそれなどがあるもの（220④ロ），もっぱら所持者の利用に供するための文書すなわち自己使用文書（220④ニ），および刑事訴訟記録等（220④ホ）を除いて，文書一般について提出義務を認める。立証事項との関連性が要求されるのは当然であるが，1号ないし3号と異なって，文書の所持者と挙証者との間の特別な関係や特定の作成目的が要求されていないところに，一般義務としての特徴がある。また，一般義務文書についての提出義務が認められるためには，申立人の側が，当該文書について証言拒絶該当事由などの除外事由が存在しないことを証明する客観的証明責任を負う[402]。

また，特許法105条のような特別規定にもとづく文書提出義務については，証言拒絶事由に含まれる営業秘密が記載されていても，提出義務が肯定されることがある。東京高決平成9・5・20判時1601号143頁。

400）　立案担当者は，4号の新設は，1号ないし3号についての従来の解釈を変更するものではないとしている。一問一答253頁参照。

401）　公務員の職務上の秘密に関して，最決平成16・2・20判時1862号154頁，職業の秘密に関して，最決平成21・9・29実情453頁がある。これに対して，新注釈民訴(4)502頁〔三木浩一〕は，1号の引用文書についても，証言拒絶権該当性を理由として提出義務を否定すべきであるとするが，引用文書について第三者の証言拒絶権が問題となる場合は別である。

402）　ただし，除外事由はいずれも文書の記載内容にかかわるので，立証の負担は所持者

証言拒絶該当事由記載文書に関しては，証言拒絶権についての説明に譲り（本書432頁），ここでは自己使用文書についてのみ説明する。自己使用文書とは，もっぱら所持者の利用に供するための文書を指し，挙証者に限らず，第三者の利用を予定するものはこれに含まれない。3号に関して述べた自己使用文書概念は，法律関係文書の概念を前提とするものであるから，一般義務文書の範囲を制限する自己使用文書の概念と当然に一致するものではない。

ここで，第三者の利用が予定されるものであるかどうかは，第1に法令上作成を義務づけられ，必要な場合には第三者に交付することが予定されているか，第2に，会議メモなど，文書が作成者の意思形成過程を記録したものであるか，または事故調査など，客観的事実を記録したものであるか，第3に，もっぱら所持者の利用に供すると認めることが挙証者との公平に反しないかなどの視点から，総合的に決せられるべきものである[403)]。

の側に求めざるをえない。研究会277頁，西口元「証拠収集手続(1)――文書提出命令」理論と実務(上)393頁，409頁，町村泰貴「文書提出命令の評価と展望」実務民訴〔第3期〕(4)276頁，新注釈民訴(4)517頁〔三木浩一〕参照。

403)　証言拒絶該当事由については利益考量には慎重でなければならないが，自己使用文書性は，それが評価概念であることから，利益考量が不可欠である。研究会287頁，伊藤・前掲論文（注*396*）法協1454頁，原強「文書提出命令①」新大系(3)110頁，131頁，山下孝之「文書提出命令②」新大系(3)139頁，152頁，新注釈民訴(4)544頁〔三木浩一〕。なお，金融機関の貸出稟議書について（注*396*参照），特段の事情がない限り自己使用文書性が肯定されるとする判例として，前掲最決平成11・11・12（注*396*）があり，また特段の事情を信用金庫の会員代表訴訟について否定したものとして，前掲最決平成12・12・14（注*396*）がある。その他の最高裁決定例について，実情140，141，143，192，339，341，394，395，398，453，520頁参照。

これに対して，破綻信用組合にかかる貸金返還請求等訴訟について特段の事情を肯定したものとして，最決平成13・12・7民集55巻7号1411頁〔平成13重判解・民訴1事件〕がある。判例理論に対する批判として松本＝上野523頁，三木浩一「文書提出命令における『自己利用文書』概念の現在と将来」小島古稀(上)845頁，856頁参照。もっとも，貸出稟議書以外の稟議書については，それが所持者の意思形成過程に関する情報を含むものではないなどの理由から，文書提出義務が肯定されることがある（最決平成21・8・12実情451頁，大阪高決平成21・5・15金融法務1901号132頁〔顧客の適合性関係稟議書〕）。

もっとも，最決平成18・2・17民集60巻2号496頁〔平成18重判解・民訴3事件〕は，金融機関が内部使用の目的で作成・所持する社内通達文書であっても，「開示されることにより個人のプライバシーが侵害されたり抗告人の自由な意思形成が阻害されたりするなど，開示によって抗告人に看過し難い不利益が生ずるおそれがあるということはできない」場合には，自己使用文書性が否定されるとする。

また，保険管理人が経営破綻の原因等を明らかにするために調査委員会を設置し，同委員会によって作成された調査結果報告書について，それが法令上の根拠に基づくこと，調

(c) 文書提出命令申立てに対する審理と裁判　文書提出命令の申立てがな

査が公益実現のためになされたことなどを理由として，自己使用文書性を否定するものとして前掲最決平成16・11・26（注*309*），最決平成19・4・27実情339頁がある。さらに，前掲最決平成19・8・23（注*311*）は，介護サービス業者が作成・所持する「サービス種類別利用チェックリスト」について，それが第三者たる審査支払機関に提出される文書の控えとみなされるという理由から，自己使用文書性を否定している。

融資先に対する債権の資産査定の前提となる債務者区分を行うために金融機関が作成した文書についても，法令によって資産査定が義務づけられ，監督官庁による検査における利用が予定されているとの理由から，自己使用文書性が否定されている（最決平成19・11・30民集61巻8号3186頁〔平成19重判解・民訴5事件〕）。近時の下級審裁判例として，法人税法の保存義務を理由として仕入伝票の自己使用文書性を否定した福岡高決平成21・10・23判時2073号56頁，いわゆるMBOにかかる役員ミーティング資料について，株主代表訴訟の特質，MBOの具体的経緯を理由として自己使用文書性を否定した神戸地決平成24・5・8金商1395号40頁がある。後者については，中島弘雅「株主代表訴訟と文書提出命令」徳田古稀290頁が積極的に支持している。

これに対して，市の議会の会派に所属する議員が政務調査費を用いてした調査研究の内容および経費の内訳を記載して当該会派に提出した調査研究報告書について，最決平成17・11・10民集59巻9号2503頁〔平成17重判解・民訴4事件〕は，報告書がもっぱら会派内部で用いられるためのものであること，これが外部に開示されると，執行機関などからの干渉によって調査研究が阻害されるおそれがあることなどを理由として，自己使用文書性を肯定している。ただし，同報告書の作成が法令の定めによって義務づけられているとの理由にもとづく横尾裁判官の反対意見がある。また，類似の政務調査費報告書および付属領収書の自己使用文書性を肯定したものとして，最決平成22・4・12判タ1323号121頁があり，須藤裁判官の反対意見が付されている。さらに，前掲最決平成23・10・11（注*396*）は，弁護士会の綱紀委員会の議事録のうち「重要な発言の要旨」にあたる部分について，自由な意思形成が阻害されるおそれがあることを理由として，自己使用文書性を肯定する。

しかし，最決平成26・10・29判時2247号3頁は，県議会議員の政務調査費に関する領収書等や会計帳簿について，それが県議会議長による確認の対象となりうることを理由として，自己使用文書性を否定し，文書提出義務を認めている。直接には，条例などの規定内容を根拠とする判断であるが，その形式的文言ではなく，合理的解釈を重視している点で，従来の判例に付された反対意見を踏まえ，内部文書性の判断基準を新たにしたものといえる。その他，各種の文書に対する最高裁決定については，実情30頁，70頁など参照。

なお，自己使用文書概念の見直しについては，平成16年の民事訴訟法改正においても，利益考量の対象であることを明らかにするなどが課題とされたが，意見の一致をみず，改正に至らなかった。法務省民事局参事官室「民事訴訟法及び民事執行法の改正に関する要綱中間試案の補足説明」別冊NBL 90号121頁（2004年）参照。自己使用文書（自己利用文書）概念の廃止などを含む今後の立法提案については，伊藤・前掲論文（注*253*）37頁参照。

愚見は，プライバシーなどに関し，それ自体が証言拒絶権の根拠にならないにもかかわらず，それを情報内容とする日記などが自己使用文書として，文書提出義務対象から除外されうる根拠を，作成者の高度の精神作用の結晶としての文書という特性に求めるが（伊藤眞「自己使用文書再考――組織運営をめぐる文書提出義務の基礎理論」福永古稀264頁以下），それ以外に，文書という表現形態を選択した作成者の利益や文書の作成や保管を

されたときに裁判所は，まず，221条1項所定の事項が明らかにされているかどうかを判断し，いずれかの事項が不明であれば，決定をもって申立てを却下する[404]。ただし，文書の表示および趣旨の特定については，前述のとおり，特別の手続が設けられている。申立ての相手方が提出原因，すなわち所持または提出義務の存在を争うときには，それについての審理が行われる。申立ての相手方が訴訟当事者であり，申立てが口頭弁論においてなされたときには，申立ての相手方は，口頭弁論中で陳述の機会を与えられる。これに対して申立ての相手方が第三者のときには，その者に対して文書提出を命じようとする場合に限って，裁判所は，審尋を行わなければならない（223Ⅱ）。相手方の手続保障を重視するためである。

審理にあたって裁判所は，所持者に対して当該文書の提示を求めることは原則として許されないが，220条4号に定める証言拒絶該当事由記載文書か自己使用文書かを判断するためには，所持者に対して文書の提示をさせ（223Ⅵ），必要があれば一時保管することができる（民訴規141）。この場合に何人も文書の開示を求めることはできない。この手続は，イン・カメラ手続と呼ばれる。この提示は，証拠調べの方法として行われるものではないので，裁判所は，提示文書の閲読の結果を証拠資料とすることはできない[405]。

促進するという社会的価値に求める考え方（垣内秀介「自己使用文書に対する文書提出義務免除の根拠」小島古稀(上)255頁），情報伝達によるプライバシーなどの侵害の程度がより大きいことに求める議論（長谷部由起子「証言拒絶権と文書提出義務の除外事由」伊藤古稀481頁）がある。

404） また，221条2項は，220条4号の一般義務が文書提出命令の原因とされているときには，書証の申出を文書提出命令の申立てによってする必要がある場合でなければならないと規定する。文書の存在が認められないも却下事由になるが，法定の保存期間内の場合には，所持者の側で廃棄の事実を明らかにすべきである。最決平成19・2・9実情337頁，最決平成20・7・3実情399頁，最決平成22・1・19実情520頁，最決平成22・7・22実情521頁。なお，文書提出義務の申立て自体が時機に後れた攻撃防御方法の申出（157Ⅰ）として却下される可能性もある。最決平成23・4・28実情575頁。

405） 提示の結果，文書提出命令が発せられれば，改めて書証としての取調べが行われることになる。このような手続は証拠調べの方法としては不自然なものであるとの批判も考えられるが，所持者の利益を適切に保護し，かつ，提出義務の存否について裁判所が適正な判断を行うために不可欠のものとして，現行法によって創設された（アメリカ法との比較について，新注釈民訴(4)598頁〔三木浩一〕参照）。ただし，イン・カメラ手続の実施は，挙証者および所持者のそれぞれに利益と不利益を生じる可能性があるから，その点を実務上留意すべきである。研究会301頁，奥博司「文書提出命令⑤」新大系(3)207頁，220頁，伊藤眞「イン・カメラ手続の光と影」新堂幸司先生古稀祝賀・民事訴訟法理論の

審理の結果にもとづいて，申立却下または提出命令の裁判が決定の形式でな

新たな構築(下)191頁（2001年），森脇・前掲論文（注*312*）203頁，証拠法大系(4)182頁〔金子修〕参照。

問題の所在を示すものとして，東京高決平成10・7・16金商1055号39頁，最決平成21・1・15民集63巻1号46頁〔平成21重判解・民訴2事件〕がある。21年決定は，情報公開法にもとづく不開示事由の有無が争点となった事案において，たとえ原告が検証への立会権を放棄している場合であっても，双方審尋主義（本書286頁）などの民事訴訟の基本原則と調和しないこと，上級審，特にイン・カメラ手続の実施をすることができない法律審（前掲最決平成20・11・25（注*311*），新注釈民訴(4)613頁〔三木浩一〕参照）の審査の範囲が制限されることなどを挙げ，証拠調べとしてのイン・カメラ手続を実施することは，明文の規定がない限り許されないとしている。これに疑問を呈するものとして，長谷部37頁がある。

イン・カメラ手続の実施の結果として，当該文書の証拠調べの必要性がないことが判明すれば，文書提出命令申立てを却下することができる。最決平成17・7・1判例集未登載（福田剛久＝浦原英器「許可抗告事件の実情――平成一七年度」判時1938号8頁（2006年）に紹介がある），新注釈民訴(4)610頁〔三木浩一〕。また，イン・カメラ手続は，事実認定のための審理の一環であり，特段の事情が認められない限り，それにもとづく文書の記載内容の認定の当否を法律審において争いえない（前掲最決平成20・11・25（注*311*））。

なお，平成16年の特許法等の改正（平成16法120）では，イン・カメラ手続の特則として，提出義務に関する裁判所の判断の公正さを担保し，相手方当事者に対する手続保障を満足させるために，相手方当事者などに対する文書の開示が認められ（特許105Ⅲなど），秘密保護のために秘密保持命令が発令される（同105の4Ⅰ①括弧書）。発令例として，東京地決平成18・9・15判時1973号131頁がある。また，実例について，土肥一史「医薬品輸入承認申請書添付資料中の営業秘密と秘密保持命令」Law & Technology 38号4頁（2008年）参照。最決平成21・1・27民集63巻1号271頁〔百選〈5版〉A14事件〕は，特許権侵害差止めを求める仮処分事件においても，秘密保持命令発令の可能性を認める。秘密保持命令の導入によって文書提出義務にもとづく開示によって所持者が受ける不利益は，相当程度小さくなるといわれる。髙部眞規子「技術又は職業の秘密に係る文書の提出」田原古稀1065頁参照。ただし，実務上は，当事者間で秘密保持契約を締結させることが円滑な運用につながるといわれる。川中・前掲論文（注*282*）90頁参照。

さらに，特許法平成30年改正（平成30法33。令和元年7月1日施行）では，イン・カメラ手続による判断の対象を，書類の提出を拒絶することができる正当な理由の存否のみならず，提出の必要性にまで拡大している（特許105Ⅱ）。必要性の判断についても専門委員の知見を利用できるとされたこと（同Ⅳ）と考え合わせると，証拠としての書類の必要性の判断について，客観性と専門性を高めるための改正ということができる。ただし，専門委員を関与させるためには，当事者の意見を聴くという一般原則（92の2ⅠⅡ。本書348頁）と異なって，当事者の同意を得なければならない（特許105Ⅳ）。専門委員の関与範囲を拡張することについて，当事者の判断を尊重する趣旨である。実務運用に関しては，古河謙一「侵害立証のための書類提出命令・検証・提訴前証拠保全」Law & Technology 83号3頁（2019年），山門優「インカメラ審理における専門委員の関与のあり方」同号12頁参照。

3号文書についても証言拒絶該当事由が提出拒絶事由として認められるとすれば，この場合にもイン・カメラ手続を類推適用することが考えられる（証拠法大系(4)184頁〔金

されるが（223Ⅰ），いずれに対しても，即時抗告の方法による不服申立てが認められる（同Ⅶ）[406]。即時抗告権者は，申立却下命令については申立人，提出命令については申立ての相手方（文書の所持者）たる相手方当事者または第三者である[407]。提出命令は，一定の期日までに提出を命じるのが通常である。なお，1つの文書であっても，その中に取り調べる必要のない部分または提出

子修〕）。立法論として導入の必要性を説くものとして，森脇・前掲論文（注*312*）216頁がある。また，田邊誠「秘密保護審理手続」実務民訴〔第3期〕(3)173頁は，当事者間の秘密保持契約にもとづいてイン・カメラ手続による証拠調べを実施する可能性を示唆する。

406）　ただし，証拠調べの必要なしとして申立てを却下する決定に対しては，文書提出命令申立てが書証の申出の1方法であること，証拠調べの必要性の判断は受訴裁判所に委ねられていることなどの理由から，不服申立てが認められない。判例（前掲最決平成12・3・10（注*314*），最決平成16・11・9実情192頁，最決平成17・7・1実情228頁）・通説（証拠法大系(4)205頁〔和久田道雄〕）である。もっとも，小林秀之「文書提出命令をめぐる最近の判例の動向(3)」判時995号（判評267号）140頁，144頁（1981年），中島・前掲論文（注*378*）557頁のような有力な反対説や限定的否定説（新注釈民訴(4)616頁〔三木浩一〕）がある。

　また，すでに口頭弁論が終結しているときには，証拠調べの余地がないから，即時抗告は許されず，控訴によって原審の審理手続の違法を理由とする不服を申し立てる（283本文）以外にない（最決平成13・4・26判時1750号101頁，最決平成14・1・18実情106頁。これに対し，新注釈民訴(4)618頁〔三木浩一〕は，終結直前の口頭却下や黙示の却下について即時抗告の余地を認める）。文書提出命令申立てが時機に後れた攻撃防御方法として却下された場合も同様である。大阪高決平成23・2・14判例集未登載（最決平成23・4・28判例集未登載によって正当とされている。綿引万里子＝今福正己「許可抗告事件の実情――平成二三年度」判時2164号17頁（2012年）に紹介がある）。

　なお，文書提出命令に対して相手方が即時抗告をなした場合に，抗告審が，即時抗告申立書の写しを送付するなどして即時抗告の相手方（文書提出命令の申立人）に攻撃防御の機会を与えることのないまま，原決定である文書提出命令を取り消し，文書提出命令の申立てを却下するという即時抗告の相手方に不利益な判断をしたことが，民事訴訟における手続的正義の要請に反するものであり，抗告審の審理手続に違法があるとされた事例がある（最決平成23・4・13民集65巻3号1290頁〔百選〈5版〉A40事件，平成23重判解・民訴5事件〕）。

407）　所持者たる第三者に対する提出命令に対して，相手方当事者の即時抗告権を認める考え方が有力である（小林・前掲論文（注*406*）145頁，斎藤ほか(8)181頁〔遠藤功＝宮本聖司＝林屋礼二〕，菊井＝村松Ⅱ628頁，注釈民訴(7)105頁〔野村秀敏〕，中島・前掲論文（注*378*）559頁）。しかし，文書提出命令は書証の申出の1方法であること，相手方が文書の内容についてもつ利害関係は事実上のものにすぎず，しかも，文書を証拠調べの対象から排除することについて正当な法律上の利益も認めることはできないなどを考えると，即時抗告権を否定すべきである（広島高決昭和52・12・19下民32巻9～12号1216頁，前掲最決平成12・12・14（注*377*），最決平成13・2・2実情71頁，最決平成19・4・24実情338頁，秋山ほかⅣ509頁，証拠法大系(4)200頁以下〔和久田道雄〕，新注釈民訴(4)620頁〔三木浩一〕，瀬木433頁）。

義務があると認められない部分があるときには，その部分を除いて文書の一部提出が命じられる（同Ⅰ後段）[408]。

提出義務は，国に対する公法上の義務であって，申立人に対する義務ではないから，文書提出命令は債務名義としての執行力をもたない。そこで法は，所持者の地位に即して不提出に対する制裁を規定し，間接的に提出を強制しようとする。まず，所持者が第三者であるときには，20万円以下の過料が科される（225Ⅰ）。過料の決定に対しては即時抗告が許されるが（225Ⅱ），所持者は，文書提出命令確定後の所持の喪失などを主張できるだけであり，提出命令自体の違法を主張することは許されない。

次に，所持者が訴訟当事者であるときには，裁判所は，不提出を理由として文書の記載に関する申立人の主張を真実と認めることができる（224Ⅰ）。所持者が申立人の使用を妨げる目的で当該文書を滅失させるなど，その使用ができないようにさせた場合も同様である（224Ⅱ）。ここで真実を擬制される文書の記載に関する申立人の主張とは，文書によって立証されるべき事実そのものではなく，文書の記載内容たる情報を意味する[409]。しかし，文書提出命令申立ての際の文書の趣旨の特定について述べたように，申立人が文書の記載内容を具体的に特定することが困難で，かつ，立証事項を他の証拠によって証明することが著しく困難であるときには，裁判所は，立証事項についての申立人の主張を真実と認めることができる（224Ⅲ）[410]。

この場合には，文書の記載内容による心証も，また他の証拠による心証も得られないのであるから，裁判所は，立証事項に関する申立人の主張を真実と認

408）　前掲最決平成13・2・22（注378）。一部の提出を命じられない特段の事情があるときとしては，削除によって文書の意味が変わってしまう場合などが考えられる。証拠法大系(4)197頁〔和久田道雄〕，新注釈民訴(4)582頁〔三木浩一〕参照。

409）　最判昭和31・9・28判タ63号47頁。文書が契約書であれば，契約当事者，契約内容，日時などがこれにあたり，真実擬制された内容にもとづいて立証事項たる契約の成立を認定するかどうかは，裁判所の自由心証に委ねられる。この点についての近時の裁判例として，前掲東京高判平成24・6・4（注278）がある。また，当事者の過失によって文書が滅失した場合や当事者に保管義務がない場合の滅失の場合において文書提出命令申立てを却下した原決定を是認した最決平成18・12・8実情285頁がある。

410）　これは，旧法下の裁判例・学説の影響を受けた改正である。東京高判昭和54・10・18下民33巻5～8号1031頁〔百選Ⅱ131事件〕，竹下守夫「模索的証明と文書提出命令違反の効果」吉川追悼(下)163頁，183頁，小林・前掲論文（注406）145頁以下，新注釈民訴(4)642頁〔名津井吉裕〕参照。

めないのが原則であるが，立法者は，文書提出命令違反が証明妨害の一種にあたるとの考え方に立脚して，立証事項についての証明度を軽減したものである。したがって，弁論の全趣旨などによって立証事項を真実とみなすことが無理であると判断すれば，裁判所は，この規定を適用しなくともよい[411]。

(d)　公務文書の取扱い　　公務員または公務員であった者がその職務に関し保管し，または所持する文書は，公務文書と呼ばれるが，その提出義務に関しては，基本的には，私人が保管または所持する文書と同様の取扱いを受ける。もっとも，一般義務文書としての公務文書の提出義務は，公務員の職務上の秘密に関する証言拒絶権が私人の証言拒絶権とは異なった取扱いがなされていることなどとの関係で，私人が所持する文書とは異なった規律に服する（220④ロ・ニ括弧書・ホ）。これに対して，引用文書等（220①～③）としての公務文書の文書提出義務は，私人が所持する文書と同一の規律に服する。ただし，解釈論としては，公務員の証言拒絶権（191）などを引用文書等としての公務文書の文書提出義務にどのように反映させるべきかという問題がある。

たとえば，ある公務文書が法律関係文書（220③）と認められる場合に，所持者たる国等が公務員の職務上の秘密が記載されていることを理由として提出義務を争ったときには，提出義務が否定されることがあるが，少なくとも当該文書に記載されている事項が職務上の秘密に該当するかどうかについては，裁判所の判断権が認められるべきである[412]。したがって，裁判所は，国等から

411)　この規定は法定証拠法則（本書418頁）を定めたものといわれる。これは，証明度を軽減して申立人主張事実を真実と認定する際には，裁判所がかならず文書提出命令違反の事実によらなければならないという趣旨である。詳細については，竹下・前掲論文（注410）181頁，大村雅彦「文書提出命令⑥」新大系(3)224頁，237頁以下参照。したがって，真実擬制は，証明責任の転換を意味するものではない。証拠法大系(4)212頁〔和久田道雄〕。これに対して，真実擬制について裁判所の判断の余地が認められていることを自由心証の根拠とし，法定証拠法則にあたることに疑問を呈するものとして，新注釈民訴(4)641頁，650頁〔名津井吉裕〕がある。

なお，企業における文書管理の一環としての文書の廃棄と証明妨害との関係について，林昭一「企業紛争における戦略的な証拠廃棄とその規制」福永古稀445頁がある。

412)　山本・研究Ⅰ411頁。判断した判例として，前掲最決平成16・2・20（注401）がある。詳細については，伊藤眞「証言拒絶権の研究(1)(2)」ジュリ1051号88頁，1052号93頁（1994年）参照。また，職務上の秘密と区別される職務上知りえた秘密の取扱いの問題もある。伊藤・前掲論文(2)94頁，滝井繁男＝飯村佳夫「公務員の証言拒絶」判タ849号35頁，39頁（1994年），証拠法大系(4)134頁〔花村良一〕参照。

その旨の主張がなされたときには，直ちに監督官庁の承認を求める手続をする（191の類推適用）のではなく，記載事項が職務上の秘密に該当するかどうかの判断を行わなければならない。

この場合に，223条6項によるイン・カメラの手続を法律関係文書に類推適用することができるかどうかも解釈論に属するが，条文の文言に忠実にこれを否定するとすれば，裁判所は，所持者の主張の内容から概括的に判断せざるをえない。イン・カメラの手続によるか否かを問わず，裁判所は，職務上の秘密に該当しないと判断すれば，文書提出命令を発するが，職務上の秘密に該当すると判断するときには，一般義務文書としての公務文書提出義務の除外事由（220④イ～ホ）を参考に，法律関係文書としての文書提出義務の有無を判断する。基本的な考え方は，法律関係文書としての私人が所持する文書の場合と同様である（本書477頁参照）。

次に，一般義務文書としての公務文書に対する文書提出義務を説明する。問題は，第1に，公務文書について一般義務文書としての提出義務が認められるかどうかであり，第2に，一般義務文書としての提出義務を肯定するとして，いかなる除外事由を設けるかであり，第3に，除外事由の有無についてどのような判断手続を設けるかである。これらの問題については，現行法の立法に際してさまざまな議論がなされたが[413]，意見の一致をみなかったために，平成13年改正前の旧規定は，公務員または公務員であった者がその職務に関して保管し，または所持する文書を一般義務文書の範囲から除外し，公務文書については，一般義務文書としての提出義務を否定した（220④柱書旧括弧書）。したがって，平成13年改正前は，公務文書については，引用文書などの範疇（220①～③）に含まれない限り，文書提出義務が認められなかった。しかし，この旧規定については，立法に際しての議論を踏まえ，平成13年法律第96号によって以下のような改正がなされた[414]。

413）　議論の内容については，注*414*参照。

414）　現行法の政府原案では，220条4号ロとして，公務秘密文書で，監督官庁がその提出を承認しないものが文書提出義務の範囲から除外され，222条が承認についての照会を定めていた。これに加えてイン・カメラ手続は公務秘密文書には適用されないものとされていた（原案223Ⅲ）。

しかし，国会における審議の中で公務秘密文書についてこのような特別な取扱いをする

(i)　公務文書の所持者　　文書提出義務は，文書の所持者に対して課せられる公法上の義務である。したがって，公務文書の提出義務については，まず文書の所持者を確定する必要がある。所持者は，保管者とは区別され，当該文書に関する管理処分権が帰属し，その意思にもとづいて文書の提出または不提出を決定する法主体であるから，通常は，作成者たる公務員の地位に応じて，国または地方公共団体が所持者とみなされる（220④ニ括弧書参照）[415]。その結果，公務文書などに対する文書提出命令の相手方となり，またその手続において文書提出義務を争う主体も，通常は国または地方公共団体である[416]。なお，

ことについての批判がなされ，当面の措置として公務員または公務員であった者がその職務に関して保管し，または所持する文書を一般義務文書の範囲から除外し（220④旧柱書括弧書），情報公開制度の検討と並行して再検討がなされることとなった（附27。経緯については，平山正剛「文書提出命令③」新大系(3)156頁以下参照）。その後，法制審議会において決定された要綱にもとづいて，改正案が平成10年に国会に提出され，いったん衆議院の解散によって廃案となったが，平成13年に同一内容のものが再度国会に提出され，法律として成立した（深山卓也ほか「民事訴訟法の一部を改正する法律の概要(上)(下)」ジュリ1209号102頁，1210号173頁（2001年）参照）。

415)　自然人たる国家公務員および地方公務員は，管理処分権者たる国または地方公共団体から公務秘密文書等の保管を委ねられることはあるが，通常は管理処分権自体の帰属主体となることはない。また，公務員が所属する行政庁等は，国等の組織であり，法律に特別の定めがある場合（特許179など）を除いて，法主体性を認められないから，所持者たりえない。不服従に対する制裁（224Ⅰ・225）については，安西明子「当事者間の負担分配から見た事案の解明」春日古稀24頁参照。

もっとも，行政事件訴訟法の規定も，訴訟手続上の当事者能力および当事者適格を行政庁に与えるものであるから（南＝高橋編・前掲書（注*154*）326頁，行政訴訟においては，当然に行政庁が文書の所持者とみなされるものではない。この点は，行政事件訴訟法の平成16年改正によって，抗告訴訟の被告適格が，原則として国または公共団体とされたこと（行訴11Ⅰ）によっても裏付けられる。中島・前掲論文（注*378*）552頁参照。ただし，行政訴訟（抗告訴訟）に限っていえば，行政事件訴訟法23条の2（平成16年改正）が釈明処分としての文書の提出の求めなどに関し，行政庁を相手方としていることから，文書提出命令の相手方も行政庁とする見解が有力である。荒生雄一郎ほか「文書提出命令をめぐる訟務事務処理上の諸問題(下)」民事研修612号115頁。

なお，深山ほか・前掲論文（注*414*）(上)104頁は，文書に対して事実的支配力を有している者を所持者とするが，ここでいう支配力とは，上記のような意味に理解すべきであり，権限上保管を委ねられている公務員個人を意味するものと考えるべきではない。なお，最決平成25・12・19民集67巻9号1938頁は，国立大学法人が所持し，その役員または職員が組織的に用いる文書については，民事訴訟法220条4号ニ括弧書部分が類推適用され，さらに，同号ロにいう公務員には，上記法人の役員または職員が含まれると判示する。

416)　新注釈民訴(4)498頁〔三木浩一〕。訴訟手続上は，法務大臣が国を代表する（法務大臣権限1）。これに対して，証拠法大系(4)93頁〔萩本修〕は，国または地方公共団体が訴訟当事者となっている場合には，国などを所持者とするが，第三者である場合には，提出

所持者たる国または地方公共団体が訴訟当事者でなく，第三者であるときには，文書提出命令の発令にあたって，国等に対する審尋が義務づけられる（223Ⅱ）。

(ii)　一般義務文書としての公務文書の提出義務とその除外事由　　改正法は，220条4号柱書旧括弧書を削除したので，公務文書についても私人の所持する文書と同様，一般義務文書としての文書提出義務が認められる。そして，提出義務についての除外事由としては，公務文書に特有のもの（220④ロ・ニ括弧書・ホ）だけではなく，文書一般に共通のもの（同号イ・ハ・ニ括弧書以外の部分）も妥当する。たとえば，所持者等が刑事訴追を受けるおそれがある事実等が記載されている文書（220④イ）に該当すれば，公務文書についても文書提出義務が否定される。これは，公務員個人が公務文書の所持者となっている場合を想定するものである[417]。また，職業の秘密等が記載されている文書（220④ハ）にあたることも，公務文書の一般義務文書としての提出義務の除外事由になり，国立病院の医師等が作成した診療録を国が公務文書として所持しているときには，この除外事由にもとづいて提出義務を免れる。なお，これらの除外事由についての審理手続は，(iv)において述べる，公務秘密文書の除外事由についての審理手続と同一である。

上記の一般的除外事由のほかに，公務文書についての除外事由として，公務

についての意思決定をするのが行政庁であるとの理由から，当該行政庁を所持者とする。

なお，国を所持者であって，かつ，当該訴訟の当事者であるときは，「国　代表者法務大臣　何某」のように法務大臣を代表者として記載するが，所持者たる国が第三者であるときは，管理処分権限の帰属を基準として，「国　代表者A税務署長　何某」のように行政庁を代表者として記載すべきであるとされている。荒生ほか・前掲論文（注*415*）120頁参照。最決平成31・1・22民集73巻1号39頁は，刑事訴訟記録等の文書提出義務（本書496頁）に関し，原本を検察官が保管し，その写しを都道府県が所持しているときには，所持者たる都道府県の提出拒否が裁量権の逸脱または濫用にあたるかどうかを判断すべきであるとしている（本書496頁注*423*参照）。写しの所持者たる都道府県の地位を考慮すれば，妥当な判断といえよう。

417）　深山ほか・前掲論文（注*414*）(上)104頁。しかし，公務員個人が公務文書の所持者となることは，例外的場合にすぎないから，この規定にもとづいて公務文書の提出義務が否定されることは少ないと思われる。

以上のような議論を踏まえ，最決平成29・10・4民集71巻8号1221頁は，住民訴訟（自治242の2Ⅰ④）を本案訴訟とする地方議会議員の政務活動費にかかる領収書の文書提出命令について，それを保管する機関（地方議会議長）ではなく，機関の活動にかかる権利義務の帰属主体である地方公共団体が文書提出命令の名宛人たる所持者にあたるとしている（村田一広〔判例解説〕ジュリ1520号100頁（2018年）参照）。本件事案に限らず，公法人と私法人一般に通用する判例法理というべきである。

員の職務上の秘密が記載されている文書（220④ロ。以下，公務秘密文書と呼ぶ），もっぱら文書の所持者の利用に供するための文書であって，国等が所持し，かつ，公務員が組織的に用いるものでないもの（220④ニ括弧書。以下，国等の非組織利用自己使用文書と呼ぶ），および刑事事件にかかる訴訟に関する書類等（同号ホ。以下，刑事訴訟記録等と呼ぶ）の3つについては，一般義務文書としての提出義務（220④）およびその判断手続（223ⅢⅥ）に関して，特別な取扱いがなされる。

公務文書とは，公務員または公務員であった者がその職務に関して保管し，または所持する文書を指すが，ここでは，公務文書のうち，文書の記載内容，所持目的，あるいは客観的性質に着目して，3つの種類の文書について特別の定めがなされたものである。したがって，公務文書であっても，上の3つに該当しないものについては，一般の文書と同様に文書提出義務が決せられるし，また3つの種類の文書であっても，引用文書等（220①～③）としての提出が求められるときには，先に述べたとおり，特別な規律は設けられず，解釈論として上記の特別の規律を類推すべきかどうかにとどまる。なお，公務秘密文書性などの関係で，文書提出義務が否定される場合であっても，文書の一部提出の可能性がある（223Ⅰ後段）。

(iii)　公務秘密文書の提出義務　　公務員の職務上の秘密とは，公務員が職務上知りえた秘密であって，それを公表することが公共の利益を害するものを意味し，これが記載された文書を公務秘密文書と呼ぶ[418]。一般義務文書として公務秘密文書について文書提出命令の申立て（221）がなされた場合には，裁判所は，文書の提出によって公共の利益を害し，または公務の遂行に著しい支障を生じるおそれがあるものにあたらないと判断した場合にのみ，文書の提出を命じることができる（220④柱書・ロ）。この要件は，公務員に対する証人尋問における監督官庁の承認要件（191Ⅱ）と対応するものである。

418）　職務上の秘密の意義，職務上の秘密と職務上知りえた秘密との関係などについては，伊藤・前掲論文（注412）(2)94頁，滝井＝飯村・前掲論文（注412）39頁，新注釈民訴(4)196頁〔山本克己〕参照。なお，公務秘密文書は，公務員または公務員であった者が保管し，または所持するのが通例であるという意味で，公務文書に含まれることが多いが，場合によっては，私人が所持する公務秘密文書も存在しうる。深山ほか・前掲論文（注414）(上)107頁参照。

裁判所の判断は，当該文書の記載内容が公務員の職務上の秘密に該当するかどうか，および当該文書の提出によって公共の利益を害し，または公務の遂行に著しい支障を生じるおそれがあるかどうかの2つから構成される[419]。もっとも，職務上の秘密性が，いわゆる形式秘ではなく，実質秘，すなわちその開示によって公共の利益を害し，または公務の遂行に著しい支障を生じるおそれ

419）　このような判断を示したものとして，前掲最決平成16・2・20（注*401*）および最決平成17・10・14民集59巻8号2265頁〔百選〈6版〉A 21事件〕がある。後者は，労働基準監督署長が保管する，労災事故に関する「災害調査復命書」について，公務員の職務上の秘密には，公務員が職務を遂行する上で知ることができた私人の秘密であって，それが公にされることにより，私人との信頼関係が損なわれ，公務の公正，かつ，円滑な運営に支障を来すものが含まれるとし，次に，当該文書の提出により公共の利益を害し，または公務の遂行に著しい支障を生じるおそれがあるかどうかは，文書の性格にもとづく抽象的なおそれでは足りず，記載内容からみておそれの存在が具体的に認められなければならないとしている。

所得証明書に関する最決平成18・7・7実情283頁，医道審議会の議事録等に関する最決平成19・11・7実情345頁，教員採用選考試験関係書類に関する最決平成22・12・22実情523頁，教員の勤務実績報告書などに関する最決平成24・10・11実情626頁，最決平成26・9・25実情738頁も同趣旨である。一方，最決平成20・10・8実情402頁が是認した原決定では，所持者たる地方自治体と作成者たる私人との間に公表しないことについて信頼関係が存在するが，証拠としての提出がその信頼を著しく損なうものではないとして提出義務が認められている。その後の最高裁判所決定が示した判断枠組も同趣旨である。実情403頁，565頁。

このような判例法理の下での近時の裁判例として，東京地決平成22・5・6金商1344号30頁〔証券取引等監視委員会の課徴金調査関係検査報告書〕，岡山地決平成22・3・8判時2078号87頁〔警察官の交通事故実況見分メモ〕，東京高決平成23・5・17判時2141号36頁〔国立病院の医療事故報告書〕，大阪地決平成24・6・15判時2173号58頁〔公取委の審査手続の過程で作成された供述録取調書〕がある。

さらに，近時の最高裁判例として，最決平成25・4・19判時2194号13頁は，全国消費実態調査の調査票について，被調査者の任意の協力を確保することの重要性を強調して，その提出が公務の遂行に著しい支障を生じるおそれがあるとする。相続税申告書および添付書類について，申告納税制度の趣旨を強調し，納税者と税務当局との間の信頼関係の確保を理由として公務秘密文書性を肯定する福岡高宮崎支決平成28・5・26判時2329号55頁，金融検査に関して監督官庁の担当者と金融機関との間で作成される確認表について任意の情報提供をうることが著しく困難になることを理由として公務秘密文書性を肯定する福岡高宮崎支決平成29・2・16金融法務2146号76頁にも，同様の考え方がみられる。

しかし，このような判断が公務の遂行に協力すべき国民や公的使命を担う民間機関の法律上の義務と矛盾しないか，民事司法による正義の実現を妨げないかなどの疑問がある。詳細については，長谷部由起子「公務秘密文書の要件」青山古稀352頁（長谷部131頁），中島・前掲論文（注*312*）423頁，伊藤・前掲論文（注*253*）43頁，新注釈民訴(4)522頁〔三木浩一〕参照。また，「国の安全が害されるおそれ」（223Ⅳ①）についての監督官庁の意見の相当性に関する原審の判断を是認したものとして，最決平成20・6・17実情397頁がある。

がある事項を意味するものであれば，両者の判断は実際上重なり合う。しかし，ここで問題となっているのは，理由のない漏示または一般的な文書情報の開示ではなく，書証の対象としての提示であるから，公共の利益が害されるおそれがあるかどうかなども，公務秘密文書の提出によって実現される真実発見など，訴訟上の利益との比較考量によって決せられるべきものである。

したがって，裁判所としては，第1段として，当該文書が実質秘たる職務上の秘密を記載したものであるかどうかを判断し，引き続いて第2段として，その提出によって実現される訴訟上の利益との比較において，なお公共の利益が害されるおそれがあるか，または公務の遂行に著しい支障を生じるおそれがあるかどうかを判断すべきである。

なお，公務秘密文書性および公共の利益が害されるおそれ等に該当する事実については，文書提出命令申立人が証明責任を負う（220④柱書参照）。しかし，文書の具体的記載内容についてあらかじめ知ることが期待できない申立人にとって，証明責任を果たすことは容易でないと考えられるし，また公務員が公共の利益実現をその職務としていることから考えても（国公96Ⅰ，地公30），証明の実質的負担は所持人たる国または地方公共団体が負うべきものである。監督官庁の意見聴取義務（223Ⅲ前段）も，実際上申立人の証明負担を軽減する役割をもつ。

(iv)　公務秘密文書提出義務の判断手続　　公務秘密文書について一般義務文書（220④）にあたることを提出義務の原因とする文書提出命令の申立てがなされた場合に，裁判所は，証拠としての必要性に欠けるなど，その申立てに理由がないことが明らかなときを除き，220条4号ロに該当する文書かどうかについて，当該監督官庁（衆議院または参議院の議員の職務上の秘密に関する文書については，その院，内閣総理大臣その他の国務大臣の職務上の秘密に関する文書については，内閣）の意見を聴かなければならない（223Ⅲ前段）。

ここでいう当該監督官庁とは，文書の所持者とは区別され，文書作成者または保管者たる公務員を監督する官庁を指す。裁判所が監督官庁の意見聴取を義務づけられるのは，文書の記載内容および文書が訴訟に提示された場合の影響等について，所持者たる国に対する意見聴取（民訴規140Ⅱ）や審尋（223Ⅱ）とは別に，監督官庁がその意見を述べる機会を保障しようとする趣旨である。

したがって，裁判所は，当該文書が一般公開されたものであるなど，公務員の職務上の秘密を記載したものにあたらないと判断するときには，監督官庁の意見を聴く必要がない。

監督官庁は，当該文書が220条4号ロに該当する旨の意見を述べるときには，その理由を示さなければならない（223Ⅲ後段）。監督官庁の理由開示義務は，裁判所の判断に資するためのものであるから，公務秘密文書性および提出によって公共の利益が害されるおそれがあること等を基礎づける具体的根拠を示すことが求められる。

監督官庁が意見を述べる理由として，以下のおそれを挙げた場合には，裁判所は，その意見について相当の理由があると認めるに足りない場合に限り，文書の提出を命じることができる（223Ⅳ柱書）。すなわち第1は，国の安全が害されるおそれ，他国もしくは国際機関との信頼関係が損なわれるおそれまたは他国もしくは国際機関との交渉上不利益を被るおそれである（223Ⅳ①）。第2は，犯罪の予防，鎮圧または捜査，公訴の維持，刑の執行その他の公共の安全と秩序の維持に支障を及ぼすおそれである（同②）。

第1の事由は，国の防衛や外交関係からみて，公務秘密文書の提出が国の存立基盤を危険にさらすなど，高度の公益を損なうおそれがあることを意味し，第2の事由は，犯罪の予防等，社会の平和と秩序を損なうおそれがあることを意味する。第1の事由が，いわば対外関係における高度の公益にかかわるとすれば，第2の事由は，対内関係における高度の公益にかかわるといえる。これらの事由が主張された場合には，高度の公益について直接の責任を負う監督官庁の第1次的判断権を尊重し，裁判所は，文書の記載内容から直接にこれらの事由の有無を判断するのではなく，監督官庁の判断の相当性に限定した第2次的判断を行うというのが，223条4項の趣旨である。監督官庁としては，上のおそれが存在することについて裁判所が相当性の判断をなすに足る具体的事情を述べなければならない[420]。

420）　いわゆるグローマー拒否，すなわち，当該文書が存在するか否か自体について明らかにすることができないとする意見（行政情報公開8・独行情報公開8）は，ここでいう意見として認められない。また，裁判所が相当性の判断をなすについて必要があれば，イン・カメラの手続を利用することもできる（深山ほか・前掲論文（注*414*）(下)177頁，新注釈民訴(4)586頁〔三木浩一〕）。

また，監督官庁が，当該文書の所持者以外の第三者の技術または職業の秘密に関する事項にかかる記載がされている文書について意見を述べようとするときは，220条4号ロに掲げる文書に該当する旨の意見を述べようとするときを除き，あらかじめ当該第三者の意見を聴くものとされる（223Ⅴ）。

文書一般に関して，技術または職業の秘密に関する事項が記載されているものについては，文書提出義務が免除される（220④ハ）。しかし，公務秘密文書に関しては，文書の所持者でない第三者は，技術または職業の秘密を文書提出義務の判断手続において主張する機会が与えられない。そこで，監督官庁が第三者の秘密について適切な判断を行うために，監督官庁があらかじめ当該第三者の意見を聴き，当該文書の提出によって公共の利益が害され，または公務の遂行に著しい支障が生じるおそれがあるかどうかの意見を述べることとしたものである[421]。この規定は，同時に秘密の主体である第三者の利益を保護しようとする目的ももっている。したがって，当該第三者の意見を聴くまでもなく監督官庁が，220条4号ロに掲げる文書に該当する旨の意見を述べようとするときには，当該第三者の意見を聴く必要はない（223Ⅴ）。

さらに裁判所は，文書提出命令の申立てにかかる文書が220条4号ロの文書に該当するかどうかの判断をするために必要があると認めるときは，当事者を含む何人にも開示しないで，所持者に文書の提示をさせることができる（223Ⅵ）。イン・カメラ手続が公務秘密文書にも適用されることを明らかにしたものである。

(v)　国等が所持する非組織利用自己使用文書の提出義務　　もっぱら文書の所持者の利用に供される文書，すなわち自己使用文書は文書提出義務の対象

なお，文書の提出によって他国との信頼関係が損なわれるおそれがあるとする監督官庁の意見の相当性に関する判断基準を示した判例として，最決平成17・7・22民集59巻6号1888頁〔平成17重判解・民訴2事件〕があり，滝井裁判官および今井裁判官の補足意見は，監督官庁の意見内容について具体性が求められる旨を述べている。この判断枠組に沿って，具体性を否定した例として，名古屋地決平成20・11・17判時2054号108頁がある。新注釈民訴(4)592頁〔三木浩一〕参照。

421)　したがって，第三者の技術または職業上の秘密について守秘義務を負っていることを除外事由（220④ハ）として主張することは，公文書の所持人たる国等の責任に属するものであり，監督官庁からの意見聴取の対象ではない（深山ほか・前掲論文（注414）(下)178頁参照)。

外とされるが（220④ニ），国または地方公共団体が所持する文書については，公務員が組織的に用いるものは，自己使用文書の範囲から除外される（同括弧書）。公務遂行の過程で公務員が作成した文書であっても，公務員自身が所持人となっている備忘録等については，自己使用文書として一般義務文書に関する文書提出義務の対象外とされうるが，国または地方公共団体が所持人となっている文書の場合には，たとえ第三者に交付されることや閲覧させることが予定されないものであっても，文書を保管する公務員がその属する組織等において用いる性質のものであれば，自己使用文書とみなされない。

所持人についてみれば自己使用文書にあたるとしても，公務遂行のために組織的に用いられる文書を類型的に文書提出義務の範囲外とすることは不適当だからである。したがって，会議議事録あるいは調査報告書など一般義務文書としては，自己使用文書とされる可能性があるものであっても，公務員が組織的に用いるためのものであれば，自己使用文書として扱われない[422)]。

なお，国などが所持する文書で，公務員が組織的に用いるものか否かの判断を裁判所がする際にも，イン・カメラの手続を用いることができる（223Ⅵ）。

(vi)　刑事訴訟記録等の提出義務　　刑事事件にかかる訴訟に関する書類もしくは少年の保護事件の記録またはこれらの事件において押収されている文書は，一般義務文書としての提出義務の対象外とされる（220④ホ）。引用文書など（220①～③）にあたるものについては，刑事訴訟記録等であるからといって当然に提出義務が否定されるものではない[423)]。しかし，提出義務の根拠が証

---

422)　公務員自身が作成・所持する会議備忘録などについては，220条4号ニ括弧書には含まれないので，公務文書とみなされるか否かを問わず，もっぱら所持者たる公務員の利用に供するための文書（220④ニ）と認められるかどうかによって文書提出義務の存否が判断される。したがって，公務員自身の備忘録であっても，場合によっては組織的に利用することが予定されるものは，自己使用文書に含まれない。これは，自己使用文書自体の範囲の問題である。なお，税務調査担当者の調査メモが「公務員が組織的に用いるもの」に該当しないとした原審判断を是認した判例として，最決平成15・9・12実情143頁がある。

423)　実質的判断をしているものとして，最決平成16・5・25民集58巻5号1135頁〔百選〈6版〉67事件〕がある。また，最決平成17・7・22民集59巻6号1837頁〔平成17重判解・民訴1事件〕は，捜索差押許可状等が法律関係文書にあたることを前提とし，刑事訴訟法47条の規定にもとづいてその提出を拒絶した事例について，開示による捜査，公判への悪影響が生じるとは考えがたい事情の下では，裁量権の範囲の逸脱，または裁量権の濫用にあたるとしている。

さらに，最決平成19・12・12民集61巻9号3400頁〔平成20重判解・民訴5事件〕は，

拠としての必要性や重要性に求められる一般義務文書については，刑事事件および少年保護事件の記録等の閲覧・交付に関して特別の手続が設けられているところから[424]，刑事訴訟記録等をその範囲外としたものである。刑事訴訟記

告訴状や供述調書について，それが勾留にかかる法律関係文書にあたるとし（刑訴規148 I③参照），刑事訴訟法47条但書との関係でも，プライバシーを不当に侵害するおそれが認められず，捜査や公判に不当な影響等の弊害が発生するおそれも認められないから，提出の拒絶が裁量権の範囲の逸脱または裁量権の濫用にあたることを理由として，文書提出義務を肯定している。判例法理の分析と営業秘密侵害を理由とする損害賠償請求訴訟における文書提出義務へのあてはめについて，伊藤・前掲論文（注*395*）8頁参照。

この判断枠組の下で，文書提出義務を肯定した下級審裁判例として，名古屋地決平成21・9・8判時2085号119頁〔司法警察員送致書〕，東京高決平成23・3・31判タ1375号231頁〔送還・護送事故報告書〕があり，原審の判断を是認した判例として最決平成20・4・22実情396頁がある。これに対して，否定した裁判例として，福岡高宮崎支決平成29・3・30裁判所ウェブサイト〔テレビ局によるビデオ録画の電磁記録であり，県警察が押収の上，検察官が保管しているDVD〕がある。この裁判例は，DVD（準文書。本書458頁）の証拠としての取調べが必要不可欠といえないこと，捜査・公判以外の目的に用いられることによりテレビ局と捜査機関との信頼関係が失われるおそれがあること，画面上に録画された者のプライバシーが侵害されるおそれがあることなどを理由として，提出の拒絶が裁量権の範囲の逸脱または濫用にあたるものではないとしている。このような判断を是認している判例として最決平成20・7・8実情399頁がある。

しかし，録画の証拠価値は高いと認められていること，差押え・押収という強制処分によって捜査機関が取得していること，関係者のプライバシーは絶対的なものではないことを考えると，判例法理の下でも，220条3号による文書提出義務を認める余地があろう。

また，刑事訴訟記録等に該当することを否定または否定する余地があると判断した裁判例として，東京地決平成22・5・13判タ1358号241頁〔鑑定受託者である医師が所持している司法解剖の鑑定書〕，東京地決平成23・10・17判タ1366号243頁〔鑑定受託者である医師が所持している司法解剖の鑑定書〕がある。さらに，前掲最決平成31・1・22（注*416*）は，引用文書（220①）にあたる場合であっても，引用の事実が当然に公開禁止によって保護される利益を放棄したものとはみなされないから，法律関係文書としての刑事訴訟記録等の提出義務に関する上記の判断枠組が妥当する旨を判示している。ただし，引用の態様を裁量権の逸脱または濫用に関する判断要素として考慮すべきことはあろう。

424）確定記録については，刑事確定訴訟記録法（昭和62法64）にもとづく手続があり，また，未確定記録については，「犯罪被害者等の保護を図るための刑事手続に付随する措置に関する法律」（平成12法75。平成19年改正）および「犯罪被害者等の保護を図るための刑事手続に付随する措置に関する規則」（平成12最高裁規13。平成20年改正）にもとづく手続がある。

なお，民事訴訟法の平成13年改正法の附則3項では，改正法施行後3年を目途に，公務員または公務員であった者がその職務に関し保管し，または所持する刑事事件関係書類等その他の文書を対象とする文書提出命令制度について検討を加え，その結果にもとづいて必要な措置を講じることとされている（深山ほか・前掲論文（注*414*）(下)180頁）。その後，平成16年の民事訴訟法改正作業において検討の対象とされたが，改正は実現しなかった。検討の経緯について，法務省民事局参事官室・前掲（注*403*）116頁以下参照。

なお，刑事訴訟記録等に該当することを文書提出義務の除外事由とすることを止め，公

録等は，文書の記載内容ではなく，その客観的性質に着目して文書提出義務が否定されるので，裁判所が判断にあたって文書の提示を求める必要性も認められず，イン・カメラ手続の適用もない（223Ⅵ前段参照）[425]。

イ　文書の送付嘱託

書証の申出の第3の方法は，文書の送付嘱託の申立てである（226）。嘱託とは，国家機関たる受訴裁判所が他の国家機関，公務員または団体に対して一定の行為をなすように求める行為を意味するが（185・186，破257・258Ⅰなど），嘱託に応じる義務があるかどうかは，相手方と嘱託機関たる受訴裁判所の関係によって決まる。相手方が国家機関や公務員，またはこれに準じるものである場合には，国法上の一般義務として嘱託に応じる義務があるが，私人はそのような義務を負うものではない[426]。文書送付の嘱託についても，このような一般原則が適用されるが，公務員が守秘義務を負う事項（国公100など）については，その義務が優先するので，嘱託に応じる必要はない。

送付嘱託は，以上のような性質をもち，訴訟法上の義務である文書提出義務とは別個独立のものであるので，提出義務を負う者に対して送付嘱託申立てをなすことも許される。ただし，不動産登記簿や戸籍簿の謄抄本などのように，当事者が法令によって文書の正本または謄本の交付を求めうる場合には，送付嘱託を求める利益が欠けるので，申立ては許されない（226但書）。

送付嘱託の申立てについては，221条1項1号ないし4号が類推適用され，文書が特定され，また証明すべき事実が明らかにされなければならない。送付された文書は，改めて当事者による書証の申出を要せず，当然に取調べの対象

務秘密文書一般の判断枠組に吸収すべきなどの立法提案について，伊藤・前掲論文（注*253*）36頁，瀬木430頁参照。

425）　最近の判例としては，最決令和2・3・24判時2474号46頁（前掲最決令和2・3・24（注*395*）の関連事件）が，刑事訴訟記録等の該当性については，イン・カメラ手続の適用対象でないことなどを理由として，個別的事情を考慮すべきではなく，文書の属性にもとづいて類型的に判断すべき旨を判示している。ただし，宇賀克也裁判官の補足意見においては，立法論として，刑事訴訟記録等の範囲を再検討するのが望ましい旨が説示されている。その評価について，勅使川原和彦「刑事事件関係書類と民訴220条3号後段・4号ホ文書の関係」本間古稀394頁参照。

426）　東京地判昭和50・2・24判時789号61頁，新注釈民訴(4)696頁〔名津井吉裕〕。これに対して，近藤昌昭＝足立拓人「裁判所から文書送付の嘱託を受けた文書所持者がその嘱託に応ずべき義務について」判タ1218号31頁（2006年）は，国家機関などと私人との間に区別を設ける理由に乏しいとする。

となると考えるべきである[427]。送付嘱託の申立ては，証拠申出の一般原則によって期日外でも許される（180Ⅱ）。裁判所が申立てを認めるときには，送付嘱託の決定をなし，その手続は裁判所書記官によって行われる（民訴規31Ⅱ。なお，旧法下では裁判長によって行われた。旧130Ⅱ参照）。

受訴裁判所および受訴裁判所が属する官署としての裁判所が保管する他の事件の訴訟記録について書証の申出をするときには，当事者は，送付嘱託の手続による必要はなく，記録の提出を受訴裁判所に請求すれば足りると解されている[428]。これを文書の取寄せと呼ぶことがある。嘱託行為の性質，および訴訟記録が原則として公開されることを考慮すれば，このような取扱いを認めて差し支えない。ただし，記録の閲覧謄写が認められず（91Ⅱ～Ⅴ参照。本書291頁），または制限される場合には（92。本書291頁），記録の提出も制限されることになる。また，他の官署としての裁判所に保管される訴訟記録については，当事者が謄本等の交付を請求できるので，送付嘱託は認められない。

7　検　　証

検証とは，裁判官がその視覚，聴覚などの感覚作用によって事物の形状・性質，現象，状況を感得し，その判断内容を証拠資料とする証拠調べの1方法である。同じく文書であっても，その記載内容たる思想・判断を対象とする証拠調べは書証であるのに対して，文書の形状や筆跡を対象とする証拠調べは検証となる。検証の目的物が検証物と呼ばれる[429]。人についても，証拠調べの対象によって，人の認識を対象とする証人尋問と，身体の形状などを対象とする検証とが分けられる。他の証拠調べの方法と比較すると，検証は，事実認定の主体である裁判官が第三者の認識・判断を介在させないで直接に検証目的物から証拠資料を獲得するところに特徴がある。なお，ここで説明する証拠調べとしての検証のほかに，釈明処分としての検証（151Ⅰ⑤）や証拠保全（234）とし

427）　これに対して実務では，文書や要証事実の特定を厳格に要求しないままに送付嘱託の申立てを認め，送付された文書の中から当事者が必要部分を選別して書証として提出する場合があるといわれる。秋山ほかⅣ525頁，新注釈民訴(4)693頁〔名津井吉裕〕。このような取扱いが実際上の必要にもとづくものであることは否定できないが，理論的には疑問がある。注釈民訴(7)141頁〔田邊誠〕参照。

428）　大判昭和7・4・19民集11巻671頁。法律実務(4)291頁，秋山ほかⅣ525頁，注釈民訴(7)141頁〔田邊誠〕，新注釈民訴(4)697頁〔名津井吉裕〕など。

429）　目的物は，「検証の目的」と呼ばれることがある（232Ⅰ）。

ての検証がある。

(1)　検証の手続

検証の手続はおおむね書証に準じる（232 I）。検証は，証明すべき事実，検証の目的，および検証物の提示等を内容とする当事者による検証の申出によって開始される（民訴規150）。申出者が目的物を所持していないときには，検証物の提示に代えて，所持者に対する検証物提示の申立て，または検証物送付嘱託の申立てがなされる。検証物が提示されているときには，裁判官は，検証による証拠調べの必要があると認めれば，直ちに目的物について検証の目的を達するための認知行動をなす[430]。検証の場所は，裁判所または検証物の所在地である。検証の実施に際しては，当事者の指示説明が不可欠である場合が多いし，また必要があれば裁判所は鑑定を命じることもできる（233）。検証についてもイン・カメラ手続の適用がある（232 I，民訴規151）。検証は，受訴裁判所自らが実施するほかに，受命・受託裁判官にこれを実施させることもできる。検証が終了すれば，その結果が裁判所書記官によって調書に記載される（民訴規67 I⑤）[431]。検証の結果とは，検証の実施によって得られた裁判官の認識であり，調書作成者たる裁判所書記官自身の認識とは区別される。

なお，令和4年改正によって232条の2が新設され（未施行），裁判所は，当事者に異議がない場合であって，相当と認めるときは，最高裁判所規則で定めるところにより，映像と音声の送受信により検証の目的の状態を認識することができる方法によって，検証をすることが認められた。

(2)　検証協力義務

検証申出当事者が自ら検証物を提示する場合，および所持者が検証物送付嘱託に応じる場合を除いて，申出者は，所持者たる相手方当事者または第三者に対して検証物提示命令の申立てをなす。命令を受けた所持者は，目的物を裁判所に提出するか，またはその所在場所において検証の実施を受忍しなければならない。これを検証協力義務と呼ぶが，わが国の裁判権に服する者に対する一

---

430)　認識の順序としては，裁判官が申し出られた目的物と実際の目的物の同一性を確認した上で，目的物の形状等を認識する。

431)　検証調書作成の実務については，注釈民訴(7)242頁〔加藤新太郎〕参照。なお，民事訴訟規則69条による写真やビデオテープ等の添付は，検証調書作成について利用される。

般的義務として，証人義務と同様に，検証協力義務が認められるかどうかについては，争いがあるが，通説は，これを一般的義務とする。

文書提出義務の規定が検証に準用されていないという文理上の根拠に加え，次のような実質的な理由から通説の結論を支持すべきである。すなわち文書については，その作成者の思想を表現したものであるとの性質が重視され，伝統的には限定義務と解されてきた。しかし，検証は，事物の形状等の認識を目的とする証拠調べであり，裁判権に服する者が真実発見に協力する義務を制限すべき合理的根拠が存在しない[432)]。もちろん，人の身体の形状などのように国家権力による強制力の行使から保護されるべき検証物も存在するが，それについては191条・196条・197条など証言拒絶権に関する規定の類推適用による保護で足りる。加えて，220条4号によって文書提出義務についても一般的義務が規定された以上，検証協力義務を限定的義務とする根拠は存在しない。なお，検証協力義務違反に対しては，文書提出義務違反に対するのと同様の制裁が科される（232 I II）。

8　当事者尋問

当事者尋問とは，訴訟当事者本人を証拠方法として，その者が認識した事実を口頭で陳述させる証拠調べの方法である。当事者尋問は，証人尋問と同一の証拠調べの性質をもつが，証拠方法が証人のような第三者ではなく，訴訟法律

432）　注釈民訴(7)209頁〔加藤新太郎〕，新注釈民訴(4)839頁〔手嶋あさみ〕参照。学説の動向についても同書が詳しい。一般義務性を明らかにした上で，証言拒絶権の類推適用を認める裁判例として，大阪高決昭和58・2・28高民36巻1号39頁，東京高決平成11・12・3判タ1026号290頁がある。なお，証拠法大系(5)105頁以下〔吉川愼一〕は，わが国の裁判権に服するという理由ではなく，制裁の規定（232・224）を根拠として，協力義務を認め，証言拒絶権（196・197）を類推適用して，例外を設けるべきであるとする。

実際上問題になりうる例として，刑事事件の関係で押収され，検察官などが保管中の検証物が考えられるが，文書提出義務の場合（220④ホ。本書496頁参照）と異なって，当然に検証協力義務が否定されるわけではなく，公務員の職務上の秘密として協力を拒絶すべき場合（191。本書433頁参照）に該当するかどうかの判断になろう。以上が従来の私見であったが，証拠調べの方法としての実質に変わりはないことなどから，考え方を改め，文書提出義務が認められない場合には，検証物提示命令を発すべきでないと解する。伊藤・前掲論文（注395）6頁参照。

判例としては，公務秘密文書に関する文書提出義務の除外事由（220④ロ）を類推適用して検証物提出義務を否定した原決定を是認した最決平成28・8・30判時2348号5頁（許可抗告事件の実情【3】）や最決令和3・3・18民集75巻3号822頁（本書436頁）がこのような考え方をとっているものと理解できる。

関係上の主体である当事者本人[433]またはこれに準じる法定代理人（211，民訴規128）であるところに，その特徴がある。当事者本人は，訴訟物たる権利関係についてもっとも密接な利害関係をもつ者であることを考えれば，その陳述は証拠価値が低い。後に述べる当事者尋問の補充性の概念は，このような考え方にもとづくものである。

これに対して，事案の真相をもっともよく把握しているのは当事者本人にほかならないことに着目すれば，むしろ当事者尋問は，証人尋問以上の証拠価値をもつことになる。近時の傾向として当事者尋問の積極的意義が強調されるのは，このような考え方による。そして，証言内容の不正確性や反真実性は，反対尋問や補充尋問によって除去しうることを考えれば，当事者本人がもつ情報の量を重視して，当事者尋問を証人尋問に先行させることが合理的と認められる場合もある。207条2項が，伝統的な当事者尋問の補充性原則を修正したのは，このような考え方にもとづく。

同じく当事者による口頭の陳述であっても，弁論すなわち事実の主張や，釈明処分に応じた陳述（151 I ①）と，当事者尋問に対する陳述は区別される。前者は，裁判所の判断の対象となる訴訟資料に関するものであり，後者は，判断の資料となる証拠資料に関するものである。したがって，当事者尋問に対する陳述には訴訟能力を要しない（211但書・210・201参照）。もっとも，弁論の全趣旨が証拠資料とされる限りでは（247），前者も事実認定の資料としての性質を併有する。

(1)　当事者尋問の補充性

旧336条は，証拠調べによって心証を得ることができないときに，裁判所が当事者尋問を行うことができる旨を規定していた。この規定を厳格に解すると，当事者が提出した他の証拠を取り調べてもなお確定的な心証が得られないときに限って，裁判所が当事者尋問を実施できることとなり，他の証拠の取調べに先立って当事者尋問を実施することは違法であるといわざるをえない。これを当事者尋問の補充性と呼ぶ。

433）　共同訴訟人は，当事者尋問制度の趣旨を考慮して，共通の利害関係がある事項については，他の共同訴訟人に対する関係で当事者尋問の対象となる。法律実務(4)244頁，条解民訴〈2版〉1136頁〔松浦馨＝加藤新太郎〕。

しかし，早期に当事者尋問を実施して事案の概要を把握する必要があるなどの理由から，このような解釈を修正する議論が有力になった434)。もっとも，事案の解明や真の争点の早期把握のためには，当事者尋問に限らず，弁論準備手続など争点整理手続での当事者本人の陳述，陳述書や準備書面の提出，釈明処分に対する陳述などさまざまな方法があり，当事者尋問の早期実施が常に望まれるわけではない。

また，証拠の提出順序についての当事者の判断権を尊重する必要もあるところから，207条2項は，証人尋問の先行を原則としつつも，裁判所が当事者の意見を聞いて当事者尋問を先行させることを認める形で，補充性原則を廃止し，証拠調べの順序についてのみ証人尋問を優先させることとした。なお，職権探知主義をとる人事訴訟手続においては，真実発見の要請が先行するところから，当事者尋問の補充性は採用されていない（人訴19による民訴207Ⅱの不適用)。また，少額訴訟手続においては，証人尋問の優先も認められていない（372Ⅱ)。

(2)　当事者尋問の手続

当事者尋問の手続は，証人尋問の手続に準じるが（210)，当事者の申立てによる場合のほか，裁判所の職権による尋問も認められる（207Ⅰ)。挙証者たる当事者は，自己自身の尋問を申し立てることができるだけではなく，相手方の尋問も申し立てることができる435)。尋問の方法は，証人尋問と同様に，原則として交互尋問方式によって行われる。証人尋問に関連して説明した陳述書の利用は，むしろ当事者尋問においてより広く行われているが，すでに述べたとおり，主尋問に対する陳述全体を陳述書の援用をもって代えることは適当ではない。

尋問に際して当事者本人に宣誓をさせるかどうかは，裁判所の裁量に委ねら

---

434)　旧336条前段を訓示規定とする判例は，このような考え方に沿ったものであるし（新注釈民訴(4)315頁〔町村泰貴〕)，また，中野・現在問題211頁は，旧336条前段を当事者尋問の必要性を例示したものと解する。実務の運用に関しては，プラクティス118頁，新しい審理方法166頁，証拠法大系(3)129頁〔貝阿彌誠〕参照。ただし，菅原郁夫「当事者尋問再考」春日古稀123頁は，利用者実態調査の分析を踏まえ，当事者尋問の謙抑性を説く。

435)　自己自身に対する尋問は，訴訟代理人がいれば代理人によって行われるが，本人訴訟のときには，裁判長によって行われる。大判昭和16・12・16民集20巻1466頁〔百選55事件〕参照。

れている（207Ⅰ後段)。これは，訴訟の結果に利害関係を有する当事者に対して宣誓を前提とする制裁（209Ⅰ）を科するのは酷であるとの判断にもとづくものであるが，実際には当事者本人の意思を尊重して，ほぼ例外なく宣誓をさせている。もちろん，宣誓能力のない者（210・201Ⅱ）に宣誓をさせることはできない。

その他，証人尋問の場合との違いとしては，以下のような点がある[436]。第1に，尋問の方法としての対質は証人についても認められているが（民訴規118)，当事者本人については，当事者本人相互間だけではなく，当事者と証人との対質も認められる（民訴規126)。すでに証人について述べたように，近時の集中審理の運用の中では，尋問の効果を上げるために対質が積極的に行われる傾向にある。

第2に，正当な理由のない当事者本人の不出頭，宣誓拒絶，陳述拒絶に対しては，尋問事項に関する相手方の主張についての真実擬制が規定される（208)。これは，証拠方法が当事者本人であるという特質を踏まえ，当事者が所持する文書の不提出と類似の制裁を定めたものである。これに対して，証人の不出頭そのものに対する制裁（192～194）は科されない。ただし，人事訴訟においては，真実発見などの要請から，当事者本人に対する出頭命令（人訴21Ⅰ）および不出頭に対する制裁が定められる（同Ⅱ)。第3に，虚偽の陳述に対する制裁についても，証人および鑑定人とは異なった規整がなされている（209)。

9　証拠保全

証拠保全とは，訴訟における証拠調べの対象となることが予定される証拠方法について，その証拠調べが不能または困難になるおそれがある場合に，証拠資料を保全するためにあらかじめ証拠調べを行う手続である。証人の死亡が予測される場合，文書の改竄または検証物の変質もしくは消滅が予想される場合などがこれにあたる。手続の性質としては，その証拠資料を裁判資料として用いる本来の訴訟手続に付随するものである。したがって，証拠保全の費用も訴訟費用の一部となる（241)。

---

436)　その他，旧340条が当事者尋問に関する尋問調書を規定していたが，旧144条2号と異なって民事訴訟規則67条1項3号および4号は，調書についての一般規定として当事者尋問に関する事項を定めたので，旧340条は削除されることとなった。

証拠保全の本来的機能は，証拠の保全であるが，近時は，特に提訴前の証拠保全についてその証拠開示機能が強調される傾向にある。すなわち，証拠の偏在が著しい訴訟の類型においては，原告がその請求や主張を構成するために十分な事実や証拠を把握することが困難であるが，証拠保全の手段を利用することによって，提訴前に事実・証拠を把握することができ，これは根拠のない訴え提起の防止，和解の促進，あるいは真実発見などの目的にも資するというものである[437)]。このような立場からは，特に「あらかじめ証拠調べをしておかなければその証拠を使用することが困難となる事情」(234) を緩やかに解すべきことが主張される。

これに対して，証拠保全によって相手方が被る不利益や，提訴前の証拠収集に協力すべき理論的基礎に欠けることなどを理由として開示機能に対する消極的評価もみられる[438)]。このような議論を背景として改正作業の中でも証拠保全が検討課題とされたが[439)]，結局234条は，保全の要件について旧343条の考え方を維持することとなった。

相手方当事者の所持する文書などで，その改竄が比較的容易なものについては，保全事由を緩やかに解することによって証拠保全に実際上開示的機能を付与することは，正当なものと評価されるが，具体的な保全の必要性を要求しないままに証拠保全を認めることは許されないといわざるをえない。もちろん，一方で実効的な権利救済を実現し，他方で根拠のない訴え提起を防止するためには，提訴前の証拠収集手段を充実させる必要があることは否定できない。そのためには，私法上の情報請求権の拡大や，公法上の情報公開制度の充実が課

---

437) 小島武司「証拠保全の再構成」自正29巻4号28頁，34頁（1978年），同・民事訴訟の基礎法理85頁以下（1988年），佐藤鉄男「証拠保全の意義と機能」実務民訴〔第3期〕(4)302頁参照。

438) 大竹たかし「提訴前の証拠保全実施上の諸問題」判タ361号74頁，76頁（1978年），注釈民訴(7)284頁〔春日偉知郎〕など。検証対象物が特定されていないことから探索的申立てとして却下した原決定を是認した最決平成29・9・14実情880頁もこのような考え方にもとづくものと思われる。

439) 検討事項では，「証拠保全について，改正すべき点があるか」が項目として掲げられ，その背後にある問題意識は，本文に述べたところにあることが説明されている（検討事項補足説明　第五 証拠　八 証拠保全参照）。しかし，結局一般的な提訴前証拠収集制度に対しては，理論的および実際的疑念が強く，改正要綱試案では取り上げられなかった。

題となろう[440]。また，弁護士会照会制度（弁護23の2）の活用や拡充も必要になる[441]。

(1)　証拠保全の要件

234条は，あらかじめ証拠調べをしておかなければその証拠を使用することが困難となる事情があると認められるときに，証拠保全としての証拠調べを認める。この事情のことを保全事由と呼び，これが証拠保全の要件とされているが，具体的には，次のような事情が例として挙げられる。

第1に，証人の予想される死期，もしくは外国への移住，または検証物の変

440）　新堂幸司「訴訟提起前におけるカルテ等の閲覧・謄写について」判タ382号10頁，16頁（1979年），小林秀之＝角紀代恵・手続法から見た民法128頁以下（1993年），春日・前掲書（注151）268頁以下，同・前掲民事証拠法論集（注371）71頁以下など参照。

441）　現在の照会制度では，個人の医師などに対する照会ができないが，改正作業の中では，医師などの専門的資格を有する個人に対する照会が検討された。検討事項　第五 証拠　一 証拠収集手続　2（六）その他（1）イ，改正要綱試案　第五 証拠　一 証拠収集手続　4 その他（一）（注）。しかし，専門的資格を限定することが困難であるなどの理由によって見送られた。改正要綱試案補足説明　第五 証拠　一 証拠収集手続　4 その他（一）について参照。

なお，弁護士会照会に対する相手方の報告義務については，大阪高判平成19・1・30判時1962号78頁が義務を肯定しつつ，それが公的義務であることを理由に照会申出人の損害賠償請求権を否定し，また，東京高判平成25・4・11金商1416号26頁が一般公法上の義務であることを理由に照会申出人の確認の利益を否定しているが，少なくとも後者については疑問がある。伊藤・前掲論文（注253）50頁，酒井博行「弁護士会照会に対する報告拒絶と報告義務の確認の訴え」北海学園大学法学部50周年記念論文集・次世代への挑戦258頁以下（2015年）参照。

さらに，名古屋地判平成25・2・8金融法務1975号117頁は，正当な理由が認められない報告拒絶は，照会申出人である弁護士の営業上の利益を侵害するものとして不法行為となりうるとする（ただし，結論は否定）。これに対して，名古屋高判平成27・2・26金融法務2019号94頁は，相手方が弁護士会照会に報告すべき公法上の義務を負い，拒絶には正当な理由を要するとし，当該事案における郵便物の転送先に関する報告拒絶には，正当な理由が認められないと判示する。その上で，同判決は，理由のない報告拒絶が，報告義務の履行について弁護士会が有する法的利益を侵害するものとして，相手方の損害賠償義務を肯定する。その上告審たる最判平成28・10・18民集70巻7号1725頁は，報告義務を認める一方，照会主体たる弁護士会に法律上保護される利益はないとの理由から，不法行為の成立可能性を否定している。他方で，報告義務確認請求については，事件を原審に差し戻して，審理を尽くさせることとしているので，以下に述べる利益衡量の結果として，報告義務の存在が確認される余地が残されている。伊藤眞「弁護士会照会制度の今後――最高裁判決に接して」金融法務2053号1頁（2016年）参照。

そして，差戻審である名古屋高判平成29・6・30金商1523号20頁は，報告義務が公法上の義務であるが，その確認を求める訴えが行訴法4条にいう公法上の法律関係に関する

質・変更，準文書たる電磁式記録媒体の変質など，証拠方法の客観的性質から，将来における証拠調べが困難となる事情がある。

第2に，文書の改竄に代表されるように，証拠方法の支配者の行為という主

確認の訴えにあたらず，民事訴訟の対象となること，また，義務の履行を求める給付の訴えが認められないことから，紛争解決の手段として確認の訴えが適切であることなどを理由として，確認の訴えを適法とし，かつ，転居先の新住所については，守秘義務などを考慮しても，回答を拒絶すべき正当な理由にあたらないと判示し，確認請求を認容している。いずれも，妥当な判断である。しかし，最判平成30・12・21民集72巻6号1368頁〔百選〈6版〉27事件〕は，報告義務確認判決が確定しても，それを強制する手段がなく，相手方の任意の履行を期待する以外にないから，確認判決は紛争の解決に資するものとはいえず，それを求める法律上の利益はないとして，原判決を破棄し，訴えを不適法として却下している（以上の経緯については，石川恭久「愛知県弁護士会と日本郵便との訴訟の経緯と意義」自正70巻11号8頁（2019年）参照）。

確認判決の機能（本書173頁）からみて説示には疑問があるが（加藤新太郎「弁護士会照会最高裁判決を考える」加藤哲夫古稀56頁，同〔判例批評〕判時2448号（判評738号）176頁（2020年）。古田啓昌〔判例研究〕現代民事判例研究会編『民事判例20―2019年後期』72頁（2020年）は，不執行の合意がある場合でも本案判決が認められることとの均衡を指摘する），本判決も相手方の報告義務自体を否定しているわけではないので，今後の運用は，照会内容などについての合理的判断を基礎とする，弁護士会と相手方たる公務所または公私の団体との協議に委ねられることになろう（高中116頁）。協議が成立した具体例を示したものとして，「郵便の転居届に係る情報の弁護士会への提供の開始」（総務省ウェブサイト）がある。協議が成立しないときには，仲裁（本書6頁）による解決も考えられる。詳細については，伊藤眞「弁護士会照会運用の今後――最二小判平30.12.21が残したもの（cadeau empoisonné）」金融法務2115号14頁（2019年）参照。

一般的報告義務を前提としても，具体的事案において拒絶の正当な理由が認められるかどうかは，報告によって照会申出人を通じて当事者が得られるであろう利益と報告によって害されるおそれがある秘匿利益の比較衡量によって決せられるというのが，最判昭和56・4・14民集35巻3号620頁〔百選〈5版〉73事件〕および近時の下級審裁判例の判断枠組である。しかし，報告義務を負う照会先に不当な負担を生じないためには，照会を発する弁護士会と照会先とが実質的に統一した利益衡量を行うような運用，あるいは弁護士会を第1次的利益考量の主体とすべきであろう。詳細については，伊藤眞「弁護士会照会の法理と運用――二重の利益衡量からの脱却を目指して」金融法務2028号6頁（2015年）参照。照会に応じて情報を開示した金融機関の預金者に対する損害賠償責任を否定した鳥取地判平成28・3・11金融法務2040号94頁，照会を行った弁護士会の開示情報（確定申告書控えなど）の主体に対する損害賠償責任を否定した京都地判平成29・9・27金融法務2084号82頁は，このような判断枠組を採用しているものと思われる。また，照会先は，弁護士会からの照会に対する応諾検討義務を果たせば，報告または報告拒絶にかかる損害賠償責任を免れるとの考え方もある。加藤新太郎〔判例批評〕現代消費者法31号88頁（2016年），酒井博行「弁護士会照会に対する報告義務の判断構造」高橋古稀108頁。

弁護士会照会の具体的手続については，佐藤三郎ほか編著・弁護士会照会ハンドブック（2018年），第一東京弁護士会業務改革委員会第8部会編・弁護士法第23条の2照会の手引〈7訂版〉（2023年）参照。

観的事情によって，得られるべき証拠資料の取得が不可能になる場合がある。特に第2の事情に関しては，どの程度の具体性が要求されるかについて，医師の診療録などに関して議論の対立がある。

相手方当事者たるべき所持者が挙証者に不利な文書を所持していること自体から，一般的・抽象的な改竄のおそれを肯定することは，法の文言と調和しないが，逆に，改竄の前歴，偽装工作の事実，紛争の経過などの具体的事実から客観的に改竄のおそれが疎明されなければならないとするのも[442]，行き過ぎである。予想される争点との関係で証拠としての重要性が認められ，一般的経験則に照らして改竄が容易であり，かつ，他の事例などの経験によれば，改竄の蓋然性が相当程度存在すると認められれば[443]，相手方自身についての具体的事情を問題とするまでもなく，保全事由の存在を認めてよい。証拠保全は，証拠調べの対象となりうる証拠方法について本来の証拠調べの方法に即して行われるものであり，これによって相手方が本来の証拠調べ以上の不利益を受けることは予定されていない[444]。したがって，相手方の過去の行動や交渉の経緯などによってはじめて保全事由が疎明されるとすれば，証拠保全が用いられ

442）　広島地決昭和61・11・21判時1224号76頁〔百選〈5版〉72事件〕。通説の考え方でもある。大竹・前掲論文（注*438*）76頁，高見進「証拠保全の機能」講座民訴⑤321頁，331頁など。条解民訴〈2版〉1285頁〔松浦馨＝加藤新太郎〕，秋山ほかⅣ599頁は，通説の考え方に立ちつつ，その判断は相当弾力的であってよいとする。証拠法大系(5)184頁〔齋藤隆ほか〕，新注釈民訴(4)872頁〔徳岡由美子〕も，通説の考え方を具体的危険性説とし，その弾力的運用を説く。最決平成19・10・11実情352頁は，廃棄される可能性が高いとはいえないこと，文書の送付嘱託（226本文。本書498頁）による取調べの具体的可能性が認められることなどを理由として保全の必要性を否定した原決定を是認している。

443）　改竄の実情については，畔柳達雄「医療事故訴訟提起前の準備活動」新実務民訴(5)175頁，196頁参照。刑事訴訟記録等についての証拠保全については，改ざんのおそれよりも廃棄のおそれが問題となる。伊藤・前掲論文（注*395*）5頁参照。

444）　相手方が不利益を受けるとされる理由の1つは，文書に対する証拠保全が検証の方法で行われるのが通常であり，文書提出義務を負わない所持者も検証の対象になり，不当な不利益を受けるというものである（大竹・前掲論文（注*438*）79頁参照）。しかし，検証の方法が適切かどうかはともかくとして，現行法の下では，文書提出義務と検証協力義務の範囲の違いが減少したことを考えれば，このような議論は十分な説得力をもたない。他の1つは，紛争当事者間の従前の交渉経過とかかわりなく証拠保全を認めることは，相手方に不当な圧力をかけることを目的とした証拠保全の濫用を生じさせるというものである（井上治典＝伊藤眞＝佐上善和・これからの民事訴訟法160頁〔井上治典〕(1984年)）。しかし，証拠保全の申立てについて適切な審理が行われれば，このような問題の発生は防げよう。

る事件は，相手方が反司法的行動をとる場合に実際上限定されることになり，その本来の趣旨が没却される。

(2) 証拠保全の手続

管轄裁判所については，訴え提起後と前とが分けられる。訴え提起後は，その証拠を使用すべき審級の裁判所が管轄裁判所になる（235Ⅰ）[445]。提起前は，証人などの証拠方法が所在する地を管轄する地方裁判所または簡易裁判所が管轄裁判所となる（235Ⅱ）。訴え提起後でも急迫の事情があるときは同様である（235Ⅲ）。手続の開始は，申立てによるが，訴訟の係属中であれば職権によることも認められる（237）。申立書には，相手方当事者[446]，証明すべき事実，証拠，および保全事由が記載され，保全事由は疎明される（民訴規153）。申立てに対して裁判所は，証拠保全決定または申立却下決定のいずれかの裁判をなす。却下決定に対しては抗告の方法による不服申立てが許されるが（328），証拠保全決定に対しては，不服申立てが許されない（238）。証拠保全によって相手方に法律上の不利益が生じないことがその理由である。

証拠保全決定は，当該証拠を取り調べる旨の証拠決定を兼ねる。それにもとづいていかなる種類の証拠調べが行われるかは，証拠方法の性質による。文書については，改竄の事実を明らかにすれば足りるという理由から，書証ではなく検証の方法がとられることが多いが，記載内容を証拠資料にする目的であれば，書証による以外にない[447]。なお，証拠保全決定自体が文書や検証物の提出について強制力をもつわけではないので，相手方がこれらのものを任意に提出しなければ，申立人は文書提出命令や検証物提出命令の申立てをなすことを

445）旧344条は，「訴訟ノ繋属中」と規定していたが，訴状の受理後と考えるのが合理的なので，235条1項は，「訴えの提起後」と表現を改めた。また，証拠を使用すべき裁判所と受訴裁判所との関係について解釈上の疑義があったので（注釈民訴(7)303頁〔春日偉知郎〕），同条1項但書は，最初の口頭弁論から口頭弁論の終結までは受訴裁判所が管轄裁判所となる旨を規定した。受訴裁判所は，受命裁判官に証拠調べをさせることができる（239）。

446）ただし，提訴前などにおいて相手方当事者の指定ができないときにも，証拠保全が認められる（236）。具体的方法については，証拠法大系(5)169頁〔齋藤隆ほか〕，新注釈民訴(4)880頁〔徳岡由美子〕参照。

447）しかし，文書の現状を認知し，後日の改竄の有無を確認することが目的であれば，検証を排除する理由はない。林圭介「証拠保全に関する研究」民訴雑誌37号24頁，33頁（1991年）参照。

要する[448)]。

証拠調べの期日には，申立人および相手方の双方が呼び出されなければならない（240）。これらの者の立会権を保障する趣旨である。ただし，急速を要する場合はこの限りではない。証拠調べが行われた場合には，その証拠調べを行った裁判所の裁判所書記官が，本案の訴訟記録の存する裁判所の裁判所書記官に対して，証拠調べに関する記録を送付しなければならない（民訴規154）。送付された記録は，当事者または裁判所によって口頭弁論に提出されることによって，証拠資料となる。その際には，証拠保全において行われた証拠調べの性質が維持されるのであって，たとえば証人尋問調書が書証となるわけではない。もっとも，すでに尋問の対象となった証人であっても，当事者が口頭弁論における尋問の申出をなし，それが可能であれば，裁判所は尋問を行わなければならない（242）。直接主義を徹底させる目的であり，弁論の更新の際の証人尋問（249Ⅲ）と趣旨を同じくする。

448）　伊藤・前掲論文（注395）9頁参照。証拠保全にともなって申し立てられた検証物提示命令について黙示の却下決定がなされたとする事例として，仙台高決平成22・6・23金商1356号23頁があるが，批判がある。訴訟理論研究会・前掲座談会（注161）第2回判タ1361号26頁以下（2012年）。生活保護記録に関する検証物提示命令申立て事件において，記録の内容が公務秘密に該当するが，その提示によって公共の利益を害し，または公務の遂行に著しい支障を生じる具体的なおそれがあるとはいえない（本書491頁参照）として発令された提示命令を是認した最決平成20・12・18実情410頁があり，医師賠償責任保険事故・紛争通知書の写しについて，自己使用文書性（自己利用文書性）（本書481頁）を認めて提示命令申立てを却下した原決定を是認したものとして，最決平成23・9・30実情569頁などがある。

第6章　訴訟の終了

訴訟係属の発生によって両当事者と受訴裁判所との間に生じる訴訟法律関係は，いくつかの原因によって消滅する。第1は，当事者の訴訟行為による場合であり，訴えの取下げ，請求の放棄・認諾，および訴訟上の和解がこれに属する。第2は，裁判所の訴訟行為による場合であり，終局判決にもとづく判決の確定がこれに属する。第3は，訴訟法律関係の要素たる2当事者対立構造の消滅による場合であり[1)]，当事者の地位の消滅がこれに属する。ただし，訴訟法律関係の主たる部分が消滅しても，訴訟費用確定など付随的部分は残ることがある（72・73）。

第1節　当事者の訴訟行為による訴訟の終了

民事訴訟においては，私的自治の原則にもとづく処分権主義が適用される。すでに訴訟物に関する処分権主義（246）については説明を加えたが，訴訟の終了に関しても処分権主義が妥当する。すなわち，訴えの取下げによって原告は，訴訟物についての審判要求を撤回することができるし，請求の放棄によってその請求に理由のないことを自認し，本案についての裁判所の判断を排除することもできる。これに対して被告は，請求の認諾によって請求に理由があることを自認し，同じく裁判所の判断を排除することができる。また，原被告両者は，訴訟物に関連して訴訟上の和解の合意をなすことによって，やはり裁判所の判断を排除することができる。いずれの場合においても，当事者の訴訟行為の結果として，訴訟物についての裁判所の判断義務が消滅するので，訴訟は終了する。

しかし，私的自治が制限される実体法律関係，たとえば人事関係などにおい

1)　両当事者の合併の場合，または一方当事者についての当事者能力もしくは当事者適格の喪失などの場合において，受継すべき者が存在しないときなどがこれに属する。

ては，処分権主義も制限され，その結果として請求の放棄・認諾，または和解が否定されることがある（人訴19Ⅱなど）。また，訴訟物についての訴訟当事者の実体法上の権能が制限される場合にも，やはり請求の放棄や和解が否定されることがある。債権者代位訴訟などにその例がみられる。

もっとも，訴訟物に関する処分権主義の場合と異なって，すでに訴訟係属が発生し，審理に関連する裁判所および当事者のさまざまな訴訟行為が積み重ねられ，場合によっては，訴訟物に関する判断も形成されつつある段階において，一方当事者の訴訟行為によって訴訟を終了させるについては，相手方当事者や裁判所によって代表される公の利益を損なわない配慮が要求される。訴えの取下げについて一定の要件および効果が規定され，また請求の放棄・認諾，および訴訟上の和解について確定判決と同一の効力が認められるのは，立法者がこのような点を考慮した結果にほかならない。

第1項　訴えの取下げ

訴えの取下げ（261）とは，請求についての審判要求を撤回する原告の訴訟行為であり，相手方は裁判所である。固有必要的共同訴訟のように，1人の原告の訴え取下げの効果が当然には他の原告に及ばない場合には，取下げは原告全員によってなされることを要する。訴訟行為としての性質は，単独の意思表示である。意思表示の効果として，訴訟終了効，すなわち訴訟係属の遡及的消滅が生じる（262Ⅰ）。同じく原告の訴訟行為であっても，訴えの取下げは審判要求そのものの撤回であり，訴訟係属の遡及的消滅の結果，請求の当否について何らの訴訟法上の効果も生じない点で，請求の放棄と異なる。また，審判要求の撤回という点では，上訴の取下げ（292・313）と同一の性質をもつが，上訴の取下げは，上訴審に対する審判要求の撤回であり，したがって，原判決言渡しの効力は維持される点で，訴えの取下げと区別される。

1　訴え取下げの合意

訴えの取下げは，原告の裁判所に対する意思表示としてなされなければならないが，原告が被告に対して訴えを取り下げる旨を約し，その事実が訴訟上主張されることがある[2)]。この訴え取下げの合意の性質および効力については議論があるが，性質としては，私法契約と訴訟契約の併存，訴訟契約の効果としては，訴えの取下げと同様に，訴訟係属の遡及的消滅を認めるべきである。判例・通説は，この合意に私法契約としての効力のみを認める一方，権利保護の利益の欠缺を理由として訴え却下判決をなすべきであるとする[3]。しかし，合意の内容が訴訟係属の遡及的消滅である以上，訴訟契約としての効力を否定すべき理由が存在しないのであるから，上記のような考え方が合理的である。裁判所は，その効力を確認するために訴訟終了宣言判決を行う[4]。このような取扱いは，訴え取下げの合意に訴え取下げと同一の効力を認めるものであるから，再訴禁止効（262Ⅱ）も類推適用される。

2　訴え取下げの要件

原告は，判決の確定に至るまでその訴えを取り下げることができる（261Ⅰ）。判決が確定すれば，それによって訴訟が終了するので，もはや訴えを取り下げる余地はない。しかし，判決確定前であっても，すでに被告が本案について弁論等の訴訟行為を行っている場合には，原告は，取下げについて被告の同意を得なければならない（261Ⅱ本文）。被告が本案判決を受ける利益を保護する趣旨である[5]。被告による反訴の取下げについても同様の取扱いがなされるが，本訴の取下げがなされていれば，反訴の取下げについては，すでに原告が本案に関する訴訟行為をなしているときでも，原告の同意を要しない（261Ⅱ但書）。反訴の基礎となった本訴を取り下げながら，原告が反訴の取下げを拒絶する余地を認めるのは，公平に反するとの判断によるものである。

請求の放棄・認諾については，後述のように請求の内容による制限が存在す

2）合意にもとづいて原告が訴えを取り下げれば，特別の問題を生じない。したがって，合意が問題となるのは，原告がその存在または効力を争う場合に限られる。

3）最判昭和44・10・17民集23巻10号1825頁〔百選〈6版〉87事件〕。兼子・研究(1)281頁，小山218頁，新堂348頁，梅本975頁以下など。通説は，訴え却下との結論をとりながら，なお262条2項の類推適用を認める。

4）竹下守夫「訴取下契約」立教法学2号50頁，75頁（1961年），三ヶ月・全集434頁，条解民訴〈2版〉1442頁〔竹下守夫＝上原敏夫〕，上田441頁，中野ほか・講義420頁，松本＝上野552頁，柏木邦良・民事訴訟法論纂135頁（1994年），新注釈民訴(4)1223頁〔越山和広〕などが訴訟契約説をとる。なお，関連する解釈上の概念として，双方的訴訟終了宣言や一方的訴訟終了宣言が説かれることがある。坂原正夫・民事訴訟法における訴訟終了宣言の研究43頁以下（2010年）。

5）したがって，被告が主位的に訴え却下の申立てをなし，予備的に請求棄却の申立てをなしているときには，その者の同意は必要ではない。山形地鶴岡支判昭和49・9・27判時765号98頁。

るが，訴えの取下げについては，たとえ請求が人事関係のように私的自治に服さないものであっても，それによる制限は存在しない[6]。これは，訴えの取下げが訴訟係属の遡及的消滅，またはそれに加えて再訴の禁止という効果のみをともない，請求の存否については何らの効果を生じさせないから，私的自治の制限ないし排除と抵触しないためである。

訴訟行為としての取下げは，訴訟能力ある原告本人によってなされるか，または授権を受けた訴訟上の代理人によってなされなければならない（32Ⅱ①・55Ⅱ②）。ただし，法定代理人によって代理される者や無権代理人が提起した訴えについては，追認がなされない限り，これらの者が自らそれを取り下げることができる。本案弁論後の被告の同意も不要である。なぜならば，この取下げの結果として法定代理人によって代理される者や被告の利益が害されることがないからである。

また，取下げに条件を付することは，訴訟手続を不安定にするから許されない。同様の趣旨から取下げの撤回も許されない[7]。さらに，訴訟上の意思表示として，取下げに関する意思表示の瑕疵が問題となる。判例・通説は，訴訟行為について私法規定の適用を排除する立場から，問題となる瑕疵が338条1項3号または5号に該当する場合にのみ無効の主張を許す[8]。しかし，訴訟行為について一律に意思表示の瑕疵にもとづく無効の主張を排斥すべきではなく，訴訟手続安定の要請の程度に応じて判断すべきである。これを前提とすると，訴えの取下げについては，意思表示の瑕疵についての私法規定の適用を認めた上で，錯誤の成立や表意者の重大な過失を厳格に判断すべきである。

訴えの取下げは，数個の請求のうちの一部のみについてすることも許される。客観的併合における1個の請求についての取下げ，または共同訴訟人の一部の者に対する請求についての取下げなどがこれに属する。これに対して，請求原因を変更せず，請求金額のみを減縮する行為，たとえば100万円の請求金額を

---

6)　認知請求について，大判昭和14・5・20民集18巻547頁。その他の人事訴訟や会社関係訴訟などについても同様である（新注釈民訴(4)1208頁〔越山和広〕）。人事訴訟については，松本・人訴法53頁参照。
7)　条件について，最判昭和50・2・14金融法務754号29頁，撤回について，前掲山形地鶴岡支判昭和49・9・27（注5）。
8)　最判昭和46・6・25民集25巻4号640頁〔百選〈6版〉86事件〕。

50万円に減縮すること[9]が訴えの一部取下げに該当するかどうかについては，議論がある。この問題は，一部請求の可否と関係するが，本書のように，一部請求を認めない立場では，原告が請求を減縮しても訴訟物に変更を生ぜず，したがって，訴えの取下げとして扱われない。請求の減縮は，給付命令の上限を画するための特殊な訴訟行為として扱われる[10]。これに対して一部請求を認める判例・通説の立場を前提とすると，請求の減縮は，訴えの一部取下げとして，被告の同意などの要件が適用され，また，取下げの手続に服することになる[11]。

3　訴え取下げの手続

訴えの取下げについては，訴訟が係属する裁判所に原告が取下書を提出して行う方法と，口頭弁論期日等において口頭で取下げの意思表示をする方法とが認められる（261Ⅲ。261ⅢⅣ（未施行））。取下げについて被告の同意を要しない場合には，取下書の提出などによって直ちに取下げの効果が生じ，裁判所書記官が取下げがなされた旨を相手方に通知する（民訴規162Ⅱ）。これに対して，被告の同意を要する場合には，まず取下書の副本または取下げの陳述を記載した調書の謄本を相手方に送達する（相手方が期日に出頭している場合を除く。261Ⅳ，民訴規162Ⅰ。261Ⅴ（未施行））。被告の意思表示は，書面または期日における口頭の陳述でなされる。同意がなされたときには，その時に取下げの効果が生じる。

それ以外にも，通説の考え方を前提とする訴えの交換的変更において被告が新訴に異議なく応訴した場合などには，黙示の同意も認められる[12]。また，取下書の送達を受けた日から2週間以内に被告が異議を述べないときは，同意が擬制される。取下げが期日において口頭でなされたときにも，同様の取扱いがなされる（261Ⅴ。261Ⅵ（未施行））。これに対して，いったん同意が拒絶され

9）　これに対して請求金額と併せて請求原因も変更されれば，訴訟物に変更が加えられたものとして，訴えの交換的変更にともなう訴えの取下げとして扱われる。

10）　三ヶ月・全集108頁。

11）　最判昭和27・12・25民集6巻12号1255頁〔百選32事件〕。学説の詳細については，法律実務(2)234頁以下，新注釈民訴(4)1231頁〔越山和広〕参照。なお，通説の立場を前提としても，請求の減縮を請求の一部放棄として扱う余地もあるが，一部取下げと解するか一部放棄と解するかは，原告の意思解釈の問題であるという。

12）　最判昭和41・1・21民集20巻1号94頁。新注釈民訴(4)1213頁〔越山和広〕。

たときには，訴え取下げが無効として確定されるので，被告が改めて同意しても取下げの効力は生じない[13]。

4　訴え取下げの効果

訴え取下げの効果としては，訴訟係属の遡及的消滅およびこれに付随する効果と，再訴の禁止とが分けられる。

(1)　訴訟係属の遡及的消滅

訴え取下げの効果として，訴え提起にもとづく訴訟法律関係や当事者および裁判所の訴訟行為の効果が遡及的に消滅する（262 I）。当事者による訴訟告知や裁判所がすでに行った裁判の効力も消滅する。ただし，一定の内容の証拠調べや裁判がなされた事実は，法律効果の消滅とは区別され，他の訴訟において援用される可能性がある[14]。もっとも，訴訟係属を前提としてなされた訴訟行為であっても，独立の訴訟法律関係の基礎たりうるものの効力は覆らない。反訴や訴訟引受けがこれに属する。また，管轄は起訴の時を基準として定められるので（15），取下げによって訴訟係属が消滅しても，それを基準としてすでに発生した関連裁判籍（7など）が消滅することはない。

訴訟行為にもとづく実体法上の効果が訴えの取下げによって消滅するかどうかについては，明文の規定があればそれによって決せられるが，それが存在しない場合には，訴訟行為としての性質を考慮して定める以外にない。訴えの提起にともなう時効の完成猶予の効力（民147 I 柱書）は，取下げがあった場合には，それによる訴訟の終了後6月を経過するまでは，その効力が存続する（同括弧書）[15]，出訴期間遵守もこれに準じる。その他，形成権の訴訟上の行使に関しては，原則として訴訟行為が失効するときには私法行為も撤回される趣旨でなされているとみられるので，形成権行使の効果も失われる。ただし，当事者の合理的意思解釈として訴訟行為の効力とかかわりなく形成権行使の効力を

---

13)　最判昭和37・4・6民集16巻4号686頁。

14)　証拠における直接主義に照らして，他の訴訟においてこれらの事実を記載した調書や裁判書の証拠能力が認められるかどうかは別の問題である。新注釈民訴(4)1235頁〔越山和広〕。

15)　ただし，新たに提起される新訴と取り下げられる旧訴との間に，権利行使の意思の点で同一性が認められれば，時効の完成猶予（中断）の効力は維持される。最判昭和38・1・18民集17巻1号1頁〔続百選40事件〕，最判昭和50・11・28民集29巻10号1797頁参照。

維持するものと考えられるときは別である[16]。

従来の訴訟費用の負担は，申立てによって第一審裁判所が決定の方式でこれを定め，その額は，その裁判所の裁判所書記官がこれを定める（73）。原告は，原則として敗訴者（61）とみなされるが，取下げに至った事情によっては，被告に費用の全部または一部を負担させることもできる（62）。

(2)　再訴の禁止

本案について終局判決がなされた後に訴えを取り下げた者は，同一の訴えを提起することができない（262 II）。これを再訴の禁止と呼ぶ。その趣旨は，被告の異議の有無を問わないことからも理解されるように，本案判決を得たにもかかわらず，訴えを取り下げることによってその判決の効力を失わせ，紛争解決の機会を自ら放棄した原告に対する制裁である。機能としては，不利な本案判決を得た原告が訴え取下げを濫用することを防ぐ役割を果たす[17]。ただし，再訴禁止は訴訟法上の効果であるので，訴訟物たる権利について実体法上の影響を与えるものではない。たとえば，原告は，その権利を訴訟上の相殺に用いることもできる。

再訴禁止の要件としては，第1に，本案の終局判決言渡し後の訴え取下げであることが挙げられる。第一審の本案の終局判決が控訴審において取り消され，事件が第一審に差し戻された後の訴え取下げの場合には，訴え取下げによって失効すべき終局判決が存在しないのであるから，再訴禁止効が生じない[18]。第2に，再訴が同一の訴えであることが挙げられる。同一の訴えかどうかは，当事者の同一性を前提として，訴訟物たる権利関係について判決による紛争解決の機会を原告が放棄したとみなされるかどうかによって決せられる。前訴と後訴の訴訟物が同一であれば，原則として同一の訴えとみなされるが，訴えの取下げ時と比較して，後訴の提起時に訴えの提起を必要とする合理的事情が存在すれば，同一の訴えとはみなされない[19]。逆に，後訴の訴訟物が前訴の訴

16）　相殺は前者の例であり，解除は後者の例である。

17）　最判昭和52・7・19民集31巻4号693頁〔百選〈6版〉A 27事件〕。立法論としては，訴え取下げ自体を禁止すべきであるとの議論も有力であったが（兼子296頁，新堂356頁など），現行法でも再訴禁止規定が維持された。

18）　最判昭和38・10・1民集17巻9号1128頁〔続百選44事件〕。

19）　前掲最判昭和52・7・19（注17）。いったん原告の権利を認めた被告が再びそれを争

訟物を前提とする場合，たとえば取り下げられた前訴が元本債権を訴訟物とし，後訴がその利息債権を訴訟物とする場合について，再訴禁止効が働くかどうかについては，考え方の対立がある。通説は，再訴禁止効を肯定するが，訴訟物についての裁判所の判断を基礎とする既判力の場合とは異なって，原告自身の訴訟行為を理由とする再訴禁止効は，訴訟物が同一の場合に限定されるべきであり，この場合には否定される[20]。

親子関係などの人事法律関係を訴訟物とする訴訟においては，請求の放棄の効力が認められないが（人訴19Ⅱ。ただし同37条1項本文の例外がある），前述のとおり訴えの取下げは許される。それを前提としてさらに再訴禁止効を認めるべきかどうかについても議論があるが，訴えの取下げを認める以上，再訴禁止効も肯定すべきである[21]。

次に再訴禁止効の主観的範囲について説明する。原告の一般承継人は，原告の法律上の地位を包括的に承継する者として，訴訟物たる権利について再訴禁止効の拡張を受け，本案判決による解決を求める資格を否定される。これに対して特定承継人は，再訴禁止効が既判力と異なり，かつ，115条1項3号のような規定も存在しない以上，再訴禁止効の対象とすべきではない[22]。また，

う場合などがこれにあたる。最判昭和55・1・18判時961号74頁も，再訴の提起に合理的理由が認められる事案である。新注釈民訴(4)1243頁〔越山和広〕参照。

20）　広島高岡山支判昭和40・5・21高民18巻3号239頁，三ヶ月・全集434頁，上田440頁，秋山ほかⅤ299頁。これに対して通説に属するのは，兼子297頁，小山223頁，新堂356頁などである。

21）　前掲大判昭和14・5・20（注6）（認知請求），宮崎澄夫「訴の取下」民訴講座(3)779頁，794頁。再訴禁止効否定説の論拠は，松本・人訴法212頁に詳しい。否定説は，再訴禁止効を認めると，請求の放棄を認めたのと実際上同一の結果になるなどとの理由からこれに反対するが，訴えの取下げを認めながら，再訴禁止効のみを否定するのは背理である。もっとも，訴えの利益を基礎づける事情の変化を考慮すれば，同一の訴えとされる場合は少ない（新堂356頁）。

22）　三ヶ月・全集434頁。これに対して，大阪地判昭和36・2・2判時253号34頁などの下級審裁判例，および宮崎・前掲論文（注21）793頁，兼子297頁，秋山ほかⅤ298頁，条解民訴〈2版〉1453頁〔竹下守夫＝上原敏夫〕，斎藤ほか(6)406頁〔渡部吉隆＝加茂紀久男＝西村宏一〕などの多数説は，特定承継人一般に，あるいは債権のように権利内容が当事者の意思によって定められる場合に限って，特定承継人に対する再訴禁止効の拡張を認める。

本文のような考え方に対しては，原告が訴訟の目的物を第三者に譲渡することによって再訴禁止効を潜脱しうるとの批判がありうるが，再訴禁止効が当事者の訴訟行為に対する制裁の趣旨である以上，その主観的範囲が限定されるのはやむをえない。もちろん，極端

訴訟担当に関しては，選定当事者などの任意的訴訟担当の場合には，その意思にもとづいて当事者たる担当者を選任した本人は，再訴禁止効を甘受せざるをえないが，このような事情のない法定訴訟担当の場合には，本人に対して再訴禁止効を及ぼすことはできない[23]。

(3)　訴え取下げについての争い

訴え取下げの有無およびその効力は，訴訟係属の消長にかかわるので，裁判所が職権をもって調査することができる。また，当事者の側も，取下げによって訴訟が終了した旨，または取下げの不存在もしくは無効によって訴訟が係属している旨を主張することができる。訴訟係属を主張する当事者は，主張の方法としては，期日指定の申立てを行う。訴訟係属は，訴訟法律関係の基本をなすものであるので，訴え取下げに関する争いについては，裁判所は，かならず期日を指定し，口頭弁論を開いて審理すべきであり，単に期日指定の申立てを却下することは許されない[24]。訴え取下げによって訴訟が終了している場合であれば，裁判所は，訴訟が取下げによって終了した旨の判決をなす。訴訟費用に関する裁判もこの判決中でなされる。逆に，訴えの取下げが認められないときには，審理を続行し，訴えの取下げに関する判断は，中間判決または終局判決の理由中で示すことになる。

終局判決後に訴えの取下げが有効になされたかどうかについて争いが生じたときには，訴え取下げの効力は終局判決の効力に還元されるので，訴え取下げを主張する当事者は，上訴の手段によって終局判決の取消しを求める。上訴審は，訴えの取下げを有効と認めれば，原判決を取り消し，訴え取下げによる原審訴訟の終了宣言判決をなす。逆に，訴え取下げが不存在または無効と判断されるときには，他に上訴の理由がなければ上訴を棄却する[25]。

な場合には，承継人に対して訴権濫用の法理が適用される可能性がある。

23)　債権者代位訴訟について，大阪地判昭和50・10・30判時817号94頁がある。学説としては，秋山ほかV 298頁，斎藤ほか(6)406頁〔渡部吉隆＝加茂紀久男＝西村宏一〕参照。

24)　大決昭和8・7・11民集12巻2040頁。

25)　このような考え方が多数説である。兼子298頁，小山223頁，新堂358頁，条解民訴〈2版〉1448頁〔竹下守夫＝上原敏夫〕，右田堯雄「民事控訴審実務の諸問題(4)」判タ288号14頁，26頁（1973年），新注釈民訴(4)1218頁〔越山和広〕など参照。終局判決前の訴えの取下げが看過されて，終局判決がなされたと当事者が主張する場合も同じ結果に

第2項　請求の放棄および認諾

請求の放棄とは，原告の訴訟行為の一種であり，訴訟物たる権利関係の主張についてそれを維持する意思のないことを口頭弁論期日，弁論準備手続期日，または和解の期日（以下，口頭弁論等の期日という。266Ⅰ・261Ⅲ）において裁判所に対して陳述する行為である。訴訟行為の性質としては，請求の認諾とともに，意思表示に属する[26]。請求の認諾とは，被告の訴訟行為の一種であり[27]，訴訟物たる権利関係に関する原告の主張を認める旨を口頭弁論等の期日において裁判所に対して陳述する行為である。請求の放棄または認諾は，意思表示ではあるが，直ちに訴訟法上の法律効果を発生させるものではなく，裁判所が裁判所書記官に対して認諾または放棄の陳述を調書に記載させることによって，訴訟終了効および確定判決と同一の効力（267）が生じる。

放棄および認諾は，訴訟物たる権利関係に関するものである点で，自白や権利自白と区別される。1つの訴えによって数個の請求が定立されているときに，一部の請求について放棄または認諾が成立しうることは当然であるが，1つの可分的請求の一部について放棄または認諾が認められるかは，一部請求の可否にかかわる。一部請求を否定する本書の立場では，一部放棄は，請求の放棄と

なる。

もちろん，訴えの取下げが不存在または無効であり，かつ，他に上訴の理由があれば，それについての審理がなされ，訴えの取下げについては，上訴審の中間判決または終局判決の理由中で判断されるのみである。これに対して，原審自身が判断すべきであるとの少数説が存在するが（菊井＝村松Ⅱ224頁），手続の明確性を欠く。上訴にともなう手続費用は，訴訟終了宣言がなされるときには，取下げ当事者に負担させる。なお，秋山ほかⅤ287頁は，多数説の考え方に改めている。

多数説の考え方をとる場合には，第一審の勝訴当事者が，訴えの取下げのみを理由として上訴することができるかという問題があるが，上訴の利益の一般原則によって否定される。また，終局判決後に訴えの取下げが無効とされたときに，すでに上訴期間が徒過されている場合には，上訴の追完（97Ⅰ）を認めるのが有力説の考え方であり，正当と考えられる。

26)　これを観念の通知とする有力説もあるが，単なる事実の通知ではなく，訴訟終了などの法律効果発生を目的として，当事者が請求についての意思を表示するものであるから，意思表示と解すべきである。詳細については，法律実務(3)172頁，松本博之「請求の放棄・認諾と意思の瑕疵」大阪市立大学法学雑誌31巻1号167頁，172頁（1984年）など参照。

27)　ただし学説上では，他に私法行為説，両性説などがある。河野正憲・当事者行為の法的構造216頁以下（1988年），新注釈民訴(4)1278頁〔中西正〕参照。

しての意味をもたず，ただ，処分権主義との関係で，原告が自ら給付命令の上限を画するための陳述にすぎない。一部認諾は，権利自白として扱われる可能性はあるものの，それ自体としては，訴訟法上の意義をもたない28)。

また，放棄・認諾は無条件になされなければならない。相殺や同時履行の抗弁を留保して被告が原告の請求を認めても，認諾としては扱われない。訴訟終了効などが不安定になることを防ぐ趣旨である。

1　請求の放棄・認諾の要件

請求の放棄および認諾は，訴えの取下げと同様に，処分権主義を理念的基礎とするものであるが，それが調書に記載されることによって確定判決と同一の効力が生じるので，訴訟物たる権利関係についての当事者の処分権はより厳格に解される。したがって，以下のような要件に抵触する場合には，たとえ当事者が放棄や認諾の陳述をなしても，裁判所は，裁判所書記官に調書への記載を命じることはできないし，また誤って記載がなされても，放棄・認諾としての効力を生じない。なお，放棄・認諾は当事者の訴訟行為であるので，訴訟行為一般の要件，たとえば訴訟能力が要求されるのは当然である。

(1)　訴訟物についての処分権限

人事訴訟においては，私的自治およびそれにもとづく処分権主義を人事法律関係一般について認めることが適当ではないとの判断から，請求の放棄・認諾が排除される（人訴19Ⅱによる民訴266の適用排除，人訴規14による民訴規95Ⅱの適用排除)。しかし，離婚事件においては，協議離婚の形で当事者意思の支配が認められていることを考慮し（民763)，放棄および認諾が許される（人訴37Ⅰ本文，人訴規30)29)。

---

28)　これに対して通説は，一部放棄・一部認諾の効力を認める（兼子299頁，新堂360頁，上田442頁，中野ほか・講義429頁など)。しかし，請求の一部について訴訟終了効や既判力が生じることはありえず，無意味である。実際上は，請求原因事実の一部についての自白として扱えば足りる。

29)　旧人事訴訟手続法の下では明文の規定がなかったが，婚姻を維持する結果となる請求の放棄は許されると解されていた。最判平成6・2・10民集48巻2号388頁。松本・人訴法214頁。

また，同じく婚姻および養子縁組事件であっても，離婚または離縁取消しの訴えの場合には，放棄によって婚姻・縁組解消状態が維持されることになるので，これを認めるべきではないとする考え方が旧法下で有力であったが（山木戸・人訴法124頁)，現行法では19条2項によって排除される。

ただし，認諾に関しては，書面による認諾（266 II）の排除（人訴37 I 本文），子の監護者の指定，財産分与および親権者の指定等について争いのない場合に限られること（同但書），ならびに電話会議システムによる弁論準備手続期日における不出頭当事者による認諾の排除（同 III）という制限がある。婚姻関係の解消という効果をともなう認諾についての当事者の意思確認を慎重に行い，かつ，紛争の全面的解決を図るためである。離婚と同様の性質をもつ離縁についても，同様の規律が設けられる（人訴44，人訴規34）。

次に会社や一般法人などの団体関係訴訟に関しては，通説は，請求認容判決について対世効が認められていることを根拠として（会社838，一般法人273），請求の放棄は許されるが，認諾は許されないとしている。なぜならば，認諾にもとづいて訴訟物たる権利関係の存在が争いえないものとなると，判決効の拡張を受ける一般第三者の利益が害されるというのである[30)]。しかし，被告たる会社や法人が正当な理由なく請求を認諾する場合には，取締役や理事の責任が問題となること，また，訴えの目的となる決議などについて法律上の利益をもつ第三者は，共同訴訟的補助参加などの方法によってその利益を守る手段が与えられていること，および人事法律関係と異なって，団体法律関係については，私的自治の原則自体を排除する理由に乏しいことなどを考慮すれば，放棄に限らず，認諾の効力も認めるべきである[31)]。

さらに，選定当事者や代位債権者，または株主や社員などの訴訟担当者が請求の放棄をなすことができるかどうかが問題となる。請求の放棄が私的自治を基礎とするものである以上，これらの者が訴訟物たる権利関係について実体法上の管理処分権を与えられているかどうかが，結論を左右する。したがって，選定当事者の場合には，授権の内容によって結論が異なるし，代位債権者あるいは株主や社員の場合には，債務者の財産を保全し，または会社や法人の権利

30）　学説の詳細については，注釈会社法(5)345頁〔岩原紳作〕参照。裁判例としては，東京地判昭和46・2・22判時633号91頁がある。なお，会社解散請求訴訟（商旧406ノ2）についても，同様に解されていたが（大阪地判昭和35・1・22下民11巻1号85頁），会社法では対世効について明文の規定が置かれている（会社833・838）。

31）　もちろん，現行法上第三者の利益を保護する手段が十分かどうかという問題は残る。立法論としては，認諾について裁判所の許可を要するものとすること，認諾の申出を公告させることなどが考えられる。注釈会社法(5)347頁〔岩原紳作〕参照。

を実現するという制度の趣旨からして全面的な管理処分権は認められず，放棄は許されない。

(2)　訴訟物の内容

請求の認諾は，訴訟物たる権利関係の存在を確定するものであるから，それが法律上認められていない物権である場合，または公序良俗に反する行為を内容とする作為請求権である場合などにおいては，認諾が許されない。また，請求原因が賭博等の公序良俗違反と評価されるものであったり，あるいは利息制限法違反の利息請求のように強行法規違反とされるものであるときも，同様である。これに対して，訴訟物たる権利関係の要件事実に該当する主張事実が主張されていない場合，いわゆる主張自体理由のない請求については，認諾が許される。認諾の許否は，もっぱら訴訟物についての判断に限定されるからである[32]。

(3)　訴訟要件の具備

訴訟要件は，本案判決の要件であるから，請求の放棄・認諾の直接の要件ではない。しかし，放棄・認諾に確定判決と同一の効力が認められる以上，訴訟要件に関する規定は，放棄・認諾について類推適用される。したがって，当事者の実在，当事者能力，訴訟能力，権利保護の資格などを欠くときには，放棄・認諾は認められず，裁判所は，訴え却下の訴訟判決をしなければならない。しかし，訴えの利益など本案判決による紛争解決の有効性を担保するための訴訟要件は，放棄・認諾に対第三者効が認められる場合でない限り，放棄・認諾の要件とはされない[33]。

2　請求の放棄・認諾の手続

放棄・認諾は，口頭弁論等の期日における当事者の口頭陳述によってなされるのが原則である（266 I）。相手方の在廷の有無を問わない。ただし，当事者

---

32)　ただし，大判昭和9・11・17民集13巻2291頁は，認諾が許されないとする。

33)　基本的な考え方として，中野・論点 I 197頁以下，上田444頁，新注釈民訴(4)1284頁〔中西正〕に賛成する。権利保護の資格を欠く請求について認諾を否定したものとして，最判昭和28・10・15民集7巻10号1083頁〔百選79事件〕，最判昭和30・9・30民集9巻10号1491頁がある。学説の中では，新堂362頁，中野ほか・講義428頁，河野・前掲書（注27）230頁などが訴訟要件の具備を不要とするが，これらの論者も当事者の実在や権利保護の資格の具備は要求するので，結論において大きな違いはない。

が放棄または認諾の書面を提出したときには，裁判所は，期日において陳述がなされたものとみなすことができる（266Ⅱ）[34]。放棄または認諾は，いずれも原告による請求の定立を前提とするものであるから，最初の口頭弁論期日において原告が訴状を陳述した後に可能になる[35]。また，放棄・認諾は，判決が確定するまで，事実審においても，上告審においても可能である[36]。弁論終結後あるいは判決言渡し後に放棄・認諾をしようとする当事者は，そのための口頭弁論期日指定の申立てをすることができる。

当事者によって放棄または認諾の陳述がなされたときに，裁判所はその要件が満たされていると判断すれば，裁判所書記官に命じて陳述を調書に記載させる（民訴規67Ⅰ①，裁60ⅡⅣ）。この調書は，放棄調書または認諾調書と呼ばれる[37]。調書の記載は放棄・認諾の成立要件ではなく，期日における陳述によって当事者の訴訟行為としての放棄・認諾が直ちに成立し，調書の記載はそれを証明するにすぎない。しかし，以下に述べる放棄・認諾の効力発生のためには，調書の記載が不可欠であり，裁判所の命令にもとづいて裁判所書記官が陳

34）　訴訟手続の迅速な進行のために，旧法下で争いがあった点を解決したものである。勅使川原和彦「裁判によらない訴訟の終了」実務民訴〔第3期〕(3)423頁参照。

35）　法律実務(3)174頁。したがって，口頭弁論期日が開かれる前に弁論準備手続期日などが開かれたときには，その期日における放棄または認諾は認められない。ただし，放棄は，被告による請求棄却の申立てを前提とする（兼子302頁，新堂364頁）という必要はない。このような考え方は，既判力の双面性を利用するために消極的確認訴訟の原告が被告の請求棄却の申立てを待たずに請求を放棄することによって，自己の有利に既判力を利用することを防ぐという目的をもったものであるが（詳細については，戸根住夫「請求の放棄，認諾に関する現行法上の問題点」民商106巻3号273頁，283頁（1992年）参照），いわば既判力の盗用を目的とするこの種の放棄の陳述は，訴訟上の信義則に反するものとして，既判力の援用を否定すれば足りる。

　また，上記の有力説の立場から，放棄と認諾が衝突したときには，認諾が優先すると説かれることがあるが，一般原則として訴訟行為の前後によって決すれば足りる。これに対して，新注釈民訴(4)1285頁〔中西正〕は，被告の利益を尊重する立場から認諾を優先させる。

36）　大判明治42・2・10民録15輯87頁など。

37）　放棄・認諾については，かねてから立法論として大正15年改正前旧民事訴訟法下の放棄判決・認諾判決の制度を簡易化した上で復活させるべきことが説かれていた（三ヶ月・全集440頁以下）。改正にあたっても，認諾については，特に外国においてその承認を求める場合などを考慮して，認諾決定制度を設けることが検討されたが（検討事項　第八　和解並びに請求の放棄及び認諾　二　和解並びに請求の放棄及び認諾の効力　2　(二)），その実効性が確保されるか，国内においても債務名義として認められるかなどの問題が指摘され，立法化は見送られた。

述を調書に記載し，それが調書として成立することは（民訴規66Ⅱによる裁判所書記官の記名押印，裁判長の認印を要する），放棄・認諾の効力要件と解される。

なお，調書に記載されるまでは，当事者が放棄・認諾の陳述を撤回することが可能であるが，相手方の利益に重大な影響があるので，相手方の同意を要する。ただし，自白撤回に準じて，錯誤によることの立証がなされたときには，相手方の同意の有無にかかわらず撤回を認めてよい。

3　請求の放棄・認諾の効果

放棄・認諾調書の成立によって，調書上の記載は確定判決と同一の効力を有する（267）。この効力は，訴訟終了効と記載内容にもとづく既判力などの判決効とに分けられる。

(1)　訴訟終了効

放棄・認諾の効力として，訴訟手続は当然に終了する。上訴審において放棄・認諾がなされたときには，その対象となる請求についての原判決は当然に失効する[38)]。訴訟費用については，第一審裁判所が決定でその負担を命じ，裁判所書記官が負担の額を定める（73）。放棄・認諾にもかかわらず，裁判所が誤って判決をなしたときには，いずれの当事者も上訴によって原判決の取消し，および訴訟終了宣言を求めることができる[39)]。

38）　大判昭和12・12・24民集16巻2045頁，大判昭和14・4・7民集18巻319頁。数個の請求のうちの一部について上訴審で放棄・認諾がなされたときには，残余部分について原判決を変更する理由がなければ，上訴審は，上訴を棄却する。この場合に，債務名義としての原判決に表示されている義務と執行力が認められる義務の範囲が食い違うことになるが，その違いは，執行文付与の段階で調整されるというのが多数説の考え方である（兼子一・判民昭和12年度142事件評釈，三ヶ月・双書505頁以下，上田445頁など）。これに対して，上訴審が上訴を一部認容して，原判決を変更し，放棄・認諾部分と原判決の内容を整合させるべきであるとの有力説がある（斎藤ほか(5)205頁以下〔斎藤秀夫＝渡部吉隆＝小室直人〕）。実際上の便宜から有力説に賛成する。

いずれにしても，放棄・認諾部分の請求についての原判決は当然に失効することになるが，特に認諾に関しては，原審における仮執行宣言付給付判決の執行力を失わせる目的で利用される可能性があることが指摘される（戸根・前掲論文（注35）286頁以下）。

39）　法律実務(3)182頁，新堂365頁，上田445頁など。これに対して大判昭和18・11・30民集22巻1210頁は，訴訟係属の消滅および判決の失効を理由として上訴を不適法とする。しかし，外形上有効な判決が存在する以上，上訴による取消しを認めることが当事者の利益に合致する。もっとも，上訴によって取り消されなくとも，すでに訴訟係属が消滅している以上，判決が有効なものとして扱われるわけではない。

(2) 判　決　効

放棄・認諾調書の記載については，確定判決と同一の効力が認められる(267)。したがって，請求の内容にしたがって，認諾調書には，執行力（民執22⑦）や形成力が認められる。これに対して，放棄・認諾調書に既判力が認められるかどうかについては，考え方の対立がある。

既判力については，放棄・認諾調書によって公証された訴訟物たる権利関係についての当事者の陳述が，後訴の裁判所にとって単なる私人の陳述としての意義しか認められないのか，それとも訴訟法上の拘束力を認められるのかというのが第1の問題である。第2の問題は，放棄・認諾の陳述をなすについて強迫や錯誤などの事実が存在するときに，それによって放棄・認諾の効力が左右されるかであり，第3の問題とは，かりに効力が左右されるとすれば，どのような方法によってその主張が認められるかという点である。従来の議論としては，既判力肯定説，制限的肯定説，および既判力否定説の3つの考え方が対立しているが，少なくとも第1の問題については，既判力否定説をとる余地はない。既判力否定説を前提とすれば，執行力や形成力が問題とならない放棄調書および確認訴訟の認諾調書に関しては，訴訟終了効のみが認められ，判決効はいっさい認められないことになるが，このような結果は立法者の予定しないところである[40]。

もっとも，既判力否定説は，放棄・認諾が当事者の行為にすぎないにもかかわらず，裁判所の判断の通用力たる既判力を認めるのは背理であると批判する[41]。しかし，放棄判決・認諾判決制度をとっていた大正15年改正前旧民事訴訟法229条以来の沿革を考えても，また，調書の成立が放棄・認諾の効力要

40）中野・論点Ⅰ202頁，戸根・前掲論文（注35）296頁，勅使川原・前掲論文（注34）421頁。また，戸根論文284頁以下では，既判力否定説を前提とすれば，原審で請求棄却判決を受けた原告が，既判力による不利益を免れるために上訴の上，請求を放棄するなどの奸策を認める結果になると指摘される。既判力肯定説をとる多数説は（兼子303頁，三ヶ月・全集439頁，齋藤331頁，小山439頁など），このような点を考慮して，調書記載の陳述が訴訟法上の拘束力をもつことを肯定するものと思われる。

41）このような意味で否定説に属するのは，岩松三郎・民事裁判の研究99頁以下（1961年），法律実務(3)153頁，182頁，新注釈民訴(4)1313頁〔中西正〕などである。他に否定説として分類される論者（河野・前掲書（注27）244頁，新堂366頁以下，中野ほか・講義430頁，条解民訴〈2版〉1473頁〔竹下守夫＝上原敏夫〕など）は多いが，いずれも第2および第3の問題に言及するにすぎない。

件とされていることからみても，法が単なる当事者の行為に確定判決の効力を結びつけていると理解すべきではない。法は，処分権主義にもとづく当事者の放棄・認諾の陳述を基礎としながらも，裁判所が一定の要件の具備を確認した上で，当事者の陳述を調書に記載せしめることによって，確定判決と同一の効力を認めているのであり，その内容が既判力を含むと解するのが合理的である[42)]。

次に第2および第3の問題について説明する。放棄・認諾調書の既判力が覆されるのは，放棄・認諾の陳述について再審事由が認められる場合に限られるとするのがもっとも厳格な考え方である。しかし，訴訟行為一般について述べたように，意思表示たる訴訟行為について詐欺，強迫，錯誤などの取消し，または無効事由が認められるときには，それを理由として既判力の排除を認めて差し支えない。同じく既判力が付与されるといっても，裁判所による公権的判断作用にもとづく確定判決の場合と同様に厳格に解する必然性はないからである。このような考え方は制限的既判力説と呼ばれ，現在では有力な考え方となっている[43)]。

第3の点についても，確定判決の場合には，判決に示された裁判所の判断の拘束力を除去するために再審の訴えという独立の不服申立てを要するが，放棄・認諾の効力は，調書への記載という簡易な方法にもとづくものであるから，意思表示の瑕疵などを主張してその効力を除去する手段として，当事者が期日指定の申立てをなし，それによって開かれる口頭弁論期日で無効原因を主張することを認めてよい[44)]。裁判所は，無効原因が存在しない場合であれば，訴訟終了宣言判決をなすし，存在する場合であれば，審理を続行し，中間判決ま

42）　大判昭和19・3・14民集23巻155頁（放棄調書）。

43）　木川統一郎「請求の放棄・認諾」民訴講座(3)797頁，818頁，松本・前掲論文（注26）175頁，中野・論点I 205頁，瀬木560頁。判例も，大判大正4・12・28民録21輯2312頁，東京高判昭和41・10・13下民17巻9・10号962頁など，制限的既判力説によっている。制限的既判力説に対しては，既判力を肯定しながら，意思表示の瑕疵にもとづいて既判力が覆される可能性を認めるのは，背理であるとの批判がなされる。しかし，調書記載の陳述の拘束力として既判力を認めることと，当事者の訴訟行為としての放棄・認諾の性質に即して，意思表示の瑕疵による無効の主張を認めることとの間に矛盾はない。

44）　東京高決昭和42・4・21下民18巻3・4号407頁。期日指定申立てという簡易な方法が認められる以上，放棄・認諾無効確認の訴えの利益は否定される。その他，期日指定申立ての期間制限などに関しては，松本・前掲論文（注26）178頁以下参照。

たは終局判決の理由中で，放棄・認諾の無効を判示する。

第3項　訴訟上の和解

訴訟上の和解とは，訴訟の係属中両当事者が訴訟物に関するそれぞれの主張を譲歩した上で，期日において訴訟物に関する一定内容の実体法上の合意と，訴訟終了についての訴訟法上の合意をなすことを指す。ただし，その効力が生じるためには，裁判所がこれを調書に記載せしめなければならない。すなわち，当事者の行為としての和解は，訴訟物に関する私法上の合意，および訴訟終了に関する訴訟法上の合意によって成り立つが，効力発生のためには，裁判所の訴訟行為として，合意を調書に記載せしめる行為を要する。なお，実際の和解成立については，ほとんどの場合に和解の勧試という裁判所の訴訟行為（89Ⅰ）がともなうが，法律上は，和解の勧試は，訴訟上の和解そのものとは区別される。

ただし，上記のような原則に対する例外として，和解条項案の書面による受諾（264），および裁判所が定める和解条項（265）がある。

1　訴訟上の和解と類似の制度との関係

訴訟上の和解は，口頭弁論等の期日（口頭弁論期日，弁論準備手続期日，和解の期日）における当事者の行為としてなされる。期日外に当事者間で行われる和解は，私法上の和解契約（民695）として，訴訟上の和解とは区別される。簡易裁判所における起訴前の和解（275）は，訴訟係属を前提としない点で訴訟上の和解とは区別されるが，期日において裁判所の面前で行われ，かつ，成立した合意が調書に記載されることによって（民訴規169），訴訟上の和解と同一の効力が付与される。訴訟上の和解と起訴前の和解とを併せて，裁判上の和解と呼ぶ。

訴訟上の和解には，訴訟物に関する当事者間の合意が含まれていなければならない。訴訟終了のみの合意は，訴え取下げの合意，または訴え取下げとこれに対する被告の同意として扱われる。また旧人事訴訟手続法13条にいう離婚訴訟における和諧は，婚姻関係を維持または円満に協議離婚するために訴えを取り下げる旨の当事者間の合意であるとされていたから[45]，やはり和解とは区別される。

訴訟上の和解の内容をなす，訴訟物に関する当事者間の合意は，互譲を前提としなければならない（民695）。相手方の主張を全面的に認める旨の陳述は，請求の放棄または認諾となるからである。ただし，互譲の有無は，合意の内容を総合的に検討して決定される。たとえば，金銭給付訴訟の被告が原告主張の請求権の存在および内容を全面的に認める場合であっても，その他の和解条項において原告が訴訟費用を負担するとか，被告に対して別個の法律上の負担をするなどの定めがなされていれば，互譲の存在が認められる[46]。

なお，訴訟係属に関連して，1つの訴訟手続において他に係属する訴訟と併せて和解がなされることがある。これを併合和解と呼び，弁論の併合手続を踏むまでもなく他の訴訟手続も当然に終了するとの考え方が有力であるが[47]，理論上の根拠に乏しい。他に係属する訴訟を終了させるためには，訴えの取下げなど別の手続を要する。また，いまだ訴訟係属が発生していないほかの権利関係を和解の合意の内容に取り込み，その権利関係の主体たる第三者を和解に参加させる方式は，準併合和解と呼ばれることがある。その一部たる当事者と第三者との和解は，起訴前の和解としての性質をもつとする考え方が有力であるが[48]，後に述べるようにそのような技巧的説明の必要はない。

2　訴訟上の和解の法的性質

訴訟上の合意一般についての議論の一環として，訴訟上の和解の法的性質についても，私法行為説，訴訟行為説，両行為併存説，両性説などの考え方が対立している[49]。しかし，訴訟上の和解を単一の行為に還元することができず，

45）　山木戸・人訴法125頁，吉村徳重＝牧山市治編・注解人事訴訟手続法〈改訂版〉169頁〔梶村太市〕（1993年）参照。その他，刑事訴訟手続において犯罪被害者等の救済のためになされる和解がある（犯罪被害保護19～22,「犯罪被害者等の権利利益の保護を図るための刑事手続に付随する措置に関する規則」13～19）。これは，性質上は訴訟上の和解と同様のものであるが，裁判所による和解の勧試が予定されていないなどの特徴がある（伊藤眞「要綱骨子における民事的事項について」ジュリ1176号48頁，50頁以下（2000年）参照）。

46）　大判昭和8・2・13新聞3520号9頁。詳細については，松浦馨「裁判上の和解」契約法大系刊行委員会編・契約法大系Ⅴ219頁，220頁（1963年）参照。

47）　法律実務(3)120頁など。和解裁判所が和解調書の認証謄本を他の裁判所に送付するという。

48）　宮脇幸彦「訴訟上の和解」民訴演習Ⅰ223頁，227頁以下（1963年），兼子305頁，三ヶ月・全集442頁，新堂369頁など。

49）　学説の詳細については，石川明・訴訟上の和解の研究3頁以下（1966年），河野・前

当事者の行為の中に，訴訟物に関連する私法上の合意および訴訟終了を目的とする訴訟上の合意が併存する以上，両行為併存説をとらざるをえない。ただし，私法上の合意と訴訟法上の合意は，相互に無関係になされているわけではなく，一方の有効性が他方の合意の前提となっている関係にあり，この考え方は新併存説と呼ばれることがある[50)]。

3　訴訟上の和解の要件

和解の要件は，合意の客体たる権利関係の性質にかかわるもの，合意の主体にかかわるもの，および訴訟要件に関するものとに分けられる。

(1)　合意の客体たる権利関係

合意の客体たる権利関係は，訴訟物たる権利関係とこれに付随する権利関係とに分けられるが，主として問題となるのは前者である。訴訟上の和解の構成要素として訴訟物たる権利関係についての私法上の合意が含まれる以上，その権利関係およびその他合意の対象となる権利関係が，当事者の処分に委ねられること，すなわち私的自治に服するものでなければならない。請求の放棄・認諾の場合と同様に，この点に関して問題となる権利関係として人事法律関係および団体法律関係があり，また，当事者の処分権限から問題となるものとして，訴訟担当者がある。

人事訴訟における請求の放棄および認諾について述べたのと同様の理由から，人事訴訟一般については訴訟上の和解が排除される（人訴19Ⅱによる民訴267の適用排除）。しかし，協議離婚・離縁や調停離婚・離縁にみられるように，婚姻関係や養親子関係の消滅に関して当事者意思の支配が認められているところから，離婚や離縁を内容とする和解は，その効力が肯定される（人訴37Ⅰ本文・44）[51)]。ただし，当事者の意思確認を慎重に行う必要があるところから，和解

掲書（注27）257頁，新注釈民訴(4)1289頁〔中西正〕など参照。

50)　判例には，大判昭和7・11・25民集11巻2125頁などの両性説をとるものと，大決昭和6・4・22民集10巻380頁〔百選78事件〕，大判昭和10・9・3民集14巻1886頁のように，両行為併存説をとるものとが混在する。

もっとも，新併存説を前提とすれば，両者の違いは理論的説明の差異にすぎず，実際上の違いはほとんど認められない。

51)　議論の具体的内容については，松本・人訴法216頁参照。和解条項としては，離婚の合意をなした上で，離婚給付，財産分与，子の養育費，あるいは面接交渉権などについて定めるのが典型例である。

条項案の書面による受諾（民訴264）および裁判所等が定める和解条項（同265）は排除され（人訴37Ⅱ・44），また電話会議システムによる弁論準備手続期日における不出頭当事者による和解（民訴170ⅢⅣ）も否定される（人訴37Ⅲ・44）。

次に団体法律関係について説明する。会社設立無効の訴え（会社828）や株主総会決議取消しの訴え（会社831）については，請求認容判決に対世効が認められることを理由として和解を否定する考え方が有力であるが，対世効の存在が和解を排除する理由とならないことは，請求の放棄・認諾について述べたとおりである。実務上では，なお一定の制約があるが，基本的な考え方としては，和解の成立可能性を肯定すべきである[52)]。

次に訴訟担当者による和解について説明する。選定当事者などの任意的訴訟担当者の場合には，訴訟追行権の基礎となっている授権の内容によって和解の可否が決せられる。授権が訴訟物たる権利関係について処分権をも含んでいるものであれば，担当者は，相手方当事者と権利関係についての合意をなした上で，訴訟終了の合意をなすことも可能である。これに対して，そのような処分権が与えられていなければ，被担当者たる権利主体を和解に関与させ，私法上の合意をなさしめた上で，訴訟当事者間で訴訟終了の合意をなす方法をとらなければならない。

次に法定訴訟担当についても，担当者の訴訟追行権の基礎が重要である。破産管財人は，破産者の財産について包括的な管理処分権を与えられているので（破78Ⅰ），破産財団に関する訴訟における和解の権限について制約を受けない。所有者不明土地・建物管理人についても，対象土地等の限りであるが，管理処分権が専属するので（民264の3Ⅰ・264の8Ⅴ），同様であり，このことは，特定不能土地等管理者の権限（表題部所有者不明土地の登記及び管理の適正化に関する法律21Ⅰ）についても妥当する。これに対して，債権者代位訴訟における代位債権者は，代位の目的たる債権について無制限の処分権を認められているわ

52）　登記実務が和解調書を設立無効や決議取消しの原因証書として認めないことから，和解による紛争の解決が望めないといわれる（山口和男「会社・商事関係事件と和解」後藤勇＝藤田耕三編・訴訟上の和解の理論と実務345頁，348頁，353頁（1987年））。しかし，これは登記実務を改めるべき問題である。また，立法論としては，対世効を受ける第三者に対する手続保障を充実させることが考えられる。注釈会社法(5)347頁〔岩原紳作〕参照。一般法人についても，同様に考えるべきである。

けではない。民事執行法157条にもとづく債権者取立訴訟についても，同様のことが当てはまる[53)]。

関連する近時の問題としては，株式会社における責任追及等の訴え（株主代表訴訟）（会社847）における和解の問題がある。原告たる株主は，訴訟担当者と理解されているが，訴訟物たる会社の被告取締役に対する損害賠償請求権については実体上の処分権は与えられていない。したがって，債権者代位訴訟などの場合と同様に，権利の主体たる会社を和解に参加させなければ，訴訟上の和解の要素たる私法上の合意の効力が認められず，したがって，訴訟上の和解の成立が認められない[54)]。

その他，対象となる権利関係についての要件としては，訴訟物はもちろん，和解条項によって定められる権利関係が強行法規や公序良俗に反するものでないことが挙げられる。

⑵　合 意 の 主 体

訴訟上の和解は，当事者の訴訟行為にもとづくので，訴訟能力の存在や代理人への特別授権が要求される（32Ⅱ①・55Ⅱ②)。また，訴訟終了効の発生を目的とする以上，訴訟の両当事者が訴訟上の和解の主体として不可欠である。問題は，これに加えて第三者が和解当事者として加入しうるかどうかである。たとえば，和解条項の内容として原告が被告に対して期限の猶予や債務の一部免除を与え，他方被告の債務の履行を確保するために，第三者を被告のための保

53)　債権者代位訴訟については，池田辰夫・債権者代位訴訟の構造104頁（1995年)，取立訴訟については，東京地裁債権執行等手続研究会編著・債権執行の諸問題155頁〔淺生重機〕(1993年)，両者について新注釈民訴(4)1294頁〔中西正〕参照。現行民法423条の5の下でも，本文に述べたところが妥当する。

54)　ただし，債務免除を内容とする和解については，実体法上の要件として会社法120条5項や424条の要件を満たさなければならない。問題の詳細および学説の状況については，伊藤眞「法定訴訟担当訴訟の構造」司法研修所論集——創立五十周年記念特集号第1巻391頁，410頁（1997年）参照。

平成13年商法改正およびそれを基礎とした現行会社法は，この問題を解決するために，訴訟上の和解の効力発生の前提として，会社が和解当事者となるか，または和解を承認すること（会社850Ⅰ)，もしくは裁判所が会社に対して和解内容を通知し，異議の申出を催告し（同Ⅱ)，異議を述べないときは，会社が和解を承認したものとみなすこと（同Ⅲ)，および会社が当事者となり，または承認する和解には，会社法120条5項や424条などの規定が適用されないこと（同Ⅳ）を規定した。一般社団法人における責任追及の訴えに関する和解の規律も同様のものである（一般法人281参照)。さらに，令和元年会社法改正849条の2では，会社が和解をするについて監査役などの同意の制度が設けられた。

証人とするなどの内容を考えれば，第三者の和解への加入を認めざるをえない。これらの第三者との関係では，もっぱら私法上の和解契約のみを考えるとすると，第三者に対しても確定判決と同一の効力が及ぶことの説明が困難になるので，第三者も訴訟上の和解の主体と考えるべきである。

判例・学説とも，和解に第三者の加入を認めるが[55)]，学説は，訴訟係属が存在しない第三者との関係においては，和解は，起訴前の和解としての性質をもつという。しかし，第三者と当事者との間の和解が起訴前の和解の要件（275 I）を満たしているかについては疑問があり，起訴前の和解との説明は，比喩の域をでるものではない。むしろ，第三者に和解当事者としての地位を認め，当事者と第三者との間の訴訟物に関連する合意は，それが調書に記載されることによって，訴訟上の和解の一部となり，執行力などの効力を与えられると解すべきである。

(3)　訴訟要件の具備

訴訟上の和解成立の前提として訴訟要件の具備が必要かどうかの問題についても，先に述べた請求の放棄・認諾とほぼ同様に考えられる。本案判決の要件たる訴訟要件は，当然には訴訟上の和解の要件となるものではないが，和解調書に確定判決と同一の効力が認められる以上，当事者の実在，当事者能力，あるいは権利保護の資格など，判決効の不可欠の前提となる訴訟要件の具備は必要である[56)]。

4　訴訟上の和解の手続

訴訟上の和解の本質は，期日における当事者の合意であるが，訴訟の初期の段階で両当事者が進んで和解の合意をするような場合を除いて，ほとんどの事件においては，裁判所による和解の勧試（89 I）がなされ，その中で一定の内

---

55)　判例は，大判昭和13・8・9評論27巻民訴292頁，大判昭和13・12・3評論27巻民訴357頁，学説については，吉戒修一「和解調書作成上の問題点」後藤＝藤田編・前掲書（注52）459頁，468頁以下，法律実務(3)110頁に詳しい。新注釈民訴(4)1293頁〔中西正〕は，本書と同様の考え方をとる。

56)　新堂369頁，上田449頁，新注釈民訴(4)1297頁〔中西正〕。ただし，請求の存否の確定を目的とする放棄・認諾と異なって，和解は，訴訟物たる権利関係を変更し，また他の権利関係を発生させたり，消滅させたりすることを目的とするものであるから，本文に挙げた以外の訴訟要件の具備を要求する意義は少ない。兼子307頁，三ヶ月・全集446頁，齋藤333頁参照。

容の和解案が示され，それを中心として当事者間の調整がなされ，当事者間の合意が形成される。特に近時，紛争の適正，かつ，迅速な解決が強調される中で，裁判所による和解の勧試が積極的になされる傾向にある。

(1)　和解勧試の規整

和解勧試に積極的な近時の実務慣行を支えるものとして，和解の利点については，以下のようなことがいわれる[57]。第1に，原告の申立てを認めるかそれとも被告の申立てを認めるかという一刀両断的判断ではなく，条理・実情にかなった解決が与えられる。条理・実情にかなった解決とは，事実関係について証明責任による判断を避けるという意味でも用いられるし，また法的基準を条理によって修正するという意味で用いられることもある[58]。

第2は，紛争の迅速，かつ，抜本的な解決が図られることである。判決の場合には，判決言渡しまである程度の期間を要するのに加えて，上訴の可能性があり，確定までにはかなりの時間を要するのに比較して，審理の中途で和解が成立すれば，判決までの時間，および上訴審に要する時間が削減される。また，訴訟物だけでなく，それに関連する権利関係について包括的な合意をなすことが可能であるので，当事者間の争いの抜本的解決が図れるというのである。第3に，当事者や関係人は，自らの意思によって義務を負担しているので，和解調書を債務名義とする強制執行を待たず，債務の自発的な履行が期待できるという。第4に，裁判所の側としても，判決を言い渡すのと比較すると，和解によって司法資源の有効活用を図ることができ，全体としての訴訟促進に役立つという。

もっとも，このような和解の長所に対して，特に当事者代理人の側からは，以下のような批判がなされる[59]。第1に，判決による解決に長時間を要する

---

57)　後藤勇「民事訴訟における和解の機能」後藤＝藤田編・前掲書（注52）1頁，17頁以下，プラクティス148頁，草野芳郎・和解技術論10頁以下（1995年），増田勝久＝古谷恭一郎・和解の基礎と実務67頁（2022年）など参照。各種事件における和解条項の具体的内容については，増田＝古谷・前掲書125頁以下が詳しい。

58)　後者に関する例として，松野信夫「和解勧告に関する一考察――水俣病訴訟をめぐって」判タ792号52頁（1992年）が参考になる。

59)　以下については，東京弁護士会・民事訴訟審理の改善に関する意見書10頁（1990年），大阪弁護士会・民事裁判改善に関する意見書41頁（1991年），加藤雅信「訴訟上の和解とその実態」名古屋大学法政論集147号139頁以下（1993年），那須弘平「謙抑的和

ことを理由とした和解勧試は好ましいことではなく，和解の勧試は，条理と実情に即した解決を目的とすべきであるという。第2に，裁判所が事案の概要や争点を把握しないままに行う和解の勧試は，条理と実情に即したものとはいえないから，当事者双方が特に早期の和解を望むような場合は別として，裁判所としては，争点整理が進行または終了した段階での和解勧試が望ましいという。第3に，和解案の前提となっている裁判所の心証を開示せず，また，交互面接方式によってそれぞれの当事者に異なった心証を示すような慣行は好ましくないという。第4に，一方または双方の当事者が和解に応じない意思を明らかにしているのに，裁判所が和解期日を繰り返し，かえって訴訟を遅延させる場合があるという。

以上のような議論を前提とすると，和解勧試の一般的規整原理としては，次のような点が挙げられる。第1に，当事者が自ら進んで和解の意思を明らかにしている場合はともかく，裁判所が勧試をする際には，当事者の主張や証拠を整理し，事案の概要と争点を把握していなければならない。したがって，当事者間に争いのある事件においては，和解の勧試時期は，早くとも争点および証拠の整理手続がかなりの程度進行した段階になろう[60]。第2に，和解案について当事者の納得を得るためには，争点についての心証を適切な方法によって裁判所から当事者に対して明らかにすることが望まれる[61]。和解の本質が当

解論」木川古稀(上)692頁，大山薫「訴訟遅延と和解至上主義」NBL 593号54頁（1996年)，出井直樹「裁判上の和解をどう考えるか」小島古稀(上)78頁など参照。

60）このような考え方に対して，草野・前掲書（注*57*）27頁は，いわゆる第三の波の理論を援用しつつ，たとえ裁判所の心証が形成されていない段階でも，裁判所が当事者間の自主的交渉を促進するとの姿勢にもとづいて和解の勧試が可能であるとする。もちろん，事件類型によってこのような方法が適切である場合も否定できないが，これを一般的に正当化することは，裁判所の和解勧試の正当性を疑わせ，結果として訴訟の遅延を招くおそれがある。なお，和解手続に関し，勧試，対席などの手続保障および心証の取扱いの3点にわたる規律を検討するものとして，垣内秀介「和解手続論」実務民訴〔第3期〕(3)189頁がある。小林学「訴訟上の和解と熟柿主義」加藤新太郎古稀366頁は，裁判所主導型和解と当事者主導型和解とに分け，後者に比重を置く立場から，方式や心証開示に関する規律を検討する。

61）和解における心証開示については，和解が不成立に終わり，判決に至ったときに，開示した心証と異なった判断をすることが困難であり，またあえてそのような判断をすると，当事者からの不信を増幅させるとの指摘がなされる。しかし，開示される心証は，仮定的なものであることに注意する必要があるし（プラクティス178頁)，また，近時拡大しつつある集中証拠調べの実務慣行の下では，開示される心証と判決起案時の心証とが食

事者の合意にあるとすれば，心証が開示されないままに裁判所の説得に応じて合意が成立したとしても，その合意は合理的な基礎を欠くものといわざるをえない。第3に，和解に応じない当事者の意思が明らかである場合には，たとえ和解案の方が紛争の実情に即した解決につながると裁判所が信じる場合であっても，和解期日を繰り返すような処理は避けなければならない。裁判を受けるのは，憲法上保障された国民の権利だからである[62]。

(2)　和解勧試の手続

裁判所は，口頭弁論期日等[63]において当事者に対して和解案を示して，和解の勧試をするが，その際に問題となるのは，当事者に対する手続保障である。和解期日における当事者の陳述は，直ちに訴訟資料にも証拠資料にもなるものではないが，受訴裁判所を構成する裁判官が和解勧試にあたることが原則となっている現行法制の下では，和解期日における当事者の陳述が本案の判断に対する裁判所の心証に影響を与えることは避けられない[64]。旧法下の実務慣行であった弁論兼和解に対する批判の1つもこの点にあった。

口頭弁論期日や弁論準備手続期日で和解の勧試がなされる場合には，両当事者対席の下に行われるが，和解期日においては，対席原則が妥当しないと解せられ，従来の実務においてもほとんど例外なく交互面接方式が採用されている。その理由としては，相手方に配慮せずに当事者が事件の内容，自己の気持ち，不満，希望などを率直に裁判官に打ち明けられ，裁判官は，当事者の真意を汲んで和解案を作ることが可能になるといわれる[65]。

い違うことは少ないといわれる。伊藤眞ほか「〈座談会〉民事集中審理の実際」判タ886号4頁，36頁（1995年）参照。

また，租税訴訟における和解という特別の局面に関するものであるが，課税の基礎となる時価について「幅のある真実」の概念を説き，和解の許容性を基礎づける議論がある（舘彰男「幅のある真実」判時2423号3頁（2019年））。法律要件の特質によっては，民事訴訟における和解の勧試に際しても参考とされるべきものと考える。

62）　もちろん，当事者の和解拒絶をその後の審理に不利に影響させるなどの態度は，裁判官として慎まなければならない。プラクティス171頁。当事者の視点からみた和解のあるべき手続については，菅原郁夫「当事者の視点から見た和解の評価」栂＝遠藤古稀132頁参照。

63）　裁判所または裁判官の面前であれば，裁判所外でも和解の勧試ができる（民訴規32Ⅱ）。なお，口頭弁論期日以外は，公開原則は妥当しない。

64）　詳細については，西野喜一・裁判の過程399頁以下（1995年）が詳しい。

65）　田中豊「民事第一審訴訟における和解について」民訴雑誌32号133頁，149頁（1986年），草野・前掲書（注57）30頁参照。本人訴訟の存在も交互面接方式を支える論

しかし，交互面接方式は，先にみたように，一方当事者の陳述の内容が他方当事者に伝えられないままに，裁判所の心証に影響する危険を内包するものであるし，和解案の内容についても，両当事者がその基礎となる情報を共有しないままに，裁判所の誘導によって合意に導かれるという問題がある。このような点を考慮すれば，当事者の感情的対立が激しく，裁判官の訴訟指揮をもってしても，和解案についての冷静な交渉が不可能であるような事案を除いて，両当事者対席の下に和解勧試を行うことが手続保障の理念に合致する[66]。

和解の勧試は，裁判所だけではなく，受命裁判官もしくは受託裁判官に行わせることもできる（89Ⅰ）。また，裁判所は，和解のために必要であれば，当事者本人またはその法定代理人の出頭を命じることができる（民訴規32Ⅰ）。これは，訴訟代理人が和解の特別委任（55Ⅱ②）を受けていない場合のみを対象とするものではなく[67]，裁判所が事件の背景事情を正確に把握する，あるいは和解の成立の妨げになる当事者の心理的要因を理解し，和解条項案作成の資料とするなどの目的をもつ。

令和4年改正89条2項（施行済み）は，裁判所が相当と認めるときは，当事者の意見を聴いて，裁判所および当事者双方が音声の送受信により同時に通話をすることができる方法（ウェブ会議または電話会議）によって，和解の期日における手続を行うことを認めている。その手続に関与した当事者は，期日に出頭したものとみなす（89Ⅲ）。この手続を行う際には，通話者や通話者の所在する場所の状況の適切性を確認しなければならない（民訴規32ⅢⅣ）。あわせて改正法は，裁判長の訴訟指揮権（148），通訳人の立会い等（154），弁論能力を欠く者に対する措置（155）の準用規定を整備している（89ⅣⅤ）。

拠の1つとされている。しかし，国際化時代においてこのような実務慣行が正当化できるかどうかを問うものとして，佐藤・民事訴訟審208頁がある。

66）　裁判所側から対席方式を支持するものとして，西口元＝太田朝陽＝河野一郎「チームワークによる汎用的訴訟運営を目指して(3)」判タ849号14頁，18頁（1994年），西口元「弁論活性化研究」栂＝遠藤古稀244頁，弁護士側から同方式を支持するものとして，小原正敏＝國谷史朗「和解手続」判タ871号18頁，22頁（1995年）がある。

67）　訴訟委任状には不動文字で和解権限が印刷されているから，訴訟代理人が和解権限を全くもたないことはほとんど考えられないが，和解内容が訴訟物に限定されず，他の権利関係に及ぶことが多いので，当事者の意思確認は重要な意味をもつ。詳細については，加藤新太郎・弁護士役割論〈新版〉296頁以下（2000年）参照。

(3) 和解成立および発効の手続

多くの場合，和解案を内容とする裁判所の和解の勧試をきっかけとして，当事者の間に訴訟物たる権利関係に関する合意，およびそれを前提とする訴訟終了の合意が成立する。この合意は，口頭弁論期日等において口頭でなされるのが原則である。ただし，一方当事者が期日に出頭することが困難な事情がある場合に，その者があらかじめ裁判所から示された和解条項案を受諾する旨の書面を提出していれば，他の当事者が期日に出頭してその和解条項案を受諾したときには，和解の成立が認められる（264）。一方当事者が期日に出頭することが困難な事情があるために，和解の成立が妨げられるのを防ぐための制度である[68)]。

なお，令和4年改正（未施行）では，一方当事者の出頭が困難であると認められる場合における和解条項案の受諾について遠隔地居住要件を削除し（264Ⅰ），加えて，双方当事者の出頭が困難であると認められる場合において当事者双方があらかじめ和解条項案を受諾する旨の書面を提出している場合における和解の成立を認めている（同Ⅱ）。

また，あらかじめ両当事者が共同して，裁判所が適当な和解条項を定めるよう書面によって申し立て，それに対して裁判所が和解条項を定めて当事者に告知したときにも，和解が成立したものとみなされる（265）[69)]。ただし，この2つの規定は，起訴前の和解には適用されない（275Ⅳ）。

ただし，簡易裁判所の訴訟手続については，和解に代わる決定という特別の制度が設けられている（平成15年改正による275の2）。金銭支払請求訴訟において被告が防御を行わない場合に，裁判所は，5年を超えない範囲で分割払い

68）　裁判所が和解条項案を提示するときには書面によってこれをなし（民訴規163Ⅰ），受諾書面の提出については，裁判所が当事者の真意を確認し（民訴規163Ⅱ），和解が成立したものとみなされるときには，それが調書に記載される（民訴規163Ⅲ）。具体的要件および手続については，新注釈民訴(4)1263頁〔中西正〕参照。

69）　この和解は，裁定和解と呼ばれるが，機能的には仲裁に類似する。通常の和解と異なって，当事者があらかじめ和解に服する意思を明らかにして，和解条項の作成を裁判所に一任するところに特色がある。詳細については，新注釈民訴(4)1269頁〔中西正〕参照。
　ただし，裁判所は，和解条項を定めようとするときに当事者の意見を聴かなければならない（民訴規164Ⅰ）。和解が成立したものとみなされるときには，それが調書に記載されるのは，他の場合と同様である（民訴規164Ⅱ）。

の定めと期限の利益喪失に関する定めなどを内容とする決定をすることができ（同ⅠⅡ），当事者がこれに対して異議申立てをしないときには，決定に裁判上の和解と同一の効力が認められる（同Ⅲ～Ⅴ）。一定額以下の金銭支払請求権をめぐる紛争について，原告および被告の利益を調和させつつ，紛争の実効的解決を図ろうとするものである。

期日において当事者間の合意がなされると，裁判所は，和解成立についての要件を審査し，それが満たされていると判断すれば，合意の事実および内容を裁判所書記官に命じて調書に記載させる（民訴規67Ⅰ①）。和解を不成立または無効と認めれば，裁判所は訴訟手続を続行する。当事者の合意は，和解成立の要件であるのに対して，調書への記載は，効力発生の要件と考えられる[70]。

5　訴訟上の和解の効力

和解調書の記載は，確定判決と同一の効力を有する（267。電子調書，その送達および電子調書の更正決定に関して令和4年改正による267条1項および2項，267条の2（未施行）参照）。請求の放棄・認諾の場合と同様に，その効力は，訴訟終了効と判決効とに分けられる。和解費用または訴訟費用について和解条項の中で特別の定めがされなかったときには，費用は各自が負担する（68）。これに対して，負担と額まで和解条項中で定められたときには，その定めによる。しかし，負担のみを定め，その額が定められなかったときには，申立てによって第一審裁判所の裁判所書記官が額を定める（72）。

判決効については，既判力，執行力，および形成力の3つが問題となるが，このうち形成力については，従来人事訴訟や団体関係訴訟において和解が許されないとされてきたこととの関係で，和解の効力としても問題とされることがなかった。しかし，本書のように，一定の類型の人事訴訟および団体関係訴訟において和解の成立を認める立場をとれば，形成訴訟の対象となる法律関係についての変動が和解条項中で定められたときには，その形成力も肯定される[71]。

70）石川・前掲書（注49）66頁参照。

71）判決の確定によらずに形成力の発生を認めることになるが，訴えを前提としているので，形成訴訟を規定する法文の文言自体と矛盾するわけではない。

(1) 執　行　力

和解調書に具体的な給付義務が記載されているときには，その記載に執行力が付与され，和解調書は債務名義として扱われる（民執22⑦)。給付義務の主体は，当事者に限定されず，第三者が利害関係人として和解に参加し，期日における合意に加わっているときには，第三者のために，または第三者に対して執行力が生じる[72)]。また，確定判決の場合と同様に，和解調書の執行力は，当事者および利害関係人たる第三者の一般承継人はもちろん，和解成立後の特定承継人に対しても及ぶ[73)]。

(2) 既　判　力

請求の放棄・認諾の場合と同様に，和解調書の記載に既判力が認められるかどうかについても，考え方の対立がある。しかし，ここでもすでに説明したとおり，訴訟物に関する調書の記載が，後訴裁判所に対して拘束力を認められるかという問題，和解についてどのような無効原因の主張が許されるかという問題，およびその主張をいかなる方法によって行わせるべきかという問題の3つを分けて考える。

最初の問題について，既判力否定説は，第1に，和解の本質は当事者間の合意であり，裁判所は，その内容や意思の瑕疵について審査をするものではないこと，第2に，既判力を認め，瑕疵の主張を原則として遮断することになると，憲法32条で保障される裁判を受ける権利が侵害されること，第3に，和解条項の内容は訴訟物の存否および内容に限定されないので，既判力の範囲が不明確にならざるをえないことなどをその根拠として挙げる[74)]。

しかし，和解の効力は，調書への記載によって生じ，裁判所は，記載を命じるにあたっては要件の具備を確認するものであることを考えれば，第1の批判

---

72)　前掲大判昭和13・8・9（注55)。単に合意の内容が第三者のためにする契約である場合とは区別される。この問題については，法律実務(3)149頁，勅使川原和彦「第三者のためにする契約と訴訟上の和解の効力の主体的範囲」中村英郎教授古稀祝賀上巻・民事訴訟法学の新たな展開391頁以下（1996年）が詳しい。

73)　最判昭和26・4・13民集5巻5号242頁。これに対して，和解成立前の承継人に対して執行力が及ぶことはない。大決昭和7・4・19民集11巻681頁。

74)　三ヶ月・全集443頁以下，新堂374頁，松本＝上野566頁以下，斎藤ほか(5)185頁〔斎藤秀夫＝渡部吉隆＝小室直人〕，条解民訴〈2版〉1479頁以下〔竹下守夫＝上原敏夫〕，秋山ほかV332頁以下，法律実務(3)155頁，新注釈民訴(4)1303頁〔中西正〕など。

はあたらない[75]。また，再審事由が存在する場合以外には，和解調書の既判力を覆すことを認めないのであれば，第2の批判も妥当するが，次に述べるように，現在の制限的既判力肯定説は，より緩やかな条件の下で既判力の覆滅を認めるのであるから，この批判も説得力をもたない。第3の批判についても，次のようにいえる。確定判決の場合であっても，請求棄却判決に象徴されるように，判決主文によってのみ既判力の客観的範囲が確定されることは例外的である。もちろん，和解条項の作成の仕方によっては，既判力の範囲が明確にならないおそれも存在するが，確認条項によって権利の存否および内容が明らかにされている場合についてまで，既判力を否定する理由はない。

既判力が一般的に否定されるとすれば，たとえ和解調書上の記載として具体的な権利の存否が明確にされていたとしても，当事者は，後訴において何らの訴訟法的制約なしにその記載内容を争えることとなり，和解の紛争解決機能は著しく損なわれる。このように考えれば，記載の拘束力に関する限り，既判力肯定説が妥当である[76]。もっとも，民法696条の規定によって，たとえ既判力が否定されても，確認条項の内容を争う主張は遮断されるから，通常の場合には既判力の作用が表面化する余地はない。しかし，和解の拘束力が承継人などの第三者について拡張される場合を考えれば，民法696条とは別に既判力を認める意義がある[77]。

---

75)　藤原弘道「訴訟上の和解の既判力と和解の効力を争う方法」後藤＝藤田編・前掲書（注52）479頁，487頁では，裁判所が和解の成立に深く関与している実務を踏まえて，このような批判を不当とする。

76)　最大判昭和33・3・5民集12巻3号381頁〔百選77事件〕。兼子309頁，小山444頁，梅本1021頁以下，小島603頁，永井博史「訴訟上の和解とその効力」実務民訴〔第3期〕(3)449頁。下級審裁判例としては，東京地判平成15・1・21判時1828号59頁が制限的既判力説を前提とした判示をしている。

もっとも，既判力の客観的範囲が訴訟物に限定されるのか，それ以外にも和解条項において存在や内容を確認された権利関係を含むのかという問題がある。実際上問題となるのは，いわゆる確認条項（和解条項の性質については，遠藤賢治「和解条項の作成」後藤＝藤田編・前掲書（注52）436頁，439頁以下参照）であるが，紛争の包括的解決を目的とする和解の性質からして，訴訟物以外の権利関係についても，その確認が調書に記載されている以上，既判力が生じると解すべきである。小山445頁参照。

77)　民法696条の訴訟法的効果については，大判昭和13・10・6民集17巻1969頁参照。この点を重視して，既判力否定説をとるものとして，高橋(上)786頁がある。本文に述べたことは，私法上の和解の拘束力は，特定承継人などの第三者に拡張されないことを前提としている。

第2の問題は，和解の効力が否定されるのは，確定判決の既判力の場合に準じて，再審事由が認められる場合に限られるのか，それとも合意に関する意思表示の瑕疵などの事由も含まれるのかであるが，請求の放棄・認諾について述べたのと同様の理由から，意思表示の瑕疵にもとづく既判力の覆滅を認めるべきである。調書の記載の拘束力といっても，その基礎となっているのが，当事者間の合意である以上，合意についての瑕疵が認められるにもかかわらず，拘束力を維持することは不適切だからである。従来このような考え方は制限的既判力説と呼ばれ，絶対的拘束力である既判力の概念に反すると批判されてきたが，記載の拘束力そのものと，その拘束力がいかなる原因によって覆されるかは，区別されるべき問題であり，制限的既判力説を背理ということはできない[78)]。また，すでに特定の請求について和解調書が存在するにもかかわらず，さらに同一の請求について訴えの利益が認められうることをもって，制限的既判力説をとりえないことの根拠とされることがあるが[79)]，これは，和解調書における請求の表示に疑義が存在する場合であって，制限的既判力説を前提としても，訴えの利益が肯定される。

第3の問題は，和解調書についての無効の主張方法である。訴訟終了の合意そのものが無効であればもちろん，私法上の合意が無効の場合にも，新併存説の考え方を前提とすれば，訴訟終了の合意の効力が失われ，訴訟手続が続行されるべきである。したがって，和解無効を主張する当事者は，期日指定の申立てをなし，裁判所は，口頭弁論期日を開いて無効原因について審理を行い，無効と判断すれば審理を続行し，そうでなければ訴訟終了宣言判決を行う。このような方法が認められる以上，再審の訴えを認める必要はない。ただし，和解無効確認の訴えは，和解法律関係の効力を確定するための手段としてこれを排除する必要はないが，無効の主張をかならずこの訴えによらせる理由はない。また，和解調書にもとづく強制執行を阻止する必要上，請求異議の訴え（民執35）の適法性は認めざるをえない[80)]。

78）　最判昭和33・6・14民集12巻9号1492頁〔百選〈6版〉88事件〕，東京地判平成15・1・21（注76）。学説としては，かつての多数説であった。

79）　たとえば，斎藤ほか(5)185頁〔斎藤秀夫＝渡部吉隆＝小室直人〕では，最判昭和42・11・30民集21巻9号2528頁，最判昭和43・11・1判時539号44頁が引用されるが，いずれも和解調書における請求権の表示に疑義があることを理由とするものである。

(3) その他の瑕疵の種類と主張方法

和解調書に計算違い，誤記，その他これに類する明白な誤りがあれば，裁判所は，判決（257）に準じて，その更正決定をすることができる[81)]。

調書に記載された私法上の合意，すなわち和解契約について，和解成立後の債務不履行などの事由を原因として解除がなされた場合に，訴訟終了効が消滅するかどうかについては，考え方の対立がある。

大別すれば，第1に，訴訟終了の合意の効力は影響を受けないとし，旧訴は復活しないとする考え方があり，判例・通説はこの考え方をとる。この考え方の下では，原告は旧訴の請求について新訴を提起することができ，二重起訴禁止原則は妥当しない。第2に，訴訟終了効の消滅を肯定し，旧訴の復活を認める考え方の下では，当事者は期日指定申立ての方法によって審理の続行を求められる。第3に，折衷説と呼ばれる考え方は，解除原因発生と和解成立の前後，あるいは和解内容に応じて訴訟終了効消滅を決める。第4の考え方は，当事者の利益を重視して，新訴の提起も期日指定申立てもいずれも許されるとする[82)]。

80） 期日指定申立てを認める判例として，前掲大決昭和6・4・22（注50），前掲大決昭和8・7・11（注24）などがある。これに対して再審の訴えを許さないとするものとして，前掲大判昭和7・11・25（注50），東京地判昭和56・10・26判タ466号135頁がある。和解無効確認の訴えの適法性を認める判例として，大判大正14・4・24民集4巻195頁，請求異議の訴えの適法性を認めるものとして，前掲大判昭和10・9・3（注50）がある。

学説の詳細については，高橋(上)782頁以下，石川・前掲書（注49）140頁以下，藤原・前掲論文（注75）496頁，永井・前掲論文（注76）454頁，新注釈民訴(4)1303頁〔中西正〕など，この場合における期日指定申立ての特質を指摘するものとして，三木浩一「訴訟上の和解における瑕疵の主張方法」高橋古稀758頁参照。なお，当事者が和解の無効を主張し，続行期日指定の申立てをしたところ，第一審裁判所がその主張を認めず，訴訟終了宣言の判決をしたのに対し，和解無効を主張した当事者のみが控訴した場合に，控訴審が和解の無効を確認する判決をすることは，処分権主義に違反する（最判平成27・11・30民集69巻7号2154頁〔百選〈6版〉A38事件〕）。和解無効確認の訴えか続行期日指定申立てかのいずれかの方法を選択すべきであるとの考え方によるものと理解できる。

81） 大決昭和6・2・20民集10巻77頁。

82） 第1の考え方としては，最判昭和43・2・15民集22巻2号184頁〔百選〈6版〉89事件〕，兼子309頁，三ヶ月・全集445頁，齋藤335頁，小山445頁，菊井＝村松Ⅰ1333頁，石川・前掲書（注49）153頁，藤原・前掲論文（注75）498頁，高橋(上)781頁，大石忠生＝三上雅通「訴訟上の和解の規整をめぐる若干の問題」講座民訴④321頁，343頁以下，新注釈民訴(4)1310頁〔中西正〕などがある。第2の考え方としては，大判昭和8・2・18法学2巻10号1243頁，柏木・前掲書（注4）160頁，条解民訴〈2版〉1482頁〔竹下守夫＝上原敏夫〕，秋山ほかⅤ334頁など，第3の考え方としては，斎藤ほか(5)191頁〔斎藤秀夫＝渡部吉隆＝小室直人〕，中野ほか・講義445頁以下など，第4の考え方と

ここでは以下の理由から，訴訟終了効消滅を否定する判例・通説の考え方に賛成する。まず，理論的にいえば，新併存説を前提とする以上，私法上の合意の効果が解除によって遡及的に消滅しても，それは合意そのものが無効となることを意味するものではなく，したがって，訴訟終了の合意に影響を与えるものではない。この点で，和解について無効が主張される場合と解除が主張される場合とが区別される。次に，当事者の実質的利益については，次のように考えられる。確かに，期日指定の申立てにもとづく旧訴の続行を認めれば，当事者の便宜になる点は否定できないが，旧訴の裁判資料を新訴の審理に利用することは可能であるから，旧訴の続行を否定することによって当事者が決定的な不利益を受けるわけではない。また，折衷説の考え方の下では，いかなる場合に旧訴の続行が認められるかが一義的に明確ではなく，かえって当事者の利益を害する危険がある。この危険を避けるためには，第4の考え方をとる以外にないが，理論的根拠について難点がある。

第2節　終局判決による終了

訴訟手続は，当事者の訴え提起によって開始される。したがって，訴えの取下げなど当事者自身の訴訟行為によって訴訟手続が終了する場合を除けば，訴えに対応する裁判所の訴訟行為，すなわち終局判決によって手続が終了する。ただし，当事者による上訴の可能性が認められている現行制度においては，終局判決言渡し自体が訴訟終了原因となるわけではなく，上訴可能性の消滅に該当する事実が付加されて，終局判決による訴訟手続終了の効果が生じる。終局判決の意義を明らかにするために，まず裁判一般の中で終局判決がどのように位置づけられるかを説明する。

第1項　裁　　判

裁判とは，裁判機関がその判断または意思を法定の形式にしたがって外界に表示する行為を意味する。行為の性質としては，裁判は，裁判機関の訴訟行為

しては，新堂378頁，上田455頁，小島607頁などがある。

であり，かつ，一定の法律効果の発生を目的としてなされるので，意思表示と考えられる。裁判は，終局判決のように当事者の申立てに対応してなされる場合もあるが，期日の指定や弁論の併合のように，かならずしも申立てを前提としない場合もある。また，行為の主体の面では，現行制度上は，裁判機関として，受訴裁判所，裁判長，受命裁判官，および受託裁判官がある。したがって，裁判所書記官による支払督促（382）のように，裁判としての実質をもつものも，形式的には裁判とみなされない。

1　裁判の種類

裁判は，裁判機関，成立および不服申立手続，対象事項，訴訟法上の効果，および性質などの違いから判決，決定および命令の3種類に分類される。

(1)　裁判機関

判決および決定は，単独裁判官によって構成される単独体か，数名の裁判官によって構成される合議体かを問わず，裁判所による裁判を意味する。これに対して，命令は，裁判長，受命裁判官，または受託裁判官などの裁判官による裁判である[83)]。もっとも法が命令の名称を付しているときにも，差押命令（民執145），転付命令（民執159），仮差押命令（民保20），仮処分命令（民保23）など，その性質が決定とみなされる場合がある。ただし，判決は裁判の中でも基本となるものであるので，法は，判決についての基本的定めを，その性質に反しない限り，決定および命令に準用する（122）。

なお，裁判所職員としての裁判官のうち，判事補は単独で裁判をすることができないのが原則であるが（裁27Ⅰ），決定および命令については，判事補が単独で裁判をすることができる（123）[84)]。

83）　裁判官の概念は，通常，官署としての裁判所の職員として，裁判権の行使にあたる者を指すが，ここでは，それと異なって裁判機関としての意味で用いられる。兼子一＝竹下守夫・裁判法〈第四版〉222頁（1999年）参照。単独体か合議体かは，裁判所の構成の問題であり，単独体であっても，裁判機関としてはあくまで裁判所であり，裁判官ではない。ただし，単独裁判官の場合には，その者が当然に裁判機関としての裁判長の地位をもつことになる。

84）　いわゆる特例判事補は，判事として扱われる（判事補1）。また，決定および命令のうち，移送決定（16・17）や補助参加に関する決定（44Ⅰ）などのように，裁判所が行うものについては，単独で受訴裁判所を構成できないこととの関係で，未特例判事補がこれらの裁判をなすことも許されない。

(2)　成立および不服申立手続

裁判は裁判機関の判断を内容とするものである以上，判断の資料を要する。裁判機関が判断資料を取得するための手続については，次に述べる対象事項の違いを反映した差異がある。

判決については，原則として口頭弁論が開かれなければならない（87 I 本文，例外として，78・140・256 II・290・319・355 I など）。また，判決を外界に表示して，その効力を生じさせるためには，公開法廷における一定の方式に則った言渡しの方法によらなければならない（250）。判決言渡しの基礎となり，また判決内容を公証する判決書には，裁判官の署名押印がなされる（民訴規157）。ただし，例外的に判決書によらない判決言渡しも認められる（254）。判決に対する不服申立てとしては，控訴および上告が認められるのが原則であるが，これらに対する審理方式も第一審判決と同様である。

これに対して，決定および命令の場合には，任意的口頭弁論の原則がとられる（87 I 但書）。したがって，口頭弁論を経ないですることができる裁判の概念は，決定および命令を指す（民執4，民保3）。決定および命令の効力を生じさせるためには，裁判機関が相当と認める方法で関係人に対して告知すれば足りる（119）。また，決定および命令については，広く調書の記載をもって裁判書に代えることもできるし（民訴規67 I ⑦），決定書および命令書が作成されるときでも，裁判官の記名押印で足りる（民訴規50 I）[85]。決定および命令に対する不服申立てとしては，抗告および再抗告があるが，判決の場合と異なって，これらの不服申立てが原則として保障されているわけではない。

(3)　裁 判 事 項

判決は，訴えまたは上訴によって裁判機関の判断が求められている事項についてなされるのが原則である。ただし，中間の争いについて判決の形式によって裁判をすることが認められているが（245），本来の判決とは効果などの面で区別される。これに対して，決定および命令は，訴訟手続についての中間的ま

85）　記名は，署名と異なって，本人が自ら氏名を記す必要がなく，他人がしてもよく，またゴム印等の印刷機械を用いてもよい。押印は，捺印と同意義であり，署名または記名とともに印を押す行為を指す。ただし，「捺」が常用漢字に含まれていないところから，これに代えて現行法では，「押印」が用いられた。なお，記名押印は，決定書や命令書の原本についての規定であり，謄本には押印の必要はない。最決平成16・2・26実情188頁。

たは付随的争いを対象とする。

(4)　その他の区別

ある審級の訴訟手続を終結させる効果をもつ終局的裁判と，そのような効果をもたない中間的裁判，また，裁判機関の判断の内容に即して，確認的裁判，命令的裁判，および形成的裁判などの講学上の区別がなされることがある。

2　判決の種類

判決は，ある審級の手続を終結させる効果をもつかどうかの基準にしたがって，終局判決と中間判決とに分けられる。終局判決に対しては，それ自体について上級審の判断を受ける機会を認める趣旨で，上訴という独立の不服申立てが許されるが（281Ⅰ・311Ⅰ），中間判決に対する独立の不服申立ては許されず，終局判決に対する上訴中で不服を主張できるにとどまる（283）。

(1)　終局判決

終局判決の中では，裁判所の審判の範囲から全部判決と一部判決，請求の内容に立ち入った判断か否かから本案判決と訴訟判決が分けられる。本案判決の中では，訴訟物についての原告の主張を認めるか否かから請求認容判決と棄却判決，さらに判決の効力の視点から給付判決，確認判決，および形成判決が分けられる。

ア　全部判決・一部判決

1つの訴訟手続において審判を求められている請求の全部についてなされる判決が全部判決であり[86]，その一部についてなされる判決が一部判決である。全部判決の場合には，当該審級の手続全体が終了するが，一部判決の場合には，終了するのは一部の請求についての手続のみであり，残部の請求についての審理は続行される。残部の請求についての判決を残部判決または結末判決と呼ぶ。一部判決がなされるのは，訴訟の一部が裁判をなすに熟した場合であり（243

86）　請求の併合（136），反訴（146），または弁論の併合（152）などの原因によって，1つの訴訟手続で数個の請求について審理がなされ，全部の請求について1個の判決言渡しがなされたとき，1個の全部判決とみるか，数個の全部判決とみるかという議論がある。弁論期日などを内容とする訴訟手続が1個であり，かつ，裁判所の訴訟行為たる判決も1個である以上，1個の全部判決とみるべきである。したがって，その判決について上訴がなされたときには，すべての請求について確定が遮断される。大判昭和6・3・31民集10巻178頁〔百選92事件〕，大判昭和7・1・16民集11巻21頁。

Ⅱ），裁判所は，1つの手続で審理されている数個の請求の一部について判決をすることによって，迅速な訴訟の進行を図ることを目的とする。本来は数個の訴訟であっても弁論の併合がなされている場合，および本訴と反訴の関係にある場合にも，1つの訴訟手続で審理が行われているので，一部判決が可能である（243Ⅲ）。なお，一部判決も終局判決であるから，独立の上訴の対象となる。

一部判決が許されるかどうかは，訴訟の一部について，残部と切り離して裁判所が終局的判断を形成できるかどうかにかかっている。したがって，手続的には，弁論の分離が一部判決の前提となる。請求との関係では，連帯債務者数名を被告とする訴訟などの主観的併合であれ，手形金請求と売買代金請求を併合する訴訟などの客観的併合であれ，一の訴訟において数個の請求が定立され，それらが相互に可分であることが必要である。客観的併合において，数個の請求についての審判要求相互間に条件関係などがない場合，すなわち単純併合の場合には，原則的には一部判決が可能であるが，たとえば所有権にもとづく明渡請求と所有権侵害を理由とする損害賠償請求や，元本請求と利息請求など，基本となる法律関係が共通であるか，相互の法律関係の間に先決関係が存在する場合などにおいては，弁論の分離および一部判決をなすことによって，判断の矛盾・抵触のおそれがあるので，一部判決をなすべきではない[87]。

また，予備的併合のように，請求相互間に条件関係が付されているときには，その条件関係を無視する結果となる一部判決は許されない[88]。共同訴訟に関しては，通常共同訴訟に限って一部判決が許されるが，同時審判申出共同訴訟は，その例外をなす（41Ⅰ）。

1個の請求の一部について一部判決が可能かどうかについては，考え方が分かれる。しかし，金銭請求のように給付の目的物としては可分であっても，同一の訴訟物たる権利関係であるものについては，一部請求が否定される趣旨か

87）　その他，債権の不存在確認の本訴と同一債権の給付を求める反訴など，矛盾・抵触の可能性がある場合も同様である。新堂663頁，新注釈民訴(4)909頁〔中西正〕参照。

88）　主位的請求を棄却する一部判決は，予備的請求についての同時審判申立てを無視する結果となるから許されない。最判昭和38・3・8民集17巻2号304頁参照。これに対して，主位的請求を認容する判決は，予備的請求審判申立てについての解除条件を成就させることになるから，一部判決ではなく，全部判決になる。新注釈民訴(4)910頁〔中西正〕。

らも，また判断の矛盾・抵触を避けるという理由からも，弁論の分離および一部判決は否定される[89]。

イ　裁判（判決）の脱漏――追加判決

1つの訴訟において数個の請求についての審判が求められているときに，裁判所が全部判決として行った判決が，結果として一部判決にすぎなかったことが判明したときに，これを裁判（判決）の脱漏と呼ぶ[90]。請求についての判断の脱落である点で，攻撃防御方法についての判断の脱落を意味する判断の遺脱（338 I ⑨）と区別される。また，脱漏は，判断の有無自体を問題にするものであるから，判決理由中で判断が示されているにもかかわらず，主文中でその結論が掲げられていないときには，脱漏として扱われず，更正決定（257）によって訂正される[91]。

脱漏の対象となった請求については，なお訴訟が係属するので（258 I），裁判所はそれらの請求について判決をしなければならない。この判決を追加判決と呼ぶ。当事者も申立てによって裁判所の職権の発動を促すことができる。脱漏判決の前提としてすでに弁論が終結されているので，追加判決をするためには，裁判所は，審理の状態に応じて判決言渡期日を指定するか，または弁論を再開して口頭弁論期日を指定する。ただし，追加判決はすでになされた一部判決と一体になるわけではなく，別個の判決であり，独立に上訴の対象となる。なお，訴訟費用の裁判を脱漏したときには，裁判所は，申立てによりまたは職権で訴訟費用の負担を決定する（258 II）。

ウ　本案判決と訴訟判決

訴訟判決とは，訴訟要件または上訴要件の欠缺を理由として訴えまたは上訴

89）数カ月の割賦金の支払請求などが一部判決を肯定されるべき例として挙げられるが（条解民訴〈2版〉1317頁〔竹下守夫〕，秋山ほかV 21頁），割賦金債権が各期ごとの弁済などによって個別的に消滅するものであれば，別個の権利関係と理解できよう。

90）具体例としては，一部の請求について訴えが取り下げられたが，後にそれが無効であることが判明した場合（最判昭和30・7・5民集9巻9号1012頁〔百選II 141事件〕，最判昭和31・12・20民集10巻12号1573頁）などがある。なお，固有必要的共同訴訟のように，一部判決が許されないときに裁判所が誤って一部の当事者のみに対する判決を言い渡した場合には，追加判決をすることはできず，誤った判決が上訴によって取り消される。制度の沿革や併合請求との関係については，新注釈民訴(4)1145頁，1148頁〔松原弘信〕が詳しい。

91）広島高判昭和38・7・4高民16巻5号409頁，新注釈民訴(4)1150頁〔松原弘信〕。

を不適法として却下する判決をいう。訴訟物について裁判所の判断がなされないから，確定してもその点について既判力を生じることはないが，訴訟要件などの欠缺が既判力によって確定される。訴え取下げや訴訟上の和解に関連してなされる訴訟終了宣言判決も，訴訟判決の一種である。

これに対して本案判決とは，訴訟物についての裁判所の判断を内容とする判決を意味し，原告の請求を認める請求認容判決と，それを否定する棄却判決とに分けられるが，両者の中間の一部認容・一部棄却判決もありうる。請求認容判決は，請求の内容に応じて，給付判決，確認判決，および形成判決に分けられる。請求棄却判決は，すべて確認判決である。ただし，ここでいう本案判決は講学上の概念であり，法文上では，訴訟費用の裁判や仮執行宣言に対比する意味で，事件の基本となる裁判を指す意味で使われることがあり（67Ⅱ・258Ⅳ・260），この意味での本案判決は，講学上の訴訟判決を含む。

(2)　中間判決

中間判決は，終局判決に対立する概念であり，受訴裁判所によって中間の争いについてなされ，当該審級の審理を終了させる効果をもたない[92)]。むしろ，中間の争いについて判断を示すことによって受訴裁判所が審理を整序し，終局判決の判断を準備することが中間判決制度の目的である。したがって，中間判決をなすか否かは，裁判所の訴訟指揮権行使に属し，当事者に申立権はなく，裁判所の裁量に委ねられている[93)]。中間判決の対象となりうる事項は，独立した攻撃防御方法，その他の中間の争い，および請求の原因の3つに分けられる（245）。中間判決は，終局判決を目的として審理を整序するものであるので，それぞれの事項の存否についての確認判決の形式をとる。また，いずれの場合であっても，対象となる事項に審理の対象を制限しなければならないから，前提として弁論の制限がなされる（152Ⅰ）。

---

92)　控訴審の取消差戻判決は，控訴審の手続を終了させるから，中間判決ではなく，終局判決として上告の対象となる。最判昭和26・10・16民集5巻11号583頁〔百選91事件〕。

93)　実際には中間判決がなされることは少なく，国際裁判管轄が認められる場合などに限られている。中間判決の機能を分析し，その活用を説くものとして，池田・新世代61頁以下，新注釈民訴(4)927頁〔中西正〕がある。なお，特許権侵害にもとづく損害賠償請求訴訟において，被告製品が当該特許発明の技術的範囲に属するものであることなどについて中間判決をした事例として，知財高中間判平成23・9・7判時2144号121頁がある。

ア　独立した攻撃防御方法

独立した攻撃防御方法とは，他の攻撃防御方法とは独立に権利関係やその基礎となる法律効果を基礎づけるものを指す。たとえば，売買や取得時効などの所有権取得を基礎づける事実，または弁済や相殺など債務の消滅原因たる事実がこれにあたる。同じく法律要件事実であっても，不法行為にもとづく損害賠償請求権の発生を基礎づける過失の事実は，他の要件事実と相まってはじめて法律効果の発生を生ぜしめるものであるから，独立の攻撃防御方法とはいえない。もっとも，独立した攻撃防御方法についての判断が直ちに訴訟物についての結論を導くときには，中間判決ではなく，終局判決がなされる。中間判決の対象事項がこのように制限されるのは，対象が限定されないと，中間判決の制度がかえって審理を硬直化させるからである。また，法規の解釈などの法律問題も中間判決の対象とされないが，これは，事実と異なって法律問題についての裁判所の判断を中間判決によって拘束することが好ましくないという理由による。

イ　中間の争い

訴訟手続に関して争われる事項で，口頭弁論にもとづいて判断すべきものを中間の争いと呼ぶ[94]。口頭弁論を要するとは，当該事項が訴訟係属の存否にかかわる場合などがこれにあたる。たとえば，訴訟要件の存否，または訴え取下げや訴訟上の和解の効力などがある。もっとも，判断の結果が終局判決に熟するものであれば，訴え却下や訴訟終了宣言などの判決がなされる。

ウ　請求の原因

請求の原因および数額について争いがある場合には，その原因が中間判決の対象とされる。ここでいう請求の原因とは，実体法上の請求権の存否にかかわる事実であって，数額を除いたものを指す。請求権の発生原因事実だけではなく，消滅にかかわる事実や，内容の変動にかかわる事実も含まれる。したがって，同じく請求の原因であっても，訴訟物特定の要素としての請求の原因（133Ⅱ②〔改正134Ⅱ②〕・143，民訴規53Ⅰ）とは意味が異なる。

原因と数額の双方について争いがあるときに，両者を並行して審理すること

94）口頭弁論を要しない中間的争いは，決定手続で裁判がなされる。その例として，補助参加（44Ⅰ），受継（128Ⅰ），訴えの変更（143Ⅳ），文書提出命令（223Ⅰ）などがある。

は，原因の存在が否定された場合に，数額についての審理が無駄になるので，まず弁論を原因に制限し，原因に関する中間判決をなすことによって，裁判所は審理を整序できる。原因の存在を認める中間判決を原因判決と呼ぶ。これに対して，原因の存在が否定されれば，それを前提とした終局判決がなされる。

原因に含まれるかどうかについて争いがあるものとして，相殺の抗弁がある。相殺の抗弁も請求権の消滅原因に関する点では，原因判決の対象になりうる。しかし，同時に受働債権の数額が確定されない以上，相殺の効果も確定しえず，したがって，相殺が原因のみに関するとはいえない[95)]。この両者を考慮すれば，次のような結論になる。まず，相殺の抗弁が提出されているにもかかわらず，その自働債権が存在しないか相殺適状にないとの結論に至ったときは，裁判所は，その旨の原因判決をすることができる。これに対して，自働債権が存在するとの結論に至ったときは，受働債権の数額が確定されない限り，相殺の効果を判断しえないから，裁判所は，相殺の可能性を留保して受働債権の存在について原因判決をすることが許される。

以上は，相殺の抗弁が提出されている場合の取扱いであるが，原因判決の基本となる口頭弁論終結後に相殺の意思表示がなされたときには，たとえすでに受働債権の存在を認める原因判決がなされていても，後に述べる原因判決の拘束力によって相殺の抗弁が遮断されることはない[96)]。

原因判決の効力は，次に述べるように当該審級に限定されるから，第一審で原因判決にもとづいて数額の審理がなされ，請求が認容されても，控訴審において原因が否定され，第一審の数額の審理が無駄になる可能性がある。立法論

---

95)　考え方としては，原因に属するとするもの（大判昭和8・7・4民集12巻1752頁〔百選59事件〕，中野・訴訟関係124頁），相殺の抗弁を排斥することは原因に属するが，これを認めることは受働債権の数額にかかわるので，原因判決において判断を留保するというもの（兼子・判例民訴175頁，小山369頁，新堂666頁，法律実務(5)21頁），属しないとするもの（三ヶ月・全集293頁），自働債権の不存在や相殺適状にないことなど，受働債権の数額に関わりない事項のみが原因に属するとするもの（秋山ほかV 41頁，齋藤344頁，新注釈民訴(4)931頁〔中西正〕）などが分かれている。

96)　法律実務(5)23頁，条解民訴〈2版〉1332頁〔竹下守夫〕，新注釈民訴(4)932頁〔中西正〕参照。これに対して，原因判決の弁論終結前に相殺の意思表示がなされていたにもかかわらず，相殺の抗弁が主張されないままに受働債権の存在を認める原因判決がなされたときには，後の審理において相殺の抗弁を提出することは許されない。既判力の場合の取扱いに合わせたものである。

としては，原因判決に対して独立の上訴を認めることが提案されていたが，現行法では採用されなかった[97]。

エ　中間判決の効力

中間判決は，訴訟物たる権利関係を判断の対象とするものではないので，既判力などの確定判決の効力をもたないが[98]，当該裁判所自身に対する自己拘束力が認められる。したがって，裁判所は，中間判決の主文の判断を前提として終局判決をしなければならない[99]。当事者の側も，中間判決の基本となる口頭弁論終結前に生じていた攻撃防御方法を提出して，中間判決の判断を争うことは許されない。

中間判決に対する独立の上訴は認められず，終局判決に対する上訴中で中間判決の判断を争うことができるにとどまる（283）。もっとも，中間判決の拘束力は上級審に及ばないので，上級審は，中間判決事項について続審として審理をなす。上級審が原審の終局判決のみを取り消して，事件を原審に差し戻したときには，原審は，なお自己のなした中間判決に拘束される[100]。

3　判決の成立

判決は，その内容判断の外界への表示，すなわち言渡しによって成立し，その効力を生じるが，その前提として，まず判決内容の確定および判決書の作成の手続があり，また言渡し後に判決正本の当事者への送達の手続がある。

(1)　判決内容の確定

直接主義の原則にもとづいて，基本となる口頭弁論に関与した裁判官によって構成される裁判所が判決の内容を確定しなければならない（249 I）。裁判所は，訴訟が裁判をするのに熟したと判断するときに弁論を終結し（243 I），判決内容を確定する。したがって，弁論の終結前に裁判官が代わった場合には，

97）　大正15年改正前旧民事訴訟法228条2項では，上訴を認めていた。改正作業の中では，検討事項として掲げられていたが（検討事項補足説明　第七 裁判，判決の確定及び執行停止　三 中間判決について），かえって手続が複雑になり，審理の遅延を招くおそれがあるという理由から採用されなかった。

98）　争点効の考え方をとる論者は，中間判決が維持された形で終局判決が確定したときには，中間判決の判断に争点効が生じるとする（新堂667頁）。

99）　理由中の判断は拘束力をもたない。大判昭和8・12・15法学3巻563頁。

100）　大判大正2・3・26民録19輯141頁〔百選58事件〕。上級審が終局判決と併せて中間判決を取り消すときには，その旨が主文中で宣言される。

弁論の更新手続がとられるし（249 II III），終結後に裁判官が代わった場合には，いまだ裁判所において判決内容が確定されていない限り，弁論再開の上，更新の手続をとる必要がある[101]。ただし，あらかじめ補充裁判官（裁78）が弁論に関与していれば，このような手続をとる必要はない。

判決内容は，単独制の場合には，当該裁判官の判断によって決定されるが，合議制の場合には，合議によって裁判所の判断を形成する必要がある。合議においては，合議体を構成する裁判官の間の口頭による意見の陳述，聴取，討論の過程，すなわち評議を経て，最終的に評決の形で裁判所の意見が決定される。評議は裁判長がこれを開き，整理するが（裁75 II），各裁判官はその意見を陳述する義務を負う（裁76）。評議は公開されず，裁判所法上特別の定めがある場合を除いて，各裁判官の意見やその多少の数も秘密とされる（裁75 I II）。評決は過半数の意見によって決せられる（裁77）。評議および評決を通じて合議の対象は，判決において判断すべきすべての事項に及ぶから，合議は，判決の結論について始めるべきではなく，法律問題，事実問題を問わず，その理由となる事項について個別的に行わなければならない[102]。数額についての評決の方法に関しては，法が特別の規定を設けている（裁77 II ①）。

(2)　判決書の作成

判決内容が確定されると，裁判所は，判決書を作成する。判決の言渡しは，この判決書に判決をした裁判官の署名押印のある原本によってしなければならない（252，民訴規157 I）。判決書は，いかなる裁判所が，いかなる当事者に対して，いかなる事実にもとづいて，いかなる時点を基準時として，どのような事実上および法律上の理由にもとづいて，いかなる結論に到達したかを明らかにするための文書である。

その目的としては，当事者に対して判決の内容を理解させること，確定判決

101）　すでに内容が確定されていれば，その手続の必要はなく，判決書作成前であれば，民事訴訟規則157条2項の手続がとられるし，作成後であれば，新構成の裁判所がその内容を言い渡す。直接主義は，判決の言渡しではなく，内容にかかわるものだからである。最判昭和26・6・29裁判集民4号949頁，法律実務(3)337頁参照。

102）　もっとも，どの程度合議対象事項を細分化するかは，事件の性質に応じた裁判所の判断に委ねざるをえない。法律実務(5)34頁以下，新注釈民訴(4)1064頁〔久保井恵子〕参照。また，評決の具体例については，新注釈民訴(4)1065頁〔久保井恵子〕参照。

の効力の範囲を明らかにすること，上級審の審理の資料を提供し，審査の対象を明らかにすること，ならびに一般国民に対して裁判の内容を明らかにし，併せて具体的事件を通じて法の解釈を示すことなどが挙げられる[103]。しかし，これらの目的を実現するために，特に事実および理由をどのような方式にもとづいて記載するかについては，考え方が分かれる余地があり，旧法下においてもいわゆる新様式判決が広く行われるようになり，253条2項の規定もそのような実務の発展を前提として立法されたものである。以下，判決書の記載事項を個別的に説明する。ただし，簡易裁判所の判決書の記載事項については，簡略化がなされている（280）。

なお，令和4年改正によって電子判決書の制度が設けられ（252（未施行）），判決の言渡しをするときは，最高裁判所規則の定めるところにより，主文等を記録した電磁的記録（電子判決書）を作成しなければならないこととなった。判決の言渡しは，この電子判決書にもとづいて行い（253 I），言渡しをした場合には，最高裁判所規則で定めるところにより，言渡しにかかる電子判決書をファイルに記録しなければならない（同II）。

ただし，254条1項は，被告が口頭弁論において原告の主張を争わない場合などについて，原告の請求を認容するときには，判決原本にもとづかない言渡しを認める。この制度は，調書判決制度とも呼ばれるが，実質的に当事者間に争いのない事件について迅速に判決を言い渡すことを目的としている[104]。この場合には，合議等にもとづく裁判所の判断は，判決言渡期日の調書に記載される（254 II）。この調書は，判決書に代わる調書と呼ばれる。調書判決の記載事項は，判決書と異なって，理由の要旨を記載すればよく，事実を記載する必要はない。令和4年改正が施行されれば，電子判決書にもとづかない判決の言渡し（254 I），電子調書にもとづく判決の言渡し（同II）が認められる。

ア　主　　文

主文（253 I ①）は，請求についての当事者の申立てに対応する，裁判の結論

103）　司法研修所・改訂民事判決書について133頁（1966年），賀集唱「民事判決書の合理化と定型化」実務民訴(2)3頁，4頁，新注釈民訴(4)1078頁〔久保井恵子〕など参照。

104）　改正要綱試案補足説明　第七 裁判，判決の確定及び執行停止　一 判決　1 判決の形式及び言渡しの方式，新注釈民訴(4)1112頁〔久保井恵子〕。類似の制度として，刑事訴訟規則219条，民事保全規則10条がある。

を意味する。主文は，確定判決の効力の基礎となるものであるが，結論のみが簡潔に示されているので，当事者や訴訟物たる権利関係を特定するためには，当事者の表示や理由の説示を総合することが必要になる。主文例として，訴訟判決の場合には，「本件訴えを却下する」，請求棄却判決の場合には，「原告の請求を棄却する」とする。これに対して請求認容判決の場合には，単に原告の請求を認容する旨を宣言するのではなく，訴えの類型に応じて，「被告は原告に対して金○○円を支払え」，「別紙目録記載の土地について原告が所有権を有することを確認する」，「原告と被告とを離婚する」などの主文が用いられる[105)]。なお，一部認容判決の場合には，まず，上の例に即して請求認容部分を記載し，これに引き続いて「原告のその余の請求を棄却する」と判示するのが慣例である。

上に述べた主たる主文のほかに，訴訟費用の裁判（67），仮執行宣言に関する裁判（259），上訴権濫用に対する制裁としての金銭納付命令（303 I II など）などが主文中に記載され，この部分を従たる主文と呼ぶことがある。

イ　事　　実

事実の記載（253 I ②）は，請求を明らかにし，かつ，主文が正当であることを示すのに必要な主張を摘示しなければならない（253 II）。ここでいう事実とは，訴訟物たる権利関係に関連する法律効果の基礎として当事者から主張された主要事実，およびそれに関連する間接事実を意味する。判決は，当事者から主張された事実についての判断を基礎とするので，事実の記載によってその内容を明らかにする趣旨である[106)]。

---

105)　請求認容判決の主文がこのように具体的なのは，主として給付判決の場合の執行の便宜を考慮したものといわれる。畔上英治「民事裁判書」兼子還暦(上)341頁，357頁以下参照。訴えの類型や種類に応じた記載例については，新注釈民訴(4)1086頁〔久保井恵子〕が詳細である。

106)　弁論主義を基礎とすると，裁判所の判断の対象となるのは，当事者から主張された主要事実のみになる。判決事実の記載は，まずこの点を明らかにすることを目的とする。そのほかに，裁判所の判断たる判決理由に先立って事実の記載を要求することは，判断の遺脱を防ぐ意味がある。さらに，続審たる控訴審の審理のために事実の記載は，旧法下の準備手続調書としての意味もあると説かれた。以上について，兼子・研究(2)43頁，新注釈民訴(4)1096頁〔久保井恵子〕。ただし，第3の目的は，現行法の下では修正を受けざるをえない。なお，判決事実は，当事者の弁論の結果の客観的叙述であるから，これを判決に先立って当事者に示しても，判決内容をあらかじめ漏らすことにはならないといわれるが（兼子・研究(2)50頁），正当な指摘である。

事実の記載の方法に関して，いわゆる旧様式の判決書においては，まず原告の請求の趣旨，これに対する被告の請求棄却の答弁を記載し，引き続いて請求原因事実，これに対する被告の認否，被告の抗弁事実，これに対する原告の認否，原告の再抗弁事実，これに対する被告の認否という形で，主張責任の原則にしたがった順序で両当事者の主張を整理する。これによって当事者間の争点が自ずから明確になる。そして，末尾に証拠関係を目録を引用して記載する方法が一般的である[107]。

この方式の下では，当事者の主張が主張責任にしたがって論理的に整理されるので，事実に見落としが生ぜず，裁判所の判断の完璧性が保障されるとの利点がある[108]。他方，問題点としては，全体的な事実関係が法律要件事実にしたがって論理的に細分化されるために，事実関係の全体像が把握しにくい，当事者間の中心的争点が明確にされない，あるいは判決理由が長文化するなどの批判がなされていた[109]。

これに対して新様式判決においては，請求に関する部分についてはほとんど変更はないが，事実に関する部分は，事案の概要として，まず，事案の基本的内容が示され，これに引き続いて当事者間に争いのない事実および付随的争点についての判断事実と，中心的争点とが区別して記載される。そして，理由は，中心的争点に対する判断として示される。

新様式判決の利点としては，事案の基本的内容と争点を裁判所がどのように把握したかを平明に示すことができる，中心的争点に対する判断が丁寧に記述される，判決書の簡素化が図られるなどの点が挙げられる。これに対して問題点としては，当事者の主張事実が裁判所の判断と区別された形で明確にされない，何が中心的争点であるかについて当事者と裁判所との間に認識違いを生じ

107）　司法研修所・前掲書（注103）142頁以下，法律実務(5)66頁，新注釈民訴(4)1097頁〔久保井恵子〕，瀬木449頁。なお，最高裁判所事務総局編・民事判決書の新しい様式について15頁以下（1990年）に，旧様式と新様式の判決書のモデルが対照表示されている。

108）　賀集・前掲論文（注103）4頁以下，西野・前掲書（注64）448頁参照。このことからわかるように，旧様式判決においては，裁判官が当事者の主張を誤りなく整理し，判断する点に重点が置かれている。

109）　鈴木正裕ほか「民事判決書の新しい様式をめぐって」ジュリ958号15頁，20頁以下（1990年）など参照。

るおそれがある，控訴審における原審口頭弁論の結果陳述の方式に問題を生じさせるなどが指摘される[110)]。

旧様式判決と新様式判決とのいずれが判決書の記載様式として優れているかは，判決書作成の目的に即して決められなければならない。当事者の主張を実体法の要件事実と主張責任の原則にしたがって正確に整理しなければならないことは，裁判所の責務としては当然であるが，そのことは，その整理の結果をそのまま判決書上に再現することを要求するものではない。判決主文を導くために裁判所が中心的争点についてどのような証拠資料にもとづいて判断を下したかが，当事者にとってはもっとも重要な問題であり，これを平明に示すことを目的に据えている点で，新様式判決を積極的に評価できる[111)]。問題点としていわれているもののうち，中心的争点の把握は，現行法の下では，争点整理手続における争点の確認として裁判所と当事者が協同して行うことになるから，より円滑に行われることになろう。また，当事者の側としても，主張の内容は，口頭弁論調書にも現れているものであり，この点について旧様式判決の事実摘示に依存する傾向は好ましいものと思われない。

以上のような実務の動向および議論の方向を前提として，253条の考え方は，基本的に新様式判決の基礎にある考え方を採用したものである。同条では，事

---

110)　利点については，最高裁判所事務総局編・前掲書（注 *107*）1頁以下，小林秀之「民事判決書新様式の評価と検討」判タ724号4頁，12頁（1990年），新注釈民訴(4)1081頁，1098頁〔久保井恵子〕，問題点については，鈴木正裕ほか「民事判決書の新様式について」判タ741号4頁，10頁以下（1991年），木川・改正問題240頁，西野・前掲書（注 *64*）463頁など参照。

控訴審における弁論更新の問題点とは，従来は，控訴審審理の開始にあたって当事者が「原判決事実摘示の通り」として原審口頭弁論の結果を陳述することによって，原審においてなされた弁論の内容がすべて控訴審の口頭弁論に上程される形であったが，新様式判決では，事実の記載が事項別に逐一なされないので，このような形をとることはできなくなるというものである。しかし，本文に述べるように，当事者が控訴審における弁論の内容を原判決の事実摘示に全面的に依存すること自体が変則であったといえよう。

111)　摘示を要しない主張の例については，吉川愼一「判決書」理論と実務(下)111頁，134頁以下，江見弘武「判決①」新大系(3)241頁，248頁参照。また，司法研修所民事裁判教官室編・民裁教官室だより(10)4頁（1991年）では，新様式判決の下では，今まで以上に判決書作成以前の審理の段階で要件事実的な整理が重要になると指摘する。

なお，集中審理方式においては，中心的争点を早期に確定し，それについて証拠調べを行った直後に判決が起案されるので，新様式判決に結びつきやすい。新しい審理方法198頁参照。

実および理由の両者を判決書に記載することを要求しているが，旧様式判決のように，両者を形式的にも区別して記載することまでを要求するものではなく，付随的争点についての判断を事案の概要欄に，当事者間に争いのない事実と併せて記載することも許される。また，同条2項の趣旨によれば，事実欄において，旧様式判決のように主張事実を網羅的に列挙することは適切ではなく，当事者に対して主文を正当として示すために必要な中心的争点たる事実を記載すべきである[112)]。

ウ　理　　由

「事実」において当事者の主張事実のうち，裁判所の判断を要する事項が明らかにされる。これを前提として，「理由」（253 I ③）において裁判所は，「主文」の結論を引き出すための事実上および法律上の根拠を記載する。旧様式判決においては，事実欄の記載に対応して，証拠に照らして事実上の判断が逐次示され，これに法律上の判断を加えて理由が構成されるが，新様式判決においては，中心的な争点について事実上・法律上の判断が示される。現行法の下でも，新様式判決が維持されるべきことは，すでに述べたとおりである。新様式判決の中では，旧様式判決と比較すると，理由の記載は一般的には簡潔なものになるが，中心的争点に関しては，むしろ認定事実と証拠との結び付きや重要な証拠の採否の理由などを詳細に記載して[113)]，判決理由についての当事者の理解可能性を高め，無用な上訴を引き起こさないよう，配慮しなければならない。

争点について当事者が提出した証拠については，裁判所が心証を形成する材料となったものと，そうでないものとを区別して示す必要がある。もっとも，自由心証主義の下では，その採否の理由にまで立ち入って理由を記載することは必要ではないというのが一般原則である[114)]。間接事実にもとづく主要事実

112）　要綱試案においては，253条と内容を同じくする甲案と並んで，事実の記載を要求せず，理由の中において争点とこれに対する判断を示すものとする乙案が掲げられていた（第七 裁判，判決の確定及び執行停止　一 判決　3 判決書の記載事項）。これが採用されなかったのは，長年の実務慣行の影響であろう。

113）　最高裁判所事務総局編・前掲書（注107）4頁参照。

114）　最判昭和25・2・28民集4巻2号75頁，最判昭和32・6・11民集11巻6号1030頁など。

の推認についても同様に考えられている。確かに，証人の陳述態度や証言内容の矛盾などの細部にわたって心証形成の理由の記載を要求することは，自由心証主義の趣旨に反するから，上の一般原則は肯定されるべきである。

しかし，経験則上証拠力が高いと考えられる証拠を採用しない場合，または特別な理由からある間接事実にもとづく事実上の推定を否定する場合などにおいては，その理由を示すことが，当事者の立証活動に対する裁判所の適正な評価を示し，裁判に対する信頼を確保する上でも望ましい。判例もおおむねこのような考え方に沿っているものと思われる[115]。証拠の採否や事実上の推定の可否について理由を付すべき場合であるにもかかわらず，これがなされなかったことは，理由不備または理由の食違いとして上告理由となる（312Ⅱ⑥）。

エ　その他の記載事項

その他の記載事項としては，口頭弁論終結の日（253Ⅰ④），当事者および法定代理人（253Ⅰ⑤），裁判所（253Ⅰ⑥）がある。口頭弁論終結の日の記載は，既判力の基準時を明らかにし（115Ⅰ③，民執23Ⅰ③括弧書・35Ⅱ），また判決言渡期限の始期となる（251Ⅰ本文）。当事者の特定は，判決効の主観的範囲を定めるのに不可欠であるので（115Ⅰ①，民執23Ⅰ①），原告，反訴原告，控訴人，附帯控訴人など，訴訟法律関係上の地位を明らかにした上で，その者の氏名および住所が記載される。特定に必要があれば，職業等の記載がされても差し支えない。訴訟担当の場合の本人は当事者ではないが，その者についても判決効が及ぶことを明らかにする必要があるので，たとえば，債務者甲代位債権者乙という表記によって，乙の肩書きとして本人甲を特定する。また，判決効を受けるその他の者，たとえば脱退者（48），補助参加人（46）なども，当事者に準じて表記される。

訴訟上の代理人のうち法定代理人は，訴訟手続上当事者本人に準じる地位にあり，送達もその者に対してなされるので（102Ⅰ），必要的記載事項とされる。

115）　経験則上一般に証明力が高いものとされている書証を排斥するときには，その理由を示さなければならない（最判昭和32・10・31民集11巻10号1779頁）。人証については，証拠方法としての性質上，一般にはそのような必要はないが（最判昭和37・3・23民集16巻3号594頁〔百選ⅡA32事件〕），例外も認められる（最判昭和38・12・17裁判集民70号259頁）。間接事実についても同様である（最判昭和36・8・8民集15巻7号2005頁〔百選〈6版〉109事件〕）。新注釈民訴(4)1102頁〔久保井恵子〕参照。

法人の代表者も同様であり，本人と法定代理人の地位を基礎づける資格（親権者，代表取締役など）を肩書きとして付して表記される。訴訟代理人は必要的記載事項とされていないが，法令による訴訟代理人であると，訴訟委任による訴訟代理人であるとを問わず，その資格を付して記載する実務慣行が確立されている。

裁判所の記載は，受訴裁判所を構成する裁判官が所属する官署としての裁判所を意味する。高等裁判所および地方裁判所の場合には，内部の事務分配のために部が設置されるが（下事規4），便宜のためにこの部まで表記するのが実務慣行である。

オ　裁判官の署名押印

判決書には，判決をした裁判官が署名押印をしなければならない（民訴規157Ⅰ）。判決をした裁判官とは，その基本となる口頭弁論，すなわち最終口頭弁論に関与した裁判官を意味する（249Ⅰ）。弁論終結から署名押印までに生じた支障[116]によってある裁判官が署名押印できなくなったときには，他の裁判官が判決書にその事由を付記して，署名押印しなければならない（民訴規157Ⅱ）。ここでいう支障とは，病気欠勤など，裁判官がその職にありながら署名押印できない場合だけではなく，転任，退官など職を離れたために署名押印できない場合を含む[117]。3名の合議体のうち2名について支障がある場合でも，残りの1名が署名押印すれば差し支えない[118]。

⑶　判決の言渡し

判決は言渡しによってその効力を生じる（250）。言渡しは，254条の場合を除いて，判決書原本に記載された判断を外界に表示する裁判所の訴訟行為である[119]。言渡しは，あらかじめ定められた言渡期日において，公開の法廷で行

116）　弁論終結から評議までに支障が生じれば，弁論再開の手続がとられるのが通常であるので，ここでの支障は，実際上は，合議終了から署名押印までのものに限られる。

117）　大判大正11・5・31新聞2012号21頁。ただし，転任については，反証がない限り転任前の署名押印と推定される（最判昭和25・12・1民集4巻12号651頁）。

118）　大判昭和15・3・9民集19巻373頁。合議体の裁判官全員について支障があるとき，または単独体の裁判官について支障があるときには，一時的な支障であれば，判決原本作成まで言渡しを延期し，永続的なものであれば，裁判官を交代の上，弁論を再開せざるをえない。新注釈民訴(4)1109頁〔久保井恵子〕参照。

119）　訴訟行為の性質としては，事実行為とする説が有力であるが（小山380頁，新堂672

われる（憲82Ⅰ）。言渡期日も広義の口頭弁論期日に含まれる。言渡期日は，口頭弁論終結から2カ月以内に指定されなければならないが，事件が複雑であるなど特別の事情がある場合にはこの限りではない（251Ⅰ）。これは裁判所に対する訓示規定であるので，これに違背しても言渡しが違法になることはない[120)]。ただし，言渡期日の指定がないままに言い渡された場合，または指定された期日と異なる日時に言い渡された場合は，言渡しは違法となる[121)]。

裁判所によって指定された言渡期日の日時は，あらかじめ裁判所書記官から当事者に対して通知される。ただし，すでに口頭弁論終結の期日において当事者に告知された場合，または口頭弁論を経ないで不適法な訴えを却下する場合（140）には，通知を要しない（民訴規156）。この点は，旧法下で考え方の対立があった点を解決したものである[122)]。

期日における言渡しは，当事者の在廷の有無にかかわらず行うことができる（251Ⅱ）。訴訟手続が中断中であっても差し支えない（132Ⅰ）。言渡しは裁判所の行為であるから，受訴裁判所を構成する裁判官が法廷に臨み，裁判長が主文を朗読する方法によってなされる（民訴規155Ⅰ）。加えて，裁判長が相当と認

頁など），法律効果の発生を目的とするものである以上，事実行為とするのは適当ではなく，意思表示に類するものと考える。ただし，既判力など確定判決にもとづく効力は，ここでいう判決効には含まれない。

120)　大判大正7・4・30民録24輯814頁。ただし，旧190条が2週間の期間を定めていたのが実情に即さないとして，2カ月に延長されたものであるから，通常の事件においては，この期間を遵守することが要請される。

121)　大判昭和13・4・20民集17巻739頁。もっとも，その違法を上告理由とするためには，当事者に具体的な不利益が生じたことを要する（大判昭和18・6・1民集22巻426頁，新堂672頁）。

122)　旧法下では，言渡期日についても呼出しの手続が行われ，例外的に当該事件について出頭した者については告知で足りるとしていた（旧154）。しかし，口頭弁論期日において言渡期日が指定された時に当事者が欠席していた場合には，呼出しを要しないとするのが判例であった（最判昭和23・5・18民集2巻5号115頁，最判昭和23・9・30民集2巻10号360頁，最判昭和56・3・20民集35巻2号219頁など）。これに対しては，弁論再開の可能性がある以上，当事者の攻撃防御方法提出の機会を失わせるものであるとの学説からの批判があった。そこで，民事訴訟規則では，方法を通知（民訴規4Ⅰ）に改めるとともに，通知を必要的なものとしたのである（詳細については，秋山ほかⅡ339頁参照）。なお，この規定は，上告審が口頭弁論を経ないで上告を棄却する場合にも適用がある。条解規則325頁参照。

口頭弁論を経ないで却下されうる訴えの具体例については，新注釈民訴(3)242頁〔笠井正俊〕参照。

めるときには，判決の理由が朗読され，または口頭でその要領が告げられる（民訴規155Ⅱ）[123]。ただし，254条にもとづく判決原本によらない言渡しの場合には，裁判長は，主文および理由の要旨を告げる（民訴規155Ⅲ）。言渡期日も口頭弁論期日の一種なので，それについて調書が作成され，言渡しの事実が裁判所書記官によって記載される。

(4) 判決の送達

判決原本は，言渡し後遅滞なく裁判所書記官に交付され，裁判所書記官は，これに言渡しおよび交付の日を付記して，押印しなければならない（民訴規158）。裁判所書記官は，その判決書の正本を当事者に送達する[124]が，254条にもとづく調書判決の場合には，その謄本[125]を送達する（255ⅠⅡ）。この送達は，付記された交付の日または判決言渡しの日から2週間以内になされなければならない（民訴規159Ⅰ）。上訴期間は，当事者が送達を受けた時から進行する（285・313）。

令和4年改正が施行されれば，電子判決書または電子調書の送達は，その内容を記載した書面であって，裁判所書記官が電子判決書または電子調書との内容の同一性を証明したものの送達か，システム送達（109の2）のいずれかの方法による（255）。

第2項　判決の効力

判決は，口頭弁論において当事者から提出された裁判資料にもとづいて裁判

123）実際には，理由の朗読やその要旨の告知が行われることは少ないが，民事裁判に対する国民の信頼を高めるために要旨の告知が必要であり，それを円滑に行うための方策を提言するものとして，須藤典明「民事裁判における判決理由の告知と実践的工夫」春日古稀235頁以下，佐藤・民事控訴審179頁がある。なお，関連するものとして，民事判決情報データベース化の動きがある。民事判決情報データベース化検討会（第4回会議までの概要）「民事判決情報の利活用の可能性に関する有識者ヒアリング等の結果概要」金融法務2207号40頁（2023年）参照。

124）送達を受ける者は，当事者（当事者の地位を有する参加人を含む）のほかに，当事者を補助するために訴訟行為をなした補助参加人も含まれる。しかし，訴訟法律関係上の地位を有しない選定者や，そこから離脱した脱退者には送達されない。秋山ほかⅤ222頁，法律実務(5)54頁，新注釈民訴(4)1118頁〔久保井恵子〕参照。

125）ただし，民事訴訟規則159条2項は，給付判決の場合に債務名義の正本が要求されること（民執25）を考慮して，当事者の便宜のために正本によって送達することを認める。

所が事実上および法律上の判断をなし，成規の手続にしたがって言い渡され，その効力を生じるものであり，したがって，いったん言い渡された以上，理由なく取り消され，または変更されるべきものではない。これを判決の自縛力または自己拘束力と呼ぶ。自縛力は，裁判所の判断全体について生じるので，主文中の判断と理由中の判断とを区別する必要はない。決定および命令についても判決に関する規定が準用されることから（122），自縛力を認めるのが妥当であるが，成立に至るまでの手続の違いを考慮すると，自縛力の内容は判決に比較して緩やかなものにならざるをえない。この点については後に説明する。ただし，判決の場合にも，その表記または内容に明白な誤りがある場合にまで変更の余地を否定するのは，かえって当事者の利益を害する結果となるので，法は，一定の要件の下に判決の更正および変更の可能性を認めている。

自縛力は，判決を言い渡した裁判所自身に対する拘束力を内容とするものであるが，判決が確定した場合には，その判断内容が他の裁判所および当事者，または第三者を拘束する効力を生じる。既判力や形成力がこれにあたる。また，同じく確定判決または仮執行宣言付終局判決の効力として，執行機関に対して判決中の給付命令の強制的実現を求める地位を付与する，執行力が認められる。既判力，形成力，執行力は，いずれも訴訟物たる権利関係にかかわるものであるので，判決主文中の判断について生じる効力である。

1　判決の自縛力

上に述べたとおり，判決には自縛力が認められる。これに対して，決定および命令の中では，訴訟指揮に関する決定および命令は，いつでも取り消すことができるから（120），自縛力は否定される。その他の決定および命令については，移送決定や文書提出命令のように争訟解決的性質をもつものなどに自縛力が認められるが，抗告に際して再度の考案が認められるので（333），その拘束力は弱いといわざるをえない。ただし，判決の自縛性の例外として，以下に述べる判決の更正と変更とがある。

(1)　判決の更正

判決に計算違い，誤記，その他これらに類する明白な誤りがある場合に，裁判所がこの誤りを正す行為を判決の更正と呼ぶ（257）。本来，判決における判断の誤りは，上訴によって除去されるべきものであるが，明白な誤りについてまで上訴を要求することは，いたずらに当事者の負担を増し，また既判力など判決効の範囲が不明確になるなど，裁判に対する信頼を損なう原因となるから，法は，申立てまたは職権にもとづく更正という簡易な方法を認めたものである。誤りは，判決主文中のものでも，また理由中のものでも差し支えない。

なお，判決だけではなく，決定および命令についても更正は許されるし(122)，さらに確定判決と同一の効力を認められる和解調書や調停調書についても，その性質上更正が認められる。

ア　更正の要件

上記の制度の趣旨に照らすと，明白な誤りとは，判決中に示された判断の実質的根拠を再検討しなくとも，判決書の全趣旨，訴訟記録，または一般的経験則などから，判断が一義的に誤りであると断定できる場合を指す。書き損じ，書き誤りなどの表現上の誤謬は，判決書中に示されている実質的判断と，その結果たる表記が食い違っている場合であるから，明白な誤りといえる。これに対して，計算違いは，表現の誤りではなく，むしろ判断の誤りに属するものであるが，判決書に示された計算の根拠に一般的経験則を適用すれば，容易に誤りが発見される性質のものであるから，やはり明白な誤りに属する。当事者が目的物件の表記を誤ったために判決もそれを誤った場合のように，誤りが裁判所の過失によらず，当事者に起因するときも，そのことが判決書や訴訟記録から明らかな以上，明白な誤りと認めうる[126)]。

イ　更正の手続

更正は，判決言渡し後何時でも可能である。すでに上訴が提起されていても，

126)　判例は，大決大正13・8・2民集3巻459頁，最判昭和30・9・29民集9巻10号1484頁，最判昭和43・2・23民集22巻2号296頁，最決平成28・6・10実情847頁。これに対して，更正によって法律関係の同一性が失われることを理由として，更正が許されないとした判例として，最判昭和42・7・21民集21巻6号1615頁があり，損害賠償額計算の誤りが証拠の採否の問題であって，計算違いにあたらないとして更正申立てを却下した原決定を是認した最決平成12・10・13実情37頁がある。また，判決書において更正の結果たる計算過程が示されていないことを理由として更正を違法とした裁判例として，東京地決平成23・12・28判時2142号46頁がある。死者を当事者とする判決の表示を相続人に更正する可能性については，本書124頁，新注釈民訴(4)1135頁〔松原弘信〕参照。

また，決定および命令への準用（122）や確定判決と同一の効力を認められる調書などの例については，新注釈民訴(4)1131頁〔松原弘信〕参照。

または判決確定後でも許される。裁判所が職権によって更正をなすこともできるし，また当事者にも申立権が認められている。更正決定の権限をもつのは，その対象となる判決をなした裁判所であるのが原則である。裁判官の構成が変わった後でも差し支えない。また，事件が上訴審に係属するときには，上訴審裁判所が更正決定をすることもできる[127]。

更正の判断は，決定の方式でなされる。決定は，判決書の原本および正本に付記されるが，裁判所は，相当と認めるときには，付記に代えて決定書を作成し，その正本を当事者に送達することができる（民訴規160 I）[128]。ただし，上級審が更正をなす場合には，その判決理由中で理由を示して，主文中で更正を行うことも許される[129]。

更正決定に対しては，即時抗告の方法によって不服を申し立てることが許される（257 II本文）。しかし，判決に対して適法な控訴が提起されているときには，控訴審において更正決定に対する不服を主張させれば足りるから，即時抗告は認められない（257 II但書）。また，更正申立てを不適法として却下した裁判に対しては，即時抗告が許されるが（328 I。257 III本文（未施行）），申立てを理由なしとして却下した決定に対しては，即時抗告を許さないのが判例・多数説である。しかし，明白な誤りに該当するかどうかについては考え方が分かれる余地があるし，前記のように上級審が更正決定をする権限を認められることを考慮すると，即時抗告を認めるのが合理的である[130]。

127）　最判昭和32・7・2民集11巻7号1186頁。秋山ほかV 234頁，条解民訴〈2版〉1416頁〔竹下守夫＝上原敏夫〕，新堂676頁，中野ほか・講義478頁，新注釈民訴(4) 1130頁〔松原弘信〕など。この考え方によれば，原裁判所も上級審もともに更正権限を認められることになるが，実際には，記録の存する裁判所が更正決定をすることになろう。しかし，更正の権限は，現在または過去における当該事件の係属を前提とするから，関連事件の関係で記録が他の裁判所にあったとしても，その裁判所は更正の権限を認められない。最決昭和35・12・9民集14巻14号3268頁〔百選67事件〕。

128）　旧194条2項は，すでに判決正本を当事者に送達済みであるなど，判決正本に付記できない場合に限って，決定正本の作成・送達を認めていたが，実務では，決定正本の作成が通例になっていたところから，民事訴訟規則160条1項のような形に改められたものである。

129）　前掲最判昭和32・7・2（注*127*）。

130）　即時抗告を否定する判例（大決昭和13・11・19民集17巻2238頁）や学説（兼子329頁，新堂677頁，条解民訴〈2版〉1417頁〔竹下守夫＝上原敏夫〕など）は，判決をした裁判所自身が明白な誤りを否定した以上，上級審が更正を強いることは合理的ではないとする。しかし，誤りの有無について判断が分かれる可能性があり，また，和解および

更正決定は，判決の内容を変更するものではなく，すでに客観的に明らかになっている誤りを正すにすぎないものであるから，その効果は遡及し，当初から更正された判決が言い渡されたものとみなされる。したがって，上訴期間の起算点も更正によって影響を受けない[131]。

(2) 判決の変更

判決を言い渡した裁判所は，その判断が法令に違背していることを発見したときに，それを変更する判決をなすことができる（256 I）。これを変更判決と呼ぶ。変更判決も，更正決定と同様に判決の自縛力の例外をなすものであるが，その理由が判断の法令違背である点が特徴である。法令違背は，本来は上訴によって是正されるべきものであるが，原審が審理を再開することなくその瑕疵を是正できる場合には，これを認めるのが当事者の利益に合致し，かつ，上訴審の負担軽減にもつながるとの理由から設けられた制度である[132]。なお，変更判決の規定は，決定，命令の裁判にも準用される（122）。

ア　変更判決の要件

第1に，判決に法令違反があり，かつ，それが判決の結論，すなわち主文の内容に影響する場合に限られる。法令違反に限定されるのは，変更判決の制度の基礎に，法令の適用解釈は裁判所の専権に委ねられるとの原則があるためである。したがって，事実認定の誤りは，除外される。また，変更判決は，当事者の不利益の救済を第一義としているから，判決の結論に影響のない理由中の判断のみにかかわる法令違反は，変更の理由とならない。

第2に，判決言渡し後1週間以内でなければならない。当事者の上訴権や判決の執行力などとの関係で，法的安定性が害されるのを防ぐ趣旨である。ただし，この期間内であっても，判決が確定したときには，変更判決は許されない。更正と異なって，変更判決は判断内容の実質的変更を意味し，確定後もこれを

調停調書の場合には，即時抗告以外の不服申立方法がないことを考えると，本文のような考え方をとらざるをえない（秋山ほかV 236頁，斎藤ほか(4)489頁〔小室直人＝渡部吉隆＝斎藤秀夫〕）。

131）大判昭和9・11・20新聞3786号12頁。ただし，更正の内容によっては，上訴の追完（97 I）が許される。秋山ほかV 236頁参照。

132）小室直人「変更判決に関する研究(1)」民商26巻2号77頁，81頁（1950年），斎藤ほか(4)474頁〔小室直人＝渡部吉隆＝斎藤秀夫〕，新注釈民訴(4)1120頁〔松原弘信〕参照。

認めることは，法的安定性を害するからである。上告審の判決や，上訴権の放棄または不上訴の合意がなされた場合がこれにあたる。

第3に，変更をするために口頭弁論を開く必要がない場合でなければならない（256 I 但書 II）。口頭弁論を開いて当事者に新たな攻撃防御方法の提出を求めなければならないような事案は，変更判決制度の趣旨に適合しないからである。

イ　変更判決の手続

変更判決は，変更の対象となる判決を言い渡した裁判所[133]がその職権にもとづいてなす。当事者には申立権は認められず，かりに申立てがなされても，職権の発動を促す意味をもつにすぎない。変更をなすについて口頭弁論は開かれないが，変更の判断はかならず判決の形式でなされる。したがって，裁判所は，言渡期日を指定して，前の判決言渡しから1週間以内に変更判決を言い渡さなければならないから，法は，呼出状の送達について特則を置き（256 III），呼出状を発した時に送達の効力が生じるとしている[134]。なお，令和4年改正256条3項（未施行）は，電子呼出状（94 I ① II）による判決言渡期日の呼出しと送達の効力発生時を規定する。

ウ　変更判決の効力

変更判決の言渡しによって，前の判決は変更部分の限度でその効力を失う[135]。したがって，変更部分に関する変更判決とそれ以外の部分に関する前の判決とが法律上1個の判決とみなされ，判決効を生じる。いまだ前の判決が送達されていないときには，両者が1個の書類として送達される。変更判決が追加的に送達されたときには，上訴期間は，その送達の時から起算される。た

133）　裁判官は，変更される判決の基本となる口頭弁論に関与した者でなければならない。したがって，言渡し後に裁判官の更迭があるときには，結果として変更判決は不可能になる。斎藤ほか(4)476頁〔小室直人＝渡部吉隆＝斎藤秀夫〕，新注釈民訴(4)1125頁〔松原弘信〕参照。

134）　効力発生については，付郵便送達（107 III）と同様である。なお，公示送達の場合が除外されているのは，112条・110条3項の規定によって，掲示を始めた日の翌日に送達の効力が生じるためである。新注釈民訴(4)1126頁〔松原弘信〕。

135）　変更判決の確定を必要としない。この意味で変更判決の効力は形成力と区別される。斎藤ほか(4)477頁〔小室直人＝渡部吉隆＝斎藤秀夫〕，条解民訴〈2版〉1413頁〔竹下守夫＝上原敏夫〕，秋山ほかV 227頁，新注釈民訴(4)1127頁〔松原弘信〕。詳細については，法律実務(5)131頁以下参照。

だし，上訴の対象は，上に述べたとおり，法律上1個の判決である。したがって，すでに前の判決に対して上訴が提起されているときには，その上訴は，変更判決に対する上訴としての効力も有する。もっとも，変更の内容によっては，上訴の理由を変更する必要が生じることがあるし，変更の結果として上訴の利益が失われれば，上訴が却下されることもある。

(3)　判決の確定

通常の不服申立方法，すなわち上訴による取消可能性が消滅した状態を判決の確定と呼ぶ。確定は，取消可能性の消滅という訴訟法上の法律効果とみなされるが，これを形式的確定力とも呼ぶ。形式的確定力は，自縛力とともに，当該訴訟手続内で働く効果であり，その点で，既判力などと区別されるが，判決を言い渡した裁判所だけではなく，審級を通じた効果である点で，自縛力とも区別される。ただし，既判力などは確定判決の効力とされているので，形式的確定力を前提とする関係にある。

ア　判決の確定時期

不服申立てが許されない判決は，言渡しと同時に確定する。上告審の判決，手形訴訟によることができないとの理由で訴えを却下する判決（355 I・356・357）などがこれに属する。不上訴の合意がなされたときも同様である[136)]。中間判決は，終局判決に対する上訴の方法で不服申立てが認められるから，これには属さない。これに対して，不服申立てが許される判決は，以下のような時期に確定する。なお，一部認容判決のように両当事者が不服申立権を認められているときには，以下に述べる期間の徒過や不服申立権の放棄は，それぞれの当事者について判断される。

(a)　不服申立期間の徒過　　上訴期間（285・313）や異議申立期間（357・378 I）内に不服申立てがなされなかったときには，期間の経過とともに判決が確定する（116 I）。いったん上訴がなされても，それが取り下げられたり，却下されたりした場合には，上訴行為がはじめからなかったものとなるから，同様に期間の経過によって判決が確定する。

(b)　不服申立権の放棄　　当事者が上訴権や異議申立権を放棄したときには

---

136)　ただし，判決言渡し後に合意がなされたときには，合意の時に判決が確定する。

(284・313・358・378Ⅱ)，放棄の時に判決が確定する。

(c)　不服申立棄却判決の確定　　不服申立期間内に適法な不服申立てがなされると，原判決の確定は遮断され（116Ⅱ），上訴などを棄却する判決が確定するとともに，原判決も確定する。

イ　判決の確定範囲

数個の請求について1個の判決がなされ，一部の請求についてのみ不服申立てがなされたときでも，確定遮断効は判決全体について生じる。これを上訴不可分の原則と呼ぶ。したがって，判決の確定も数個の請求について同時に生じることになる[137]。数個の請求の一部について勝訴，一部について敗訴した原告が上訴した場合，1個の請求の請求額の一部のみを認容した判決に対して原告が上訴した場合も，同様に判決全体の確定が遮断される[138]。しかし，例外的な場合には，判決の一部のみが確定することがありうる（民訴規48Ⅱ参照）。たとえば，通常共同訴訟における判決は，各共同訴訟人に対する関係では1個のものであるが，共同訴訟人独立の原則（39）によって，一部の共同訴訟人のみが上訴をなしたときには，他の共同訴訟人に対する判決の部分は確定する。また，1個の請求についての一部認容判決について，一部敗訴者が附帯上訴権を放棄したときにも，一部についてのみ判決が確定する[139]。

ウ　判決の確定証明

既判力や形成力などの判決の効力は，確定によってはじめて生じるものであり，執行力も原則として確定にともなって生じる。したがって，当事者が確定判決の効力にもとづいて公の機関に一定の行為を要求する場合には，判決確定の事実を証明することを要する[140]。しかし，確定の事実は，判決原本や正本

137）　本訴と反訴について1個の判決がなされたときには，本訴部分の判決に対する控訴によって，反訴部分の判決の確定も遮断される。前掲大判昭和6・3・31（注*86*）。

138）　前者の場合について，前掲大判昭和7・1・16（注*86*），後者について，大判昭和15・1・18新聞4528号9頁。

139）　金銭請求について一部認容判決がなされ，原告がその敗訴部分について控訴する一方，被告がその敗訴部分について控訴しない場合であっても，被告の附帯控訴の余地が残されているから，被告敗訴部分も確定しない。しかし，附帯控訴権の放棄がなされれば確定するというのが，その趣旨である。前掲大判昭和7・1・16（注*86*）。

140）　戸籍の届出（戸63・68の2・73Ⅰ・75・77Ⅰなど），登記申請（民執177Ⅰ，不登63Ⅰ），配当の実施（民執92Ⅰ，破130，民再110，会更160）などがこれにあたる。当事者が，訴訟において既判力の抗弁を提出するときにも，それを基礎づけるものとして確定証

からは明らかにならないので，別個の手続によってその事実を証明しなければならない。

第一審裁判所の裁判所書記官は，当事者または利害関係を疎明した第三者の請求により，訴訟記録を調査して，判決確定証明書を交付する（民訴規48Ⅰ）。ここでいう第三者とは，115条の規定によって判決の効力を受ける者などを指す。上訴審で訴訟が完結したときにも，訴訟記録は第一審裁判所で保存されるから（民訴規185・186），第一審裁判所の裁判所書記官が確定証明書を交付する[141]。なお，裁判所書記官が交付を拒絶したときには，申請人は，その裁判所書記官が所属する裁判所に対して異議の申立てをなすことができ（121），異議却下決定に対しては，さらに抗告が認められる（328Ⅰ）。

2　判決の無効

憲法76条や裁判所法の諸規定を総合して考えると，判決とみなされるための本質的要素として以下のものが挙げられる。すなわち，裁判官によって構成される裁判所の判断であること，公開法廷において言い渡されたものであること，および当事者の申立てにもとづいていることなどである。したがって，いわゆる非判決と呼ばれるもの，たとえば，裁判官以外の裁判所職員が作成した判決書，言渡しを経ていない判決書，または教材として作成された判決書などは，いずれも判決とみなされない[142]。これとは逆に，受訴裁判所によって法廷で言い渡された判決は，たとえその審理手続に瑕疵があったとしても，上訴や再審などの手段によって取り消されない限り，有効なものとして取り扱われる。

明が要求される。ただし，強制執行の申立ては執行正本によってなすことができるので（民執25），確定証明は要求されない。

141）　なお旧法の下では，控訴状を控訴裁判所に提出する余地が認められていたことから，控訴裁判所書記官が不変期間徒過証明書を当事者に交付し（旧499Ⅲ），第一審裁判所書記官がこれにもとづいて確定証明書を交付することが認められていたが（詳細については，法律実務(5)151頁，斎藤ほか(11)191頁〔西村宏一＝鈴木信幸〕参照），現行法では，常に控訴状を第一審裁判所に提出せしめることとされたので，この問題は消滅した。

142）　したがって，非判決に対する救済として上訴を認める必要もないが（大判明治37・6・6民録10輯812頁），現実には言渡しがなされていないにもかかわらず，判決原本に言渡しの記載があり，かつ，正本が当事者に送達されている場合には，執行の危険を除去するために，手続に瑕疵ある判決に準じて上訴を認めるべきである（大阪高判昭和33・12・9下民9巻12号2412頁）。

以上と区別されるものとして，一定の事由がある場合には，既判力，執行力，形成力など，訴訟物に関する判断にもとづく判決の効力が否定される場合がある。このような判決であっても，自縛力が認められ，またそれが確定すれば訴訟が終了するから，絶対的に無効な判決ということはできない。しかし，既判力などの判決内容にもとづく効力が生じないという意味で，この種の判決を無効な判決と呼んでいる。無効な判決も当該訴訟関係上裁判所および当事者を拘束するから，当事者は上訴の方法によってその取消しを求めることができる。ただし，既判力が存在しないから，当事者は，再審の訴えを提起する必要はなく，既判力に妨げられずに従前の訴訟物に関して新訴を提起することができる[143)]。

判決の無効事由としては，以下のようなものが挙げられる。第1は，すでに訴えの取下げなどによって訴訟係属が消滅したにもかかわらず，裁判所がそれを看過してなした判決である[144)]。第2は，裁判権に服しない者を当事者とする判決である。裁判権に服しない以上，その者に対して判決効を及ぼすことはできないからである。第3は，実在しない者を当事者とする判決である。名宛人たる者が存在しない以上，判決効を及ぼす余地がないからである[145)]。第4に，当事者適格に関して，固有必要的共同訴訟人たるべき者の一部のみを当事者とする判決は，合一確定の要請に照らして無効とされる[146)]。第5に，対象となる権利関係を欠く形成判決がある。たとえば，すでに離婚が成立しているにもかかわらずなされた離婚判決が挙げられる[147)]。第6に，既判力の面からみて，判決主文が不明確で，確定されるべき権利関係が定められない場合があ

143)　ただし，判決の無効確認の訴えは，権利関係を確認の対象とするものではないので，訴えの利益が否定される（最判昭和40・2・26民集19巻1号166頁）。

144)　当初から訴訟係属が存在しないのであれば，前記のとおり非判決とみなされる。ただし，大判大正14・6・4民集4巻317頁は，訴え取下げ後の判決も当然には無効でないとする。いずれにしても，上訴は適法である。秋山ほかⅥ16頁。

145)　大判昭和16・3・15民集20巻191頁。当事者の不存在と当事者能力の欠缺とは区別される。不存在は，あくまで事実判断の問題であるのに対して，当事者能力の欠缺は，28条・29条の解釈問題である。しかし，判決が当事者能力についての判断を誤ったと認められる場合に，なお既判力などの判決効を肯定することはできないから，結局その判決は無効なものとして扱われる。

146)　養子縁組無効確認の訴えについて，大判昭和14・8・10民集18巻804頁。

147)　詐害行為取消訴訟を形成訴訟とした場合について，大判大正11・6・22民集1巻343頁がある。

る[148]。第7に，判決によって確認され，または形成される権利関係が強行法規や公序良俗に反する場合である。法律上認められない物権を確認するとか，賭金の支払を命ずるなどの判決がこれにあたる。これに対して，目的物の滅失などの理由によって給付判決の執行が事実上不可能であることは，判決の効力に影響をもたない。このほか，いわゆる氏名冒用訴訟などに代表される確定判決の騙取について判決の無効が主張されることがあるが，再審による救済に委ねるべきである。

3　裁判の羈束力

判決などの判断内容が，種々の訴訟政策的理由から上下の審級を通じて他の裁判所を拘束することが認められており，これらを総称して，羈束力と呼ぶ。これに属するものとして第1に，事実審の事実認定の法律審に対する拘束力（321 I）がある。これは，上告審を法律審として機能させるためのものである。第2に，上級審の判決の中で原判決の取消しまたは破棄の理由となった判断が，差戻しまたは移送を受けた下級審を拘束する（裁4，民訴325 III）。これは，審級制度の機能を確保するためのものである。第3に，移送の裁判は移送を受けた裁判所を拘束する（22 I）。これは管轄についての争いを迅速に解決するためのものである。

4　確定判決の変更を求める訴え

117条1項は，定期金賠償を命じた確定判決について，後遺障害の程度など，口頭弁論終結後に損害額の算定の基礎となった事情に著しい変更が生じたことを理由として，当事者が確定判決の変更を求める訴えを提起することを認める。この訴えは，第一審裁判所の専属管轄に属する（117 II）。この訴えの訴状には，変更を求める確定判決の写しを添付しなければならない（民訴規49）。

(1)　訴えの目的および性質

身体傷害にもとづく損害賠償に典型的にみられるように，加害行為自体は過去の一回的事実であれば，それにもとづく損害賠償請求権も加害と同時に発生する1個のものとみなされるが，実際の損害は長期間にわたって顕在化する場合がある。この場合の損害賠償の方式として，実体法上は，将来顕在化すべき

148）　最判昭和32・7・30民集11巻7号1424頁。

損害を口頭弁論終結時において評価し，一時金としてその賠償を命じる方式と，顕在化する時期に応じて，定期金としてその賠償を命じる方式とが考えられる。いずれの場合であっても，後遺障害が予測されたものと大きく異なったり，また賃金水準など，損害賠償額算定の基礎たる事情に著しい変化が生じることが考えられる。しかし，このような場合に，原告から賠償額の増額，被告からその減額を求めようとしても，口頭弁論終結時を基準時として一時金または定期金賠償請求権の内容が既判力によって確定されている以上，請求を認めることはできないはずである。

しかし，定期金賠償方式の趣旨が損害の顕在化する時期に合わせて適切な金額の賠償を与えることにあることを考えると，著しい事情の変更が生じて，定期金額を維持することが不相当となった場合には，既判力による拘束を解除し，新たに合理的な定期金額の賠償を認めるのが相当である。立法者が特に定期金賠償を命じる確定判決に限って変更の訴えを認めたのは，このような理由による[149]。

確定判決の変更を求める訴えとしての性質は，その基礎として既判力の遮断効を消滅させる訴訟法上の形成訴訟があり，さらに原告による増額請求の場合には，追加的給付訴訟，被告による減額請求の場合には，原判決の内容変更にもとづく判決効の一部消滅を目的とする形成訴訟の部分が付加される。すなわち，口頭弁論終結後に著しい事情の変更が生じると，実体法上定期金額は変動するはずであるが，既判力の遮断効によって当事者がそれを主張することは妨

149)　一問一答130頁参照。一時金給付の場合に同様な問題が生じれば，判例の考え方では一部請求の理論を適用することになるし（最判昭和42・7・18民集21巻6号1559頁〔百選〈6版〉77事件〕），本書の考え方では，時的限界説による処理がなされる。定期金賠償自体については，池田・新世代74頁以下，三木浩一「後遺障害逸失利益と定期金賠償」加藤哲夫古稀161頁以下参照。なお，原告が一時金賠償を求めているにもかかわらず定期金賠償を命じることは，処分権主義違反の問題を生じる。最判昭和62・2・6判時1232号100頁〔百選〈6版〉A22事件〕，福岡高判平成23・12・22判時2151号31頁。実質的には，将来の定期金給付の履行確実性の問題がある（275の2I参照）。

なお，一時金賠償請求権と定期金賠償請求権が実体法上区別されること，前者から後者または後者から前者への転換については，形成権の行使などによる選択が必要であるとの前提に立ち，処分権主義との関係を論じるものとして，山本克己「定期金賠償と民事訴訟法二四六条」伊藤古稀653頁，667頁以下がある。これに対し，東京高判平成25・3・14判タ1392号203頁は，原告が一時金賠償を求めている場合に定期金賠償を命ずる判決をしても，損害金の支払方法の違いにとどまるから，処分権主義に反しないとする。

げられる。そこで当事者は，まずこの訴えによって既判力を消滅させ，それに付加する形で原告または被告の立場に応じて必要な請求を定立する[150]。

(2)　変更の要件および範囲

確定判決の変更を求める訴えが認容されるためには，後遺障害の程度など定期金算定の基礎となった事情について，口頭弁論終結後に著しい変更が生じる必要がある（117 I）。口頭弁論終結後の事情であっても，予測にもとづいて確定判決における定期金賠償請求権の算定の基礎とされているものであるから[151]，本来は既判力によって遮断されるべきものであるが，それについて著しい変更が生じた場合に限って既判力を消滅させる趣旨である。著しいとは，前訴判決裁判所の合理的予測を超えるような程度である必要はなく，その定期金額を維持することが当事者間の公平からみて不相当と判断される程度のもので足りる[152]。

変更の対象となる定期金は，この訴え提起の日以後に支払期限が到来する部分に限られる。どの時点を基準として既判力の遮断効を消滅させるかは立法政策の問題であるが，法的安定性などを考慮して，訴え提起日が基準とされたものである[153]。

150）　したがって，請求の趣旨およびこれに対応する請求認容の判決主文は，以下のようになる。原告の場合には，まず「前訴判決を次の通り変更する」との形成宣言，それに引き続いて，「前訴判決において命じられた給付に加え，さらに○○年○月に至るまで毎月月末限り金○○円を支払え」との追加的給付命令が掲げられる。被告の場合には，基本的形成宣言に加えて，「前訴判決における定期金のうち，金○○円を超える支払いを命じる部分を取り消す」との判決効の内容を変更する形成宣言がなされる。いずれの場合でも，変更の対象となっていない部分については，前訴判決の債務名義性は残る。その他，仮執行宣言などの詳細については，研究会128頁以下参照。

最判令和2・7・9民集74巻4号1204頁〔百選〈6版〉A25事件〕は，不法行為（交通事故）の被害者による逸失利益（労働能力全部喪失）にもとづく損害賠償請求が就労可能期間を基準とした定期金賠償の方式に適するものと認めた上で，就労可能期間内の死亡のような事実によって判決によって確定した定期金請求権と現実化した損害の額との間にかい離が生じたときには，117条の訴えによって是正を図る可能性を説示している。

151）　算定の基礎となった事情は，明示的でなくとも判決の理由となっているものでなければならない。研究会120頁以下参照。

152）　考え方として，最判昭和37・5・24民集16巻5号1157頁，東京地判平成8・12・10判時1589号81頁参照。

153）　研究会123頁参照。

(3) 117条の類推適用

本条は，口頭弁論終結前に生じた損害についての定期金給付判決を対象とするものであり，将来発生すべき損害について定期的支払を命じる判決について適用を予定されているものではない。したがって，後者の場合に，口頭弁論終結後の事情の変更によって給付額が不相当となれば，当事者は別訴として，追加請求や請求異議の訴えを提起することになる[154]。しかし，現在の給付の訴えとしての定期金給付請求と将来の給付の訴えとの違いはあるが，いずれの場合であっても口頭弁論終結後の事情の変更によって金額が不相当になる点では共通性が認められ，本条の類推適用が考えられる[155]。

第3項　既　判　力

民事上の紛争は，訴訟物たる私人間の権利関係の存否および内容にかかわるものである。したがって，その解決を目的とする終局判決が確定した場合には，判決の形式が給付判決であれ，確認判決であれ，または形成判決であれ，もはや両当事者が終局判決中の訴訟物に関する判断を争うことは許されず，他の裁判所もその判断に拘束されなければならない。訴訟物に関する確定判決中の判断のこのような通用力または拘束力を既判力と呼ぶ。既判力は，判断内容の拘束力であるという意味で，実質的確定力とも呼ばれる。同じく判決の拘束力であっても，自縛力が判決裁判所自身に対する拘束力である点で，また羈束力が同一事件についての訴訟手続内の拘束力である点で，いずれも既判力と区別される。

1　既判力の根拠・性質・作用

法は，114条などの規定によって既判力を実定法上の概念として定めているが，その目的・根拠，性質，および作用の形態については，古くから議論がある。3つの問題についての議論は相互に関連するものではあるが，以下目的・

154）一部請求の理論による別訴を認めたものとして，最判昭和61・7・17民集40巻5号941頁〔百選〈6版〉78事件〕がある。

155）研究会115頁。理論的には，将来の給付の訴えの既判力にかかわる。なお，関連するものとして，定期金賠償を定める和解調書・認諾調書について117条の類推適用が認められるかという点がある。研究会117頁以下，雛形要松＝増森珠美「定期金による賠償を命じた確定判決の変更を求める訴え」新大系(2)3頁，17頁以下参照。

根拠，性質，作用の順に説明する。

(1)　既判力の目的・根拠

受訴裁判所は，訴えをもって審判を求められた訴訟物たる権利について，確定された事実に法を適用して判断を行うべきものであるが，他の裁判所によってなされた確定判決の既判力による拘束力を認めることは，受訴裁判所が負うこの責任を制限する意義をもつ。なぜ，このような意義をもつ既判力概念を認める必要があるかを説明しようとするのが，既判力の目的に関する議論であり，当事者の裁判を受ける権利に照らしたときに，このような効力が正当化されるかを説明しようとするのが，既判力の根拠に関する議論である[156]。

ある権利関係の争いについての裁判所の判断が判決の形で確定したときに，他の裁判所もその判断を尊重し，これと矛盾・抵触する判断を避けるべきことは，民事裁判が国家の統一的な紛争解決制度として設けられている以上，内在的要請といってよい。同時に当事者をはじめとする利害関係人の立場からしても，紛争解決基準たる裁判所の判断の安定性が望まれる。従来の議論の中で，一事不再理や紛争解決の一回性が既判力の根拠として説かれるときには，上記のような既判力概念の目的をいうものと理解される[157]。

しかし，憲法上保障されている裁判を受ける権利の内容を考えれば，受訴裁判所が確定判決の拘束力を受け，その結果として，当事者が裁判所の判断形成のための裁判資料提出の機会を制限されることは，憲法の理念に反する。そこで，既判力の根拠として手続保障の理念が援用される。すなわち，当事者は，すでに前訴において特定の権利関係に関して裁判資料提出の機会を与えられ，その結果として一定の判断が確定した以上，後訴においてもその判断の拘束力によって裁判資料提出の機会が制限されてもやむをえないというものである。しかし，具体的な拘束力の範囲は，当事者がいかなる点について手続保障を与えられたかによって左右されざるをえない。この点に関して，既判力の時的限界，客観的範囲，および主観的範囲に関する議論がある。

---

156)　条解民訴〈2版〉512頁以下〔竹下守夫〕参照。また，小山387頁が，既判力の根拠と条件とされているところは，ここでいう目的と根拠にほぼ対応する。

157)　三ヶ月・全集19頁，齋藤370頁，斎藤ほか(5)112頁以下〔斎藤秀夫＝渡部吉隆＝小室直人〕。

しかし，表現の違いは別として，既判力の目的として紛争解決基準の安定を挙げ，かつ，その根拠として当事者に対する手続保障を挙げる考え方は，現在では多数を占めているといってよい[158]。本書もこれに属する。

さらに別の考え方として，前訴において行われた攻撃防御の結果，互いに相手方に対する責任として両当事者が後訴において一定の攻撃防御方法の提出を制限されることがあり，この当事者の自己責任を集約するものが既判力であるとする論議がある。この説においては，当事者の自己責任を問うことが既判力の目的となるから，その正当化根拠は，前訴における当事者の攻撃防御方法の態様にほかならないことになる[159]。しかし，前訴における具体的な攻防についての自己責任を基準として拘束力の範囲を考えることは，拘束力の範囲についての一義的基準の定立を不可能にし，ひいては，当事者の攻防の目標そのものを崩壊させる[160]。また，判決は単なる当事者の行為の集積の結果ではなく，訴訟物に凝縮される裁判所の主体的判断の表現であることを考えれば，その判断とかかわりなく当事者の自己責任を問うことは，民事裁判の意義そのものを見失わせることとなろう。このような理由から，この考え方に賛成することはできない。

(2)　既判力の性質

既判力の性質は，既判力本質論として古くから議論されてきたものである。既判力をもって確定された権利関係の存否および内容が後訴裁判所を拘束する

158)　新堂687頁以下，上田483頁，中野ほか・講義496頁，高橋(上)589頁以下，松本＝上野611頁以下，小島636頁など。この考え方は，二元説などと呼ばれることがあるが，既判力の目的と拘束力の正当化根拠を並列するものではない。

159)　攻撃防御方法の態様，すなわち手続そのものが既判力の根拠となる点から，この考え方は手続効説または提出責任効説などとも呼ばれる。また，この説を主唱する論者は，自らを第三の波学派と呼称する。水谷暢「後訴における審理拒否」民訴雑誌26号59頁，79頁（1980年），井上正三「既判力の客観的限界」講座民訴⑥317頁，329頁，井上治典・民事手続論54頁（1993年）など。

160)　この考え方に同調する吉村徳重「判決の遮断効と争点効の交錯」新実務民訴(2)355頁，373頁では，提出責任は，当事者間の実体的生活関係を規律する規範，たとえば実体私法法規を基準として決定されるというが，私人間の権利関係を規律する実体法規範と，納税者の負担において運営されている民事裁判制度における裁判所と当事者との間の訴訟法律関係を規律する手続法規範とが当然に重なり合うものとは考えられない。

また，論者のいう提出責任の下では，攻撃防御方法の目標そのものが不明確になることについて，新堂・争点効(下)296頁以下参照。

こと自体は広く認められるところであるが，どのような法律上の性質にもとづいてそのような効果が認められるかを説明しようとするのが，議論の目的である。一般に実体法説と呼ばれる考え方は，確定判決を実体法上の法律要件事実の一種として扱い，判決にもとづいて実体権利関係が変更される以上，当事者はもちろん，後訴裁判所もこれを基準として判断せざるをえなくなるという161)。これに対して訴訟法説は，既判力を前述の目的と正当化根拠の下に認められた，後訴裁判所に対する前訴判決の訴訟法上の拘束力として把握する。もちろん，その拘束力の反射的効果として，当事者も前訴判決の判断を前提として既判力の基準時後の実体的法律関係を形成せざるをえないが162)，既判力の本体は，訴訟法上の拘束力とする。

後に述べる形成力や判決の法律要件的効力の場合は別として，実体法と手続法とを峻別している現行法体系の下では，既判力によって実体権利関係そのものが変更されたり，実在化されるとする実体法説を受け入れることはできない。また，既判力の主観的範囲が限定されていることや，訴訟判決にも既判力が認められることとも実体法説は調和しない。訴訟法説に対しては，実体法が裁判規範とされることと矛盾するとの批判がなされるが，裁判の基準が実体法規範であることと，裁判の効力たる既判力が訴訟法上の効果としての性質をもつこととは，相互に矛盾するものではない。以上の理由から，本書では訴訟法説をとる163)。

161）　現在通用している学説の中で，純粋の実体法説はみられないが，兼子335頁以下などに説かれる，権利実在説は，実体法説に近い。すなわち，確定判決によって実在としての当事者間の権利関係が形成され，その通用性を示すのが既判力であると説く。また，越山和広「既判力論における実体法的要素について」高橋古稀891頁は，既判力ある判断が当事者間の法律関係の基礎となるとして，実体法説的視点を再評価するが，それが法的効果といえるかという問題があろう。

162）　確認判決の既判力の実際上の機能はこの点にある。伊藤眞「既判力の二つの性格について」末川先生追悼論集・法と権利1（民商78巻臨時増刊号(3)）266頁，271頁（1978年）参照。

163）　訴訟法説は通説の見解でもある。三ヶ月・全集26頁，齋藤367頁，小山389頁，中野ほか・講義495頁，瀬木483頁など。なお，訴訟法説の中で，一事不再理の理念を強調する学説を新訴訟法説と呼ぶことがあるが（上田483頁参照），一事不再理の理念は，むしろ前述の既判力の目的にかかわるものといえよう。これに対して越山和広「既判力の作用と一事不再理説の再評価」松本古稀473頁は，作用面でも一事不再理の概念を評価する。近時の一事不再理説の動向については，垣内秀介「〈講演〉既判力をめぐるいくつかの問題」司法研修所論集129号207頁（2020年）があり，訴訟物の同一性を基軸とした一事

(3) 既判力の作用

既判力の訴訟法上の効果は，前訴判決の後訴裁判所の判断に対する拘束力として現れる。拘束力の内容としては，通常，積極的作用と消極的作用とが分けられる。積極的作用とは，前訴判決の訴訟物についての判断，たとえば所有権の存在の判断を後訴裁判所が覆すことはできず，逆にそれを前提として後訴の訴訟物，たとえば妨害排除請求権や登記抹消請求権の有無について判断しなければならないことを指す。

これに対して消極的作用とは，既判力ある前訴判決の判断と矛盾する権利関係を基礎づけるための主張・立証が当事者に許されず，したがって，裁判所もそれについて審判をすることが認められないことを意味する。たとえば，金銭給付を命ずる確定判決の執行力を覆滅するための請求異議訴訟において原告が，後に述べる既判力の基準時前の弁済などの事実を主張することは，この消極的作用に抵触する。しかし，この2つの作用は，以下に述べるように，前訴の訴訟物と後訴の訴訟物との関係で既判力の拘束力が作用する形態の違いにすぎず，既判力の本質そのものに関するものではない。既判力の作用形態については，以下の4つの類型が区別される。

ア　訴訟物が同一の場合

所有権確認の前訴で敗訴した原告が，再び自己の所有権確認を求めて後訴を提起する場合，または金銭支払請求の前訴で敗訴した被告が，当該債務の不存在確認請求の後訴を提起する場合には，前訴と後訴の訴訟物が同一であり，しかも後訴原告の主張は，訴訟物についての既判力ある判断を覆そうとするものであるから，上述の既判力の消極的作用によって，これらの主張は遮断される。したがって，既判力に抵触しない基準時後の事由が主張されない限り，裁判所は請求棄却判決をなす。これに対して，金銭支払請求の前訴で勝訴した原告が，再び同一内容の後訴を提起する場合には，訴訟物は同一であるが，原告が既判力ある判断と矛盾する主張をなすわけではないから，既判力の拘束力は働かない。しかし，時効の完成猶予および更新の必要など特別の事由がない限り，訴えの利益が欠けることを理由に訴え却下の訴訟判決がなされる[164]。

不再理説の検討として，酒井一「既判力の局面における訴訟物の同一性」本間古稀91頁がある。

イ　訴訟物が先決関係にある場合

既判力をもって確定された権利関係が前訴原告の所有権であり，その者がさらに所有権にもとづいて目的物の明渡請求の後訴を提起する場合には，前訴の訴訟物たる所有権が後訴の訴訟物たる明渡請求権の先決問題となる。この場合に後訴裁判所は，既判力の基準時，すなわち前訴の口頭弁論終結時において原告の所有権が存在するとの前訴判決の判断に拘束される。したがって，被告が基準時後の所有権喪失事由を主張・立証しない限り，訴訟物たる明渡請求権の存否を判断するにあたって，後訴裁判所は，原告の所有権の存在を前提としなければならない。このように，前訴の訴訟物が後訴の訴訟物の先決問題となっているときには，既判力の積極的作用として拘束力が働く。

ウ　訴訟物が矛盾関係にある場合

前訴原告の所有権を確認した前訴判決に対して，前訴被告が同一の目的物についての自己の所有権の確認を求めて後訴を提起する場合には，前訴と後訴の訴訟物の間に実体法上の一物一権主義を媒介とした矛盾関係が成立する。すなわち，前訴判決の口頭弁論終結時に前訴原告の所有権が存在するとの判断が覆されない限り，その時点での前訴被告の所有権は成り立ちえない。したがって，既判力の消極的作用によって，後訴原告（前訴被告）は，自己の所有権を基礎づける事由のうち基準時前のものを遮断される。また，前訴判決が金銭給付判決であり，後訴がその金銭債権の不存在を理由とする不当利得返還請求である場合も同様である。この場合にも，後訴原告は，債権の不存在を基礎づける事由のうち，基準時前のものを遮断される。不当利得返還請求は，既判力によって確定された債権の不存在を論理的に前提とするからである。

エ　既判力の双面性

前述の積極的作用であれ，また消極的作用であれ，既判力は，通常は前訴判

164）　請求棄却判決の場合には，後訴原告の権利主張を基礎づけうる主張の一部が遮断されるのみであるから，訴え自体が不適法になるわけではなく，本案判決がなされ，その結果として，当該訴訟物についての既判力の基準時は，後訴の口頭弁論終結時となる。これに対して，訴えの利益が欠けることを理由として却下判決がなされるときは，訴訟物に関する既判力の基準時に変動はない。高見進「判決効の意義と機能」実務民訴〔第3期〕(3) 278頁は，既判力にもとづく一事不再理の効果から後者の結論を導く。なお，森宏司「後訴審〔ママ〕からみた既判力の作用と口頭弁論終結後の承継人への拡張」加藤新太郎古稀301頁は，訴訟物が同一の場合などにおける既判力の作用として代替効と阻害効を説く。

決の敗訴当事者に不利に，いいかえれば勝訴当事者に有利に働く。しかし，場合によっては既判力が勝訴当事者の不利に働くこともないわけではない。たとえば，建物について前訴原告の所有権を確認する判決が確定した後に，土地所有者たる前訴被告が建物収去土地明渡請求の後訴を提起したときに，被告たる前訴原告は，前訴の口頭弁論終結時前の事由にもとづいて自己が建物所有者たることを否認することはできない。これは，上に述べた先決関係の1類型であるが，勝訴原告の不利に既判力が作用するところに特徴がある。このように既判力が勝訴者の有利にも不利にも作用することを指して，講学上既判力の双面性と呼ぶ。

(4)　既判力の調査

既判力は，訴えの適法・不適法にかかわる訴訟要件ではなく，当事者の提出する攻撃防御方法の範囲を制限するものである。しかし，既判力は，わが国の裁判権を行使する裁判所の間で矛盾・抵触する判決がなされるのを防ぐという目的の下に，後訴裁判所の判断への拘束力としての性質をもつので，当事者が既判力を援用しない場合であっても，裁判所は，その存在を顧慮することができる。この意味で，既判力の存在は職権調査事項であり，その証拠資料についても，職権探知主義が適用される。したがって，事実審の口頭弁論終結後に係属中の訴訟に既判力を及ぼす別訴判決が確定したときには，上告審はそれを顧慮すべきである（後掲最判平成22・7・16（注*167*）参照）。また，職務上知りえた事実として裁判所がそれを調査することも許される。裁判所が誤って既判力に抵触する判断をなした場合には，後訴判決は当然には無効ではないが，上訴および再審によって取り消される（312Ⅲ・318Ⅰ・338Ⅰ⑩）[165]。

2　既判力をもつ裁判

既判力は，本来は訴訟物たる権利関係についての確定判決の拘束力を意味するものであるが，現実の制度の中では，紛争の終局的解決を担保するためによ

165）　ただし，矛盾する後訴確定判決も，取り消されるまでは既判力を認められる。新堂714頁，中野ほか・講義498頁，高橋(上)599頁など参照。

また，極めて例外的な場合であるが，当事者が既判力を自己に有利に援用することが信義則に反するようなときには，裁判所が既判力を顧慮しないことが許される。最判平成9・3・14判時1600号89頁〔百選〈6版〉A24事件〕における福田反対意見参照。山本・研究Ⅰ293頁は，これを法的観点指摘義務違反による既判力の縮小とする。

り広い範囲で認められている。

(1)　確定した終局判決

中間判決は，それを前提として終局判決をなす受訴裁判所のみを拘束し，審理の整序を図ることを目的とするものであるから，別の裁判所に対する拘束力である既判力を認められない。

終局判決のうち，訴訟物に関する本案判決には既判力が認められる。形成判決には形成力のみを認め，既判力を否定する見解も有力であるが[166)]，形成力の基礎となる形成権または形成原因の存在を確定する必要があるので，既判力を認めなければならない。また，訴訟要件の欠缺を理由として訴えを却下する訴訟判決に既判力が認められるかについては争いがあるが，裁判権，当事者適格，訴えの利益などの訴訟要件に関する争いが繰り返されることを遮断するために，既判力を認めるべきである[167)]。なお，上級審がする取消移送や破棄差戻判決も終局判決であるが，当該審級の中での羈束力のみが与えられ，既判力は問題とならない[168)]。

外国裁判所の確定判決も，118条によってわが国においてその効力が承認される場合には，既判力が認められる[169)]。

---

166)　齋藤372頁，小山390頁，斎藤ほか(5)61頁〔斎藤秀夫＝渡部吉隆＝小室直人〕など。これに対し，森勇「形成判決の既判力」実務民訴〔第3期〕(3)354頁は，既判力否定論がもはや過去の議論であるとする。

167)　最判平成22・7・16民集64巻5号1450頁〔平成22重判解・民訴4事件〕。訴訟終了宣言に関して，前掲最判平成27・11・30（注*80*），当事者適格に関して，東京地判昭和31・11・30下民7巻11号3479頁。ただし，訴訟要件のうち，訴訟能力や訴訟上の代理権の欠缺は，起訴行為の有効性にかかわるのみであり，新訴が提起されればその時点での訴訟能力などを判断せざるをえないから，既判力を認める実益に欠けるとの見解が有力である。上田徹一郎「却下・棄却判決の既判力」実務民訴(2)75頁，83頁，新堂689頁，秋山ほかⅡ478頁など参照。理論的にはともかく，実益がないことは否定できない。

これに対して，外国国家に裁判権が及ばないことを理由として訴えを却下した判決に既判力が生じることを前提として，判例変更（本書45頁注*12*）を口頭弁論終結時後に生じた事由として，既判力の遮断効を否定した裁判例がある。東京地判平成23・10・28判時2157号60頁〔平成24重判解・民訴4事件〕。

168)　ただし，最判昭和30・9・2民集9巻10号1197頁は，既判力が認められるとする。

169)　しばしば争われるのは，同条3号がいう「判決の内容及び訴訟手続が日本における公の秩序又は善良の風俗に反しないこと」であるが（合衆国カリフォルニア州民法典にもとづいて懲罰的損害賠償を命じた外国判決が，被害者に生じた不利益の補塡を目的とするわが国の不法行為法と本質的に異なり，公の秩序に反するから，執行判決を求めることはできない（民執24Ⅴ，民訴118③参照）とした最判平成9・7・11民集51巻6号2573頁，

(2) 確定判決と同一の効力を有するもの

法律上，いくつかの種類の裁判および調書の記載について確定判決と同一の効力が認められる旨が定められている。この効力が既判力を含むかどうかの解釈にあたっては，既判力の対象が明確にされているか，誤った判断や記載についての救済の方法をどのように考えるかなどを総合的に考慮する必要がある。調停に代わる裁判（民調18Ⅴ，家事287），仲裁判断（仲裁45Ⅰ本文），債権表の記載（破124Ⅲ，民再104Ⅲ，会更150Ⅲ）などに既判力が認められることには異論が少ないが，請求の放棄・認諾調書，および和解調書の既判力については議論が多い。

(3) 決　定

当事者に対する手続保障の視点からしても，また，裁判所の判断資料収集の方式からしても，決定には既判力が認められないのが原則である。しかし，実体関係を終局的に解決することを目的とする決定に関しては，既判力を付与するのが合理的である。その例としては，訴訟費用に関する決定（69Ⅰ）[170]などが挙げられる。

さらに，懲罰的損害賠償を含む外国判決に対応して，債務者がその一部を支払った場合において，債権者が残額について執行判決を求めたときであっても，支払った部分を懲罰的損害賠償部分に充当することを前提として残額について執行判決をすることも公の秩序に反するとした最判令和3・5・25民集75巻6号2935頁参照），最判平成31・1・18民集73巻1号1頁は，訴訟手続の一環である判決書などの当事者による送達が受送達者に到達しなかった場合であっても，受送達者が判決内容を了知する機会が実質的に与えられたかどうかを基準として，公序に反するかどうかの判断をすべきであるとしている（安達栄司「外国判決承認における手続的公序と手続原則」加藤新太郎古稀550頁は，当該事件における当事者の訴訟追行の経緯などを理由として判旨を批判する）。なお，芳賀雅顯「外国判決不承認による不当利得」春日古稀339頁は，承認されない外国確定判決にもとづく強制執行が行われたときに，債務者の不当利得返還請求権が成立するかどうかを議論する。

また，外国確定判決の承認要件の1つである相互の保証（118④），すなわち承認を求められる判決をなした裁判所が属する外国が，わが国の判決について，重要な点で異ならない条件のもとに効力を有するものとしていること（最判昭和58・6・7民集37巻5号611頁）に関しては，取引の安全の視点から再検討を要するとの立法論がある。古田啓昌「外国裁判文書および裁判外文書の承認・執行をめぐる制度的課題」加藤新太郎古稀555頁参照。

170）　支払督促の場合と同様に，旧法では，訴訟費用確定に関する決定一般が裁判所の権限とされていたが，現行法では，その多くが裁判所書記官の権限とされた（71・72など）ので，決定の既判力の問題ではなくなった。

3　既判力の範囲

確定判決中の裁判所の判断は，当事者によって審判が申し立てられた訴訟物たる権利関係に収斂されるものであり，したがって既判力の範囲は，訴訟物によって画される。これが既判力の客観的範囲と呼ばれるものである。しかし，訴訟物は私人間の権利関係であるから，その内容は，実体法上の法律要件事実に該当する事実が生起することによって，変動または消滅する可能性がある。それゆえに既判力によって確定される権利関係といえども，一定の時点を前提とするものでしかない。これが既判力の基準時または時的限界と呼ばれるものである。さらに，既判力は，後訴の裁判所を拘束することによって間接的に当事者の攻撃防御方法提出の機会を制限する。そこで，既判力の拘束力を及ぼされるのは，前訴において手続保障を与えられた当事者，およびこれと同視できる者に限られ，第三者には既判力が及ばない。これが既判力の主観的範囲と呼ばれるものである。

(1)　既判力の時的限界（基準時）

訴訟物たる権利関係の存否について受訴裁判所は，弁論主義の原則によって当事者が提出した事実と証拠にもとづいて判断を行う。当事者が事実と証拠を提出できるのは，事実審の最終口頭弁論終結時までであるから，裁判所の判断資料もこの時点によって画され，権利関係の存否もこの時点を基準とする。このことを既判力の時的限界または基準時は事実審の最終口頭弁論終結時であると表現する。

ア　時的限界と主張可能性

たとえば貸金返還請求権の存在が既判力によって確定されているときには，債務者は，請求異議訴訟を提起し，基準時前に弁済や猶予の事実が存在したことを主張して，基準時における請求権の存在を争うことは許されない（民執35Ⅱ）[171]。当該事由についての当事者の知不知も問題とならない[172]。学説の中

171）　基準時前に消滅時効が完成し，基準時後にその援用がなされた場合でも，時効の主張が既判力によって遮断される。大判昭和14・3・29民集18巻370頁。もっとも，賃料増減請求が効果を生じた時点での賃料額を訴訟物とするときには，既判力によって確定されるのも，その時点での賃料額であるから，口頭弁論終結時までにさらに増減請求がなされたことを主張して，賃料額の確認を求めることが既判力によって遮断されるわけではない。最判平成26・9・25民集68巻7号661頁。確認の利益との関係については，本書

には，基準時前の事由であることを主張の期待可能性を基礎づける要素として位置づけ，基準時前の事由であっても例外的に主張の期待可能性に欠けるときは，既判力によって遮断されないとする有力説がある[173)]。しかし，ここで前提となる主張可能性は，訴訟当事者の地位に付随する一般的，かつ，規範的なものであり，当事者や事件の個別具体的な事情を問題とするものではない。もちろん，基準時後に生じた債務消滅事由は，この意味での主張可能性に欠けるから，既判力によって遮断されるものではない。

イ　基準時後の形成権行使

実体法上の形成権の発生原因が基準時前に存在し，それにもかかわらず基準時後に形成権行使の意思表示がなされたときに，形成権行使の効果を主張することが既判力によって遮断されるかどうかに関しては，それぞれの形成権の類型に応じて考え方の対立がある。形成権行使の事実が法律効果の要件事実の一部を構成するものであることを考えれば，それが基準時後の事実である以上，その主張は既判力によって遮断されないともいえるが，他方，同じく要件事実を構成する形成原因が基準時前に存在し，形成権者としては，何時でも形成権を行使できる状態にあったことを考えれば，既判力の遮断効を及ぼすことにも合理性が認められる。近時の学説の傾向としては，それぞれの形成権の実体法的性質または手続の経緯を勘案して，基準時前の形成権行使が期待される場合に既判力の遮断効を及ぼす考え方が有力になっているが[174)]，本書の見解は以

194頁参照。

172）　最判昭和49・4・26民集28巻3号503頁〔百選〈6版〉80事件〕参照。ただし，この事件で問題となった限定承認にもとづく責任財産限定の効果は，厳密な意味では訴訟物の範囲に含まれず，信義則による遮断効と位置づけられる。田尾桃二〔判例解説〕最高裁判所判例解説民事篇昭和49年度34事件（1977年）参照。

173）　新堂694頁，新堂・争点効(下)11頁以下，条解民訴〈2版〉552頁〔竹下守夫〕，中野ほか・講義504頁，井上治典＝伊藤眞＝佐上善和・これからの民事訴訟法220頁〔井上〕（1984年），高橋(上)608頁，瀬木494頁など。しかし，期待可能性をどのような基準で判断するのかについて一義的基準を立てることができないこと，紛争解決についての相手方の利益をも考慮しなければならないこと，事実および証拠の収集手段の拡充によって解決されるべき問題であること，極端な場合については再審による救済が認められることなどを考えると，このような例外を認めることはできない。鈴木正裕「既判力の遮断効（失権効）について」判タ674号4頁，5頁（1988年），中野・論点Ⅰ249頁，松本・人訴法381頁など参照。

174）　新堂・争点効(下)266頁，条解民訴〈2版〉553頁〔竹下守夫〕，上田・判決効224頁以下，吉村・前掲論文（注*160*）374頁，河野・前掲書（注*27*）138頁以下，池田・新世

下に述べるとおりである。

議論の前提となるのは，第1に，形成権行使にもとづく法律効果として主張されるものが基準時における権利関係についての判断と矛盾・抵触するかどうかである。この点で，次に述べるように，相殺の主張が既判力に抵触することはありえない。相殺の主張は，訴訟物たる受働債権が基準時において存在し，その後の相殺の意思表示によって遡及的に消滅することを内容とするものであり，既判力ある判断と論理的に矛盾するものではないからである。第2に，形成権行使の効果が既判力ある判断と矛盾・抵触するものであれば，その要件事実の一部が基準時後のものであっても，他の一部が基準時前のものであれば，後者の主張は既判力によって遮断されるから，結局形成権行使の効果を主張することは許されない。この2つの基準に即して考えれば，有力説が主張する，期待可能性という多義的な基準によって問題の解決を図る必要はない[175)]。

(a)　取消権　　たとえば，法律行為の当時未成年者であった事実や，自らの錯誤や相手方の詐術がなされた事実が基準時前の事実として存在し，基準時後に取消しの意思表示（民5Ⅱ・95Ⅰ・96Ⅰ）がなされたことを前訴の当事者が主張し，前訴判決によって確定された権利関係の存在を争うことができるかどうかがここでの問題である。判例は取消しの主張が既判力によって遮断されるとし，通説もこれを支持するが，有力な反対説がある[176)]。本書では，以下の理

代229頁，水谷・前掲論文（注159）62頁，高橋(上)614頁以下，小島645頁などがある。また，訴訟促進義務から形成権行使の強制を説明するものとして，松本＝上野674頁がある。

175)　相殺の抗弁提出について期待可能性を判断するに際して，有力説の一部から，敗訴を前提とする相殺の主張は，当事者にとって心理的抵抗感があるなどの曖昧な論拠が持ち出されることは，結局期待可能性が既判力の時的限界を画する一義的基準として機能しえないことを示すものである。これに対して，山本・基本問題202頁以下，山本・研究Ⅰ303頁以下は，形成原因発生が基準時前か否かを判断基準とし，状態型形成原因である相殺権についてのみ遮断を否定する。

176)　大審院判例は既判力の遮断効を否定していたが，最判昭和36・12・12民集15巻11号2778頁，最判昭和55・10・23民集34巻5号747頁〔百選〈6版〉72事件〕がこれを変更した。これを支持する通説は，兼子340頁，三ヶ月・全集32頁，齋藤375頁，小山208頁，上田490頁，中野ほか・講義506頁など。通説は，無効の主張が遮断されることとの均衡を重視し，また，取消原因が権利に内在ないし付着する瑕疵であると主張する。

これに対して，有力説（中野貞一郎・強制執行・破産の研究44頁以下（1971年），中野・論点Ⅰ257頁）は，除斥期間（民126）内は，実体法上取消権の行使が保障されていること，既判力によって確定されるのは，取消権行使の効果たる無効によって覆滅される

由から判例・通説の結論を支持する。

法律行為は，取消しによってはじめから無効であったものとみなされる（民121）。したがって，取消しにもとづく法律効果は，基準時，すなわち口頭弁論終結時において法律行為にもとづく権利関係が存在しなかったことを意味し，既判力ある判断と矛盾・抵触する。しかも，矛盾・抵触する法律効果を基礎づける要件事実の少なくとも一部，すなわち取消原因の存在は基準時前の事実であるから，その事実の主張は既判力によって遮断される。判例・通説が説く，取消原因は法律行為に内在ないし付着する瑕疵であるとの理由づけは，このような趣旨として理解できる[177]。

また，民法126条の除斥期間は，その期間内であれば当然に取消権の行使を保障する趣旨のものではない。同条は，取消権の行使に対抗して，相手方がその効果発生を妨げるために一定期間の経過を主張できることを意味するものであり，取消しの主張自体が訴訟上許容されるかどうかについての結論を左右する性質のものではない[178]。その他，詐欺や強迫の事実が口頭弁論終結時まで

可能性のある権利にすぎないことなどを理由とする。

177）前記の有力説（中野・論点Ⅰ257頁）は，既判力によって確定されるのは，取消しの可能性を内蔵した権利関係であるとするが，既判力は権利関係の存否そのものを確定するだけであり，取消しの可能性の有無などを確定するわけではない。

また，加波眞一「既判力の時的限界について」上野古稀349頁は，取消しの場合でも，民法上は，その効果が遡及的物権変動と解されており，既判力で確定された権利の存在を前提とし，その不存在を遡及的に主張するものである点で，相殺権の場合と異ならないとする。しかし，遡及的物権変動は，あくまで実体法上の効果であり，訴訟における取消しの主張は，訴訟物たる権利の発生原因である法律行為の効果を否定し，基準時における権利の存在を否定するためのものであり，それを前提としながら遡及的消滅を主張する相殺とは，その内容を異にする。

178）高橋(上)615頁参照。通常は，取消しの主張が抗弁としてなされるのに対して，期間の経過は再抗弁として主張される。大江(1)397頁参照。したがって，取消しの主張が既判力によって排斥されれば，相手方は期間の経過を再抗弁として主張する必要がなくなるにすぎない。

そのほかに，たとえば売買契約の買主が売主を被告として目的物の引渡請求訴訟を提起し，勝訴判決を得た後，被告の詐欺を理由として自ら売買取消しの意思表示をなし，それにもかかわらず，勝訴判決を債務名義として引渡執行を試みるときに，被告が原告による取消しを請求異議の訴えの事由として主張できるかという問題がある。一般論としては，詐欺の事実が弁論終結前である以上，たとえ原告の取消しの意思表示が終結後であっても，被告が取消しの効果を主張することは既判力によって遮断されるといわざるをえないが，被告は，原告自らが取消しの意思表示をなしたにもかかわらず，なお権利の実行を試みることを信義則に反するとして，それを異議の原因として主張することができる。

継続し，取消しの意思表示を期待しえない場合について例外を認めるべきことが説かれるが，このような例外的事例は，再審による救済に委ねられるべきである。

(b)　解除権　　解除原因が基準時前に存在し，解除権行使が基準時後になされた場合について，通説は，取消しの場合と同様に，基準時前にいつでも解除権行使が期待できた以上，解除の効果を主張することは既判力によって遮断されるとしている[179]。これに対して近時の有力説は，解除権の発生要件事実が基準時前にすべて具備されていたかどうかなどによって，解除権行使の期待可能性の有無を決し，それによって既判力の遮断効を決定しようとする[180]。しかし，本書では，以下のような理由にもとづいて遮断効を否定する。

契約の解除とは，契約にもとづく両当事者の権利義務が存在することを論理的に前提としながら，一方当事者の意思表示によって契約関係を遡及的に解消し，その効果として法律関係を清算することを意味する。したがって，解除の効果についての直接効果説を前提としても，基準時においては契約上の権利関係が存在することが前提とされ，ただ意思表示の実体法上の効果として遡及的に消滅するにすぎないから，基準時における契約関係存在の判断と解除の意思表示にもとづく法律効果は，既判力によって確定された権利関係と矛盾・抵触するものではない。この点が基準時における契約関係などの存在を否定することを目的とする，取消権と異なる。それゆえに，たとえ解除権の発生要件事実の全部または一部が基準時前に存在していたとしても，解除の主張は既判力によって遮断されない。

このような結論に対しては，解除権を行使することができた前訴被告がそれを怠り，後に執行妨害の目的で解除の意思表示をすることを許す結果になると

---

179)　新堂695頁，齋藤375頁，小山393頁，三ヶ月・双書36頁など。判例は，最判昭和54・4・17判時931号62頁が関連するが，解除権と既判力との関係についての考え方は，かならずしも明らかではない。

180)　履行不能，定期行為の履行遅滞など催告が不要である場合においては，原因が基準時前であれば解除権の行使が期待され，したがって，解除権行使が基準時後であっても既判力の遮断効が働くとか，原告が解除権者であるときには，ひとまず本来の債務の履行を求め，その後に解除にもとづく原状回復を求める自由を認めるべきであるから，基準時後の解除権行使を遮断すべきでないなどと主張される。上田・判決効269頁以下，高橋(上)617頁，池田・新世代229頁など参照。

の批判が考えられる。しかし，相手方としては，催告権の行使によって対抗することもでき，それ以外にも，解除原因事実の具備にもかかわらず正当な理由なく解除権行使を怠り，後に執行妨害の目的のためにそれを行使するものと認められれば，信義則によってその主張を制限することも考えられる。

(c)　相殺権　　基準時前に相殺適状が存在し，基準時後に相殺の意思表示がなされたことを理由として，既判力によって確定された債権の消滅を前訴当事者が主張することが既判力によって遮断されるか否かについても，考え方の対立がある。判例理論には変遷がみられるが，現在では，以下のような考え方が確立されている。

すなわち，相殺の効力が生じるのは，相殺適状の時ではなく，相殺の意思表示がなされた時点であるから，相殺が認められても確定判決の効力が無視されるものではないという。したがって，基準時後の相殺の意思表示にもとづく債務消滅の主張は，既判力によって遮断されない[181)]。また通説は，相殺権の行使が相殺権者の自由意思に委ねられていること，相殺は，既判力によって確定された受働債権に付着する瑕疵ではないこと，たとえ相殺の主張を排斥しても，自働債権を別訴で訴求することは許されるから，排斥する意義に乏しいこと，敗訴を前提とする相殺の抗弁提出を強制するのは被告に酷であることなどの理由にもとづいて，判例の結論を支持する[182)]。

通説の挙げる根拠の中には，かならずしも十分な説得力をもたないものも含まれているが，以下のような理由から判例・通説の結論に賛成する。相殺の主張は，既判力によって確定された受働債権が基準時において存在することを論理的に前提とし，相殺による実体法上の効果として相殺適状発生の時点まで遡って受働債権を消滅させるものである（民506Ⅱ）。したがって，相殺の主張は，基準時における受働債権の存在と矛盾・抵触する法律効果を発生させるもので

181）　大連判明治43・11・26民録16輯764頁，最判昭和40・4・2民集19巻3号539頁〔続百選77事件〕。岡庭幹司「『既判力の時的限界』という法的視座への疑問」青山古稀45頁，59頁は，私見（本書587頁）に近い立場から，取消権と相殺権を区別し，相殺の主張は，既判力によって遮断されないとする。

182）　学説の分析は，坂原正夫・民事訴訟法における既判力の研究26頁（1993年）参照。ただし，坂原・前掲書，塩崎勤「既判力標準時後の形成権の行使に関する一試論」司法研修所論集75号1頁，33頁（1985年），梅本918頁以下などは，相殺の主張が遮断されるとの立場をとる。

はない[183]。通説が，相殺は既判力によって確定された権利に付着する瑕疵ではないとしていることも，内容としてはこのように解釈される。既判力ある判断と矛盾・抵触しない以上，たとえ相殺の基礎となる相殺適状の発生が基準時前であっても，既判力による遮断効を問題とする余地はない。もちろん，信義則によって相殺の主張が制限されることは認められる[184]。

(d)　その他の形成権　　その他の形成権として議論の対象とされるのは，建物買取請求権と白地手形補充権であるが，基本的な考え方は，以上に述べたのと同様である。

建物買取請求権の場合には，土地賃貸人が賃借人である建物所有者に対して建物収去土地明渡請求訴訟を提起し，請求認容の判決が確定した後に，建物所有者が借地借家法13条にもとづく建物買取請求権を行使し，その効果として収去明渡請求権が消滅したことを理由として，請求異議の訴えを提起する。これについて，前訴判決の既判力によって収去明渡請求権消滅の主張が遮断されるかどうかが問題となる。判例は，弁論終結後の建物買取請求権の行使の効果を主張することも既判力によって遮断されるものではないとしている。その理由は，建物買取請求権が既判力によって確定された収去明渡請求権に内在する瑕疵にもとづくものではないことに求められる[185]。通説も，判例の述べる理由に加えて，土地賃借人の投下資本の保護という立法趣旨を考慮すると，建物買取請求権の主張を遮断することは好ましくないなどの理由を付加して，判例と同様の結論をとる[186]。

---

183)　大村雅彦〔判例批評〕法学新報88巻9・10号143頁，147頁（1981年）は，相殺によって基準時における受働債権の存在を確定した前訴判決の判断は論理的に覆されると指摘するが，既判力によって確定されたのは，基準時たる弁論終結時における受働債権の存在であり，相殺の主張は，むしろそれを論理的前提とするものである。

184)　札幌高判昭和63・7・28判タ683号200頁は，既判力による相殺の遮断を否定しているが，被告が数度にわたって請求異議訴訟を提起し，別個の自働債権にもとづく相殺を主張するなど，信義則による制限を問題とするに足る事案であった。

185)　最判平成7・12・15民集49巻10号3051頁〔百選〈6版〉73事件〕。ただし，買取請求権行使の事実が認められても，債務名義の執行力が全面的に消滅するわけではなく，建物退去土地明渡しの限度では残存する。

186)　畑郁夫「建物買取請求権の行使と請求異議訴訟」司法研修所創立15周年記念論文集(上)343頁，350頁（1963年），司法研修所編・執行関係等訴訟に関する実務上の諸問題82頁〔原田和徳＝富越和厚〕（1989年），基本法コンメンタール・民事執行法〈第六版〉118頁〔奈良次郎〕（2009年），高橋(上)627頁など。

ここでは，建物買取請求権にもとづく法律効果，すなわち買取請求権行使の時点での建物所有権の賃借人から賃貸人への移転は，既判力によって確定された権利関係と矛盾・抵触しないという理由から，判例の結論を支持する。基準時における収去明渡請求権の存在は，既判力によって確定されているが，買取請求権の行使は，建物所有権の移転という新たな法律効果にもとづいて収去明渡請求権を意思表示の時点から将来に向かって消滅させるにすぎない。したがって，買取請求権の行使にもとづく法律効果は，確定された権利関係の判断を覆滅する意義をもたず，既判力の遮断効を問題とする余地もない。

白地手形を前提として手形の所持人が振出人等の手形義務者に対して手形金の支払請求訴訟を提起し，弁論終結時までに白地が補充されず，請求棄却判決が確定することがある。その後に白地手形補充権が行使され，手形が完成したことを理由として改めて所持人が前訴被告に対して手形金を請求する場合に，補充権行使の主張が既判力によって遮断されるかどうかが問題となる。判例・通説は，補充権者たる所持人に対する期待可能性や相手方の二重応訴の負担などを理由として，既判力の遮断効を肯定する[187]。

本書では，以下の理由から遮断効否定説をとる。手形要件の一部が白地であることを理由として請求を棄却する確定判決の既判力は，基準時における手形金債権の不存在を確定する。しかし，終結後に補充権が行使され，それによって手形金債権が発生したとする主張は，既判力ある判断と何ら矛盾するものではない。したがって，これまで述べた解除権，相殺権，建物買取請求権の場合と同様に，既判力による遮断効を問題とする余地がない。もちろん，被告の二重応訴の負担は無視できないが，信義則による制限などによって対応すること

ただし，河野・前掲書（注 27）144 頁は，建物買取請求権が取消権や解除権と同様に，被告にとって防御的性格をもつことを理由として遮断効を認める。このような立論自体に対し，既判力の客観的範囲と時点限界の視点から疑問を提起するものとして，加波眞一「既判力基準時後の建物買取請求権行使について」立命館法学 356 号 232 頁，243 頁（2014 年）がある。

187）　最判昭和 57・3・30 民集 36 巻 3 号 501 頁〔百選〈6 版〉A 23 事件〕。上野泰男〔判例批評〕名城法学 29 巻 3 号 59 頁，75 頁（1980 年），高橋宏志〔判例批評〕法協 100 巻 11 号 2129 頁，2137 頁（1983 年），永井紀昭〔判例批評〕民商 89 巻 2 号 199 頁，217 頁（1983 年）など。これに対して，竹下守夫〔判例批評〕金商 477 号 2 頁，5 頁（1975 年），吉野正三郎〔判例解説〕ジュリ 792 号 129 頁，130 頁以下（1983 年）などは，遮断効を否定する。

が可能である[188]。

(2)　既判力の客観的範囲

確定判決中の判断のうち，主文に包含されるもののみが既判力を有するのが原則である（114 I）。主文に包含される判断とは，当事者によって審判を申し立てられた事項，すなわち訴訟物たる権利関係についての判断，またはその申立ての適法性に関する判断を意味する。前者が本案判決の既判力であり，後者が訴訟判決の既判力である。以下では，本案判決の既判力について説明する。

ア　訴訟物についての既判力

主文に包含される判断の対象を特定するためには，訴訟物が請求の趣旨および原因によって特定されることと対応して，判決理由中に記載される請求の原因およびそれに対する判断が必要であることが多い。たとえば，金銭給付請求を認容する判決では，主文において給付命令が掲げられ，その命令中には一定額の金銭給付請求権の存在を認める判断が内包されているが，判断の対象となった金銭給付請求権の権利関係としての性質は，売買契約や消費貸借契約などの請求原因の判断なしには特定されえない。したがって，判決理由中の判断そのものに既判力を認めることは，法が予定するものではないが，判決理由中の請求原因に関する記載は，訴訟物を特定し，判決主文中の判断の対象を特定する役割をもつ。特定された訴訟物は，実体法上の権利関係であるから，実体法上の属性，いわゆる法的性質も既判力によって確定される[189]。

188）　被告としては，白地要件が補充された以上，もはや手形金債権の存在を争う必要がないと判断すれば，再訴を待たずに弁済するか，再訴において請求を認諾するなどの選択肢もあり，常に二重応訴を強いられるものではない。

189）　この点に関して，債権の法的性質決定が既判力の対象となるかどうかという問題がある。たとえば，損害賠償請求権について，不法行為にもとづくものか，債務不履行にもとづくものかが問題となる。しかし，すでに訴訟物について述べたように，法律上の権利である限り，法的性質決定を経ない訴訟物はありえないことになり，法的性質決定も既判力の対象に含まれる（小室直人「訴訟対象と既判力対象」大阪市立大学法学雑誌9巻3＝4号345頁，359頁（1963年），兼子ほか609頁。ただし，大久保邦彦「請求の識別と法的性質決定の区別」民商103巻6号848頁以下（1991年）は，このような結論に反対する）。

判決理由中に明示の性質決定がなされているかどうかにかかわらず，実体法上の特定の法条を前提とする法律要件事実が認定されて権利関係が判断されている以上，一定の性質決定を経た権利関係が既判力の対象として確定される。その結果，性質決定にともなう実体法上の法律効果も影響を受けることになる。

類似の問題として，分割債務と連帯債務の関係について最判昭和32・6・7民集11巻6

また，判決が訴訟物たる権利の存在自体を否定するのではなく，期限未到来や条件未成就を理由として請求を棄却している場合にも，既判力の客観的範囲は，判決理由中の判断を考慮して決定される。すなわち，この場合に主文に包含される判断は，請求権自体の不存在ではなく，請求権の消極的属性として，期限未到来または条件未成就のために基準時において請求をなしうる法的地位がないというものである[190]。したがって，原告は，基準時後の期限の到来などを主張して，再訴をなすことを妨げられない。

これに対して，判決理由中の判断そのものには，114条2項が規定する相殺の抗弁の場合を除いて，既判力が認められない。当事者が申立てによって確定を求めているのは，訴訟物たる権利関係であり，判決理由中の判断は，それが事実に関するものであれ，または訴訟物の前提となる法律関係に関するものであれ，訴訟物を基礎づける攻撃防御方法についての判断にすぎないからである。かりに理由中の判断について既判力が認められ，後訴裁判所に対する拘束力が生じるとすれば，裁判所は当事者が複数提出する攻撃防御方法のいずれについて判断するかの自由を制約され，ひいては，当事者の攻撃防御方法提出も弾力

号948頁〔百選〈6版〉76事件，百選Ⅱ148事件〕は，いったん分割債務として判断された以上，後にそれを連帯債務として主張し，残額を請求することは許されないとするが，正当な判断とはいえない。分割債務か連帯債務かは，当該債務の法的性質決定に本質的なものではなく，理由中の判断にとどまるからである。大江(4)209頁参照。連帯債務であることを理由とする残額請求は，一部請求の問題として取り扱えば足りる。山本弘・百選Ⅱ148事件解説参照。

また，確定判決主文中の作為命令（開門命令）が，当事者の主張内容から，2つの権利（同一海域を対象とする時的に連続する漁業権）を基礎としていると解されるときには，主文に包含する判断の合理的解釈としては，訴訟物たる権利についての既判力ある判断は，2つの作為請求権の存在を内包するものであり，最終口頭弁論終結後に一方の権利（ある時点までの漁業権）にもとづく作為請求権（開門請求権）が消滅したからといって，他方の権利（ある時点後の漁業権）にもとづく作為請求権（開門請求権）が消滅するとはいえない。最判令和元・9・13判時2434号16頁。

190)　条解民訴〈2版〉520頁〔竹下守夫〕，高橋宏志「既判力と再訴」三ヶ月古稀(中)521頁，535頁，瀬木504頁など。また，ドイツの学説の影響を受けて，このような場合には，「さしあたり理由なし」または「一時的棄却」を宣言する判決主文が適当であるとの主張もあるが（吉野・前掲〔判例解説〕（注*187*）129頁以下），主文の表記方法はともかく，その意味するところは，本文に述べたところと同一と思われる。さらに進んで，履行期の判断にも拘束力を認めようとするものに，新堂・争点効(上)152頁以下があるが，これは，理由中の判断の拘束力の問題になる。もっとも，現在給付を求める訴えの一部認容として将来給付を命じる判決をなしうるとすれば（本書234頁），問題の多くが解決されよう。畑瑞穂「一時的棄却判決に関する覚書」高橋古稀967頁参照。

性を失う結果となる。法が，既判力の対象を訴訟物に限定しているのは，このような趣旨による。

したがって，たとえば貸金返還請求訴訟において，被告の主張した弁済の抗弁が認められ，請求棄却判決が確定したとしても，債務が弁済によって消滅した旨の判断は，後訴裁判所を拘束しない。その結果，被告が貸金債権は不成立であったので，弁済された金員は不当利得となると主張して，後訴を提起したときでも，前訴の既判力によって，不当利得の主張が排斥されるわけではない[191]。また，所有権にもとづく抹消登記請求を認容した確定判決が，その理由中で登記請求権の基礎となる原告の所有権の存在を確認している場合であっても，その判断には既判力が認められない[192]。したがって，原告が被告を相手方として妨害排除請求の後訴を提起する場合において，裁判所は，原告の所有権の存否について実体的審理を行わなければならない。もっとも，既判力の形で一般的に拘束力を認めることは否定されるものの，当事者による具体的な訴訟追行の態様などを考慮して，例外的に信義則などを根拠とする拘束力が認められる余地はある。なお，このような結果を防ぐための手段としては，中間確認の訴え（145）がある。

訴訟物たる権利関係について既判力が生じるとの前提に立っても，その権利関係の内容をどのように構成するかについては，訴訟物論によって差を生じる。本書では，いわゆる旧訴訟物理論を採用するので，訴訟物の範囲もそれによって決定される。また，一部請求に関しては，請求権全体を訴訟物とする考え方をとるので，既判力の客観的範囲についてもそれが基準となる。

191）　新堂・争点効(上)166頁以下参照。

192）　最判昭和30・12・1民集9巻13号1903頁〔百選ⅡA 40事件〕。もっとも，理由中の判断に既判力が生じないとの一般論を前提としつつも，所有権と登記請求とは表裏一体の関係にあることを理由として，所有権についての判断に既判力を認める有力説がある（兼子・判例民訴292頁）。しかし，登記請求権が権利者と義務者との間の独立の権利関係として構成されている以上（幾代通「登記請求権における実体法と手続法(1)」民商49巻1号3頁以下（1963年）参照），例外を認めることは困難である。

なお，本文に述べているのは，理由中の判断そのものには，既判力が認められないということであり，主文に包含するもの，すなわち訴訟物に関する判断に既判力が生じる結果として，それを争う主張が遮断されることを否定するものではない。このことは，口頭弁論終結後の承継人に対する既判力の拡張（115Ⅰ③。本書607頁）の場合も同様である。鶴田滋「既判力の失権効と要件事実」上野古稀368頁参照。

イ　相殺の抗弁についての既判力

114条2項は，相殺のために主張した請求の成立または不成立の判断は，相殺をもって対抗した額について既判力を有すると規定する。ここでいう相殺のために主張した請求とは，相殺の抗弁を提出する被告がその内容として主張する自働債権（反対債権）を指す。実質的には，以下のような不合理な結果発生を防ぐことにこの制度の目的がある。

たとえば自働債権による相殺の抗弁を排斥して請求を認容する判決が確定した後に，被告が自働債権を訴求することを認めると，後訴が認容されたときには，一方で原告が前訴判決で得た地位が実質的に覆滅されるとともに，他方では，被告が，前訴では自働債権を抗弁の基礎として用い，後訴では，訴訟物として用いるという，訴訟上の二重の利益を得ることになる。逆に，前訴において相殺の抗弁にもとづく請求棄却判決が確定した後に，被告が相殺によって消滅したはずの自働債権を訴求することを認めると，やはり原告は，自己の受働債権の犠牲において自働債権の負担を免れた地位を覆滅されることになるし，被告は，前訴で自働債権にもとづく相殺の抗弁を主張し，後訴で同一の債権を訴訟物として訴求するという二重の利益を得ることになる。法が自働債権のうち相殺対抗額部分についての判断に既判力を認めるのは，このような不合理な結果を防ごうとするものである[193]。

理論的にみると，相殺の抗弁の成否についての判断は，訴訟物たる受働債権の存否を定めるための判決理由中のものにすぎない。したがって，114条2項は，既判力の範囲が判決主文中の判断に限定されるとする，同条1項の原則に対する例外をなす。それにもかかわらず，上記のような実際的考慮にもとづいてこの判断に既判力を認めることは，相殺の抗弁の性格によるところが大きい。二重起訴禁止と相殺との関係にもみられるように，相殺は，訴訟物たる権利とは別個独立の債権の主張を基礎とするものであり，その実質としては，自働債権についての反訴の提起と類似する性質をもっている。したがって，抗弁とし

193）兼子343頁，中野・訴訟関係141頁など。また，中野貞一郎「相殺の抗弁(下)」判タ893号4頁，6頁（1996年）は，相殺制度の基礎にある両当事者間の公平を重視すべきだとするが，これも正当な指摘である。加波眞一「相殺の抗弁と既判力」松本古稀541頁参照。

て提出された場合であっても，その判断に既判力を認めることが，理論的にも不合理とはいえない。

(a)　相殺についての既判力の範囲　114条2項は，相殺のために主張した請求の成立または不成立の判断について既判力が生じるとしているが，立法の経緯に照らしても，また既判力の基準時の性格からいっても，「請求の成立又は不成立」の文言は，基準時における請求の存在または不存在と解されるべきである。また，相殺の抗弁についての判断内容としては，自働債権が不存在であるとして，抗弁が排斥されるか，相殺の抗弁を認めて自働債権が消滅するかのいずれかであるが，いずれの場合であっても，基準時には自働債権が不存在であると認められることになる。したがって，請求すなわち自働債権の存在に該当する判断は考えられず，自働債権の不存在についてのみ既判力が生じると解する以外にない[194)]。これをさらに詳しくみると，以下のようにいえる。

第1に，自働債権の不存在を理由として相殺の抗弁が排斥された場合には，その不存在の判断に既判力が生じる。ただし，既判力の範囲は，相殺をもって対抗した額に限定される[195)]。たとえば，100万円の請求に対して150万円の自働債権による相殺の抗弁が提出され，自働債権不存在として相殺の抗弁が排斥された場合には，相殺によって対抗した100万円の限度で不存在の判断に既判力が生じ，50万円部分には既判力が生じない。

原告側の一部請求において債権全体について既判力が生じることと比較すると，この結果は均衡を失するようにみえるが，理由中の判断に既判力を認めることとの関係から，既判力の範囲が特に限定されたものである。その結果として，後に被告が自働債権全額を別訴で訴求するときには，100万円部分に限っては，その存在を基礎づける主張が排斥されるが，50万円部分については，たとえ同じ発生原因事実にもとづく1個の債権であっても，その存在を主張することが既判力によって妨げられるわけではない[196)]。

194）　この点については，大正15年改正前旧民事訴訟法以来の立法の経緯があるが（中野・訴訟関係146頁，同・前掲論文（注193）4頁以下参照），現行法においても「請求の成立」の文言が削除されるには至らなかった。

195）　大判昭和10・8・24民集14巻1582頁。

196）　このような結果は，判断の矛盾・抵触を避ける趣旨からは不合理なものにみえるが，立法者が特に相殺の抗弁に限って既判力の範囲を対抗額に限定した以上，やむをえないも

第2に，自働債権にもとづいて対当額での相殺が認められた場合には，やはり基準時において相殺によって消滅した自働債権の部分が存在しないことに既判力が生じる。上記の例でいえば，150万円の自働債権のうち，100万円部分の不存在の判断に既判力が生じ，残額50万円については，その存在も不存在も確定されるわけではない。もっとも，この点については，有力な反対説があり，「原告の訴求債権と被告の自働債権とがともに存在し，それが相殺によって消滅した」との判断に既判力が生じるとする[197]。しかし，基準時より前の権利の存在および相殺による債権の消滅という法律効果を既判力によって確定することは，既判力の原則と相容れないものであり，また，114条2項の文言とも調和しないので，この有力説をとることはできない[198]。

(b)　既判力に関連する問題　　既判力は，相殺の抗弁の基礎となる自働債権の存否の判断について生じるものであるから，相殺の抗弁が時機に後れた攻撃防御方法（157）などの理由によって却下されたときには，もちろん既判力が生じないし，また民法505条や509条の要件が満たされないために相殺の抗弁が排斥されたときにも，既判力は否定される。

のである。ただし，「相殺をもって対抗した額」を実質的に捉え，自働債権全額の不存在について既判力が生じるとする有力説がある。高見進「一部の債権による相殺の抗弁と判決の効力」青山古稀225頁，228頁。

また，一部請求の場合においては，残部についての既判力が生じないとの判例法理（本書238頁参照）の下で，相殺権者が対当額について既判力の遮断効を受けることが公平に反するとの指摘があるが（加波・前掲論文（注*193*）551頁），残部請求を信義則によって遮断する可能性（本書239頁注*109*）を考慮すべきである。

197）　兼子344頁，林屋455頁，梅本927頁など。

198）　有力説の目的は，原告が，自働債権は相殺によって消滅したのではなく，当初から不存在であり，被告が訴求債権の支払義務を理由なく免れたと主張して，不当利得返還請求をなす場合や，反対に被告が，原告の債権は別の理由で不存在であり，原告が自働債権の支払義務を理由なく免れたと主張して，不当利得返還請求をなす場合に，既判力の遮断効を及ぼすというものである。

しかし，いずれの主張も，基準時における訴求債権の不存在，または自働債権の不存在の判断に抵触するものであるから，あえて有力説のように既判力の対象を拡張する必要はない。鈴木正裕「連帯債務と判決効」判タ391号4頁，12頁（1979年），新堂703頁，高橋(上)638頁，中野・前掲論文（注*193*）6頁，小島654頁など参照。

また，一部請求に対抗して相殺の抗弁が主張され，それに理由があると認められるときには，いわゆる外側説，すなわち一部請求の基礎として認められる債権全体が受働債権となる一方，一部請求の額を超える範囲の自働債権の存否については，既判力を生じないとするのが判例（最判平成6・11・22民集48巻7号1355頁〔百選〈6版〉108事件〕。本書239頁注*109*参照）であり，一部請求の利益を優先させていると考えられる。

また，訴訟物の枠を超えて自働債権の不存在確定という不利益を被告に課することになるので，たとえ相殺の抗弁が予備的主張として提出されていないときであっても，弁済等他の抗弁が同時に提出されている場合には，裁判所は，まず他の抗弁の成否について判断し，訴求債権の存在を確認した上で相殺の抗弁について判断することになる。この意味で，既判力が生じることを反映して，攻撃防御方法に関する判断について通常認められる裁判所の選択権が制約される[199]。さらに，弁済などの抗弁が排斥され，相殺の抗弁が認められて請求棄却の判決を得た被告には，判決主文に対する不服ではなく，基準時における自働債権の不存在を認めた判決理由中の判断に対する不服を理由として，上訴の利益が認められる。

ウ　判決理由中の判断の拘束力

前記のとおり，相殺の抗弁の場合を除いて，既判力の対象は訴訟物たる権利関係に限定され，判決理由中の判断は，たとえそれが権利関係に関する判断であっても，後訴裁判所に対する拘束力を認められない。しかし，この原則に対しては，有力な学説の側から，いわゆる争点効理論が提唱され，後述のように，最高裁判例によって否定されたものの，下級審裁判例にもこれを採用するものがある。

(a)　争点効理論の内容　　争点効とは，前訴で当事者が主要な争点として争い，かつ，裁判所がこれを審理して下したその争点についての判断に生じる通用力で，同一の争点を主要な先決問題とする後訴の審理において，当事者に対してその判断に反する主張・立証を許さず，裁判所に対してこれと矛盾する判断を禁止する効力として定義される[200]。後訴裁判所に対する前訴判決の判断の拘束力であり，それが当事者の主張・立証に対して反射的な効果をもつという点では，争点効は既判力と同質性をもつが，以下の点では両者の間に違いが認められる。まず，要件に関しては，次の点が指摘できる。

第1に，主要な争点として争われたかどうかは，一方当事者の主張とこれに

199)　裁判所がこの判断の順序を誤ったときには，当事者に対する手続保障を欠くものとして，自働債権の不存在についての既判力が生じない。吉村徳重「相殺の抗弁と既判力」法政研究46巻2～4号607頁，621頁（1980年），条解民訴〈2版〉546頁〔竹下守夫〕，高橋(上)639頁など。

200)　新堂718頁。より詳細な理論構成については，新堂・争点効(上)183頁以下参照。

対する相手方の防御の態様によって決せられるから，請求原因や抗弁の内容によって一義的に決められるものではない。第2に，第1の要件の反映ではあるが，裁判所がその争点について実質的判断を行ったことが要求されるから，仮定的判断などには争点効が生じない。第3に，当事者間の公平からみて，前訴と後訴の係争利益がほぼ同等であることが要求される。利息金請求の前訴と元本請求の後訴では，たとえ前訴で元本債権の存否が主要な争点であったとしても，後訴に争点効を及ぼすことは公平に反するといわれる。

また，その効果に関しては，引渡請求訴訟の前提問題である所有権などの権利関係が争点効の対象となることはもちろん，詐欺取消しによる契約の無効や弁済による債務の消滅などの法律効果も争点効の対象とされる。さらに，既判力は職権調査事項であるのに対して，争点効は当事者間の公平の実現を主目的とするものであるから，当事者の主張を待って判断すれば足りるという。その他，争点効の主観的範囲も既判力に関する115条1項に準じて，口頭弁論終結後の承継人，請求の目的物の所持者などに及ぶと解されている。ただし，争点効の対象となる判断に対する不服を理由とする上訴は認められない[201]。

争点効理論の機能としては，信義則に反する当事者の主張・立証を封じることのほかに，紛争解決の一回性の徹底，新訴訟物理論の下で欠落する訴訟物の実体法的性質決定の補充などが挙げられる[202]。しかし，訴訟物の実体法的性質決定については，本書の立場では争点効に依存する必要はないし，紛争の一回的解決の機能は，争点効発生要件が厳格であることを考えれば，それほど大きなものとはいえない。やはり，争点効理論の機能の中心は，信義則に反する当事者の主張・立証を封じることにあると考えられる[203]。

(b)　争点効理論の評価　　争点効理論に対する学説の評価は分かれているが[204]，判例は，これを繰り返し否定している[205]。否定の理由は，114条の規

---

201)　主観的範囲について，新堂729頁，新堂・争点効(上)346頁以下，上訴の利益について，新堂732頁参照。ただし，上訴が許されないときには，争点効も発生しない。

202)　高橋(上)648頁以下参照。

203)　新堂幸司「正当な決着期待争点」中野古稀(下)1頁，3頁は，正当な決着期待争点の概念を立てて，裁判所の実質的判断からみた主要な争点と，当事者の期待からみた決着期待争点が一致する場合に争点効がもっともよく機能するとされるが，これをみても，争点効理論の機能が信義則違反の主張・立証を遮断することにあることが理解されよう。

204)　支持するものとして，齋藤380頁，林屋457頁，小林秀之・プロブレム・メソッド

定に求められ，相殺の抗弁の場合以外には，判決理由中の判断の拘束力が認められないというものである。確かに，実定法上の根拠を欠くにもかかわらず理由中の判断の拘束力を認めることについては，問題がある[206]。後に述べる信義則理論と異なり，争点効は，その基礎に信義則の理念があるとはいえ，あくまで裁判所の判断の拘束力であり，当事者の裁判を受ける権利を保障する視点からしても，訴訟物の枠を超える拘束力の拡張には慎重でなければならない[207]。しかし，裁判所の判断そのものの拘束力ではなく，当事者の訴訟行為の自己責任としての信義則にもとづいて，後訴における主張・立証を制限するのであれば，裁判を受ける権利を侵害することにもならず，また2条の根拠も認められる。したがって，争点効理論の意義は，確定判決の理由中の判断の前提となる，当事者の訴訟行為にもとづいて生じる信義則上の拘束力の1態様として生かされるべきである[208]。

(c)　信義則にもとづく拘束力　　訴訟上の信義則によって規律される訴訟行為は，いくつかの類型に分けられるが，ここで問題となるのは，訴訟上の禁反

新民事訴訟法〈補訂版〉394頁（1999年），加藤雅信「実体法学からみた訴訟物論争」新堂編・特別講義146頁以下，高橋(上)649頁，小島657頁，岡庭幹司「判決理由中の判断の拘束力についての立法史素描」高橋古稀865頁，瀬木537頁など，批判するものとして，三ヶ月・双書142頁以下，梅本958頁がある。学説の詳細については，高橋(上)643頁以下参照。もっとも，争点効理論自体はとらないものの，その内容を積極的に評価し，かつ，判例との調和を目指して，信義則による拘束力として理論構成する立場も有力であり（条解民訴〈2版〉538頁以下〔竹下守夫〕，秋山ほかⅡ513頁，垣内・前掲論文（注163）230頁以下など），本書もこの考え方をとる。

205）　詐欺取消しの判断について，最判昭和44・6・24判時569号48頁〔百選〈6版〉79事件〕，損害賠償請求の前提となる権利関係について，最判昭和48・10・4判時724号33頁，登記請求の前提となる所有権について，最判昭和56・7・3判時1014号69頁。ただし，下級審裁判例には，争点効を肯定したものも多い。秋山ほかⅡ513頁参照。

206）　小山昇「既判力か争点効か信義則か」曹時40巻8号3頁（1988年）では，民事訴訟法上信義則を直接規定した条文がないとして，信義則に対する争点効の優先性を説くが，2条が設けられた現在，この前提が変わったと思われる。

なお，争点効理論に対する批判として，中間確認の訴え（145）の存在を指摘する議論もあるが，争点効の対象と中間確認の訴えの対象とは必ずしも一致せず，この議論は決定的なものと思われない。

207）　池田辰夫〔判例批評〕私法判例リマークス4号135頁，139頁（1992年），椨善夫「矛盾・蒸し返しの主張と信義則」中野古稀(下)225頁，247頁など参照。

208）　主要な争点に対する裁判所の判断を明確な形で示そうとする近時の判決書の改革も，争点効理論の内容に対する積極的評価につながる。東松文雄「争点に対する判決理由中の判断の拘束力について(1)」判時1362号10頁，11頁（1990年）参照。

言，および訴訟上の権能の失効の2類型である[209]。

第1は，訴訟上の禁反言，または矛盾挙動禁止の原則による規制である。たとえば，買主からの売買目的物引渡請求訴訟において売買契約の無効を主張して請求棄却判決を得た被告売主は，買主が提起する代金返還請求の後訴において買主による売買無効の主張を否認することはできない。すなわち，先行行為たる売買無効の主張によって請求棄却判決という利益を得，逆に相手方に不利益を生じさせた当事者は，相手方がその先行行為の結果を前提として提起した後訴において，先行行為と法律上矛盾する内容の主張をすることが禁じられる。しかし，この原則は，先行行為によって当事者が一定の法的利益を得ていない場合には適用されない。また，前後の主張が矛盾するか否かは，主張事実にもとづく法律効果を基準として決定されるから，貸金返還請求の前訴で弁済の抗弁を認められ，請求棄却判決を得た被告が，後訴において，すでに債務免除によって債務が消滅していたとして，弁済金の不当利得返還請求をなすことは許されない[210]。

なお，禁反言の原則は，あくまで当事者の訴訟行為の態様に着目するものであるから，主張事実が審理において争点となり，裁判所の判断の対象となったかどうかによってその適用が決せられるものではない。この点は，争点効と異なる。したがって，売買代金請求訴訟における原告売主の売買契約成立の主張に対して，被告買主が売買契約の成立を自白し，請求認容判決が確定した場合であっても，前訴被告による売買目的物引渡請求の後訴において前訴原告たる売主は，売買の成立を否認しえない。

209）以下の叙述は，竹下守夫「判決理由中の判断と信義則」山木戸還暦(下)72頁以下，条解民訴〈2版〉539頁以下〔竹下守夫〕以下によるところが大きい。

210）弁済の時点での債務消滅と，それ以前の免除による債務消滅とは，法律効果として相矛盾するからである。新堂728頁。ただし，兼子ほか623頁では，法律効果として矛盾しても，それを基礎づける事実としては両立しうるとの理由から，後訴の主張は信義則に抵触しないとする。

また，売主による売買代金請求の前訴において，買主による売買の無効の主張が認められ，請求棄却判決が確定し，売主が後訴として，引渡済みの目的物の返還請求を提起したときに，買主が売買契約の存在を主張することも，信義則に抵触する。ただし，堤龍弥「訴訟物と確定判決の遮断効をめぐる一考察」徳田古稀382頁は，このような場合には，二つの請求の間に択一的関係が認められ，訴訟物相互間に矛盾関係がある場合の既判力（本書581頁）が働くとする。

第2は，訴訟上の権能の失効である。ある法律上の地位を基礎づける事実について一方当事者がすでに主張・立証を尽くしたか，またはそれを尽くしたと同視されるべき事情が存在する場合には，もはやその地位を訴訟上主張しえないことについて相手方の信頼が形成され，その結果として当該当事者は，その地位を主張することを信義則によって制限される。ただし，相手方の信頼が正当なものとして保護されるのは，前訴で相手方が勝訴している場合に限られる。すなわち，一方当事者がその主張・立証を尽くし，または尽くしたと同視される事情があったにもかかわらず，前訴で敗訴した場合に，それによって相手方が得た法的地位を覆すために行われる後訴における主張・立証などの権能が失効する[211)]。

たとえば，前訴において所有権を理由とする移転登記の抹消請求がなされ，所有権の帰属が主たる争点となり，その不存在を理由として請求棄却判決がなされたにもかかわらず，前訴原告がさらに所有権にもとづく後訴を提起し，土地の引渡しを求めるときには，前訴判決確定によって所有権の帰属について相手方の信頼が形成され，かつ，その点について前訴において主張・立証の機会を与えられた原告は，所有権の帰属を主張する機会を制限されてもやむをえない。したがって，少なくとも前訴の口頭弁論において提出できた事実を基礎とする限り，所有権を訴訟上主張する権能を制限される[212)]。これは，前訴判決の理由中の判断に関する争点効と一致する場合であるが，信義則はあくまで，判決理由中の判断の拘束力ではなく，判決理由において判断の機会を得た当事

211）　原強「判例における信義則による判決効の拡張化現象(2･完)」札幌学院法学8巻1号31頁，39頁（1991年）は，①前訴と後訴の請求の実質的同一性，②前訴における請求または主張の提出期待可能性，③紛争解決についての相手方の信頼，④前訴における審理の程度，⑤主張等の遮断を正当化するその他の事情という形で，判例による信義則適用要件を整理する。

212）　信義則による主張制限を認めた最判昭和52・3・24金商548号39頁の事案は，これに近い。また，争点効を否定した前掲最判昭和44・6・24（注205），前掲最判昭和48・10・4（注205）の判断は，信義則の見地から再検討の余地がある。ただし，昭和44年判決の場合には，2つの訴訟が並行して行われ，たまたま一方の判決が先に確定したとの事情があるところから，権能失効の原則を適用するには問題がある。兼子ほか627頁参照。これに対して，新堂幸司「判決の遮断効と信義則」三ヶ月古稀(中)475頁，489頁以下は，争点効を肯定すべきであるとするが，権能失効の原則を根拠とする限りは，問題があろう。
　また，主張・立証の機会が尽くされたとみられないときには，信義則は作用しない。名古屋高判昭和54・11・28判時954号42頁。

者の訴訟行為の態様自体を根拠として適用されるものである。

したがって，前訴と後訴の請求原因が異なり，訴訟物が別個の場合であっても，実質的に前訴と後訴とが同一紛争にかかわり，前訴で相手方が得た地位を一方当事者が後訴によって覆そうとするときには，たとえ後訴における主張事実自体が前訴判決理由中の判断の対象となっていない場合であっても，後訴での主張が信義則によって遮断されることがある。この場合には，信義則による遮断効が争点効の範囲よりも広がる結果となる。ただし，信義則適用の前提として，前訴と後訴とが同一紛争にかかわることのほかに，後訴の主張が前訴でなされた主張と同視できる事情や，訴え提起までの時間の経過などの事情を考慮し，後訴における主張を制限しても，前訴の相手方の信頼を保護すべきであるとの判断が要求される[213]。

なお，既判力は，前訴判決の後訴裁判所の判断に対する拘束力として作用するから，その作用が認められるときでも，訴訟判決ではなく，後訴裁判所の判断を内容とする本案判決がなされる。信義則の場合にも，その対象が個別的な法律効果の前提となる事実主張であるときには，本案判決がなされるが，訴権の行使そのものが信義則によって制限されるときには，訴え却下の訴訟判決がなされることがある[214]。いずれの場合であっても，信義則は，相手方との関係において特定の訴訟行為が許されないかどうかを問題とするものであるから，裁判所の職権によって適用すべきものではなく，相手方の主張を待って裁判所

213）　前訴では，農地買収処分の無効を前提とする買戻契約にもとづく所有権移転登記請求が棄却され，後訴では，買収処分の無効にもとづく所有権移転登記請求が訴求され，これが信義則に反するとされた最判昭和51・9・30民集30巻8号799頁〔百選〈6版〉74事件〕は，この類型に属する。ただし，結論については批判もある（坂原・前掲書（注182）235頁以下など）。逆に，相手方の信頼の不形成を理由として信義則の適用を否定したものとして，最判昭和59・1・19判時1105号48頁〔昭和59重判解・民訴2事件〕がある。なお，昭和51年判決では，前訴で当事者となっていなかった者についても信義則による訴権行使の制限を認めているが，信義則は，裁判所の判断の拘束力とは異なるから，既判力の主観的範囲を規定した115条の範囲に限定されるわけではない。東京地判昭和52・5・30下民28巻5～8号566頁参照。

214）　竹下守夫「争点効・判決理由中の判断の拘束力をめぐる判例の評価」民商法雑誌創刊五十周年記念論集Ⅰ・判例における法理論の展開（民商93巻臨時増刊号(1)）259頁，279頁（1986年）で指摘される，請求レベルでの信義則と主張レベルでの信義則に対応する。請求レベルでの権利失効の原則を適用したものとして，東京地判平成8・1・29判タ915号256頁がある。

が顧慮すべき性質のものである。

(3) 既判力の主観的範囲

確定判決の既判力は，訴訟物についての受訴裁判所の判断にもとづくものである。したがって，判断の基礎資料，すなわち訴訟資料および証拠資料を提出する機会を与えられた当事者のみがその判断に拘束され，また執行力など確定判決の他の効力に服することが原則である。しかし，既判力の主観的範囲を当事者のみに限定すると，判決の紛争解決機能は，極めて狭い範囲に限定される。たとえば，口頭弁論終結後に訴訟の目的物を譲り受けた者については，その者のために，またはその者に対して判決効が及ばないとすれば，裁判所は，それらの承継人を当事者とする後訴においても，前訴の訴訟物またはそれと関連する権利関係について再び本案の審判をなすことを要求される。

そこで立法者は，このような場合における当事者間の公平を考慮して，承継人に対して判決の効力が及ぶことを規定する（115 I ③）。さらに手続保障の必要が存在しない請求の目的物の所持者（115 I ④）についても，当事者に対する判決効が拡張される。この種の第三者は，独自の手続追行を保障することを要しない者とも呼ばれる[215]。加えて，訴訟担当者が当事者となっている判決も，権利関係の帰属主体たる被担当者に対して実質的な手続保障が与えられているという理由から，被担当者のために，また被担当者に対してその効力が拡張される（115 I ②）。これは，代替的手続保障がある場合とも呼ばれる。

それ以外の場合にも，特に人事法律関係や団体法律関係については，法律関係の安定の要請にもとづいて判決効拡張の特別規定がおかれていることが多い。また，明文の規定がない場合においても，当事者との間に実体法上の一定の関係が存在する第三者については，判決効の拡張が議論される。これが後に検討する反射効の考え方である。最後に，形式的には当事者と別の法人格者について，法人格否認の法理の適用によって判決効が拡張される場合を検討する。

なお，115条は，確定判決の効力の主観的範囲を規定するが，確定判決の効力としては，形式的確定力を別にして，既判力，執行力，および形成力が分け

---

215) 石川明＝小島武司＝佐藤歳二編・注解民事執行法(上)184頁〔上田徹一郎〕（1991年）参照。したがって，所持者は，既判力で確定された当事者間の権利関係の存否を争いえない。青木哲「請求の目的物の所持者に対する判決効について」松本古稀583頁参照。

られる。このうち，執行力については，民事執行法23条の特則があり，また形成力は，形成判決に特有のものであり，後に説明するように，一般に115条にいう判決効とは区別されて取り扱われる。ただし，115条2項は，主観的範囲に関する規定を仮執行宣言に準用しているが，これは，仮執行宣言の狭義の執行力に関するものではなく，広義の執行力にかかわるものである。

115条は，当事者等の法主体に対して確定判決の効力が及ぶ旨を規定するが，その趣旨は，一定の地位にある法主体については，確定判決における訴訟物たる権利関係と矛盾し，それを覆す結果となる攻撃防御方法の提出が遮断されるところにある。既判力の性質をこのように理解する以上，その作用の態様も，既判力を受ける者の法律上の地位に応じて異なる。請求の目的物の所持者，および訴訟担当における本人は，当事者自身と同様に，既判力ある判断によってその者の法的地位が確定されるのに対して，口頭弁論終結後の承継人は，多くの場合，その者の法的地位の前提となる権利関係の部分が既判力によって確定され，それ以外の独自の法的地位の部分は，改めて本案の審判の対象となる[216)]。

以上に述べたように，拡張される既判力の内容は訴訟物の範囲によって画されるのが原則であるが，相殺の抗弁について既判力が生じる場合には，訴訟物ではない自働債権の存否などについて既判力が生じ（114Ⅱ），それが第三者に拡張されることもありうる[217)]。

ア　当　事　者

既判力の対象となる訴訟物は，原告によって定立され，その判断資料となる裁判資料は，弁論主義の原則の下では，両当事者によって提出される。したがって，訴訟物についての確定判決の既判力も，当事者のみに及ぶのが原則である。これを既判力の相対性と呼ぶ。したがって，2当事者対立の通常の訴訟法律関係においては，原告および被告に対して既判力が及ぶことになるが，独立当事者参加訴訟のように，相互に牽制し合う複数の訴訟法律関係が成立する訴

216）　有力な学説は，このような差異に着目して，前者を当事者型，後者を承継人型として区別する（上野㤗男「既判力の主観的範囲に関する一考察」関大法学論集41巻3号399頁（1991年））。本質的には，このような区別は不要であるとの指摘もなされているが（中野・論点Ⅰ222頁），既判力の作用を整理するためには有用な概念と思われる。

217）　竹下守夫〔判例批評〕私法判例リマークス4号131頁以下（1992年）参照。

訟構造においては（47），原告，被告，参加当事者のすべてに対して，1個の判決の既判力が及ぶ。たとえば，原告が被告に対して目的物についての自己の所有権の確認を求め，参加人が原・被告の両者に対して自己の所有権の確認を求める独立当事者参加訴訟において，原告の請求を認容し，参加人の請求を棄却する判決が確定した場合には，被告だけではなく，参加人も原告の所有権を争うことが禁じられる[218)]。

他方，既判力は，請求についての確定判決の拘束力を意味するものであるから，請求の定立者およびその相手方である原・被告以外の訴訟関係人に対しては，既判力が及ぶことはない。補助参加人に対しては，特別の判決の効力が規定されているが，これも既判力を意味するものではない。訴訟代理人や法定代理人などの訴訟上の代理人についても同様である。

イ　口頭弁論終結後の承継人

口頭弁論終結後の承継人の意義に関しては，承継の時期，承継の対象，および承継人に対して拡張される既判力の範囲などが解釈上問題とされる。なお，承継人は，当事者からの承継人のみならず，115条1項2号にいう他人，すなわち訴訟担当の利益帰属主体たる本人の承継人も含む[219)]。

(a)　承継の時期　　口頭弁論終結後の承継人とは，事実審の口頭弁論終結時後の承継人を意味する。これは，既判力の基礎となる訴訟資料・証拠資料の提出が，事実審の最終口頭弁論終結時までに限定されるので，既判力の拡張を受ける承継人の範囲もその時点を基準としたものである。したがって，上告審係

218)　47条1項にもとづいて片面的当事者参加がなされるときには，3面的訴訟法律関係が成立するとはいえない。しかし，47条4項によって40条が準用される以上，合一確定の要請から牽制し合う訴訟法律関係の成立が認められ，請求の定立されていない当事者間でも既判力が及ぶことになる。なお，共同訴訟人相互間では請求が定立されていないために既判力が発生しないが，固有必要的共同訴訟である遺産確認の訴え（本書194頁，704頁）のように共同訴訟人相互間でも法律関係の安定の要請が強い類型では，既判力の発生を肯定する考え方が有力である。笠井正俊「遺産確認訴訟における確定判決の既判力の主体的範囲」伊藤古稀155頁参照。

219)　訴訟係属の事実や前訴判決の存在についての承継人たるべき者の知不知は問題とならない。もっとも，合理的通常人が知りえない状況にあるときには，承継人に対する既判力拡張が否定されるとする有力説がある（高見進「判決効の承継人に対する拡張」北大法学論集31巻3・4号上巻1223頁（1981年））。しかし，相手方による既判力の援用が権利濫用や信義則違反とされる場合を除けば，知不知を問題にすることは，法的安定を害することになる。

属中の承継人も115条1項の承継人に含まれる[220]。

権利関係の承継が口頭弁論終結前に条件付で行われ，終結後に条件が成就したときには，承継が効力を生じた時点が基準となるので，口頭弁論終結後の承継として扱われる[221]。逆に，判決内容に条件が付されている場合，たとえば，被告側の義務懈怠を条件として給付義務の履行を命じる条件付給付判決の場合には，条件成就の時ではなく，口頭弁論終結時を基準時として承継人の範囲が定められる[222]。

これに対して，口頭弁論終結前の承継人については，既判力が拡張されず，訴訟承継の問題として取り扱われる。これは現行法がいわゆる訴訟承継主義をとったことの帰結である。ただし，訴訟承継の場合には，当事者の地位の移転にともなって，従前の審理に提出された裁判資料が新当事者についての裁判資料として引き継がれ，既判力の拡張の場合には，当事者によって提出された裁判資料にもとづく確定判決中の判断が後訴裁判所および承継人を拘束するものであり，両者の間には，考え方としての連続性がある[223]。

なお，不動産の権利に関する訴訟における承継の時期に関する問題として，所有権移転時期とその対抗要件たる登記移転時期のいずれを基準とするかが議論される。不動産についての物権そのもの，または物権にもとづく請求権が訴訟物とされるときには，登記が承継人の地位を決するから，その時期が口頭弁論終結後の承継人の範囲を決する基準となる[224]。もちろん，弁論終結前に仮登記がなされていても，所有権移転およびそれにもとづく本登記が終結後にな

220）東京控決昭和8・9・12新聞3618号6頁。請求の放棄・認諾や訴訟上の和解について既判力が認められ，それを前提として本条が類推適用される場合には，それらの訴訟行為の効力発生時後の承継人に対して既判力が拡張される（前掲最判昭和26・4・13（注73）参照，秋山ほかⅡ522頁）。

221）上田徹一郎「条件付譲渡と既判力拡張」民商52巻3号317頁，334頁（1965年），秋山ほかⅡ523頁，法律実務(6)65頁参照。

222）条解民訴〈2版〉579頁〔竹下守夫〕，谷口＝井上編(3)300頁〔上野泰男〕。条件付和解調書の執行力について，京都地決昭和47・1・10判時658号68頁がある。もっとも，大阪高判昭和46・11・30判時661号53頁は，調停調書成立後条件成就前の占有承継人に対して執行力が拡張されないとするが，不当である。小室直人〔判例批評〕判タ286号74頁，78頁以下（1973年）参照。

223）兼子・研究(1)45頁参照。

224）大判昭和17・5・26民集21巻592頁。なお，最判平成6・2・8民集48巻2号373頁参照。

された場合には，登記名義人は，終結後の承継人として扱われる[225]。承継人が仮登記の順位保全効を援用できるかどうかは，既判力の拡張とは別の問題である[226]。債権譲渡とその対抗要件たる通知または承諾の関係についても同様に考えられる[227]。

(b)　承継の対象　　承継の対象としては，相続および合併，すなわち当事者の権利義務一般を承継する一般承継と，特定の権利義務を対象とする特定承継が含まれる[228]。また，承継の原因としても，当事者間の法律行為，競売・転付命令などの国家行為，または法律の規定など（民254・286など），いずれによるものでも差し支えない。ただし，口頭弁論終結後に取消権の行使によって訴訟物に関連する権利が当事者から前主に復帰したときには，権利の承継があったとはみなされないので，その前主は，115条にいう承継人として扱われない。

一般承継人たる相続人については，相続放棄をすれば，はじめから相続人とならなかったものとみなされるので（民939），既判力の拡張も受けない。これに対して，限定承認の事実は，責任財産の範囲を限定する効果を生じるだけであり，既判力の拡張を妨げない。

次に承継の対象の法律上の性質については，それが訴訟法上の地位を意味するのか，それとも実体法上の権利関係を意味するのかが問題となる。以下に述べるように，承継の対象を当事者適格や紛争の主体たる地位として捉える立場によれば，それらは訴訟法上の地位としての性質をもつのに対して，承継の対象そのものは訴訟物またはそれに関連する実体法上の地位として捉えれば，その承継に対して法が既判力の拡張という訴訟法上の効果を付与していると考えることができる。本書では，後者の考え方をとるが，その理由は，以下のとおりである。

(i)　訴訟物の承継　　口頭弁論終結後に訴訟物たる権利関係が承継された

---

225)　最判昭和52・12・23判時881号105頁。

226)　東京地判昭和40・9・27下民16巻9号1449頁。

227)　前掲大判昭和19・3・14（注42）（放棄調書）。

228)　もっとも，一部の学説は，115条にいう承継人は特定承継人のみを指し，一般承継人は当事者に準じる実質的当事者として既判力を受けると説明する（上田徹一郎「判決効の範囲決定と実体関係の基準性」民商93巻3号317頁，336頁（1985年））。しかし，当事者概念そのものを変更するだけの実益に乏しいので，やはり一般承継人も本条の承継人に含まれるとするのが解釈論として妥当である。

場合に，承継人に対して既判力が拡張されることについては，争いがない。一般承継においては，もちろん訴訟物たる権利関係の承継があるとみられるし，特定承継においても，所有権確認訴訟の原告から所有権を譲り受けた者，物権の不存在確認訴訟において勝訴した被告から当該物権を譲り受けた者[229]，給付訴訟の訴訟物たる債権の譲受人[230]，給付訴訟の被告から債務を引き受けた者などが，訴訟物の承継人として既判力の拡張の対象となる。

ただし，訴訟物たる義務の承継については，免責的債務引受け（民472）がなされたときには，承継を肯定するのが通説であるが，併存的債務引受け（民470）については，それが新債務を設定するものであるという根拠から引受人を承継人にあたらないとする下級審裁判例がある[231]。実体法の解釈として，免責的債務引受けの場合には，債務はその同一性を失わずに旧債務者から引受人に移転するのに対して，併存的債務引受けの場合には，引受人は，原債務と同一内容の新債務を，債務者と連帯して負担する[232]。したがって，免責的債務引受けにおいては，訴訟物たる権利関係の承継があるものとして，既判力が承継人に拡張されるが，併存的債務引受けの場合には，いかなる意味においても訴訟物たる権利関係の承継が認められないのであるから，引受人を承継人とする余地はない。

肯定説は，原債務と引受債務との間に，原債務が存在しなければ引受債務が存在しないという関係があることを理由として挙げるが，ここでの問題は地位相互間の関係の有無ではなく，地位の承継の有無であるから，このような理由づけは失当である。その結果，併存的債務引受人は，自己の債務の履行が訴求

229）　前掲大判昭和17・5・26（注224）。

230）　前掲大判昭和19・3・14（注42）（放棄調書），東京控判昭和11・11・5新聞4097号11頁（転付債権者）。

231）　長崎地判昭和31・12・3判時113号24頁。学説の考え方は分かれている。上記裁判例を支持して，既判力拡張を否定するものとして，法律実務(6)67頁，谷口＝井上編(3)293頁〔上野泰男〕，上野・前掲論文（注216）395頁以下，兼子ほか664頁，秋山ほかⅡ524頁などがあり，既判力拡張を肯定するものとして，吉村徳重「既判力拡張における依存関係(3)」法政研究28巻1号49頁，76頁（1961年），新堂705頁，小山403頁，斎藤ほか(5)141頁〔小室直人＝渡部吉隆＝斎藤秀夫〕，高橋(上)696頁がある。これに対して，条解民訴〈2版〉581頁〔竹下守夫〕は，免責的債務引受けであろうと，併存的債務引受けであろうと，明示の合意がない限り，既判力の拡張を否定する。

232）　注釈民法(11)458頁，471頁〔椿寿夫〕，奥田昌道・債権総論〈増補版〉476頁（1992年）。

されたときに，たとえ原債務について請求認容判決が確定している場合であっても，それを争うことが許される。逆に，原債務について請求棄却判決が確定しているときでも，引受人は，それを自己の有利に援用することもできない。

保証人の場合も同様に，主債務者を当事者とする判決の既判力の拡張は否定される[233)]。保証債務は主債務の存在を論理的に前提とするものであり，その意味で両者の間には，後者が前者を前提とする関係が存在することはいうまでもない。しかし，ここで問題となるのは，論理的な関係の有無ではなく，口頭弁論終結後の地位の承継によってそのような関係が生まれたかどうかであり，その点から考えると，保証人と主債務者との間に実体法上の地位の移転が存在しないといわざるをえない。

(ii)　訴訟物の基礎たる権利または訴訟物から派生する権利関係の承継

従来の判例は，訴訟物の枠を超えて承継を認め，学説は，その結論を支持する前提の下に，承継人の範囲に関する理論的基準としていくつかの考え方を提示してきた。第1は，かつての通説の提唱する基準であり，当事者適格の移転をもって承継人の範囲を画する[234)]。この考え方によれば，所有権にもとづく目的物の引渡請求認容判決の既判力は，目的物の占有を譲り受けた第三者に対して拡張され，その第三者は，自己の占有権原の前提として，自己の前主たる被告が目的物の占有権原を有していたことを主張しえない。なぜならば，第三者が占有を承継したことにともなって，引渡請求についての当事者適格が被告から第三者へ移転したものとみなされるからであると説明される。

これに対して，近時の多数説は，当事者適格の移転の概念に代えて，紛争の主体たる地位の移転という概念を承継人の範囲に関する基準として提唱する。この考え方は，前訴と後訴における訴訟物が異なる以上，それぞれの当事者についての当事者適格が同一とはいえず，したがって，当事者間でそれが移転す

---

233)　秋山ほかⅡ525頁，高橋(上)696頁参照。ただし，斎藤ほか(5)141頁〔小室直人＝渡部吉隆＝斎藤秀夫〕は反対。

234)　この考え方は，訴訟承継と既判力の主観的範囲を統一的に理論構成しようとした兼子博士の考え方（兼子・研究(1)1頁以下）から発達し，通説的地位を占めたものである。小山昇「口頭弁論終結後の承継人について」北大法学論集10巻1～4号28頁（1960年），同・小山昇著作集2巻180頁（1990年），中田淳一「既判力（執行力）の主観的範囲」民訴演習Ⅰ200頁，205頁，小山402頁，齋藤385頁，佐上善和・民事訴訟法〈第2版〉236頁（1998年）など。

ることもないとの理論的批判を基礎として，次のような場合においても承継を認めるべきであるとする。

たとえば，前訴判決が賃貸借終了にもとづく建物収去土地明渡請求権の存在を確定したものであるときに，建物所有者である被告から口頭弁論終結後に建物を賃借した第三者は，いかなる意味でも当事者適格の移転を受けたものとはいえないが，自己の建物および土地の占有権原の前提として被告の土地占有権原を援用しえないという点で，承継人の範囲に含まれるとする[235]。ここでいわれる紛争の主体たる地位は，第三者と相手方当事者との紛争の対象たる権利義務関係が，当事者間の前訴の訴訟物たる権利義務関係から口頭弁論終結後に発展ないし派生したとみられる関係にあるものと定義される。

さらに近時の有力説として，当事者適格や紛争の主体たる地位という訴訟法上の地位の移転ではなく，訴訟物およびこれに関連する実体法上の権利関係そのものを承継の基準とする考え方がある[236]。この考え方は，第三者の実体法上の地位と当事者のそれとの間の依存関係を承継の基準とするところから，依存関係説とも呼ばれる。ただし，承継人の法律上の地位と当事者の法的地位との間の依存関係を考える場合に，前者と後者とが同一の場合，すなわち法的地位そのものが第三者に移転された場合だけでなく，移転された権利関係を法律上の基礎として承継人の法的地位が成立する場合，または派生する場合に承継を認めるところに，この考え方の特徴がある。

以上の考え方のいずれが正当かを決する際には，承継人に対する既判力拡張の趣旨を考慮する必要がある。すでに述べたように，請求の目的物の所持者や被担当者への既判力の拡張は，相手方との関係で考えれば，手続保障が充足さ

235)　新堂・争点効(上)316頁，兼子ほか654頁以下，斎藤ほか(5)137頁〔小室直人＝渡部吉隆＝斎藤秀夫〕，中野ほか・講義528頁など参照。なお，最判昭和41・3・22民集20巻3号484頁〔百選〈6版〉104事件〕は，50条にもとづく引受承継についてこの概念を用いており，これが115条にいう承継人についてこの概念が用いられるきっかけとなったと思われる。新堂幸司・判例民事手続法231頁後注（1994年）参照。さらに，条解民訴〈2版〉570頁〔竹下守夫〕は，「訴訟物にかかる実体的利益の帰属すべき法的地位の承継人」という基準を提唱する。

236)　上田・判決効183頁以下，上田507頁，谷口＝井上編(3)296頁〔上野泰男〕，吉村徳重「既判力の第三者への拡張」講座民訴⑥139頁，166頁，上野・前掲論文（注216）422頁，瀬木516頁。

れたか，またはその必要がないことを根拠とするが，承継人の場合には，そのような根拠は妥当しない。かつての通説および近時の多数説は，当事者適格や紛争の主体たる地位の移転があるとするが，これらは主として訴訟承継を念頭においたものであり，弁論終結後の承継人に対する既判力の拡張の根拠として妥当な説明かどうかは疑わしい。

たとえば，当事者適格の移転は，本来の意義としては，新たに当事者適格を取得した者が正当な訴訟追行権者として訴訟行為を行いうることを意味するものであり，訴訟承継の場合には適切な説明ではあっても，既判力拡張，すなわち当事者の訴訟行為に対する遮断効の根拠としては適切と考えられない。紛争の主体たる地位についても同様のことが当てはまる。紛争の主体たる地位が移転したことによって，なぜ承継人に対しては独自の手続保障を経ることなく既判力が拡張されるのかの説明はかならずしも容易ではない。

むしろ，当事者適格や紛争の主体たる地位の移転の基礎となっている，実体法上の権利関係の承継そのものに着目し，それが口頭弁論終結時後に行われていることをもって，立法者が法的安定の要請，および当事者と第三者の公平を考慮して既判力の拡張を認めたと解するのが正当である[237)]。請求の目的物の所持者や訴訟担当の本人の場合には，所持開始や管理処分権付与の時期が問われないのに対して，承継人の場合には，口頭弁論終結時という時的要素が本質的要素をなしているのは，次のような考慮にもとづくものと思われる。

すなわち，既判力が第三者の有利に拡張されるときには，すでにその法的地位について攻撃防御方法を尽くした相手方当事者よりも，既判力によって確定された法的地位やそれに関連する権利関係を承継した第三者を保護すべきであるとの立法者の判断がある。また，既判力が第三者の不利に拡張されるときには，弁論終結後に当事者の法的地位に依存する地位を得た第三者よりも，その法的地位について既判力ある判断を得た前訴当事者を保護すべきであるという立法者の判断がある。

237)　上田・判決効177頁以下，谷口350頁，兼子ほか656頁，越山和広「既判力の主観的範囲」実務民訴〔第3期〕(3)319頁，笠井正俊「口頭弁論終結後の承継人に対して判決効が作用する場面について」松本古稀566頁，同「登記手続を命ずる確定判決と承継人に対する判決効」上野古稀330頁参照。

すでに述べたように，承継人に対する既判力の拡張は，口頭弁論終結などの事実についての承継人の知不知を問題とするものではないので，結果として承継人に期待しない利益が発生したり，または期待が害されることがあるが，逆に，既判力ある判断の通用性を否定すれば，確定判決の紛争解決機能が損なわれる結果となる。もっとも，このような考慮を前提としても，どの程度の範囲において既判力の拡張を認めるかは解釈に委ねられているが，第三者が訴訟物たる権利関係そのものを承継した場合に限らず，その基礎たる権利，またはそれから法律上派生する権利を承継した場合にも，第三者の法的地位にかかわる紛争は，合理的通常人からみて，派生的紛争とみなされるので，その内容となっている前訴の訴訟物の範囲内において既判力の拡張を認めることが，合理的範囲内で判決の紛争解決機能を維持するものといえる。

訴訟物となった権利の基礎たる権利を譲り受けた者が承継人として扱われる例として，移転登記抹消請求訴訟の敗訴被告から所有権および登記名義の移転を受けた者に対する既判力拡張[238)]，抵当権者と土地所有者との間の抵当権存在確認判決の既判力が，土地所有権の譲受人に対して拡張される場合が考えられる。後順位抵当権者の先順位抵当権者に対する先順位抵当権不存在確認請求棄却判決の既判力が，後順位抵当権の譲受人に対して拡張されるのも同様の考え方にもとづく[239)]。

これに対して，代物弁済にもとづく移転登記を命じる判決によって前訴原告に移転登記がなされた後に，その者から所有権および登記の移転を受けた第三者は，後に前訴被告から移転登記抹消手続請求訴訟を提起されたときに，中間省略登記が原則として許されないこととの関係で，移転登記請求権の承継人といえないから，前訴判決の執行力の拡張を主張することができず，したがって，本条による既判力の拡張も受けないとする考え方がある[240)]。しかし，現行法の下では，執行力の主観的範囲と既判力の主観的範囲は区別して考えられるこ

238)　最判昭和54・1・30判時918号67頁。ただし本件では，所有権確認の訴えも併合提起されている。また，既判力の拡張を受ける承継人に再審訴訟の適格を認めたものとして，最判昭和46・6・3判時634号37頁〔百選〈6版〉112事件〕がある。

239)　大決昭和7・9・10新聞3460号15頁。

240)　大阪高判昭和45・5・14高民23巻2号259頁，中務俊昌＝川村俊雄「口頭弁論終結後の承継人と判決の効力」実務民訴(2)51頁，60頁，秋山ほかⅡ525頁。

と，訴訟物の基礎たる権利を譲り受けた者に対して既判事項と矛盾する主張をなすことを認めるのは不合理なことなどを考えると，この種の譲受人も承継人に該当するものとして，その者のために既判力を拡張すべきである[241]。この場合の訴訟物は，債権的請求権としての性質をもつが，それが承継人の範囲を決するものでないことは後に述べる。

動産引渡請求訴訟においても，請求認容判決の口頭弁論終結後に原告から目的物の所有権を譲り受けた者が承継人として扱われるし[242]，被告側についても，目的物の所有権や占有権が口頭弁論終結後に第三者に移転されれば，その者に対して既判力が拡張される。不動産に関する登記の場合と同様に，たとえ所有権移転の合意が口頭弁論終結前になされていても，その占有が口頭弁論終結後に承継されていれば，承継人に対する既判力拡張が認められる。

(iii)　訴訟物たる権利の実体法上の性質と承継人の範囲　　第三者の地位が訴訟物たる権利関係，またはそれを基礎づける権利関係を承継したものであっても，なお訴訟物たる権利関係の性質や第三者の法律上の地位との関係で，承継人の範囲が争われることがある。

第1に，物権的請求権と債権的請求権の区別が問題とされる。家屋賃貸人が賃料不払いにもとづいて賃貸借契約を解除したと主張して，賃借人に対して家屋明渡請求訴訟を提起し，請求認容の確定判決を得たところ，当該訴訟の口頭弁論終結後に被告が第三者に対して当該家屋を転貸したとする。賃貸人がこの転借人を被告として所有権にもとづく引渡しを求める後訴を提起したとき，前訴判決の既判力が後訴被告たる転借人に対して及ぶかどうかが議論される。旧訴訟物理論の論者の中には，確定判決の訴訟物は，賃貸借終了にもとづく目的物返還請求権という債権的権利であるから，その判断についての既判力は第三者に対して拡張されないとか[243]，同じく債権的請求権であっても，賃貸人が同時に所有権者である場合には，既判力が第三者に拡張されるという主張があ

241）　新堂・争点効(上)308頁，条解民訴〈2版〉578頁〔竹下守夫〕，谷口＝井上編(3)296頁。

242）　大判昭和17・3・4判決全集9輯26号5頁。ただし，執行力拡張の事案である。

243）　兼子345頁，中田・前掲論文（注*234*）205頁など。下級審裁判例としては，大阪地判昭和47・9・11判時701号93頁が引用されることがあるが，執行力拡張の事案である。

る[244]。また，この問題については，新訴訟物理論の論者の中でも考え方が分かれ，返還請求権について取戻請求権・交付請求権という性質決定をなして，これを基準として既判力拡張の有無を決するとか[245]，訴訟物の性質決定とは無関係に訴訟制度の目的などから合目的的に決すれば足りるとの議論が存在する[246]。

しかし，承継人に対する既判力の拡張を考える限り，訴訟物たる権利関係の性質を基準とする考え方には合理性が認められない。上記の例でいえば，既判力が問題となるのは，後訴被告がその占有権原を基礎づける抗弁事実として，前訴被告の賃借権および後訴被告の転借権を基礎づける事実を主張する場合にほかならない。かりに前訴判決の既判力が後訴被告に対して及ばないとすれば，後訴被告は，原告が前訴被告に対して賃貸借終了にもとづく家屋明渡請求権を有するという前訴判決の既判事項に矛盾する権利関係，すなわち，前訴口頭弁論終結時における原告と前訴被告との間の賃貸借関係という権利関係の主張が許されることになる。しかし，前訴被告と後訴被告との間に占有権原についての承継関係が存在する以上，後訴被告にこのような主張を許すことは合理的ではなく，したがって，この場合にも，後訴被告に対して前訴判決の既判力が拡張される[247]。また，旧訴訟物理論と新訴訟物理論との対立も，この点について影響を及ぼすものではない。民法613条1項にもとづいて賃貸人が転借人に対して引渡しを求める場合も同様である。判例も，承継人の範囲について，訴

244）　兼子・研究(3)88頁，同・判民昭和26年度23事件評釈。論者の表現によると，訴訟物が債権的請求権であっても，権利者が同時に所有権者である場合には，所有権にもとづく不法占拠の明渡請求権が契約関係によって覆われているという。

245）　三ヶ月・研究(1)295頁以下。ただし，論者は，主として執行力の拡張を念頭においている。上田508頁もこれを支持する。

246）　新訴訟物理論の論者の中では，これが多数説である。小山404頁，新堂706頁，新堂・争点効(上)142頁，310頁など。

247）　訴訟物たる権利関係の性質を基準として承継人の範囲を決定するとの議論が有力であったのは，執行力の拡張について民事執行法23条が制定される以前であり，115条（旧201条）を根拠として執行力の主観的範囲を考えざるをえず，その結果，執行力を主たる対象として，承継人の範囲を考えたことによるものと思われる。すでに指摘されているように（中野・論点Ⅰ230頁以下），執行力の拡張は，承継執行の可否を決するものであり，したがって，その根拠として債務名義に表示された請求権が実体法上第三者に対して効力をもちうるものかどうかという点が議論されるのは当然である（前掲大阪地判昭和47・9・11（注243），東京高判昭和41・4・12下民17巻3・4号236頁参照）。

訟物たる権利関係の性質を問題としていない[248]。

第2に，この問題に関して，実質説と形式説の対立が説かれる。訴訟物たる権利関係，それを直接に基礎づける権利，ないしはそれらから派生する権利を口頭弁論終結後に承継した第三者は，本条によって既判力の拡張を受けることになるが，なお第三者としては，自己に対する相手方の権利主張に対抗しうる独自の法律上の地位をもつことがある。

典型的な例としては，虚偽表示にもとづく移転登記抹消請求訴訟の口頭弁論終結後に，被告から目的不動産の所有権を譲り受けた第三者が，前訴原告の自己に対する移転登記抹消または移転登記請求に対して，相手方の所有権喪失を基礎づけるための抗弁として，自らが民法94条2項にもとづく善意の第三者である旨の主張をなすときに，この者を115条にいう承継人として扱うかどうかの問題がある。確定判決にもとづいて登記が移転されたことに対して，第三者の側が真正な登記名義の回復を求めるための所有権移転登記請求訴訟を提起し，それを基礎づけるために善意の第三者たることを主張する場合も同様である。もちろん，既判力の拡張の有無にかかわらず，善意の第三者の主張が既判力によって遮断されるものではないことは当然であるが，第三者を承継人とした上でこの種の独自の法律上の地位の主張を認めるのか，それとも，独自の法律上の地位をもつ第三者については，そもそも承継人の範囲から排除すべきものなのかが，議論の対立点である。

この問題について，最高裁判例[249]は，虚偽表示による無効にもかかわらず，善意の第三者として所有権を取得したという主張は，前訴確定判決の存在によって妨げられないとしている。有力な学説は，この判例の意義に関連して，従前からの学説の主張を総合して，実質説・形式説という相対立する概念を提唱した[250]。実質説とは，権利関係の承継が認められる場合であっても，第三者が，善意の第三者のような実体法上保護されるべき独自の地位をもつときには，

248）　大決昭和5・4・24民集9巻415頁，前掲最判昭和26・4・13（注*73*）。訴訟引受けについてではあるが，前掲最判昭和41・3・22（注*235*）も，物権的請求権か債権的請求権かを問題としない考え方をとっている。松浦馨〔判例批評〕民商55巻4号678頁，683頁（1967年）参照。

249）　最判昭和48・6・21民集27巻6号712頁〔百選〈6版〉82事件〕。

250）　新堂・争点効(上)327頁以下。

その者は承継人として扱われないというものである。これに対して形式説によれば，権利関係を基準として承継人に該当するかどうかが決定され，たとえ承継人とされる第三者であっても，既判事項たる権利関係を争うことは許されないが，自己のもつ独自の法律上の地位を主張することは妨げられないという。前記最高裁判例251)は，実質説の考え方を採用したものといわれる。その上で論者は，2つの考え方は結論において大きな差異はないものとしつつ，以下のような理由から，形式説が優れているとする。

第1に，後訴当事者が善意の第三者であっても，前訴判決で確定された権利関係，すなわち前訴原告の前訴被告に対する移転登記抹消請求権の存在をその者が争えるとするのは，不当な結論であるが，実質説では，善意の第三者に対して既判力が及ばないとする結果として，このような結論になりかねないという。第2に，後訴当事者がその善意を立証できるかどうかによって既判力の主観的範囲が左右されるのは，既判力の性質に反するという。第3に，前訴判決が請求棄却判決のときには，たとえ実質説をとっても，登記抹消請求権の不存在を確定した前訴判決の既判力が後訴当事者たる第三者の有利に及ぶことは否定されえないが，そのように考えると，請求棄却判決の既判力のみが後訴当事者のために拡張され，請求認容判決の既判力は後訴当事者に対して拡張されないこととなり，公平を欠くといわれる252)。

しかし，すでに指摘されているように，実質説・形式説という概念構成自体に疑問がある253)。最高裁判例は，後訴被告の所有権取得という権利関係の主張は，前訴判決の存在によって影響を受けないと判示している254)。もちろん，

---

251)　前掲最判昭和48・6・21（注249）。

252)　このような点を考慮して形式説を支持する学説も有力である（斎藤ほか(5)137頁〔小室直人＝渡部吉隆＝斎藤秀夫〕，小林・前掲書（注204）384頁，林屋463頁，高橋(上)694頁，梅本942頁，小島665頁など）。また，越山・前掲論文（注237）316頁は，第三者固有の抗弁に争点を絞り込むためにも，形式説が優れているとする。

253)　中野・論点Ⅰ213頁以下，松本＝上野653頁，瀬木518頁参照。なお，山本弘「弁論終結後の承継人に対する既判力の拡張に関する覚書」伊藤古稀693頁以下，同・研究280頁は，実質説と形式説の対比を無意味としつつ，問題とされる局面において，前訴と後訴との攻撃防御方法を分析すれば，そもそも物権的妨害排除請求権としての登記手続請求権などの承継が認められるかどうかが疑問であるとする。

254)　前掲最判昭和48・6・21（注249）。判旨については，前訴と後訴の訴訟物が同一ではなく，また先決関係や矛盾関係にもないことが問題であり（本書581頁，鶴田滋「口頭弁論終結後の承継人への既判力拡張の意味」法政研究81巻4号817頁，825頁（2015年）

後訴被告が抗弁として，前訴原告から前訴被告への所有権の移転を主張するのであれば，その主張は，前訴判決における所有権移転登記抹消請求権の存在と矛盾するものとして，排斥される。いいかえれば，後訴被告は既判力の関係で承継人として扱われる。

しかし，後訴被告が民法94条2項適用の結果として前訴原告が自己に対して所有権を主張できないことを主張するのであれば，その主張は，前訴判決の訴訟物に関する判断と何ら矛盾するものではなく，したがって既判力が拡張されるべき対象を欠くことになる。この意味で，後者のような主張をなす後訴被告が口頭弁論終結後の承継人かどうかは問題とならない。既判力拡張の意義をこのように構成すれば，前記判例の判示は妥当なものとしてこれを肯定することができる。もちろん，この判例も，いかなる意味でも後訴被告に既判力が及ばないとしているわけではなく，その意味で，いわゆる実質説という位置づけをこの判例に与えるのは誤解を生じる。

以上のように考えると，先に紹介した実質説に対する第1の批判はかならずしもあたっていない。第2の批判についても，既判力が後訴裁判所に対する確定判決の拘束力である以上，後訴被告が原告の所有権喪失を基礎づけるためにどのような主張，すなわち前訴原告からの前訴被告への所有権の移転を主張するのか，それとも善意の第三者としての地位を主張するのかによって，既判力の拡張が左右されるのは当然であり，いわゆる実質説に対する決定的な批判たりえない。第3の批判についても同様であり，請求棄却判決の既判力が第三者のために拡張され，逆に認容判決の既判力が第三者に対して拡張されないことがあるのは，後訴においていかなる権利関係やそれを基礎づける法律上の地位が主張されるかによるものであり，その結果のみを取り上げて公平を論じることはできない。

逆にいわゆる形式説は，後訴の当事者が既判力の対象とならない法律上の地位を主張する場合であっても，その者に既判力が及ぶとするが，これは本来の

参照)，既判力が作用する場面ではないとする理解もある（加波眞一「口頭弁論終結後の承継人への既判力拡張」立命館法学359号359頁（2015年））。しかし，両者が，同じく前訴・後訴原告の所有権にもとづく登記手続請求権であり，後訴被告の登記名義が前訴被告から承継された関係にあることを考えれば，訴訟物が同一の場合に準じて扱うべきであり，それを前提として，既判力の作用する場面を区別することが適切である。

既判力の概念とは調和しないものといわざるをえない。このように考えると，既判力の概念について訴訟法説を前提とする限り，後訴当事者がどのような権利関係や法律上の地位を主張するかによって既判力が拡張されるかどうかが決定されるのであり，それを離れて一般的に当事者を承継人として扱うべきかを論じる理由はなく，この意味で実質説・形式説という概念構成を採用する必要性に乏しい。

上に述べたのと類似の問題は，不動産の二重譲渡に関する訴訟について議論される。前訴原告が前訴被告に対して売買を請求原因とする移転登記手続訴訟において勝訴した訴訟の口頭弁論終結後に，後訴被告が前訴被告から当該不動産の二重譲渡を受け，移転登記を経た場合について，後訴被告が115条の承継人に該当するかどうかが議論される。形式説の結論として，前訴判決の既判力は後訴被告に及ぶが，後訴被告は，自己固有の法律上の地位を前提とする抗弁として，前訴原告についての対抗要件の欠缺を主張することができ，その結果，自己に対する前訴原告の請求を斥けることができるといわれる。

この問題についての最高裁判例は，前訴原告がその所有権を後訴被告に対して対抗できるかどうかは，登記の先後によって決せられる実体法上の問題であり，前訴判決の既判力によって決せられるものではないとしている[255)]。したがって，この判例がいわゆる形式説を採用していないことは明らかであるが，かといって，論者のいう実質説を認めたものでもない。要するに，前訴原告が，登記を得た二重譲受人に対して移転登記請求や所有権確認の後訴を提起した場合において，後訴被告が，前訴被告から前訴原告への所有権移転の合意自体を否認するのであればともかく，自己も前訴被告から所有権の移転を受けたこと，および後訴原告には登記が欠けていることを主張し，後訴原告の請求を排斥しようとするのであれば，前訴判決の既判力が後訴において作用する余地はなく，したがって，後訴被告を承継人として扱う理由はない。このように考えると，ここでも実質説・形式説という概念構成は大きな意味をもつものではない。

ウ　請求の目的物の所持者

115条1項4号は，当事者，訴訟担当の利害主体またはそれらの者の口頭弁

---

255)　最判昭和41・6・2判時464号25頁〔続百選81事件〕。

論終結後の承継人のために請求の目的物を所持する者に対して既判力が拡張される旨を規定する。請求の目的物とは，訴訟物たる特定物の引渡請求権の対象物たる動産または不動産を指す。請求権の法的性質が物権的請求権であるか，債権であるかは問題とならない。また，承継人と異なって，所持開始の時期と口頭弁論終結の前後も問題とならない。当事者等のための所持は，一方で，雇人，法人の機関，または法定代理人など，独立の占有をもたない占有機関と区別され，他方で，賃借人や質権者のような自己の法律上の利益のために占有をなす者と区別される。具体的には，受寄者，管理人，または同居者・家族などが所持者の例として挙げられる。

(a)　民法上の占有概念との関係と所持者に対する既判力拡張の意義　民法180条は，自己のためにする意思によって物を所持する者に占有権が付与される旨を規定する。この規定の解釈として民法学説は，直接占有者，間接占有者，および占有機関（占有補助者）の3つの概念を区別し，受寄者や賃借人は直接占有者に含まれ，他方家族や使用人は占有機関に含まれるという。家族を占有機関に含めるかどうかは生活の態様にもとづく独立の所持の有無によって決する以外にないが[256]，民法上の占有機関が所持者にあたらず，既判力拡張の対象とならないことは疑いがない。すでに述べたように，既判力が拡張されることは，前訴当事者と拡張の対象となる第三者との間に目的物に関する権利関係を訴訟物とする訴訟係属が生じた場合に，前訴判決の訴訟物に関する判断と矛盾・抵触する判断を後訴裁判所がなすことが許されないという拘束力が働くことを意味する。独立の占有を有しない占有機関については，前訴当事者との間にその占有を基礎とする権利関係が生じることもありえず，したがって，既判力を拡張すべき理由も存在しない。

他方，占有代理人（直接占有者）は，その者自身が目的物を所持し，かつ，本人のためにする意思をもつ。この占有代理人の占有は，占有機関の所持とは異なって，独立の占有であるから，それにもとづいて前訴の当事者との間に権利関係が成立しうる。したがって，この種の者は，既判力拡張の対象となりう

---

256)　民法学説として，我妻栄（有泉亨補訂）・新訂物権法（民法講義Ⅱ）474頁（1983年），注釈民法(7)18頁〔稲本洋之助〕，内田貴・民法Ⅰ〈第4版〉410頁（2008年）など参照。家族の占有機関性については，注釈民訴(4)424頁〔伊藤眞〕参照。

る。ただし，立法の経緯を考慮すると，所持者の範囲は，実体法上の占有代理人よりは狭く，賃借人や受寄者などの占有代理人のうち，自己のためにする意思がなく，もっぱら本人のためにする意思のみをもって目的物の所持をなす者に限定される。したがって，賃借人[257]や質権者などの代理占有者は，所持者に含まれない。逆に，所持者に該当する例として挙げられるのは，管理人および受寄者である。管理人の例としては，契約にもとづく管理人のほかに，不在者の財産管理人（民25以下），相続財産清算人（民952），および強制管理人（民執94）などがある。

(b)　所持者概念の拡張　　自己のための占有者は，既判力拡張の対象となる所持者に含まれないのが原則であるが，例外的に，自己のための占有の外観をもつ者であっても，所持者とされる場合がある。

(i)　占有移転禁止仮処分との関係　　前述のように，ここでいう所持者については，所持開始の時期と口頭弁論終結時との関係が問題とならない。これに関連して，占有移転禁止の仮処分が執行された後に第三者に占有が移転され，後に本案判決にもとづく強制執行の際に，仮処分の効力としてその第三者の占有を排除することができるかどうかが議論され，このような第三者は，たとえ賃借人など，自己の利益のための占有者であっても，占有正権原をもって債権者に対抗することができず，これを所持者として本案判決の既判力および執行力を及ぼしうるという見解が存在した[258]。

しかし，民事保全法は，この問題を立法的に解決した。すなわち，同法62条1項は，占有移転禁止仮処分の執行後に執行について悪意で占有を開始した者，および善意であっても債務者の占有を承継した者に対しては，本案の債務名義の執行力が及ぶ旨を規定する。その結果として，債権者は，本案判決についてこれらの者に対する承継執行文を得て，引渡しまたは明渡しの強制執行を行うことができる[259]。

257）　前掲大決昭和7・4・19（注73）は，これを自己の権利にもとづき自己のために占有する者とする。

258）　福岡地飯塚支判昭和38・9・26下民14巻9号1871頁，大阪高決昭和49・7・20判時761号82頁など。学説の詳細については，根本久「占有移転禁止仮処分の現代的課題」新実務民訴(14)191頁，219頁以下が詳しい。

259）　したがって，現行法の下では，執行力に関する限りは，占有移転禁止仮処分執行後

(ii)　虚偽表示にもとづく占有者および登記名義人　　所持者に対する既判力拡張の根拠が，その者が独立に手続保障を要求するに足る法律上の地位をもたないことに求められるとすると，たとえば，執行免脱の目的で当事者から本権の設定・移転を受け，占有を開始した者を所持者として扱う余地が認められる。実際の事実認定は容易ではないが，本権の設定・移転が虚偽表示として無効とされるような場合には，占有は当事者のためになされているものとみて，占有者を所持者として扱うことが許される260)。

さらに，虚偽表示にもとづいて登記が移転されているときにも，登記名義人を115条の所持者とみなして，既判力を拡張することができるかが議論される。占有は，目的物に対する事実上の支配を意味するが，登記も物権の成立を公示するものである点に着目すれば，占有と登記名義との機能的類似性が認められ，登記名義人が自己のためではなく，当事者本人のためにその名義を保持していると認められる場合が想定される。このような場合には，所持者としてその者に対して既判力が拡張される261)。なお，前訴当事者および所持者が法人の場合には，上に説明した問題は，それらの者の間に法人格否認の法理が適用される場合と類似性をもつ。しかし，理論的には，固有の利益を欠くとして所持者とされる場合であっても，法人格そのものは当事者と別個独立のものである点で，法人格が否認される場合と区別される。

エ　訴訟担当における本人

115条1項2号は，他人のために当事者となった者に対する確定判決の効力

の占有承継人を本条の所持者として議論する意義はなくなったが，既判力については，なお解釈問題として残されている。通謀が認められる事案においては，たとえ自己のための占有としての外観をもつ者であっても，仮処分債務者のために占有する者として，所持者として取り扱って差し支えない。

260)　高橋(上)707頁，大隅乙郎「民訴201条1項後段の請求の目的物を『所持する者』について」民事法の諸問題Ⅱ341頁（1966年），新堂705頁，条解民訴〈2版〉583頁〔竹下守夫〕，小島669頁など。

261)　大阪高判昭和46・4・8判時633号73頁〔百選〈6版〉A26事件，百選Ⅱ153事件〕は，このような考え方にもとづいて，前訴当事者たる法人からその関係人に対して移転登記がなされても，それが虚偽表示とみなされるときには，登記名義人を所持者として既判力が拡張されるとした。この結論は学説によって一般に支持されているが，学説は，さらにこれを発展させ，実質的当事者という概念を提唱して，訴訟承継主義の限界を補おうとしている（新堂・争点効(下)95頁，同・前掲判例民事手続法（注235）302頁，上田・判決効138頁，長谷部由起子〔判例解説〕百選Ⅱ153事件など参照）。

がその他人に対しても効力をもつ旨を規定する。以下に説明するように，この場合の当事者は，訴訟物についての本来の当事者適格者である他人に代わって訴訟追行をなす当事者適格を認められる者，すなわち訴訟担当者であり，その者を当事者とする確定判決の効力，すなわち既判力が本来の当事者適格者に及ぶ。以下便宜上，当事者として訴訟追行をなす者を担当者，既判力拡張の対象となる他人を本人と呼ぶ。

(a)「他人のため」の意義　担当者を当事者とする判決の効力が本人に対して拡張される実質的根拠は，訴訟物たる権利関係についての判断の前提となる手続保障が，すでに正当な訴訟追行権を認められる当事者に与えられたのであるから，本人もその結果を承認しなければならないところにある。この意味で，本人に対する既判力の拡張は，先に述べた当事者型に属し，承継人型に対立する。規定の文言は，「他人のため」という表現を用いているために，当事者と本人との間の利害関係の共通性が要件とされているような印象を与えるが，当事者が本人の訴訟追行権を行使する場合一般を指すものと理解すべきである[262)]。

当事者たる訴訟担当者については，まず，法定訴訟担当と任意的訴訟担当に分けられ，前者の中では，さらに職務上の当事者が区別される。以下，法定訴訟担当に限定して，これらの者の中で特に既判力の拡張の有無ないし要件について争いがあるものを説明する。任意的訴訟担当については，当事者の訴訟追行権が本人による授権にもとづくものであることが考慮され，既判力の拡張にはほとんど異論がみられない[263)]。

---

262)　大判昭和15・3・15民集19巻586頁〔百選74事件〕において，債権者代位権の行使目的は，代位債権者自身の権利保全であるが，本人に帰属する権利を自己が当事者となって行使する以上，他人のために当事者となっているものとみなされると説かれるのも，同様の趣旨と思われる。

263)　なお，以下で取り上げる法定訴訟担当の例以外に，株式会社における責任追及等の訴え（株主代表訴訟。会社847）における問題がある。注釈民訴(4)436頁〔伊藤眞〕参照。一般社団法人における責任追及の訴え（一般法人278）も同様である。詐害行為取消訴訟における受益者から債務者への返還請求部分も法定訴訟担当に属する。本書203頁注*44*，伊藤眞「改正民法下における債権者代位訴訟と詐害行為取消訴訟の手続法的考察」金融法務2088号41頁（2018年）参照。

ただし，法定訴訟担当者のうち代位債権者については，以下に述べる議論があるが，破産管財人，所有者不明土地等管理人や特定不能土地等管理者を含む他の法定訴訟担当者（本書203頁）を当事者とする判決の効力が本人に対して拡張されることについては，異

(b)　債権者代位訴訟　民法423条および423条の7にもとづく債権者代位権は，債権者に対して責任財産保全のために債務者の財産に対する実体法上の管理権を付与するものであり，代位の目的物が金銭債権または動産の引渡請求権であるときには，第三債務者に対して債権者自身に対する給付を求める権能（民423の3）も，この管理権の中に含まれる。訴訟上は，この管理権を基礎として代位債権者に当事者適格が認められる。代位債権者を当事者とする確定判決の既判力は，その内容は請求認容であれ，請求棄却であれ，115条1項にもとづいて本人たる債務者に対して拡張される[264)]。

(i)　対立型法定訴訟担当と吸収型法定訴訟担当　これに対して，既判力の拡張を否定し，または一定の条件の下でのみ拡張を認めるとの以下のような有力説がある。第1に，同じく法定訴訟担当といっても，訴訟担当者と本人との間に利害関係の対立が存在し，本人の固有の権能を排除して，担当者が訴権を行使する性格をもつ，対立型と，担当者と本人とが利害を共通にし，本人の権能が担当者に吸収される，吸収型とを分ける議論がある。破産管財人や船長は，後者に属するのに対して，差押債権者や代位債権者は，前者に属するとする。この区別を前提として論者は，「他人のために」という文言を訴訟担当者と本人との間の利益の共通を意味するものとして捉え，吸収型の場合には，既判力が本人の有利にも不利にも拡張されるが，債権者代位など対立型の場合には，本人の不利に既判力が及ぼされることを否定する[265)]。

この考え方に対しては，第1に，対立型と吸収型という区分が一義的に明確でないと批判される。たとえば，吸収型の例として挙げられる破産管財人については，それが破産債権者の利益を代表する者であることに着目すれば，むしろ差押債権者との類似性が認められるのであり，対立型と区別することは困難

論をみない。

264)　兼子346頁，齋藤387頁，秋山ほかⅡ521頁，法律実務(6)72頁など。学説の変化は，池田・前掲書（注53）28頁以下，坂原・前掲書（注182）261頁に詳しい。判例は，かつて，代位債権者の権利がその固有の権利であるという理由から，既判力の拡張を否定したが（大決大正11・8・30民集1巻507頁），その後の判例は，既判力の拡張を肯定している（前掲大判昭和15・3・15（注262））。なお，現行民法の下でも，訴訟担当構成を変更する必要はない。山本和彦「債権法改正と民事訴訟法――債権者代位訴訟を中心に」判時2327号121頁（2017年），詳説改正債権法92頁〔石井教文〕参照。

265)　三ヶ月・研究(6)8頁以下，50頁，51頁参照。

である。第2に，対立型の場合においても，担当者と本人との間の利害の対立を根拠として，本人に対する既判力の拡張を否定することは，結局債務者が第三債務者に対して再度被代位債権の存在を主張しうる結果となり，第三債務者の利益が害される[266]。第3に，「他人のために」という文言も，立法の経緯から考えれば，かならずしも本人と担当者の間の利害関係の共通性を意味するものではないと考えられる。以上の理由から，この有力説をとることはできない。

(ii)　代位債権者の固有適格　次に訴訟物たる本人の権利関係について代位債権者がもつ実体法上の管理権を当事者適格の基礎とする考え方自体を批判し，代位債権者は，訴訟担当者ではなく，無資力状態に陥った債務者の責任財産を保全する債権者固有の法律上の利益を基礎とした当事者適格をもつとする考え方がある。この考え方の帰結としては，既判力の拡張が否定され，請求棄却判決の効力は，債務者に対して及ばない。そして，第三債務者の利益保護については，民事執行法157条1項（旧民訴昭和54年改正前623条3項を修正したもの）の参加命令を類推適用し，第三債務者は，債務者が代位訴訟に共同訴訟参加をなすよう裁判所に申立てをなすことができるという[267]。

しかし，この考え方については，次のような問題点が指摘できる。第1に，論者も認めているように，代位債権者の適格を固有の法的利益にもとづくものとする限り，同一の訴訟物についての債務者の当事者適格が併存することを認めざるをえないが，実体法の解釈として代位権行使によって債務者の管理処分権が排除されると解されていることとの関係が問題となる[268]。もっとも，この点については，改正民法423条の5前段が債権者代位権の行使後も債務者の管理処分権が存続することを認めたために，固有適格説を排斥する理由となら

266）以上については，新堂293頁以下，高橋(上)251頁参照。

267）福永有利「当事者適格理論の再構成」山木戸還暦(上)34頁，64頁，68頁以下。また，松村和德「訴訟担当制度再構築に関する準備的考察」本間古稀225頁は，改正民法の規律などを根拠として固有適格説を展開する。遺言執行者（本書205頁）についても同様である（松村・前掲論文220頁）。

268）大判昭和14・5・16民集18巻557頁〔百選I 47事件〕。ただし，改正民法423条の5は，債権者の代位権行使によっても債務者は管理処分権を失わない旨を規定するので，本文に述べたように，解釈論の前提が変わることになった。しかし，そのことは，債権者代位訴訟の法定訴訟担当性を変更するものではなく，115条1項2号の適用に影響を与えない。詳細は，伊藤・前掲論文（注*263*）40頁参照。

ない。第2に，訴訟担当構成を排除するにもかかわらず，なぜ請求認容判決の既判力は債務者の有利に及ぶのかが問題となる。第3に，第三債務者がなにゆえに自ら債務者に対する参加命令の申立てをなす負担を引き受けなければならないのかが問題となる。差押債権者に対する参加命令の場合には，それらの者が本来独立の当事者適格をもつ者であることが前提とされている。したがって，第三債務者としては，それぞれの差押債権者から個別的に訴えを提起されることを甘受せざるをえず，その危険を免れるために参加命令の申立てをなし，他の差押債権者を訴訟に引き込む負担を負わされても，均衡を失するとはいえない。これに対して，代位訴訟においては，債務者の適格自体が一般に否定されているにもかかわらず，第三債務者に対して参加命令による引込みの責任を課するのは合理的とはいえない。

(iii)　訴訟告知にもとづく代位債権者の適格　　第3の考え方の基本は，第三債務者の利益保護を重視して，債務者への既判力拡張を肯定するが，他方，債務者の利益保護のために代位訴訟係属の事実を債務者が了知する機会を与えようとするものである。たとえば，本来期限前の裁判上の代位について規定される債務者への訴訟告知（平成29年改正前非訟88Ⅱ）を通常の代位にも類推適用し，告知が行われたにもかかわらず債務者が共同訴訟参加などをしないときには，既判力が拡張されるとしたり，さらにこれを進めて，代位債権者は，まず債務者に対して相当期間を定めて権利行使を催告し，債務者が権利行使をしない場合にのみ代位債権者が債務者の財産管理権限を取得し，これにもとづいて当事者適格を行使しうるという[269]。

この考え方は，実体法の解釈として，債権者代位権行使要件として権利催告を設定し，その手続を経なければ債務者の財産に対する管理権を取得しないとすることによって，債権者代位訴訟にも115条1項2号の適用が認められるという前提を維持しつつも，訴訟参加の機会を保障されないままに既判力の拡張を受ける債務者の利益を保護しようとするものである。また，会社法849条4項・5項～11項を類推して，代位債権者に債務者に対する訴訟告知を義務づけ，この義務が履行されないときには，第三債務者は応訴を拒絶できるとする考え

269）　前者の考え方として，新堂294頁，後者の考え方として，池田・前掲書（注53）81頁以下がある。

方もある。第三債務者がこの応訴拒絶権を行使しなかったときは，後に債務者からの二重の提訴に応じざるをえない。逆に，訴訟告知を受けたにもかかわらず債務者が参加（共同訴訟参加）しなかった場合には，債務者に対して既判力が拡張されるから，第三債務者と債務者の利益とが調和される。

これらの考え方を比較すると，権利催告を債権者代位の要件とする考え方は，実体法上の要件を再構成するものであり，基本的には，実体法の解釈に委ねられるべきものといえよう。確かに，論者が主張するように，立法の沿革をみれば，代位権行使の要件として権利催告を要求することにも相当の理由があるが，改正前民法423条についての解釈を変更することは困難と思われた。したがって，債務者の利益と第三債務者の利益とを手続法の次元で調整しようとすれば，代位債権者に対する訴訟告知の義務づけおよび第三債務者の応訴拒絶権を前提として，被告知債務者に対する既判力の拡張を認める考え方がもっとも合理的と考えられた。このように，立法論としては，近時の有力説に合理性が認められるものの，解釈論としては，代位債権者を訴訟担当者として，その者を当事者とする判決の既判力を本人たる債務者に拡張する考え方を維持することとした。

以上が，改正前民法の下での考えであるが，改正民法423条の6が代位債権者に対し債務者に対する訴訟告知を義務づけたことによって，議論の前提が変わることとなった。債務者に対する訴訟告知が義務づけられる以上，それが代位債権者の当事者適格の基礎となると考えるべきであり，遅滞なく告知がなされなければ，裁判所は訴えを却下すべきである[270)]。遅滞なく告知がなされた

---

270)　改正前民法下で訴訟告知を義務づけ，それがないときに第三者の応訴拒絶権を認める学説として，条解民訴〈2版〉567頁〔竹下守夫〕，小島673頁。また，坂原・前掲書（注182）278頁以下は，この考え方を評価しつつ，訴訟告知ではなく，当事者に準じる者として債務者に対して訴状を送達すべきであるという。本文で説明した考え方を，その細部は別として訴訟告知説と呼ぶとすれば，近時は，この考え方を支持する論者が増加しつつあり，有力説の地位を占めている（吉村・前掲論文（注236）160頁，高橋(上)256頁，上田504頁，斎藤ほか(5)151頁以下〔小室直人＝渡部吉隆＝斎藤秀夫〕，林屋465頁以下，谷口358頁など）。

民法423条の6の下で，本文に述べたように，訴訟告知がなされないことを第三債務者の応訴拒絶の根拠とする，または訴訟告知を代位債権者の当事者適格の基礎とするかについては，議論が分かれうるが（勅使川原和彦「他人に帰属する請求権を訴訟上行使する『固有』の原告適格についての覚書」伊藤古稀417頁，424頁参照），遅滞ない債務者への訴訟告知によって，債務者が債権者代位訴訟に共同訴訟参加をなし，自らの権利を行使す

かどうかの判断は，被告知者たる債務者が訴訟に参加して攻撃防御を展開できる時期を基準とすべきであろう[271]。

なお，既判力の拡張を前提としても，債務者が後訴において代位債権の不存在を立証すれば，既判力の拡張を排除することができる[272]。これは，訴訟要件たる代位債権の存在そのものは既判力によって確定されておらず，それが不存在と認められれば，前訴判決は，訴訟担当者たる資格を欠く者を当事者とする判決とみなされ，115条1項2号の適用が排除されることによる。

(c)　債権者取立訴訟　　民事執行法155条1項にもとづいて差押債権者がその取立権を行使して，取立訴訟を提起する場合に，差押債権者が法定訴訟担当者とみなされ，その者を当事者とする判決の既判力が本人たる差押債務者に対して拡張されることについても，債権者代位訴訟に関するのと同様の問題がある。通説は，差押債権者を訴訟担当者として，判決の効力を債務者に拡張する

る機会を与えることが代位債権者の当事者適格の基礎と解するとすれば，それがなされていなければ，債権者代位訴訟を却下すべきであろう。高須順一「訴訟告知の効力(上)――債権法改正の文脈において」NBL 1063号46頁（2015年），山本和彦・前掲論文（注*264*）121頁，潮見・新債権総論Ⅰ702頁，中田・債権総論259頁，伊藤・前掲論文（注*263*）47頁参照。

また，詐害行為取消訴訟における民法424条の7第2項にもとづく債務者への告知義務についても，同様の問題があり，高須・前掲論文(下)NBL 1064号48頁（2015年），山本浩美「詐害行為取消請求を認容する確定判決の効力について」小林古稀249頁，257頁は，訴え却下説をとる。しかし，民法425条が規定する債務者への既判力の拡張は，詐害行為取消請求認容確定判決に限られていること，取消債権者は固有の当事者適格を有すること，自らの行為の非詐害性を主張する債務者の利益は受益者などの相手方への補助参加によって守られることなどを重視すれば（伊藤・前掲論文48頁），債権者代位訴訟の場合と異なって，訴えを不適法とするまでの必要はないと思われる（新堂829頁参照）。したがって，告知義務（民424の7Ⅱ）は，債務者に受益者側への補助参加の機会を与える警告的性質のものである（本書733頁）。これに対し，山本・前掲論文122頁，潮見・新債権総論Ⅰ817頁，詳説改正債権法114頁〔中井康之〕は，訴え却下説をとる。

271）　名津井吉裕「改正民法の債権者代位訴訟で義務化された訴訟告知について」関西法律特許事務所　開設五十五周年942頁は，代位債権者は，提訴と同時に訴訟告知を行うべきであるとし，裁判所は，第1回口頭弁論期日においてその事実を確認した上で，訴訟告知不実施と認められる場合には，訴えを却下すべきであるとする。特段の事情が存在しない場合には，このような取扱いをすることになろう。実際上は，想定しにくい事態であるが，訴訟告知がなされていないにもかかわらず裁判所が請求棄却の本案判決をした場合には，それが確定しても，担当者としての資格を欠く者を当事者とする判決になるから，本人たる債務者への既判力の拡張は否定される。薮口康夫「改正民法下における債権者代位訴訟の現在地と未来」小林古稀240頁参照。

272）　大阪地判昭和45・5・28下民21巻5・6号720頁〔百選〈4版〉88事件〕。

ことを承認するが，差押債権者と債務者との利害関係が対立すること，または差押債権者が固有の法的利益にもとづいて当事者適格を与えられることなどを理由として，特に債務者の不利に既判力を拡張することに対する消極説が有力である[273]。

有力説は，旧民事訴訟法昭和54年改正前610条にもとづく差押債権者の債務者に対する告知義務が民事執行法制定時に廃止されたこと，差押債権者の適格が固有のものであること，債務者について取立訴訟における手続関与が保障されていないこと，および取立訴訟の請求棄却判決確定後に債務者が第三債務者に対して訴えを提起することが稀であり，既判力の拡張を認めなくとも第三債務者の利益が侵害される危険が少ないことなどを理由として，既判力の拡張を否定する。

しかし，これらの点は，いずれも消極説をとることについての十分な理由となるものではない。旧610条の告知義務の削除は，既判力の拡張についての考え方を変更する意図をもったものではないことが立案担当者によって明言されている[274]。また，差押債権者が取立てについて固有の利益をもつことは，その適格が債務者の適格と別個・独立のものであることを意味するものではないし，債務者の手続関与は，債権者代位に比較すれば，差押命令の送達によって満たされているといえる。さらに，実際上既判力拡張が必要になる蓋然性が低いことは，既判力拡張全般の問題であり，この場合について特に強調されるべきものではない。何よりも決定的なことは，債務名義にもとづいて差押えを受けている債務者の利益と，差押債権者と債務者との争いとは無関係な第三債務者の利益を比較考量したときに，後者を保護する必要が優越する点である。なお，消極説の論者は，第三者が供託をなすことによってその不利益を免れうるとするが，供託の権利は，第三債務者が被差押債権の存在および金額を争わない場合にしか，第三債務者の救済手段として機能しないから，この論拠も十分

---

273)　学説については，注釈民訴(4)434頁〔伊藤眞〕参照。

274)　浦野雄幸・条解民事執行法680頁（1985年），竹下守夫ほか・民事執行セミナー（ジュリ増刊）310頁，311頁（1981年）における各発言，上原敏夫・債権執行手続の研究148頁，172頁（1994年）参照。なお，高須・前掲論文（注270）（下）50頁は，解釈論として，また立法論としても，告知義務の復活を説くが，差押債権者に対しそこまでの要求をすべきかどうか，疑問がある。

な説得力をもたない。

オ　115条以外の規定にもとづく既判力の主観的範囲

一般原則としては，既判力は，115条1項に規定される当事者等に対してのみ拘束力をもち，それ以外の第三者は，訴訟物たる権利関係についての確定判決における判断と矛盾する主張をなすことを妨げられない。訴訟当事者となった場合，請求の目的物の所持者や被担当者など，手続保障の視点から当事者と同視される場合，および当事者との実体法上の承継関係から相手方との公平上既判力を拡張されてもやむをえない場合の3つを除いて，権利関係の主体に対して既判力が拡張されることは，主体がもつ裁判を受ける権利を侵害するからである。

しかし法は，このような原則に対する例外として，人事法律関係や団体法律関係などについて，法律関係安定の必要性を満たすために上記以外の第三者に対しても既判力の拡張を規定している。もっとも，当該権利関係と無関係な第三者については，既判力を拡張する意義も認められないから，問題となるのは，自己の法律上の地位について既判力ある判断によって拘束を受ける第三者に限られる。この種の第三者については，既判力の拡張を正当化するに足る手続保障，またはそれに代わる根拠が必要となる。

(a)　形成判決の既判力　　訴えの類型との関係でいえば，ある訴えが形成訴訟とされるのは，法律関係の画一的変動の要請に応えるためであり，したがって，形成判決については，その既判力を第三者に拡張すべき場合が多い。これに対して確認訴訟の対象となる権利関係の変動は，私人の意思に委ねられているものであり，それを考慮すれば，権利関係が既判力によって確定されたとしても，第三者をその拘束力に服せしめるのは合理的でない場合が多い。しかし，これは一応の基準にすぎず，立法者は，以下にみるように，確認判決についても，法律関係安定の要請が強い場合には，既判力拡張の規定を設けている。逆にいえば，形成判決による権利変動の効果といえども，当然に第三者に対する拘束力が認められるわけではない[275]。

---

275)　兼子351頁以下，三ヶ月・全集46頁，小山411頁など多数説の考え方である。これに対して齋藤399頁，林屋481頁，本間靖規「形成訴訟の判決効」講座民訴⑥283頁，292頁，松本・人訴法286頁などは，形成力の内容として対第三者効を説くので，形成判

この点に関連して，形成判決における形成力と既判力との関係については，特に第三者に対する拘束力について古くから議論がある。形成判決の本質は，離婚宣言や決議取消宣言などの判決主文における形成宣言であり，判決確定によって実体的権利関係が変動する。これが判決の形成力と呼ばれるものであるが，当事者以外の第三者が変動の結果を承認しなければならないか，承認しなければならないとすれば，いかなる根拠にもとづくものかについては，考え方が分かれる。しかし，実体的権利変動が生じた以上，法の適用に服する主体がそれに拘束されることは当然である。このような結果は，しばしば一般的承認義務と呼ばれるが，そのような概念を用いるかどうかとかかわりなく，また，変動が形成権行使という私人の意思表示によるものであるか，それとも形成宣言という国家機関たる裁判所の権限行使によるものかともかかわりなく，法の支配に服する主体は，実体的変動の結果を承認しなければならない[276]。

むしろ問題は，それぞれの主体が変動が生じたことを争うことができるかどうかという点であり，その点に既判力の意義がある。形成訴訟の当事者は，形成を求める原告の法律上の地位，すなわち形成原因の存在が既判力をもって確定された以上，それが不存在であると主張して，形成の効果を争うことはできない。これに対して，第三者としては，かりに既判力が拡張されないとすれば，形成原因の不存在を主張して形成の効果を争うことが許される。もちろん，この場合でも当事者間においては形成の効果が認められるのであるから，形成判決自体が無効とされるわけではない。

しかし，特別の規定によって形成判決の既判力が第三者に拡張されるときには，第三者も，当事者と同様に形成原因の不存在の主張を遮断され，形成の効果を争うことはできない。たとえば，取締役選任を内容とする株主総会の決議について手続的瑕疵を理由として取消判決が確定したときには，当事者である

決には必然的に対第三者効を認めるものと考えられる。

276）　鈴木正裕「形成判決の効力」法学論叢67巻6号27頁，32頁（1960年）参照。なお，確定形成判決の存在が実体法上の法律要件をなし，それにもとづいて生じる実体法上の法律効果が一般に承認されなければならないと説明する論者もある。本間義信「形成力について」民訴雑誌14号58頁，81頁以下（1968年）。説明の問題にすぎないが，形成宣言を前提とする限りは，確定した形成宣言によって権利変動の効力が生じ，それが一般に承認されるとするのが合理的である。

原告株主や被告会社はもちろん，第三者である取締役も，決議の有効性を理由として自己の地位の存在を主張することが遮断される（会社838参照）。一般社団法人についても，同様に考えられる（一般法人273参照）。

(b)　特定範囲の第三者に対する既判力の拡張　　法が第三者の範囲を特定して既判力の拡張を定める場合がある。たとえば，破産債権や再生債権確定についてなされた判決は，破産債権者や再生債権者の全員に対する既判力を認められる（破131Ⅰ，民再111Ⅰ）。同様に，更生債権・更生担保権確定についてなされた判決は，更生債権者，更生担保権者，および株主の全員に対して既判力を認められ（会更161Ⅰ），また，取立訴訟の判決は，参加命令を受けながら参加しなかった差押債権者に対しても既判力を認められる（民執157Ⅲ）。これらの場合には，いずれも権利関係の画一的確定の必要があり，かつ，既判力拡張の対象となる利害関係人のために手続保障が与えられているためである。

民法425条にもとづく詐害行為取消請求を認容する確定判決の債務者および他の債権者に対する既判力の効力も類似の趣旨のものであるが，訴訟告知の相手方が債務者に限られ，他の債権者は含まれていないために（民424の7Ⅱ），他の債権者に対して不利益な既判力の拡張は排除されている。債務者に対する関係では，訴訟告知がなされない限り訴えを却下すべきであるという立場をとれば，本案確定判決の既判力の拡張を観念する余地はないが，本書のような立場（注*270*）では，訴訟告知の有無にかかわらず請求棄却判決であれば，債務者に対する既判力の拡張は認められない。破産管財人などと異なって，取消債権者が債務者の財産全体についての管理処分権を認められていないためである。

(c)　一般第三者に対する既判力の拡張――対世効　　上の場合と異なって，法が，第三者の範囲を特定せずに，既判力の拡張を規定する場合がある。もちろん，既判力の作用を考慮すれば，拡張の対象となる第三者は，その者の法的地位が既判事項を法律上の前提とする場合などに限定されるが，その範囲があらかじめ定型的に確定されえないために，範囲を特定することなく第三者に対する既判力の拡張が規定されているものである。このような趣旨から，この種の既判力拡張は対世効と呼ばれる[277]。

277）　もっとも，対世効の考え方そのものを再検討するものとして，高田裕成「いわゆる対世効論についての一考察(1)」法協104巻8号1129頁，1133頁（1987年），同「身分訴

(i)　人事関係訴訟における対世効　　人事訴訟の確定判決は，請求認容か請求棄却のいずれかを問わず，本案判決が対世効を有する（人訴24Ⅰ）。判決の性質としては，形成判決および確認判決が含まれるが，いずれについても人事法律関係の安定を確保するために対世効が認められる。ただし，訴訟判決は，人事法律関係の存否そのものにかかわるものではないので，対世効をもたない。

もっとも，既判力の拡張を受ける第三者の立場からみると，裁判を受ける機会を保障されることなく，自己の法律上の地位の前提となる人事法律関係を争いえなくなるが，その根拠について次のような説明が可能である。第1に，当事者適格が当該権利関係についてもっとも密接な利害関係をもつ者や，それらに代わって適切な訴訟追行をなしうる者に限定され（人訴12・43など），加えて，ある訴訟類型を固有必要的共同訴訟とすることによって法律上の利害関係をもつ者が訴訟当事者から排除されないよう配慮がなされる（人訴12Ⅱ）。第2に，審理の方式についても弁論主義が排除され（人訴19），それに代えて職権探知主義が採用される（人訴20）。第3に，共同訴訟的補助参加や独立当事者参加によって第三者が審理に参加する方法が認められる。第4に，判決確定後であっても，当事者適格をもつ第三者は，独立に再審の訴えを，また法律上の利害関係をもつ第三者は，補助参加人として再審の訴えを提起することもできるので，既判力の拡張を受ける第三者が不当な損害を受けないような制度的保障がなされている。

また，特別の地位を有する第三者を保護する必要がある場合には，その者に対する無条件の既判力拡張が否定される。重婚禁止（民732）違反を理由とする婚姻取消しの訴えについての請求棄却確定判決は，前婚の配偶者に対しては，その者が訴訟に参加した場合にのみ，既判力を及ぼすとされるのがそれにあたる（人訴24Ⅱ）。たとえば，後婚の配偶者が婚姻取消しの訴えを提起したときに，その棄却判決が前婚の配偶者を当然に拘束することは，前婚の配偶者に対する手続保障を害するからである。

しかし，第三者が審理に参加する機会を保障するためには，訴訟係属の事実を第三者に了知せしめる必要がある。利害関係人であって，父が死亡した後に

訟における対世効論のゆくえ」新堂編・特別講義361頁以下がある。

認知の訴えが提起された場合におけるその子その他の相当と認められるものに対して訴訟係属の通知がなされるのは（人訴28），その必要に応えるためである[278]。

(ii)　団体関係訴訟における対世効　　会社や法人などの団体法律関係においては，それに関与する主体が多数に上り，団体の代表者の地位に関する争いに典型的に示されるように，団体の運営を円滑に行わしめるためには，争いの対象となる法律関係や法律上の地位の存否・内容をそれらの多数人との間で画一的に確定する必要があり，また，それによって派生的権利関係についての紛争を抜本的に解決することが可能になる[279]。このような要請を満たすために，法は，団体関係訴訟の多くのものについて，対世効を規定する（会社838，一般法人273）。会社の合併無効（会社828 I ⑦⑧），設立無効（同項①），設立取消し（会社832），株主総会決議取消し，不存在または無効（会社831・830），減資無効（会社828 I ⑤）の訴え，これらに対応する一般社団法人等の組織に関する訴えなどがその例として挙げられる。

ただし，いずれの場合においても，既判力が拡張されるのは，請求認容判決のみであり，棄却判決の既判力は対世効をもたない。この点が先に述べた身分関係にかかわる判決の対世効と異なる。立法者は，団体法律関係の主体としての他の当事者適格者の訴権を尊重する趣旨から[280]，合目的的考慮にもとづいて，実際上法律関係の変更を生じせしめる請求認容判決のみに対世効を認めることとしたものと思われる。法律関係の安定の要請は，出訴期間の制限（会社828 I・831，一般法人264 I・266 I など）によって補強される。

人事関係訴訟の場合と同様に，対世効の前提としては，訴訟の対象となる法

278）　通知を受ける者の具体的範囲は，人事訴訟規則16条によって規定される。

279）　中島弘雅「株主総会決議訴訟の機能と訴えの利益(3・完)」民商99巻6号785頁，803頁（1989年）参照。

280）　本間靖規「判決の対世効と手続権保障(2・完)」龍谷法学19巻1号34頁，80頁（1986年）参照。もっとも，株主総会決議不存在および無効確認の訴えについては，出訴期間の定めがないこともあり，法律関係安定の視点から，棄却判決についても既判力の拡張を説く見解が有力である（中田淳一・訴と判決の法理45頁（1972年），霜島甲一「総会決議の取消・無効を主張する訴訟の訴訟物」実務民訴(5)3頁，20頁，その他の学説については，注釈会社法(5)397頁以下〔小島孝〕参照）。しかし，条文の文言や沿革を考慮すると，立法論は別として，棄却判決に対世効を認めることは困難である（岩原紳作「株主総会決議を争う訴訟の構造(9・完)」法協97巻8号1043頁，1102頁（1980年））参照。

律関係の主体による適切な訴訟追行，弁論主義の制限，および他の適格者などに対する参加の機会の保障が必要である。まず，当事者適格に関しては，法が原告適格および被告適格を規定することが多い（会社828Ⅱ・831・834，一般法人264Ⅱ・266Ⅰ・269）。しかし，そのような規定が存在しない場合には，対象となる法律関係についてもっとも密接な法律上の利害関係をもち，その者による訴訟追行の結果が第三者を拘束するに足る原告適格者を解釈上定めなければならない。また，被告適格についても，明文の規定が設けられていない場合には，決議などの意思決定の主体である団体に適格が認められる[281)]。

次に，詐害的訴訟追行を防ぐための方策に関しては，訴えの取下げ，請求の放棄・認諾，および和解の効力を否定するなどの処分権主義の制限，ならびに自白の効力否定および職権探知主義の採用などの弁論主義の制限が説かれる。しかし，団体法律関係の形成および変動も，基本的には私人の意思に委ねられていると考えられ，訴えの取下げや和解などの効力を否定することは，かえって訴権の行使に負担を生じさせることになりかねない。さらに自白の効力を制限することも，審理の弾力性を失わせる結果となる。したがって，この点についても，処分権主義および弁論主義を基本として，裁判所による和解の統制や第三者による訴訟参加などの手段によって詐害的訴訟追行を防止する以外にない。

さらに，第三者のための手続保障の手段として，平成16年改正前商法旧規定では，被告たる会社による訴え提起についての公告があったが（商旧105Ⅳ・247Ⅱ・252など），平成16年改正で削除され，会社法も対世効をもちうる訴訟における公告の制度を設けていない。一般社団法人等についても同様である。

281）　商法旧247条1項にもとづく株主総会決議取消訴訟について，最判昭和36・11・24民集15巻10号2583頁〔百選〈6版〉A32事件〕。もっとも，これに対しては，決議によって選任された取締役など決議の効力について実質的に密接な利害関係をもつ者に被告適格を認め，または会社とその種の者を共同被告とすべきであるとの有力説がある。しかし，利害関係をもつ取締役などがかならずしも会社の構成員全体の利益を適切に代表できるとは限らず，またそれらの者を共同被告として加えることを要求するのは，手続の煩雑さを招きやすい。したがって，それらの者には共同訴訟的補助参加の途を開き，再審申立ての可能性を認めることで満足せざるをえない（注釈会社法(5)341頁〔岩原紳作〕参照）。会社法834条17号では，被告適格が当該株式会社に法定されたので，上記の有力説をとる余地はない。

以上に述べたことは，対世効について明文の規定をもつ会社や一般社団法人等関係訴訟に関するものであるが，確認訴訟の対象としては，他の団体の意思決定機関による決議の効力なども認められる。それらについて請求認容判決が確定したときには，明文の規定がある場合に準じて対世効が認められるかどうかが解釈上問題となる。判例は，法人を被告として理事者たる地位を確認する判決が確定すれば，その判決は，団体法律関係の性質上，対世効をもつと判示し[282]，また学校法人の理事会決議無効確認判決に関しても同様の判示をなしている[283]。この種の判決について会社法や一般法人法の規定などを類推適用して，対世効を認めること自体については，異論が少ないと思われるが，問題は，対世効を受ける第三者に対する手続保障である。対世効を認める以上，何らかの方法によって訴訟係属の事実を第三者に了知せしめることが適切であると考えられる[284]。

カ　判決の反射効

判決の効力としては，訴訟法上の効力以外に，一定内容の判決確定または言渡しの事実が実体法上の法律効果を生じさせる，いわゆる法律要件的効力が挙げられる。その例として民法169条1項・460条3号・496条1項がある[285]。また，訴訟法上の効力か実体法上の効力か議論があるものとして，反射効がある。そもそも反射効が認められるかどうかについては，争いがあるが，その説かれるところにしたがえば，反射効は，当事者間の判決の効力を第三者が援用できるか，また，当事者が第三者に対して判決の効力を主張できるかという問題であるので，判決の主観的範囲に関する問題の1つとして説明する。

なお，反射効と異なった意味で反射的効力や反射的効果という概念が用いられることがある[286]。たとえば，代位債権者など法定訴訟担当者が当事者となって受けた敗訴判決の既判力が115条1項2号によって本人に対して拡張され，

282）　最判昭和44・7・10民集23巻8号1423頁〔百選〈6版〉14事件〕。

283）　最判昭和47・11・9民集26巻9号1513頁〔百選〈6版〉A9事件〕。

284）　中島弘雅「法人の内部紛争における被告適格について(6・完)」判タ566号20頁，25頁（1985年）の主張するところである。

285）　法律要件的効力については，鈴木正裕「判決の法律要件的効力」山木戸還暦(下)149頁以下参照。

286）　谷口368頁，本書709頁注42参照。

その結果として他の代位債権者などもその結果を承認せざるをえなくなる。これは，訴訟担当者が訴訟物たる権利関係についての当事者適格を本人に代わって行使するものである以上，本人が当該権利関係についてもはやなしえない主張は，担当者もなしえないという，訴訟担当にもとづく訴訟法上の効果であり，ここで述べる反射効とはその性質を異にする。

(a)　反射効概念をめぐる理論と判例　第三者が当事者の一方の勝訴または敗訴を条件として法律行為をなし，債務を負担した場合には，当事者間の判決の結果は，債務の存否に対して影響を与える。ところが，保証債務の付従性にみられるように，主債務の存在を条件として保証人が債務を負担したときには，上のような条件付法律行為がなされなくとも，これと同視して，保証人が主債務についての請求棄却判決を自己に有利に援用できることを認めるべきであるというのが，反射効理論の出発点である。これは，一定内容の判決確定の事実を法律行為についての条件成就と同視する考え方にもとづくものであり，その意味では，上記の法律要件的効力とも同質性をもつ。

この考え方は，その後の学説によって発展させられ，最大公約数的にいえば，反射効は，次のような場合に認められる。第1に，民法448条1項にもとづく保証債務の付従性を根拠として，上記の主債務についての請求棄却判決と保証債務との間に，第2に，民法439条にもとづく相殺の絶対的効力，および民事訴訟法114条2項にもとづく相殺の抗弁についての既判力を根拠として，相殺の抗弁を理由とする連帯債務履行請求棄却判決と他の連帯債務との間に，第3に，会社法580条1項1号にもとづく社員の責任を根拠として，持分会社についての請求認容または棄却判決と社員の責任との間に，第4に，賃貸人と賃借人との間の賃借権確認判決と転借人の地位との間に，第5に，民法252条但書の保存行為を根拠として，共有物についての取戻・妨害排除請求認容判決と他の共有者の取戻しなどを求める地位との間に，第6に，債務者と第三者との間における特定財産が債務者に属しないことを確定する判決と債務者の一般債権者の地位との間に，第7に，破産法129条1項を根拠に，ある破産債権者と破産者の間における債権の存在を確定する判決と他の破産債権者の異議権との間に，第8に，執行債務者とある配当要求債権者との間の債権の存否に関する判決と他の配当要求債権者の異議権との間について認められると主張された。

以上の例から理解されるように，反射効といっても，それぞれの根拠となる実体法上の法律関係の性質に応じて，第三者が判決の効力を自己の有利にのみ援用できる場合（第1，第2，第4，第5），第三者の不利にも判決効が援用されうる場合（第3，第8），第三者の不利にのみ判決効が援用される場合（第6，第7）に分類される[287]。

反射効に対しては，その本質的効果が既判力と変わらず，したがって明文の規定がないままにこれを認めることは，解釈論の域を超える，第三者に対する手続保障が欠ける，および実体法上の権利関係の異別性などを理由とする反対説が存在するものの[288]，学説においては圧倒的支持を受けているといってよい[289]。もっとも，反射効支持論者の中でも，その性質，要件，あるいは認められるべき場合などについての考え方は分かれる。下級審裁判例についてみると，かつては明示的または実質的に反射効理論を採用するものが存在した。しかし，最高裁判例は，一貫して反射効を否定している[290]。

287）以上について，鈴木正裕「既判力の拡張と反射的効果(1)」神戸法学雑誌9巻4号508頁，515頁以下（1960年），条解民訴〈2版〉600頁以下〔竹下守夫〕参照。

288）三ヶ月・全集35頁，上村明廣「確定判決の反射効と既判力の拡張」中村宗雄先生古稀祝賀記念論集・民事訴訟の法理381頁（1965年），後藤勇「確定判決の反射的効力」判タ347号11頁（1977年），上野・前掲論文（注216）395頁，429頁，436頁，松本＝上野661頁，梅本961頁など。また，山本・基本問題180頁以下は，実体法上の債務の牽連性を根拠として，保証人などの場合に限定して反射効を肯定する。

289）齋藤402頁，小山412頁，新堂743頁，上田513頁，谷口367頁，林屋482頁，斎藤ほか(5)161頁〔小室直人＝渡部吉隆＝斎藤秀夫〕，兼子ほか693頁以下，上田・判決効116頁，高橋(上)759頁以下，小島686頁以下など。これに対して，条解民訴〈2版〉602頁以下〔竹下守夫〕は，具体的事例に応じて既判力の拡張の問題として検討すべきであるという。野村秀敏「判決の反射的効力」実務民訴〔第3期〕(3)378頁も，前訴勝訴当事者（主債務者など）と第三者（保証人など）の法的地位の主従ないし先決関係が存在するときには，既判力の拡張を認めるべきであるとするが，法文上の根拠が問題となろう。

なお，上記も含め，近時に至るまでの議論状況全体については，垣内秀介「反射効の理論に関する一視角」加藤新太郎古稀345頁参照。同論文360頁では，主債務履行請求訴訟で敗訴した債権者が保証債務履行請求訴訟を提起することについて，信義則による制約を検討する。また，主債務履行請求棄却確定判決後の保証債務履行請求訴訟において保証人が確定判決の反射効を援用することについて，八田卓也「保証人事例と連帯債務事例における反射効」本間古稀200頁は，債権者・保証人間の公平を理由として反射効を肯定する。

290）最判昭和31・7・20民集10巻8号965頁〔百選76事件〕，最判昭和51・10・21民集30巻9号903頁〔百選〈6版〉85事件〕，最判昭和53・3・23判時886号35頁〔百選〈6版〉84事件〕。詳細については，注釈民訴(4)448頁以下〔伊藤眞〕参照。

(b)　反射効概念に対する評価　　本書の結論としては，反射効概念を否定すべきものと考えるので，以下その理由を述べる。反射効の内容としていわれる拘束力は，既判力の拘束力と同質のものであり，既判力の法的性質について訴訟法説をとる以上，反射効も訴訟法上の効力と考えるべきである。実体法上の効果とされるにもかかわらず，反射効に対応する実体法上の規定が存在しないことも，このような結論を補強する。たとえば，保証人の場合についても，反射効の根拠として援用される保証債務の付従性は，主債務の不存在などの事実にもとづいて保証債務の不存在などの効果が生じることを意味するものであり，主債務不存在を内容とする判決確定の事実にもとづく法律効果を意味するものではない。したがって，反射効の性質は，115条の規定によらない既判力の主観的範囲の拡張と考えざるをえない。

民事訴訟法115条1項2号ないし4号に規定される第三者に該当しないにもかかわらず，なぜ一定の法律上の地位にある第三者に対して反射効の名の下に判決の効力が拡張されるかについては，第1に，保証人の地位にみられるように，第三者の地位が当事者たる主債務者の地位に依存しているか，連帯債務者相互間にみられるように，法的共同関係が存在するときには，第三者が自己の地位の前提として当事者の地位に関する判決の効力を援用することが許されるという。

第2に，同一紛争の蒸し返し防止が説かれる。保証人の例をとれば，前訴判決の当事者たる債権者は，主債務者を相手方として訴訟追行をなし，その結果判決において主債務不存在の判断を受けたのであるから，その点に関して十分な手続保障を与えられたものと評価される。それにもかかわらず，保証人を相手方とする後訴において同一の争点である主債務の存否について債権者に対して重ねて本案の審判を保障することは，紛争の蒸し返しの機会を与えることを意味するという。

第3に，かりに反射効を認めず，債権者が保証人に対して勝訴したとすると，主債務者は保証人から求償を受ける可能性があり，その結果，債権者に対して勝訴した利益を実質的に奪われるという不当な結果に陥るという。また，場合によっては，反射効が第三者の有利にのみ認められ，不利には援用されない結果が生じうるが，これについては，第三者の地位が派生的地位であることを考慮すれば，不公平とはいえないとする。

しかし，第三者の地位が当事者のそれに実体法的に依存する関係などは，すでに115条1項3号に関してみたように，口頭弁論終結後の承継人の範囲を決定する場合に基準とされるものであり，その際には，口頭弁論終結後に第三者がそれらの地位を当事者から承継取得したことが，既判力の拡張を基礎づける公平性の内容とされた。しかし，反射効は，第三者の地位の取得が，口頭弁論終結の前後かどうか，および当事者からの承継によるものかどうかを問わないものであり，それによって不利益を受ける者としては，なぜ反射効による拘束力を甘受しなければならないのかが問題となろう。

第2の点は，手続保障の基本的な考え方にかかわるが，基本原則としては，手続保障は訴訟物たる権利関係を基準として考えられるべきものである。主債務と保証債務のような実体法上別個の権利関係が訴訟物となるときには，たとえ同一の事実が争点となるときでも，それぞれについて手続保障を与えなければならないというのが，現行法の原則と思われる。

第3に，反射効を否定した結果生じるとされる実体法上の矛盾は，当該法律関係についての争いを必要的共同訴訟とせずに個別訴訟を認めることから不可避的に生じる結果にすぎない。主債務者が債権者に勝訴したにもかかわらず，債権者に敗訴した保証人からの求償請求に応じなければならないのも，自己が求償請求訴訟に敗訴した結果であり，手続的に不当な結果ということはできない。もちろん，求償債務を履行した主債務者が債権者に対して主債務が存在しないことを理由として不当利得返還請求を行うことは，実体法上考えられないから，関係人間の紛争の決着が付かないわけでもない。

実質的公平や信義則の見地からみても，債権者は，主債務者と保証人を共同被告として訴えることも，保証人のみを先に訴えることも選択できるのであり，たまたま主債務者を訴えて敗訴判決を受けたからといって，保証人に対してまで保証債務の履行を訴求できなくなるという結果は，かえって保証人に不当な利益を生じさせる。論者は，いったん債権者に対して勝訴した主債務者が保証人から求償請求を受けることが不当であるという。しかし，保証を委託しているときには（民459），主債務者は，人的担保としての保証によって利益を受けている以上，このような危険を負担させられても公平に反するとはいえない。

また，委託によらない保証の場合には，民法462条1項・459条の2第1項の解釈として，すでに債権者と主債務者の間で主債務の不存在を確定する判決が存在している以上，保証人の弁済によって主債務者が利益を受けたとはいえないから，実体法上の求償請求権の行使自体が妨げられる。

連帯債務者，不真正連帯債務者，および合同債務者の1人に対する債権者の請求について棄却判決が確定したときに，他の連帯債務者がその反射効を援用できるかについては，論者の間でも見解が分かれる。大別すると，棄却判決の理由がいかなるものであれ，広く反射効を認める多数説，114条2項を理由として，相殺の抗弁を理由とする棄却判決についてのみ反射効を認める考え方，および連帯債務の担保的機能を理由として反射効を否定する考え方がある。保証人と異なるのは，この場合の判決効が訴訟物たる権利関係の不存在に関するものでなく，その前提となる債務消滅原因にかかわる判決理由中の判断に関することである。

しかし，連帯債務の担保的機能を理由とする反射効否定説に示されているように，債権者の各連帯債務者に対する権利は実体法上別個のものであり，手続保障の視点からみても，1人の債務者に対して敗訴判決を受けたことをもって，他の債務者に対する訴権の行使が実質的に遮断されるべきものではない。訴訟の勝敗は，当事者の訴訟追行の結果を基礎とするものではあるが，事実および証拠に対する裁判所の評価や裁判所の法律判断によって決せられるものであるから，当事者の訴訟追行に信義誠実の原則が適用されることを理由として，反射効を肯定するのは十分な論証とはいえない。

持分会社社員は，会社債務についての責任を負うので（会社580 I），社員の責任は，実体法上会社の債務を前提としている。もっとも，これを根拠とする反射効については，会社を被告とする判決の拘束力が有利または不利を問わず社員に及ぶとする論者と，社員が有利にのみ援用できるとする論者とが対立している[291]。多数説は，会社債務とそれについての社員の責任との間に単に実体法上の依存関係があるにとどまらず，会社と社員の間に組織法上の関係があ

291）詳細については，本間靖規「合名会社の受けた判決の社員に及ぼす効力について(1)」北大法学論集31巻3・4号上巻1249頁以下（1981年），竹下守夫「判決の反射的効果についての覚え書」一橋論叢95巻1号30頁，42頁，44頁（1986年）参照。

ることに着目して，反射効が有利または不利に社員に及ぶとする。これに対して有力説は，前訴判決の原告たる会社債権者の側は，いったん会社を被告として会社債務の存在を主張する機会を与えられ，請求棄却判決を受けた以上，債務についての社員の責任追及が反射効によって妨げられても，その結果を甘受せざるをえないが，社員の側についてみれば，会社の敗訴判決によって自己の固有財産に対する執行を甘受することまで会社に委ねているとはみられないから，反射効は，社員の有利にのみ及ぶべきであるとする。

ここでも債権者の会社に対する権利と社員に対する権利は，責任財産の面からみても別個の権利であり，それぞれについての手続保障は独立のものであることを考えれば，判決内容の有利・不利とかかわりなく，反射効の考え方をとることはできない。もっとも，会社と社員との間の組織法上の関係に着目して，会社が社員の手続的利益を代表しているとみれば，反射効ではなく，社員を本人とする関係では，会社を任意的訴訟担当者とみて，判決内容の有利・不利を問わず，会社を当事者とする判決の効力を社員に及ぼす余地が考えられないではない[292]。しかし，これは，組織法上の関係にもとづいた115条1項2号の解釈にかかわるものであり，反射効とは別の問題である。

その他の第三者，すなわち，転借人，共有者，一般債権者，破産などにおける異議債権者，あるいは民事執行手続における配当異議債権者などについても，以上に述べた根拠から反射効を肯定することはできない[293]。

キ　法人格否認の法理と既判力の拡張

法人における実体法上の権利関係や訴訟上の法律関係は，それぞれの法人格に帰属する。したがって，既判力の主観的範囲についても，訴訟当事者以外の法人は，115条1項等による拡張の対象とならない限り，既判力による拘束力を受けることはない。しかし，形式的な法人格は別であっても，たとえば口頭弁論終結前の承継人である第三者に対して既判力が拡張されない場合であることを前提とし，いわゆる法人格否認の法理が適用される事案においては，当事者と第三者が同一人格とみなされ，第三者も既判力によって拘束されることが

292)　新堂744頁以下，伊藤・当事者213頁。このような考え方に対する批判として，本間・前掲論文（注291）（4・完）北大法学論集34巻1号1頁，22頁（1983年）がある。

293)　詳細については，注釈民訴(4)456頁以下〔伊藤眞〕，瀬木531頁参照。

考えられる。なお，類似の問題は，すでに述べたとおり，115条1項4号にいう請求の目的物の所持者についても生じうるが，理論的には，所持者概念を緩やかに解する場合であっても，あくまで法人格自体は当事者と区別されている点で，ここでの問題と区別されるし，実際的にも，所持者の場合には請求の内容が限定されており，金銭給付請求などについては適用可能性がないという違いが存在する。

判例は，法人格が全くの形骸にすぎない場合，またはそれが法律の適用を回避するために濫用されているような場合においては，実体法上の法律関係の当事者以外の法人格に対しても法律効果が及ぶことを認めるが[294]，既判力や執行力など訴訟法上の効果についても，同様にこの法理の適用が認められるかどうかについては，訴訟手続の明確性，安定性を理由として，同法理の適用を否定している[295]。

学説においては，考え方が分かれているが[296]，手続の安定性などを根拠として，既判力について同法理の適用を全面的に排除する考え方には賛成しがたい。問題となる事例は，民事訴訟事件全体からみれば例外的なものであり，同法理の適用によって既判力の拡張を認めたからといって，手続の運用が安定を欠くことは考えられない。理論的にみても，形骸化の事例では，訴訟当事者たる本来の法人格と第三者たる形骸化した法人格とを同一の当事者とみなすことは可能である。

したがって，法人の意思決定の面および財産運営の面の両面において法人格に応じた区別がなされていないような形骸化の事例においては，形式的に別人格とされる第三者を当事者と同様に扱って，既判力を拡張すべきである。これ

294）　最判昭和44・2・27民集23巻2号511頁。

295）　最判昭和53・9・14判時906号88頁〔百選〈6版〉83事件〕。ただし，これは既判力の拡張に関するものであり，訴訟行為（自白の撤回）については，法人格の異別性を主張することが信義則（本書375頁）に反するとした判例（最判昭和48・10・26民集27巻9号1240頁）が存在する。

296）　消極説として，江頭憲治郎・会社法人格否認の法理436頁（1980年），奥山恒朗「いわゆる法人格否認の法理と実際」実務民訴(5)157頁，167頁など，積極説として，福永有利「法人格否認の法理に関する訴訟法上の諸問題」関大法学論集25巻4～6号541頁，554頁（1975年），瀬木527頁などがある。学説の詳細については，伊藤眞〔判例解説〕百選〈3版〉95事件参照。

に対して，法人設立の目的が法律の適用を回避するためなどの濫用事例においては，人格自体の独立性を否定することは困難であるから，実質的当事者として既判力を拡張することは妥当でなく，むしろ，信義則を根拠として濫用法人格者による個別的な主張を排斥する方向での処理が妥当と思われる。このような理由から濫用事例を区別した上で，積極説に賛成したい[297]。

第4項　判決のその他の効力および執行停止

給付判決や確認判決は，訴訟物たる権利関係を確定し，形成判決は，対象となる権利関係を変動させる。これらの判決の効力として，執行機関やそのほかの国家機関に対して，判決の内容に適合した状態の実現を求めうる地位が当事者に対して付与され，これを判決の執行力と呼ぶ。既判力が後訴裁判所に対する拘束力であるのに対して，執行力は，判決裁判所以外の国家機関に対する効力である点が異なる。

1　広義の執行力

執行力の中では，広義の執行力と狭義の執行力が区別される。広義の執行力とは，国家機関に対して判決主文に適合した法律状態の実現を求める資格を当事者に付与するものであり，したがって給付判決のみならず，確認判決や形成判決にも認められる。判決にもとづいて当事者が戸籍官吏に戸籍の訂正を申し立てたり（戸63・77Ⅰ・79・116），登記官に登記の記入，抹消，変更等を申請したり（不登63Ⅰ）することができるのは，広義の執行力によるものである。また，執行機関に対して強制執行の停止・取消しを求める地位も（民執39Ⅰ①②⑥⑦・40Ⅰ），広義の執行力の中に含まれる。広義の執行力が認められるかどうかは，それぞれの手続を定める法の規定による。また，広義の執行力は確定判決に認められる場合が多いが，仮執行宣言付終局判決に認められることもある（民執37Ⅰ後段）。

2　狭義の執行力

狭義の執行力とは，給付判決やそれと同一の効力を認められる和解調書などにおいて掲げられる給付義務の実現を執行機関に対して求める地位の付与を意

297）中野・民執133頁以下参照。

味する。その手続は，民事執行法の強制執行手続により，執行力を認められる判決などを債務名義と呼ぶ（民執22）。債務名義には，確定した給付判決[298)]，仮執行宣言付給付判決などの判決のほか，抗告によらなければ不服を申し立てることができない裁判，確定判決と同一の効力を認められる調書，仮執行宣言付支払督促，執行証書，ならびに執行判決付外国判決および仲裁判断などがあるが，確定判決であっても給付命令を含まない形成判決や確認判決は含まれない。

3　執行力の主観的範囲

執行力の主観的範囲については，既判力に関する115条とほぼ同様の内容を規定する民事執行法23条について，特に口頭弁論終結後の承継人の範囲をめぐって，考え方の対立がある。まず，既判力の拡張と執行力の拡張の関係が問題となる。すでに説明したとおり，既判力は，既判事項たる権利関係についての前訴裁判所の判断が後訴裁判所に対してもつ拘束力を意味する。したがって，第三者が承継人として既判力を受ける場合であっても，その者は，独自の法律上の地位については，本案の審判を受けることが保障されている。これに対して，執行力の拡張は，第三者のため，または第三者に対する執行文の付与という効果を生じ（民執27Ⅱ・33Ⅰ・34Ⅰ），その結果として，第三者は，本来自己の，または自己に対する執行債権が表示されていない債務名義にもとづいて執行を実施できるし，または逆に執行を受忍しなければならない。

いいかえれば，執行力の拡張は，第三者の法律上の地位，またはその前提となる事項についての判断の拘束力ではなく，第三者の法的利益そのものが強制執行によって影響を受けることを意味している。立法者は，一方で確定判決による紛争解決の実効性を担保するために承継人に対する既判力の拡張を認め，他方で，債務名義による権利実現の実効性を担保するために執行力の拡張を認めているが，上に述べた効果の違いを考えれば，既判力と執行力における承継人の範囲が厳格に一致しなければならない理由はない。

以上の点を前提として，承継人に対する執行力拡張の意義については，いく

298）ただし，給付義務が強制履行に適さない場合，たとえば夫婦同居義務などの場合には，執行力も認められない。これに対して謝罪広告の掲載を命じる判決には執行力が認められる。最大判昭和31・7・4民集10巻7号785頁〔執行保全百選68事件〕。

つかの考え方が存在する。第1は，固有の法律上の地位をもち，既判力拡張において承継人にあたらないとされる可能性がある第三者については，執行力拡張においても承継人とみなさない考え方である。いわゆる実質説はこのような帰結に至るものとされる。

第2の考え方は，権利確認説と呼ばれるものであり，承継人の地位とその前主の地位との間に依存関係があることを前提として，執行文付与手続の中で執行債権者の承継人に対する請求権の存在が少なくとも蓋然的に推認される場合に限って執行力の拡張が認められ，承継人に対して執行文が付与されるとする[299)]。この考え方によれば，たとえば，引渡訴訟の口頭弁論終結後に目的動産の占有が第三者に移転したときには，原告としては，占有の承継に加えて，善意取得の不存在を証明する文書を提出して，執行文付与機関から承継執行文の付与を受けるか，または執行文付与の訴えを提起して，善意取得の不成立を立証することによって，執行文の付与を受けられるとする。逆に第三者の側では，民事執行法27条2項の手続によって承継執行文が付与されたときには，同法34条の執行文付与に対する異議の訴えの方法によって，善意取得などの主張をなし，執行力の排除をすることができるという。

第3の考え方は，起訴責任転換説と呼ばれるものである[300)]。この考え方の基本は，次のところにある。すなわち，承継執行の本質は，承継執行文の付与を経て，被承継人に対する債務名義のみで，いいかえれば承継人に対する債務名義なしで承継人に対する強制執行を認め，承継人に対する執行債権の存在，すなわち執行の正当性については，民事執行法35条の請求異議の訴えによって承継人の側にその不当性を主張させるところにある。本来であれば，執行債権の存在については，債務名義の形成として，債権者の側にそれを確定する責任が課されるが，承継執行の制度が設けられることによって，債権者は承継の

299)　吉村徳重「既判力拡張と執行力拡張」法政研究27巻2～4号215頁（1961年），同「執行力の主観的範囲と執行文」竹下守夫＝鈴木正裕編・民事執行法の基本構造131頁，152頁（1981年），新堂742頁以下，新堂・争点効(上)338頁以下，上田徹一郎「口頭弁論終結後の承継人」中野古稀(下)141頁，168頁，瀬木526頁など。

300)　中野・現在問題269頁以下，中野・論点Ⅰ230頁以下，中野・民執135頁，香川保一監修・注釈民事執行法(2)188頁〔近藤崇晴〕（1985年），小島682頁など。両説の比較と既判力の拡張との関係については，八田卓也「口頭弁論終結後の承継人に対する執行力の拡張(2・完)」民商158巻4号23頁（2022年）参照。

事実のみを確定すれば足り，執行債権そのものについては，その不存在を反対名義として形成する責任が承継人の側に課されることから，起訴責任転換説の名がある。

以上の考え方のうち，ここでは，以下に述べる理由から第3の起訴責任転換説を支持したい。まず，第1の考え方は，口頭弁論終結後に訴訟物ないしその基礎となる権利の承継があり，かつ，承継人が実体法上債権者に対抗しうる正当な法的地位をもたない場合にまで執行力の拡張を否定し，勝訴債権者に対して常に承継人を相手方として別訴を提起することを要求するものであり，承継執行制度の実効性を失わせ，また給付判決の紛争解決機能を減殺するものといわざるをえない。確かに，執行力の主観的範囲は既判力のそれよりも厳格に考えられなくてはならないが，所有権にもとづく動産の引渡訴訟で原告が勝訴しても，口頭弁論終結後に目的動産の占有が第三者に移転されると，即時取得の成立可能性があるという理由だけで，承継執行の可能性をいっさい排除することは公平を欠くといわざるをえない。

次に，第2の権利確認説の考え方の基礎には，承継執行は，債務名義に表示されない，執行債権者の承継人に対する執行債権を蓋然的に確認する手続であるとの考え方がある。しかし，たとえ民事執行法33条や34条にもとづく訴訟手続が用意されているとはいえ，この考え方によれば，執行文付与機関が同法27条2項によって，承継人に対する執行債権の実体的効力を判断しうる。しかし，法が執行文付与機関によるこのような判断を予定しているとは考えられない。本来民事執行法27条2項の判断に適さない事項は，たとえ判決手続による場合であっても，同法33条や34条の訴えによる判断にも適さない事項である。これらの規定で予定されている承継の判断は，債務名義に表示されている執行債権，すなわち訴訟物たる権利の性質および内容，その権利と第三者の法的地位との関係など，たとえ訴訟手続による場合であっても裁判所が迅速に判断できる事項に限定され[301)]，第三者が執行債権者に対抗することができる固有の法的地位をもつかどうかという，執行債権者と第三者との間の実体権そのものにかかわる事項は対象外と考えられる。

301)　中野・民執283頁は，このような視点からこれらの訴えを要点訴訟と呼ぶ。

このような理由から，権利確認説はこれを支持することができない。また，執行力が及ぶかどうかは，債務名義上の権利や第三者の法的地位の性質に応じて客観的に定められるものであり，蓋然性の立証の成否によって左右されるべきものとは思われない。

第3の起訴責任転換説に対する批判として，第三者が執行債権者に対抗できる固有の法的地位をもつ場合にまで，執行力が拡張されて，承継執行文の付与が認められ，逆に，第三者の側から請求異議の訴えによって執行債権の不存在を主張することを求めるのは，承継人とされる第三者の権利を不当に侵害するものといわれる。しかし，現行法が，執行の迅速性，および執行債権者と承継人との公平の視点から，承継人に対する執行債権の存在について債務名義を要求することなく，承継の事実のみにもとづいて執行を認める制度をとっている以上，このような問題が生じるのはやむをえない。

権利確認説によると，執行文付与の訴えや執行文付与に対する異議の訴えの中で，善意取得など第三者の固有の法的地位を基礎づける主張を行わせ，それについて第三者に対する請求権の存否の判断が行われるとされる。しかし，すでに既判力拡張について説明したように，承継の有無と第三者に対する請求権の成否は別の問題であり，たとえ判決手続によるものであれ，執行文付与に関する訴えの中で請求権の成否を判断することは，考え方として賛成することはできない。もちろん，請求異議の訴えは，民事執行法35条1項の文言から明らかなように，本来は債務名義に表示された請求権の存否および内容を争うものであるが，承継執行が一種の債務名義の転用と考えられる以上，請求異議の訴えによって承継人に執行債権者に対する義務の存否を争わせることは背理とはいえない。

4　執行停止

異議もしくは上訴，または再審もしくは特別上告などの形で原裁判に対する不服申立てがなされたとしても，原裁判に執行力が付与されているときには，原裁判が取り消されるまでは執行力は失われないのが原則である。しかし，その原則のみによると，原裁判の執行力にもとづく強制執行によって当事者に損害が生じ，後に原裁判が取り消されても，その回復が不可能となることも考えられる。そこで法は，執行力に対する仮の救済として原裁判に対する不服申立てに付随する執行停止の制度を設けている。

もちろん，執行停止を安易に認めると，原裁判に執行力を付与した意義が失われるので，法は，第1に不服申立てに相当程度の理由が認められること，第2に執行により相当の損害が生じるおそれがあることの2つの要件を設け，不服申立ての種類，いいかえれば対象となる裁判の取消蓋然性の程度に応じて，2つの要件の一方または双方を定め，また相当程度の理由および損害についても段階を設けている（403）[302]。

執行停止は，書面による当事者の申立てにもとづいて（民訴規238），裁判所の決定によってなされる（403Ⅰ）。執行停止の裁判は，訴訟記録が存する原裁判所が行うのが原則である（404）。なお，執行停止申立てにかかる裁判に対する不服申立ては認められない（403Ⅱ）。なお，ここでいう執行停止の裁判には，第1に，担保を立てさせ，または立てさせないで強制執行の一時停止を命じる裁判，第2に，一時停止とともに，担保を立てさせて強制執行の開始または続行をすべき旨を命じる裁判，第3に，担保を立てさせて一時停止とともに既にされた執行処分の取消しを命じる裁判の3種類がある。第1の裁判は，不服申立ての対象とされた裁判にもとづく強制執行の停止を求めることができる効力（民執39Ⅰ⑦参照），第3の裁判は，不服申立ての対象とされた裁判にもとづく強制執行を停止し，かつ，当該裁判にもとづいて既にされた執行処分の取消しを求めることができる効力（同⑥・40Ⅰ参照）を有する。

特別上告または再審の訴えにともなう執行停止は，不服の理由として主張さ

302）旧法においては，特に仮執行宣言付判決に対する控訴について，これらの要件のいずれも規定されず，ただ立保証のみによって執行停止を認めていた。これに対する理論的批判について，伊藤眞「上訴と執行停止」司法研修所論集89号25頁，32頁（1993年）参照。このような批判を受けて現行法の立案作業では，当初から執行停止の要件を厳格にする方向での議論がなされたが，その過程ではかなりの考え方の変遷がみられる。信濃孝一「執行停止」理論と実務(下)143頁，145頁以下，秋山ほかⅦ330頁参照。

なお，執行停止については，それによって相手方に生じうべき損害を担保するために担保の提供が命じられる可能性があるが，担保の事由が消滅したことを証明したときは，担保の取消しの決定がなされる（405Ⅱ・79Ⅰ）。関連裁判例および判例として，東京高決平成25・7・19金商1427号16頁，最決平成24・6・19実情629頁があり，また，最決平成13・12・13民集55巻7号1546頁，最決平成14・4・26判時1790号111頁は，債権者による仮執行宣言付判決にもとづく強制執行は，債務者について破産手続が開始してもその効果を失うことはないことを前提とし，債務者について破産手続開始が担保の事由の消滅にあたらない旨を判示している。実情80頁参照。

れた事情が法律上理由があるとみえ，事実上の点につき疎明があり，かつ，執行により償うことができない損害が生じるおそれがあることが疎明された場合に認められる（403 I ①）。特別上告および再審の訴えは，原判決の確定を遮断する効力をもたず，上訴としての性質を認められない，非常の不服申立手段であるので，執行停止の要件を厳格にしたものである。償うことのできない損害とは，金銭賠償によっては回復されない損害を意味する。したがって，金銭給付を命じる判決については，原則としてこの要件が満たされることは考えられない。

仮執行宣言付判決に対する上告または上告受理申立てにともなう執行停止は，原判決の破棄の原因となるべき事情および執行により償うことができない損害を生じるおそれの疎明がなされた場合に認められる（403 I ②）。法律審である上告審において，補償不能損害の疎明に加えて，破棄原因の疎明が要求されたことは，執行停止の可能性を制限し，理由のない上告等が提起されることを間接的に抑止する機能をもつ[303]。

仮執行宣言付判決に対する控訴または仮執行宣言付支払督促に対する督促異議申立てにともなう執行停止は，原判決もしくは支払督促について取消しもしくは変更の原因となるべき事情がないとはいえないこと，または執行により著しい損害を生じるおそれがあることの疎明がなされたときに認められる（403 I ③）。この場合には，原判決の取消し等にかかる事情の疎明の程度も軽減されており，かつ，その疎明がなされない場合であっても，著しい損害のおそれにかかる疎明のみによって執行停止の可能性があり，上記の２つの場合と比較すると，執行停止の要件が緩和されているが，立担保の要件しか設けていなかった旧法と比較すると，執行停止の要件はかなり厳格化された。なお，著しい損害は，補償不能損害と異なって，原理的には金銭賠償による回復が不可能とはいえないが，実際上その回復に困難がともなう場合を意味する[304]。

その他，手形小切手金の請求についての仮執行宣言付判決に対する控訴，ま

---

303)　旧 511 条では，補償不能損害の要件のみが定められていたので，家屋明渡訴訟などでは，執行停止の蓋然性が相当程度存在した。秋山ほかⅦ340 頁。

304)　執行によって被告の経済生活の基礎が破壊される場合，あるいは原告の資力からみて執行によって得た金銭の返還を期待しえない場合などが例として挙げられる。滝井繁男「控訴または督促異議の申立てに伴う執行停止の要件及び手続」新大系(4)267 頁，275 頁，信濃・前掲論文（注 *302*）152 頁，秋山ほかⅦ346 頁参照。

たは同請求に関する仮執行宣言付支払督促に対する督促異議にともなう執行停止は，原判決等の取消しまたは変更の原因となるべき事情の疎明（403 I ④），仮執行宣言付手形小切手判決に対する異議申立て，または仮執行宣言付少額訴訟判決に対する異議申立てにともなう執行停止は，原判決の取消しまたは変更の原因となるべき事情の疎明（403 I ⑤）が要求される。いずれも権利の特質を考慮し，その迅速な実現のために，執行停止の要件を厳格化したものである。さらに，定期金賠償を命じる確定判決の変更を求める訴えにともなう執行停止については，変更のため主張した事情が法律上理由があるとみえ，かつ，事実上の点について疎明があったことが要求され（403 I ⑥），特別抗告や再審の訴えに準じる厳格な要件が定められている。

5　形　成　力

形成判決の効力である形成力の性質および形成力と既判力との関係についても議論があるが，すでに，形成訴訟の性質および形成判決の既判力で触れたので，ここでは省略する。

6　人事訴訟における別訴禁止効

判決の確定にともなう特別の拘束力として，人事訴訟における別訴禁止効がある。すなわち，人事訴訟の本案判決が確定すると，原告は，その既判力によって拘束されることは当然であるが，さらに，当該人事訴訟において請求または請求の原因を変更することによって主張することができた事実にもとづいて，同一の身分関係について人事に関する訴えを提起することができない（人訴 25 I）。被告の反訴についても同様である（同 II）。

この別訴禁止効は，旧人事訴訟手続法 9 条の規定を修正の上で一般化したものであるが，請求または請求原因を変更することによって別個の訴訟物を構成できる場合であっても，その基礎となる事実が前訴において主張できたものであるときは，同一の身分関係に関するものである限り，別訴を禁じるものである。人事法律関係の安定を図るために確定判決に認められた特別の拘束力である。婚姻取消しの訴えにおいて請求棄却判決が確定した後に，原告が離婚の訴えを提起する場合や，離婚請求棄却判決が確定した後に，被告が別の離婚原因にもとづいて離婚の訴えを提起する場合などが典型例である（具体例については，松本・人訴法 294 頁参照）。

第5項　終局判決に付随する裁判

裁判所は，当事者の審判申立てに対する判断を終局判決の形で示すが，その際に当事者の申立てにもとづき，または職権によって付随的事項に関する裁判を行う。それが仮執行宣言および訴訟費用の裁判である。

1　仮執行宣言

執行力は確定判決に認められるのが原則であるが，敗訴者のための上訴による救済との均衡から，勝訴者の利益のために裁判所が終局判決に執行力を付与することを認めるのが，仮執行宣言の制度である。上訴によって終局判決の確定が妨げられ，それによる勝訴者の不利益を補うために仮執行宣言にもとづいて未確定の終局判決に執行力が付与され，さらに執行停止の裁判によって，その執行力が停止されうるというのが，手続の構造となっている[305]。仮執行宣言は，執行力の付与という法律効果を生じせしめるので，形成的裁判とされる。

(1)　仮執行宣言の要件

まず，請求が財産権上のものであることが要求される（259 I）。未確定の終局判決は上訴審において取り消される可能性があり，それにともなって原状回復が必要になるが，財産権上の請求の場合には，金銭賠償による原状回復が可能であるので，仮執行宣言が認められる。仮執行宣言にもとづく執行力は，広義の執行力を意味するので，対象となる判決も給付判決に限られず，形成判決や確認判決を含む。その例としては，執行の停止・取消し・変更・認可をする判決（民執37 I 後段・38 IV），上訴を棄却する判決等が挙げられる。後者の場合には，仮執行宣言の効果として原判決の執行力が生じる。なお，給付判決であっても，登記申請などの意思表示を命じる判決については，判決の確定が意思表示擬制の要件であり（民執177），仮執行宣言を付しても擬制の効果は生じないので，裁判所は仮執行宣言を付すべきではない[306]。

305）　林淳「仮執行宣言の理論」講座民訴⑥250頁，新注釈民訴(4)1156頁〔松原弘信〕，瀬木458頁参照。決定および命令は告知によって即時に効力を生じるので（119），仮執行宣言を付す余地はない。なお，仮執行宣言付判決に対する被告側の対応については，佐藤・民事控訴審19頁参照。

306）　前掲最判昭和41・6・2（注255）。兼子354頁など通説である。ただし，新堂750頁，中野・民執190頁などの有力説は，民事執行法177条は，擬制の時点を確定の時と定めた

次に仮執行の必要性が認められなければならない（259Ⅰ）。必要性を基礎づける事情としては，迅速な権利の実現がなされないと，債権者の生活や事業に重大な損害が生じるおそれのある場合，または少額の金銭債権など，権利の性質上時間の経過が権利の実質を損なう場合などが考えられる。また，必要性は，債権者と債務者の利益を考慮して決められる相対的概念であるので，仮執行によって債務者が回復しがたい損害を被ること，判決が上級審で取り消される蓋然性などと併せて，立担保を仮執行の条件とするかどうか，仮執行免脱宣言を付すかどうかなどを総合的に考慮して判断される[307]。

ただし，手形または小切手による金銭の支払請求，およびこれに附帯する法定利率による損害賠償請求に関する判決については，裁判所は職権にもとづいて，原則として無担保で仮執行宣言を付さなければならない（259Ⅱ）。請求の性質および迅速な権利実現の必要性を考慮した規定である。少額訴訟判決については，職権による仮執行宣言がなされる（376Ⅰ）。

(2)　仮執行宣言の手続

仮執行宣言は判決主文中に掲げられる（259Ⅳ）。ただし，終局判決とは別の決定などによって行われる場合もある（259Ⅴ・294・323）。宣言は，申立てまたは職権によってなされる場合，申立てのみによってなされる場合，および職権でなされる場合がある。宣言において立担保を要求するかどうかは，裁判所の判断に委ねられる（259Ⅰ）。ただし，上級審が原判決中不服の申立てがない部分について仮執行宣言を付す場合には，無担保である（294・323）。また裁判所は，敗訴当事者の利益を考慮し，担保提供を条件として仮執行を免れうる旨を宣言することができる（259Ⅲ）。これを仮執行免脱宣言と呼ぶ。

にすぎず，仮執行宣言を付すことを排除したものではないとして，反対する。もっとも有力説も仮執行宣言付判決にもとづく執行は，確定判決の場合と異なって間接強制の方法によるとする。しかし，法がこのような執行方法を予定しているかどうか疑問である。

307)　金銭債権は，財産上の請求権の代表例であるが，それが通常人の資力を遙かに超える巨額のものであり，債務者やその家族の生活を破綻に導くことが容易に想定されるときには，上級審における判決の取消可能性も含めて，慎重に考慮すべきであろう。東京地判令和4・7・13判例集未登載参照。また，少額であっても，債務者の預金債権に対して仮執行宣言付判決を債務名義とする強制執行がなされると，銀行取引約定書上，それが期限の利益当然喪失事由とされることから，債務者への打撃が大きい。債権者の側の必要性と慎重に比較考量すべきである。

なお，上記の担保は，後に述べる当事者の損害賠償請求権を保全するためのものであり，仮執行宣言の担保については被告が，免脱宣言の担保については原告が，他の債権者に先立って弁済を受ける権利を有する（259Ⅵ・77）。ただし，免脱宣言の担保は，執行の遅れによる原告の損害を担保するものであり，執行債権自体を担保するものではない[308]。

(3)　仮執行の効果

保全執行の場合と異なって，仮執行は，権利の保全のためのものではなく，権利の実現のためのものであり，ただ，実現されるべき権利の存在が仮定的であるにすぎない。したがって，仮執行宣言付判決を債務名義とする強制執行は，いわゆる本執行である。ただし，上級審が訴訟物たる権利の存否を判断する際には，仮執行の結果たる金銭の受領や物の引渡しなどの事実を無視しなければならない。なぜならば，これらの事実は仮執行の結果として生じた仮定的事実であり，請求権消滅の原因たる実体法上の事実とは区別されるからである[309]。仮執行を免れるために被告が任意に弁済などの行為をした場合もこれに準じる。

仮執行宣言は，その宣言を変更する判決，または本案判決自体が変更されることによって，その限度で効力を失う（260Ⅰ）。もっとも，仮執行宣言の失効は遡及的ではなく，したがってすでに行われた仮執行自体が違法となるわけではない。そこで，法は，本案判決の変更に際して，被告の申立てにもとづいて仮執行宣言によって被告が給付したものの返還，および仮執行により，またはこれを免れるために被告が受けた損害の賠償を裁判所が原告に命じなければならないとする（260ⅡⅢ）。

仮執行宣言にもとづく給付とは，かならずしも仮執行の結果のみに限定されず，特段の事情が認められない限り，仮執行宣言にしたがった任意弁済を含む[310]。また，損害は，財産上あるいは精神上の損害を問わず，相当因果関係

308）　最判昭和43・6・21民集22巻6号1329頁〔続百選76事件〕。

309）　大判昭和13・12・20民集17巻2502頁〔百選68事件〕，最判昭和36・2・9民集15巻2号209頁。このことは，明渡請求に併合されている賃料相当損害金等の請求についても妥当し，すでに明渡済みであっても，そのことは，明渡請求のみならず，損害金等の請求の成否にも影響しない。最判平成24・4・6民集66巻6号2535頁〔平成24重判解・民訴3事件〕。

310）　最判昭和47・6・15民集26巻5号1000頁，最判平成22・6・1民集64巻4号953頁。新注釈民訴(4)1199頁〔松原弘信〕。なお，控訴審において本案請求と民訴法260条2

に含まれるすべての損害を含む[311]。被告は，不当利得などを理由として，別訴によって給付したものの返還を求めることも妨げられないが，法は，被告の利益回復のために簡易な債務名義を与える趣旨から，このような制度を設けたものである。

ただし，損害賠償責任については，それが過失責任か無過失責任かについて争いがある。判例・通説は，仮執行宣言付判決は解除条件付債務名義の特典を原告に与えるものであり，その反面原告に無過失責任を負わせるのが衡平に合致すること，過失を要件とすると，原告の責任が肯定される可能性が少ないことなどを理由として，無過失責任説をとる[312]。

しかし，本書の考え方としては，判決における勝敗は，手続保障を前提とした原審の判断であり，また，仮執行宣言の付与も同様に原審の判断によっているにもかかわらず，その判断が上級審で取り消される危険を無条件に原告に負わせるのは適当でないこと，原告が故意または過失によって事実や証拠を隠匿したときには，過失責任が成立する余地があること，不当提訴や不当保全処分の申請については，過失責任主義がとられていることなどを理由として，過失責任説をとる[313]。

2　訴訟費用

民事訴訟制度を維持し，当事者の申立てにもとづいて裁判所が請求に対する審判を行うためには，さまざまな経済的負担が生じる。国民に裁判を受ける権利を保障する以上（憲32），裁判官その他の裁判所職員の報酬，および裁判所の物的設備の維持費用など，制度の維持に要する基本的費用は納税者の負担とすることが合理的と考えられる。しかし，原告であれ，被告であれ，当事者は

項の裁判を求める申立てにかかる請求とが併合審理されている場合，上記申立ては，本案判決が変更されないことを解除条件とするものであり，その性質上，本案請求にかかる弁論は分離することができない。最判平成25・7・18判時2201号48頁〔平成25重判解・民訴8事件〕。

311）　最判昭和52・3・15民集31巻2号289頁。新注釈民訴(4)1200頁〔松原弘信〕。

312）　大判昭和12・2・23民集16巻133頁〔百選69事件〕。学説については，伊藤眞「不当仮執行にもとづく損害賠償責任」判タ775号4頁以下（1992年），新注釈民訴(4)1196頁〔松原弘信〕，瀬木461頁参照。

313）　伊藤・前掲論文（注312）8頁以下。仮執行をなした原告が訴えを取り下げた場合の損害賠償責任の問題もある。

事件の解決によってその者自身の利益を回復または保全されるものであるから，制度の維持に要する費用の一部を当事者に負担させることも不当とはいえない。これが申立手数料の根拠となっている。

また，具体的事件の審理に要する費用，たとえば訴訟関係書類の送達費用や，証人や鑑定人の証拠調べに要する費用は，制度の維持に必要な費用とは区別されるので，これを事件の解決によって利益を受ける当事者に負担させる。これらは裁判費用と呼ばれる。期日に出頭するために要する旅費や宿泊費など，当事者自身の訴訟追行に要する費用についても同様である。これらは当事者費用と呼ばれる。もっとも，当事者に負担させる場合には，さらに両当事者に平等に負担させるのか，それとも何らかの基準にもとづいて両当事者間の負担を定めるかの問題がある。これが訴訟費用負担に関する原則である。

(1)　訴訟費用の概念および種類

訴訟費用の概念は，広義では，社会的事実として当事者が訴訟追行のため行う支出を意味する。82条1項がいう，「訴訟の準備及び追行に必要な費用」はこれを意味する。しかし，法は，両当事者間の負担を定める前提となる費用については，広義の訴訟費用のうち一定の範囲のものに限定する。これを狭義の訴訟費用と呼ぶ。広義の訴訟費用と狭義の訴訟費用との違いの中でもっとも重要なものが，弁護士費用である[314)]。狭義の訴訟費用は，当事者が裁判所を通

---

314)　訴訟費用の概念や内容，訴訟費用額確定手続などについては，裁判所職員総合研修所監修・民事訴訟等の費用に関する書記官事務の研究（2019年）が詳しい。

立法論としては弁護士費用を狭義の訴訟費用にすべきかどうかが議論され（改正要綱試案　第九 訴訟費用（訴訟費用関係後注）4,「民訴費用制度等研究会報告書」ジュリ1112号57頁，66頁以下（1997年）参照），司法制度改革推進本部から「民事訴訟費用等に関する法律の一部を改正する法律案」として，当事者の共同申立てを条件として訴訟代理人費用を訴訟費用とする改正案が平成16年通常国会（第159回国会）に提出されたが，成立に至らなかった。

なお，現行法下では，弁護士費用を不法行為にもとづく損害賠償の一部として当事者が訴求する方法がある。最判昭和44・2・27民集23巻2号441頁〔百選〈2版〉27事件〕，伊藤眞「訴訟費用の負担と弁護士費用の賠償」中野古稀(下)89頁，96頁以下参照。ただし，最判令和3・1・22判時2496号3頁は，債務不履行にもとづく損害賠償として弁護士費用を請求することはできないと判示している。これは，侵害された権利利益の回復を目的とする不法行為上の損害賠償と，契約にもとづく義務に起因する債務不履行上の損害賠償との違いを重視したものであるが，背景には，わが国が弁護士強制主義（本書157頁）をとらず，訴訟追行を弁護士に委ねるかどうかを当事者の選択に任せており，債務不履行にもとづく損害賠償として弁護士費用の請求までを認めることは，この法制と調和しない

じて国庫に納付する裁判費用と，自らが支出する当事者費用とに分けられる。

ア　裁判費用

裁判費用は，当事者が訴え提起など各種の申立てに際して納付する，申立手数料と，それ以外の原因にもとづいて納付する費用とに分けられる。申立手数料は，訴額などを基準として定められ（民訴費3・別表第1）[315]，原則として収入印紙貼付の方法によって納付される（民訴費8)。必要な手数料が納付されないときには，申立て自体が不適法とされる（民訴費6)。

手数料以外の裁判費用としては，裁判所が証拠調べや送達などの訴訟行為をなすについて要する費用が含まれる。具体的には，証人・鑑定人の旅費，宿泊料，日当，裁判所外における証拠調べの場合の裁判官などの出張費，郵便による送達の場合の郵便料金などが含まれる（民訴費11・18以下)。これらの費用は，

との判断があると思われる。

もっとも，同じく債務不履行にもとづく損害賠償請求ではあるが，最判平成24・2・24判タ1368号63頁は，それが安全配慮義務違反にもとづくものであり，当事者である労働者の主張立証の負担が不法行為の場合とほとんど変わるところがないとして，相当と認められる範囲の弁護士費用を損害として請求することを認めている。したがって，判例法理は，不法行為と債務不履行という判断枠組を固定するのではなく，損害賠償請求権発生の根拠となる事実の特質や当事者本人の訴訟追行の負担などを考慮して，損害としての弁護士費用請求の可否を事案の特質に応じて柔軟に判断するものと評価できる。

議論の歴史を詳細に検討するものとして平野恵稔「弁護士費用は誰が負担するか」栂＝遠藤古稀135頁，北村賢哲「弁護士報酬の敗訴者負担に関する議論の近況」青山古稀1073頁，同「弁護士報酬規制の源流」伊藤古稀1353頁があり，平野論文は，一定の類型の事件について，合理的な範囲内での敗訴者負担を提言する。

また，株主代表訴訟（株式会社における責任追及等の訴え。本書202頁）において，勝訴株主による弁護士報酬の支払請求権（会社852 I）に関する判断基準について判示するものとして，東京地判平成28・3・28判タ1437号209頁がある。

315)　申立手数料の中でもっとも重要な提訴手数料については，訴額が高額になるにつれて手数料も高額になる，スライド制または定率制と呼ばれる算定方法が採用されている。その合理性については，さまざまな議論があるが（長谷部由起子「提訴手数料」自正43巻9号15頁（1992年）参照)，平成4年の民事訴訟費用法の改正によって高額訴訟の提訴手数料が引き下げられた。岡田雄一「民事訴訟費用等に関する法律の一部を改正する法律について」ジュリ1007号104頁，106頁（1992年）参照。また，司法制度改革の一環として，手数料額の合理化，現金納付の許容，費用額算定方法の簡素化などの改革が行われた。松永邦男「司法制度改革のための裁判所法等の一部を改正する法律の概要」NBL 768号19頁，20頁（2003年）参照。

なお，手数料以外の裁判費用の中で重要性をもつ証拠調べの費用については，証拠法大系(2)281頁〔下里敬明＝及川節子〕が詳しく，証人の旅費に関する裁判例として，東京高決平成27・2・9金商1466号58頁がある。

その概算額を当事者に予納させることとし（民訴費12Ⅰ），予納がないときには，裁判所は当該費用を要する行為を行わないことができる（民訴費12Ⅱ）。

イ　当事者費用

当事者が訴訟の準備および追行のために自ら支出する費用のうち，訴訟費用として法定されているものを当事者費用と呼ぶ。これに含まれるものとしては，当事者や代理人が期日に出頭するための旅費等の費用，訴状その他の書面の作成および提出の費用などがある（民訴費2④⑥など）。弁護士費用は，155条2項などによって弁護士の付添いが命じられた場合のほかは，当事者費用に含まれない（民訴費2⑩参照）。わが国においては，弁護士強制主義が採用されておらず，弁護士に対する訴訟委任は当事者の自由な選択に委ねられていることがその根拠とされる。しかし，実際には訴訟の提起および追行について高度の専門的知識と経験が必要とされ，弁護士に対する訴訟委任によらざるをえないことを強調して，弁護士費用を訴訟費用化し，これを敗訴者に負担せしめるべきであるとの議論が有力であり[316]，今後の議論の継続が予想される。

(2)　訴訟費用の負担

狭義の訴訟費用は，原則として敗訴者の負担とされる（61）。これを訴訟費用敗訴者負担の原則と呼ぶ。その根拠としては，訴訟費用は勝訴者にとって権利伸張のための費用であり，敗訴者の責任の有無とかかわりなく，結果責任として敗訴者に費用を負担させるべきであると説かれる[317]。

316）　中野・推認256頁以下，高橋宏志ほか「〈座談会〉民訴費用・弁護士報酬をめぐって」ジュリ1112号4頁以下（1997年），森脇純夫「報告書をめぐって」ジュリ1112号47頁以下（1997年）参照。その根拠としては，弁護士費用を訴訟費用化しないと，勝訴者の権利が稀釈されること，濫訴，不当抗争を誘発することなどが挙げられる。立法論については，注*314*参照。

その他，当事者費用に含まれるかどうかが問題となったものとして，準備書面の直送（民訴規83Ⅰ。本書305頁参照）費用があるが，最決平成26・11・27民集68巻9号1486頁は，民事訴訟費用等に関する法律2条4号ないし10号に定める費用が定型的，画一的なものであるのに対し，直送の方法が多様であり，定型的な支出が想定されるものではないことを理由として，類推適用を否定している。また，電話会議の方法による弁論準備期日に出頭しないで関与した代表者ないし代理人の日当などについて最決平成26・12・17実情749頁参照。

317）　もっとも，訴訟の勝敗は，両当事者の主張・立証の結果を総合的に判断して，裁判所が決定するものであることを考えれば，敗訴者にすべての訴訟費用を負担させる原則が合理的かどうか疑わしい。特に弁護士費用が訴訟費用に算入されることとなれば，勝敗について明確な見込みを立てえない当事者は，提訴や応訴をためらう結果となる。太田勝造

もっとも，この原則の下でも，裁判所が当事者の訴訟行為の態様を考慮して，裁量的判断によって負担を定める余地が認められる。すなわち，一部敗訴の場合の負担（64），および不必要な行為をなした勝訴当事者や，訴訟の遅滞を生じさせた勝訴当事者に対して費用の全部または一部を負担させる場合がこれにあたる（62・63）。また，共同訴訟人は，等しい割合で訴訟費用を分担するのが原則であるが，裁判所は，事情によって共同訴訟人に連帯して費用を負担させたり，特定の者にのみ負担させるなどの方法をとることができる（65 I 但書）。あるいは，不必要な行為をなした当事者に，その行為によって生じた訴訟費用を負担させることもできる（65 II）。共同訴訟人であっても，それぞれの権利関係は別個のものであるので，訴訟費用も各自負担とする一方，証拠共通の原則が働くなど審理の統一が図られていることなどの事情を考慮すれば，連帯して費用負担を命じる理由があり，逆に，1人の共同訴訟人の行為の結果として生じる費用を全員に負担させることが不合理な場合もあるというのが，上記の諸規定の趣旨である[318)]。

当事者が訴訟費用を負担することの意味は，自己がすでに支弁した費用を確定的に負担するだけではなく，相手方が支弁した費用を負担しなければならないことを意味する。したがって，相手方は負担当事者に対して自己が支弁した費用の償還請求権を取得する。この請求権は，次に述べる訴訟費用負担確定の裁判にもとづいて発生するものであり，これと別に当事者が給付の訴えなどを提起することは認められない[319)]。もちろん，不法行為の要件が満たされたと

「裁判手数料と弁護士費用について」名古屋大学法政論集147号652頁，635頁（1993年），伊藤・前掲論文（注 *314*）92頁参照。

318）　具体的には，訴訟物たる債務の性質，必要的共同訴訟か否かという訴訟法律関係の性質，および具体的訴訟行為の態様などを考慮する必要がある。注釈民訴(2)457頁以下〔東松文雄〕参照。

319）　この点に関して最判令和2・4・7民集74巻3号646頁は，強制執行の費用で必要なものが債務者の負担とされ（民執42 I），その額を定める執行裁判所の裁判所書記官の処分（費用額確定処分。同IV～VIII）にもとづいて取り立てうる費用の範囲が民事訴訟費用等に関する法律2条各号に定められているところから（民訴費1・2柱書），法定の費用をその手続によることなく，債務者に対する損害賠償請求訴訟の方法によって求めることは許されないとしている。民事訴訟の当事者や強制執行の債務者が負担すべき費用の範囲，確定と取立手続を法定している趣旨，適正な民事司法制度の維持と公平かつ円滑なその利用という公益目的の達成を重視したものと理解できる。同判決に付された宇賀克也裁判官の補足意見参照。

して，相手方に対して訴訟費用に含まれない損害，たとえば弁護士費用の償還を請求する可能性は認められる。

当事者間の費用償還とは別に，法定代理人，訴訟代理人，裁判所書記官，または執行官が故意または重過失によって当事者に無益な訴訟費用を生じさせたときには，裁判所は，申立てまたは職権によってそれらの者に対して費用額の償還を命じることができる（69 I II）。上に述べた当事者の費用償還義務とここでいう第三者の費用償還義務とは，法律上の義務としては別個のものである。

(3)　訴訟費用負担の確定手続

裁判所は，終局判決の主文においてその審級の訴訟費用の全部について当事者の負担を定める。この裁判は職権によってなされる（67 I）。当事者の申立ては，職権の発動を促すものにすぎない。上級裁判所が原審の本案の裁判を変更するときには，原判決中の訴訟費用の裁判は当然に効力を失う[320]。それにともなって訴訟費用の負担も変更されるべきであるので，原審と上級審を通じた訴訟の総費用の負担についての裁判をする（67 II）。これに対して，上訴を却下または棄却するときには，上級審は，当該審級における訴訟費用の負担についてのみ裁判をすれば足りる。ただし，上級審が原判決を取り消した上で，差戻しまたは移送の裁判をするときには，差戻審等が上級審も含めた事件の総費用の負担について裁判する（67 II）。

訴訟費用負担の裁判に対しては，独立の上訴が認められない（282・313）。訴訟費用の裁判に対して上訴を許すことは，結局本案の当否を上級裁判所が審査することを意味するからである。これに対して，本案の裁判に対する上訴の中で訴訟費用の裁判に対する不服を申し立てることは許されるが，上訴に理由がないとして棄却されるときに，訴訟費用の裁判に対する不服申立てが不適法となるかどうかについては，考え方が分かれている。判例は，独立の上訴を否定する趣旨から，これを不適法とするが，原判決がその理由において誤っているにもかかわらず，その結論が維持される場合があることを考えると，訴訟費用の裁判に対する不服申立てを適法とすべきである[321]。

---

320)　大判昭和10・7・9民集14巻1857頁。

321)　判例は，大判昭和15・6・28民集19巻1071頁〔百選81事件〕，最判昭和29・1・28民集8巻1号308頁など。学説においては，本文に述べる考え方が通説である。兼子359

訴訟費用負担の裁判においては，費用の負担者および負担の割合が定められるのみで，具体的な金額は特定されない。その額は，負担の裁判が執行力を生じた後に，申立てにもとづいて第一審の裁判所書記官によって定められる（71Ⅰ～Ⅲ。改正Ⅰ～Ⅳ）[322]。裁判所書記官の処分に対しては異議申立てが認められ，さらに異議申立てについての決定に対して即時抗告が許される（71Ⅳ～Ⅶ。改正Ⅴ～Ⅷ）。

裁判上の和解が成立し，その中で和解および訴訟費用の負担が定められながら，その額が定められなかったときにも，同様に裁判所書記官による負担額の決定がなされる（72）。また，訴訟が裁判および和解によらないで完結したときには，申立てにもとづいて第一審裁判所の負担決定，および裁判所書記官による負担額の確定がなされる（73）[323]。

(4)　訴訟費用の担保

訴訟の結果によってその費用の負担を命じられても，その者が償還義務を履行しないおそれがある。特に，原告側についてこのおそれがある場合には，自己の意思にかかわりなく応訴を強制される被告側を保護する必要がある。法は，

頁，新堂994頁以下，菊井＝村松Ⅲ48頁以下など参照。具体的には，消費貸借の不成立を理由として貸金返還請求を棄却した原判決について，成立は認められるが，被告が控訴審においてはじめて提出した消滅時効の抗弁が成り立つとの理由で，控訴が棄却される例などが想定される。

322）旧法においては，負担額についても受訴裁判所が判断をなしうることを前提にしながら，それがなされない場合について旧100条以下の規定が設けられていた。しかし，実務上では，受訴裁判所が負担額について裁判することは行われていなかったので，現行法では，このような実務慣行を前提として，負担額の迅速な確定のために，確定権限を裁判所書記官に移譲したものである。裁判所書記官による確定処分については，裁判に準じて，更正処分の可能性が認められる（74）。なお，確定手続の細目については，民事訴訟規則24条ないし28条がこれを定める。

323）訴えの取下げがなされた事情を考慮すると，実質的に原告の全部勝訴と同視できるときには，訴訟費用を被告の全部負担とすることも許されるが（最決平成19・4・20実情334頁），訴訟追行の不成功として敗訴と同様にみなされるときには，法73条2項が法61条を準用していることから，原告の負担とすべきである（最決平成25・1・29実情682頁）。

また，訴えの一部取下げまたは請求の減縮がされた場合に，その部分について法73条の申立てができるかどうかについての争いがあるが，残部も含めて訴訟行為は一体のものであり，それに関する訴訟費用は不可分であるから，申立ては許されず，残部についての終局判決において訴訟費用の負担を裁判すべきである。秋山ほかⅡ71頁，実情186頁参照。

原告が日本国内に住所，事務所および営業所を有しないときには，このおそれが高いものとみなして，裁判所が被告の申立てにもとづいて訴訟費用の担保を立てることを命じるものとした（75Ⅰ）[324]。担保の額は，被告が全審級において支出すべき訴訟費用の総額を標準として決定される（75Ⅵ）。担保の裁判は決定の方式でなされる。被告は，原告が担保を提供するまで応訴を拒むことができる（75Ⅳ）。したがって，被告が担保の不提供を主張することは，いわゆる妨訴抗弁としての性質をもち，原告が提供すべき担保を立てない場合には，裁判所は，口頭弁論を経ないで判決によって訴えを却下することができる（78）。

ただし，被告が担保を立てるべき事由があることを知った後に本案について弁論をなす等の行為をしたときには，もはや妨訴抗弁を提出する意思がないものとみなされ，担保の提供を求めることはできない（75Ⅲ）。また，原告の金銭請求が認められることが予想されるときには，被告は，最悪の場合でも費用償還請求権と原告の請求とを相殺することによって満足を受けられるから，担保の提供は要求されない（75Ⅱ）。

担保提供は，金銭等を供託させる方法，または銀行等との間の支払保証委託契約の締結などの方法によって行われる（76，民訴規29。担保の変換について80）。被告は，供託された金銭などについて，原告のほかの債権者に先立って弁済を受ける権利を有する（77）。具体的には，被告は，供託金などの還付を受ける権利を証明する書面，すなわち訴訟費用額確定決定を添付して還付請求を行うことによって優先弁済を受けることができる[325]。

324）　もっとも，国内に住所を有しないことによって費用償還義務不履行の蓋然性が高いものとみなされるかどうかについては，疑問もあり，立法論として，国内に住所を有しないが，十分な財産を有する原告を除外すべきであるかどうかが検討された。改正要綱試案第九 訴訟費用　二 訴訟費用の担保　（後注）参照。しかし，十分な財産の有無が判断基準として明確かどうかなどの疑問が提起され，立法は実現しなかった。訴訟費用の担保の手続に関しては，裁判所職員総合研修所監修・前掲書（注 *314*）265 頁以下が詳しい。

325）　旧 113 条は，被告が供託金銭等の上に質権者と同一の権利を有すると定めていたので，かつては，被告の権利を債権質とする考え方が有力であった。しかし，質権実行の手続を要求することが煩雑であるなどの理由から，旧法下でも，被告の権利を優先権ある還付請求権であるとする考え方が支配的となり（注釈民訴(2)533 頁〔橘勝治〕），現行法は，この考え方を立法化したものである。研究会 91 頁参照。関連する判例として，最決平成 25・4・26 民集 67 巻 4 号 1150 頁があり，供託金は，被告たる更生会社の財産と切り離され，被供託者の有する優先権（77）は，更生手続の制約を受けず排他的な満足を受ける権

原告が担保を取り戻すためには，申立てにもとづいて担保取消決定を得なければならない。取消しがなされるのは，第1に，日本に住所をもつようになったことなど，担保提供事由の消滅が証明された場合である。原告が訴訟費用の償還義務を負わないことが確定された場合もこれに含まれる（79Ⅰ)。第2は，取消しについて担保権者たる被告の同意を得た場合である（79Ⅱ)。第3は，担保提供者であり，訴訟の完結によって訴訟費用償還義務を負う者とされた原告の申立てにもとづいて，裁判所（改正79条3項では裁判所書記官）が被告に対して還付請求権の行使を催告したにもかかわらず，被告がその権利を行使しない場合である（79Ⅲ。完結の意義について最決平成14・10・15実情109頁参照)。

なお，訴訟費用に関する担保提供の方法や手続は，他の法令によって訴えの提起について立てるべき担保に準用される（81)。その例としては，会社の組織に関する訴え（会社836Ⅰ Ⅱ)，株式会社における責任追及等の訴え（株主代表訴訟）（会社847の4Ⅱ)，一般社団法人等についての同種の訴え（一般法人271Ⅰ Ⅱ・278Ⅵ）についての担保提供命令が挙げられる。また，訴訟費用の担保以外にも，法が担保提供を要求するときには，以上に述べた手続が準用されることが多い（仮執行宣言の担保について259Ⅵ，執行停止の担保について405Ⅱ，民事執行上の担保について民執15Ⅱ，民事保全上の担保について民保4Ⅱなど)。

(5)　訴　訟　救　助

訴訟追行のためには，当事者は，狭義の訴訟費用のほかに弁護士費用など一定の経済的負担を引き受けざるをえない。もっとも，狭義の訴訟費用については，61条の敗訴者負担の原則の下では，勝訴者は，すでに支出した費用の償還を敗訴者から求められるが，それまでの間は費用を負担せざるをえない。したがって，経済的に余裕のない者は，この負担に耐えられないことから訴えの提起や応訴を断念せざるをえないおそれがある。しかし，このような結果は，憲法が保障する裁判を受ける権利を損なう。そこで法は，一定の要件を満たす者について裁判費用などの支払を猶予し，その者が勝訴したときには，訴訟費

利（会更203Ⅱ）を意味するという。その趣旨については，伊藤・会社更生法・特別清算法694頁注211参照。

なお，支払保証委託契約の際にされた定期預金について転付命令（民執159）をえた第三者が担保の取消しの申立てをすることはできない。最決平成15・3・14実情146頁。

用の負担を命じられた敗訴当事者から国が勝訴当事者が支払うべきであった費用を取り立てることとする。これが訴訟救助の制度である。いいかえれば，救助対象者がいったん国庫に納付した上で相手方から償還を受けるべき訴訟費用について，納付義務の履行を猶予することによって，その負担を軽減し，相手方の費用負担が確定したときに国が直接猶予分を取り立てることによって，救助対象者の負担を発生させないようにする機能をもつ。

もっとも，救助対象者が敗訴したときには，猶予された裁判費用と，相手方が支出した費用とを負担せざるをえないこと，弁護士費用の負担軽減には役立たないことなどから，貧困者の裁判を受ける権利保障の手段としては，限界があり，同様の目的を達するためのほかの制度，すなわち法律扶助などとの相互補完が不可欠である。

ア　救助の要件

救助の要件は，当事者についての資力要件と，請求についての勝訴見込みに関する要件とに分けられる。前者は，訴訟の準備および追行に必要な費用を支払う資力がないか，またはその支払によって生活に著しい支障を生じることである（82 I）。旧118条においては，訴訟費用を支払う資力がない者とされていたが，これが救助対象者を不当に限定するものであるとの批判に応えて，現行法は，一方で費用の範囲を拡大し，他方で，実質的資力を定めることによって，資力要件を緩和したものである[326)]。

したがって，訴訟の準備および追行に必要な費用とは，訴訟費用のほかに弁護士費用や事前の調査費用など勝訴するために合理的に必要と考えられる経費のすべてを含む。また，たとえこれらの費用そのものを支払うことは可能であ

326）旧法下でも，判例・学説は，82条1項の規定内容と同様の解釈を確立してきた。秋山ほかⅡ126頁以下参照。現行法の趣旨については，研究会91頁，山口健一「訴訟上の救助」新大系(1)236頁，241頁参照。なお，法人の場合について，訴訟の遂行に経済的利害関係を有する実質的経営者の資力を考慮して，救助を否定した裁判例があり（名古屋高決平成20・11・19判例集未登載），許可抗告審によって是認されている（最決平成21・6・3判例集未登載。綿引万里子＝宮城保「許可抗告事件の実情――平成二一年度」判時2085号6頁（2010年）に紹介がある）。最決平成21・6・3実情450頁で是認されたのも同様の判断枠組である。

訴訟救助の要件や手続などに関しては，裁判所職員総合研修所監修・前掲書（注314）178頁以下が詳しい。

っても，支払によって健康で文化的な最低限度の生活（憲25Ⅰ）が困難になるのであれば，資力に欠けるものとみなされる[327)]。なお，資力要件は第一次的には自然人を想定したものであるが，救助対象者には法人も含まれるので，法人の場合には，費用の支出によって事業の継続に著しい支障を生じることが要求される。

勝訴見込みに関する要件は，勝訴の見込みがあることを積極的に要求するものではなく，勝訴の見込みがないとはいえない程度で足りる（82Ⅰ但書）。理由がないことが明らかな請求や応訴を救助の対象とすることは，結局その者が敗訴し，費用の負担を命じられることが予想されるから，救助付与の意義に欠け，またかえって濫訴を誘発するなどの危険が生じるからである。したがって，請求原因およびこれに関連する主張の内容からみて，一応の有理性をもつ請求であれば，立証の点から不確実性が存在しても，救助の対象とすることが許される[328)]。

イ　救助の手続

救助は，各審級ごとに当事者の申立てにもとづいて裁判所が決定する（82）。救助の事由は，申立人が疎明しなければならない（民訴規30Ⅱ）。救助申立却下決定に対しては，申立人による即時抗告が認められるが（86），救助決定に対して相手方当事者に即時抗告権が認められるかどうかについては，争いがある。

327）生活保護基準（生活保護3）と重なり合うことが多いが，救助は，支出を予定される費用額との相対的関係によって決定されるものであるから，生活保護基準以上の収入があっても，費用額が多額に上るような場合には，救助の対象となりうる。

328）控訴審における救助申立人が第一審で敗訴している事実から，当然に勝訴の見込みがないとはいえないが（大決昭和12・6・23判決全集4輯12号20頁），事実上，法律上の理由により第一審判決取消しの蓋然性がなくはないことを疎明する必要がある。最決平成18・7・6実情277頁。

また，金銭債権の一部に対応する訴え提起の手数料について訴訟上の救助決定が確定した場合において，原告が請求をその一部に減縮した場合には，残部に相当する手数料を納付しないときでも訴えを適法とするものとして，最判平成27・9・18民集69巻6号1729頁〔平成27重判解・民訴2事件〕がある。

訴えの取下げがあっても，取下げ部分に相当する提訴手数料納付義務は消滅しないとの解釈を前提とし（岩井一真「訴状審査に関する実務上の諸問題」松本古稀294頁参照），訴訟救助制度の趣旨を重視したものと評価できる。訴額の算定は，訴え提起の時を基準とすべきであるから，原告がその後に請求の減縮をしたとしても，当初に貼用すべき印紙額がそれに応じて減額されるものではないとする最判昭和47・12・26判時722号62頁（本書98頁注123）とは，別の法理である。

相手方は，救助付与によって直ちにその利益を害されるとはいえないが，救助の結果として申立人が担保提供義務を免れるときには（83Ⅰ③），相手方は応訴拒絶権（75Ⅳ）を行使することができなくなるので，即時抗告権を認めるべきである[329]。

ただし，いったん救助の決定を受けた者であっても，資力要件を欠くことが判明し，または欠くに至ったときには，訴訟記録の存する裁判所が利害関係人の申立てにより，または職権で救助決定を取り消し，猶予した費用の支払を命じることができる（84）。ここで利害関係人とは，申立人が担保提供義務を負う場合の相手方当事者，申立人から手数料などの支払を受けることができる執行官など（83Ⅰ①③）を意味する。申立人自身は，裁判所に対して職権の発動を促せば足りる。

ウ　救助の効果

救助決定の発効によって，申立人について以下のような効力が生じる（83Ⅰ Ⅱ）。第1は，申立人が国庫へ納付すべき裁判費用，執行官の手数料などの支払の猶予である（83Ⅰ①）。第2は，裁判所において付添いを命じた弁護士（155Ⅱなど）の報酬等の猶予である（83Ⅰ②）。第3は，訴訟費用の担保の免除である（83Ⅰ③）[330]。申立人について訴訟承継が生じたときには，救助の効力が承継人に及ぶことはないので，承継人に資力があれば，費用の支払が命じられる（83Ⅲ）。

終局判決にともなって訴訟費用の負担が定められたときには（67Ⅰ），国は，負担を命じられた相手方に対して，直接に猶予した裁判費用を取り立てることができる（85）。受救者の相手方に対する費用償還請求権を最終的な利益の帰

329）　住吉博「訴訟上の救助付与決定に対する相手方の不服申立」法学新報80巻1号107頁（1973年），新堂1002頁など。これに対して，大決昭和11・12・15民集15巻2207頁，最決平成16・7・13民集58巻5号1599頁〔平成16重判解・民訴5事件〕（滝井裁判官の反対意見がある）は，無条件に即時抗告権を肯定する。判例・学説の詳細については，注釈民訴(2)629頁〔福山達夫〕，判例としての意義について，実情186頁参照。

330）　裁判費用のうちでは，申立手数料と鑑定人の日当などの費用が分けられる。後者については，その予納が要求されていることとの関係で（民訴費12Ⅰ），支払が猶予されると，国庫からの立替金の支出が必要になる。そのこととの関係で，実際には，申立手数料のみの猶予が一般的である。このような実務慣行は一部救助と呼ばれるが，それに対する批判として，畔柳達雄「民事訴訟法に定める『訴訟上ノ救助』について」法律扶助協会四〇周年記念誌編集委員会編・リーガル・エイドの基本問題271頁以下（1992年）参照。

属主体である国が行使しうることを認めたものである（民訴費16Ⅱ）[331]。これに対して受救者が費用の負担者であるときには，終局判決とともに救助決定が失効するから，予納されていない費用および立替金にかかる費用の取立ては，民事訴訟費用等に関する法律の手続（民訴費14・15）にしたがって行われる[332]。また，執行官および弁護士も，手数料や報酬等について受救者に代わってその額を確定した上で，相手方からそれを取り立てることができる（85，民訴費16Ⅱ）。

(6)　法律扶助

刑事被告人については，憲法37条3項によって弁護人選任権が認められ，これを前提として刑事訴訟法36条ないし38条は，資力の乏しい者のために国選弁護人の制度を設けている。民事に関しては，このような形での憲法上の規定が存在しないために，国選による弁護士代理の制度は存在しない。また，現行制度の下では，弁護士強制主義が採用されず，当事者本人による訴訟追行が認められているという事情もある。しかし，資力に恵まれた者が弁護士代理に

331）　ただし，訴訟費用のうち一定割合を相手方の負担とする旨が定められたときであっても，第一審裁判所の裁判所書記官に対して訴訟費用の負担の額を定める処分を求める申立て（71Ⅰ）がされる前であれば，裁判所は，合理的裁量にもとづいて直接取立てをする額（85）を定める以外にない。

最決平成29・9・5判時2360号5頁は，このような場合，猶予した裁判費用以外の当事者双方の支出した費用を考慮せずに，猶予した裁判費用に相手方の負担割合を乗じた額と定めても，直ちに合理的裁量の範囲を逸脱するものとはいえないが，相手方が即時抗告をし，救助を受けた者の負担すべき費用との差引計算を求めているような場合には，裁判所は，差引計算の基礎となる額を明らかにするよう相手方に求め，差引計算をした上で直接取立てをする額を定めるべきであるとする。裁判所が裁量権を行使する際の相手方の利益を重視したものと評価できる。

332）　大阪高決昭和48・3・20判時702号72頁。これに対して通説は，裁判所が84条の規定にもとづいて職権で救助決定を取り消し，「民事訴訟費用等に関する法律」16条1項を準用して，取立てがなされるという。注釈民訴(2)625頁〔福山達夫〕，条解民訴〈2版〉360頁〔新堂幸司＝高橋宏志＝高田裕成〕など。84条の趣旨との関係，および救助決定の効力が審級限りであることを考えると，このような考え方をとることはできない。

なお，救助決定を受けた者の全部敗訴が確定し，かつ，その者に訴訟費用を全部負担させる旨の裁判が確定した場合には，救助決定は当然にその効力を失い，取消しの手続（84）を経ることなく，裁判所は，救助決定を受けた者に対して猶予した費用の支払を命じることができる（最決平成19・12・4民集61巻9号3274頁）。このような経緯にもとづいて支払を命じる決定を救助の決定の取消しにもとづいて支払を命じる決定（84）と同視し，それに対する不服申立てを法86条による即時抗告と解した裁判例として，東京高決平成21・12・3判タ1310号285頁がある。

よる充実した訴訟追行を行えるのに対して，資力に乏しい者がそのような機会に恵まれないとすれば，民事訴訟の基礎理念である，公平な攻撃防御方法を基礎とした正義の実現は期待しがたい。世界各国は，このような視点から，資力に乏しい当事者が弁護士に対する訴訟委任や，その前提となる法律相談を求めることを可能にするものとして，法律扶助の制度を設けている[333]。

わが国においては，以前は，法律扶助は国家の事業としては行われておらず，ただ財団法人である日本法律扶助協会が民事法律扶助を中心とした事業を行い，国がこれに対して事業費を補助する形で扶助が行われていた。その特徴としては，扶助対象が裁判援助に限られ，法律相談などが含まれていないこと，対象者が生活保護受給者またはそれに準じるものとされていること，扶助の方法が立替金の支出であり，受給者は，その償還義務を負うこと，扶助組織に所属する弁護士が事件を受任するのではなく，一般の開業弁護士に受任を依頼することなどが挙げられた[334]。

そこで，立法の目標としては，第1に，法律扶助を裁判を受ける権利の実質的保障のために不可欠の制度として位置づけ，その実施体制の整備が国の責務に属するものであることを基本法の制定という形で明らかにする，第2に，資力基準や償還制の再検討，実施組織の整備などの方策によって，より広い範囲で扶助の需要に応えることなどが挙げられていた。その後，民事法律扶助法（平成12法55）が成立し，扶助についての国の責務が明らかにされ（同法3 I），指定法人たる法律扶助協会に対する国庫補助金支出の根拠も明定され（同法11），また，扶助の対象を法律相談にも拡充した（同法2③）。ただし，扶助の基本的骨格としての立替払い制度は維持されていた（同法2①②）。

さらに，総合法律支援法（平成16法74）は，紛争解決制度利用のために国民が法律専門職者のサービスをより身近に受けられるようにするための総合的な支援を実現することを目的とし（法律支援1参照），民事法律扶助事業の整備発展（同4），国，地方自治団体および日本弁護士連合会等の責務を明らかにし

333）世界各国の制度については，兼子＝竹下・前掲書（注83）416頁以下，法律扶助資料81頁以下（1994年），「〈特集〉法律扶助制度の改革」自正46巻6号39頁以下（1995年）など参照。

334）小寺一矢「日本型法律扶助の成立条件」自正46巻6号33頁，36頁以下（1995年），小林元治「法律援助立法をめぐる主要論点」自正48巻9号37頁（1997年）参照。

（同8～10），政府が財政上の措置等を講じるべき義務も明定された（同11）。ただし，骨格としての立替払い制度は維持されている（同30 I ②イなど）。総合法律支援法の施行とともに，民事法律扶助法は廃止され（同附6），法律扶助協会の事業は，新たに発足した日本司法支援センターに継承され（同附7），同センター（法テラス。2006年4月10日設立）は，2006年10月2日からその業務を開始している。これによって，わが国の法律扶助事業は，質および量の両面でさらに充実することが期待される[335]。

335）山本和彦「総合法律支援の理念――民事司法の視点から」ジュリ1305号8頁（2006年），亀井時子「民事法律扶助と日本司法支援センター」同38頁参照。
　なお，総合法律支援法の平成28年改正（法律53号）として，認知機能が十分でない者および大規模な災害の被災者等を援助する業務が日本司法支援センターの業務に追加されている（同法30条など参照）。

第7章　複数請求訴訟——請求の客観的併合

裁判所が訴えについて審判をなしうるための必要不可欠な訴訟法律関係の内容としては，相対立する2当事者である原告と被告，および裁判所が法律関係の主体として存在し，かつ，審判の対象となる請求が原告によって定立されていなければならない。しかし，たとえば原告が同一被告に対する別の請求について審判を求めようとするときに，別に訴えを提起して，被告との間に新たな訴訟法律関係を形成しなければならないとすることは，当事者双方および裁判所にとって二重の訴訟追行ならびに審理の負担を生じさせることになるし，その結果として，裁判所の判断の内容が相互に矛盾するおそれも生じる。また，原告が別の被告に対して，関連する請求について審判を求めようとするときにも，同様のことが当てはまる。

前者が，請求の併合など，一の訴訟手続において同一当事者間の複数の請求が審判の対象となる場合であり，後者が，共同訴訟など，一の訴訟手続において異なった当事者間の複数の請求が審判の対象となる場合である。以下，これらを複雑訴訟形態と呼ぶこととする。しかし，このような訴訟形態が認められると，複数の請求について応訴を強制される相手方としては，それぞれの請求についての手続保障を侵害されるおそれがある。そこで法は，併合審判を実現することについての利益と，それによって生じうる不利益の調和を考慮して，複雑訴訟形態成立についての要件を設けている。本章では，複雑訴訟形態のうち，2当事者間に複数の請求が定立されている場合を複数請求訴訟とし，請求の客観的併合を取り扱う。

一の訴訟における原告・被告間に複数の請求が定立され，それらが裁判所による審判の対象となっている場合を請求の客観的併合と呼ぶ。客観的併合は，裁判所が複数の請求について審判の義務を負う訴訟法律関係の内容を表現したものであるが，その効果を生じさせる訴訟行為としては，当事者による訴えの客観的併合（136），訴えの変更（143），中間確認の訴え（145），反訴（146）などのほか，裁判所による弁論の併合（152 I）が挙げられる。当事者の訴訟行為によるもののうち，訴えの客観的併合は，訴訟係属の当初から請求の客観的併合を生じさせるものであるが，他の訴訟行為は，後発的に併合状態を生じさせる。

第1節　訴えの客観的併合

原告が一の訴えによって被告に対する複数の請求について審判を求める行為を，訴えの客観的併合と呼ぶ。一の訴訟手続において複数の請求についての審判が求められる点では，請求の客観的併合の1類型に属するが，原告による一の訴え提起の効果として，請求の客観的併合状態が生じるところにその特徴がある。なお請求の単複は，訴訟物を基準として決定されるので，訴訟物論の内容による影響がある。

第1項　併合の要件

訴えの客観的併合は，原告の訴訟行為によって請求の併合状態を生じさせるものであるが，被告としては，併合請求について別訴を提起される場合と比較すると，重大な不利益は生じえない。管轄については，併合請求の裁判籍（7）が認められており，また，訴訟の遅延など併合審理による不利益が生じる場合には，弁論の分離（152 I）を求められる。したがって法は，併合の要件を比較的緩やかに規定している（136）。

1　数個の請求が同種の訴訟手続によって審判されうるものであること

訴えの客観的併合は，数個の請求についての併合審理を求めるものであるから，審理の準則が共通なものでなければならない。同種の訴訟手続によることが要件とされているのは，このような趣旨にもとづく。したがって，訴訟事件と非訟事件とを併合することはできないし，また，同じく訴訟事件であっても，弁論主義が排除または制限される人事訴訟事件や行政事件と通常民事事件とを併合することも許されない。しかし，このような制限については，以下のような例外が認められる。まず，法が異種手続間の併合を認めている場合がある（人訴17・32，行訴16）。これらは，事件相互間の関連性が強いことを考慮し，審理方式の違いよりも紛争の一体的解決の要請が優先されたものである[1]。

問題は，法律の規定が存在しない場合においても，事件相互間の関連性が強い場合には異種手続事件間の併合が認められるかどうかであるが，旧人事訴訟手続法下の判例はこれを消極に解していた[2]。しかし，婚姻費用の分担や子の扶養料の負担は，人事訴訟事件である離婚の訴えにおける離婚原因，附帯処分である財産分与または子の監護（人訴32 I）と密接に関連するものであり，紛争の一体的解決の要請から併合審理を認めるべきである。

2　法律上併合が禁止されていないこと

同種の訴訟手続による事件に関しても，特定の事件の類型について法が特に併合禁止の規定を設ける場合がありうる（旧人事訴訟手続法7 II本文）[3]。たとえば，同じく人事訴訟事件であっても，養子縁組関係訴訟と実親子関係訴訟とを併合することは許されなかったが，人事訴訟法の制定によってこのような禁止は廃止され，民事訴訟法の一般原則に委ねられることになった。

3　各請求について受訴裁判所が管轄権をもつこと

管轄権の所在は，併合が許されるための必要条件であるが，併合請求の裁判籍が認められるために（7），管轄が否定されるのは，一の請求について法定専属管轄が成立する場合に限られる（13 I）[4]。

第2項　併合の態様

訴えの客観的併合によって原告は，数個の請求についての裁判所の審判を申

1）　併合審理においては，損害賠償の額など民事訴訟事件特有の争点については，弁論主義が適用される。新堂756頁，斎藤ほか(6)225頁〔斎藤秀夫＝加茂紀久男〕，吉村徳重＝牧山市治編・注解人事訴訟手続法〈改訂版〉113頁〔小島武司＝山城崇夫〕（1993年）など参照。また，人事訴訟法32条にもとづく附帯処分について受訴裁判所が適正な審判をするために，事実の調査（人訴33）などの措置が講じられている。実務上の取扱いについては，八木良一「複数請求訴訟」実務民訴〔第3期〕(2)158頁参照。

2）　最判昭和43・9・20民集22巻9号1938頁（離婚請求と婚姻費用分担請求），最判昭和44・2・20民集23巻2号399頁〔百選〈2版〉10事件〕（離婚請求と婚姻費用分担・子の扶養料請求）。

3）　行政事件訴訟法13条および16条1項について，同じく取消請求であっても当該処分と関連性のない別の処分に対する取消請求を併合することは許されないから，結果として併合が禁止されていることとなる。

4）　旧27条の下では，専属的管轄の合意が存在するときにも併合請求の裁判籍が否定されると解されていた。

し立てるが，その申立て相互間の条件関係によって，併合の態様が単純併合，選択的併合，および予備的併合の3つに分けられる。これらはいずれも原告に申立権が認められることを前提としており，したがって，併合の態様も裁判所を拘束する。

1　単純併合

原告が特に条件を付すことなく，数個の請求についての審判を申し立てる場合を指す。売買代金請求と貸金返還請求のように，請求相互間に実体法上の関連性がない場合，または賃料不払いによる解除を理由とする目的物返還請求と不払い賃料支払請求のように，実体法上併存関係にある請求についてこの併合形態が用いられることが多い[5)]。裁判所は，原告の申立てに対応してかならず数個の請求全部について判決をなす義務を負う。ただし裁判所は，審理の進行状況に応じて必要があると認めれば，弁論を分離して，数個の請求について別個に訴訟手続を進めることができる。

2　選択的併合

数個の請求のうちいずれかが認容されることを解除条件として他の請求について審判が申し立てられる場合の併合形態を選択的併合と呼ぶ。訴訟行為としての申立てに条件を付することについては，それが手続の不安定を招来せず，かつ，合理的必要が認められれば許されるが，選択的併合は，次に述べる予備的併合とともに，実体法上の請求権の性質からこの要件が満たされるものと考えられる。

この併合形態においては，他の請求の認容を内容とする解除条件が数個の請求のすべてに付され，無条件の審判を求める請求は存在しない。したがって，数個の請求の審判について裁判所を拘束する順序は認められない[6)]。もちろん，

---

5)　代償請求の場合にも，第1次的請求としての物の引渡請求権と第2次的請求としての将来の執行不能を条件とする損害賠償請求権とは，実体法上併存関係にあり，したがって，単純併合形態になじむものである。もっとも，実務上は，併存関係にある請求についても解除条件を付すことを許容し，予備的併合や選択的併合と同様に扱うことを許容することがある。八木・前掲論文（注 *1*）161頁参照。

6)　実際上は，相殺などとの関係で，原告が不法行為にもとづく請求を第1順位に，債務不履行にもとづく請求を第2順位に指定することがありうる。裁判所は特に支障がない限りこれを尊重すべきであるが，これを無視したからといって判決が違法になるわけではない。

裁判所は，棄却判決をなす場合には，すべての請求について審判することを要する。上記の条件を満たして，選択的併合を内容とする訴えの提起が適法として扱われるのは，請求権競合の場合が典型的なものである。すなわち，同一内容の給付を実現するために実体法上複数の請求権が成立し，したがって審判の対象たる訴訟物は複数定立されるが，請求認容判決が得られる限り原告はそのすべてについて審判を得る必要はない。請求権競合という実体法律関係の性質を考慮すると，このような併合形態の合理的必要が認められるし，また，被告の立場としても，競合関係にある一の請求権について満足を得た原告は，他の請求権について満足を求めることが実体法上妨げられるから，その地位が不安定になることもない。

選択的併合は，その性質上数個の請求について統一的審理がなされることを予定しているから，裁判所が弁論を分離することは許されない。

3　予備的併合

実体法上両立しない関係にある数個の請求について，あるものについて無条件に審判を求め，他のものについて，前者の認容を解除条件として審判を申し立てる併合形態を指す。前者を主位的請求と呼び，後者を予備的請求と呼ぶ。売買を前提として売買代金請求を主位的に，売買の無効を前提として目的物の返還を予備的に請求する場合などが代表的なものである。申立てを受けた裁判所は，原告の付した条件にしたがって，まず無条件の申立てである主位的請求について審判をなし，それが排斥される場合に予備的請求について審判をなすことを義務づけられる。

予備的併合が適法と認められるのは，実体法上両立しない請求のいずれかについて原告が勝訴する利益が認められ，かつ，訴えの目的たる利益の内容に差が存在するために，審判の順序について原告の選択権を認めることが合理的と考えられるためである[7]。なお，選択的併合の場合と同様に，弁論の分離は許

また，医療過誤を想定し，診療契約の債務不履行にもとづく損害賠償請求権と不法行為にもとづく損害賠償請求権とが請求権競合の関係になる場合に（本書226頁），医療者と受診者との関係性を重視して，選択的併合ではなく，債務不履行にもとづく損害賠償請求権についての優先的審判を求める順位付き併合を提唱する議論がある（平野哲郎「医療過誤における請求権競合」立命館法学369・370号602頁（2016年））。実質において妥当と思われるので，釈明権の行使などを通じた審理の指針として考慮すべきであろう。

されない[8]。

第3項　併合請求の審判

併合の要件は訴訟要件の一種として職権調査に服する。しかし，併合要件に欠けるときであっても，訴えそのものを不適法とする必要はなく，裁判所は，弁論を分離して，別の訴えとして扱えば足りる[9]。また，数個の請求の一部が他の裁判所の専属管轄に属するときには，裁判所は，移送の裁判を行う。

一の訴訟手続において審理がなされる以上，併合請求についての訴訟資料および証拠資料は共通である[10]。主観的併合の場合には，手続保障を基礎とした共同訴訟人独立の原則から訴訟資料の共通性が制限されるが，客観的併合に関しては，そのような制限は存在しない。

併合請求についていかなる形式の判決がなされるか，また上訴にもとづく移審の効果の範囲については，併合の形態によって異なる。

1　単純併合の場合

単純併合において弁論の分離がなされることなく，すべての請求について判決がなされれば，それは全部判決であり（243 I），一部の請求について判決がなされれば，一部判決となる（243 II）。全部判決に対して当事者が上訴し，一部の請求についてのみ不服を申し立てたときにも，上訴不可分の原則によって，全部の請求について移審の効果が生じる。したがって，上訴の対象とならなかった請求についての判決部分も確定しない（116 II）。ただし，上訴審の審判の範囲は，不服を申し立てられた請求部分に限られる（296 I）。

2　選択的併合の場合

選択的に併合されている数個の請求の1つについて認容判決がなされると，他の請求に関する当該審級における審判申立てについて解除条件が成就したこ

7）　もっとも，手形債権と原因関係債権のように，法律上両立しうる数個の請求についても，原告の意思によって予備的併合を認める判例もある（最判昭和39・4・7民集18巻4号520頁）。

8）　主位的請求のみについてなされた一部判決を違法とした判例として，最判昭和38・3・8民集17巻2号304頁がある。

9）　大判昭和10・4・30民集14巻1175頁。

10）　弁論の併合について，最判昭和41・4・12民集20巻4号560頁〔百選II 117事件，続百選59事件〕参照。

となるから，この判決は，全部判決になる。したがって，その判決に対して上訴がなされたときには，他の請求についての審判申立ても解除条件付のまま上訴審に移審し，上級審の審判の対象となる[11]。

3　予備的併合の場合

主位的請求を認容するときには裁判所は，予備的請求について審判する必要はない。選択的併合の場合と同じく，この判決も全部判決である。したがって，被告が上訴したときには，予備的請求も上訴審に移審し，上訴審が主位的請求認容判決を取り消す場合には，上訴審の審判の対象となる。選択的併合の場合と同様に，主位的請求棄却の場合に予備的請求について審判を求める原告の意思が認められるからである。もっとも，予備的請求については，上訴審においてはじめて審判を受けることになるが，その基礎たる事実は，主位的請求のそれと密接に関連しているので，被告の審級の利益が害されるとはいえない[12]。

逆に，主位的請求を棄却し，予備的請求を認容した判決に対して，被告のみが上訴したときには，主位的請求も上訴審に移審するが，原告がその棄却判決に対して不服を申し立てていない以上，上訴審の審判の対象とならない。したがって，上訴審は，上訴を認容するときでも，予備的請求認容の原判決を取り消すのみにとどめるべきである[13]。

11）　1つの請求が棄却されれば，他の請求についての審判を求めるとの原告の意思が審級を通じて維持されているためである。最判昭和58・4・14判時1131号81頁〔昭和59重判解・民訴4事件〕，最判平成21・12・10民集63巻10号2463頁。なお，上級審において他の請求が認容されたときには，原判決の請求認容部分は当然に失効するから，これを取り消す旨を主文に掲げる必要はない。最判平成18・12・21民集60巻10号3964頁参照。

12）　最判昭和33・10・14民集12巻14号3091頁〔百選ⅡA49事件〕。

13）　最判昭和54・3・16民集33巻2号270頁〔百選〈2版〉121事件〕，最判昭和58・3・22判時1074号55頁〔百選〈6版〉106事件〕。主位的請求棄却・予備的請求認容判決に対して上訴の利益をもつ原告が上訴を行わなかったときには，もはや主位的請求についての審判要求を維持する意思を失っているとみなされるからである。石渡哲「不服申立ての限度」小島古稀(上)22頁は，このような考え方を上訴必要説と呼び，両請求の一体性などを理由として主位的請求棄却部分も上訴審の審判の対象となるとする上訴不要説と比較検討する。

第2節　訴えの変更

訴訟係属の発生後，請求の内容を変更する原告の申立てを訴えの変更と呼ぶ。訴訟物が請求の趣旨および原因によって特定されることとの関係で，訴えの変更も請求の趣旨または原因の変更を内容とする[14)]。また，ここでは，同一当事者間の訴訟法律関係を前提としながら請求の内容の変更を問題としているのであり，当事者の変更は，その結果として請求の内容に変更を生じる場合であっても，ここでいう訴えの変更としては扱われない。また，訴訟物を基準とする以上，訴訟物理論の考え方によって訴えの変更の範囲は影響を受ける[15)]。なお，変更によって生じる数個の請求相互間の関係としては，訴えの客観的併合の場合と同様に，単純併合，選択的併合，予備的併合が分けられるが，いずれの場合であっても，旧請求についての裁判資料は新請求についての資料とされる。

訴えの変更の類型として，追加的変更と交換的変更とが分けられる。追加的変更とは，所有権確認請求訴訟係属中に所有権にもとづく引渡請求を追加する場合のように，従来の請求に新たな請求を追加する行為である。その結果として請求の客観的併合状態を発生せしめる。これに対して交換的変更とは，特定物の引渡請求からその物の滅失を理由とする損害賠償請求に変更するように，従来の請求に代えて新たな請求を定立する行為である。交換的変更については，追加的変更と訴えの取下げが組み合わされたものとして，概念定立の意義を否定する考え方も有力であり，この考え方にしたがえば，交換的変更の場合には，143条1項に定める訴えの変更の要件のほかに，被告の同意など，訴えの取下げの要件（261Ⅱ）が要求される[16)]。

---

14)　請求の趣旨の変更によって給付を求める金額の上限を増減することは，訴訟物たる権利関係の同一性に影響を及ぼさず，したがって，訴えの変更とはみなされない。

15)　新堂762頁以下，条解民訴〈2版〉830頁以下〔竹下守夫＝上原敏夫〕など参照。

16)　最判昭和31・12・20民集10巻12号1573頁，最判昭和32・2・28民集11巻2号374頁〔百選〈6版〉31事件〕。学説としては，三ヶ月・全集139頁以下，斎藤ほか(6)296頁〔斎藤秀夫＝加茂紀久男〕など参照。その根拠としては，訴えの変更について被告の同意が要求されていないことから，交換的変更によって当然に旧訴の訴訟係属の消滅を認めることは，訴えの取下げとの均衡を失するという。これに反対する学説としては，新

しかし，143条1項が請求の基礎の同一性を要件として定め，かつ，同条4項が変更の不当性についての裁判所の判断権を認めていることを考えれば，訴えの変更は訴えの取下げとは独立の訴訟行為であり，交換的変更についても，訴えの取下げ行為は不要と解される。したがって，変更の趣旨が旧請求についての審判要求を撤回し，新請求についてのみ審判を求める趣旨のものであれば，旧請求についての訴訟係属は，訴えの取下げの手続を経るまでもなく当然に消滅する[17]。

第1項　訴えの変更の要件

訴えの変更は，旧請求についての裁判資料が新請求の審理に使用される点で，原告にとっては訴訟上の利益をもたらす。特に，すでに明らかになった裁判資料の内容にもとづいてより適切な請求を定立することが認められる点で，訴えの変更は原告にとっての利点が多い。反面，被告は新請求について自己の不利な訴訟状態の引受けを余儀なくされることがあるし，また，交換的変更の場合には，同意なくして旧請求についての訴訟追行が無益なものとなる。もっとも，被告にとっても関連請求が一の訴訟手続で審判されることは，紛争の一回的解決の視点からすれば，利益がないとはいえない。このような原告および被告の利益・不利益を調和させる視点から，法は，訴えの変更について以下のような要件を設けている（143 I）。ただし人事訴訟では，143条1項の要件にかかわらず，控訴審の口頭弁論終結まで訴えの変更が許される（人訴18）。

堂770頁がある。

しかし，請求の基礎を同じくする新訴の提起をともなう訴えの変更と，単に訴訟係属の消滅を目的とする訴えの取下げとの間に要件の違いがあっても，これを不合理とすることはできない（中村英郎「訴の変更理論の再検討」中田還暦(上)153頁，192頁参照）。また，立法者は，条文の文言としても請求の変更と請求の追加を区別している（143 I・144 I参照）。

17）　しかし，変更の効果として旧請求についての裁判資料は，新請求についての資料として使用される。また，旧請求についての時効の完成猶予の効力は，訴えの取下げの場合（本書516頁）の場合と同様に，6月を経過するまでは存続する（民法147 I柱書括弧書）。ただし，旧請求と新請求の内容が実体法上同一の権利にかかわるとみなされるときには，それを超えて完成猶予の効力が維持される場合があろう。最判昭和38・1・18民集17巻1号1頁〔続百選40事件〕参照。

1　請求の基礎に変更がないこと

請求の基礎に変更がないこととは，請求の基礎の同一性とも表現されるが，二重起訴禁止の要件である事件の同一性（142）よりは広く，訴訟物たる権利関係を基礎づける事実が同一の社会生活関係に起因する場合だけではなく，これに密接に関連する社会生活関係に起因する場合も含まれる。このことは，審理の内容からみた場合には，主要事実や主要争点の共通性とか，事実資料の一体性などと表現されることもある。判例によって請求の基礎の同一性が認められた例としては，賃借人が賃貸人に代位して不法占拠者に対して提起した土地明渡請求の請求原因を自己の所有権に変更する場合，売買を理由とする所有権移転登記請求をすでに登記が第三者に移転されたことを理由として，損害賠償請求に変更する場合などが挙げられる[18)]。

請求の基礎の同一性の要件は，被告の利益を保護することを目的としたものであるので，かりにこれが欠ける場合であっても，被告が同意すれば訴えの変更は許される。同意は，変更後の請求に異議なく応訴するなどの黙示のものであってもよい[19)]。さらに，被告が陳述した事実にもとづいて訴えの変更がなされる場合には，請求の基礎の同一性や被告の同意の有無を問わず，変更が許される[20)]。

2　著しく訴訟手続を遅滞させないこと

たとえ請求の基礎に同一性が認められる場合であっても，旧請求についての審理が裁判に熟しつつあり（243 I），かつ，新請求の審理のために新たな裁判

---

18)　第1の例は，大判昭和9・2・27民集13巻445頁，第2の例は，最判昭和37・11・16民集16巻11号2280頁である。また，仮差押命令の効力に関するものであるが，最判平成24・2・23民集66巻3号1163頁〔平成24重判解・民訴8事件〕は，貸金債権とその回収が困難になったことによる損害賠償請求との間に請求の基礎の同一性を認めている。前者と後者の請求原因事実の一部が重なり合うことによるものと思われる。もちろん，訴訟物についての考え方の違いによって請求自体に変更がなく，したがって訴えの変更にあたらないとされることも多い。最判昭和31・9・28民集10巻9号1197頁についての新堂765頁参照。

19)　明示の同意について，大判昭和11・3・13民集15巻453頁，黙示の同意について，最判昭和29・6・8民集8巻6号1037頁。

20)　最判昭和39・7・10民集18巻6号1093頁〔百選 I 75事件〕。事案は，建物所有権にもとづく建物明渡請求訴訟において，被告が間接事実たる積極否認事実として当該建物の所有権が自己に属する旨を陳述したために，原告が土地所有権にもとづく建物収去土地明渡請求に訴えを変更したものである。

資料の収集を要するようなときには，訴えの変更を認めることが訴訟遅延を生じさせ，納税者の利益を害する。特に事件が控訴審に係属中のときには，この点について厳格な判断が要求される[21)]。これは公益を理由とする要件であるので，被告の同意の有無や陳述との関係は問題とならない[22)]。なお，この要件に抵触するとして訴えの変更が許されないときには，新請求について別訴の提起を要することになるが，本来であれば別訴が二重起訴にあたるときでも，これを不適法とすべきではない[23)]。

3　事実審の口頭弁論終結前であること

訴えの変更は，新訴の提起としての実質をもつものであるから，事実審の口頭弁論終結前になされなければならない。管轄については，訴えの客観的併合について述べたところが妥当する。控訴審における訴えの変更についても，上の要件以外に特別の制限はない[24)]。また，すでに旧請求について訴訟係属が発生していることを前提とするものであるから，旧請求についての訴状送達後でなければならない。訴訟係属発生前の請求の変更は，訴状の記載の訂正として扱われる。当事者の表示の訂正と異なって，請求の訂正については特別の制限はない。

第2項　訴えの変更の手続

訴えの変更は書面によって行わなければならない（143Ⅱ）。口頭起訴が認められる簡易裁判所の場合は例外である。ただし，請求原因の変更のみによる訴えの変更については，争いがある。判例は，これについて書面によることを要

21）　大判昭和16・10・8民集20巻1269頁。なお，第一審の口頭弁論終結直前の請求原因の変更による訴えの変更を不適法とした事例として，東京地判平成23・1・27判タ1345号217頁がある。

22）　最判昭和42・10・12判時500号30頁。訴えの変更を許さなかった近時の裁判例として，東京地判平成24・7・4判タ1388号207頁がある。

23）　新堂767頁。この問題は，二重起訴禁止の範囲を訴訟物の範囲より広く設定することから生じる。

24）　最判昭和29・2・26民集8巻2号630頁。第一審の場合と同様に，相手方が異議を述べない限り請求の基礎に変更がある訴えの変更も許される。最判昭和28・9・11民集7巻9号918頁。ただし，第一審において全部勝訴した原告が訴えの変更のためにのみ控訴を提起することは許されず，判例の立場（本書775頁参照）を前提とすれば，附帯控訴の方式による以外にない。

しないとするが，通説は請求原因も訴状の記載事項であることとの関係で（133Ⅱ（改正134Ⅱ），民訴規53Ⅰ），これに反対する[25]。訴えの変更による新請求の定立は，新訴の提起としての実質をもつものであるから，通説の考え方が妥当である。もっとも，書面の不提出の瑕疵は，責問権の喪失（90）によって治癒される[26]。

訴え変更の書面は被告に送達され（143Ⅲ），それによって新請求について訴訟係属の効果が生じる。ただし，時効の完成猶予の効果は，訴え提起の場合と同様に，書面提出の時に生じる（143Ⅱ・147）。

第3項　訴えの変更に対する裁判所の処置

訴えの変更の有無またはその適否について当事者間で争いが生じたときには，裁判所は，職権によって調査の上，訴えの変更がなされていないと判断すれば，審理を続行の上，中間判決（245）または終局判決の理由中でその旨の判断を示す。これに対して訴えの変更が許されないとするときには，申立てまたは職権によって変更不許決定をなす（143Ⅳ）。訴えの変更が新請求の定立としての実質をもつところから，この決定は，新請求についての併合審判申立てを否定し，審理の範囲を従来の請求部分に限定する旨の中間的裁判としての性質をもち，独立の不服申立ての対象とならない。しかし，訴えの変更による新請求が排斥される旨の判断自体は，終局判決中でなされ，当事者はこれを上訴によって争うことができる（283）[27]。上訴審が，原審の判断を不当とするときには，変更不許決定および新請求の定立を排斥した原判決部分を取り消し，事件を原審に差し戻すか，または新訴について自判する[28]。

25）判例は，最判昭和35・5・24民集14巻7号1183頁。通説は，兼子374頁，新堂768頁，齋藤436頁など。

26）最判昭和31・6・19民集10巻6号665頁。

27）判決主文中である必要はなく，理由中の判断で足りるとするのが判例である（最判昭和43・10・15判時541号35頁〔続百選39事件〕）が，この場合でも黙示的に新請求についての申立却下判決がなされたとみられる。したがって，訴えの変更を主張する当事者は，終局判決に対する上訴を提起する。同じく，大決昭和8・6・30民集12巻1682頁〔百選ⅡA48事件〕も，終局判決に対する上訴によって訴え変更不許決定を争えるとする。

もっとも，八木・前掲論文（注*1*）169頁は，新請求について審判を求める原告の利益を尊重するとの視点から，訴え変更不許決定を弁論の分離決定と同視し，それに対する不服申立てを排斥するという試論を提示する。

訴えの変更が適法と認められるときには，裁判所は，特にその判断を裁判の形で示す必要はなく，新請求について審判すれば足りるが，相手方が変更の許否を争うときには，143条4項を類推適用して決定の方式によって，または終局判決の理由中でその判断を示す[29]。

第3節　中間確認の訴え

すでに係属中の訴えにおける訴訟物の前提となる権利関係の確認を当該訴訟手続において求める申立てを中間確認の訴えと呼ぶ。判決の既判力は訴訟物についての判断に限定されるから，たとえば所有権にもとづく物の引渡請求権が認容され，引渡請求権の存在が既判力をもって確定されても，その基礎たる所有権の帰属の判断は理由中の判断にとどまり，既判力を生じない。したがって，その所有権の帰属をめぐって再び紛争が生じる可能性がある。中間確認の訴えは，当事者が前提問題たる権利関係を訴訟上の請求として定立し，一の訴訟手続において本来の請求と併合して審判を求めるものである。なお，二重起訴の範囲を判例・通説より広く把握する本書のような立場では，中間確認の訴えの請求を別訴として提起することは二重起訴禁止に抵触するから，当事者としては，中間確認の訴えを提起する以外にない。

なお，中間確認の訴えの国際裁判管轄に関しては，本書64頁を参照されたい。

第1項　中間確認の訴えの要件

中間確認の訴えは，原告がこれを提起するときには，訴えの追加的変更の性質をもち，被告がこれを提起するときには，反訴としての性質をもつが，本来の請求と新請求との間に前提関係が存在し[30]，請求の基礎の同一性，攻撃防

28）控訴審における訴えの変更が許されるから，常に事件を原審に差し戻す必要はない。

29）東京高決昭和39・3・9高民17巻2号95頁。

30）したがって，所有権にもとづく土地明渡請求訴訟において，境界確定を中間確認の訴えとして提起することは許されない。最判昭和57・12・2判時1065号139頁。逆に，先決関係が存在すれば，当然に確認の利益（本書193頁）が肯定される。八木・前掲論文（注1）175頁参照。

御方法の牽連性，および訴訟遅延の可能性などを問題とする必要のないところから，要件および手続について特別の規律がなされる（145 I）。

中間確認の訴えも，新訴の提起としての実質をもつから，本来の請求にかかる訴えが事実審に係属中でなければならない。訴えを提起するのは，原告であっても，被告であっても差し支えない[31]。控訴審における反訴については，原告の同意が要求されるが（300 I），中間確認の訴えを提起する場合には不要である。ただし，中間確認の訴えの提起によって，請求の客観的併合の状態が発生するから，新請求が他の裁判所の法定専属管轄に属しないことが要求される（145 I 但書）。ただし，6条1項の規定にもとづく東京地裁または大阪地裁の専属管轄の場合には，但書は適用されない（145 II 参照）。また，前提問題が人事法律関係で，人事訴訟手続に服するときにも，同種の訴訟手続によりえないから（136），中間確認の訴えは許されない[32]。

中間確認の訴えの対象は，現在の法律関係または権利関係の存否でなければならず，過去の権利関係や事実の確認は許されない。しかし，確認の訴えの対象一般について説明したように，事実関係や過去の権利関係，または法律行為の効力についても，それらの確認が現在の法律関係をめぐる紛争の抜本的解決に適切であるときには，中間確認の訴えの対象とすることが許される[33]。

これらの権利関係は，訴訟の進行中に争いとなっているものでなければならない。したがって，引渡請求の基礎となる所有権の帰属について被告が訴訟の当初から自白し，ただ占有の事実のみを争うような場合には，中間確認の利益が否定される。この点，一般の確認の訴えについては，訴訟前の被告の行為が確認の利益の基礎となることと異なる。もっとも，被告による争いは，中間確

31）　法文の文言は，「請求を拡張して」と規定するので，原告のみが中間確認の訴えの提起を許され，被告は，反訴によらなければならないとの考え方も存在する。しかし，被告にのみ反訴の要件を満たすことを要求するのは合理的でなく，また，明文の規定によって適格を原告のみに限定していた大正15年改正前旧民事訴訟法211条との対比からしても，本文のような結論をとるべきである。

32）　親子関係が物の引渡請求の前提問題となっている場合などが例として挙げられる。なお，このような理由から中間確認の訴えが許されないときには，二重起訴禁止原則は適用されない。

33）　大判昭和8・6・20民集12巻1597頁。過去の法律行為の効力について中間確認の訴えを認めた例として，東京地判昭和51・3・2判時832号71頁がある。

認の訴え提起時を基準とするものであって，その後の攻撃防御方法の態様によって左右されるものではないから，上の例で，原告の所有権を否認していた被告が，それを自白するに至ったとしても，訴えの利益が消滅するわけではない。

前提関係は，法文上では，裁判が法律関係の成立または不成立に「係る」ときという形で表現されているが（145Ⅰ），被告が原告の所有権と自己の占有の事実の双方を争っているときなどには，裁判所は，占有の不存在を理由としても請求棄却判決ができるから，所有権の帰属に関する判断が裁判の具体的前提となるとはいえない。しかし，ここでいう前提関係は，裁判の前提たりうるものであれば足り，具体的前提であることを要しない[34]。

第2項　中間確認の訴えの手続

中間確認の訴えは，訴えの変更や反訴の提起と同じく，新請求の定立を内容とするものであるから，簡易裁判所の場合を除いて，書面によってなされ，書面は相手方に送達される（145Ⅳ・143ⅡⅢ）。ただし，これらの手続違背は，責問権喪失による治癒の対象となる（90）。

時効の完成猶予の効果は，書面提出の時に生じる（147・145Ⅳ・143Ⅱ）。本訴についての訴訟代理人の権限が中間確認の訴えをも含むかどうかについては（55Ⅱ参照），見解の対立がある。新請求が定立されることを考えれば，これを特別授権事項とすることも考えられるが，前提関係にあることを重視すれば，当然に代理人の権限に含まれるとして差し支えない。

本来の請求と中間確認の訴えによって定立された新請求は，単純併合の関係になり，裁判所は，1個の全部判決をなすことを要求される。また，両者の間に前提関係があることから，通常の単純併合の場合と異なって，弁論の分離をすることは許されない。

いったん新請求について訴訟係属が生じた後であれば，本来の請求について訴えの取下げがなされ，または訴えが却下されても，新請求についての訴訟係属が消滅するわけではなく，訴えの利益が認められる限り独立の訴えとして扱

34）　このような考え方は，抽象的先決性説と呼ばれる。詳細については，法律実務(2) 188頁以下参照。

われる[35]。裁判資料に関しては，いったん請求の併合状態が生じたのであるから，本訴請求についての裁判資料が，新請求についての資料となる。ただし，控訴審において提起された中間確認の訴えは，控訴の却下または取下げがあると，当然に終了する。第一審を経ていない独立の訴えを認めることができないからである[36]。なお，反訴の場合と同様に，本訴取下げ後に被告が中間確認の訴えを取り下げるときには，原告の同意を要しない。

第4節　反　　訴

原告については，訴えの客観的併合，訴えの変更，および中間確認の訴えの方法によって請求を追加・変更することが認められている。被告についても中間確認の訴えの方法で，前提問題たる法律関係を請求として付加することが許されるが，法は，これに加えて本訴請求と関連する権利関係一般について被告が訴えを提起し，本訴請求との併合審判を求めることを認める。これが反訴の制度である。もちろん，被告は，反訴請求を別訴として提起することも許されるが，その場合には，本訴請求との審判の併合がなされず，したがって，統一的判断の保障に欠ける。また，本訴請求に対して相殺の抗弁が提出されているような場合には，自働債権を別訴として請求することが二重起訴の禁止に触れるので，結果として被告は，反訴の方法を選択せざるをえない。

反訴の申立てには，無条件の申立てと予備的反訴が分けられる。前者の場合には，本訴請求と反訴請求が単純併合の形式で審判の対象とされるが，後者の場合には，売買代金請求の本訴に対して，被告が，主位的には売買を無効として，その棄却を求め，予備的に本訴請求が認容されるのであれば，目的物の引渡請求を反訴として求める。法律的には，反訴の申立てが本訴の却下または本訴請求の棄却を解除条件とするものであり，したがって，本訴請求と反訴請求との関係は，予備的併合の形態になる。

なお，反訴に関する国際裁判管轄に関しては，本書63頁を参照されたい。

35）兼子381頁，三ヶ月・全集143頁，秋山ほかⅢ227頁など。本訴の存在は，起訴の要件であって，訴え存続の要件ではないと説明される。法律実務(2)176頁参照。

36）中田淳一「控訴審の構造」民訴講座(3)867頁，870頁。

第1項 反訴の要件

反訴の要件としては，本訴請求と反訴請求の関連性（146 I）のほか，請求の客観的併合一般に共通する要件，および反訴が禁止されていないこと（351・367・369参照）が挙げられる。ただし，人事訴訟では本訴請求との関連性は要求されない（人訴18）。

1 本訴請求と反訴請求の関連性

反訴請求は，本訴請求またはこれに対する防御の方法と関連したものでなければならない。反訴請求が追加的に本訴と併合審理され，本訴請求についての裁判資料が反訴請求についてのそれとなることが正当化されなければならないからである。

本訴請求に関連するとは，本訴請求と反訴請求の権利関係を基礎づける法律関係または主たる事実が共通であることを意味する。たとえば，債務不存在確認の本訴に対する債務の履行請求の反訴の場合には，両者の訴訟物自体が同一であるが，これにとどまらず，双務契約から生じる相対立する債権，1つの事故から生じる双方の損害賠償請求権，同一目的物についての双方の所有権などの場合には，それぞれの請求権を基礎づける法律関係または主たる事実が共通のものと認められる[37)]。

反訴請求が本訴請求の防御方法に関連するとは，本訴請求に対する抗弁事由と反訴請求の請求原因との間に，同様の共通性が認められることを指す。相殺の抗弁に用いられた債権を反訴で訴求する場合には，権利自体の共通性が認められる。土地所有権にもとづく明渡請求に対して賃借権の抗弁を提出している被告が，賃借権確認の反訴を提起する場合も同様である。

占有権にもとづく保全の訴え（民199）が提起されたときに，被告が反訴として所有権にもとづく目的物の引渡請求を提起することが許されるかどうかについては，民法202条の解釈をめぐって考え方の対立がある。同条2項が存在

37) 双務契約や所有権の場合には，双方の請求権が同一の法律関係にかかわるものであり，他方，損害賠償請求権の場合には，同一の事実関係にかかわるという違いがあるが，いずれにおいても関連性が肯定される。法律実務(2)182頁以下参照。同一の婚姻関係について，別個の離婚原因にもとづいて本訴と反訴として離婚請求が提起される場合にも，訴訟物たる離婚権の基礎となる婚姻関係の共通性が存在する。

する以上，占有保全の訴えにおいて所有権の抗弁を提出することは許されないから，反訴請求が本訴請求の防御に関連するとはいえないが，両者の請求自体を基礎づける主たる事実に共通性が認められるから，反訴は適法とされる[38]。

関連性の要件は，主として原告の利益保護を目的とするものであるから，関連性が認められないときでも，原告が反訴提起に同意する，または異議を述べずに応訴している場合には，反訴を適法と認めてよい。このような場合でも，本訴が遅延するおそれがあるときには，裁判所は弁論を分離する[39]。

2　その他の要件

反訴は，被告が新たな請求を定立するものであるから，本訴の審理が事実審の口頭弁論終結前でなければならない（146Ⅰ）。反訴提起後に本訴の取下げがなされても，反訴の訴訟係属に影響はない。ただし，反訴の取下げの要件は緩和され，すでに自己の訴えを取り下げた本訴原告の同意を要しない（261Ⅱ但書）。本訴が不適法として却下される場合の取扱いについては，考え方が分かれるが，取下げの場合と同様に反訴の訴訟係属に影響を与えないと解すべきである。ただし，控訴審において提起された反訴の訴訟係属は，控訴の却下または取下げにともなって消滅すると解するのが通説であるが[40]，それを前提としても，第一審への移送を認めるべきである。

控訴審における反訴提起には相手方たる本訴原告の同意を要するが（300Ⅰ），これは，相手方の審級の利益を保護するための措置である。したがって，相手方が異議を述べないで反訴について応訴したときには，同意したものとみなされるし（300Ⅱ），またそれ以外の場合であっても，審級の利益保護を考慮する必要がないか，またはこれに優先する反訴原告の合理的利益が認められるときには，相手方の同意が不要とされる。前者の例としては，すでに第一審における抗弁などの形で，反訴請求についての実質的審理が行われている場合があ

38）　最判昭和40・3・4民集19巻2号197頁〔百選〈6版〉32事件〕。三ヶ月・研究(3)59頁参照。両者が認容されると判決主文は，「被告は原告の占有を妨害してはならない。原告は被告に対して目的物を引き渡せ」という給付命令を掲げることになるが，被告の義務と原告の義務との間には，既判力に関しても，執行力に関しても矛盾は存在しない。最高裁判所判例解説民事篇昭和40年度16事件〔森綱郎〕（1966年）。

39）　本訴と反訴の分離には制限があるが，この場合には，そもそも関連性が欠けているので，分離が認められる。

40）　法律実務(2)176頁，条解民訴〈2版〉1573頁〔松浦馨＝加藤新太郎〕。

る[41]。後者の例としては，人事訴訟の控訴審における反訴について相手方の同意を不要とする人事訴訟法18条の規定がある。これは，人事関係安定を目的として紛争の全面的解決の要請を尊重したためである[42]。

また，原告による請求の追加である訴えの変更の場合と同様に，反訴の提起が訴訟手続を著しく遅滞させるものでないことを要する（146Ⅰ②）。その他，請求の客観的併合についての一般的要件として，請求が同種の手続によって審判されるものであること（136），反訴請求が他の裁判所の法定専属管轄に属するものでないこと（146Ⅰ①）が要件とされる。ただし，専属管轄が6条1項にもとづく東京地裁または大阪地裁である場合には，この要件は適用されない（146Ⅱ）。

3 反訴の要件欠缺の場合の取扱い

本訴請求との関連性などの反訴の本訴との併合要件は，反訴自体の訴訟要件であるから，その要件を欠く反訴は不適法として，終局判決をもって却下すべきであるとするのが判例理論である[43]。これに対して多数説は反対の立場をとり，反訴が独立の訴えとしての要件を具備する限り，弁論の分離または移送の取扱いをなすべきであるとする[44]。反訴原告にとっては，時効の完成猶予などの利益が認められること，弁論の分離または移送を行っても相手方に特別の不利益は生じないことを考えれば，多数説の考え方が支持される。口頭弁論終結後に提起された反訴，上告審で提起された反訴についても，同様の取扱いがなされる。

41）　最判昭和38・2・21民集17巻1号198頁〔百選ⅡA52事件〕。事案は，土地明渡請求訴訟の被告が第一審において賃借権の抗弁を提出し，控訴審において賃借権確認の反訴を提起したものである。これ以外にも，反訴請求を別訴として提起することが二重起訴にあたる場合には，同様の考え方が当てはまる。新堂774頁参照。

42）　離婚の訴えの原因である事実によって生じた損害賠償請求の反訴について，最判平成16・6・3判時1869号33頁〔平成16重判解・民訴6事件〕参照。

43）　最判昭和41・11・10民集20巻9号1733頁〔続百選45事件〕。秋山ほかⅢ222頁は，判例に賛成する。

44）　学説の詳細は，鈴木正裕「訴訟内訴え提起の要件と審理」新堂編・特別講義222頁，230頁以下に詳しい。

第2項　反訴の手続

反訴の手続は，本訴の手続に準じる（146Ⅳ，民訴規59）。ただし，本訴を特定し，それに対する反訴である旨を明らかにしなければならない。反訴提起にも手数料納付を要するが，本訴の経済的目的と重複する限りでは，手数料の納付を要しない（民訴費3Ⅰ・別表第1Ⅵ）。

本訴請求と反訴請求は，併合状態にあるので，審理も一の手続によって行われる。ただし，裁判所による弁論の分離が許されるかどうかについては，考え方の対立がある。通説は，予備的反訴のように，請求相互間に条件関係がある場合，および離婚事件の本訴と反訴のように，形成力が生じうる場合などを除いて，弁論の分離を肯定するが，有力説は，審判の統一を重視し，原告の同意にもとづく関連性のない反訴を除いて，むしろ原則としては分離は許されないとする[45]。確かに，請求相互間の関連性を前提とすれば，合理的理由を欠く分離は裁判所の裁量権の限界を超えるものとして制限されるべきものであるが，審理の遅延のおそれなどを考えると，関連性を根拠として分離の可能性を否定するのも行き過ぎである。訴訟物を同じくする場合，別訴を提起すれば二重起訴となる場合など，関連性が強い場合を中心として裁判所の分離権限が制約されると解すべきである。

45）通説として，兼子379頁，小山538頁，秋山ほかⅢ237頁，有力説は，新堂775頁など。

最判令和2・9・11民集74巻6号1693頁〔百選〈6版〉35②事件〕（本書247頁注124）は，本訴請求と反訴請求との牽連性が強く，かつ，両請求について相殺による清算的調整を図るべき要請が強いことを理由として弁論の分離権限を否定している。分離可能性についての新たな基準を定立したものと評価できる。

第8章　多数当事者訴訟

民事訴訟において審判の対象となる権利関係の主体は，相対立する2当事者に限られない。共同所有関係にみられるように，多数人が一の権利関係の主体となる場合があるし，また，債権者と主債務者もしくは保証人，または共同不法行為者の関係に代表されるように，権利関係としては別個であっても，相互の間に事実上または法律上の関連性が認められる場合がある。さらに，ある権利関係の主体であることを主張する者が複数存在する場合もある。これらの場合においては，紛争の統一的解決の視点から，訴訟法律関係上でも相対立する2当事者に加えて他の者に当事者としての地位を与える必要がある。加えて，訴訟物たる権利関係に法律上の利害関係をもつ第三者が，その利害関係を保全するために，訴訟当事者としてではなく，訴訟当事者のために訴訟行為を行う者として手続に関与することを主張する場合もある。法が，通常共同訴訟や必要的共同訴訟などの共同訴訟，および独立当事者参加や補助参加などの訴訟参加制度を設けているのは，こうした必要に応じようとするものである。これらの訴訟形態を多数当事者訴訟と総称する1)。

もっとも，裁判を受ける権利は，本来それぞれの法主体に固有のものであり，多数当事者訴訟の成立は，ある者の訴訟上の地位が他の者の訴訟行為によって制約されることを意味するから，実質的にみて，裁判を受ける権利の制限として働くことは否定できない2)。そこで法は，権利関係の性質や当事者間の判決の効力が第三者に対してもつ影響などを考慮して，多数当事者訴訟法律関係の規律についていくつかの異なった原則を立てている。共同訴訟人独立の原則，

---

1)　補助参加人は訴訟当事者ではないので，多数当事者訴訟との表現は多少不正確であるが，慣用上これを用いることとする。

2)　多数当事者訴訟には訴訟運営上の難しさが多く，紛争の一挙的解決を強調して多数当事者の成立を拡大することが，かえって裁判を受ける権利を制限する結果となることについて，田尾桃二「紛争の一回的一挙的解決ということについて」民訴雑誌40号37頁，42頁以下（1994年）参照。

必要的共同訴訟の特則，同時審判申出共同訴訟の規律，補助参加人の従属的地位などがこれに属する。

多数当事者訴訟の種類は，1つの訴訟手続において，第1に，原告および被告以外に当事者の地位（本書119頁）をもつ者が存在する場合と，当事者以外の者であって，自己の名において訴訟行為をなす者が存在する場合とに分けられる。前者が共同訴訟および独立当事者参加訴訟であり，後者が補助参加訴訟である。共同訴訟と独立当事者参加訴訟との間の違いは，当事者間に共同関係が存在するか否かである。

第2に，多数当事者訴訟の成立原因によって，訴え提起によって訴訟係属発生の時点から原始的に多数当事者訴訟が成立する場合と，訴え提起とは別の行為によって後発的に多数当事者訴訟が成立する場合とが分けられる。前者が共同訴訟であり，後者が訴訟参加，訴訟引受けおよび弁論の併合である。共同訴訟の概念は，訴訟法律関係の内容を指す意味でも使われ，また，その成立原因を指す意味でも使われるが，訴えの提起によって原始的に共同訴訟関係が成立する場合を指す意味で共同訴訟の概念が使われることもある。

第1節　共同訴訟

共同訴訟とは，一の訴訟手続における原告または被告，もしくはその両者が多数人によって構成される訴訟形態を指す。共同関係に立つ当事者は，共同訴訟人，または共同原告・共同被告と呼ばれる。原告は請求の定立者であり，被告はその相手方であるから，共同訴訟人であっても，そのそれぞれが当事者である以上，請求はそれぞれの者によって，またそれぞれの者に対して定立される。ただし，共同訴訟関係の特色は，共同訴訟人についての全請求が一の手続において審判される効果として，一の共同訴訟人による訴訟行為の，または一の共同訴訟人に対する訴訟行為の効果が，他の共同訴訟人に及ぶことである。もっとも，いかなる範囲で訴訟行為の効果が及ぶかについては，法が共同訴訟の性質を考慮してこれを規定し，それによって，通常共同訴訟，同時審判申出共同訴訟，必要的共同訴訟という類型が区別される。

数人が共同して，訴えまたは訴えられることを狭義の共同訴訟または訴えの主観的併合と呼ぶ。請求の定立自体は，それぞれの共同訴訟人の訴訟行為にほかならないが，それが一の訴えの形で共同してなされることが，共同訴訟の特色である。共同訴訟の提起によって共同訴訟関係が生じるが，共同訴訟関係自体は，他の訴訟行為，たとえば共同訴訟参加，主観的追加的併合，弁論の併合などによっても生じる。

第1項　通常共同訴訟

共同訴訟関係の内容は共同訴訟の類型によって異なる。通常共同訴訟においては，ある共同訴訟人の訴訟行為，たとえば事実主張や請求の放棄・認諾，訴えの取下げ，和解，上訴などは，他の共同訴訟人について効力を生ぜず，また一の共同訴訟人について生じた審理の進行に関する法定の効果，たとえば中断なども他の共同訴訟人に対して効力を及ぼさない。これを共同訴訟人独立の原則と呼ぶ。このことは，いったん共同訴訟関係が成立しても，かならずしも裁判資料の共通性が確保されるものでなく，したがって判決内容の合一性や審理の進行の統一も保障されるものではないことを意味する。これを前提とすると，裁判所も，審理の状況を考慮して，弁論の分離権限を行使し，共同訴訟関係を解消することが許される。しかし，同じく通常共同訴訟であっても，同時審判申出共同訴訟においては裁判所の弁論分離権限が否定され，また必要的共同訴訟においては，共同訴訟人独立の原則が適用されない。

1　通常共同訴訟の要件

共同訴訟として訴えを提起することが許されるのは，第1に，訴訟の目的である権利または義務が数人について共通であるとき，第2に，その権利義務が同一の事実上および法律上の原因にもとづくとき，第3に，その権利義務が同種であって事実上および法律上同種の原因にもとづくときである(38)。

(1)　訴訟の目的である権利義務が数人について共通であるとき

訴訟の目的たる権利義務が数人について共通であるとは，訴訟物が同一であること，または訴訟物の基礎となる法律関係について共通性が認められることを意味する。たとえば，数人の被告に対して目的物に関する自己の所有権確認を求めるときには訴訟物が同一であり，同一土地の数人の不法占拠者を共同被告とするときには，訴訟物たるそれぞれの占拠者に対する明渡請求権の基礎となる原告の土地所有権が共通であり，また，債権者が主債務者と保証人を共同被告とするときにも，主債務が共通する法律関係と認められる[3)]。

(2)　権利義務が同一の事実上および法律上の原因にもとづくとき

訴訟物たる権利関係の基礎たる事実上および法律上の原因が同一であるときには，たとえ権利関係の共通性が認められないときでも，共同訴訟の要件が満たされる。たとえば，同一の不法行為にもとづく数人の被害者による損害賠償請求や，売買の無効を原因として買主および転得者を被告とする売主の移転登記抹消請求などがこれにあたる[4)]。

(3)　権利義務が同種であって事実上および法律上同種の原因にもとづくとき

権利関係の実体法上の性質が同種と評価される場合にも，共同訴訟の成立が認められる。たとえば，約束手形の振出人および裏書人に対する請求[5)]や，数通の手形振出人に対する請求，数個の土地について所有者が占有者に対して明渡しを求める場合などがこれにあたる。この類型においては，共同訴訟人に関する請求相互間の関係は，前2者と比較すると希薄であり，したがって併合請求の裁判籍も認められない（7但書）。

2　通常共同訴訟の審判――共同訴訟人独立の原則

共同訴訟人の1人の訴訟行為，共同訴訟人の1人に対する相手方の訴訟行為，および共同訴訟人の1人について生じた事項は，他の共同訴訟人に影響を及ぼさない（39）。これが共同訴訟人独立の原則と呼ばれる。この原則の適用の結果として，請求の放棄・認諾，和解，訴えの取下げ，上訴，上訴の取下げなど訴訟係属にかかわる訴訟行為，また，事実の主張や自白など訴訟資料にかかわる訴訟行為の効力は，当該行為の主体および相手方たる共同訴訟人に限定され，

---

3)　所有権確認について，最判昭和33・1・30民集12巻1号103頁，最判昭和34・7・3民集13巻7号898頁，主債務者と保証人について，最判昭和27・12・25民集6巻12号1255頁〔百選32事件〕，数人の連帯債務者について，大判明治29・4・4民録2輯4巻13頁。

4)　買主および転得者について，最判昭和29・9・17民集8巻9号1635頁。なお，多数の共同不法行為者を共同被告とする場合には，民法719条によって，権利義務の共通性が認められる。

5)　大判明治35・6・24民録8輯6巻133頁，最決平成23・5・30判タ1352号154頁（貸金業者が複数の借主に対してそれぞれ別個の契約にもとづく貸金の返還を求める場合）など。

他の共同訴訟人に影響を及ぼさない[6]。たとえば，主債務者および保証人を共同被告とする訴訟において主債務者が弁済の抗弁を提出したとしても，その事実は，主債務者についてのみ訴訟資料となり，裁判所が保証人について主債務弁済事実を認定することは，弁論主義に反する。逆に，主債務者が借入れの事実について自白しても，自白の効力は主債務者についてのみ生じ，保証人に及ばない。さらに，共同訴訟人の１人について生じた中断・中止の効果も他の共同訴訟人に及ぶことはない。

共同訴訟人独立の原則が適用される結果，たとえ一の手続において審理がなされても，それぞれの共同訴訟人についての訴訟資料は区々となる可能性があり，その結果として判決内容の合一も確保されない。また，１人の共同訴訟人のみに関する上訴によって，確定判決の内容が相互に矛盾したものとなる可能性もある。通常共同訴訟の法律関係は，このように審判の統一を絶対的に保障しようとするものではないので，裁判所は，共同訴訟関係がかえって適正，かつ，迅速な審理の妨げとなるときには，弁論を分離し（152 I），共同訴訟関係を解消することが許される[7]。

3　裁判資料の統一 ――証拠共通・主張共通の原則

共同訴訟人独立の原則が貫かれれば，通常共同訴訟における共同訴訟関係の意義は，共同訴訟人の１人が一の手続による審理を通じて，他の共同訴訟人の訴訟行為の内容を知り，これを自己のものとして援用する機会を与える意味しかない。そこで，共同訴訟の利点を生かすために，それぞれの共同訴訟人についての手続保障を害しない範囲で独立の原則を制限することが考えられる。

(1)　証 拠 共 通

判例・学説上異議なく認められているのが，証拠共通の原則である。すなわち，共同訴訟人の１人が提出した証拠は，援用の有無にかかわらず，他の共同

6)　大判大正8・6・24民録25輯1095頁，大判大正12・3・9民集2巻146頁。

7)　共同訴訟人の１人が相手方の主張事実を争わず，その者についてのみ擬制自白（159 I本文）が成立する場合などが考えられる。このような場合に，弁論が分離され，擬制自白にもとづいて不利な判決の言渡しを受けた当事者が控訴し，控訴審において相手方の主張事実を争ったときに，第一審における弁論の分離が違法かどうかが争われることがあるが（萩澤達彦「通常共同訴訟における弁論の分離と欠席判決」小林古稀173頁），手続保障の視点などから弁論の分離が裁量権の逸脱と評価される場合に限られるべきであろう（東京高判令和元・11・7判時2453号13頁参照）。

訴訟人についても証拠として裁判所の事実認定の資料とすることができる[8]。証拠共通の原則が適用される理由としては，当該証拠にもとづいて裁判所の心証が形成されているときに，同一の事実が問題となっているにもかかわらず，その心証を証拠申出をした共同訴訟人についてのみ用いて，他の共同訴訟人について用いないのは，裁判所の自由心証を制約する結果となること，証拠共通を認めないと，認定されるべき真実は1つであるにもかかわらず，一の審理において矛盾した事実認定を強いることなどが説かれる。

同一の事実について一の期日で証拠調べがなされたにもかかわらず，その結果として得られた証拠資料を共同訴訟人の1人についてのみ用い，他の共同訴訟人には用いないよう裁判官に命じることは，裁判官にその確信に反する事実認定を強いることになる[9]。これは，自由心証主義に対する制限を意味し，また，共同訴訟人について一の期日で審理を行う意義を失わせる。このような理由から，通常共同訴訟においても証拠共通の原則を認めるべきである。

もっとも，近時の有力説は，共同訴訟人の間でも争点によっては利害の対立することもありうることを理由として，共同訴訟人の1人によって申し出られた証拠を他の共同訴訟人が援用するかどうかを確認すべきであるとか，他の共同訴訟人がその証拠の証拠調べに関与する機会を与えられた場合に限って証拠共通を認めるべきであるとする[10]。しかし，一の期日において証拠調べがなされる以上，他の共同訴訟人がそれに関与する機会を与えられているといってよいし，当事者の援用の有無にかからせることも，前記のように自由心証主義との関係で不合理な結果を生む可能性があるので，このような考え方をとることは適当でない。

これに加えて，共同訴訟人の1人による弁論の全趣旨（247）が，他の共同訴訟人について事実認定の資料となりうるかが問題となる[11]。弁論の全趣旨

8）　大判大正10・9・28民録27輯1646頁，最判昭和45・1・23判時589号50頁，学説については，注釈民訴(2)68頁〔徳田和幸〕参照。

9）　中野ほか・講義587頁では，共同訴訟人の請求が別訴として係属するときには，裁判所は異なった証拠資料にもとづいて事実認定をせざるをえないから，このことが証拠共通を認める根拠とならないとするが，別訴における証拠資料と一の期日で収集された証拠資料を裁判所の心証形成の基礎として同視することは不適当である。

10）　秋山ほかⅠ518頁，中野ほか・講義588頁など参照。もっとも論者がいう援用が，当該証拠調べの結果についてさらに立証の機会を与える趣旨であれば，これを肯定してよい。

の補充性を前提とすれば，その意義は限られたものであるが，自由心証主義を根拠として，証拠調べの結果と同様に弁論の全趣旨の共通が認められる。

(2)　主張共通

共同訴訟人の1人による事実主張を他の共同訴訟人が積極的に援用しないときにも，裁判所が当該事実を他の共同訴訟人についての訴訟資料とすることができるかどうかが，主張共通の問題である。これを肯定する有力説は，証拠共通の原則によって共同訴訟人独立の原則がすでに制限されていること，一の共同訴訟人の主張が他の共同訴訟人の有利に作用するときには，他の共同訴訟人が積極的にこれと矛盾する主張を行わない限り，主張共通を認めても，他の共同訴訟人の訴訟追行権を害したり，共同訴訟人独立の原則を実質的に侵害するものにはならないこと，あるいは共同訴訟人間に当然に補助参加の関係を認めるべきことなどを理由として挙げる[12)]。これに対して判例は，補助参加の手続を経由しない限り，通常共同訴訟において共同訴訟人の1人の主張が他の共同訴訟人のための訴訟資料となることはありえないとして，主張共通を否定する[13)]。

利害を共通にする共同訴訟人間に当然に補助参加関係を認めることは，その効果が上訴などの訴訟行為にも及ぶこととなり，共同訴訟人独立の原則を形骸化することになりかねない。また，いかなる事実を審判の対象とするかの選択権が当事者に与えられることは，共同訴訟人独立の原則の中心をなすものであり，裁判官の自由心証の確保から正当化される証拠共通と同視されるものではない。したがって，主張共通自体を肯定することは困難と思われる。しかし，有力説が説くように，共同訴訟人の1人が主張する事実が他の共同訴訟人にも

11)　たとえば，共同被告である主債務者が主債務の存在を自白していることを弁論の全趣旨として，保証人についての主債務存在を認定する資料とすることができるかどうかである。秋山ほかⅠ518頁は，これを肯定する。

12)　新堂・争点効(下)33頁以下参照。共同訴訟人間に補助参加の利益が認められるときには，特に補助参加の申出がなされなくとも当然に補助参加がなされたものとして取り扱い，その結果として共同訴訟人の1人の訴訟行為の効力が他の共同訴訟人に及ぶとするものとして，兼子・判例民訴395頁がある。また，日渡紀夫「通常共同訴訟の目的と共同訴訟人独立の原則の意義」徳田古稀83頁は，共同訴訟の特質を重視して，それが維持される限りで暫定的な共通が認められるとする。

13)　最判昭和43・9・12民集22巻9号1896頁〔百選〈6版〉90事件〕。

有利に働く場合に，その者が矛盾する主張をすることなく，たとえその事実主張を積極的に援用することがなくとも，これを前提とする申立てや主張をなしている場合には，訴訟行為全体の解釈として援用がなされたものと扱って差し支えない。もちろん，実務の在り方としては，問題の発生を避けるために適切に釈明権を行使すべきことはいうまでもない。

第2項　同時審判申出共同訴訟

通常共同訴訟に属する類型のうち，共同被告に対する原告の請求が相互に法律上併存しえない関係にある場合には，原告の同時審判申出にもとづいて裁判所の弁論分離権限が制限される（41Ⅰ）。この形態が同時審判申出共同訴訟と呼ばれる。

1　立法の趣旨――主観的予備的併合との関係

原告の共同被告に対する請求が法律上併存しえない場合の例としては，本人に対する契約上の請求と無権代理人に対する請求（民117Ⅰ），工作物の占有者に対する損害賠償請求と所有者に対する請求（民717Ⅰ）などが挙げられる。前者の例では，一方で，代理権授与の事実が本人に対する契約上の請求権の発生原因事実であり，他方，同じ事実が無権代理人に対する請求権の権利障害事実であり，したがって両者の請求権が併存することは法律上予定されていない[14]。

このような場合に原告としては，当該事実の認定の結果によりいずれかの請求権が認められると期待し，またその期待は，上記のような法律要件事実の構造から考えると，法律上保護すべきものと考えられる。その期待を保護するためには，2つの請求権を一の手続で審判することが要請されるが，これを必要的共同訴訟とすることは，かえって原告の訴権行使を制約し，行き過ぎである。

14）　これに対して，不法行為の加害者が甲または乙のいずれかである場合には，両者に対する損害賠償請求権が併存することはありえないが，事実の次元での併存が不可能であるというのみであり，本文で述べた例のように，同一の事実がある請求権を発生せしめる事実である一方，別の請求権の発生を妨げる事実である関係が認められない。研究会67頁以下参照。

また，民法717条の場合には，占有者の免責事由が占有者に対する請求との関係では，抗弁事実となり，所有者に対する請求との関係では，占有の抗弁に対する再抗弁事実となる。大江(6)317頁以下参照。

したがって，通常共同訴訟として扱う以外にないが，請求を単純併合とすると，原告が一方で代理権の存在を立証し，他方で被告の立証に対抗して代理権の不存在を立証するなど矛盾する訴訟行為を行うこととの整合性が問題となるし，また，弁論の分離によって審理が別の手続によってなされる可能性もある。

このような問題に対処するために，学説上主観的予備的併合の概念が提唱された。上の例でいえば，原告が本人に対する請求について無条件に審判を求め，それが認容されることを解除条件として代理人に対する請求を定立することを意味する。裁判所は，まず無条件の申立てについて，それが認められないときに条件付申立てについて審判することを義務づけられ，加えて，請求相互間にこのような条件関係が存在する以上，弁論の分離権限を行使しえないとする[15]。

しかし，客観的予備的併合の場合と異なって，予備的被告の地位が不安定になること，すなわち予備的被告は，応訴を強いられるにもかかわらず，主位請求認容の場合には，判決を受けられず，その裁判を受ける権利が実質的に損なわれること，上訴との関係で統一審判が保障されないことなどの理由から，これを不適法とする考え方も有力であり，判例は，主観的予備的併合を認めていない[16]。現行法によって新たに設けられた同時審判申出共同訴訟は，主観的予備的併合についてのこのような議論の対立を前提として，なお先に述べた原告の合理的利益を保護しようとするものである。

2　同時審判申出共同訴訟の要件および手続

同時審判申出共同訴訟は，共同訴訟関係の成立を論理的前提として，先に述べたような意味での法律上併存しえない関係にある共同被告に対する請求について，原告が事実審の口頭弁論終結時までにその旨の申出をなすことによって成立する（41 I II）。原告は，共同訴訟の提起とともに申出をなすこともできるし，また，すでに共同訴訟関係が成立している場合に申出をなすことも妨げられない。

15）　学説の状況については，注釈民訴(2)17頁〔上田徹一郎〕参照。ただし，共同訴訟人間の関係については，特に上訴との関係で，当然に補助参加の関係を認めるもの，必要的共同訴訟についての特則を適用するものなどに分かれる。

16）　最判昭和43・3・8民集22巻3号551頁〔百選〈6版〉A 28事件〕。

原告の申出がなされても，共同訴訟関係自体は，通常共同訴訟にほかならず，また共同被告に対する請求は単純併合であるから，裁判所は，すべての請求について1個の判決で審判しなければならない。しかし，裁判所の弁論の分離権限は否定される17)。通常共同訴訟関係の内容は，その限りで変更されるが，共同訴訟人独立の原則自体は修正されない。したがって，共同訴訟人の1人による上訴の効果は，他の共同訴訟人に及ばないし，主張共通の原則も働かない18)。ただし，第一審で同時審判関係が成立したにもかかわらず，それぞれの請求について各別に控訴がなされ，その結果，控訴事件が同一の控訴裁判所に各別に係属するときには，控訴裁判所が弁論の併合を義務づけられる（41Ⅲ）19)。すでに第一審において同時審判申出がなされ，かつ，すべての請求が控訴審の審判の対象となっている以上，裁判所の義務として共同訴訟関係を復活させ，同時審判関係を復元しようとする趣旨である。

同時審判の申出は，控訴審の口頭弁論終結の時までは撤回することができ（民訴規19），撤回されれば通常の共同訴訟関係に復する。

3　事実上併存しえない場合と主観的予備的併合の許否

共同被告に対する請求が事実上併存しえない場合については，同時審判関係は成立しえない。しかし，このような場合にも統一審判が望ましいのが原則であり，同時審判申出共同訴訟の制度が設けられたことを考慮すれば，実務上の運用として原告の意思を尊重し，特別の事情のない限り，裁判所は弁論の分離をしないことが要請される。

このことと関係して，現行法の下でもなお主観的予備的併合の適法性を認め

---

17)　弁論の分離は違法となる。しかし，同時審判は原告の利益を保護するためのものであるので，違法は責問権の喪失によって治癒されうる。また，違法が上告理由となるかは，分離が判決の内容に影響を生じたか否かによる。研究会68頁以下参照。

18)　したがって，占有者が工作物の設置の瑕疵を自白し，所有者がこれを争うときなどは，その点について矛盾する内容の審判がありうる（濱田陽子「同時審判の申出がある共同訴訟」井上追悼396頁，398頁参照）。原告は，同時審判関係がかえって桎梏になると判断するときには，いつでも同時審判申出を撤回することができる（民訴規19Ⅰ）。一問一答59頁参照。なお，同時審判は共同訴訟関係を前提とするものであるから，共同被告の1人に対する請求の放棄，1人による請求の認諾，あるいは1人との和解などの原因によって共同訴訟関係そのものが消滅することを妨げるものではない。

19)　占有者に対する損害賠償請求が棄却され，所有者に対する請求が認容された場合に，前者について原告が控訴し，後者について被告が控訴した場合などが例として考えられる。一問一答60頁。

る余地があるかどうかが問題となるが，立法者が旧法の下での考え方の対立を解決する意図の下に同時審判申出共同訴訟の制度を新設したこと，主観的予備的併合には予備的被告の地位の不安定という決定的な難点があり，それを解決するための理論，たとえば順位的併合の考え方[20]は，むしろこの制度と類似の性質をもっていることなどを考慮すれば，現行法の下では，もはや主観的予備的併合の適法性を主張する余地はないものと思われる[21]。

第3項　必要的共同訴訟

共同訴訟関係の特徴として，共同訴訟人全部の請求について判決内容の合一確定が要請される類型を必要的共同訴訟と呼ぶ。すべての請求について判決内容を合一にするためには，訴訟資料および証拠資料を含めて裁判資料を共通のものとせねばならず，かつ，中断の効果など訴訟の進行も統一する必要がある。このために必要的共同訴訟においては，共同訴訟人独立の原則が適用されない(40)。なお，必要的共同訴訟の中で，さらに固有必要的共同訴訟と類似必要的共同訴訟とが区別されるが，この区別は，共同訴訟としての訴え提起が強制されるか，いいかえれば，共同訴訟人たるべき者全員が当事者となってはじめて訴訟追行権が認められるか，それとも，一部の者のみでも訴訟追行権が認められるかの違いである。

1　必要的共同訴訟の成立要件

法は，必要的共同訴訟の成立要件として「訴訟の目的が共同訴訟人の全員について合一にのみ確定すべき場合」と規定する（40 I）。ここでいわれる合一確定の必要は，訴訟物たる権利関係に関する判決の内容を矛盾なく統一すべき必要といいかえられるが，その内容は以下のように分析される。

第1は，当事者適格の基礎となる管理処分権や法律上の利益が，多数人に共

20）上田552頁など。

21）研究会65頁以下参照。中野・解説70頁は，現行法によって当然に主観的予備的併合が否定されたわけではないが，実際上主観的予備的併合を求める必要性は消滅したとする。また，河野正憲「当事者」理論と実務(上)147頁，165頁は，裁判所が釈明によって主観的予備的併合の申立てを同時審判の申出として処理すべきであるとする。ただし，高田裕成「同時審判の申出がある共同訴訟」新大系(1)172頁，193頁，瀬木578頁は適法説をとる。また，濵田陽子「原告側の主観的予備的併合と同時審判申出共同訴訟について」石川＝三木206頁は，原告側について主観的予備的併合の適法性を説く。

同で帰属し，その帰属の態様から判決内容の合一性が要請される場合である。当事者適格にもとづく訴訟追行権が共同でのみ行使される以上，共同訴訟人がなす訴訟行為の間に相互に矛盾を生じることは許されず，その結果として判決内容の合一性が確保される。この類型が固有必要的共同訴訟と呼ばれるものであり，判決内容の合一性を確保するために共同訴訟人独立の原則が排除されるだけでなく，共同訴訟人たるべき者の一部を欠く訴えは不適法とされる。

第2は，訴訟物たる権利関係の性質から確定判決の既判力が他の訴訟追行権者に対して拡張される場合である。すなわち，権利関係についての訴訟追行権自体は，共同訴訟人たるべき各人に帰属するが，1人の共同訴訟人に対する判決の既判力が他の共同訴訟人に対して拡張されることから，既判力の抵触を防ぐ目的で判決内容の合一性が要請される。したがって，この場合にも共同訴訟人独立の原則は全面的に排除されるが，固有必要的共同訴訟と異なって，常に共同訴訟人たるべき者の全員が当事者とされなければならないわけではない。これが類似必要的共同訴訟である。

2　固有必要的共同訴訟

上に述べたように，固有必要的共同訴訟の成立は，当事者適格の基礎となる管理処分権または法律上の利益の帰属形態によって決定されるが，具体的にこれに属するとされる訴訟類型として，以下のようなものがある[22]。

(1)　数人の訴訟担当者の場合

第1に，法または権利主体の意思にもとづいて特定の権利関係について数人の訴訟担当者が共同で管理処分権を行使すべき場合に，その多数人について固有必要的共同訴訟の成立が認められる。数人の破産管財人，再生手続の管財人

22）　ただし，固有必要的共同訴訟の成否を決定する基準としては，本文に述べた基準ではなく，訴訟物たる権利関係の性質，紛争解決の実効性，当事者間の利害の調整など総合的考慮から考えるべきであるとの利益考量説（新堂780頁）や，訴訟の結果にかかる重要な共同の利益が存在するかどうかを基準とする考え方などがある（福永有利「共同所有関係と固有必要的共同訴訟」民訴雑誌21号1頁，44頁以下（1975年），小島760頁）。学説の詳細については，注釈民訴(2)82頁〔徳田和幸〕，小松良正「民事訴訟における必要的当事者併合のルール」加藤哲夫古稀103頁，131頁参照。

さらに，近時の議論としては，共同訴訟人による遺産確認の訴えなどについての判例法理（本書704頁）を分析し，管理処分権の共同帰属のみならず，紛争解決の実効性確保という手続的合理性の視点が重視されていることを指摘するものとして，勅使川原和彦「『訴訟共同の必要』に関する判例理論の現在」栂＝遠藤古稀646頁がある。

または更生手続の管財人（破76Ⅰ本文，民再70Ⅰ本文，会更69Ⅰ本文），数人の受託者（信託79），数人の信託財産管理者（同66Ⅱ本文），数人の信託財産法人管理人（同74Ⅵ），数人の信託管理人（同125Ⅱ本文），数人の選定当事者などがこれに属する[23)]。

⑵　他人間の権利関係の変動を目的とする訴えの場合

第2に，他人間の権利関係の変動を目的とする訴えにおいて権利関係の主体たる他人について固有必要的共同訴訟が成立する。たとえば，第三者の提起する婚姻取消しの訴え（人訴2①，民744Ⅰ）においては，訴訟物は，第三者の婚姻取消権であるが，被告適格の基礎となる婚姻関係の主体たる夫婦を共同被告とする固有必要的共同訴訟が成立する（人訴12Ⅱ）。養親子を共同被告とする養子縁組無効・取消しの訴え，認知者と子を共同被告とする認知無効・取消しの訴え，などについても同様である。共有者を共同被告とする共有物分割の訴え（民258Ⅰ），隣地共有者を共同被告とする境界確定の訴えなどもこの類型に属する[24)]。

⑶　その他の権利関係についての管理処分権の共同

第3に，その他の権利関係についての当事者適格が多数人に共同で帰属することを理由として，固有必要的共同訴訟の成立が肯定される場合がある。この場合には，まず，訴訟物たる権利関係とそれについての当事者適格の帰属の態

---

23)　大判昭和7・12・14新聞3511号9頁（破産管財人。ただし傍論），最判昭和45・10・27民集24巻11号1655頁〔倒産百選28事件〕（更生管財人），大判昭和17・7・7民集21巻740頁（受託者）。また，数人の受託者について職務分掌の定めがある場合には，各受託者は，自己の分掌する職務に関して，他の受託者のために法定訴訟担当者となる（信託81）。

24)　大判昭和14・8・10民集18巻804頁（養子縁組無効），大判大正14・9・18民集4巻635頁（認知無効），大判大正4・10・6民録21輯1596頁（短期賃貸借解除），大判明治41・9・25民録14輯931頁（共有物分割），最判昭和46・12・9民集25巻9号1457頁〔百選Ⅱ162事件〕（境界確定）。

これに対して，取締役の選任を内容とする株主総会決議取消訴訟などにおいて会社と当該取締役を共同被告とすべきであるとの有力説があるが，決議の性質からして当事者適格が会社に限定されるとすれば，このような議論は成立しない。会社法834条17号では，このことが明らかにされている。もっとも，取締役解任の訴えについては，これを会社と取締役との間の委任関係の消滅を求める形成訴訟と解すれば，固有必要的共同訴訟の成立が認められる（最判平成10・3・27民集52巻2号661頁〔百選〈3版〉A7事件〕）。学説については，注釈会社法⑹76頁以下〔今井潔〕参照。会社法855条は，このような考え方を立法化したものである。

様が問題となる。たとえば，嫡出親子関係そのものが訴訟物になるとすれば，右法律関係の主体である父母子は，必要的共同訴訟人となるが，その法律関係が父子関係および母子関係に分解されるとすれば，固有必要的共同訴訟の成立は否定される[25]。また，共同相続人が受遺者を被告とする遺言無効確認訴訟も固有必要的共同訴訟にあたらないとするのが判例である[26]。この訴えでは，共同相続にもとづく共有関係そのものが当事者適格の基礎となっているわけではなく，遺言にもとづく受遺者の権利の不存在が共有者の一員としての持分権を基礎として訴求されていると理解すれば，判旨を支持できる。

これに対して，共同相続人による遺産確認の訴えは，ある財産が共同相続人による共有関係にあることの確認を求めるものであり，その適格をもつ共有者全員が共同してのみ訴訟追行権をもち，判決内容にも合一性が要求されるから，固有必要的共同訴訟の成立が認められる[27]。

その他，実用新案登録を受ける権利の共有者がその出願にかかる審決の取消訴訟を提起する場合にも，訴訟物たる審決取消権がその権利の成否自体にかか

25）　最判昭和56・6・16民集35巻4号791頁〔昭和56重判解・民訴2事件〕参照。前婚の妻が検察官と後婚の妻とを共同被告として提起する前婚離婚無効確認の訴え，および後婚の婚姻取消しの訴えについても同様のことがいえる。最判昭和61・9・4判時1217号57頁参照。

26）　最判昭和56・9・11民集35巻6号1013頁。実質的にも，固有必要的共同訴訟とすると，一部の共同相続人が提訴を拒んだ場合に，訴権の行使が妨げられる。高橋宏志＝米倉明〔判例批評〕法協100巻1号187頁，198頁（1983年）参照。もちろん，遺言の内容として数人の遺言執行者が存在するようなときには，それらを共同被告とする固有必要的共同訴訟が成立する。岡垣学「遺言無効確認の訴と必要的共同訴訟」判タ390号232頁，233頁（1979年）。

27）　最判平成元・3・28民集43巻3号167頁〔百選〈6版〉95事件〕。これについて，山本克己「遺産確認の訴えに関する若干の問題」判タ652号20頁，24頁（1988年），上野桊男「遺産確認の訴について」関大法学論集39巻6号63頁，115頁（1990年）は，後に予定される遺産分割審判の当事者たるべき者に判決の効力を及ぼすという手続的視点から，固有必要的共同訴訟の成立が認められるとする。

また，最判平成16・7・6民集58巻5号1319頁〔平成16重判解・民訴4事件〕は，ある共同相続人が，他の共同相続人に対し，その者が被相続人の遺産につき相続人の地位を有しないことの確認を求める訴えは，共同相続人間全員を当事者として合一確定が求められる，固有必要的共同訴訟にあたるとしている。ただし，共同相続人のうち自己の相続分の全部を譲渡した者は，遺産全体に対する割合的な持分をすべて失うことになり，遺産分割審判の手続等において遺産に属する財産につきその分割を求めることができないのであるから，固有必要的共同訴訟人としての当事者適格を有しない。最判平成26・2・14民集68巻2号113頁〔平成26重判解・民訴1事件〕。

るものであり，したがって，共有者は訴訟追行権を共同でのみ行使することが要求される[28]。また，破産債権確定訴訟などにおいて数人の異議者が当事者となるときにも，固有必要的共同訴訟の成立が認められる（破126Ⅳ，民再106Ⅳ，会更152Ⅳ）[29]。

(4) 共同所有関係における固有必要的共同訴訟の成否

固有必要的共同訴訟の成否をめぐって判例・学説上もっとも議論が対立するのが，共同所有をめぐる紛争である。固有必要的共同訴訟の成立が認められるとすれば，共同訴訟人たるべき者の一部を脱落させた訴えは不適法なものとなる。特に共同原告側については，一部の者が共同提訴を拒絶すると，残りの者の訴権行使が不可能になるという問題をどのように解決すべきかが検討の対象となる。固有必要的共同訴訟の成否に関する一般的基準を考えれば，この場合においても，訴訟物たる権利関係についての当事者適格を基礎づける管理処分権や法律上の利益が共同訴訟人に共同で帰属するときに，固有必要的共同訴訟の成立が認められる。以下，共同所有の形態に即して判例で問題となった事案について説明する。

ア 総有・合有の場合

入会権の法律上の性質としては，総有，すなわち共同所有者としての持分が存在せず，各共同所有者は，物の利用権を有するのみであるといわれる[30]。そこで，入会権者が第三者を被告として，ある土地上に入会権が成立することの確認を求めるときには，原告適格の基礎となる入会権についての管理処分権は，入会権者全員に共同で帰属するから，固有必要的共同訴訟の成立が認められる[31]。これに対して，同じく入会権にかかわる訴訟であっても，入会団体の構成員がその使用収益権の確認や，使用収益権にもとづく妨害排除請求をな

28） 最判平成7・3・7民集49巻3号944頁。ただし，学説では反対説も有力である。潮海久雄〔判例批評〕法協114巻3号339頁（1997年）参照。

29） ただし，類似必要的共同訴訟説も有力である。新堂789頁，兼子ほか169頁など。本文で述べたように固有必要的共同訴訟とすると，特に有名義債権に対する異議の場合，異議者の側から訴えを提起しなければならないこととの関係で（破129），異議者の1人の提訴拒絶の場合の処理に窮するといわれるが，提訴を拒絶する異議者の異議は撤回されたものとして扱えば足りる。

30） 注釈民法(7)302頁〔川井健〕，517頁〔川島武宜〕参照。

31） 最判昭和41・11・25民集20巻9号1921頁〔続百選17事件〕。

す場合には，それらの権利についての当事者適格は，当該構成員自身に認められるものであるから，他の構成員を共同原告とする必要はない[32]。

もっとも，このように考えると，入会権そのものの確認に関する限り，構成員のうち1人でも提訴を拒む者が存在すると，訴えの提起は不可能になる。立法論としては，一定の要件の下に提訴拒絶者に対する参加命令を出し，それにしたがわないときには，一部の者に入会権確認そのものについての当事者適格を認めることが検討されたが，実現しなかった[33]。もっとも，判例は，権利能力なき社団である入会団体が法定訴訟担当者として，総員のために入会権確認を求める適格を認めるので[34]，そのような形での問題の解決方法も存在する。

民法上の組合財産に対する組合員の権利関係は，合有と解されている。合有においては，総有と異なり，組合員の持分そのものは存在するが，持分処分および分割請求の自由が制限されている（民668・676参照)。組合員が第三者に対してある財産が組合財産に属すること，すなわち合有関係そのものの確認を求めようとするときには，管理処分権の帰属形態を前提とすれば，固有必要的共

32）　最判昭和57・7・1民集36巻6号891頁〔百選Ⅱ161事件〕。構成員が他の構成員を被告として使用収益権の確認を求める場合も同様である。最判昭和58・2・8判時1092号62頁。

33）　立法論については，改正要綱試案　第二 当事者　(当事者関係後注)　3参照。これが実現されなかった理由としては，研究会46頁以下に詳しいが，参加命令によって一部の者に当事者適格を認めることが，提訴拒絶者の実体法上の管理処分権とどのような関係に立つかがかならずしも明らかでないことが挙げられる。なお，この立法論は，共有など他の共同所有形態についても同様に当てはまるものである。また，境界確定訴訟の特質を考慮して，提訴拒絶者を被告とすることを認めた判例として，最判平成11・11・9民集53巻8号1421頁〔百選〈3版〉102事件〕がある。

そして，最判平成20・7・17民集62巻7号1994頁〔百選〈6版〉92事件〕は，入会権確認についての訴権を保護すべきであるなどの理由から，提訴に同調しない入会集団の構成員を被告とする訴えを適法とした。管理処分権を基礎とする当事者適格の分属を認めるものといえよう。これに対し，髙地茂世「共同訴訟──固有必要的共同訴訟と訴権の保障」実務民訴〔第3期〕(2)365頁は，訴権の保障という訴訟政策的見地が重視されているとする。

また，鶴田滋・必要的共同訴訟の研究180頁（2020年）は，提訴を拒絶する共有者に対し，他の共有者が一定の要件の下に提訴協力請求権を有するとし，その存在を確定する判決を以て訴訟追行の授権を擬制できるとする。紛争解決の必要性と提訴拒絶者に対する手続保障を調和させようとする新たな試みと評価できる。

34）　最判平成6・5・31民集48巻4号1065頁〔百選〈6版〉10事件〕。

同訴訟の成立が認められる[35]。これに対して，組合財産上の第三者の登記抹消を求めることは，合有にも適用される民法252条但書の規定によれば，各組合員単独の保存行為に属するから，当事者適格も各組合員に認められ，固有必要的共同訴訟の成立は否定される[36]。

その他，組合債務の履行を求める訴訟についても，その訴訟物が各組合員の不可分債務（民430・436）と解される場合には，当事者適格は各組合員について認められるから，固有必要的共同訴訟の成立可能性はない[37]。

イ　共有の場合

民法上の共有（民249以下）についても，以上に述べた原則が妥当する。したがって，共有権の確認や共有者への移転登記請求権については，共有者全員に共同で当事者適格が認められ，固有必要的共同訴訟が成立する。これに対して，共有物の引渡請求，妨害排除請求，登記抹消請求などは，保存行為にもとづく請求と解されるので，各共有者に単独に当事者適格が認められる。また共有持分権確認訴訟については，訴訟物の性質上，当然に各共有者単独の当事者適格が認められる[38]。共有者相互間で訴訟が行われる場合にも，共有関係自

35)　組合財産である債権について組合員が訴えを提起する場合についての民法676条2項参照。もっとも，組合に当事者能力が認められるときには，先の入会団体の場合と同様に，組合自身が訴訟担当者として合有関係確認の当事者適格を認められる可能性がある。

36)　最判昭和33・7・22民集12巻12号1805頁。

37)　この結論は，組合債務の実体法上の性質による。組合債務が組合員全員の合手的債務（共同債務）であるとすれば，固有必要的共同訴訟の成立が認められるが，組合の常務に属する債務については，各組合員が弁済の権限をもつとされているので，固有必要的共同訴訟の成立は否定される。注釈民法〈新版〉(17)84頁〔品川孝次〕参照。なお，ここで問題としているのは，組合債務自体についての当事者適格であり，民法675条2項にもとづく組合員の分割責任については，各組合員が当事者適格をもつことは当然である。上田徹一郎「組合と訴訟・執行」契約法大系刊行委員会編・契約法大系V 136頁，145頁（1963年），鈴木重勝「『民法上の組合』の訴訟当事者資格」早稲田法学38巻3＝4号113頁，135頁（1963年）参照。

38)　共有権確認および共有者への移転登記請求についての固有必要的共同訴訟の成立を認めたものとして，最判昭和46・10・7民集25巻7号885頁〔百選〈6版〉A 29事件〕があり，固有必要的共同訴訟の成立を否定したものとして，引渡・明渡請求について大判大正10・3・18民録27輯547頁，妨害排除請求について大判大正10・7・18民録27輯1392頁〔百選14事件〕，登記抹消請求について最判昭和31・5・10民集10巻5号487頁〔百選〈4版〉99事件〕，最判平成15・7・11民集57巻7号787頁〔百選〈6版〉93事件，平成15重判解・民4事件〕，共有持分確認請求について最判昭和40・5・20民集19巻4号859頁がある。また，共有者が契約上の明渡請求権を有するときには，それが不可分債権（民428）であるとの根拠にもとづいて，固有必要的共同訴訟の成立が否定されること

体が訴訟物となるときには固有必要的共同訴訟の成立が肯定され，これに対して，持分権が訴訟物となるときには単独の当事者適格が肯定される[39]。

なお，共有者が被告となる場合においても，訴訟物たる権利関係について各共有者の当事者適格が認められるときには，固有必要的共同訴訟の成立が否定される。判例では，各共有者の義務が不可分債務であるとされて，固有必要的共同訴訟の成立が否定されることが多い[40]。

3　類似必要的共同訴訟

固有必要的共同訴訟の場合には，当事者適格が共同で行使されなければならないことから判決の合一確定の必要が導かれる。これに対して類似必要的共同訴訟の場合には，当事者適格そのものは，各当事者に認められるが，ある当事者に対する判決の既判力が他の当事者たるべき者に拡張されるところから，合一確定の必要が生じる。すなわち，共同訴訟人独立の原則を適用すると，判決の内容が共同訴訟人ごとに異なる可能性が生じ，また，裁判所の弁論の分離によっても同様の可能性が生じうる。しかし，共同訴訟人の1人に対する判決の既判力が他の共同訴訟人について拡張されることを前提とすると，このような可能性は，既判力の抵触を生じさせることになり，紛争の統一的解決にとって望ましいとはいえない。そこで，このような類型の訴訟においては，固有必要的共同訴訟と同様に共同訴訟人独立の原則が排除される。

類似必要的共同訴訟とされる例としては，数人の提起する会社合併無効の訴え（会社828Ⅰ⑦⑧Ⅱ⑦⑧），会社設立無効の訴え（会社828Ⅰ①Ⅱ①），株主総会決議取消しまたは無効確認の訴え（会社831・830Ⅱ），数人の提起する一般社団

もある（最判昭和42・8・25民集21巻7号1740頁）。

特許権等の共有者による特許取消決定取消訴訟について保存行為としての適格を認めたものとして，最判平成14・2・22民集56巻2号348頁〔平成14重判解・民訴4事件〕，最判平成14・3・25民集56巻3号574頁がある。

39)　共有関係について，大判大正13・5・19民集3巻211頁，持分権について，前掲最判昭和40・5・20（注38）がある。

40)　共同相続人に対する契約上の義務履行としての移転登記請求（最判昭和36・12・15民集15巻11号2865頁，最判昭和44・4・17民集23巻4号785頁），売主たる共同相続人に対する所有権移転許可申請協力義務履行請求（最判昭和38・10・1民集17巻9号1106頁），貸主たる共同相続人に対する賃借権確認の訴え（最判昭和45・5・22民集24巻5号415頁〔続百選18事件〕），建物共有者に対する土地所有者の建物収去土地明渡請求（最判昭和43・3・15民集22巻3号607頁〔百選〈6版〉94事件〕）などがある。

法人等の組織に関する同種の訴え（一般法人 264 I II・266・265 II），数人の提起する人事に関する訴え（人訴 5）などがある[41]。数人の債権者による債権者代位訴訟（民 423），数人の差押債権者による取立訴訟（民執 157 I），数人の株主による責任追及等の訴え（株主代表訴訟）（会社 847）や数人の社員による責任追及の訴え（一般法人 278）については，法定訴訟担当者たる適格者相互間に直接に判決の効力が拡張されるわけではないが，本人たる被担当者に拡張され（115 I ②），その反射的効果として，他の適格者に拡張されるので，同様に類似必要的共同訴訟の成立を認めてよい[42]。

4　必要的共同訴訟の審判

必要的共同訴訟においては，共同訴訟人について判決の合一確定を実現するために，次の3つの形で共同訴訟人独立の原則が修正される。第1に，共同訴訟人の1人の訴訟行為は，それが全員の利益となる場合にだけその効力を生じる（40 I）。第2に，共同訴訟人の1人に対する相手方の訴訟行為は，全員に対してその効力を生じる（40 II）。第3に，共同訴訟人の1人について中断または中止の原因が生じたときには，全員に対する関係で中断または中止の効力が生じる（40 III）。これらは，当事者の訴訟行為についての特則であるが，裁判所の側についても，弁論の分離および一部判決をなす権限が否定される。

(1)　共同訴訟人の1人による訴訟行為

共同訴訟人の1人がなした訴訟行為は，それが他の共同訴訟人の利益となる性質のものであれば，当該共同訴訟人だけではなく，他の全員のためにも効力を生じる（40 I）。他面，不利になるものであれば，他の全員についてだけでなく，当該共同訴訟人についても効力を生じない。したがって，不利になる訴

41）　人事訴訟の場合（松本・人訴法 144 頁）には，請求認容判決の既判力も，棄却判決の既判力も第三者に拡張されること（人訴 24 I）が根拠とされるのに対して，会社関係訴訟の場合には，請求認容判決の既判力のみが拡張されること（会社 838）が根拠となる。後者の場合でも，判決の結論が認容か棄却かは，審理の時点ではあらかじめ予測することはできないので，ありうべき認容判決の既判力の拡張可能性が合一確定の必要を基礎づける。なお，以上のことは，一般社団法人等の組織に関する訴え（一般法人 264 以下）にも，同様に妥当する（一般法人 273）。

42）　通説の見解である。学説の詳細については，注釈民訴(2)89 頁〔徳田和幸〕参照。なお，ここでいう反射的効果は，一般にいわれる反射効と区別されるものである（本書 637 頁参照）。

訟行為は，共同訴訟人全員がするのでなければその効力を認められない。合一確定の前提として，共同訴訟人間で訴訟資料を統一する必要があるが，常に全員による訴訟行為を要求することは合理的でないので，共同訴訟人間の共同関係を基礎として，有利な訴訟行為のみについて1人の訴訟行為が他の者のために効力を及ぼすことを認める趣旨である。

有利か不利かは，訴えについての共同訴訟人の申立てを基準にして決定される。共同原告についていえば，請求を基礎づける事実の主張・立証，被告の主張事実に対する否認，および上訴などは有利な行為であり，逆に，請求の放棄，和解[43]，および被告主張事実の自白などは不利な行為に属する。共同被告についても同様に，抗弁事実の主張・立証，請求原因事実に対する否認，および上訴などは有利な行為[44]，請求の認諾，和解，および上訴権の放棄などは不利な行為に属する。共同原告の1人のする訴えの取下げは，固有必要的共同訴訟においては，それが認められると，他の共同訴訟人の訴えが却下されることになるので，不利な行為とみなされる[45]。訴えの取下げについての共同被告の1人がなす同意も（261Ⅱ），本案判決を得る機会を失う意味で，不利な行為とみなされる[46]。これに対して，類似必要的共同訴訟においては，そのような取扱いはなされない。

(2)　共同訴訟人の1人に対する相手方の訴訟行為

共同訴訟人に対する相手方の訴訟行為についても，訴訟資料統一のために画

43）　大決昭和5・7・19新聞3166号9頁。

44）　大判明治41・12・11民録14輯1273頁。類似必要的共同訴訟人の1人のした上告受理申立てについて，最決平成23・2・17判タ1352号159頁〔平成23重判解・民訴4事件〕。

45）　前掲最判昭和46・10・7（注*38*）。最判平成6・1・25民集48巻1号41頁〔平成6重判解・民訴7事件〕は，一部の者に対する訴えの取下げの効力を認めることは，固有必要的共同訴訟の本質と相いれないと判示する。したがって，類似必要的共同訴訟については，同様の規律は妥当しない。なお，鶴田滋「固有必要的共同訴訟における訴えの取下げと脱退――大正15年法62条成立史を手がかりに」高橋古稀347頁は，訴えの取下げを望む共同原告の1人や，相手方による訴えの取下げに同意を望む共同被告の利益を保護するために，選定による脱退（30Ⅱ）の方途を示唆する。

また，長谷部由起子「必要的共同訴訟における共同訴訟人の処分権の規律」本間古稀171頁は，類似必要的共同訴訟における共同訴訟人の1人による請求の放棄や訴訟上の和解を法40条1項の適用対象とせず，その効力を認める可能性を説く。

46）　大判昭和14・4・18民集18巻460頁。

一的に効力を規律する必要がある。そこで法は，共同訴訟人の1人に対する相手方の訴訟行為がその全員について効力を生じる旨を規定する（40Ⅱ）。このような規律は，多数の共同訴訟人に対して訴訟行為をなす相手方の便宜にも資する。これに対して期日の呼出しや訴訟関係書類の送達など，裁判所の訴訟行為についてはこのような特則が存在しないから，裁判所は，たとえ同一内容であっても，共同訴訟人の全員に対して訴訟行為を行わなければならない。

(3)　訴訟進行の統一

共同訴訟関係が必要的であることは，共同訴訟人全員について一の手続による審判がなされなければならないことを意味する。したがって，裁判所が弁論の分離をなし，一部判決をすることは許されない。誤って一部判決がなされたときには，上訴によって取り消される[47)]。

共同訴訟人の1人について中断または中止の原因があるときには，全員について中断または中止の効力が生じる（40Ⅲ）。これも共同訴訟人について統一された訴訟手続を進行させるための規律である[48)]。

終局判決に対して共同訴訟人の1人が上訴したときには，40条1項の規定によって全員について上訴の効果が生じる。したがって，全員について確定遮断および移審の効果が生じ[49)]，さらに全員が上訴人としての地位を取得する[50)]。他の共同訴訟人が成年被後見人として法定代理人によって代理されて

---

47)　弁論の分離は効力を認められないから，誤った一部判決は共同訴訟人に対する全部判決とみなされる。したがって，一部判決の名宛人でない共同訴訟人にも上訴権が認められる。兼子394頁，新堂791頁，秋山ほかⅠ546頁，注釈民訴(2)78頁〔徳田和幸〕など参照。

48)　共同訴訟人の1人が死亡すると，全員について中断の効果が生じるので，その相続人等が受継するまで手続は進行しない（124Ⅰ①。ただし人訴26）。しかし，受継をなすべき者が他の共同訴訟人であり，その者が受継の手続をとらないままにその後の訴訟行為を行っているにもかかわらず，中断の効果を主張することは信義則上許されない（最判昭和34・3・26民集13巻4号493頁）。

49)　上訴期間は，共同訴訟人各人に対する判決送達時から起算される。自らの上訴期間を徒過した共同訴訟人が，他の者の上訴期間が満了していないことを根拠として上訴を提起できるかどうかについては，考え方が分かれるが，上訴権そのものは各人の固有の権能であるので，否定すべきである。名古屋高金沢支判昭和63・10・31高民41巻3号139頁。学説については，注釈民訴(2)80頁〔徳田和幸〕参照。

50)　最判昭和58・4・1民集37巻3号201頁〔百選Ⅱ166事件〕，最判昭和60・4・12裁判集民144号461頁〔共有物分割請求訴訟〕，前掲最決平成23・2・17（注44）〔養子縁組無効訴訟〕。ただし，最判昭和58・4・1における木下裁判官の反対意見は，類似必要的

いるときでも，後見監督人の同意は不要であり，また他の共同訴訟人が被保佐人または被補助人であるときでも，保佐人等の同意は必要でない（40Ⅳ・32Ⅰ）。相手方が共同訴訟人の1人を被上訴人として上訴したときには，40条2項の適用の結果，他の共同訴訟人も被上訴人の地位を取得する。

第4項　主観的追加的併合

共同訴訟関係の成立原因としては，当事者の訴訟行為と，弁論の併合（41Ⅲ・152Ⅰ）という裁判所の訴訟行為とが分けられる。以下では，当事者の訴訟行為による共同訴訟の成立について説明する。当事者の訴訟行為の中では，原始的，すなわち訴訟係属の発生と同時に共同訴訟が成立する場合と，後発的，すなわち，いったん2当事者間に訴訟係属が発生した後に当事者または第三者の行為によって共同訴訟が成立する場合とが分けられる。前者が訴えの主観的併合と呼ばれるものであり，後者に属するものとしては，訴えの主観的追加的併合，共同訴訟参加，訴訟参加・引受けなどがある。その中でここでは，主観的追加的併合について説明し，その他のものについては，それぞれの箇所で説明する。

2当事者間の訴訟係属を前提として，第三者に新たに共同訴訟人としての地

共同訴訟においては他の共同訴訟人を上訴人とする必然性はないとする。この考え方を採用の上，判例法理を変更し，移審効や上訴審判決の拡張は別として，上訴人の地位そのものを与える必要はないと判示した，最大判平成9・4・2民集51巻4号1673頁〔平成9重判解・民訴3事件〕〔住民訴訟〕，最判平成12・7・7民集54巻6号1767頁〔百選〈6版〉96事件〕〔株主代表訴訟〕がある。

ただし，訴訟費用の負担や上訴の取下げなどとの関係に着目して，上訴をした共同訴訟人の1人が他の共同訴訟人のための「審級限りの訴訟担当者」となるとの有力説があり（井上・法理207頁。菱田雄郷「類似必要的共同訴訟と上訴」徳田古稀482頁も同様の方向性を示す），これに対する批判として，高橋宏志「必要的共同訴訟と上訴」小室＝小山還暦(中)43頁以下がある。また，徳田和幸「多数当事者訴訟と上訴」青山古稀251頁，260頁は，上訴しなかった者を訴えの取下げをした者と同様に扱うことを示唆する。

これに対して，固有必要的共同訴訟である相続人の地位不存在確認請求に関する最判平成22・3・16民集64巻2号498頁〔平成22重判解・民訴5事件〕は，共同訴訟人の1人の上訴の場合であっても，合一確定に必要な限りで，原判決を他の共同訴訟人の不利に変更できる旨を判示するので，独立当事者参加に関する後掲最判昭和48・7・20（注*114*）の場合と同様に，上訴人か被上訴人かという区別は意義をもたないといえよう。訴訟理論研究会「〈座談会〉民事訴訟手続における裁判実務の動向と検討　第1回」判タ1343号15頁（2011年）における山本和彦発言参照。

位を取得させる手続を主観的追加的併合と呼ぶ。第三者の申立てによる場合と当事者の申立てによる場合とが分けられるが，いずれの場合でも，後発的に共同訴訟関係を成立させることが目的とされている。独立当事者参加のように，当事者間に共同訴訟関係が成立しない場合はここに含まれない。訴えの主観的併合と比較すると，主観的追加的併合においては，訴訟の係属途中から共同訴訟関係に加入する第三者の手続的利益や，訴訟法律関係の複雑化による従来の訴訟当事者の利益などを考慮する必要があり，これを認めるべき合理的利益が存在する場合に限って，その利益の有無を判断できる手続にもとづいて許される。

1　第三者の意思にもとづく主観的追加的併合——明文の規定がある場合

第三者の意思にもとづく主観的追加的併合のうち，法がこれを認める場合として共同訴訟参加がある（52）。類似必要的共同訴訟の場合には，共同訴訟人たるべき者の一部による訴訟追行が認められるが，他の者も判決効が拡張される関係で，当事者としての訴訟追行を求める利益があり，法が参加申出の形で主観的追加的併合を認めたものである。参加人が共同原告となるときには，参加申出と同時に請求を追加的に定立する。共同被告となるときには，自ら請求を定立する必要はなく，単に請求棄却などを求める申立てをなすだけで十分といわれているが，ほとんどその例を考えることはできない[51)]。また，49条および51条の規定にもとづく訴訟参加によっても，同様に主観的追加的併合状態が生じる。

なお，追加的選定の場合には，選定当事者による請求の追加定立がなされる（30Ⅲ・144）。これによって選定者は潜在的当事者の地位を取得するので，主観的追加的併合が法の規定によって認められる例の1つと考えられる[52)]。

2　第三者の意思にもとづく主観的追加的併合——明文の規定がない場合

同一事故にもとづく複数の被害者のように，通常共同訴訟人たるべき者が，

51）　団体の決議の効力を争う訴訟において決議によって団体の理事などの地位を得た者が被告として共同訴訟参加する場合などが例として挙げられるが，これらの者には当事者適格が否定されるので，共同訴訟参加は否定される。

52）　このことは，選定当事者による請求の追加が行われた後に選定が取り消され，選定者自身が訴訟当事者となる場合に明らかになる。研究会52頁，56頁，58頁における青山，竹下，鈴木発言参照。

すでに他の共同訴訟人たるべき者によって提起されている訴訟に当事者として加わり，その請求を追加定立できるかどうかについては，考え方が対立する。これを認める学説も有力であるが[53]，本書では，少なくとも当事者の独自の訴訟行為としてこれを認める根拠に欠けること，実質的にみても係属中の訴訟当事者の手続的利益が侵害されるおそれがあるので，これを否定する。ただし，審理の進行状況によっては訴訟当事者の利益が害されず，かつ，追加的共同訴訟関係の成立によって紛争の統一的解決が期待できる場合も存在するので，主観的追加的併合の可能性を全面的に否定すべきではない。訴訟が第一審に係属中，第三者が当事者の一方を相手方とする新訴を提起し，弁論の併合を申し立てたときに，裁判所は，共同訴訟の要件（38）が満たされており，かつ，審理の進行に支障を生じないと判断するときには，併合を命じることによって，主観的追加的併合の要請を満たすことが許される。また，固有必要的共同訴訟において脱落している共同訴訟人について上の方法で弁論併合の申立てがなされたときには，裁判所は，共同訴訟人に本案判決を受ける機会を保障するために併合を命じるべきである。

弁論が併合されるためには，係属中の訴訟と新訴とが同一の裁判所に係属することが必要であるが，その前提として，併合請求の裁判籍の規定（7）を類推適用して，新訴の土地管轄を拡張することが許される[54]。なお，新訴の提起にあたっては，訴額に応じた提訴手数料を納付しなければならないが，訴えをもって主張する利益が共通であるとみなされるときには，手数料の納付がなされない場合でも，裁判長が補正命令の発令や訴えの却下（137 Ⅰ Ⅱ）を行わないことが考えられる。

3　当事者の意思にもとづく主観的追加的併合——明文の規定がある場合

係属中の訴訟の当事者が新たに第三者に対する請求を定立し，従来の請求との併合審判を求めることは，第三者の引込みと呼ばれるが，これを認める規定が存在する。その1つが義務または権利承継人に対する訴訟引受けであり

53）　新堂801頁以下，中野ほか・講義592頁，条解民訴〈2版〉199頁〔新堂幸司＝高橋宏志＝高田裕成〕，瀬木595頁など。

54）　もっとも，7条の類推適用が否定されても，別の裁判所に提起された新訴を17条にもとづいて移送し，弁論併合の前提要件を整える可能性もある。注釈民訴(2)38頁〔山本弘〕参照。

(50・51)，そのほかに，民事執行法157条による参加命令の制度も主観的追加的併合を可能にするためのものである。この場合にも，引き込まれる第三者に対する手続保障が問題となるが，第三者が権利義務の承継人であること，または同一債権に対する差押債権者であることが主観的追加的併合を認める根拠となっている。また，民事再生法138条3項も法が第三者の引込みを認める例である。

4　当事者の意思にもとづく主観的追加的併合――明文の規定がない場合

連帯債務者の1人を被告として訴えを提起している原告が，他の連帯債務者に対する請求について併合審判を求める場合，固有必要的共同訴訟において脱落していた共同被告に対する請求を追加して併合審判を求める場合などが，原告の意思による主観的追加的併合の例として考えられる。その意思に反して係属中の訴訟に引き込まれる第三者に対する手続保障を考慮すると，2の場合以上に主観的追加的併合の許容性には問題がある。したがって，第三者に対する新訴の提起，および弁論の併合の方式によって主観的追加的併合を認める余地はあるが，従来の裁判資料を自己に不利に援用される可能性のある第三者の利益を損なわないよう，裁判所は弁論の併合に慎重でなければならない[55]。ただし，固有必要的共同訴訟の場合には，訴えの適法性を維持することについての原告の利益が第三者の利益に優越すると考えられるから，裁判所は弁論の併合を認めるべきである[56]。

5　その他の当事者引込みの可能性

以上に述べた類型では，追加的請求にかかる当事者が従来の当事者と共同訴訟人となることが想定されているが，それ以外にも債権者と保証人間の訴訟において被告保証人が求償義務者たる主債務者に対する請求を追加的に併合しようとする場合など，従来の当事者と新たに当事者とされる者との間に共同関係が存在しない場合が議論される。これが狭義の当事者引込みである[57]。これ

---

55)　最判昭和62・7・17民集41巻5号1402頁〔百選〈6版〉91事件〕。これに対して学説は一般に批判的であり，第三者の手続的利益は，弁論の分離によって守られるという。注釈民訴(2)35頁〔山本弘〕参照。

56)　注釈民訴(2)47頁〔山本弘〕参照。

57)　学説としては，霜島甲一「当事者引込みの理論」判タ261号18頁（1971年），井上・法理161頁以下，伊藤眞「第三者の訴訟引込み」新実務民訴(3)143頁以下，注釈民

についても，引き込まれる第三者に対する請求の定立が可能である場合に限って，弁論の併合の方式による主観的追加的併合の可能性がある。ただし，1ないし4の場合と異なって，共同訴訟関係が予定されていないところから，第三者の手続保障にはより慎重な配慮が要求され，併合が認められる余地は限定される。

第2節　訴訟参加

第三者が新たに当事者またはこれに準じる主体として訴訟行為を行うために係属中の訴訟に加入する行為を訴訟参加と呼ぶ。第三者が取得する地位としては，当事者と補助参加人とに分けられ，前者にあたるものとして独立当事者参加および共同訴訟参加，後者にあたるものとして，補助参加がある。独立当事者参加と共同訴訟参加とは，従来の当事者と参加当事者との間に共同関係が存在するか否かによって区別される。

第1項　補助参加

訴訟の結果について利害関係を有する第三者が，当事者の一方を補助するために当該訴訟に参加する行為を補助参加と呼ぶ（42）。参加する第三者を補助参加人，補助される当事者を被参加人または主たる当事者と呼ぶ。ここで補助するとは，補助参加人がその名において行う訴訟行為が主たる当事者のために効力を生じ，主たる当事者を勝訴させる効果をもつことを意味する。補助参加人は，代理人と異なって，訴訟法律関係上独立の地位を有し，訴訟行為も自己の名において行う。また，補助参加の直接的目的は主たる当事者を勝訴させることであるが，最終的目的は，補助参加人自身の法律上の地位，すなわち訴訟

訴(2)48頁以下〔中西正〕参照。本文に述べた類型は，塡補型と呼ばれ，そのほかに，不法行為にもとづく損害賠償請求を受けている被告が，真の加害者とする者を引き込もうとする転嫁型，債権者から履行を訴求されている被告が他に債権者と自称する者を引き込もうとする権利者指名型などが挙げられる。学説の多数説は，本文に述べた弁論の併合では，統一審判の保障にも欠け，また，当事者の申立権が保障されないとして，訴訟承継の類推解釈として，訴訟係属前の承継の場合，および承継関係が存在しないときにも，引込みを認めようとする。

の結果についての利害関係を守ることにある。

1　補助参加の要件

補助参加の要件としては，他人間の訴訟の存在と，その訴訟の結果について補助参加人たるべき者が利害関係を有することが挙げられる。

(1)　他人間の訴訟の存在

補助参加人は自ら当事者として訴訟法律関係の主体となることはできないので，補助参加が許されるためには，他人間に訴訟が係属することが前提となる。ただし，補助参加人は独自の請求を定立する者ではないので，事件が上告審係属中であっても差し支えないし，また，すでに判決が確定している場合であっても，再審の訴えによって訴訟係属を復活させることもできる[58)]。

補助参加人は，訴訟当事者以外の第三者でなければならない。ここでいう当事者は，訴訟上の請求を前提とした形式的当事者概念によるものであるので，訴訟担当における被担当者など，訴訟物たる実体法上の権利関係の帰属主体も第三者として補助参加人たりうる。また，当事者か否かは請求を基準として決められるので，共同訴訟人の1人は，他の共同訴訟人との関係では第三者とみなされ，他の共同訴訟人やその相手方のための補助参加人となりうる[59)]。

(2)　訴訟の結果についての利害関係――補助参加の利益

補助参加制度の目的は，主たる当事者の勝訴を通じて補助参加人自身の利益を守ることにあり，そこでいう補助参加人の利益は，財産法上のものであれ，

---

58)　旧64条は，訴訟の係属中であることを要求していたが，学説は，再審の可能性を前提とすれば，訴訟係属は潜在的なもので足りると解していた。42条が「係属中」の文言を削除し，補助参加人の訴訟行為として再審の訴えの提起を付け加えたのは（45 I），このような考え方にしたがったものである。一問一答61頁参照。

59)　このことは，通常共同訴訟における共同訴訟人独立の原則を補完する意味がある。したがって，必要的共同訴訟の場合には共同訴訟人相互間の補助参加を認める必要に欠ける。なお，共同不法行為の事案において，共同被告の1人が原告の側に補助参加し，他の共同被告に対する請求棄却判決に対する控訴を提起することを認めた判例として，最判昭和51・3・30判時814号112頁〔百選〈6版〉A 30事件〕がある。

また，ある者が補助参加人と独立当事者参加人（47。本書734頁）の地位を併有できるかという問題もある。補助参加は，主たる当事者のために訴訟行為をすることを通じて自らの法律上の利益を保全するための制度であり，主たる当事者を相手方として請求を定立する独立当事者参加の申出は，それと矛盾するものと考えられる。すでに独立当事者参加をしている者が係属中の当事者の一方に対する補助参加の申出をする場合も同様である。

組織法や身分法上のものであれ，また公法上のものであれ，法律上の利益でなければならず[60]，感情的利益や経済的利益は含まれない。このことは，民事訴訟の目的が権利関係や法律上の地位など，法律上の利益の保護にあることの帰結である。

次に問題となるのは，訴訟の結果によって補助参加人の法律上の利益が害されることの意味である。これが，補助参加人に対して既判力などの判決効が拡張される場合に限定されるものでないことは，共同訴訟参加との区別などから異論なく承認されている[61]。これを前提としてかつての通説は，判決主文における訴訟物についての判断が，補助参加人を当事者とする将来の訴訟におい

---

60)　この点に関して近時議論が多いものとして，株式会社における責任追及等の訴え（株主代表訴訟）（商旧267，現在の会社847）における会社の被告取締役側への補助参加，住民訴訟（平成14年改正前自治242の2第1項4号）における地方公共団体の被告職員側への補助参加がある（詳細については，伊藤眞「代表訴訟と民事訴訟」柏木昇編・日本の企業と法41頁，52頁以下（1996年）参照）。

たとえば，一定目的のための金銭支出などに関する会社の意思決定が違法なものであり，その点に関する取締役としての善管注意義務違反が請求原因とされているときには，会社は自己の意思決定の適法性を法律上の地位として補助参加の利益を認められる。後掲東京地決平成7・11・30（注*64*）（信用組合理事），最決平成13・1・30民集55巻1号30頁〔百選〈3版〉A40事件〕，最決平成13・12・21実情70頁参照。住民訴訟について，井上治典・多数当事者の訴訟238頁（1992年）参照。ただし，住民訴訟においては，行政庁が行政事件訴訟法23条にもとづいて被告職員側に参加することができると解されている。三好達「住民訴訟の諸問題」新実務民訴(9)307頁，324頁参照。

これに対して，訴訟物が会社の被告取締役に対する損害賠償請求権であるにもかかわらず，会社が被告取締役側に補助参加することは，あたかも自己の権利を否定することを目的として補助参加する形になるから，背理であるとの批判がある。しかし，問題は，補助参加の基礎としてどのような法的利益が主張されるかどうかであり，前記のように，意思決定の適法性が組織法上の利益と認められる限り，補助参加の利益を認めることは背理ではない。ただし，著者の考え方に対する批判として，徳田和幸「株主代表訴訟と会社の訴訟参加」曹時48巻8号20頁（1996年），高橋(下)453頁などがある。

なお，平成13年商法改正によって追加された商法旧268条8項（現在の会社法849条3項）は，会社の取締役側への補助参加が許されることを前提としたものであり，一般社団法人における責任追及の訴えにおいて，監事設置一般社団法人が理事等の側に補助参加する場合に関する規律（一般法人280Ⅱ）も，これにならったものである。そして，会社法849条1項本文（一般法人280Ⅰ本文も同旨）は，一定の手続的要件が満たされることを条件として，株式会社の補助参加を認める旨を明らかにしている。

遺言無効確認の訴えについて，遺留分減殺請求権の行使可能性を理由として相続人が受遺者に補助参加する利益を認めた最決平成22・12・21実情513頁も同趣旨のものとして理解できる。

61)　大決昭和8・9・9民集12巻2294頁〔百選16事件〕。

てその法律上の地位を裁判所が判断する上で不利に参考とされる場合に，補助参加の利害関係が認められるとする[62]。しかし，補助参加人自身の法律上の地位が争われる場合に事実上不利な影響が生じるという点では，判決主文中の判断であろうと理由中の判断であろうと違いはないはずであり，また，補助参加人を当事者とする後訴の審理の内容を考えると，事実上不利な影響を生じるのは，判決主文の判断ではなく，理由中の判断以外に考えられない[63]。

この意味で訴訟の結果についての利害関係とは，補助参加人の法律上の地位に対する，判決理由における判断の事実上の影響力を意味する[64]。このよう

62）　兼子400頁，齋藤481頁，小山506頁，梅本658頁，斎藤ほか(2)205頁〔小室直人＝東孝行〕，菊井＝村松Ⅰ403頁，笠井正俊「補助参加の利益に関する覚書」井上追悼215頁，227頁参照。このような考え方を採用する裁判例として，仙台高決昭和42・2・28下民18巻1・2号191頁，名古屋高決昭和44・6・4労民20巻3号498頁，名古屋高決平成8・7・11判時1588号145頁〔百選ⅡA44事件〕などがある。最高裁判例や下級審裁判例の分析については，秋山ほかⅠ563頁参照。

63）　たとえば，主債務者に対する債権者の履行請求訴訟と，補助参加人たるべき保証人に対する債権者の後訴との関係を考えると，後訴における保証債務有無の判断が事実に法規を適用してなされなければならない以上，前訴の主文における判断，たとえば主債務の存在の判断が直接後訴裁判所の判断に影響することはありえない。後訴における主債務成立の判断に影響しうるのは，前訴裁判所が一定の証拠から主債務の成立原因事実を認定したという間接事実にほかならない。これは，もちろん前訴判決の主文中の判断ではなく，理由中の判断に属する。判決主文の判断が後訴において影響をもちうるのは，既判力が作用する場合に限られる。通説や一部の下級審裁判例が判決主文の問題とするのは，補助参加の利益と既判力を切り離すという前提に立っているにもかかわらず，なお既判力の作用を念頭に置いた誤解にすぎない。詳細については，伊藤眞「補助参加の利益再考」民訴雑誌41号1頁，9頁以下（1995年）参照。瀬木601頁は，理由中の判断を主にしつつ，主文中の判断が根拠となることもありうるとする。

64）　したがって，法律上の利害関係といっても，それは補助参加人の法律上の地位が問題となるという意味に限られ，判決との関係では，事実上のものにすぎない（最決平成15・1・24実情140頁参照）。既判力の拡張と補助参加の利益を切り離した以上，このような結論になるのは必然である。通説のように判決主文との関係を問題とする場合であっても，この点に違いは生じない。このような考え方をとる裁判例として，東京地決平成7・11・30判時1556号137頁〔百選ⅡA44事件〕，東京高決平成9・9・2判時1633号140頁，東京地決平成12・4・25判時1709号3頁がある。また学説としては，井上・法理65頁以下，井上・前掲書（注60）179頁以下，新堂812頁以下，上田558頁以下，松本＝上野805頁，条解民訴〈2版〉230頁以下〔新堂幸司＝高橋宏志＝高田裕成〕，徳田和幸「補助参加と訴訟告知」新実務民訴(3)127頁，129頁以下，高橋(下)438頁，小島781頁などがある。ただし，最決平成13・2・22判時1745号144頁は，通説の考え方を維持するが，取消判決の拘束力（行訴33）を根拠として補助参加の利益を認めている。本書の立場をとっても，事実上の影響を受ける法律上の地位が認められなければ，補助参加の利益はない。最決平成13・9・14実情69頁参照。

な根拠から補助参加の利益が肯定される例として，主債務の履行請求訴訟における保証人の補助参加，保証債務履行請求訴訟における主債務者の補助参加，団体決議にもとづく構成員の義務履行請求訴訟における他の構成員の補助参加，不法行為にもとづく損害賠償請求訴訟における同一原因による責任を負担する可能性のある者の補助参加などが挙げられる[65]。

2　補助参加の手続

補助参加の申出は，参加によって訴訟行為をなすべき裁判所に対して書面または口頭によって行う（43Ⅰ，民訴規1Ⅰ）。参加の申出にあたっては，参加の趣旨，すなわち参加すべき訴訟および当事者の特定[66]，ならびに参加の理由，

もちろん，債務者たる被告の責任財産の維持についての一般債権者の利益のように，経済的利益にすぎず，法律上の地位とみなされないものは，補助参加の利益の前提を欠く。福岡高決平成23・2・28判例集未登載（最決平成23・10・25判例集未登載によって正当として是認。綿引万里子＝今福正己「許可抗告事件の実情――平成二三年度」判時2164号11頁（2012年），実情564頁に紹介がある）。

65）前掲大決昭和8・9・9（注*61*）（同一決議にもとづいて義務を負う者），東京高決昭和49・4・17下民25巻1～4号309頁〔百選Ⅱ169事件〕（同一原因による不法行為責任を訴求される者――補助参加否定）など。そのほかの裁判例については，伊藤・前掲論文（注*63*）18～21頁参照。なお，大決昭和7・2・12民集11巻119頁の事案は，本書のような考え方に立っても，補助参加の利益が否定されるべきものである。勅使川原和彦「『参加の利益』論の現在」曹時71巻9号21頁（2019年）は，間接的影響という概念を立てるが，間接という場合の中間項の意義が問題であろう。

なお，伊東俊明「補助参加の利益について」松本古稀155頁は，主債務履行請求訴訟における主文の判断と保証債務との間に論理必然的関係はないとするが，判決効の拡張を補助参加の利益の判断に用いるべきかどうか疑いがある。

また，現行民法の下では，詐害行為取消訴訟において自らの行為が詐害行為として取り消されるべきものではないことを主張して，債務者が被告たる受益者側に補助参加することが認められるのは当然であり，場合によっては，取消判決の確定を条件として発生する返還請求権について法律上の利害関係を主張して，取消債権者の側に補助参加することも検討に値する。伊藤眞「改正民法下における債権者代位訴訟と詐害行為取消訴訟の手続法的考察」金融法務2088号46頁（2018年）参照。

その他，人事訴訟において検察官が被告とされるとき（人訴12Ⅲ。本書205頁），訴訟の結果により相続権を害される者が検察官側に補助参加することがありうる。この場合には，裁判所が参加命令を発することもできる（人訴15Ⅰ）。松本・人訴法152頁参照。

66）不法行為における責任と損害額のように1つの訴訟において複数の争点が審理の対象となるときには，第三者がそれぞれの争点ごとにいずれかの当事者に補助参加できるとする有力説がある（井上・法理99頁以下，高橋(下)455頁以下）。しかし，補助参加人は，原則として主たる当事者のためにすべての訴訟行為ができることを考えると，争点ごとの参加という考え方をとる余地はない。

すなわち補助参加の利益が明らかにされなければならない。書面による申出がなされたときには，申出書は，当事者双方にその副本が送達される（民訴規20ⅠⅡ）[67]。なお，参加の申出は，上訴など補助参加人としてすることができる訴訟行為とともに行うことができる（43Ⅱ）。

補助参加の許否については，当事者から異議が述べられた場合にのみ，裁判所が決定の形式で判断する（44Ⅰ）。異議が述べられないときには，申出が不適法な場合を除いて，当然に補助参加人としての地位が認められる。また，当事者は，異議を述べることなく弁論等を行ったときには，異議権を失う（44Ⅱ）。異議が提出されると，補助参加人は参加の理由を疎明しなければならず（44Ⅰ），参加許否の決定に対しては，当事者および補助参加人に即時抗告権が認められる（44Ⅲ）。補助参加人は，補助参加不許決定の確定までは訴訟行為をなすことが許され，不許決定が確定すれば訴訟行為の効力は失われるが，当事者がそれを援用すれば，有効なものとして扱われる（45ⅢⅣ）。

補助参加申出の取下げについては，特別の規定がおかれていないが，訴えの取下げに関する261条1項の規定を類推して，訴訟係属中であれば何時でも取下げが許される。取下げについて主たる当事者や相手方当事者の同意も不要であり，また，再度の補助参加についての制限もない[68]。取下げによって補助参加人としてなした訴訟行為の効力は遡及的に失われるが，45条4項の類推により，主たる当事者がこれを援用すれば効力が認められる。

3　補助参加人の訴訟行為

補助参加人は，その名において攻撃防御方法の提出，異議の申立て，上訴の提起，あるいは再審の訴えの提起など一切の訴訟行為を行うことができ，その効果は主たる当事者に帰属する（45Ⅰ本文）。したがって補助参加人は，訴訟法

67）　口頭による申出がなされたときには，民事訴訟規則1条2項および40条2項の規定によって期日外調書の謄本等が送達される。条解規則41頁参照。

68）　これに対して有力説は，参加的効力の発生可能性を根拠として，261条2項の類推にもとづいて相手方の同意を要するとか（新堂816頁），同意を要しないが，取下げにもかかわらず参加的効力が生じるとする（注釈民訴(2)132頁〔池尻郁夫〕）。参加的効力を問題とするのであれば，相手方ではなく，主たる当事者の同意を問題とすべきであるが，主たる当事者は訴訟告知によって何時でも参加的効力を発生させうるのであるから，その同意を要求する必要はない。また，告知がなされないにもかかわらず，補助参加を取り下げた者に参加的効力が及ぶとするのも行き過ぎである。

律関係上，主たる当事者と独立の地位を有するものであり，その手続保障のために期日の呼出しや訴訟関係書類の送達も当事者とは別になされる。補助参加によって生じた訴訟費用の負担については，66条の特則がある。

他方，補助参加がなされた場合であっても，主たる当事者が訴訟行為の主体であることに変わりはない。したがって，補助参加人に中断事由が生じても，手続を中断させる必要はない。忌避に関しても，主たる当事者との関係での忌避事由を補助参加人が主張できることは当然であるが，補助参加人独自の忌避事由を認める必要はない[69]。判決が主たる当事者および補助参加人それぞれに送達されることを前提として，補助参加人独自の上訴期間を認め，主たる当事者の上訴期間が徒過された場合でも，補助参加人による上訴を認めるかどうかについては，考え方の対立がある。しかし，訴訟物たる権利についての訴訟追行権が主たる当事者に帰属していることを考えれば，主たる当事者が上訴権を失っているにもかかわらず，補助参加人独自の上訴期間にもとづいて上訴を認めるのは行き過ぎである[70]。

また，補助参加人が主たる当事者と同一の地位を認められるのは，訴訟行為をなすためであるから，証拠方法として審理に関与する場合には，第三者として，証人・鑑定人能力を認められる。

なお，令和4年民事訴訟法改正（法律48号）は，45条に5項を新設した。その要点は，非電磁的訴訟記録（91Ⅰ），電磁的訴訟記録（91の2Ⅰ），訴訟に関する事項を証明した書面や電磁的記録（91の3）の閲覧や謄写などの請求，交付，提供の請求について，補助参加人に当事者と同一の地位を与えるものであ

69）ただし，中断および忌避のいずれについても有力な反対説がある。名古屋高決昭和50・11・26判時815号62頁，中野ほか・講義601頁，注釈民訴(2)143頁〔池尻郁夫〕参照。本書の考え方の下でも，補助参加人に中断事由が生じたにもかかわらず，手続が中断せず，補助参加人としての訴訟行為ができなかったときには，46条の類推適用によって補助参加人に対する裁判の効力が制限される。

70）控訴について，最判昭和37・1・19民集16巻1号106頁〔百選〈6版〉A33①事件〕，最判昭和50・7・3判時790号59頁，上告または上告理由書提出について，最判昭和25・9・8民集4巻9号359頁，最判昭和47・1・20判時659号56頁。学説としては，三ヶ月・全集237頁，新堂816頁，秋山ほかⅠ586頁など。これに対して，井上・法理38頁などの有力説は，補助参加人独自の上訴期間を認めるべきであるとする。詳細については，注釈民訴(2)145頁〔池尻郁夫〕，高橋(下)432頁，596頁参照。ただし，本文の考え方でも，主たる当事者についての上訴期間徒過のゆえに補助参加人が上訴できなかった場合には，参加的効力が制限される（46①）。

る。

4　補助参加人の訴訟行為についての制限

補助参加人は，主たる当事者のために一切の訴訟行為ができるが，独立の当事者ではないこと，また主たる当事者の勝訴のために訴訟行為をなすことなど，訴訟関係人としての地位の特徴から，その訴訟行為について以下のような制限が設けられる。これは補助参加人の地位の従属性と呼ばれる。

(1)　主たる当事者がすでになしえなくなった行為

参加の時点の訴訟状態にもとづいて主たる当事者がすでになしえなくなった訴訟行為について，補助参加人がこれをなすことを認めるのは，相手方当事者との関係で不公平を生じる。主たる当事者が撤回できない自白，時機に後れた攻撃防御方法，責問権の喪失，中間判決によって判断された事項などがこれに属する（45 I 但書)。なお，この制限が妥当する場合には，補助参加人に対する裁判の効力も制限される（46①)。

(2)　主たる当事者の訴訟行為と抵触する行為

本来の訴訟追行権者が主たる当事者である以上，その者の訴訟行為と抵触する補助参加人の訴訟行為についてその効力を認めるべきではない（45 II)。抵触とは両者の行為内容が積極的に矛盾することを意味する[71]。たとえば，主たる当事者が自白しているときには，補助参加人が当該事実を争っても否認の効果は生じないし，主たる当事者が上訴権を放棄しているときには，補助参加人による上訴の効果も生じない。なお，この制限によって補助参加人の訴訟行為の効力が制限されたときには，補助参加人に対する裁判の効力も制限される（46②)。

(3)　訴訟係属の発生・消滅にかかわる行為

補助参加人は，一定の請求について訴訟係属が生じていることを前提として，主たる当事者のために訴訟行為をなす者であるから，訴えの変更や反訴の提起によって別の請求についての訴訟係属を生じさせることはできないし，逆に，訴えの取下げ，請求の放棄・認諾，または和解などによって訴訟係属を消滅させることも認められない[72]。

71）　大判昭和11・3・18民集15巻520頁。

72）　ただし，主たる当事者の事前の同意または追認によって有効になる余地はある。井

(4) 主たる当事者に不利益な訴訟行為

補助参加人は，主たる当事者のために訴訟行為をなす者であるから，その敗訴につながる訴訟行為をなすことはできない。その例としては，請求の放棄・認諾などが挙げられるが，これらは，上記の(3)の類型に属するので，実際に問題になるのは，裁判上の自白である。通説は，自白を不利益な行為にあたるとするが，有力な反対説がある。自白は争点整理にとって不可欠な手段であり，請求の放棄・認諾と異なって，当然に主たる当事者にとって不利な行為ということはできない。主たる当事者としては，自白を否定しようとすれば，それを撤回するのではなく，単に当該事実を否認すれば足りる（45Ⅱ）[73]。

(5) 主たる当事者に属する実体法上の権利行使

補助参加人は，主たる当事者のために訴訟行為をなすことを認められるが，主たる当事者に属する実体法上の権利，特に時効の援用や，解除権・相殺権などの形成権行使の権能が当然に認められるわけではない。したがって，民法423条・439条2項・457条3項などの規定が適用される場合を除いて，補助参加人がこれらの権利や権能を行使する旨の意思表示をしても，実体法上その効力を生じない[74]。

上・法理45頁，高橋(下)429頁参照。

73) このような考え方は，井上・法理42頁による。福本知行「補助参加人の訴訟行為の独立性と従属性」松本古稀175頁も同旨である。これに対して高橋(下)429頁は，主たる当事者の否認によって補助参加人の自白の効果が覆されるのでは，相手方の信頼を害すると批判するが，否認に対しては，時機に後れた攻撃防御方法や信義則による制限が課される。

74) 兼子403頁，中野・訴訟関係126頁，新堂817頁，秋山ほかⅠ588頁など。これに対して，三ヶ月・全集238頁，井上・法理56頁，注釈民訴(2)150頁以下〔池尻郁夫〕などが積極説をとる。積極説は，補助参加人があらゆる手段を利用して主たる当事者の勝訴を図る独自の利益を認めるべきであるとするが，そのことは，行使の意思表示が主たる当事者に委ねられている権利について，補助参加人が実体法上の管理処分権のないままにこれを行使する権限を認める根拠とはならない。もっとも，補助参加人が権限なく行った権利行使について，主たる当事者が後にこれを追認する余地はあるが（新堂817頁），安易に黙示の追認を認めるべきではない。

また，現行民法439条2項および457条3項は，改正前436条2項および457条2項を改め，連帯債務者や保証人の履行拒絶権構成を採用しているので（潮見・新債権総論Ⅱ591頁，675頁，中田・債権総論533頁，583頁参照），補助参加人たる連帯債務者が被補助参加人たる当事者に代わって，相殺権などを行使する可能性はない。

5　判決の補助参加人に対する効力

補助参加人は自己の法律上の地位を保全する目的で，主たる当事者のために訴訟行為を行うが，その反面，訴訟行為を行った責任として主たる当事者敗訴の場合には，補助参加人に対しても裁判の効力が及ぶ（46柱書）[75]。

(1)　補助参加人に対する裁判の効力の性質

裁判の効力の中心となるものとして既判力があるが，補助参加人に対する裁判の効力は，既判力とは異なる。既判力は，訴訟物たる権利関係について両当事者が手続保障を与えられたことを前提とする，確定判決の判断の拘束力である。しかし，補助参加人に対する効力は，敗訴の場合における主たる当事者と補助参加人の公平な責任分担の考え方にもとづくものであり，したがって，補助参加人の法的地位の前提となる訴訟上の事項について生じる。

たとえば，被告保証人の側に補助参加して，主債務の存在を争った主債務者は，請求認容判決が確定した後，保証人から求償債務履行請求訴訟を提起された場合には，前訴における敗訴責任の分担から主債務の存在を争うことは許されない。ただし，補助参加人のなしうる訴訟行為の範囲については，前述のような制限があることとの関係で，いかなる場合にも敗訴責任の分担を求められるわけではない。法が補助参加人に対する裁判の効力について，一定の除外事由を設けているのは（46①～④），このような趣旨である。

補助参加人に対する裁判の効力の性質については，かつてはこれを既判力とする考え方が有力であったが，現在の支配的見解は，上記のような趣旨から当事者に対する既判力とは異なった特殊の効力，すなわち参加的効力と解しており，判例もこれを採用する[76]。ただし，後訴裁判所に対する訴訟法上の拘束

---

75)　なお，裁判の効力が及ぶ場合に限って補助参加の利益を認めようとする考え方もあるが（大阪高判昭和39・12・28高民17巻8号673頁，大阪高決昭和41・2・2高民19巻1号51頁），裁判の効力が及ぶか否かの基準から訴訟関係人の資格を決定するのは，論理が逆転しているといわざるをえない。注釈民訴(2)111頁〔井上治典〕，実情680頁参照。

76)　大正15年改正前旧民事訴訟法55条1項は，参加人が主たる当事者との関係で裁判を不当と主張できないと規定していたので，既判力を定めるものでないことは明らかであった。旧法の立法者も，文言は別としてその考え方を変更する意図はなく（法曹会編・民事訴訟法改正調査委員会速記録214頁以下（1929年）（立法資料全集(12)118頁以下），司法省編纂・民事訴訟法中改正法律案理由書37頁（1926年）（立法資料全集(13)164頁）），これが現行法に引き継がれている。現在の通説の基礎となったものとして，兼子・研究(2)55頁以下がある。参加的効力説を採用した判例としては，最判昭和45・10・22民集

力という点では，既判力と参加的効力とは共通の性質を有する。

既判力と参加的効力との違いは，第1に，既判力が当事者間で訴訟の勝敗とかかわりなく生じるのに対して，参加的効力は，主たる当事者敗訴の場合において主たる当事者と補助参加人との間でのみ生じる。第2に，参加的効力については，補助参加人の訴訟行為の内容との関係で，一定の除外事由が設けられている。第3に，既判力は訴訟物たる権利関係について生じるが，参加的効力は，先の例における主債務の存否のような，補助参加人の法律上の地位に対する前提となる，裁判所の判断について生じる。したがって，判決主文中の判断に限られず，判決理由中の判断も含まれる。第4に，既判力が職権調査事項であるのに対して，責任分担の趣旨にもとづく参加的効力は，当事者の主張を待って判断すれば足りる。

ただし，後に主観的範囲について説明するように，近時は，相手方当事者と補助参加人との間にも裁判の効力を認める，新既判力説と呼ばれる考え方が有力である。

(2)　裁判の効力の客観的範囲

補助参加人に対する参加的効力の客観的範囲は，補助参加の前提となっている，補助参加人の法律上の地位と訴訟における裁判所の判断事項との関係で決定される。いわゆる追奪訴訟，すなわち目的物の真の所有者であると主張する原告から引渡請求訴訟を提起された買主の側に，売主が補助参加したにもかかわらず，請求認容判決が確定したときには，被告買主が補助参加人売主を被告として提起する損害賠償請求訴訟（民561・564）において，売主は目的物の所有権が自己に属していたことを主張できない。補助参加人たる売主の法律上の地位，すなわち，担保責任との関係で目的物の所有権の帰属が判決理由中で判断された以上，敗訴責任を分担する補助参加人は，その判断に拘束されるからである[77]。

24巻11号1583頁〔百選〈6版〉98事件〕がある。

77)　判断事項が所有権の帰属という権利関係の判断か，それともそれを基礎づける事実についての判断かという問題がある。原則としては前者であるが，補助参加人の地位との関係で，後者の可能性もある（高橋(下)463頁参照）。しかし，いずれにしても判断事項は，判決の論理的前提となっているものでなければならず，いわゆる傍論部分の判示には参加的効力は生じない。東京高判昭和60・6・25判時1160号93頁〔百選Ⅱ172事件〕

ただし，46条1号ないし4号に列挙される除外事由が認められるときには，当該事由にかかわる判断に関する限り，補助参加人は参加的効力の拘束力を免れる。

(3)　裁判の効力の主観的範囲

補助参加人に対する裁判の効力を参加的効力と考えれば，その効力は，主たる当事者と補助参加人との間にのみ生じる。ただし，既判力が訴訟当事者について無条件に生じるのに対して，参加的効力は，敗訴責任の分担の趣旨から，敗訴の原因となった事実上または法律上の事項にもとづき補助参加人が主たる当事者に対して一定の実体法上の責任を負担する場合にのみ問題となる。いいかえれば，補助参加人すべてについて参加的効力が生じるわけではなく，求償債務を負担する主債務者，追奪責任として損害賠償債務を負担する売主などの補助参加人に限って参加的効力の拘束力が問題となる。

しかし，近時の有力説は，これに加えて，相手方と補助参加人との間に既判力や争点効が拡張されるとする。たとえば，被告主債務者側に保証人が補助参加した場合には，主債務の存否についての既判力が保証人に対して，または保証人のために拡張されるし，被告保証人側に主債務者が補助参加した場合には，理由中の判断である主債務の存否についての争点効が主債務者に対して，または主債務者のために拡張されるとする[78)]。ただし，通常の既判力と異なって，46条各号に定める除外事由が存在するときには，補助参加人に対する既判力の拡張も否定されるという。

確かに，補助参加人としてではあれ，自己の法律上の地位にかかわる争点に関して主張・立証の機会を与えられた者については，相手方との関係でも後訴における主張・立証に制限を設けることが合理的である。しかし，争点効の考え方を信義則に置き換える本書の立場からすれば，争点効の補助参加人への拡張も，補助参加人の訴訟行為が信義則上制限されるものとすることができるし，また，既判力の拡張としていわれる場合についても，これを信義則による制限とすることが合理的である。46条各号の除外事由は，信義則不適用の例示と

〔田中豊解説〕参照。

78)　新堂820頁以下，新堂・争点効(上)227頁，中野ほか・講義605頁，高橋(下)463頁，小島790頁など参照。

解すれば足りる。

第2項　共同訴訟的補助参加

補助参加の利益は，先に述べたとおり，判決主文または理由中の判断が補助参加人の法律上の地位に対して事実上の不利益を生じる場合に肯定されるが，場合によっては，事実上の不利益にとどまらず，判決の既判力が補助参加人たる第三者に拡張されることがある。この場合に，第三者が訴訟物についての当事者適格をもつ者であれば，52条にもとづく共同訴訟参加をなすことができる。しかし，たとえば株主総会決議によって選任された取締役は，決議取消訴訟の被告適格をもたない。したがって，取締役としては，自己の地位を保全するためには，被告会社側に補助参加する以外にない。

もっとも，すでに補助参加人の地位および訴訟行為について述べたように，主たる当事者との関係で補助参加人のなしうる訴訟行為には一定の制限があり，また，中断や上訴権との関係で，既判力の拡張を受ける者としては手続保障に欠けるところがある。そこで，現在の判例・学説は，補助参加人の地位についての特例として，共同訴訟的補助参加の概念を承認している[79)]。破産管財人を当事者とする訴訟に参加する破産者，債権者代位訴訟に参加する債務者なども共同訴訟的補助参加人に含まれる。

---

79)　したがって，補助参加人の地位の従属性を否定する論者からみれば，この概念は不要である。井上・法理148頁参照。これに対して，松原弘信「共同訴訟的補助参加の理論的基礎」伊藤古稀571頁，590頁は，機能として独立当事者参加の一種である詐害防止参加（47Ⅰ）に類似し，ただ，独立当事者参加に際して求められる請求の定立（47Ⅰ。本書735頁参照）を要しない点のみに違いがあることに着目し，実質的当事者として手続上の地位を付与すべきであるとする。また，鶴田滋「共同訴訟的補助参加の成立要件」本間古稀145頁は，法的審尋請求権を保障すべき法律上の地位を持つ第三者に限って共同訴訟的補助参加を認めるべきであるとする。

これまで判例上共同訴訟的補助参加として認められた例としては，特許権の範囲に関する確認訴訟における審判の利害関係人（大判昭和13・12・28民集17巻2878頁），農地買収にかかる行政処分取消訴訟における被売渡人（最判昭和40・6・24民集19巻4号1001頁），株主総会決議不存在訴訟における清算人（最判昭和45・1・22民集24巻1号1頁〔続百選90事件〕）などがある。

また，共同訴訟参加をすることができる者が補助参加を選んだ場合には，共同訴訟的補助参加人の地位を認めることができないとするのが判例（最判昭和63・2・25民集42巻2号120頁〔百選〈3版〉A41事件〕）であるが学説からは批判されている。高橋(下)473頁，本間靖規「共同訴訟的補助参加について」栂＝遠藤古稀687頁参照。

共同訴訟的補助参加も補助参加の一種であるので，以下に述べる地位の特例以外の点，すなわち補助参加の利益，補助参加の手続，裁判の効力などは，すべて通常の補助参加の場合と共通である。ただし，裁判の効力についての除外事由に関しては，次に述べる共同訴訟的補助参加人の地位の特徴を反映して，46条2号および3号が適用される可能性はない[80)]。

共同訴訟的補助参加人の地位の特徴としては，以下の点が挙げられる。第1に，主たる当事者の訴訟行為と抵触する場合であっても，補助参加人の訴訟行為が主たる当事者に有利なものであるときには，その効力が認められる（45Ⅱの適用排除)。たとえば，主たる当事者が上訴権を放棄しても，補助参加人が上訴することが認められる。また，補助参加人の訴訟行為と抵触するときに，主たる当事者の不利な訴訟行為の効力が否定される（40Ⅰの類推適用)。補助参加人の上訴を主たる当事者が取り下げようとする場合がこれにあたる[81)]。自白，訴えの取下げ，請求の放棄・認諾などについても，同様に解される。

第2に，補助参加人の上訴期間が主たる当事者とは独立に計算される[82)]。補助参加人について中断・中止の事由が生じたときには，当然には手続が中断せず，また中止が命じられることはないが，補助参加人を除外した手続の進行がその者の利益を害すると認められるときには，裁判所が中止を命じうる[83)]。

第3項　人事訴訟における利害関係人の訴訟参加

死後認知の訴えなどが提起されたときに，被告たる者の子など，判決の結果として自らの相続権を害される第三者の存在が想定される。これらの者は，訴

---

80)　同条1号は，相手方との公平を重視したものであるので，共同訴訟的補助参加にも適用される。

81)　前掲大判昭和13・12・28（注79)，前掲最判昭和40・6・24（注79)。福本知行「共同訴訟的補助参加人の訴訟行為について」徳田古稀110頁参照。これに対し，長谷部由起子「共同訴訟的補助参加の課題」徳田古稀94頁は，訴訟の目的に対する補助参加人の利益の強度に応じて，その訴訟行為の効力を区別する。

82)　福岡高判昭和49・3・12判タ309号289頁。なお，最決平成28・2・26判タ1422号66頁〔百選〈6版〉A33②事件〕は，本書本文第3項に述べる人事訴訟における利害関係人たる補助参加人の上訴期間について，被告である検察官の上訴期間とは別に，補助参加人自身に対する原判決正本の送達日から起算して上訴を適法なものとして扱っている。

83)　新堂827頁，条解民訴〈2版〉242頁〔新堂幸司＝高橋宏志＝高田裕成〕，注釈民訴(2)154頁〔池尻郁夫〕など。

訟の結果について利害関係をもつ者として補助参加することができ，確定判決の対世効（人訴24Ⅰ）を前提とすれば，その地位は，共同訴訟的補助参加人になる。この場合には，検察官が職務上の当事者となるが（同12Ⅲ），充実した訴訟追行が行われるためには，このような実質的利害関係をもつ第三者が訴訟に参加することが望ましい。そこで，第三者が進んで補助参加を申し出ない場合にも，裁判所の決定によって第三者を補助参加人の地位に就けることができる（同15Ⅰ）。その際には，裁判所は，あらかじめ当事者および利害関係人の意見を聴かなければならない（同15Ⅱ）。

参加決定がなされれば，第三者は当然に補助参加人の地位を取得するが，自ら補助参加の申出をした第三者と同様に，補助参加人の訴訟行為は，たとえ被参加人の訴訟行為と抵触するときでも，その効力を有し（同15Ⅲによる民訴45Ⅱの適用排除），また，合一確定のための必要的共同訴訟の規律が準用される（人訴15Ⅳによる民訴40Ⅰ～Ⅲの準用（ただし，Ⅲについては，中止に関する部分に限る））。第三者にこのような強力な地位が認められるのは，共同訴訟的補助参加人の特質によるものであるが，実際には，公益の代表者として当事者となる検察官よりも，実質的利害関係をもつ補助参加人の訴訟追行によって適正な審理の実現が期待されるためである。検察官が負担すべき訴訟費用は国庫の負担とされるのに対して（人訴16Ⅰ），利害関係人が補助参加人となった訴訟において敗訴当事者などが負担すべき費用は，補助参加人が負担するとされているのも（同16Ⅱ），このことを背景としたものである。

第4項　訴 訟 告 知

訴訟告知とは，訴訟の係属中当事者が第三者に対して訴訟係属の事実を報告する訴訟行為を指す。訴訟行為の性質としては，法律効果の発生をともなうので（53Ⅳ），観念の通知に類する。訴訟告知は，補助参加人たるべき者に限らず，訴訟に参加することのできる第三者に対してなされ（53Ⅰ），第三者に参加の機会を与える機能をもつが，告知を行う当事者（告知者）からみた主たる意義は，補助参加の利益をもつ被告知者が参加しなかった場合にその者に対して参加的効力を及ぼすところにある（53Ⅳ）。なお，特別の場合には，当事者に対して告知が義務づけられることがある[84]。

1　訴訟告知の要件

訴訟告知は，訴訟当事者が第三者に対して訴訟係属の事実を通知するものであるから，第1の要件として，訴訟係属の存在を要する。補助参加が上告審でも可能であることに対応して，上告審における告知も許される[85]。

告知者たりうる資格は，当事者の地位であるが，補助参加人も当事者のために告知をなしうる。さらに，被告知者も，その資格においてさらに告知をなしうる（53Ⅱ）。たとえば，担保責任にもとづく損害賠償を買主から訴求されている売主がその前主に対して告知をなし，被告知者がさらにその前主に対して告知をなすことが考えられる。

被告知者は，訴訟参加をなしうる第三者である。上に述べた告知の意義を考えると，実際上被告知者は補助参加人たるべき者が多いが，独立当事者参加人など当事者たるべき第三者も含まれる。相手方当事者は，もちろん被告知者た

---

84)　会社法849条4項，一般法人法280条3項など。そのほかの場合については，注釈民訴(2)281頁以下〔上原敏夫〕参照。

また，現行民法423条の6は，債権者代位訴訟を提起した代位債権者の債務者に対する遅滞のない訴訟告知を義務づけ，同424条の7第2項は，詐害行為取消訴訟を提起した取消債権者の債務者に対する遅滞のない訴訟告知を義務づける。

前者は，法定訴訟担当としての代位債権者の当事者適格を基礎づけるものであり（本書204頁），一方で，被告知者たる債務者に対し共同訴訟参加（52。本書747頁）や独立当事者参加（47。本書734頁）の機会を与えるとともに，他方で，請求棄却判決が確定したときには，参加的効力（46・53Ⅳ。本書725頁）によって債務者の代位債権者に対する責任追及を遮断する効果を有する。後者は，被告知者たる債務者が行為の非詐害性を主張してに対して受益者など被告側に補助参加（42）する機会を与えるためのものであるが，同時に，取消債権者の当事者適格や請求認容判決の既判力拡張（民425）を基礎づける効果を有するかどうかについては，考え方が分かれる（山本浩美「詐害行為取消請求を認容する確定判決の効力について」小林古稀265頁。

これを肯定する説が有力であるが（山本和彦「債権法改正と民事訴訟法――債権者代位訴訟を中心に」判時2327号122頁（2017年）），本書では，取消債権者は，債務者の行為によって逸出した責任財産をその固有の資格にもとづいて回復するための当事者適格を有するとの考え方から，訴訟告知は，取消債権者に対する行為規範であり，その有無が当事者適格に影響するものではないとの考え方をとる（本書628頁注*270*，伊藤・前掲論文（注*65*）48頁）。もちろん，自らがなした行為の取消しが訴求される債務者の利益を考えれば，訴訟告知にもとづく参加の機会を保障するためには，告知の有無を確認する運用がなされるべきである。もっとも，告知者たる取消債権者と被告知者たる債務者との利害関係が対立するのが通常であり，債務者が取消債権者側に補助参加することも期待されないために，両者の間に参加的効力が生じることも想定しがたい（本書733頁）。

85)　被告知者が十分な攻撃防御をなすことが期待できない時期に告知がなされたときには，告知者に対する参加的効力の範囲が制限される。注釈民訴(2)278頁〔上原敏夫〕。

りえないが，相手方の補助参加人，自己の共同訴訟人などは，被告知者たりうる。すでに相手方から告知を受けている者であっても差し支えないから，同一人が当事者双方から告知を受けることがありうる[86]。すでに自己の補助参加人となっている者についても，告知の効果として時効の完成猶予および更新の必要があれば，告知が許される。

2　訴訟告知の方式

訴訟告知は，告知の理由および訴訟の程度を記載した書面を裁判所に提出してなされる（53Ⅲ）。提出された告知書の副本が被告知者に送達され，また告知書の写しが相手方に送付される（民訴規22・47Ⅰ）。告知の理由とは，訴訟物や訴訟上の争点と相手方の法律上の地位との関係を意味し，被告知者が合理的に参加の要否を決しうる程度に具体的な記載を要する。訴訟の程度としては，訴訟が係属する裁判所を特定し，弁論準備手続，口頭弁論，証拠調べなど，審理の段階を明らかにしなければならない。なお，告知は，告知者の被告知者に対する通知であるから，国庫に手数料を納付する必要はないが，被告知者に対する送達の費用は予納する必要がある（民訴費11Ⅰ①・12）。

告知書の提出を受けた裁判所は，その方式が適式なものであるかどうかを審査し，不適式であれば，告知書を却下する。ただし，不適式であるにもかかわらず，裁判所が被告知者に告知書を送達したときには，被告知者が遅滞なく異議を述べないと，責問権喪失規定（90）の類推により瑕疵が治癒される。もっとも，告知の要件具備の有無は，被告知者に対する参加的効力について判断される[87]。

86）代理人が，契約の相手方たる原告から無権代理人の責任追及の前提として告知を受け，本人たる被告から代金などの引渡しを求める前提として告知を受けることが考えられる。

87）議論としては，被告知者が，告知を受けた段階で，告知の要件の具備について主張をなす機会を与えるべきとの考え方がある。新堂幸司ほか・民事紛争過程の実態研究111頁（1983年），中野ほか・講義608頁以下。被告知者の地位の不安定を解消するための立法論としては検討の余地があるが，現行法の解釈論として，被告知者のこのような主張に対する裁判所の判断を義務づけることは困難である。注釈民訴(2)288頁〔上原敏夫〕参照。

3　訴訟告知の効果

訴訟告知は，被告知者に参加の機会を与えるのみであり，その効果として被告知者が当然に告知者の補助参加人となるものではない。したがって，被告知者としては，告知者の側に参加する，もしくは相手方当事者の側に参加する，またはいずれにも参加しない，という3つの選択をなしうる。しかし，被告知者が告知者側に補助参加しなかった場合であっても，被告知者は参加できた時に参加したものとみなされ，参加的効力によって拘束される（53Ⅳ）。

訴訟告知にもとづく参加的効力は，被告知者が告知者の側に補助参加する利益を有し，補助参加できたことを前提とする[88]。しかし，補助参加の利益が判決の事実上の影響力を基準として決定されるため，補助参加の利益が認められる場合に当然に告知による参加的効力が生じるわけではない。すでに述べたように，主たる当事者に対して求償義務や損害賠償義務を負う補助参加人についてのみ参加的効力が問題となることに対応して，訴訟告知にもとづく参加的

88）　したがって，補助参加の利益が認められないときには，被告知者に対する参加的効力も生じない。最判平成14・1・22判時1776号67頁〔百選〈6版〉99事件〕，前掲大阪高判昭和39・12・28（注75），仙台高判昭和58・1・28下民33巻9～12号1586頁。また，前掲最判平成14・1・22は，判決理由中の判断の意義について，判決主文を導き出すのに必要な主要事実にかかる認定と法律判断をいうとする。これに対して，松本博之「訴訟告知の目的と択一的関係」河野古稀17頁は，訴訟告知が告知者の利益保全のために創設された制度であるとの視点に立ち，いずれの主体が契約責任や不法行為責任を負うかという択一的関係においても，訴訟告知にもとづく参加的効力が生じうるとする。これに対して菱田雄郷「訴訟告知の効力について」高橋古稀368頁は，択一的関係にある数人の主体に対する責任追及は，同時審判申出共同訴訟（41）などに委ねるべきであるとする。

また，高須順一「訴訟告知の効力(上)――債権法改正の文脈において」NBL 1063号38頁，42頁（2015年）は，二元説（集約論）として，訴訟告知について被告知者と告知者の利益保護の両側面があり，改正民法423条の6によって債務者に対する訴訟告知が代位債権者に義務づけられたことは，その表れであると説く。詐害行為取消訴訟における債務者への訴訟告知の義務づけ（民424の7Ⅱ）については，同論文(下)NBL 1064号46頁（2015年）参照。民事訴訟法一般の規律（53）との関係で，これらの規定や会社法849条4項にもとづく告知義務をどのように理解するかにかかる問題であるが，本書では，民法423条の6にもとづく告知は，代位債権者の当事者適格の基礎とし，同424条の7にもとづく告知は，被告知者たる債務者の利益を保護するための警告的義務であると解する（本書629頁注*270*参照）。佐藤鉄男「詐害行為取消訴訟の手続構造」金融法務2151号25頁，30頁（2020年）も，被告知者である債務者のための訴訟告知とするが，告知を受けた債務者が訴訟に積極的に参加せず，被告たる受益者に訴訟追行を委ねることを通じて，受益者による債務者のための訴訟担当が成立し，判決効の拡張（民425）の根拠となるとする。

効力も，被告知者がこのような者の場合に限って認められる[89]。もっとも，たとえ被告知者が告知者に対して損害賠償責任などを負うときであっても，両者の間の利害関係が対立し，そもそも被告知者が告知者側に補助参加することが期待されないときには，敗訴責任の分担を意味する参加的効力を被告知者に及ぼすことはできない[90]。

訴訟告知には，参加的効力という訴訟法上の効果のほかに，実体法上の時効の完成猶予（中断）の効力が認められる（被告たる裏書人の他の裏書人などに対する告知にもとづく償還請求権の時効の完成猶予（中断）について手86Ⅰ，小73Ⅰ）。また，訴訟告知は被告知者に対する裁判上の請求（民147Ⅰ①）ではないが，訴訟告知の趣旨が告知者の被告知者に対する権利の保全を目的としているときには，催告（民150）に類するものとして完成猶予（中断）の効力が認められ，6カ月以内に裁判上の請求などをなすことによってそれらにもとづく完成猶予（中断）の効力が生じる（民147Ⅰ）[91]。

第5項　独立当事者参加

訴訟の係属中第三者が新たに独立の当事者として訴訟法律関係に加入する制度を独立当事者参加と呼ぶ。参加人が当事者の地位を取得する点で補助参加と区別され，また参加人が従来の訴訟当事者のいずれとも共同訴訟関係に立つこ

89）　徳田・前掲論文（注64）134頁，佐野裕志「第三者に対する訴訟の告知」講座民訴③275頁，289頁，新堂・争点効(上)265頁，注釈民訴(2)293頁〔上原敏夫〕，瀬木621頁など参照。なお，大正15年改正前旧民事訴訟法59条1項は，告知の要件として，当事者が敗訴のときに第三者に対して賠償などの請求をなしうる場合と規定していた。

90）　仙台高判昭和55・1・28高民33巻1号1頁〔百選〈2版〉111事件〕の事案は，代理権授与を否定する本人から訴訟告知を受けた代理人が，告知者側に参加せず，代理人による契約の成立を主張する相手方に補助参加したものである。表見代理の成立を理由として敗訴した本人が代理人に損害賠償請求をなした後訴において，被告知者たる代理人が参加的効力の拘束力を受け，代理権授与の主張を封じられるかについて，判決はこれを肯定するが，そもそも前訴において被告知者が告知者側に補助参加することが期待されえないなどの理由から，批判が強い。伊藤眞〔判例解説〕百選〈2版〉111事件，小島798頁参照。

なお，住民訴訟における訴訟告知（自治242の2Ⅶ・242の3Ⅳ）について，伊藤眞「地方自治法242条の3第4項にいう訴訟告知に基づく裁判の効力」NBL914号16頁（2009年）参照。

91）　大阪高判昭和56・1・30判時1005号120頁。完成猶予効（中断効）の発生時期については，147条参照。

となく，独立の地位を有する点で，共同訴訟参加と区別される。当事者である独立当事者参加人は，その請求を定立して審判を求めなければならないが，従来の当事者双方に対する請求を定立する場合[92]と，一方に対してのみ請求を定立する場合とがある（47Ⅰ）。講学上，後者を片面的参加と呼ぶ。しかし，いずれの場合であっても，必要的共同訴訟についての審理の特則が準用され(47Ⅳ・40Ⅰ～Ⅲ)，3当事者についての判決の合一性が保障される。

1　独立当事者参加の訴訟構造

独立当事者参加は，旧71条によって新設された制度であるが，2当事者対立構造が現在の訴訟法律関係の基本となっていることから，従来の訴訟当事者である原告および被告と，新たな当事者である参加人の3者の関係をどのように構成するかについては，考え方の対立がみられた。議論の焦点は，必要的共同訴訟のように訴訟物の性質上合一確定が要請されるわけではないにもかかわらず，なぜ必要的共同訴訟の審理の特則が準用されるかにかかわる。考え方としては，参加人といずれかの当事者との間に共同訴訟関係を認めることによってこのことを説明しようとするものと，3者間の紛争が2当事者間の別個の紛争に還元されえず，3面的紛争であるがゆえに合一確定が要請されるとの説明とに分けられる。後者は，3面訴訟説と呼ばれるが，判例が旧71条の参加について，参加人が原告・被告双方に対して請求を定立することが要求されることの前提として，3面訴訟説を採用したこともあり，学説においても支配的な地位を占めるに至った[93]。

しかし，47条1項は，実務上の合理性などを根拠として片面的当事者参加を肯定し，その場合にも必要的共同訴訟の特則が準用されることを明らかにしたので，現行法の下でもなお3面訴訟説を維持すべきかどうかが問題となる。独立当事者参加がなされるのは，後に述べるように，詐害防止参加であっても，権利主張参加であっても，また訴訟承継の場合であっても，参加人が従来の訴

92)　第三者が訴訟の両当事者を被告として請求を定立する手段として旧60条は，主参加訴訟を認めていた。しかし，従来の訴訟と主参加訴訟が併合審判される保障に欠け，また，独立当事者参加を認める以上，実際上の意義に乏しいなどの批判があり，現行法はこの制度を廃止した。研究会60頁以下の柳田，鈴木発言参照。

93)　判例は，最大判昭和42・9・27民集21巻7号1925頁〔百選Ⅱ174事件〕。学説については，注釈民訴(2)184頁以下〔河野正憲〕参照。

訟当事者による訴訟追行に牽制を加えて，それを前提として自己の請求について審判を求めることを目的としている。参加人自身の訴訟追行についても，係属中の訴訟に参加した以上，従来の訴訟当事者によって牽制されることが予定されている。参加人が当事者双方に対して請求を定立する，3面的紛争においては，このような特徴がもっとも鮮明な形で現れるが，片面的参加の場合であっても，参加の目的と相互の訴訟追行牽制の必要は変わらない。

たとえば，甲乙間の所有権確認訴訟に，訴訟係属後に甲から目的物の所有権を譲り受けた丙が，乙のみに対して所有権確認請求を定立して独立当事者参加した場合であっても，丙は，甲の乙に対する訴訟行為，または乙の甲に対する訴訟行為の効力が，自己の訴訟行為とかかわりなく生じ，甲乙間と丙乙間の訴訟について相矛盾する判決が確定するのでは，参加の目的を達しえない。したがって，3面訴訟の形をとるか否かを問わず，独立した当事者として訴訟に参加することを認める以上，相互に訴訟追行を牽制し，合一的判断を確保するために必要的共同訴訟の特則を準用する必要がある[94)]。

以上のように考えると，参加人が両当事者に対して請求を定立したときの訴訟構造については，旧法と同様に3面訴訟説を当てはめることができるが，片面的当事者参加をなしたときには，これを3面訴訟とすることはできず，また，独立当事者参加における合一確定の根拠は，3面訴訟という訴訟構造ではなく，両当事者および参加人が相互に牽制しあってそれぞれの請求について矛盾のない判決を求めるという，独立当事者参加制度の趣旨に求められるべきである。

2　独立当事者参加の要件

47条1項は，2種類の独立当事者参加の要件を規定する。第1が，訴訟の結果によって権利が害されることを第三者が主張する場合であり，第2が，訴訟の目的の全部もしくは一部が自己の権利であることを第三者が主張する場合で

94)　一問一答62頁以下，研究会80頁参照。なお，研究会では掣肘という用語が用いられているが，現代の語感に合わないため，本文では，牽制とした。

また，八田卓也「独立当事者参加訴訟における民事訴訟法四〇条準用の立法論的合理性に関する覚書」伊藤古稀483頁は，準用の合理性に関する学説を検証し，独立当事者参加を参加人の利益保護の手段とみる前提に立てば，準用は，訴訟の結果が参加人の権利内容自体に変更をもたらしうるときに，参加人がそれに介入することを保障する意味があるとする。

ある。講学上，前者を詐害防止参加，後者を権利主張参加と呼ぶ。

(1)　詐害防止参加

いかなる場合に訴訟の結果によって第三者の権利が害されるかは，補助参加（42），共同訴訟的補助参加，および共同訴訟参加（52）の要件との関係を考慮して決定されなければならない。第三者の法律上の地位が訴訟の結果によって事実上の影響を受ける場合には，補助参加が認められるし，既判力が第三者に拡張されることによって影響を受けるのであれば，適格の有無にしたがって共同訴訟的補助参加または共同訴訟参加が許される。したがって，詐害防止参加の要件としての権利の侵害は，これらとは異なった内容のものとして考えられる[95]。その際には，参加人が当事者となって原告・被告の双方または一方に対して請求を定立する地位に立ち，参加人の地位は独立であって，原告または被告のいずれかと共同訴訟関係に入るものではないという，この参加形態の特徴を考慮する必要がある。本書では，以下のような理由から詐害意思説[96]をとる。

訴訟の結果と第三者の権利との関係については，補助参加の場合と同様に，訴訟における訴訟物またはその前提となる法律上もしくは事実上の争点が，第三者の法律上の地位について論理的前提となり，判決主文または理由中の判断によって第三者の法律上の地位が事実上影響を受ける場合と解される[97]。こ

---

95)　このような理由から，権利侵害の意義を判決効の拡張として捉える考え方（兼子413頁，小山497頁）をとることはできない。また，利害関係説（菊井＝村松Ⅰ438頁）も，独立当事者参加と補助参加との境界線を見失わせる結果となる。

96)　三ヶ月・全集224頁以下，齋藤470頁，秋山ほかⅠ609頁。新堂838頁，松本＝上野787頁は，詐害意思でなく，詐害的訴訟追行を要件とするが，広い意味での詐害意思説に属するものと思われる。なお，旧法の理由書でも，債務者が債権者を詐害するために他人と共謀して訴訟を提起させる場合が例として挙げられているので（司法省編纂・前掲書（注76）38頁（立法資料全集(13)165頁参照）），立法者の意思も詐害意思説に近いものと思われる。さらに，瀬木631頁は，詐害的訴訟追行を未然に防止する必要を重視し，詐害訴訟の可能性が客観的な事案自体からうかがわれる場合を含むとする。

97)　詐害意思説の立場からは，詐害意思が認められれば，かならずしも補助参加の利益を要しないとされ（三ヶ月・全集225頁），その例として，特定財産の帰属に関する第三者・債務者間の馴合訴訟に債務者の一般債権者が独立当事者参加を認められると説く。しかし，一般債権者が目的財産を差し押さえたり，または債務者・第三者間の行為について詐害行為取消権を行使していれば別であるが，単に一般債権者であるというだけでは，訴訟の結果によってその者の権利が害されるとはいえない。後掲最判昭和42・2・23（注98）の事案も，差押債権者の例である。近時の下級審裁判例では，東京地判平成

れに加えて，参加人が新たな当事者の地位をもって従来の当事者間の訴訟を牽制することを正当化する根拠として，当事者の詐害意思が要求される。補助参加人の場合には，その従属性から当事者の詐害的訴訟行為を十分に牽制することが期待できないからである。もっとも，当事者の地位を与えられる結果として参加人は，当事者の双方または一方に対する独自の請求を定立することを求められるが，これは，その法律上の地位にもとづく独自の請求を定立する可能性のない第三者については，補助参加人の地位を超える牽制権限を認めない趣旨である。

また，詐害意思は，単なる主観的なものであってはならず客観的に認められるものでなければならないといわれるが，これは，詐害意思が当事者の具体的訴訟行為，たとえば主張・立証の懈怠，期日の欠席，合理的理由のない自白，請求の放棄・認諾などの形で現れていることを要する趣旨である。判例は，詐害意思説に近い考え方をとっているものとみられるが，事件において認められた詐害意思は，それぞれ具体的な当事者の訴訟行為にもとづいて認定されている[98]。

(2)　権利主張参加

訴訟の目的たる権利関係の全部または一部が自己の権利であることを主張する第三者にも独立当事者参加が許される。一部とは，給付請求権の一部帰属のように量的一部の場合もあるし，給付請求権の上に質権を有するなど，質的一部の場合もありうる。いずれの場合であっても，相互に重なり合う部分に関する限り，訴訟物たる権利と第三者が自ら主張する権利とは法律上両立しえない関係に立つ。

その例としては，所有権確認請求訴訟において参加人が自らの所有権を主張する場合，給付請求訴訟の訴訟物たる給付請求権について参加人が自らへの帰属を主張する場合，質権を主張する場合，債権者代位訴訟において債務者が代位債権の不存在を主張し，被代位債権について自らへの給付を求める場合[99]

23・11・1判タ1384号347頁が，参加人が有する法律上の利害関係について判断した上で，詐害意思の存在を否定している。

98)　大判昭和9・8・7民集13巻1559頁〔百選17事件〕(請求認諾)，大判昭和12・4・16民集16巻463頁（期日不出頭)，最判昭和42・2・23民集21巻1号169頁〔続百選25事件〕(期日不出頭・主張の懈怠)。

などがある。これに対して，不動産の譲渡にもとづく移転登記請求訴訟において，二重譲渡を受けたと主張する第三者が自己への移転登記を求める場合には，原告と参加人の請求権との間に法律上両立しえない関係が認められず，権利主張参加は許されない[100]。

(3) 独立当事者参加の時期

独立当事者参加は訴訟係属を前提とするので，訴訟が第一審または控訴審に係属中であれば，参加が許される[101]。これに対して，法律審として参加人の請求についての審判を予定していない上告審においては，独立当事者参加の申出は不適法とされる[102]。ただし，補助参加の場合と同じく，訴訟係属は潜在的なもので足りるので，判決確定後であっても，参加人は，参加の申出ととも

---

99) 最判昭和48・4・24民集27巻3号596頁〔百選〈6版〉103事件〕。このことは，現行民法423条の5の下でも変わりはない。伊藤・前掲論文（注65）44頁注28。

100) 吉野衛「不動産の二重譲渡と独立当事者参加の許否」民事法の諸問題Ⅱ308頁，332頁（1966年）。これに対して通説は，参加の適否は参加人の請求の趣旨・原因によって決めるべきであるとの理由によって独立当事者参加を適法とするが（学説の詳細については，注釈民訴(2)196頁〔河野正憲〕参照），参加人の主張にかかる移転登記請求権自体が原告の移転登記請求権と矛盾するものでないから，参加の要件を満たさない。実質的にみても，実体法上それぞれ別個・独立の権利である両者の移転登記請求権を前提とすれば，相互の訴訟行為を牽制し合う必要性も認められない。新堂839頁以下参照。

通説の側の論拠を敷衍するものとして，上野泰男「いわゆる二重譲渡事例と権利主張参加について」井上追悼190頁，205頁以下，菱田雄郷「独立当事者参加について」小島古稀(上)706頁があり，登記の実現可能性という視点から，参加人が原告の登記手続請求権の存在を争い，原被告間の訴訟に介入する利益を肯定する。期待的利益を権利主張参加の基礎として認めるかどうかの問題であろう。また，瀬木634頁は権利主張参加の類推適用を説く。

八田卓也「詐害行為取消訴訟における他の債権者による権利主張参加の可否」田原古稀943頁，953頁は，参加人が当事者間の譲渡を争う場合を不真正二重譲渡事例，二重譲渡関係を自認する場合を真正二重譲渡事例とするが，両者の間で参加人の攻撃防御方法に差異を生じるかどうか，疑問がある。

101) 弁論終結後・判決言渡し前に参加申出がなされたときに，裁判所が弁論再開を義務づけられるかについては，考え方の対立がある。否定説も，参加申出自体を不適法とするわけではないので（奥村義雄「口頭弁論終結後の当事者参加の申出」判タ216号57頁，60頁（1968年）），その後の上訴などの法律関係がかえって複雑になるところから（注釈民訴(2)210頁〔河野正憲〕参照），例外的ではあるが，裁判所は弁論を再開すべきものと考える。

102) 大判昭和13・12・26民集17巻2585頁，最判昭和44・7・15民集23巻8号1532頁〔百選Ⅱ176事件〕。これに対して有力説（兼子412頁，新堂841頁など）は，上告審において破棄差戻しの可能性があることを理由として参加を肯定するが，そもそも審判請求定立の可能性に欠けるのであるから，不適法とする以外にない。

に再審の訴えを提起することができる。

(4)　参加人による請求の定立

参加人は，独立当事者参加訴訟において当事者の地位を取得する者であるから，従来の当事者の双方または一方と参加人との間に，裁判所の審判の対象となる請求が定立される必要がある。旧法下の判例は，3面訴訟説を前提として参加人が当事者双方に対して請求を定立しなければ，独立当事者参加として認められないとしていたが，この考え方は立法的に変更された。詐害防止参加でも，たとえば移転登記請求訴訟の原告のみに対して，参加人が被告の所有権確認請求を定立するなどが考えられるし，権利主張参加では，原告の被告に対する請求が棄却され参加人が被告に対する給付命令を得れば十分であると判断すれば，参加人は，被告に対する給付請求のみを立てて参加することもありうる[103)]。

もっとも，一方当事者との関係でも参加人が請求を定立する必要がなく，原告の被告に対する訴えの却下や請求の棄却を求めれば足りるとする有力説が存在するが，訴訟手続においては，当事者の地位と請求の定立が不可分のものとされていること，権利主張参加においては，当事者間の請求と参加人の請求が両立しないことが参加の要件とされていることを考慮すると，このような考え方をとることはできない[104)]。

3　独立当事者参加の手続

独立当事者参加は，参加人が係属中の訴訟法律関係に加入し，新たに手続の主体としての地位を取得する点では，補助参加と共通性をもつので，参加申出

---

103)　もっとも，当事者の一方が参加人の請求を争わないときであっても，他の一方がそれを争っている限り，40条1項が準用される結果，双方とも争っていることとなり，争わない当事者に対しても確認の利益が生じる。最判昭和40・10・15民集19巻7号1788頁。したがって，この場合でも参加人が双方に請求を立てることは可能である。

104)　前掲最判昭和45・1・22（注79），最決平成26・7・10判時2237号42頁〔百選〈6版〉A31事件〕。有力説は，井上・法理298頁以下，注釈民訴(2)205頁〔河野正憲〕，瀬木640頁など。上記平成26・7・10決定に付された山浦善樹裁判官の反対意見は，詐害防止参加については，請求の定立の必要がないとし，吉垣実「確定判決の効力を受ける第三者の救済方法について――会社の組織に関する訴えを中心にして」高橋古稀1105頁はこれを支持する。また，鶴田滋「片面的独立当事者参加の訴訟構造」徳田古稀139頁は，既判力の拡張を受ける第三者が独立当事者参加する場合には，実質的には共同訴訟的補助参加とみることができるため，原告の被告に対する請求棄却の申立てをすれば足りるという。

の方式は，補助参加に準じる（47Ⅳ・43）。ただし，独立当事者参加の申出は同時に当事者の双方または一方に対する請求の定立を含むので，訴え提起の方式の遵守が要求される。したがって，簡易裁判所以外の裁判所における独立当事者参加の申出にあたっては，参加の趣旨および理由のほか，請求の趣旨および原因を明らかにした申出書を提出しなければならない（133（改正134））。これにともなって，印紙貼用による手数料納付も必要になる（民訴費3Ⅰ・別表第1Ⅶ）[105]。

独立当事者参加申出の適法性は，参加の要件にかかわるものと，そこに含まれる訴えの訴訟要件にかかわるものとに分けられるが，参加申出自体は一の訴訟行為であるので，訴え提起の実質を重視して，書面による申出が要求され（47Ⅱ），かつ，44条1項の異議にもとづく決定手続ではなく，口頭弁論にもとづく判決によって適法性に関する判断が示される[106]。具体的には，訴えについての訴訟要件を欠けば，訴え却下の訴訟判決がなされるが，参加の要件を欠く場合には，参加人の意思に即した取扱いがなされる。すなわち，独立の訴えとして請求についての審判を求める参加人の意思が認められれば，第一審における参加であれば，新訴の提起として扱い，控訴審における参加であれば，第一審に移送する[107]。これに対して，そのような意思が認められないときには，判決によって参加申出を却下する[108]。

105）　訴え提起にかかる実体法上の効果，特に時効の完成猶予については，原則として参加申出書の提出の時にその効果が生じるが（147参照），訴訟承継にもとづく参加については，特則があり（49），訴訟係属前の承継を理由とする権利主張参加についても，同様に扱われるべきである。

106）　大判昭和15・4・10民集19巻716頁，最決平成12・9・26実情29頁参照。これに対して，畑瑞穂「多数当事者訴訟における合一確定の意義」福永古稀125頁，146頁，菱田・前掲論文（注100）707頁は，参加の要件について疎明を要求し，決定手続によって参加申出を却下する余地を認めるべきであるとする。しかし，決定に対して即時抗告による不服申立てまで許すことは，手続の遅延につながらないかとの疑念がある。

107）　新訴の提起としての扱いを認めるものとして，東京高判昭和46・6・11判タ267号332頁，第一審への移送を認めるものとして，仙台高決昭和48・3・5高民26巻1号101頁がある。

108）　参加申出を却下する判決に対して上訴がなされると，その判決が確定するまでは参加人は，訴訟行為をなすことが許される（45Ⅲ類推）。また，却下判決確定の前でも裁判所は，本訴について弁論を終結して終局判決をなすことができるかどうかが問題となるが，参加を不許とする判決が取り消されると，上告の理由となるから（ただし，最判昭和37・5・29民集16巻5号1233頁は却下判決確定前の終局判決を肯定），終局判決をすることを差し控えるべきであろう。

4　独立当事者参加訴訟の審判

先に述べた趣旨から，独立当事者参加訴訟には必要的共同訴訟についての特則が準用されるが（47Ⅳ・40Ⅰ～Ⅲ），共同訴訟の場合と異なって，独立当事者参加人と原告または被告との間には，共同関係が存在しないところから，各人の訴訟行為の効果については，若干の問題が生じる。

(1)　裁判資料および審理の進行の統一

判決の合一性を確保するために当事者の1人のなす訴訟行為は，参加人の不利益になる限りその効力を生じない（40Ⅰ）。参加人のなす訴訟行為についても同様である。不利益になる訴訟行為の例としては，自白や請求の放棄・認諾が挙げられる[109)]。逆に，有利なものについては，他の者のためにも効力を生じる[110)]。また，当事者および参加人の1人に対する訴訟行為の効力は，他のすべての者に対して生じる（40Ⅱ）。

さらに審理の統一的進行のために，1人について中断・中止の事由が生じると，すべての者との関係で訴訟が停止する。裁判所が弁論を分離して，一部判決をすることも許されない[111)]。

(2)　1人のする上訴の効力

上訴権の前提となる上訴の利益は，それぞれの者について定まる。たとえば，原告および参加人の被告に対する請求がいずれも棄却されたのであれば，原告と参加人が上訴権を認められるし，原告の請求が棄却され，参加人の請求が認められたのであれば，原告および被告が上訴権を認められる。複数の上訴権者のすべてが上訴権を行使したときには，3者間のすべての請求が上訴審に移審し，上訴の相手方が被上訴人としての地位を取得する。これに対して上訴権者

---

109)　ただし，不利益になるかどうかは，当事者と参加人との間に共同関係がないので，一律には決定されない。たとえば，所有権確認および所有権にもとづく明渡請求訴訟に，真の所有者であると主張する者が参加した場合において，原告がその請求を放棄することは，参加人にとって不利益になるとは言いがたい（井上・法理285頁参照）。これに対して，被告が原告の請求を認諾することは，参加人にとって不利益な行為と評価される。損害賠償請求権発生原因事実についての被告の自白も，損害保険会社が詐害防止参加をしているときには，その効力を生じない。岐阜地判平成24・1・17判時2159号134頁。

110)　否認がその例である。最判昭和41・4・12民集20巻4号560頁〔百選Ⅱ117事件，続百選59事件〕。

111)　最判昭和43・4・12民集22巻4号877頁〔続百選74事件〕。

の一部，たとえば上の例で，上訴権者たる原告および被告の中で，被告のみが上訴した場合の法律効果については，考え方の対立がある。

上訴の効果のうち，確定遮断効および移審効が審判の統一を確保するために全員について生じることは争いがないが112)，上訴の対象となっていない請求にかかわる当事者が40条1項の準用によって上訴人となる（上訴人説）のか，それとも同条2項の準用によって被上訴人となる（被上訴人説）のかがここでの問題である113)。上訴人か被上訴人かの地位の違いは，次のような場合に生じる。

たとえば，原告の被告に対する所有権確認請求訴訟に参加人が両者に対する自己の所有権確認を求めて参加し，原告の被告に対する請求が棄却され，参加人の両者に対する請求が認容されたとする。この第一審判決に対して，原告のみが控訴をなしたとすれば，被告は原告に対する関係では被控訴人となり，参加人も，原告に対する関係で被控訴人となる。しかし，参加人の被告に対する請求部分については，上訴の直接の対象となっていない。控訴審が第一審判決を取り消し，原告の被告に対する請求を認容しようとする際に，被告を控訴人とすれば，第一審判決をその有利に変更し，参加人の被告に対する請求を棄却することができるが，被告を被控訴人としたときには，利益変更の禁止原則との関係で，このような扱いに問題が生じる（第1の例）。

また，第一審判決が原告の請求を認容，参加人の請求を棄却し，これに対して被告のみが控訴をなしたとする。この場合に，原・被告間の請求について原告が被控訴人となるが，参加人と被告間，および参加人と原告間の請求部分は，直接の上訴の対象となっていない。控訴審が第一審判決を変更し，原告の請求を棄却しようとする際に，参加人が控訴人の地位に立つとすれば，参加人の原・被告に対する請求を認容に変更することができるが，被控訴人の地位に立

112）　前掲最判昭和43・4・12（注111）参照。

113）　そのほかに，上訴人と被上訴人の地位を兼有するとする説（小島武司「独立当事者参加をめぐる若干の問題」実務民訴(1)117頁，135頁など），現に上訴をしている者が，自己にかかわりのない請求部分についても上訴の利益を認められるとする説（井上・法理394頁）などがある。しかし，上訴関係も基本的には対立構造である以上，兼有説は無理がある。後者は，上訴の目的の実質を捉えたものであるが，上訴が請求の主体およびその相手方の権利である以上，本文のような説明の方が論理整合的である。

つとすれば，被告についての不利益変更禁止の原則との関係で，このような取扱いに問題を生じる（第2の例）。

必要的共同訴訟の場合と異なって，独立当事者参加訴訟においては，それぞれの当事者の間に本来的な共同関係は存在しない。しかし，合一確定の必要が認められる以上，当事者には，内容の矛盾する判断から生じる不利益を避ける点で，共同関係が擬制される。

したがって，第1の例では，合一確定を前提とする限り，原告は自らが被告に勝訴するためには，参加人に対して被告を勝訴させる必要があり，この意味で原告と被告との間に共同関係が認められ，40条1項の準用によって，被告は控訴人の地位が与えられ，裁判所は，参加人の被告に対する判決を請求認容から棄却に変更することができる。

これに対して第2の例では，原告の請求を棄却に変更するについて，合一確定の理由から参加人の請求を認容に変更する必要はなく，したがって被告と参加人との間に共同関係は認められず，40条2項の準用によって参加人は被控訴人としての地位に立つ。その結果として，控訴審が参加人の原・被告に対する請求を認容に変更することは認められない。このように考えると，自ら上訴をしない者の地位を一律に上訴人または被上訴人とすることはできず，合一確定の必要に照らして，上訴をなした者と上訴をしない者との間の共同関係の有無によって，いずれかの地位として決すべきである[114]。

5　2当事者訴訟への還元

独立当事者参加訴訟関係がいったん成立した後であっても，当事者または参加人の以下のような訴訟行為によってその関係が消滅し，2当事者訴訟関係に還元される。

114）　前述（注 *113*）の兼有説の説くところもこのような趣旨に理解できる。判例は，被上訴人説をとる一方，合一確定の必要があれば，その者の有利にも不利にも原判決を変更することができるとするが（最判昭和36・3・16民集15巻3号524頁〔百選18事件〕，最判昭和48・7・20民集27巻7号863頁〔百選〈6版〉101事件〕，最判昭和50・3・13民集29巻3号233頁〔百選〈2版〉36事件〕），結論は同一であっても，本文の説明の方が理論的な無理が少ないと思われる。このような考え方をとる裁判例として，広島高判昭和43・12・24判時576号59頁があり，固有必要的共同訴訟における類似の問題に関して，前掲最判平成22・3・16（注 *50*）がある。なお，上訴人とする場合には，上訴に理由がなければ，その者の上訴も棄却する必要が生じる。

(1)　訴えまたは独立当事者参加の取下げ

参加がなされた後であっても，原告が訴えを取り下げることは可能である。原告にとっては，独立当事者参加訴訟から離脱する方法としては，他に脱退があるが（48），判決効を受けることなく当事者の地位を消滅させる方法として，訴えの取下げを認める必要がある。ただし，261条2項にもとづく相手方の同意に関しては，被告の同意のみならず参加人の同意をも得なければならない。独立当事者参加訴訟による合一確定については，参加人の利益を無視することができないからである[115]。取下げが効力を生じると，参加人の当事者双方または一方に対する訴えのみが残存する。

参加の取下げは，その要件も含めて，訴えの取下げに準じて取り扱われる。参加の取下げによって当事者双方または一方に対する請求定立の効力が失われ，原被告間の本訴のみが残存する。ただし，両当事者に対して請求を定立した参加人が，その一方に対する請求のみを取り下げても，独立当事者参加関係は消滅しない。

(2)　訴訟脱退

権利主張参加がなされた場合，争いの内容に変化が生じ，原告または被告が訴訟追行の利益を放棄することが考えられる。参加人が訴訟物たる債権の譲受けを主張するときに，被告が債権の存在を争うことを断念し，債権の帰属をめぐる原告・参加人間の訴訟の結果にしたがって債務を履行しようとする場合，あるいは原告が債権譲渡の事実を認め，紛争の解決を参加人と被告との間の訴訟に委ねようとする場合などが考えられる。訴訟脱退の制度は，このような理由にもとづいて原告または被告が独立当事者参加関係から離脱することを認めつつ，紛争解決の担保として，残存当事者間の判決効を脱退者に及ぼすものである（48）。

ア　脱退の要件

脱退は，脱退者の裁判所に対する単独の訴訟行為であり，その効力が生じるためには相手方の同意を要する。参加人の同意は不要である[116]。後に述べる

---

115)　最判昭和60・3・15判時1168号66頁〔昭和60重判解・民訴3事件〕。学説においても，これが通説である。注釈民訴(2)226頁〔河野正憲〕参照。

116)　大判昭和11・5・22民集15巻988頁。

ように判決効の面では，脱退によって残存当事者に不利益が及ぶことは考えられないから，立法論としては相手方の同意も不要であるともいわれる[117]。しかし，脱退当事者は，本来自らが行うべき攻撃防御を残存当事者に委ねるものであり，残存当事者の訴訟追行上の利益を尊重する趣旨から同意が要求される[118]。

イ　脱 退 の 手 続

脱退は，書面または口頭によってなすことができる（民訴規1）。相手方の承諾についても同様である。訴訟法律行為である脱退については，訴訟能力のほかに訴訟行為一般の有効要件が備えられなければならない。また，裁判所は脱退が有効であると認められるときには，脱退の意思表示を記載した脱退調書を作成させる。

ウ　脱 退 の 効 果

訴えの取下げと異なって脱退当事者は，将来に向かって訴訟関係から離脱するのみであり，その者を当事者とする訴訟係属が遡及的に消滅するわけではない。したがって，訴えの取下げや独立当事者参加の取下げ（(1)）と異なって，脱退当事者のなした主張・立証も，残存当事者についての裁判資料となる。ただし，脱退当事者にかかわる請求の定立は失効するから，裁判所は，それについて審判をする義務を免れる。

脱退の効果としては，脱退行為そのものにもとづく効果と，法が脱退当事者に対して拡張する残存当事者間の判決効（48）とを区別する必要がある。以下，原告脱退と被告脱退の2つの場合に分けて，脱退の効果を説明する。

(a)　原告脱退の場合　　給付訴訟の係属中に訴訟物たる債権の譲受けを主張する第三者が独立当事者参加をなし，その後に原告が脱退をなす場合には，脱退行為の内容として請求の放棄を認めるべきである。したがって，脱退調書は，放棄調書としての効力をもつ。参加人の被告に対する請求が認容されるときはもちろん，訴訟物たる権利が脱退原告に帰属するという理由で参加人の請求が棄却される場合であっても同様である[119]。

117）　注釈民訴(2)232頁〔池田辰夫〕は，解釈論としても同意を不要とする余地があるという。福井地判昭和37・3・9下民13巻3号365頁参照。

118）　井上治典「独立当事者参加」新実務民訴(3)45頁，74頁。

他方，参加人と被告との間の判決効は，脱退原告に対しても拡張される。したがって，それが請求認容であるときには，脱退原告は債権が自己に帰属することを参加人に対して主張しえない。

(b)　被告脱退の場合　　上の例に即していうと，被告の脱退の意思表示は，参加人・原告間の勝訴者に対する条件付認諾として認められる。参加人の原告に対する確認請求認容判決が確定すれば，参加人は，脱退調書すなわち認諾調書を債務名義として被告に執行できる。また，請求棄却判決が確定すれば，原告が脱退調書を債務名義として執行することができる[120]。

これに加えて，参加人のための請求認容判決は，脱退被告のためにも既判力を及ぼし，原告は，脱退被告に対してその権利を主張することを妨げられる。また，参加人に対する請求棄却判決も脱退被告のために既判力を及ぼし，参加人は，脱退被告に対してその権利を主張することを妨げられる。

第6項　共同訴訟参加

訴訟の目的が当事者の一方と第三者について合一に確定すべき場合には，その第三者は，共同訴訟人として訴訟に参加することができる（52 I）。この参加形態を共同訴訟参加と呼ぶが，先に述べた主観的追加的併合の1形態に属する。訴訟追行権自体は被参加人たる当事者と参加人たる第三者がそれぞれ独立に行使しうることが前提であり，かつ，合一確定が求められるものであるから，参加後の共同訴訟の形態としては，類似必要的共同訴訟に属する。したがって，参加人たる第三者は，判決効の拡張を受け，かつ，独立の当事者適格をもつ者

119）　かつての有力説は，後者の場合は放棄の効力が生じないとし，放棄は解除条件付であるとした（新堂・旧522頁。ただし新堂851頁は，説を改めている）。その理由として，当事者間の公平と，再訴の危険をおそれる被告は，脱退に対する承諾拒絶によってその利益を守りうることを挙げる。しかし，放棄の意思表示に条件を付すことは，その効果を不安定にさせるから，合理的理由がなければ許されないし，被告が承諾に消極的になることは，結局脱退原告の利益を害する結果となる。本文のような考え方をとるものとして，大阪高判昭和39・4・10下民15巻4号761頁（ただし，傍論）がある。なお，放棄の効力は，脱退調書成立の時に生じる。

120）　請求棄却判決は，訴訟物たる債権の原告への帰属を確定するものではないが，脱退被告の意思表示の内容に即してこのような効果が認められる。なお，残存当事者と参加人の間の判決は，脱退調書の執行力発生の条件になる（民執27 I）。

でなければならない[121]。

参加の方式は，基本的には補助参加の方式にしたがうが，第三者は当事者の地位をもち，請求の主体となる者であるので，独立当事者参加の場合と同様に書面による参加申出が必要である（52Ⅱ・47Ⅱ）。上告審における参加については，独立当事者参加の場合との均衡が問題となるが，共同訴訟参加の性質上，これを認める余地がある[122]。

121）ただし，例外的に固有必要的共同訴訟において共同訴訟人たるべき者の一部が脱落しているときに，その瑕疵を治癒するための方法として共同訴訟参加を認めるとすれば（大判昭和9・7・31民集13巻1438頁），参加人たる第三者は独立の当事者適格をもつ者に限定されない。必要的共同訴訟における当事者適格の問題は，口頭弁論終結時を基準として判断すべきものであるから，このような方法を認めるべきである（秋山ほかⅠ657頁）。

なお，すでに参加申出人と相手方当事者との間に同一訴訟物についての訴え却下判決が確定しているときには，その既判力によって参加申出も不適法なものとなる。住民訴訟について，最判平成22・7・16民集64巻5号1450頁〔平成22重判解・民訴4事件〕。

また，現行民法の下では，債権者代位訴訟の提起後も債務者が訴訟物たる被代位債権についての管理処分権を失わないにもかかわらず，債務者による別訴は二重起訴として許されず（本書243頁），加えて，債権者代位訴訟の判決効が115条1項2号によって債務者に拡張されるために（本書627頁），債務者や他の債権者による共同訴訟参加を認めるべきである。伊藤・前掲論文（注65）44頁参照。もっとも，共同訴訟参加後の訴訟において被代位債権の存在が認められるときに，原告たる代位債権者と共同訴訟参加人たる債務者の請求の双方を認容すべきか，それとも，債権者代位権行使の要件の1つとして，債務者の権利不行使がいわれる以上，債務者の請求を認容するときは，代位債権者の請求を棄却すべきかという問題がある。考え方が分かれうるが，筆者は後者の見解である。伊藤・前掲論文45頁。薮口康夫「改正民法下における債権者代位訴訟の現在地と未来」小林古稀247頁も同様である。大阪地判令和5・1・19金商1674号38頁は，代位訴訟却下説をとる。瀬木637頁は，代位債権者による先行訴訟を二重起訴として却下する可能性を示唆する。

多重株主代表訴訟における最終完全親会社の株主の共同訴訟参加（会社849Ⅰ本文）については，原告適格としての株式保有要件（会社847の3Ⅰ柱書本文）を満たす必要はないとの見解も有力であるが（奥山健志「多重代表訴訟の訴訟手続に関する実務の視点からの検討」加藤哲夫古稀35頁），原告適格を認められない者に共同訴訟参加を認める理由はなく，補助参加にとどめるべきである。

さらに，詐害行為取消訴訟についても，判決効の片面的拡張がなされること（民424の5），二重起訴禁止の趣旨が妥当する可能性があること（本書243頁）を考えれば，他の債権者による共同訴訟参加について検討すべきである（伊藤・前掲論文45頁）。

122）共同訴訟参加人も当事者たる性質上，請求の主体となる必要があるが，その請求は，必要的共同訴訟としての構造から，従来の当事者間の請求とその内容を同じくすることを考えると，上告審における独立当事者参加と区別する合理的理由がある。

第3節　訴訟承継

訴訟係属中において訴訟物たる権利またはそれにかかわる実体法上の権利関係の変動によって当事者適格が訴訟当事者から第三者に移転した場合，旧適格者による，または旧適格者に対する訴えは不適法なものとなり，新適格者による，または新適格者に対する別訴が提起されることになる。しかし，このような結果はそれまでの訴訟が無益に帰することになり，訴訟の紛争解決機能を損なう。また，当事者から第三者に権利関係の移転がなされたことを考慮すれば，新適格者に従前の訴訟状態を承継させても不公平とはいえない。立法者は，このような考慮にもとづいて，口頭弁論終結後の承継人に対する既判力の拡張と並んで，訴訟承継の制度を設けたものである[123]。

訴訟承継においては，新当事者が旧当事者の形成した訴訟状態を引き継ぐ。訴訟状態の中には，すでに形成された裁判資料だけではなく，裁判資料提出の機会などの手続上の地位も含まれる。したがって，自白の拘束力や時機に後れた攻撃防御方法提出の制限なども新当事者に引き継がれる。また，訴え提起にもとづく時効の完成猶予や期間遵守などの効果もここに含まれる。ただし，訴訟費用の負担に関しては，以下に述べる当然承継と参加承継・引受承継とで区別される[124]。

訴訟承継の中には，当事者適格の変動とともに，当然に新適格者が訴訟当事者の地位を取得する当然承継と，参加申出や引受申立てなど当事者の訴訟行為によって当事者の地位が取得される場合，すなわち参加承継および引受承継がある。

1　当然承継

当事者適格の変動原因たる一定の事由については，新適格者の意思を問わず

123）　これに対して，訴訟係属中の権利関係の変動は当事者適格に影響を与えないとする，当事者恒定と呼ばれる立法例もある。日比野泰久「係争物の譲渡に関する一考察(1)」名古屋大学法政論集105号93頁，98頁以下（1985年）参照。

124）　当然承継の場合には，その原因となる包括承継の性質上，訴訟費用の負担も承継人によって引き受けられるが，参加・引受承継の場合には，その原因となる特定承継の性質上，訴訟費用は承継されない。

当然にその者が当事者の地位を取得する。これが当然承継と呼ばれるものである。当然承継にともなって当事者が交代すると，新当事者に訴訟追行をさせる必要から，手続を中断し，新当事者に受継させるのが通常であるが，当事者に代わって訴訟追行をなす訴訟代理人が存在するときには，手続が中断しないこともある（124Ⅱ）[125]。当然承継についての直接の規定は存在しないので，中断を定めた規定から当然承継の原因を構成せざるをえない。

(1)　当然承継の原因

当然承継の原因としては，第1に，自然人たる当事者の死亡が挙げられる（124Ⅰ①）。ただし，訴訟物の性質が一身専属的であるときには，死亡にもとづく承継が生じえないので，当然承継やそれにともなう手続の中断も生ぜず，手続は終了する[126]。また，受継をなすべき承継人は，相続人であるのが通常であるが，相続財産についての管理処分権の帰属によっては，受遺者，遺言執行者，相続財産管理人，または相続財産清算人などが承継人となることもある。相続人についても，相続放棄との関係で受継の制限がある（124Ⅲ）。

第2に，法人の場合には，合併が当然承継の原因として挙げられる（124Ⅰ②）。ただし，合併が相手方に対抗できるものでなければならない（124Ⅳ）。この場合には，合併によって設立された法人または合併後存続する法人が承継人

125）　承継と受継の関係がこのような形で整理されたのは，兼子・研究(1)77頁以下によるところが大きい。また，当然承継の場合には，訴訟関係が継承されるとともに，実体法上の承継を反映した，訴えの自動的変更が生じる。八木良一「当事者の死亡による当然承継」民訴雑誌31号32頁，42頁（1985年），中野・論点Ⅰ154頁参照。

126）　訴訟物が一身専属権であることを理由として当然承継を否定するものとして，最大判昭和42・5・24民集21巻5号1043頁〔百選ⅡA46事件〕，最判昭和63・4・19判タ669号119頁（生活保護処分についての裁決取消し），最判昭和51・7・27民集30巻7号724頁〔百選Ⅱ180事件〕（養子縁組取消し），最判昭和57・11・26判時1066号56頁（離縁請求），最判昭和57・12・17家月35巻12号61頁（認知無効確認），最判平成元・10・13判時1334号203頁〔平成元重判解・民訴3事件〕（婚姻無効確認），最判平成9・1・28民集51巻1号250頁（開発許可取消し），最判平成28・12・8判時2325号37頁（人格権にもとづく航空機の離着陸等の差止めおよび音量規制の請求）などがある。

これに対し，最判平成29・12・18民集71巻10号2364頁，同29・12・18裁時1690号14頁は，被爆者援護法にもとづく被爆者健康手帳の交付申請却下処分などの取消しを求める訴訟における当事者の相続人による訴訟承継を認めている。同法の趣旨に鑑み，処分の取消しによって回復すべき法律上の利益が一身専属的ではなく，健康管理手当の受給権にかかる財産上のものであることを重視していると考えられる。

なお，人事訴訟（人訴2）の被告死亡の場合については，旧人事訴訟手続法2条3項の規律が一般化され，検察官の被告適格が法定された（人訴12Ⅲ）。

となる。自然人の死亡と同様に，合併による包括承継の場合には，実体法上の権利関係も，訴訟法律関係上の地位も包括的に承継人に移転するところから，承継人の意思を問わない当然承継が認められたものである。

第3に，信託財産について受託者が当事者となっている訴訟において，信託関係の終了などの原因にもとづく受託者の任務の終了（信託56Ⅰ）が挙げられる（124Ⅰ④イ）。任務終了によって信託財産についての受託者の管理処分権が消滅し，新たな受託者に移転する。新たな受託者にとっては，訴訟の続行は自己の任務に属するので，法は当然承継を認めたものである。新たな受託者が存在しない場合には，信託財産管理者または信託財産法人管理人が承継人となる。当事者である信託財産管理者または信託財産法人管理人の任務終了（信託70等・74ⅢⅣなど）にもとづく新たな受託者または新たな信託財産管理者もしくは新たな信託財産法人管理人による当然承継，および当事者である信託管理人の任務終了（同128）にもとづく受益者または新たな信託管理人による当然承継についても，同様である（124Ⅰ④ロハ）。

第4は，一定の資格にもとづく法定訴訟担当者や職務上の当事者が死亡，その他の事由によって資格を喪失した場合である（124Ⅰ⑤）。資格の例としては，破産管財人（破80），再生管財人（民再67Ⅰ），更生管財人（会更74Ⅰ），船長（商803Ⅱ），特定不能土地等管理者（表題部所有者不明土地の登記及び管理の適正化に関する法律20Ⅰ），所有者不明土地・建物管理人（民264の2Ⅳ・264の8Ⅳ）などが挙げられる。第3の場合と同様に，新たな資格者がその任務として当然に承継人となり，手続を受継する。債権者代位訴訟や詐害行為取消訴訟についての破産管財人などの受継（破45Ⅱ，民再40の2Ⅱ，会更52の2Ⅱ）も，同様の性質を有する。

第5は，選定当事者の全員が死亡，その他の事由によって資格を喪失した場合である（124Ⅰ⑥）。新たな選定当事者がその資格にもとづいて，または本来の訴訟追行権者である選定者全員が承継人となり，受継の手続がとられる。これに対して，選定当事者の一部の者がその資格を喪失したときには，他の選定当事者が選定者全員のために訴訟追行をできるので（30Ⅴ），当事者の地位に変更を生じない。また，訴訟係属中に選定がなされたときには，選定者は訴訟から脱退し（30Ⅱ），選定当事者がその承継人となるが，この場合にも受継の手続はとられない。なお，以上の手続は狭義の任意的訴訟担当者についても類推適用される。

第6は，破産手続開始の決定または破産手続の終了の場合である（破44）。破産手続開始の決定によって破産財団所属財産についての管理処分権およびそれにもとづく当事者適格は，破産者から破産管財人に移転し，破産管財人はその職務上当然に破産者の承継人になる。これにともなって，中断・受継の手続がとられる（破44ⅠⅡ）[127]。また，破産手続の終了によって破産者の当事者適格が回復するので，破産管財人を当事者とする訴訟は中断し，破産者が破産管財人の承継人として手続を受継する（同ⅣⅤ）。

第7は，所有者不明土地・建物管理命令の発令または取消しの場合である（民264の2・264の8）。所有者不明土地・建物管理命令の発令によって，その対象とされた土地や建物等についての管理処分権は管理人に専属し（民264の3Ⅰ・264の8Ⅴ），当事者適格も管理人に帰属する（民264の4・264の8Ⅴ）。これにともなって，中断・受継の手続がとられる（125Ⅰ）。また，管理命令の取消しによって所有者の当事者適格が回復するので，管理人を当事者とする訴訟は中断し，所有者が管理人の承継人として手続を受継する（125Ⅱ）。所有者不明建物管理命令についても同様である（125Ⅲ）。なお，「表題部所有者不明土地の登記及び管理の適正化に関する法律」にもとづく特定不能土地等管理者についても，同様の規律が設けられている（同法21Ⅰ・23ⅠⅡ～Ⅴ）。

(2)　当然承継と訴訟の続行

当然承継にともなって訴訟手続が中断するときには，当然に受継が認められる場合を除いて，承継人もしくは相手方からの受継申立てにもとづく受継決定，または裁判所の続行命令によって手続が続行される（124～129）。受継の申立ては書面によって行わなければならない（民訴規51Ⅰ）。申立てを受けた裁判所は，職権で調査し，理由がなければ申立てを却下する（128Ⅰ）[128]。却下決定に対しては，抗告が許される（328Ⅰ）。受継を認めるときは，裁判所が期日を指定し

127）　破産管財人による受継がなされないうちに破産手続が終了したときには，破産者が当事者適格を回復するが，外形上破産者は当事者の地位を保持しているために，当然承継にともなって，当然に手続を受継したものとして扱われる（破44Ⅵ）。

128）　判決書等の送達後に中断した訴訟に関する受継申立てについては，判決をした裁判所が裁判する（128Ⅱ）。

て，手続が続行される。ただし，僭称承継人によって手続が続行されているときでも，真の承継人は重ねて受継申立てができる。

訴訟代理人が存在するために当然承継にともなって中断の効果が生じない場合には，代理人は，中断事由の発生を裁判所に書面で届け出る（民訴規52）。裁判所は，届出にもとづいて承継人を訴訟当事者として扱い，判決にも承継人が表示される[129]。

2 参加承継・引受承継

当然承継の原因以外の原因によって訴訟係属中に当事者適格の変動が生じた場合には，変動の原因たる権利関係の承継人またはその相手方の申立てにもとづいて，承継人が当事者の地位を取得する[130]。承継人自らが当事者の地位取得を申し立てる場合を参加承継と呼び，相手方がこれを申し立てる場合を引受承継と呼ぶ。

(1) 参加承継・引受承継の原因

参加・引受承継の原因について法は，訴訟の目的である権利の譲受け，または義務の承継を規定するが，この文言は訴訟物より広く，訴訟物の基礎たる権利義務を含み，その承継によって訴訟物についての当事者適格の移転をもたらすものを意味する。承継の原因も，法律行為，競売などの国家行為，または法の規定によるかを問わない。たとえば，建物収去土地明渡請求訴訟中に訴訟物たる収去明渡請求権の基礎をなす原告の土地所有権や被告の建物所有権が第三者に譲渡された場合には，第三者に当事者適格が移転するし，また，上記訴訟において被告から第三者が建物を賃借した場合も，被告の土地占有権原の一部を承継したことによって，その者に対して当事者適格が移転したものとみなされる[131]。

129） 最判昭和33・9・19民集12巻13号2062頁。代理人による届出が怠られたため，被承継人が判決に当事者として表示されたときには，257条1項にもとづく判決の更正が可能である（最判昭和42・8・25判時496号43頁）。

130） 当然承継の場合には，被承継人の訴訟法律関係自体が承継人に引き継がれるが，参加・引受承継の場合には，承継人のために新たに訴訟法律関係が設定され，ただ，被承継人の形成した訴訟状態が引き継がれる。中野・論点Ⅰ157頁参照。

131） 大判昭和12・12・11新聞4223号10頁（土地譲受人），大決昭和5・8・6民集9巻772頁（建物譲受人），最判昭和41・3・22民集20巻3号484頁〔百選〈6版〉104事件〕（建物賃借人）。昭和41年判決の事案では，建物賃借人が被告の土地占有権原の一部を承

さらに，原被告間の建物収去土地明渡請求訴訟において，土地賃貸借の終了が争われており，その訴訟の係属中に建物の占有が第三者に譲渡された事案においては[132]，訴訟物たる賃貸借契約の終了にともなう収去明渡義務が被告から第三者へ移転したといえないことはもちろん，前訴の訴訟物たる収去明渡請求権が土地賃貸借契約終了にもとづく債権的請求権であり，第三者に対する訴訟物たる退去請求権が土地所有権にもとづく物権的請求権であることを考慮すれば，占有の承継にともなって，当事者適格の一部の移転があったとみることも困難である。なぜならば，当事者適格は，訴訟物を基準として決定される以上（本書200頁），被告の当事者適格の一部が第三者に移転したとみることはできないからである。

しかし，原告が第三者たる建物占有者に対して退去請求を定立した場合に，第三者が，建物所有者たる被告の土地占有権原を自らの権原を基礎づけるものとして援用する可能性がある以上，被告の土地占有権原，すなわち賃貸借の終了に関して形成された訴訟状態を第三者に引き継がせるべき必要性を否定することはできない。昭和41年判決（注*131*）が，当該紛争の主体たる地位を承継したとの理由から，訴訟引受けの申立てを許容すべきものとしたのは，このような必要性を満たすために他ならない。したがって，ここでいう紛争の主体たる地位とは，訴訟物だけではなく，それをめぐる主要な攻撃防御方法を包括する概念として用いられており，被告と第三者との間の土地建物の占有の承継にともなって，主要な攻撃防御方法を共通にする結果となった場合には，紛争の主体たる地位の移転があるとするものと考えられる。

なお，旧73条および旧74条の下では，権利の承継のみが参加承継の原因となり，他方，義務の承継のみが引受承継の原因として規定されていたが，判例・通説は，義務の承継も参加承継の原因たりうること，権利の承継も引受承継の原因たりうることを解釈論として確立していた。現行法の立法者は，この

継したものとして，当事者適格が認められる。

132）　前掲最判昭和41・3・22（注*131*）。なお，口頭弁論終結後の承継人に対する既判力の拡張（115 I ③）の場合と同様に（本書607頁参照），債務の承継に該当しない場合には，義務の承継に該当しない。商法旧374の10第2項（会社764 II 参照）にもとづく弁済責任が分割会社の債務を承継するものとはみなされないことを判示した最決平成17・3・8実情223頁がある。

考え方を立法化したので（51）[133]，参加承継・引受承継の原因として権利承継・義務承継の区別はない。

⑵　参加承継・引受承継の手続

参加承継・引受承継の手続は，一方で，申立ての趣旨が承継人自らの参加か，それとも相手方の承継人への訴訟引受けかによって区別され，他方で，承継の対象が権利か義務かによって区別される。しかし，いずれの場合であっても，新請求の定立にかかわるので，事実審の口頭弁論終結までになされることを要する[134]。

ア　参加承継の手続

参加承継の申出は，47条1項が規定する権利主張参加の方式によってなされる（49・51）。したがって承継人は，申出とともに相手方に対する請求を定立しなければならない。権利承継人の場合には，その権利にもとづく給付や積極的確認請求を立てることになるが，義務承継人の場合には，消極的確認請求を立てることになる。参加によって，時効の完成猶予または法律上の期間遵守の効力が訴訟係属の時に遡って生じる。

旧法の下では，たとえ被承継人との間に承継をめぐって争いがなくとも，3面訴訟関係を成立させるために相手方と被承継人の双方に対して請求を定立する必要があったが，すでに独立当事者参加について述べたように，現行法の下ではそのような必要はない[135]。また，被承継人は，48条の規定によって訴訟から脱退することも可能である。

イ　引受承継の手続

義務承継人に対する訴訟引受けの申立て（民訴規21）がなされ，その要件が認められれば，裁判所は引受決定をなす（50Ⅰ）。引受申立却下決定に対しては，抗告が許されるが（328Ⅰ），引受決定に対しては独立の不服申立ては許さ

133）　学説の考え方を確立したものとして，兼子・研究⑴136頁以下がある。これにもとづく判例として，最判昭和32・9・17民集11巻9号1540頁〔百選Ⅱ181事件〕がある。立法の意図については，研究会84頁，一問一答66頁参照。

134）　最決昭和37・10・12民集16巻10号2128頁。参加承継は独立当事者参加の方式によってなされるので，書面によるが（47Ⅱ），引受承継申立ても原則として書面による（民訴規21）。

135）　被承継人と承継人との間に請求が定立されていない限り，両者の訴訟代理人を兼ねることは弁護士法25条1号に違反しない。最判昭和37・4・20民集16巻4号913頁。

れず，終局判決に対する上訴による不服申立て以外にない（283）[136]。

引受決定は，引受申立人の引受人に対する請求を係属中の訴訟手続において併合審判することを決定し，それを前提として，引受人に対して訴訟状態承認義務を課すものである。たとえば，原告たる債権者の申立てにもとづき免責的債務引受人に対して引受決定がなされ，原告が引受人に対して請求を定立したときには，被告に対する請求と引受人に対する請求とが併合審判され，かつ，引受人は，被告によって形成された訴訟状態を承認しなければならない。もちろん，被告は訴訟から脱退することは可能である（50Ⅲ・48）。また，引受人に対する時効の完成猶予の効果等も訴訟係属の時に遡って生じる（50Ⅲ・49）。なお，相手方に限られず，被承継人も訴訟当事者として義務承継人に対して引受申立てをなしうる[137]。

権利承継人に対して義務者の側から引受申立てをなし，引受決定がなされた場合には（51後半部分），申立人の側から債務不存在確認請求などを定立しなければならない[138]。もちろん，これに対して承継人の側から反訴として給付請求を定立することは許される。

(3)　参加承継訴訟・引受承継訴訟の審理

独立当事者参加の方式によってなされる参加承継訴訟においては，必要的共

136）　もっとも，いったん引受決定にもとづいて審理が行われた以上，義務の承継など，引受けの要件は本案の問題となり，承継が認められない場合には，請求棄却判決になる（田尾桃二「訴訟引受の一つの問題」判タ242号66頁以下（1970年），秋山ほかⅠ654頁，瀬木662頁参照）。ただし，旧法と異なって，引受け後の訴訟が同時審判申出共同訴訟の特別の規律に服することとの関係で，上訴審が引受決定を取り消し，弁論を分離する可能性を認めるべきである。

137）　最判昭和52・3・18金融法務837号34頁。これに対する反対説は，被承継人が承継人に対する請求を定立する利益が認められないことを根拠とする（中野・論点Ⅰ171頁。学説の詳細については，注釈民訴(2)260頁〔池田辰夫〕参照）が，引受決定がなされても，引受人が相手方に対する請求を定立しなければ，引受けの実質をともなわない結果になるだけである。秋山ほかⅠ650頁参照。

138）　これに対して，中野・論点Ⅰ165頁では，引受決定によって引受人である権利承継人の引受申立人に対する請求の定立が擬制されるとする。その理由としては，被告たる引受申立人の受動的立場，および承継の事実が不存在とされる場合に，債務不存在確認訴訟が認容されることが不自然である点が挙げられる。しかし，引受けによって申立人が利益を受ける以上，請求の定立を要求することが不合理とはいえないし，引受決定後は承継が本案の問題とされる以上，後者の結果も不当とはいえない。研究会85頁〔青山，竹下発言〕，上北武男「訴訟参加及び訴訟引受け」新大系(1)197頁，217頁参照。

同訴訟に関する審理の特則が準用される（49・51・47Ⅳ・40Ⅰ～Ⅲ）。したがって，参加承継人は，参加前の訴訟状態に拘束される[139]。また，参加後の審理においては，合一確定に必要な限度で制約は受けるが，自らの訴訟行為によって裁判資料の形成に関与する。

これに対して，引受承継訴訟の審理は，旧法下では通常共同訴訟の審理原則によるとされていたが，50条3項は，同時審判申出共同訴訟の審理原則を準用することとした。したがって，弁論および裁判の分離は許されず，また控訴審において弁論および裁判が併合されることがある（41ⅠⅢ）。参加承継訴訟においては，承継人が進んで訴訟に参加し，併合審判を求めるものであるから，従前の訴訟状態を承継させた上で，合一確定のための規制に服させても不当とはいえない。しかし，引受承継人は，自らの意思によらずに訴訟状態を承継させられるものであり[140]，それに加えてその者の訴訟行為が必要的共同訴訟の準則によって規律されることは行き過ぎである。もっとも，引受申立人の側では，被承継人か承継人かのいずれかに勝訴する利益が認められ，これが同時審判申出共同訴訟の原則が準用される根拠になる[141]。

139）もっとも，近時の有力説は，承継人が当然に従前の訴訟状態に拘束されることに疑問を呈する（中野・論点Ⅰ161頁以下，注釈民訴(2)252頁〔池田辰夫〕など）。自らの意思によって参加する以上，承継人が参加の時点での訴訟状態に拘束されることを原則とすべきであるが，従来の訴訟追行が馴合的であった場合など，相手方が訴訟状態の拘束力を主張することが信義則違反とされるようなときには，例外が認められる。加波眞一「訴訟承継再論」高橋古稀267頁も，承継人に対する拘束力を承継効と呼び，馴合訴訟のように，それを正当化できない事情が認められるときには，拘束力を否定する。

140）ただし，参加承継訴訟について述べたのと同様に，訴訟状態承認義務が否定されることがある。参加承継の場合よりも，引受申立人について信義則違反が認められることが多いと思われる。

141）研究会86頁，87頁における青山，柳田発言参照。もっとも，権利承継人に対する引受申立ての局面では，同時審判申出共同訴訟の規律を当てはめるのは不当であるとの批判がある。同研究会における竹下，福田発言参照（同88頁，89頁）。

第9章　上　　訴

裁判は，当事者によって提出された裁判資料を基礎としてなされるものであり，資料提出については，弁論主義などさまざまな手段によって当事者に対する手続保障が図られている。しかし，法の定める資格を備える裁判官の裁判も常に無謬とはいえず，裁判の基礎に不適切な事実認定や妥当とはいえない法解釈が含まれている可能性を完全に否定することはできない。このような不当または違法な裁判によって直接の不利益を受けるのは，訴訟当事者であるので，法は，当事者に上訴の手段を与えて，不当・違法な裁判を是正する機会を保障している。

第1節　上 訴 総 論

上訴は，原裁判に対する当事者の不服申立手段の１つであるが，他の不服申立手段との区別，上訴制度の目的，上訴の種類，上訴の要件一般，および上訴の効果について以下に説明する。

第1項　上 訴 の 概 念

上訴とは，未確定の原裁判の取消しまたは変更を上級裁判所に対して求める当事者の訴訟行為であり，原裁判に対する不服を基礎として上級審の裁判を求める訴訟上の申立ての性質をもつ。上訴は，裁判の形式的確定力発生前にその取消し・変更を求めるものであり，かつ，上級審に対する審判申立てとしての特徴をもつ。また，訴訟行為の効果としては，確定遮断効と上級審への移審の効果をもつものが上訴とされる。したがって，控訴（281），上告（311），抗告(328)，再抗告（330），許可抗告（337）などは，上訴としての性質をもつ。上告受理申立て（318）は，当然には移審の効果をもたないが，確定遮断効を認められているので（116Ⅱ），上訴の一種である。

これに対して，再審の訴え（338）は，確定判決に対する不服申立てである点で，上訴と区別される。特別上告（327）および特別抗告（336）も，確定した裁判に対する不服申立てである点で，上訴と区別される。これらは，確定遮断効をもたない。また，同一審級内での不服申立てである異議（150・202Ⅲ・206・329Ⅰ・357・378など）は，上級審に対する不服申立てではなく，移審の効果をもたない点で，上訴と区別される。なお，仲裁判断取消しの申立て（仲裁44Ⅰ）は，同一手続内における不服申立てではなく，上訴としての性質をもたない。

第2項　上訴の目的

裁判所を構成する裁判官は，法定の資格をもつ者の中から任命され，裁判所の判断も，法が定める手続にしたがって，かつ，実体法規範を基準として行われる。しかし，訴訟が相対立する当事者の申立てを前提とするものであるがゆえに，裁判所の判断結果について当事者が不服をもつことは避けられない。訴訟制度の目的が真実について適切な法を適用することによって紛争解決のための裁判所の判断を示すことにあるとすれば，当事者の不服が理由があるものかどうかについて審査する手続を設けるべきである。この目的を実現するために，当事者に上訴が認められる。

もっとも，原審の判断を審査する手続を重ねることは，不当な裁判からの救済には役立つが，逆に，判決の確定が遅延し，勝訴当事者の権利の実現が妨げられる結果も生じうる。上訴制度をどのような内容のものとして構成するかは，この2つの相反する要請を手続の性質に応じて調和させようとする立法者の判断にかかっている。上訴制度の歴史が，手続保障の視点から上訴の機会を保障しようとする要請と，正義の迅速な実現の視点から上訴を制限しようとする要請の衝突によって動かされてきたことは，これを象徴するものである[1)]。

1）　わが国における上訴制限の歴史と，各国における上訴制限の状況については，上野桊男「上訴制限について」関大法学論集43巻1＝2号743頁（1993年），松本・上告審ハンドブック2頁が詳しい。また，審級制度の構成が立法政策に委ねられることは，上告受理制度（318）の合憲性（最判平成13・2・13判時1745号94頁）や少額訴訟における控訴禁止（380Ⅰ）の合憲性（最判平成12・3・17判時1708号119頁〔百選〈3版〉A52事件〕）の理由とされるところである。

現行法の下では，事実審，すなわち事実認定と法適用の両面にわたって原判決を審査する控訴審と，法律審，すなわち法適用の面に限って原判決を審査する上告審の2つが上訴審として設けられているが，手形・小切手訴訟および少額訴訟では，不服申立てが異議に限られ，控訴が認められていないこと（356・357・377・378），最高裁判所が上告審となるときには，法令違背が当然には上告理由とならないこと（312Ⅲ・318Ⅰ）などは，上の2つの要請を考慮した結果である。また，すでに述べたように，上訴によって確定を遮断される原判決についての仮執行宣言，およびそれに関する執行停止の制度も，上訴にともなう勝訴当事者と敗訴当事者の利益の調和を目的とする。

もっとも，自由心証主義（本書400頁）にもとづく事実認定であっても，証拠能力を欠く証拠（本書401頁）を基礎としたとき，斟酌すべき証拠などを看過したとき，証明度（本書381頁）の基準を誤ったときなどは，訴訟法違反となるので，事実審と法律審の境界が重なり合う部分がある。

上訴制度のもう1つの目的として，法令解釈の統一が挙げられる。上訴にもとづいて上級審が原判決の法令解釈を審査することを通じて，その統一が期待される。特に，最高裁判所が上訴審となる場合には，それが審級制度の頂点に位置する裁判所であるために，この目的が強く意識される。現行法が最高裁判所に対する許可抗告の制度（337）を設けたのも，この目的を実現するためのものである。しかし，上訴制度の第一次的目的は，あくまで当事者に対する救済にあり，当事者の利益に優先して法令解釈の統一を図るべきものではない[2]。

第3項　上訴の種類

現行法における上訴には，控訴，上告（上告受理申立てを含む），および抗告

2）特に上告審に関して，理由たる法解釈が不当であれば当然に原判決を破棄すべきかどうかという問題として議論される。新堂幸司・民事訴訟制度の役割27頁以下（1993年），青山善充「上告審における当事者救済機能」ジュリ591号83頁，90頁（1975年），鈴木重勝「当事者救済としての上訴制度」講座民訴⑦1頁，33頁，高橋宏志「上告目的論」青山古稀209頁，同「上告受理と当事者救済機能」井上追悼296頁，新注釈民訴(5)7頁〔春日偉知郎〕など参照。

これに対し，笠井正俊「上訴審の目的」実務民訴〔第3期〕(6)33頁は，当事者の救済と法令解釈の統一が両立するとの立場をとり，必要に応じて傍論で法令解釈を説示することも積極的に評価する。松本・上告審ハンドブック38頁も，同様の見解を示す。

の3種類がある。これらは不服申立ての対象となる裁判の種類に応じた区別であり，控訴および上告は，終局判決に対する，抗告は，決定および命令に対する上訴である。なお，控訴は第一審判決に対する上訴であり，上告は，原則として控訴審判決に対する上訴であるが，例外として，控訴審を経ずに飛躍上告がなされる場合（281Ⅰ但書・311Ⅱ），および高等裁判所が第一審としてなした終局判決に対して上告が認められる場合がある（311Ⅰ，裁17）[3]。

したがって，当事者は，不服の対象たる裁判の性質に応じて適切な上訴を選択しなければならない。当事者が誤った上訴の方法を選択することを違式の上訴と呼ぶ。違式の上訴は，本来不適法なものであるが，控訴と表示すべき場合に抗告と表示したように，当事者が単に上訴の表示を誤ったにすぎない場合には，不服申立て全体の趣旨を考慮して，適法な上訴が選択されたものと取り扱うべきである[4]。

これに対して裁判所が，判決をなすべきときに決定の形式で裁判をするなど，誤った形式で裁判をなした場合が違式の裁判と呼ばれる。違式の裁判に対する上訴の方法については，判決で裁判をなすべきときに決定または命令の形式で裁判がなされた場合には，常に抗告が許される（328Ⅱ）[5]。違式の裁判と認められるときには，抗告審はそれを取り消して，事件を原審に差し戻す[6]。

逆に，決定または命令によって裁判をなすべきときに判決の形式で裁判がなされたときには，現になされている裁判の形式にもとづいて控訴および上告が許される。ただし，この場合には，違式の裁判によって当事者が不利益を受けているとはいえないから，当然に原裁判が取り消されるわけではない[7]。

違式の裁判に類似するものとして，審級手続を誤った判決がある。たとえば

3）　高等裁判所が第一審となる事件については，兼子一＝竹下守夫・裁判法〈第四版〉186頁以下（1999年）参照。

4）　大決昭和15・2・21民集19巻267頁。

5）　この考え方は，裁判の形式を重視するもので形式説と呼ばれる。なお，違式の決定・命令に対して控訴・上告が提起された場合に，当事者の利益を重視して，それをも適法とする考え方があり，選択説と呼ばれる（松本・控訴審ハンドブック95頁，松本・抗告審ハンドブック50頁参照）。しかし，形式説をとった上で，実務上の指導に委ねれば足りると思われる。

6）　大判昭和10・5・7民集14巻808頁〔百選98事件〕，秋山ほかⅥ14頁，新注釈民訴(5)5頁〔春日偉知郎〕。

7）　大阪高判昭和36・7・4下民12巻7号1592頁。

高等裁判所が上告審の手続にしたがって審判すべき場合であるにもかかわらず，控訴審の手続によって審判がなされたときには，なお上告が認められる[8)]。

第4項　上訴の要件

上訴の申立ては，原裁判の取消し・変更についての審判を求める要求である。したがって，上訴が適法である限り，裁判所は，この申立てについての審判義務を負う。これが上訴審の本案の審判であり，上訴審は，申立てに理由がないとすれば，上訴を棄却し，理由があるとすれば，原裁判を取り消す。原判決が取り消されたときには，原審における当事者の申立てについての審判義務が復活するが，上訴審自らがこの義務を果たす場合が自判と呼ばれ，原審に審判義務の履行を命じる場合が差戻しと呼ばれる。

ただし，上訴が適法とされるためには，以下のような要件が満たされなければならない。第1に，原裁判に対する不服申立てが許されることである（283但書参照）。また，原裁判に対する不服申立てとして適合した上訴でなければならない。第2に，上訴についての法および規則が定める方式にしたがったものであることが要求される。第3に，上訴期間内であることを要する。第4に，上訴人は原裁判に対して不服を主張する利益をもった者でなければならない[9)]。第5に，当事者が不上訴の合意や上訴権放棄の意思表示をなしていないことが必要である。これらの要件の具体的内容については，それぞれの上訴の種類に即して説明するが，いずれかの要件を欠く上訴は，不適法として却下され，上訴審の本案の審判を受けることはできない。上訴要件の具備は，訴訟要件の一種として，上訴審の口頭弁論終結時を基準として判断されるが，第1ないし第3の要件は，その性質上，上訴提起時を基準として判断される。

なお，以上の要件を満たしているにもかかわらず上訴権の濫用として上訴が

---

8)　最判昭和42・7・21民集21巻6号1663頁。手続を誤った判決を取り消すための措置である。新堂幸司・判例民事手続法411頁（1994年）参照。逆に，控訴審として判決をなすべき場合に誤って上告審としての判決がなされたときにも，審級の利益を保障するために上告が認められる。

9)　これに類するものとして，抗告後に，抗告事件を終了させることを合意内容に含む裁判外の和解が成立した場合には，抗告の利益を欠くに至る（最決平成23・3・9民集65巻2号723頁）。

不適法とされる場合がある。上訴権の濫用とは，上訴権者が，上訴本来の目的である下級審裁判の誤謬訂正による権利の防衛のためではなく，裁判の正当なことを認識し，またはしうるべきであるにもかかわらず，上訴の確定遮断の効果を利用し，訴訟引延しのみを意図して上訴権を行使することと定義される[10]。これに対する方策として法は，金銭納付命令の制度を設けている(303・313・331)[11]。納付命令は，訴訟遅延目的の上訴を提起した者に対して本来の上訴手数料の10倍以下の金銭納付を命じることによって，間接的に上訴権の濫用を防ごうとするものである。

これに対して，より直接的な方策として上訴について権利濫用の法理を適用し，これを却下することが考えられる。すなわち，信義則適用の1類型として，原裁判取消しを求める正当な利益をもたない上訴については，上訴審がこれを却下することができる。正当な利益をもたない場合としては，上に述べたように，上訴に理由がないことが合理的に認識できるにもかかわらず，上訴による訴訟引延しをもくろむことが挙げられるが，それ以外にも，原審において本案敗訴の判決を受けた当事者が，自らの行為によって訴えの利益を消滅させた上で，訴えの却下を求めて上訴を提起した場合には，原裁判の取消しを求める正当な利益を欠くものといえる[12]。

第5項　上訴の効果

上訴が提起されると，原裁判についての確定遮断の効果と，事件についての移審の効果が生じる。判決は，上訴期間の経過とともに確定するが（116Ⅰ），その期間内に上訴が提起されると確定が遮断され（116Ⅱ），確定判決にともなう既判力などの効力発生が妨げられる。もっとも仮執行宣言にもとづく執行力は，確定遮断効によって影響を受けない。ただし，上訴のうち抗告に関しては，

10）　小室直人「上訴権の濫用」実務民訴(2)261頁，262頁，新注釈民訴(5)14頁〔春日偉知郎〕参照。

11）　納付命令の適用例については，東京高判昭和50・9・22判時799号48頁，東京高判昭和60・10・21判時1171号75頁，大阪地判平成23・1・14判時2117号44頁，秋山ほかⅥ207頁以下参照。

12）　最判平成6・4・19判時1504号119頁〔平成6重判解・民訴6事件〕。ただし，上野泰男〔判例批評〕関大法学論集45巻4号1116頁，1134頁（1995年）は，上訴権の濫用とは評価しがたいという。

即時抗告についてのみ執行停止の効力が認められ（334 I），通常抗告にはこの効力がともなわない。そこで，抗告裁判所等は，別に執行停止のために必要な処分をすることが認められている（334 II）。

移審の効果とは，原裁判所の訴訟係属が消滅し，これに代わって上訴裁判所における訴訟係属が発生することを指す。現行法では，控訴状，上告状，および上告受理申立書が，原裁判所に提出されるが（286 I・314 I・318 V），原裁判所によって上訴が不適法として却下されない限り（287 I・316 I・318 V），事件が上訴審に送付されることによって移審の効果が発生し[13]，それにともなって原審の訴訟記録が上訴審に送付される（民訴規174・197・199 II）。移審の効果の内容として，両当事者と上訴審との間に上訴法律関係が成立し，その内容たる種々の権利義務が発生する[14]。

なお，確定遮断効および移審効は，訴えの客観的併合についての判決のように，一の裁判の中に複数の請求に対する判断が含まれ，上訴人の不服申立てがその一部にかかる場合であっても，その裁判全体について生じる。これを上訴不可分の原則という。したがって，不服申立ての対象とされていない請求についての判断も確定を遮断され，上訴審に移審する。ただし，訴えの主観的併合のうち，通常共同訴訟の規律が適用されるものについては，共同訴訟人独立の原則（39）が適用されるから，上訴不可分の原則が働かず，不服申立ての対象となっている請求のみについて確定遮断効などが生じる。

移審効が生じる請求のうち，不服申立ての対象となっていないものについては，上訴審が申立てにもとづいて仮執行宣言を付すことができる（294・323）。また，不服申立ての対象となっていない請求は，上訴審の審判の対象とならないが，上訴人は，不服申立ての範囲を拡張し，逆に被上訴人は，附帯上訴をすることによって上訴審に審判を求めることができる（293 I・313）。

13）　旧法下では，控訴の場合と上告の場合とで移審効の発生時点を区別する学説が有力であったが（右田堯雄「上訴提起の効果」講座民訴⑦113頁，120頁以下），現行法については，このような区別をする理由はない。なお，新注釈民訴(5)70頁〔大濱しのぶ〕は，控訴状の提出時を移審効発生時とする。

14）　したがって，必要的共同訴訟において，他の共同訴訟人の上訴によってすでに上訴人の地位を得た者（40 I）が二重にする上訴は不適法である。最判昭和60・4・12裁判集民144号461頁，新注釈民訴(5)17頁〔春日偉知郎〕。ただし，反対説がある。上野𣳾男〔判例紹介〕民商93巻2号273頁（1985年），高橋(下)597頁など。

第2節　控　訴

控訴とは，第一審の終局判決に対する第二審への不服申立てである[15]。第二審は，控訴審と呼ばれ，控訴を提起した当事者は控訴人，その相手方は被控訴人と呼ばれる。控訴の理由は，事実認定の不当および法令適用の違背の双方を含み，上告理由が法令適用の違背に限定される上告審が法律審と呼ばれるのに対して，控訴審は，慣用上事実審と呼ばれる。

控訴の対象となるのは，終局判決のみであるが，中間判決や中間的裁判については，抗告の方法によって独立の不服申立ての対象となるもの（328など），不服申立てが許されないもの（10Ⅲ・25Ⅳ・238など）を除いて，付随的に控訴審の判断の対象となる（283）。控訴審が終局判決の当否を判断する前提として，これらの中間的裁判について審査することを認める趣旨である。

第1項　控訴の利益

控訴を提起する権能は，控訴権と呼ばれる。控訴が第一審判決に対する不服申立てである以上，第一審判決によって不利益を受けた当事者のみに控訴権が認められる。この不利益の反射として，原判決に対して不服を申し立てる利益，すなわち不服の利益または控訴の利益が，控訴権発生の要件として要求される。

1　不服の対象

不服の対象は，原判決の判断中，訴訟法上の効力が生じる部分に限定される。これは，上訴が原判決のもつ拘束力を排除する手段であることによる。したがって，まず既判力，執行力，あるいは形成力が生じる，訴訟物についての判決主文中の判断に不服の対象が限定される。これに対して，判決理由中の判断には既判力などが生じないために，不服の対象とならない[16]。ただし，理由中の判断によって当事者に不利益な効力が生じる場合には，例外が認められる。

15）　高等裁判所が第一審となる事件については，上訴は上告になる（311Ⅰ）。また，すでに述べたように，第一審の終局判決であっても，控訴が禁止される場合がある。

16）　最判昭和31・4・3民集10巻4号297頁〔百選〈6版〉106事件〕。もっとも，争点効を認める立場では，理由中の判断を不服の対象とすることが考えられるが，かならずしもそのような結論をとらない。新堂732頁，919頁参照。

たとえば，主位的な弁済の抗弁が排斥され，予備的相殺の抗弁を認められた被告は，その判断によって自働債権不存在が既判力をもって確定されるから，上の判断を不服の対象として控訴権を認められる。

訴訟費用の裁判は，終局判決中に含まれるものであるが，これに対する独立の控訴は許されない（282）。訴訟費用の負担は，本案の判断と密接不可分であり，これについて独立に原判決の当否を判断できないからである。同様に終局判決中に含まれる裁判として仮執行宣言があるが，これに対する独立の控訴の可否については，特別の規定がない。考え方は分かれているが，仮執行宣言付与の要件が裁量的であること，派生的紛争の拡大を避けるべきであることなどから，否定すべきである[17]。

2　不服の基準

控訴の利益は，不服の対象たる事項について，申立ての全部または一部が排斥されたときに生じる。このような考え方は，申立てと判決内容を比較して，不服の有無の基準とするもので，形式的不服説と呼ばれる[18]。形式的不服説の下では，以下のような結論が導かれる。

第1に，請求に関して全面勝訴した当事者は，それが原告であれ，また被告であれ，理由中の判断が不服の対象となる例外を除いて，不服を認められない[19]。ここで全面勝訴とは，当事者の申立ての内容と判決の内容に差異が認められないことを意味する。したがって，請求の予備的併合において主位的請

17）　秋山ほかⅥ35頁，新注釈民訴(5)32頁〔松村和德〕，斎藤ほか(9)84頁〔小室直人＝東孝行〕，松本・控訴審ハンドブック93頁など。これに対して，条解民訴〈2版〉1531頁〔松浦馨＝加藤新太郎〕は，積極説をとる。

18）　これに対立する考え方として，実体的不服説と呼ばれるものがある。これは不服不要説とも呼ばれ，第一審で全面勝訴した当事者にも，訴え変更などの手段によって上訴審でより有利な判決を求める利益が認められるとする。小室直人・上訴制度の研究14頁以下（1961年）参照。しかし，今日ではこの考え方をとる学説は見当たらない。

また，近年の有力説として，対話的手続の続行を求めることが正当化されるかどうかを控訴の利益の基準とする論者がある（井上治典「『控訴の利益』を考える」同・民事手続論171頁，187頁（1993年））。この考え方に対する評価は，訴訟の目的そのものにかかわるが，訴訟の終局的目的が当事者の申立てに対する裁判所の判断に集約される以上，本書ではこの考え方を支持しない。

19）　最判令和5・3・24裁時1813号1頁は，口頭弁論に関与していない裁判官がした判決（249Ⅰ違反）に対し請求を全部認容された原告の控訴を適法としている。違法の重大性および原判決が再審によって取り消される可能性（338Ⅰ①参照）を重視し，全部勝訴した原告に控訴を許すという例外を認めたものと理解できる。

求が認められたときは，予備的請求についての解除条件が成就したことになり，原告には不服が認められず，主位的請求棄却を求めた被告のみが控訴権をもつ。ただし被告が控訴した場合には，上訴不可分の原則によって予備的請求部分も移審し，控訴審の審判の対象となる[20]。

主位的請求を棄却し，予備的請求を認容する判決に対しては，原被告双方に不服が認められる。原告は主位的請求が棄却されたことによって，被告は予備的請求が認容されたことによって，不利益を受けるからである。被告の控訴にともなって主位的請求部分も控訴審に移審するが，その部分は，控訴審の審判の対象とはならない[21]。

以上の原則に対して，通説は，離婚訴訟において請求棄却判決を得た被告が自ら離婚の反訴を提起するために控訴を提起するなど，原審で全部勝訴した当事者であっても，判決の結果として反訴や別訴提起の機会を失うこと（人訴25Ⅱ参照）を理由とする不服を認める[22]。しかし，上のような場合であっても被告は，原審で反訴の提起をすることができたはずであり，それをしないままに，反訴の提起のみを目的として原判決についての不服を認めることは背理といわざるをえない。したがって，本書ではこのような場合にも形式的不服説によって控訴の利益を否定する[23]。

20）大判昭和11・12・18民集15巻2266頁〔百選27事件〕，最判昭和33・10・14民集12巻14号3091頁〔百選ⅡA 49事件〕。控訴審が主位的請求を棄却する場合には，予備的請求について審判を求める原告の申立てが維持されているため，原告による附帯控訴の必要はない。

21）原告が附帯控訴をすれば別であるが，主位的請求棄却部分は，それについて控訴の利益をもつ原告の控訴によってのみ控訴審の審判の対象となるからである。最判昭和54・3・16民集33巻2号270頁〔百選〈2版〉121事件〕，最判昭和58・3・22判時1074号55頁〔百選〈5版〉111事件〕。学説については，上野泰男「請求の予備的併合と上訴」名城法学33巻4号1頁，13頁（1984年），坂本恵三「請求の客観的予備的併合と控訴審の審判対象」栂＝遠藤古稀706頁，瀬木91頁が詳しい。

22）新堂918頁，秋山ほかⅥ33頁，斎藤ほか(9)74頁〔小室直人＝東孝行〕など。これを一般化して，判決効によって何らかの請求が封じられる場合に控訴の利益を認める考え方が新実体的不服説と呼ばれる。上野泰男「上訴の利益」新実務民訴(3)233頁，234頁，238頁，松本＝上野829頁，高橋(下)602頁，新注釈民訴(5)36頁〔松村和德〕，瀬木678頁参照，その評価について松本・控訴審ハンドブック106頁。

23）予備的相殺の抗弁と異なって，この場合には，何らかの申立てや主張が否定されたことによる不利な判決効が生じるわけではない。控訴の利益の有無を判断するについて判決効を考慮しなければならないのは，新実体的不服説の説くとおりであるが，本文の場合には，勝訴当事者の申立て自体は満足されているのであるから，不服を認めることは不合

被告が請求棄却判決を求めたのに対して，原判決が訴えを却下したときには，不服が認められる[24]。これは，被告が本案について請求棄却を求める申立権をもち，訴え却下の訴訟判決がこの申立てを否定する意味をもっているからである。これに対して，訴え却下を申し立てた被告は，請求棄却判決について不服を認められないとするのが，通説の見解である。これは，訴訟判決の原因となる訴訟要件の具備は，職権調査事項であり，訴訟判決をなすか否かについての被告の申立権は認められず，申立ては職権の発動を促しているにすぎないから，裁判所が請求棄却判決をなしても，それは被告の訴え却下申立てを排斥した意味をもたないと考えられるところによる。

しかし，法律上の争訟性など補正不能な訴訟要件については，被告がその欠缺を主張する利益を認めることができるので，請求棄却判決はこの利益を否定したものとして，訴え却下を求めた被告に不服が認められる[25]。

理である。

一部請求訴訟において全部勝訴した原告が控訴によって請求を拡張しようとするときに不服が認められるかも，類似の問題となる。一部請求に関する既判力の考え方に関連するが，本書の考え方を前提とすれば，一部であることが明示されたときには，残部を別訴で請求することは原則として妨げられないのであるから，この場合に不服を認める必要はない（栗田隆「上訴を提起できる者」講座民訴⑦55頁，67頁参照）。これに対して，一部であることが明示されないときには，残額請求は遮断されるが，この場合にも，原告の申立て自体は全部満足されているのであるから，請求拡張のための控訴の利益を認める必要はない。越山和広「一部請求と控訴の利益」上野古稀427頁は，相手方の信頼を保護するという実質的判断から控訴の利益を否定する。ただし，名古屋高金沢支判平成元・1・30判時1308号125頁〔百選〈6版〉A 37事件〕は，控訴の利益を認め，上野泰男「上訴の不服再考」松本古稀653頁は，実体的不服があるとする。

これに対して，特定の事由を主張して，取消差戻判決を求めていた控訴人は，別の理由にもとづく取消差戻判決に対して上告の利益を認められる。取消事由についての控訴人の主張が排斥され，しかもその点について拘束力（325Ⅲ，裁4）が生じるからである。この場合には，新実体的不服説の結論（上野泰男「上訴の利益」新堂編・特別講義285頁，295頁，高橋(下)603頁以下）が支持される。

24)　最判昭和40・3・19民集19巻2号484頁〔続百選89事件〕。上野・前掲論文（注23)「上訴の不服再考」646頁。

25)　通説については，富越和厚「訴訟要件」実務民訴〔第3期〕(3)146頁参照。伊藤眞「訴訟判決の機能と上訴の利益」名古屋大学法政論集73号1頁，39頁（1977年），斎藤ほか(9)40頁〔小室直人＝東孝行〕，小島847頁。仲裁の抗弁の場合も同様である。高橋(下)600頁。

第2項　控訴権の不発生および放棄

対象となる裁判について控訴の利益が認められる場合であっても，控訴権の発生が妨げられたり，またいったん発生した控訴権が消滅することがある。その原因となるのが，不控訴の合意および控訴権の放棄である。

1　不控訴の合意

訴訟契約の一種として当事者が控訴をしない旨の合意，すなわち不控訴の合意をすることができる。その効果としては，控訴権が発生せず，または消滅し，合意に反してなされた控訴が不適法となる。不控訴の合意の特殊な類型である飛躍上告の合意，すなわち上告権を留保する不控訴の合意については，その適法性が明文の規定によって認められているが（281 I 但書），単純な不控訴の合意についても，不起訴の合意の効力が認められることとの関係から，その有効性が承認される。

(1)　不控訴の合意の要件

不控訴の合意は，訴訟契約の一種であるから，訴訟能力など訴訟行為一般についての要件が満たされなければならないが，そのほかに特有の要件としては，以下のようなものが挙げられる。

第1に，合意のなされる時期が問題となる。飛躍上告の合意は，不服申立てを法律審への上告に限定するものであるので，不服申立ての対象となる第一審判決言渡し後になされるものに限定されるが，不控訴の合意は，第一審判決を終局的なものとする趣旨であるので，判決言渡し前のものであってもその効力が認められる。

第2に，合意の内容に関しては，当事者の一方のみが控訴をしない旨の合意は，公平を欠くという理由から無効とされ[26)]，必ず両当事者について不控訴を定めなければならない[27)]。また，合意の対象として一定の法律関係にもとづく訴訟を特定し（281 II・11 II），かつ，和解の対象と同様に，その法律関係が当事者の処分権に服するものでなければならない。第一審判決をもって確定

26）大判昭和9・2・26民集13巻271頁〔百選〈2版〉116事件〕。

27）判決言渡し後の合意については，一方の当事者のみに控訴権が発生することがありうる。この場合には，一方当事者のみについて不控訴を定めることも許される。

的な解決とすることも，当該法律関係に関する処分の一種とみなされるからである。

第3に，合意は書面（電磁的記録を含む）によらなければならない（281Ⅱ・11ⅡⅢ）。これは合意にかかわる争いを防ぐための要件であるので，口頭弁論期日や判決言渡期日に合意がなされ，それが調書に記載されたときにも書面による合意とみなしてよい。

(2)　不控訴の合意の効果

判決言渡し前に有効な合意がなされると，判決は言渡しと同時に確定する。言渡し後の合意の場合には，合意成立の時に判決が確定する。合意の効力として控訴権の発生が妨げられ，または消滅するから，合意に反する控訴は不適法として却下される。合意が解約されれば，控訴期間内である限り控訴の提起が適法なものとなるが，すでに却下された控訴の効力が復活したり，控訴の追完（97）が当然に認められたりするものではない。ただし，訴訟契約としての性質上，意思表示の瑕疵にもとづく取消しや無効の主張は認められ，控訴の追完が許される余地はある。

2　控訴権の放棄

控訴権は，第一審判決言渡しにもとづいて発生するが，控訴権者は，発生後これを放棄することができる（284）[28]。すでに控訴がなされた後であってもよいが，その場合には，控訴の取下げとともにすることを要する（民訴規173Ⅱ）。また，放棄は単純なものでなければならず，上告権を留保することはできない。

放棄は，裁判所に対する単独の意思表示で[29]，法律行為としての性質をもつ。意思表示の相手方は，控訴の提起前は第一審裁判所，提起後は，訴訟記録の存する裁判所である（民訴規173Ⅰ）。なお，会社や一般法人などの団体関係訴訟や人事訴訟などで，判決効が第三者に拡張される場合には，第三者の参加の機会を保障する趣旨から，控訴権の放棄が許されない[30]。

---

28)　判決言渡しを条件としてあらかじめ控訴権を放棄することはできない。当事者の利益を保護する趣旨である。

29)　相手方の同意は不要である。ただし，判決の確定などの関係で相手方も放棄について利害関係をもつので，通知がなされる（民訴規173Ⅲ）。

30)　兼子443頁，小山548頁，新堂920頁，秋山ほかⅥ60頁，新注釈民訴(5)52頁〔松村和徳〕など。

放棄によって控訴権が消滅するので，控訴は不適法なものとなる。すでになされた控訴が取り下げられなかったときにも，裁判所は控訴を不適法として扱わなければならない[31)]。

第3項　控訴の提起

控訴は，第一審の判決書等（令和4年改正による285条（未施行）では，電子判決書等）の送達を受けた日から2週間の不変期間内に提起しなければならない(285)。この期間を控訴期間と呼ぶ。ただし，すでに判決の言渡しがなされていれば，控訴権は発生しているので，送達を受ける前に提起された控訴も適法である（285但書）[32)]。

控訴状には，当事者および法定代理人のほかに，第一審判決の表示とこれに対して控訴をする旨が記載される（286Ⅱ）。不服の範囲や理由は，任意的記載事項であるが，攻撃防御方法が記載されていれば，控訴審における準備書面として扱われる（民訴規175）。また，不服の理由が記載されていないときには，控訴人は，控訴提起後50日以内に理由書を提出しなければならない（民訴規182）[33)]。これに対応して，裁判長は，被控訴人に対して反論書の提出を命じることができる（民訴規183)。なお，控訴状には印紙の貼用を要する（民訴費3Ⅰ・別表第1Ⅱ）。

控訴状の提出先は，第一審裁判所である（286Ⅰ）[34)]。第一審裁判所は，控訴

31）　最判昭和27・7・29民集6巻7号684頁。

32）　判決言渡し前の控訴は，控訴権にもとづかないものとして不適法とされる。ただし，その後の判決言渡しによってその瑕疵が治癒されるかどうかについて，判例はこれを否定するが（最判昭和24・8・18民集3巻9号376頁），例外的事態についての救済として治癒を認めるべきである。兼子443頁，新堂921頁，秋山ほかⅥ71頁など。

33）　伝統的には，控訴審が続審であるなどの理由から，上告審と異なって，控訴理由書の提出は必要ではないとされてきたが，控訴が第一審判決に対する不服申立てである以上，その理由が示されないのでは，控訴審の審理が成り立たないことから，近時の実務慣行およびこれを支持する学説（松尾卓憲「控訴審手続改正のゆくえ」判タ799号22頁，27頁(1993年)，藤原弘道「『民事控訴審のあり方』をめぐる二，三の問題点」判タ871号4頁，13頁以下（1995年），宇野聡「控訴理由書提出強制の意義と機能」民訴雑誌43号220頁，222頁（1997年）参照）を是認する形で，控訴理由書の提出が規則化されたものである。条解規則377頁以下参照。ただし，理論的には，続審主義の下での控訴理由書提出強制は，本質的なものではなく，政策的なものである。花村治郎・民事上訴制度の研究20頁(1986年）参照。松本・控訴審ハンドブック284頁は，控訴理由書の提出義務と控訴審の事後審的運営を結び付けることに反対する。

期間の徒過または控訴の利益の不存在など，控訴が不適法で，その不備が補正される可能性がない場合には，決定をもって控訴を却下する（287Ⅰ。即時抗告について287Ⅱ）。それ以外の場合には，控訴状を含む訴訟記録が控訴裁判所に送付される（民訴規174）。控訴裁判所の裁判長は，控訴状を審査し，必要的記載事項（286Ⅱ）や手数料納付に不備があればその補正を命じ，控訴人がこれに応じなければ，控訴状を却下する（288・137（137の2（未施行）））[35]。適式な控訴状と認められれば，それが被控訴人に送達され（289Ⅰ），控訴審における訴訟係属が発生する。しかし，控訴審は，第一審と同様に，控訴が不適法でその不備を補正することができないときには，口頭弁論を経ずに判決によって控訴を却下できるし（290），呼出費用の予納がなされないことを理由として，決定によって控訴を却下することができる（291Ⅰ）[36]。この決定に対しては即時抗告が認められる（291Ⅱ）。

第4項　控訴の取下げ

控訴人による控訴申立ての撤回を控訴の取下げと呼ぶ。控訴の取下げは，裁判所[37]に対する控訴人の意思表示としての訴訟行為である。訴訟係属の消滅にかかわるものであるために，原則として書面でなされなければならない（292Ⅱ・261Ⅲ）。裁判外で控訴人と被控訴人との間で取下げが約束され，その事実が裁判所に明らかにされたときには，訴え取下げの場合と同様に，合意の効力として控訴審における訴訟係属が消滅する[38]。

控訴の取下げは，訴えの取下げと区別される訴訟行為であるが，当事者の意思が分明でないときには，裁判所は，釈明権を行使して，その意思を明らかに

34）旧367条では，第一審裁判所または控訴裁判所に提出することとされていたが，確定証明付与手続の簡略化などの理由にもとづいて，第一審裁判所に限定された。

35）控訴状の審査は，上告状の場合とは異なって（314Ⅱ参照），控訴審の裁判長が行い，第一審の裁判長の権限には属さない。一問一答328頁参照。

36）ただし，141条1項と異なって，被控訴人に異議がないことを要しない。これは，控訴の却下が被控訴人に不利益を与える可能性がないためである。一問一答331頁。

37）通常は控訴裁判所であるが，訴訟記録が第一審裁判所にあるときには，第一審裁判所に対してなされる（民訴規177Ⅰ参照）。

38）しかし，訴え取下げ契約が訴えの利益消滅の原因となるという私法契約説の考え方を当てはめれば，控訴の利益消滅として控訴が却下される。東京高判昭和48・9・4判時720号55頁。

しなければならない。当事者が釈明に応じない場合には，訴訟行為としての効力を認めるべきではない[39]。また，訴えの取下げの擬制（263）と同様に，当事者双方が控訴審の口頭弁論に出頭せず，1カ月以内に期日指定の申立てをしないなどの事情がある場合には，控訴の取下げを擬制する（292Ⅱ・263）。

1　控訴の取下げの要件

控訴人は，控訴審の終局判決があるまで控訴を取り下げることができる（292Ⅰ）[40]。終局判決後の控訴の取下げを許すと，控訴人が第一審判決と控訴審判決を比較して，控訴の取下げをなす可能性が生じ，相手方との間に不公平が生じるためである。この点が，訴訟係属の遡及的消滅をもたらす訴えの取下げと異なる。

取下げができるのは控訴人に限られ，補助参加人は，その性質上取下げを許されない。また，控訴が一の訴訟行為であることを前提とすれば，数個の請求が控訴によって移審しているときでも，一部の請求についてのみ控訴を取り下げることはできない。ただし，不服申立ての対象を一部に減縮することは可能である。

取下げについて被控訴人の同意を得る必要はない（292Ⅱにおける261Ⅱの不準用）。控訴の取下げの効果が控訴審手続の終了であり，被控訴人に不利益を及ぼす可能性がないためである。被控訴人が附帯控訴をしているときでも，後に述べる附帯控訴の従属性があるので，その同意を得る必要はない。したがって，取下書等の被控訴人への送達はなされず，裁判所書記官による通知がなされるにとどまる（292Ⅱにおける261Ⅳの不準用，民訴規177Ⅱ）。

2　控訴の取下げの効果

控訴の取下げによって控訴審の訴訟係属は遡及的に消滅する（292Ⅱ・262Ⅰ）。しかし，控訴権が放棄されたわけではないから，取下げによって当然に第一審

39）　通説は，訴えの取下げにもとづく再訴禁止効や，控訴の取下げにもとづく第一審判決の確定などの効果を考慮して，裁判所が当事者の意思を探求すべきであるとする（秋山ほかⅥ110頁，新注釈民訴(5)98頁〔大濱しのぶ〕）。しかし，本来一義的に明らかな訴訟行為としてなすべきものの内容が不明だからといって，内容確定の負担を裁判所が引き受けるべきものではない。

40）　ただし，必要的共同訴訟の規律に服する共同訴訟人については，40条1項による制限がある。

判決が確定するわけではなく，控訴期間内であれば，再び控訴を提起することも妨げられない。控訴取下げの効力が争われたときは，裁判所は口頭弁論を開いて審理し，有効であって，控訴期間が徒過されていれば，訴訟終了宣言判決をなし，無効であれば審理を続行する。無効である旨は，中間判決で宣言しても，終局判決の理由中で判示しても差し支えない。

第5項　附帯控訴

附帯控訴とは，被控訴人によって控訴審手続においてなされる申立てであって，請求についての原判決を自己の有利に変更することを求めるものである。附帯控訴がなされると，控訴人の不服申立てによって画されていた控訴審の審判の範囲が附帯控訴の限度で拡張される。たとえば，100万円の給付請求について第一審で50万円部分を認容し，その余の部分を棄却する判決がなされたときは，原被告双方が控訴の利益をもつが，原告のみが期間内に控訴をしたとすると，請求棄却部分のみが控訴審の審判の対象となる。しかし，被告が附帯控訴をなし，認容部分について不服申立てをなすと，控訴審の審判の対象がその部分にも拡張される。また，被告が控訴権を放棄するなど，その控訴権が消滅している場合にも附帯控訴は許される（293 I）。

1　附帯控訴の法的性質

附帯控訴が原判決に対する不服申立てとしての性質をもつかどうか，いいかえれば，附帯控訴の要件として不服の利益が要求されるかどうかは，全部勝訴した当事者が附帯控訴によってその請求を拡張したり，反訴を提起したりすることができるかどうかをめぐって争われる[41]。

附帯控訴を不服申立ての手段とすれば，勝訴当事者は，請求の拡張等を目的として附帯控訴をすることはできない。むしろ，附帯控訴の有無とはかかわりなく，控訴審における訴えの変更（297・143）および反訴の提起（300）の規律にしたがって，新たな請求の定立を目的とするそれぞれの訴訟行為が行われるべきである。判例は，全部勝訴者による請求拡張のための附帯控訴を適法と認

41）　小室・前掲書（注18）79頁以下参照。論者は，比較法および立法史を総合して，附帯控訴は，不利益変更禁止の原則を排除する手段であり，不服申立てとしての控訴とは性質を異にすると論じる。

め，多数説もこれを支持して，附帯控訴は不服の利益を前提とする控訴の性質をもたないとする42)。しかし，本書では，近時の有力説43)にしたがい，附帯控訴を不服申立ての一種として，附帯控訴人にも不服の利益を要すると考える。

その理由としては，次の点が挙げられる。第1に，293条1項の文言は，附帯控訴人が控訴の利益をもつ者であることを前提としている。第2に，同条2項但書にいう独立附帯控訴も，控訴期間内に提起された附帯控訴を意味すると解すれば，附帯控訴自体に控訴の利益を要求することの妨げにはならない。第3に，本来控訴の利益をもちながら，控訴権を失った被控訴人に対して，相手方の控訴に便乗する形で不服申立ての機会を与えるのが，附帯控訴制度の目的であり，原判決の対象となっていない新たな請求の定立を目的とする，訴えの変更や反訴の提起の前提として附帯控訴を要求することは背理といわざるをえない。

2　附帯控訴の方式

被控訴人は，控訴審の口頭弁論終結まで控訴の方式に準じて附帯控訴を提起することができる（293 I Ⅲ本文，民訴規178)。ただし，附帯控訴状の提出先については，控訴の場合（286 I）と異なって，控訴裁判所への提出も認められる(293Ⅲ但書)。また，附帯控訴にも控訴の利益が要求されるが，附帯控訴権は控訴権とは別の権能であるので，附帯控訴人についてすでに自らの控訴期間が経過しているとき，あるいは控訴権を放棄しているときでも，附帯控訴は許される。もちろん，附帯控訴権自体を放棄しているときは別である。附帯控訴について手数料納付を要するかどうかについては，見解が分かれるが，不服申立て

---

42)　最判昭和32・12・13民集11巻13号2143頁〔百選〈6版〉A 39事件〕。学説については，秋山ほかⅥ120頁以下，新注釈民訴(5)113頁〔川嶋四郎〕参照。ただし，判例や多数説も，控訴審における反訴提起の要件（300 I）までを不要とする趣旨ではないと思われる。

43)　上野泰男「附帯控訴と不服の要否」民訴雑誌30号1頁以下（1984年)，同「附帯上訴の本質」講座民訴⑦171頁以下，松本＝上野837頁，高橋(下)616頁，小島862頁，越山・前掲論文（注23）438頁，瀬木680頁など。関連するものとして，第一審の勝訴原告が仮執行宣言の申立てをするために附帯控訴をすることができるかどうかという問題があるが，仮執行宣言は，控訴審が職権で付することもできるのであるから（297・259 I），有力説の立場を前提としても，これを否定する理由がない。大阪高判昭和38・11・5下民14巻11号2208頁，東京高判平成23・5・20判タ1351号98頁参照。最判昭和46・3・11裁判集民102号245頁も傍論ながらこれを認める。

によって附帯控訴人が利益を主張する以上，手数料納付が要求される[44]。

3　附帯控訴の失効

附帯控訴は，それ自体が控訴としての移審の効果などをもつものではないので，控訴が取り下げられ，または不適法として却下されると，その効力を失う(293Ⅱ本文)。ただし，附帯控訴人の控訴期間中に提起された附帯控訴については，控訴としての効力が擬制される（293Ⅱ但書)。これを独立附帯控訴と呼ぶ。また，控訴と同様に附帯控訴についてもその取下げが認められ，取下げに関する相手方の同意は不要である[45]。

第6項　控訴審の審理

控訴は，原判決に対する不服を基礎とした原判決の取消し・変更の申立てである。したがって控訴審の審判の対象は，第一次的にこの申立ての当否であり[46]，審理もその限度で行われる（296Ⅰ)。ただし，原判決が取り消されると(305・306)，請求についての裁判所の審判義務が復活するから，控訴裁判所は，請求についての審判を第一審裁判所に命じるか，または自ら請求についての審判を行わなければならない。前者が取消差戻しにあたり（307・308)，後者が取消自判と呼ばれる。次に述べるように，上告審と異なって控訴審は，事実審としての性格をもっているところから，取消自判が原則になる。取消自判の場合には，控訴審の審判の対象が請求の当否にまで及ぶ。

審判の対象についての裁判資料の範囲に関して，覆審主義，事後審主義，続審主義などの原則が対立する。覆審主義は，第一審の裁判資料とは別個独立に控訴審が裁判資料を収集し，控訴の当否，および請求の当否などを判断する原則であり，旧刑事訴訟法で採用されていたとされる[47]。これに対して事後審

44)　大判昭和7・4・13評論21巻諸法240頁，秋山ほかⅥ131頁，新注釈民訴(5)122頁〔川嶋四郎〕。不要とするのは，新堂926頁などである。

45)　最判昭和34・9・17民集13巻11号1372頁。

46)　被控訴人は，これに対応して控訴却下や控訴棄却の申立てをなすが，控訴審は，棄却の申立てがなされないときでも，控訴棄却の判決をなしうる。最判昭和36・2・24民集15巻2号301頁。

47)　覆審主義などの原則全体については，中田淳一・訴訟及び仲裁の法理221頁以下（1953年）参照。旧刑事訴訟法が控訴審について覆審主義をとっていたことは論者が一致して指摘するが（団藤重光・新刑事訴訟法綱要〈7訂版〉633頁，635頁（1967年)），そ

主義は，新たな裁判資料の提出を認めず，第一審において提出された資料のみにもとづいて控訴審が第一審判決の当否を判断するものである。現行刑事訴訟法は，この原則を採用している[48]。両者の中間にある続審主義は，第一審の裁判資料に加えて控訴審において新たに資料を収集した上で，第一審判決の当否を判断し，第一審判決取消しによって必要が生じれば，請求の当否についても控訴審が自ら判断するものである。現行法の296条2項・298条1項などの規定は，続審主義を定めたものと解されている[49]。続審主義の下では，請求についての裁判資料も控訴審の口頭弁論終結時までに提出されたものを含むことになる。既判力の基準時が事実審の口頭弁論終結時とされるのは，このためである。

その他，控訴審の手続については，第一審の訴訟手続に関する規定が一般的に準用される（297，民訴規179）。したがって，控訴審における訴えの変更や当事者参加も可能である。控訴審の最初の期日に当事者の一方が欠席したときには，陳述の擬制（158）がなされる[50]。ただし，反訴の提起については特則がある（300）。また，擬制自白（159）については，審級を通じた弁論の態様が基

の根拠としては，第一審の規定を控訴審に準用する旧刑事訴訟法407条が挙げられるのみであり，現行民事訴訟法297条と対比すると，旧刑事訴訟法が真に覆審主義を採用していたか，疑問をもたざるをえない。

48）　団藤・前掲書（注*47*）518頁，花村治郎「上訴審の審理構造」講座民訴⑦139頁，146頁参照。

49）　もちろん続審主義を前提としても，第一審判決の審査という控訴審の目的から，裁判資料提出の時期などを制限することは許される。もっとも，このような方向が控訴審の事後審化に繋がるとの指摘もある（松尾・前掲論文（注*33*）24頁）。しかし，近時は，むしろ控訴審の事後審的運営の考え方を基礎としつつ，事前の準備を前提とした第1回期日における結審や人証の取調べの必要性の吟味などが定着している。井上繁規「民事控訴審の審理の実情と改善点」小島古稀(上)98頁，秋山ほかⅥ142頁参照。これに反対する学説もあるが（松本博之「控訴審における『事後審的審理』の問題性」青山古稀459頁，473頁，同「民事訴訟法学と方法論」実務民訴〔第3期〕(1)135頁，同・控訴審ハンドブック8頁，402頁），第一審における審理の経緯や控訴理由書の記載などにもとづく事前の準備を踏まえた合理的手続裁量の範囲であれば，訴訟の迅速化を実現するために事後審的運営の考え方そのものを否定すべきではない。鬼頭季郎「控訴審における審理と実務的・理論的諸問題」実務民訴〔第3期〕(6)88頁，松村和德「『手続集中』理念と更新禁止原則」上野古稀477頁参照。ただし，第一審判決の判断に控訴審の心証との齟齬があり，しかも，その点について当事者の認識が十分でなく，加えて，控訴審が第一審の判断を覆す可能性がある場合には，適切な形で積極的に釈明権を行使すべきである。大竹たかし「控訴審における釈明権の行使」民訴雑誌62号58頁，75頁（2016年），伊藤眞・続・千曲川の岸辺195頁（2016年），門口正人ほか「控訴審」ジュリ1529号52頁（2019年），新注釈民訴(3)424頁〔野村秀敏〕参照。

準とされるから，当事者が控訴審において当該事実を争えば，その成立は否定される[51]。

1　弁論の更新

続審主義の下では，第一審の裁判資料が控訴審の裁判資料となるが，第一審と控訴審はそれぞれ独立の裁判体であるために，直接主義などの口頭弁論の原則を遵守して，第一審の裁判資料を控訴審の裁判資料とする前提として，当事者の訴訟行為が必要とされる[52]。これが弁論の更新（296Ⅱ）である。弁論の更新は，同一審級においても裁判官の交代が生じた場合になされるが（249Ⅱ），その趣旨は共通である。弁論の更新は，直接主義などの要請を満たすための当事者の義務であり，当事者自身のためにする主張や立証とは異なるから，第一審における口頭弁論の結果を一体として陳述しなければならず，その一部のみを取り出して陳述することは許されないし，いずれか一方の当事者がこれを行えば足りる[53]。

当事者が結果陳述を行わなかった場合には，第一審の裁判資料は控訴審の資

---

50)　最判昭和25・10・31民集4巻10号516頁。

51)　大判昭和8・4・18民集12巻703頁〔百選42事件〕。もちろん控訴審における弁論の全趣旨にもとづく擬制自白の成立可能性はある。最判昭和32・12・17民集11巻13号2195頁。詳細については，高橋(下)627頁参照。

52)　このような考え方は，形成行為説と呼ばれる。これに対して，第一審の裁判資料自体は当然に控訴審の資料となるが，弁論の更新は，当事者に対してその要点の報告を義務づけるものであるという，報告行為説が対立する。判例（受託裁判官による証拠調べの結果について，最判昭和35・2・9民集14巻1号84頁）・通説は，形成行為説に立つが，報告行為説をとる有力説がある（鈴木正裕「当事者による『手続結果の陳述』」石田喜久夫・西原道雄・高木多喜男先生還暦記念論文集(下)・金融法の課題と展望407頁，430頁以下（1990年），新注釈民訴(4)1058頁〔山田文〕，松本・控訴審ハンドブック370頁）参照。両説の違いは，本文に述べるように，当事者が陳述をなさなかった場合の取扱いなどについて生じる。報告行為説を前提として，この問題を詳細に論じたものとして，鈴木重勝「一審資料の控訴審における効力」民訴雑誌43号1頁以下（1997年）がある。

53)　最判昭和33・7・22民集12巻12号1817頁。実務慣行としては，「第一審判決事実摘示の通り陳述する」旨の方式が一般的であった。しかし，いわゆる新様式判決が一般化し，また，253条の下でもこの様式が認められることを考慮すると，当事者が口頭弁論において主張した事実が網羅的に判決書の事実欄に記載されているとは限らず，上記のような実務慣行もそのままの形では維持しえない。当事者としては，事実摘示に現れていない事実については，第一審における口頭弁論調書の記載を援用するなどの方法によって，これを補充しなければならない（斎藤ほか(9)227頁〔小室直人＝東孝行〕参照）。

なお，控訴審における弁論の更新に関連して，第一審における弁論の更新に際して当事者の証人尋問申出権を定める法249条3項（本書290頁）を類推適用すべきかどうかとい

料とならない。また，陳述の懈怠は，当事者が期日に出席しながら弁論をなさないものとして，控訴取下げ擬制の原因となりうる（292Ⅱ・263）。逆に，控訴審が当事者による結果陳述がなされないにもかかわらず，第一審の裁判資料をその判断の基礎としたときには，絶対的上告理由となる（312Ⅱ①）[54]。また，第一審において当事者が実際に主張した事実と弁論の更新にあたって援用される判決書などに記載される事実等が食い違ったときには，上に述べた更新の法的性質を前提とすれば，判決書などに記載される事実や証拠調べの結果が控訴審の裁判資料となる[55]。

2　弁論の更新権

続審主義の下では，当事者は第一審において提出された裁判資料のほかに，控訴審における新たな攻撃防御方法の提出を認められる（297参照）。この権能が弁論の更新権と呼ばれる。旧法の下では，更新権について特別の制限が設けられず，ただ時機に後れた攻撃防御方法（旧139）や準備手続の失権効（旧255Ⅰ）との関係で，第一審で提出されなかった攻撃防御方法の提出が制限されるにとどまった。

現行法でも，時機に後れた攻撃防御方法の却下規定が適用されることに変わりはないが[56]，そのほかに，まず，弁論準備手続など争点整理手続の終結にともなって生じる説明義務（167など）が控訴審においても存続することとして（298Ⅱ），控訴審における新たな攻撃防御方法の提出を間接的に制約しようとしている。また，301条1項は，裁判長が当事者の意見を聴いて新たな攻撃防御方法提出の期間を定めうることとし，その違背について裁判所に対する説明義務を課しているが（301Ⅱ），これも弁論の更新権を無制限に認めることに

う議論がある。しかし，類推適用は否定し，再尋問の必要性についての控訴審の合理的裁量に委ねるべきであろう。佐瀬裕史「控訴審における証人の再尋問」伊藤古稀289頁，308頁以下。これに対して，上野泰男「旧民事訴訟法一八七条三項の新設について」青山古稀1頁は，法249条3項の前身である旧187条3項の立法の経緯を明らかにした上で，類推適用説の合理性を示唆する。さらに，松本・前掲論文（注*49*）481頁は，直接適用説をとる。

54）　最判昭和33・11・4民集12巻15号3247頁〔百選〈3版〉50事件〕。

55）　最判昭和61・12・11判時1225号60頁〔百選Ⅱ189事件〕。

56）　時機に後れたかどうかは，第一審の弁論の経過を前提として判断される。最判昭和30・4・5民集9巻4号439頁。

よる弊害を避けようとするものである。

第7項　控訴審の終局判決

訴えに対して第一審が終局判決をなすことが義務づけられるのと同様に，控訴および附帯控訴に対して控訴審は，終局判決をなすことを義務づけられる。控訴審の終局判決には，控訴を不適法とする控訴却下判決と，控訴に対する本案判決，すなわち控訴認容判決と控訴棄却判決とが含まれる。

なお，控訴審判決の判決書については，特則が設けられ（民訴規184），事実および理由の記載について第一審の判決書等を引用することが許される[57]。

1　控訴審判決の内容

控訴が不適法として却下される原因としては，控訴期間の徒過や控訴の利益の不存在などが考えられるが，裁判所は却下原因が認められ，かつ，その補正が不可能である場合には，口頭弁論を経ないで却下判決をなすことが許される（290）。もちろん，口頭弁論にもとづいて控訴却下の訴訟判決がなされることもある。もっとも，審級管轄の誤りの場合には，第一審の場合と同様に，控訴を却下するのではなく，管轄ある裁判所に事件を移送すべきである。

控訴審の本案判決のうち，控訴棄却判決は，控訴に理由がないこと，すなわち第一審判決に取り消されるべき原因がないことを判断の内容とする（302Ⅰ）。控訴による不服は，訴えについての第一審判決の判断を対象とするものであるから，第一審判決の理由が不当であっても，その結論において正当であるときには，控訴棄却の判決がなされる（302Ⅱ）。

ただし，第一審において予備的相殺の抗弁によって勝訴した被告が控訴した場合に，控訴審が弁済など他の理由によって請求が棄却されるべきであると判断する場合には，控訴を認容する判決，すなわち第一審判決を取り消し，改めて請求を棄却する判決がなされる。相殺の抗弁に関する判断に既判力が生じないことを明確にすることが求められるからである。逆に第一審が弁済などの主

57）　実務上引用判決と呼ばれるが，その分かりにくさについては批判もある。藤原・前掲論文（注33）14頁以下参照。上告審の側からこれを指摘するものとして，最判平成18・1・19判時1925号96頁における泉裁判官の補足意見があり，控訴審の立場からの説明として，佐藤・民事控訴審171頁がある。

位的主張を認めて請求を棄却したのに対して，原告の控訴にもとづいて控訴審が相殺の抗弁による請求棄却を相当とするときにも，第一審判決を取り消し，改めて請求棄却判決をなすことが求められる[58]。

控訴認容判決は，控訴に理由があること，すなわち第一審判決に取り消されるべき原因があることを判断の内容とする。取り消されるべき原因は，第一審判決が不当であるとき（305），および判決の手続が法律に違反したとき（306）の双方を含む。不当であるときとは，訴訟物たる権利関係についての判断の前提となる事実認定や法規範の適用に誤りが含まれている場合を意味する。ここでいう法規範には，判決の結論に影響を生じる，実体法および手続法規範が含まれる。これに対して判決の手続が法律に違反したときとは，法律上関与できない裁判官が判決に関与するとか，もしくは判決の言渡期日の指定がなされていないとか，または判決の成立もしくは言渡手続が違法と認められることを意味する[59]。

第一審判決が取り消されると，請求についての裁判所の審判義務が復活するので，控訴審は，以下に述べる3つの措置のいずれかをとらなければならない。

第1は，自判と呼ばれ，控訴審が自ら請求についての審判をなすものである。現在の制度では，控訴審が事実審であるところから，控訴を認容する場合には，取消自判が原則とされている[60]。なお，控訴審における訴えの変更や反訴の提起によって訴訟物に変更が生じたときには，新たな訴訟物を前提として自判がなされる[61]。

58）確認の利益欠缺を理由とする第一審の訴訟判決に対して，控訴審が当事者能力欠缺の判断に至ったときにも，訴え却下判決の既判力の対象が異なるという理由から，第一審判決取消し・訴え却下の判決がなされる（高橋(下)655頁参照）。

59）判例・学説の詳細については，秋山ほかⅥ230頁以下，新注釈民訴(5)217頁〔宮川聡〕参照。なお，判決の手続の違法は，それ以前の手続の違法と区別される。後者は，責問権の喪失によって治癒される場合もある。ただし，絶対的上告理由に該当する場合（312Ⅱ）には，判決の手続違背に準じて取消事由となる。

60）自判の場合の判決主文の表記方法としては，原判決を取り消して，その部分に限って請求についての控訴審の判断を示す方式と，原判決を変更するとして，請求全部についての控訴審の判断を示す方式とがある。特に原判決が給付請求についての一部認容判決であり，控訴審判決がそれを取り消す場合に複雑な問題を生じるが，執行についての混乱を避けるために，取消部分に限って控訴審が給付命令を掲げるのが望ましい。村松俊夫・民事裁判の諸問題134頁（1953年）参照。具体的主文例については，佐藤・民事控訴審160頁が詳しい。

第2は，差戻しと呼ばれ，取消しの判断を前提として，請求についての審判を行うことを第一審に対して命じるものである。差戻しには，必要的差戻しと任意的差戻しとがある。必要的差戻しは，第一審が訴えを不適法として却下している場合に行われる（307本文）。これは，本案について当事者が第一審の審判を受ける機会を保障するための措置であり，審級の利益尊重の趣旨にもとづく[62)]。しかし，第一審で本案についての審理が尽くされている場合にまで差戻しを要求することは，かえって当事者の手続的利益を害することとなるので，差戻しをする必要はない（307但書）[63)]。

任意的差戻しは，第一審においてさらに審理を行う必要があると控訴審が判断した場合に行われる（308Ⅰ）。訴訟手続の重大な違背などの理由のために，第一審の訴訟資料を控訴審の資料とすることができず，控訴審が自判をなすことが審級の利益を実質的に害する場合がこれにあたる[64)]。

いずれの場合であっても差戻しがなされると，第一審の審理が行われるが，それは控訴前の審理の続行としてなされる。したがって，すでに第一審において提出されている資料は，当然に差戻審の裁判資料となる。これに対して取消しの判断のために控訴審に提出された資料は，当事者の援用がなされた場合に

61）　最判昭和31・12・20民集10巻12号1573頁，最判昭和32・2・28民集11巻2号374頁〔百選〈6版〉31事件〕。控訴審において訴えの一部取下げがなされ，残余の部分について控訴審が原判決を維持するときには，取下げ部分について遡及的に訴訟係属が消滅しているので，理論的には単に控訴を棄却すれば足りるが，執行段階における被控訴人側の不利益を避けるために，判決主文を訂正するのが実務慣行である。秋山ほかⅥ200頁，新注釈民訴(5)185頁〔宮川聡〕，吉井直昭「控訴審の実務処理上の諸問題」実務民訴(2)275頁，292頁以下参照。訴えの交換的変更にもとづく取下げ部分についても同様に取り扱われる。花村・前掲書（注33）70頁以下参照。

62）　最判昭和37・12・25民集16巻12号2465頁〔続百選88事件〕，最判昭和46・2・18判時626号51頁〔百選〈2版〉113事件〕参照。差戻し前の訴えを却下した合議体の裁判長と差戻し後の同訴訟の合議体の裁判長が同一であることは，裁判の公平を妨げるべき事情にあたらないから忌避事由として認められないとするのが判例（最決平成18・6・23実情274頁）であるが，上告に関する法325条4項に対応する規定が存在しないこと，差戻し前には実体審理がなされていないことを考慮したものと理解する。

63）　旧法の下でも解釈論として確立されていた考え方（最判昭和58・3・31判時1075号119頁〔百選Ⅱ190事件〕）を現行法が立法化したものである。中野・解説76頁，一問一答339頁参照。したがって控訴審は，原告の控訴にもとづいて訴え却下判決を取り消し，請求認容判決をすることができる。

64）　裁判例については，秋山ほかⅥ243頁以下，新注釈民訴(5)228頁〔宮川聡〕参照。

のみ第一審の裁判資料となる。ただし，第一審は，控訴審が取消しの理由とした事実上および法律上の判断に拘束されるし（裁4)，また，取消しの理由として違法とされた第一審の訴訟手続は，差戻審において当然に取り消されたものとみなされる（308Ⅱ)。

第3は，移送がなされる場合である。事件が管轄違いであることを理由として第一審判決が取り消されるときには，控訴審は判決によって事件を管轄ある第一審裁判所に移送しなければならない（309)。取消しの理由となるのは専属管轄違背のみであるから（299)，移送も専属管轄裁判所に対するものに限られる。

なお，控訴審判決における仮執行宣言については特則が設けられ（310)，金銭支払請求に関する判決については，申立てがなされると原則として無担保で仮執行宣言が付される[65)]。

2　不利益変更禁止の原則

控訴審の審判は，移審した請求のうち不服申立ての対象となっているものに限定され（296Ⅰ)，さらに取消しおよび変更は，不服申立ての限度においてのみ許される（304)。したがって，控訴人の側からみれば，原判決以上に自己に不利益な判決がなされないという保障が与えられる。

たとえば，100万円の請求のうち，50万円について請求認容，残額50万円について請求棄却の一部認容判決を受けた原告が，請求棄却部分のうち30万円について控訴したときには，控訴審の取消し・変更の範囲は，その30万円部分に限られ，たとえ訴訟物たる100万円の債権全額が不存在であるとの判断に達したとしても，第一審の請求認容部分を取り消し，請求を棄却することは許されない。これが不利益変更禁止の原則と呼ばれる。逆に，控訴審が残額50万円全部について請求を認容すべきであるとの判断に達したとしても，請求認容は30万円部分に限られる。これを利益変更禁止の原則と呼ぶ。利益変更禁止の原則は，不利益変更禁止の原則の反映とみなされる。

これらの原則は，控訴審の審判の対象を控訴人の申立ての範囲に限定する点

---

65)　上告審における破棄の可能性が低いこと，すでに第一審および控訴審の手続を経ていることから，迅速な権利実現の必要性が認められることがその理由である。一問一答340頁参照。なお，仮執行に関する控訴審の裁判に対しては，原則として不服申立てが許されない（295)。

で，処分権主義と共通の趣旨によるものであるが，原判決によって控訴人が受ける不利益を救済するという，上訴制度の目的に照らして採用されたものである[66]。したがって，処分権主義が適用されない境界確定訴訟などにおいては，不利益変更禁止の原則も妥当しないし[67]，また，訴訟要件については，その公益性から不利益変更禁止の原則の適用対象とみなされず[68]，裁判所は，原告が一部認容判決に対して控訴したときでも，訴え自体を却下することができる。

不利益変更禁止の原則の内容たる利益・不利益は，申立てについての判決効を基準として決定されるから，訴訟物についての判断のみが問題となり，判決理由中の判断は問題とならない。しかし，相殺の抗弁については既判力が生じる関係で（114Ⅱ），不利益変更禁止の原則が適用される。たとえば，予備的相殺の抗弁を採用して請求を棄却した第一審判決に対して原告が控訴したのに対して，控訴審が訴訟物たる受働債権が存在しないとの理由で第一審判決を取り消し，請求を棄却すると，相殺の基礎となる自働債権不存在の既判力が失われ，原告にとっては，既判力の面で第一審判決より不利益が生じる。したがって，不利益変更禁止の原則に照らして控訴審は，控訴棄却にとどめなければならない[69]。

66）もっとも処分権主義と不利益変更禁止の原則の適用範囲が厳格に一致するものではない。宇野聡「不利益変更禁止原則の機能と限界(2･完)」民商103巻4号580頁，601頁（1991年）参照。また，山本・基本問題221頁以下は，むしろ被上訴人の申立て（附帯上訴）の不存在にこの原則の根拠を求めるべきであるとする。しかし，上訴制度の第1次的目的を当事者に対する救済に求める以上（本書760頁），訴えについての処分権主義と上訴についての不利益変更禁止の原則との間には，共通性が存在する。松本・控訴審ハンドブック478頁，垣内秀介「不利益変更禁止原則の趣旨をめぐる若干の考察」徳田古稀458頁参照。

67）離婚判決にともなう財産分与についても，非訟事件として処分権主義が妥当しないので，不利益変更禁止の原則が適用されない。最判平成2・7・20民集44巻5号975頁〔平成2重判解・民訴1事件〕。

68）訴えの利益について，最判平成15・11・11判時1842号31頁がある。

69）最判昭和61・9・4判時1215号47頁〔百選〈6版〉107事件〕，八田卓也「民事訴訟法296条1項について――その沿革」高橋古稀1090頁，瀬木691頁。これに対して，原告の不服申立ては，自働債権の存在を認めた原判決部分に限られるから，控訴審は，訴求債権の存在を前提に裁判し，自働債権が存在しないと判断するときには，原判決を取り消して，請求を認容すべきであるとする有力説がある。松本博之「相殺の抗弁についての判断と不利益変更禁止の原則」小島古稀(上)811頁。

その他に，一部請求に対抗する相殺の抗弁の関係で不利益変更禁止の原則が問題となっ

訴え却下の第一審判決に対して原告が控訴したときに，控訴審が訴訟要件の具備を認めれば，原判決を取り消して，事件を第一審に差し戻すことになるが，請求棄却が明らかであれば，その旨の判決をなすことができる。原告の控訴は，請求について本案判決を求める趣旨であり，その趣旨を考慮すれば，申立ての範囲を超えて第一審判決を原告の不利益に変更するものではないからである[70)]。

た判例として，最判平成6・11・22民集48巻7号1355頁〔百選〈6版〉108事件〕（本書239頁注*109*参照）があり，外側説を前提として，相殺の抗弁について判断した結果が一部請求の額を超えるときは，その部分に相当する自働債権の存否については既判力が生じないから，自働債権のうち相殺によって消滅する額について，控訴審の判断が第一審のそれを上回る場合であっても，不利益変更禁止の原則に抵触するものではないとしている。八田・前掲論文1090頁参照。内側説の立場から，判例を批判するものとして，松本・前掲論文820頁がある。

70)　松本・控訴審ハンドブック487頁参照。ただし，判例（最判昭和60・12・17民集39巻8号1821頁）・通説は，請求棄却判決が訴え却下判決よりも控訴人にとって不利であるとの理由から，このような処理が不利益変更禁止の原則に抵触するとする。詳細については，後藤勇「訴却下の訴訟判決を不当とした場合の控訴審の措置」判タ427号21頁，27頁以下（1981年），宇野・前掲論文（注*66*）584頁，高橋(下)633頁など参照。三木浩一「訴訟判決および訴訟終了宣言判決を取り消す際の控訴審における措置をめぐる諸問題」上野古稀485頁は，訴え却下も請求棄却も敗訴という意味で原告にとって等価値であるとの理由から，不利益変更にあたらないとする。これに対し，長谷部由起子「訴え却下判決に対する控訴と不利益変更禁止の原則」加藤新太郎古稀403頁は，原判決に対する不服申立てをしていない被告に与える利益を正当化できないとの理由から，不利益変更禁止の原則を適用すべきとする。

　また，和解の効力を認めて訴訟の終了を宣言する第一審判決（本書542頁）に対し，和解の無効を主張する当事者（被告）のみが控訴し，原告は附帯控訴もしなかった場合において，控訴審が和解を無効と判断するときであっても，第一審判決を取り消し，請求を一部認容する自判をすることは許されず，控訴を棄却すべきである（最判平成27・11・30民集69巻7号2154頁〔百選〈6版〉A38事件〕）。控訴人にとっては，訴訟終了宣言判決よりも請求を一部認容する判決が不利益になるからである。原告のみの控訴において請求棄却を認めるのであれば，この場合にも，一部認容を適法とすることが考えられるが，本判決の考え方に従えば，訴訟終了原因がなく本案の判断をすべきであると控訴審が考える場合には，第一審判決を取り消し，さらに弁論をする必要がないとき（307但書）であっても，差戻判決（同本文）をすることとなろう。小田真治「時の判例」ジュリ1499号8頁（2016年）参照。これに対し，三木・前掲論文491頁，493頁は，訴訟終了宣言判決に対する控訴によって，事件全体ではなく，訴訟終了にかかる争い部分のみが移審するとの理由から，訴訟終了宣言判決を取り消せば足りるとする。

　類似の問題に関し，訴訟の目的が一身専属権であるとの理由から訴訟承継を認めず，訴訟終了宣言をした第一審判決に対して原告のみが控訴した場合に，控訴審が訴訟承継を認めて本案判決をすべき場合であっても（本書750頁注*126*参照），原告の請求に理由がないことが明らかであれば，不利益変更禁止の原則の下では，第一審判決を取り消して請求

第3節　上　　告

上告は，最上級審に対する上訴であり，通常は，控訴審の終局判決に対してなされる。ただし，飛躍上告の合意がなされた場合（281 I 但書・311 II）や，高等裁判所が第一審裁判所になる場合には，第一審判決に対する上告が認められる。上告審としての管轄は，地方裁判所および高等裁判所が第一審となる場合には，最高裁判所，簡易裁判所が第一審となる場合には，高等裁判所に認められる（311，裁 7①・16③）。なお，高等裁判所が上告裁判所となるときでも，その意見が最高裁判所の判例等に反するときには，事件を最高裁判所に移送することが義務づけられる（324，民訴規 203）。ただし，移送の拘束力（22 I）が認められないことについては，本書 107 頁注 *140* 参照。

控訴審が続審主義をとっているのに対して，上告審は，控訴審までに提出された裁判資料にもとづいて，控訴審の法律判断を審査することを目的とする，事後審としての法律審の性格をもつ。したがって，上告人は，原審たる控訴審判決の事実認定の誤りを上告理由とすることはできず，法律判断の誤りのみを主張することができる。上告審も，職権調査事項にかかわるものを除いて，自ら事実認定をすることはない。ただし，上告審も上訴審の1つであるので，上告の適法要件として上告の利益が要求されることなどは，控訴の場合と共通である。

第1項　上告制度の目的と上告審の手続構造

すでに上訴の目的について述べたように，上告制度の第一次的目的は，誤った原判決について当事者に救済を与えるところにある。もちろん，上告審が法律審であり，特に，唯一の最上級裁判所である最高裁判所が上告審となるときには，法令解釈の統一も上告制度の目的と認められるが，これは第二次的目的と考えられる。

旧法の下では，控訴審の終局判決に対する不服申立方法としては，上告のみ

棄却判決をするのではなく，控訴棄却にとどめるべきとする判例（最判平成 29・12・18 民集 71 巻 10 号 2364 頁）がある。

が認められたが，現行法では，高等裁判所が上告裁判所になる場合と，最高裁判所が上告裁判所になる場合とで，手続が区別される。すなわち，上告審としての高等裁判所に対しては，上告人は，憲法違反（312Ⅰ），絶対的上告理由（312Ⅱ），および判決に影響を及ぼすことが明らかな法令違反（312Ⅲ）を理由とする上告が認められる。これに対して，最高裁判所が上告審となるときには，憲法違反および絶対的上告理由は共通であるが，法令違反は上告理由とはならない。

これに代えて318条は，判例違反等法令の解釈に関する重要な事項を理由とする上告受理の申立てを認め，上告審が受理決定をなした場合に限って，上告の効果が生じるものとしている。上告受理制度が裁量上告制度と通称されることから理解されるように，不受理決定に対しては不服申立ての可能性がなく，結果として最高裁は，従来より限定された範囲の上告事件について審判を行うことになる。なお，上告受理申立ても原判決確定遮断の効果をもつので（116Ⅱ），上訴の一種である。

このような手続の改革が行われたのは，最高裁判所が取り扱う事件を憲法をはじめとして，法令の重要な解釈にかかわる事項に限定し，法律審としての実質を高めようとしたものと評価される。他方，旧法は，高等裁判所の決定および命令に対する上訴を認めていなかったが，当事者の利益を救済しつつ，法令解釈の統一を図るために，337条は，最高裁判所に対する許可抗告の制度を新設している。これは，一方で判決に対する上告を真に重要な事項にかかわるものに限定し，他方，その他の形式による裁判についても，最高裁判所が法律審としての役割を果たすために不服申立ての可能性を拡張したものである[71]。

第2項　上 告 理 由

事件を上告審へ移審し，その審判を開始せしめるためには，上告が適法なものでなければならない。上告の適法要件としては，上告の利益や上告期間の遵守などいくつかのものがあるが，その中心となるのが上告理由の主張である。

71）旧法下の上告事件の実情と立法の経緯については，竹下守夫「最高裁判所に対する上訴制度(上)(下)」NBL 575号39頁，576号44頁（1995年），山本克己「上告制度に関する改正の経緯」新大系(4)23頁以下参照。

上告理由には，憲法違反，絶対的上告理由，および判決に影響を及ぼすことが明らかな法令違反の3つがあるが（312），第3のものは，高等裁判所のみに対する上告理由である。

このうち，憲法違反は，原判決の判断内容および判断手続に憲法解釈の違反が認められることを意味するが，判決の結論に対する影響を要求するかどうかについては，考え方が分かれている72)。しかし，条文の文言に即して考えれば，上告の適法要件として憲法違反の判決への影響を要求することはできない。これを要求する有力説は，憲法違反に名を借りた上告が多発することによる上告審の負担増を危惧するが，この種の濫上告に対しては，決定による上告棄却（317Ⅱ）で対処する以外にない。

1　絶対的上告理由

当事者の申立ての当否に関する実体法規範の違反と比較すると，手続法規範の違背については，それが判決に影響を及ぼすかどうかが明らかでないことが多い。そこで立法者は，一定の重大な手続法違反については，判決との関係を問題にすることなく上告理由として認める。これが絶対的上告理由と呼ばれる（312Ⅱ）。絶対的上告理由と再審事由（338Ⅰ）とを比較すると，再審についての338条1項4号ないし8号の事由は，上告理由に対応するものがない。しかし，338条1項但書の趣旨を考慮すれば，上記の再審事由も上告理由として扱われる73)。

(1)　判決裁判所の構成の違法

判決裁判所の構成には，制度上の要件と手続上の要件とがある。裁判官の資

---

72)　新堂943頁のようにこれを要求する説も有力であるが，秋山ほかⅥ280頁，新注釈民訴(5)252頁〔勅使川原和彦〕，斎藤ほか(9)405頁〔斎藤秀夫＝奈良次郎〕，松本・上告審ハンドブック117頁などのように，これを要求しない考え方が通説である。

73)　最判昭和38・4・12民集17巻3号468頁〔百選〈3版〉A47事件〕，最判昭和43・5・2民集22巻5号1110頁。もっとも，判決に影響を及ぼすことが明らかな法令違反を最高裁に対する上告理由から除外した現行法の下では（本書792頁参照），絶対的上告理由にならない再審事由は，最高裁に対する上告理由とならず，権限にもとづく破棄（325Ⅱ。本書800頁参照）の事由にとどまるとの考え方が有力である（秋山ほかⅥ285頁，新注釈民訴(5)261頁〔勅使川原和彦〕。判例の動向および議論の詳細については，加波眞一「上告理由としての再審事由に関する判例の動向」摂南法学35号1頁，26頁（2006年），瀬木704頁参照）。しかし，有力説も，類推解釈の余地は肯定する（秋山ほかⅥ287頁）。また，原則として否定の立場をとる説（松本・上告審ハンドブック384頁）も，明白に誤った裁判が惹起されうる場合には例外を認め，上告理由たりうるとする。

格および任命は，憲法その他の法令によって定められているので（憲6Ⅱ・79・80，裁39以下），その資格や任命手続を欠く者を構成員とする判決裁判所の場合，また裁判所法18条または26条2項および3項などの規定にしたがって構成される合議体裁判所が法定の構成員数を満たさない場合には，制度上の要件を欠くものとして，上告理由が認められる（312Ⅱ①）。また，口頭弁論に関与しない裁判官が判決裁判所を構成するときは，手続上の要件を欠くものとして上告理由が認められる[74)]。

(2)　判決に関与できない裁判官の判決関与

判決裁判所の構成としては適法であっても，構成員たる個々の裁判官について判決に関与できない事由が認められる場合にも，上告理由となる（312Ⅱ②）。除斥原因（23）ある裁判官，忌避の裁判がなされた裁判官（24・25）などが，判決に関与することがこれにあたる。判決に関与するとは，判決内容たる判断の形成に関与すること，具体的には，評議および判決原本の作成にかかわることをいう[75)]。

(3)　日本の裁判所の管轄権の専属に関する規定違反

国際裁判管轄に関して，わが国の法定専属管轄が認められるべき事件（3の5。本書60頁）について，原審が誤ってわが国の国際裁判管轄を否定して，訴えを却下した場合には，それは，民事裁判権の行使という，高度の公益性にかかわるものであるために，絶対的上告理由とされる（312Ⅱ②の2）[76)]。

(4)　専属管轄規定違反

第一審の任意管轄違背は，控訴審においてもその主張を認められないが（299Ⅰ），専属管轄違背は，その公益性のために絶対的上告理由とされる（312Ⅱ③）。なお，ここでいう専属管轄には，専属的合意管轄は含まれず，また6条1項による東京地裁および大阪地裁の専属管轄も除外される（312Ⅱ③括弧書）。控訴審における第一審の管轄違背の主張の場合も同様である（299Ⅱ）。

---

74)　最判昭和32・10・4民集11巻10号1703頁，前掲最判昭和33・11・4（注54）（弁論更新の懈怠），最判平成11・2・25判時1670号21頁。

75)　言渡しに関与することは，手続違背ではあるが，絶対的上告理由にはならない（大判昭和5・12・18民集9巻1140頁）。

76)　日暮直子ほか「民事訴訟法及び民事保全法の一部を改正する法律の概要（下）」NBL 959号102頁，109頁（2011年）参照。

(5)　法定代理権等の欠缺

訴訟行為をなすについての手続保障は，当事者を判決効に服させるための前提となるが，法定代理権，訴訟代理権，または代理人が訴訟行為をするのに必要な授権を欠いている場合には，当事者のために有効に訴訟行為がなされたとみなされない。これが312条2項4号の趣旨である。したがって，氏名冒用訴訟において被冒用者が原判決の取消しを求める場合など，当事者が攻撃防御方法の提出を妨げられた客観的事情が存在するときには，本号が類推適用される[77]。

(6)　口頭弁論公開規定の違反

憲法82条の要請によって口頭弁論について公開原則が妥当することから，その違反が絶対的上告理由となる（312Ⅱ⑤）。人事訴訟において誤って当事者尋問等の公開を停止した場合（人訴22参照）もこれにあたる。これに対して口頭弁論以外の期日，たとえば弁論準備手続期日などについては，たとえ裁判所が不当に傍聴を拒絶した場合であっても，絶対的上告理由とは認められない。なお，口頭弁論公開の事実は，口頭弁論調書の記載によってのみ証明される（160Ⅲ〔160Ⅳ（未施行）〕）。

(7)　判決の理由不備または理由の食違い

判決には理由を付すことが要求され（253Ⅰ③），理由不備・理由の食違いは上告理由となる（312Ⅱ⑥）。理由とは，事実を前提として判決主文における判断を正当化するに足る根拠を意味する。そして理由不備とは，理由が全く付されていない場合ばかりではなく，理由たるべきものの一部が欠け，主文の根拠づけが不足している場合を含む[78]。上告理由や上告審判決の判文中に慣用的

77）　大判昭和10・10・28民集14巻1785頁〔百選〈6版〉4事件〕（再審）。

78）　理由不備および理由の食違いを理由とする上告理由の例については，秋山ほかⅥ296頁以下，新注釈民訴(5)273頁〔勅使川原和彦〕，松本・上告審ハンドブック182頁参照。最高裁判所に対する上告においては，両者は，法令の違反とは区別されるので（312Ⅲ参照），経験則違反や釈明義務違反等は，これにあたらない。福田剛久「上告理由としての理由不備，食違い」栂＝遠藤古稀758頁参照。もちろん，理由不備とされる基準については，特に事実認定に関してどの程度の理由記載が要求されるかが関係する。宇野栄一郎「上告審の実務処理上の諸問題」実務民訴(2)303頁，314頁参照。なお，判断遺脱が当然に理由不備を意味するものではない（最判平成11・6・29判時1684号59頁〔平成11重判解・民訴4事件〕）。

に用いられる判断遺脱や審理不尽の用語は，理由不備を指している場合がある。

理由の食違いは，旧法において理由齟齬と呼ばれたものであるが（旧395Ⅰ⑥），理由としての論理的一貫性を欠き，主文における判断を正当化するに足りないと認められる場合を指す。前述の判断遺脱や審理不尽の概念は，理由の食違いを意味している場合もある。

なお，実質的には原判決の事実認定を攻撃するために，理由不備および理由の食違いが上告理由として主張されることがあるが，証拠にもとづく事実認定そのものは事実審の専権に属するものであり，上告審は，認定された事実が判決主文の論理的前提たりうるかどうか，また認定された事実相互間に矛盾が存在しないかどうかの限度で，理由不備および理由の食違いを判断する。

2　判決に影響を及ぼすことが明らかな法令違反

高等裁判所に対する上告に限って，判決に影響を及ぼすことが明らかな法令違反が上告理由として認められる（312Ⅲ）。ここでいう法令は，訴訟要件の具備および請求についての判断基準となる法規範を指し，したがって，狭義の法律だけではなく，わが国において法規範としての通用力をもつ，条約，政令，裁判所規則，条例などが含まれる。慣習法や外国法規も同様である。経験則違反についても，それが自由心証主義の限界を超えるとみなされるときには，法令違反の一種として扱われる。

法令違反には，第1に，すでに廃止されているか，未だ施行されていないなど，法令としての効力をもたないものを適用した場合が含まれる。第2に，外国法規に典型的にみられるように，当該事件について適用すべきでないものを適用した場合が含まれる。第3に，法令解釈の誤り，すなわち法令の意味内容を誤解した場合が含まれる。第4に，法令適用の誤り，すなわち原審が確定した事実関係には当該法令を適用すべきでないにもかかわらず適用がなされた場合が含まれる[79]。

---

79)　もっとも，正当事由や重大な過失のような評価的事実についての法規の適用に際しては，法令の適用と事実認定の境界が明確ではない。小室直人「上告理由」講座民訴⑦255頁，270頁，福永有利「不特定概念（不確定概念）の上告可能性」小室＝小山還暦(中)343頁，354頁以下参照。しかし，これらの事実についての法律の当てはめも基本的には法令の解釈にかかわる。河野正憲「不確定概念（一般条項）の上告可能性」小室＝小山還暦(中)308頁，333頁以下参照。

法令違反は，判決に影響を及ぼすことが明らかなものでなければならない。ここでいう明らかとは，問題となる法令違反がなければ判決の結論が異なったものとなっていたことについて，蓋然性が要求され，単なる可能性では足りないことを意味する[80]。実体法規範の解釈適用の誤りは，特別の場合を除いて訴訟物たる権利関係についての判断に影響するから，ここでいう判決への影響の明白性を認めてよい。これに対して手続法規の解釈適用の誤りについては，その誤りにもとづいて生じた結果と判決の結論との関係が当然に明白にならない場合が多い。手続法規は，裁判資料の形成過程を規律するものであるが，その違反があったからといって，異なる内容の裁判資料が形成されるとは限らないからである。

たとえば，既判力や弁論主義の解釈適用の誤りなど，裁判資料の範囲を直接に規律する手続規範の違反においては，多くの場合，判決への影響が明白といえるが，宣誓をさせるべきでない証人に宣誓を行わせたなどの証拠調べ手続の違法，または送達手続の違法など，裁判資料形成の手続を規律する法規の違反においては，判決への影響が明白とされるのは，例外的な場合である。

第3項　上告受理申立理由

最高裁判所への上告理由は，憲法違反および絶対的上告理由に限られるが，法はそのほかに上告受理申立理由を定め，この申立てにもとづいて受理決定がなされたときに，上告の提起を擬制することとしている（318 I Ⅳ）。

上告受理申立理由は，原判決に判例違反等の法令の解釈に関する重要な事項が含まれていることである。わが国においては，英米のような判例の一般的拘束力は認められていないので，下級審が最高裁判所などの判例に示された法令解釈と異なった判断を示すこともありうる。法令解釈の統一の責任を負う最高裁判所としては，このような下級審判決に対して，判例の解釈を維持すべきか，それとも変更すべきかを判断する必要がある。判例違反が法令解釈に関する重

80）　蓋然性と可能性の区別は相対的なものにすぎないが，次に述べるように，実体法規違反の場合には，その性質上原則として蓋然性が認められるのに対して，手続法規違反の場合には，上告人が違反によって生じた手続上の結果と判決との関係を具体的に示すことが要求される。これに対し松本・上告審ハンドブック 239 頁は，手続法規に関する誤りであっても，可能性が排除されない限り上告理由になるとする。

要な事項を含む例として挙げられているのは，このような趣旨にもとづく。したがって，判例違反がない場合でも，新たに法令解釈について最高裁判所としての判断を示す必要があるときには，上告受理申立理由が認められる。

これに対して，法令違反に名を借りて原審の事実認定を攻撃する場合や，法令解釈にかかわる主張ではあるが，最高裁判所に対して法令解釈の再検討を促すに足るものでないときには，上告受理事由として認められない。なお，経験則違反が法令解釈に準じて上告受理申立理由になりうるかどうかについては，これを肯定する考え方が有力であるが，通常人の常識の属する経験則の適用を誤ったり，または採用すべき専門的経験則の採用を怠ったりした場合に限って，自由心証主義（247）に違反したものとして，法令違反と同様の取扱いを受ける[81]。

第4項　上告および上告審の手続

上告には，上告人が上告状を原裁判所に提出してなす方式（314 I）と，上告受理申立てにもとづき上告審たる最高裁判所が上告受理決定をなす方式（318 I IV）とがあり，両者の事由の違いは上に述べたとおりである。

81）旧法の上告理由に関して，松本博之「事実認定における『経験則違背の上告可能性』」小室＝小山還暦(中)224頁，257頁，後藤勇・民事裁判における経験則24頁（1990年）参照。上告受理申立理由に関して，中野・解説78頁，松本博之・証明軽減論と武器対等の原則133頁（2017年），新注釈民訴(4)1015頁〔山本和彦〕。医学についての専門的経験則違反を認めた近時の判例として，最判平成9・2・25民集51巻2号502頁，最判平成18・3・3判時1928号149頁がある。いわゆる採証法則違反をいう判例（最判平成18・1・27判時1927号57頁，最判平成18・11・14判時1956号77頁，最判平成22・7・16判タ1333号111頁）も，類似のものである。刑事手続上の自白の信用性を肯定した原審の判断に経験則違反の違法があるとした最判平成12・2・7民集54巻2号255頁も同趣旨と理解できる。これに対し松本・上告審ハンドブック271頁は，高度の経験則に限定すべき理由はないとする。

そして，最近の判例である最判令和3・5・17民集75巻6号2303頁は，共同行為（民719 I後段参照）たる石綿製造販売にかかる石綿含有建材が特定の被災者の作業する建設現場に相当回数にわたり到達していたとの事実（建材現場到達事実）についての原審の認定が著しく合理性を欠くとの理由から，原判決を破棄している。直接には，認定の基礎となっている証拠の評価についての判断に関するものであるが，立証命題たる建材現場到達事実と立証手法の特質を重視していること，共同行為者側の立証活動の不足を勘案して，原判決の事実認定が著しく合理性を欠くと説示していることが注目される。

1　上告の提起

上告人が上告状を原裁判所に提出すると，原裁判所の裁判長は上告状が適式なものであり，かつ，手数料および必要な費用の予納がなされているかどうかを点検し，瑕疵があればその補正を命じ，上告人が補正に応じなければ，命令によって上告状を却下する（314Ⅱ・288・289Ⅱ・137，民訴規 187）。また，2週間の上告期間（313・285）の徒過など，上告が不適法で，その不備を補正することができない場合，および上告理由書が提出されないか，その記載に不備があるときには，原裁判所は決定によって補正を命じた上で，補正がなされないときには，上告を却下しなければならない（316Ⅰ，民訴規 196。即時抗告について民訴 316Ⅱがあるが，高等裁判所のした却下決定に対する不服申立ては，特別抗告および許可抗告に限られるので〔336，337，裁 7②〕，即時抗告は許されない）。これらの場合を除いて，事件が原裁判所から上告裁判所に送付され，原裁判所は，当事者に対して上告提起通知書を送達する（民訴規 189Ⅰ）。被上告人には，併せて上告状も送達される（民訴規 189Ⅱ）。

上告にあたっては，上告の理由を示すことが要求される。上告状に上告の理由が記載されていないときには，上告人は，上告提起通知書の送達を受けた日から 50 日以内に上告理由書を提出しなければならない（315，民訴規 194）。上告の提起にあたって理由の記載が要求されるのは，以下のような理由による。

上告審は，事後審であると同時に法律審であり，原告の請求そのものについて判断することは予定されない。したがって，上告審の審判の対象は，法律上の事由にもとづいて原判決が破棄されるべきかどうかであり，これは上告状中の上告の申立てによって示される（313・286Ⅱ）。上告理由は上告申立ての当否を判断するために不可欠なものであること，および口頭弁論を開く場合が限定される上告審では，書面によってあらかじめ上告理由を主張させる必要があることなどを考慮して，立法者が上告理由書の提出を上告の適法要件としたものである[82]。上告理由書の記載内容等については，規則がこれを定める（315Ⅱ，

82）旧法と異なって，控訴審でも控訴理由書の提出が求められるが（民訴規 182），控訴理由書が提出されなくとも控訴が不適法とされるわけではない。条解規則 378 頁。なお，上告理由書提出強制の沿革については，小室直人「上告理由書提出強制」小室＝小山還暦(中)358 頁以下参照。

また，上告理由の記載があっても，それが経験則違反や法令違反の主張を内容とすると

民訴規190～195）。

2　事件の送付等

原裁判所は，上告状却下を命じる場合，および上告却下決定をなす場合を除いて，事件を上告裁判所に送付し，その際に上告理由中に示された訴訟手続に関する事実の有無について意見を付することができる（民訴規197 I）。事件の送付は，原裁判所の裁判所書記官が上告裁判所の裁判所書記官に対して訴訟記録を送付する方式によってなされ，上告裁判所の裁判所書記官は，送付を受けた後速やかにその旨を当事者に通知する（民訴規197 II III）。上告裁判所は，送付を受けた事件について上告を不適法とする事由（316 I）が認められるときには，原裁判所と同様に決定の方式で上告を却下できる（317 I）。

また，上告裁判所が最高裁判所であるときに限って，上告理由が憲法違反にも，また絶対的上告理由にもあたらないことが明らかな場合には，決定の方式で上告を棄却できる（317 II）[83]。却下または棄却の決定がなされないときには，上告審において被上告人に防御の機会を与える必要が生じるから，上告裁判所は被上告人に対して上告理由書の副本を送達する（民訴規198）[84]。

3　上告受理申立て

上告裁判所が最高裁判所であるときには，当事者は，法令の解釈に関する重要な事項を理由として上告受理の申立てをなすことができる。上告受理の申立ては，上告の提起とは別の訴訟行為であり[85]，上告の理由を上告受理の申立てにおいて主張することも，上告受理の理由を上告提起において主張すること

きには，補正命令を発することなく上告を却下できるとした原審の判断を是認したものとして，最決平成18・9・8実情286頁がある。他方，上告の理由として理由不備（312 II ⑥）がいわれているときは，それが理由不備に該当しないことが明らかであっても，原裁判所が上告を却下することはできない。最決平成11・3・9判時1673号87頁，最決平成11・4・21実情9頁。

83）　この場合には，上告申立ての内容にかかわる判断であるので，決定の方式ではあるが，却下ではなく，棄却の裁判がなされる。憲法違反等に名を借りた上告を簡易に排斥し，最高裁判所の機能を十分に発揮させるためである。一問一答353頁参照。したがって，上告受理制度の新設と共通の考え方が認められる。

84）　ただし，上告審が口頭弁論を経ないで審判をするときには（319），上告理由書の記載のみから上告に理由がないことが明らかで，被上告人の防御の機会を与える必要がない場合もあるので，上告理由書副本の送達を省くことも許される（民訴規198但書）。条解規則412頁参照。

85）　最決平成12・7・14判時1720号147頁〔百選〈3版〉A 48事件〕参照。

も許されない（312 I Ⅱ・318 Ⅱ）。もちろん，一の控訴審判決に対して，当事者が上告提起と上告受理申立ての双方を提起することは妨げられない[86]。

上告受理申立期間，申立ての方式および手続，ならびに上告受理申立理由書提出強制などに関しては，上告提起に関する規定が準用される（318 V，民訴規199）。また，受理申立てが不適法で，その不備を補正できない場合，および受理申立理由書に方式違反が認められる場合に，原裁判所または裁判長が上告受理申立てまたは上告受理申立書を決定によって却下できることも，上告提起の場合と同様である（318 V・314 Ⅱ・316 I）[87]。

これらの場合を除いて，事件が原裁判所から上告裁判所である最高裁判所に送付され（民訴規 199 Ⅱ・197）[88]，最高裁判所は，判例違反等法令解釈に関する重要な事項が含まれると認めるときには，上告受理決定をなし，それ以外の場合には不受理決定をなす。不受理決定に対しては不服申立ては認められず，したがって最高裁判所は，受理もしくは不受理について最終的判断権をもつが，当事者に申立権が認められているので，かならず申立てに対して裁判をしなければならない[89]。なお，受理決定をなすにあたって最高裁判所の裁判長は，相当の期間を定めて受理申立ての相手方等に対して答弁書の提出を命じることができる（民訴規 201）。

上告受理決定によって，上告受理申立てに上告の効力が付与され（318 Ⅳ前段），訴訟記録の送付（民訴規 199 Ⅱ・197）によって，事件が上告審に移審する。

86）手数料は別個に納付するのが原則であるが，主張する利益が共通であるときは，一方について納付された手数料が他方についても納めたものとみなされる（民訴費別表第1 Ⅲ Ⅳ・3 Ⅲ）。書面の記載方法については，民事訴訟規則 188 条参照。

87）ただし，記載された理由が上告受理申立理由にあたるかどうかの判断は，上告審の専権に属する。最決平成 11・3・9 判時 1672 号 67 頁，最決平成 14・10・30 裁時 1327 号 1 頁，最決平成 16・2・23 実情 195 頁，最決平成 17・6・28 実情 235 頁，最決平成 17・12・8 実情 237 頁，最決平成 20・3・26 実情 411 頁（経験則違反），最決平成 27・3・4 実情 799 頁，最決平成 29・12・13 実情 882 頁（経験則違反）。もちろん，上告理由のみが記載され，上告受理申立理由にあたる記載がない場合や上告受理申立期間徒過の場合には，原裁判所が却下することができる。最決平成 17・7・14 実情 236 頁，最決平成 20・4・24 実情 411 頁，最決平成 23・3・17 実情 576 頁，最決平成 23・6・9 実情 577 頁，最決平成 22・10・6 実情 525 頁。

88）上記（注 87）判例参照。なお，特別抗告について同様の判示をするものとして，最決平成 21・6・30 判時 2052 号 48 頁〔平成 21 重判解・民訴 3 事件〕がある。

89）中野・解説 79 頁，一問一答 356 頁。この点が，刑事訴訟法 406 条にもとづく上告受理制度と異なる。刑事訴訟規則 264 条但書参照。

その際には，上告受理申立理由が上告理由とみなされるのが原則であるが，受理決定にあたって重要でないとの理由から排除された受理申立理由は，上告理由とみなされない（318ⅢⅣ後段，民訴規200）。

4　附帯上告

上告が提起された場合，および上告受理申立てについて受理決定がなされた場合には，上告審においても附帯上告が認められる（313・293）。したがって，上告によって移審の効果を生じている請求について，被上告人の側から附帯上告の方法によって不服申立てをなし，上告審の審判の範囲を拡張することが許される[90]。ただし，附帯控訴の提起は，控訴審の口頭弁論終結に至るまで許されるが，上告審においては，かならずしも口頭弁論が開かれない。上告審において口頭弁論が開かれるときには，その終期まで附帯上告の提起が認められるが，開かれない場合には，附帯上告が新たな上告理由を主張するものであるかどうかによって区別される。

新たな理由を主張するときには，上告にもとづく上告理由書提出期間の終期（民訴規194）までしか，附帯上告が認められない。これに対して，上告人の上告理由と同じ理由にもとづいて原判決の変更を求める場合には，上告審の判決が言い渡されるまで（口頭弁論が開かれたときは，その終結まで）附帯上告が許される[91]。なお，最高裁判所に対する附帯上告受理申立てについても，附帯上告と同じ取扱いがなされる[92]。

5　上告審の審判

上告審の審理は，その性質が事実審ではなく，法律審であることを反映して，書面主義と口頭主義を結合した形で行われる。まず，上告の提起または上告受理の申立てにともなって，その理由書が上告人から提出され，原則としてこれが被上告人に送達され（民訴規198），被上告人等に対しては答弁書の提出が命じられる（民訴規201）。

上告審の審判の対象は，不服申立ての対象たる原判決が破棄されるべきもの

90）　大判大正3・11・3民録20輯874頁。

91）　最判昭和38・7・30民集17巻6号819頁，最判平成9・1・28民集51巻1号78頁。学説については，兼子466頁，新堂952頁，秋山ほかⅥ324頁など参照。

92）　秋山ほかⅥ324頁。

かどうかであるが[93]，そのための調査の範囲は，上告理由として主張されたものに限定される（320）。これは，法律審としての調査義務の範囲を限定する趣旨である[94]。ただし，職権調査事項についてはこの限りではない（322）。職権調査事項とは，訴訟手続の適法性にかかるもので，公益性の強い事項を意味する。また，法律審としての性質から，職権調査事項を除いて，上告審は，事実認定の権限をもたず，原判決が適法に確定した事実に拘束される（321Ⅰ）。なお，飛躍上告の場合には，その合意の中に第一審における事実認定を争わない意思が含まれるから，事実認定にかかわる手続法規違反も破棄の理由にならない（321Ⅱ）。

上告裁判所は，上告状，上告理由書，答弁書，その他の書類によって上告を理由なしと認めるときには，口頭弁論を経ることなく，判決によって上告を棄却することができる（319）[95]。これに対して上告を認容するときには，口頭弁論を開くことが必要である。これは，原判決破棄という裁判の重大性を考慮して，口頭主義によって当事者に対する手続保障を図る趣旨である。

93）原判決中不服申立ての対象となっていない部分について上告審は，申立てにもとづいて仮執行宣言を付すことができる（323）。

94）もっとも，上告審が上告理由とされていない憲法違反や判決に影響を及ぼすことが明らかな法令違反を発見したときには，法の適用をなす裁判所の職責として原判決を破棄すべきである。条解民訴〈2版〉1644頁以下〔松浦馨＝加藤新太郎〕。

95）判決言渡期日での口頭による判決言渡しは必要である。旧法下では，言渡期日に当事者を呼び出すことが不要とされていたが（最判昭和44・2・27民集23巻2号497頁〔続百選94事件〕），現行規則ではこの取扱いに修正が加えられた（民訴規156）。

なお，口頭弁論を経ないで訴えを却下する（313・297・140）前提として上告審が原判決を職権をもって破棄する場合には，口頭弁論を経ることを要しない（最判平成14・12・17判時1812号76頁）。

また，職権探知事項にあたる中断事由が存在することを確認して原判決を破棄するについては，必ずしも口頭弁論を経る必要はない（最判平成19・3・27民集61巻2号711頁〔平成19重判解・民訴2事件〕）。判決の基本となる口頭弁論に関与していない裁判官が判決をした裁判官として署名押印していることを理由として原判決を破棄し，事件を原審に差し戻す旨の判決をする場合（最判平成19・1・16判時1959号29頁），上告審において訴訟終了宣言をする前提として原判決を破棄する場合（最判平成18・9・4判時1948号81頁，最判平成28・12・8判時2325号37頁）も同様である。

さらに，上野泰男「民事訴訟法319条〔旧401条〕の沿革について」栂＝遠藤古稀746頁は，同条に関する立法の経緯を明らかにした上で，書面審理によって上告棄却または認容の判決をすることができるときには，口頭弁論を経る必要がない旨の立法を提案する。

(1) 上告審の終局判決――破棄差戻し・移送・自判

上告審は，不適法な上告を決定によって却下し（317Ⅰ），また上告審たる最高裁判所は，明らかに理由のない上告を決定によって棄却することができるが（317Ⅱ），それ以外の場合には，上告審は，終局判決によって上告申立てについて裁判する。終局判決の種類としては，上告を不適法とする上告却下，上告を理由なしとする上告棄却，および上告を理由ありとする原判決破棄判決に分けられ，破棄判決はさらに，破棄差戻し，破棄移送，および破棄自判に分けられる。なお，控訴審の場合と同様に，上告理由自体は正当であっても，他の理由によって原判決を維持すべき場合には，憲法違反および絶対的上告理由の場合を除いて，上告棄却の判決がなされる（313・302Ⅱ）。

破棄事由は，憲法違反および絶対的上告理由による場合と，それ以外の法令違反による場合とに分けられる。憲法違反および絶対的上告理由（312ⅠⅡ）が認められるときには，上告裁判所は原判決の破棄を義務づけられる（325Ⅰ前段）。法令違反については，上告審が高等裁判所か，それとも最高裁判所であるかによって扱いを異にする。

上告審としての高等裁判所は，判決に影響を及ぼすことが明らかな法令違反を発見したときには，原判決を破棄しなければならない（325Ⅰ後段）。これに対して，上告審としての最高裁判所は，判決に影響を及ぼすことが明らかな法令違反を理由として原判決を破棄することができる（325Ⅱ）。その趣旨としては，最高裁判所の場合であっても，上告受理申立理由が上告理由とみなされ（318Ⅳ），それに対応する法令違反を発見したときには，高等裁判所と同様に破棄を義務づけられるが[96]，上告理由とかかわりなく法令違反を発見したときにも原判決破棄の権限が与えられたことを意味する[97]。

破棄されることによって原判決言渡しの効力が失われるので，上告審は，対応する措置をとらなければならない。その措置は，差戻し，移送，および自判の3つに分けられる。差戻しは，事件を原審に差し戻し，事件についての裁判を行わせるものであり，事実審理の必要があるために上告審自らが事件につい

96）中野・解説80頁参照。

97）したがって，従前から上告審の職責として上告理由にもとづかない破棄理由が認められていたが，325条2項は，これを法が認めた意義をもつ。

て裁判を行えないときにとられる措置である。ただし，破棄された原判決に関与した裁判官は，差戻し後の審判に関与できないため（325Ⅳ），場合によっては，原裁判所に属する裁判官によって差戻し後の控訴審を構成できないことがある。そのために上告審は，差戻しに代えて，原裁判所と同等の他の裁判所に事件を移送できる（325Ⅱ）。

法律審としての上告審の性質上，破棄にともなう措置としては，差戻しまたは移送が原則であるが，場合によっては，上告審が原審に代わって事件について裁判をすることが義務づけられる。これが破棄自判と呼ばれる。

破棄自判が義務づけられるのは，第1は，確定した事実を前提として憲法等の適用の誤りを正すことによって事件が裁判に熟する場合である（326①）。この場合には，事実審理の必要がないので，法律審たる上告審が自ら事件について裁判ができる。たとえば，原審が民法90条違反と認められないとして第一審判決を取り消し，請求を認容したのに対して，上告審が同条違反を理由として控訴審判決を破棄し，控訴を棄却することが考えられる。逆に第一審が90条違反を否定して，請求を認容し，控訴審が控訴を棄却している場合には，上告審は，控訴審判決を破棄し，第一審判決を取り消した上，請求棄却の自判を義務づけられることもありうる[98)]。

第2は，事件が裁判所の権限に属しないことが破棄理由とされる場合である（326②）。この場合には，上告審自らが事実審理をすることが可能であり，その結果として訴えが不適法であるとの結論に至れば，事件を原審に差し戻しまたは移送する必要が認められない。事件が裁判所の審判権に属しないことを理由として，訴えを却下するのがその例にあたる。当事者能力や訴えの利益などの訴訟要件の欠缺が明らかになったときにも，本号が類推され，上告審は，訴え却下の自判をすることが義務づけられる[99)]。

---

98)　上告審が，控訴の利益を肯定した控訴審判決を破棄し，控訴を却下するのも，自判の類型の1つになる。

99)　最判昭和35・3・4民集14巻3号335頁，最大判昭和35・3・9民集14巻3号355頁。原判決言渡し後に訴えの利益が失われたとして，原判決を破棄し，訴えが不適法であり，その不備を補正することができないことを理由として，口頭弁論を経ることなく（140・297本文・313），訴えを却下した例として，最判平成23・10・27判タ1359号86頁がある。また，原則として否定の立場をとる説（松本・上告審ハンドブック384頁）も，明白に誤った裁判が惹起されうる場合には例外を認め，上告理由たりうるとする。

これらは，上告審が事件について終局的裁判をなす場合であるが，それ以外にも控訴審に代わって，第一審への差戻しまたは移送の裁判をなす場合もありうる。控訴審が差戻しまたは移送判決をするのは，第一審において訴えが却下されている場合（307），専属管轄違反の場合（309），および事件についてさらに弁論をする必要のある場合（308Ⅰ）であるが，これが上告審が控訴審に代わって裁判をする場合にも当てはまる。

(2)　破棄判決の拘束力

事件の差戻しまたは移送を受けた裁判所は，新たな口頭弁論にもとづいて裁判をしなければならない（325Ⅲ）。この口頭弁論は，破棄された原判決の基礎となった口頭弁論の続行としての性質をもつ[100)]。しかし，原判決に関与した裁判官は新たな裁判に関与することができないので（325Ⅳ），直接主義の要請から弁論の更新手続（249Ⅱ）をとる必要が生じる[101)]。差戻し前に行われた訴訟手続のうち，その違法が破棄の理由とされたものは，取り消されたものとみなされるから，差戻し後の手続において効力を認められない（313・308Ⅱ）。しかし，それ以外の手続の効力は失われないし，中間判決も，上告審において破棄されていない限り，その効力を有する[102)]。

しかし，審級制度の趣旨から，上告審が破棄の理由とした事実上および法律上の判断は，差戻しまたは移送を受けた裁判所を拘束する（325Ⅲ）。この拘束力の性質については，既判力とする考え方，あるいは中間判決の拘束力とする考え方などが存在するが，理由中の判断について生じる拘束力であること，一の訴訟手続内で作用するものであること，破棄判決は上告審の終局判決とみなされることなどの点で，いずれの考え方にも難点がある。むしろ，審級制度の趣旨にもとづく上級審の裁判の拘束力（裁4）の発現とすべきである。

拘束力ある事実上の判断とは，法律審としての上告審の性質上，職権調査事

100）　大判明治36・11・25民録9輯1282頁。差戻しにともなって，訴訟記録も送付される（民訴規202）。なお，差戻し後の第1回期日は，続行期日としての性質をもつから，158条の適用はない。菊井＝村松Ⅲ295頁（秋山ほかⅥ387頁，新注釈民訴(5)367頁〔加波眞一〕参照）。ただし，判例（大判昭和12・3・20民集16巻320頁），および多数説（兼子469頁，新堂957頁など）は，適用を認める。

101）　弁論更新の手続がとられない限り，従前の裁判資料は新たな裁判の資料とならない。大判大正9・9・27民録26輯1392頁，前掲大判昭和12・3・20（注*100*）。

102）　大判大正2・3・26民録19輯141頁〔百選58事件〕。

項および上告理由となる再審事由に関するものに限られ，本案に関するものは含まない[103]。これに対して法律上の判断とは，法令の解釈・適用に関する判断で，破棄の前提となるものを意味する。

たとえば，ある法律行為が民法90条にいう公序良俗違反に該当するとの判断は，法令の適用に属するものであり，上告審がその判断を理由として，請求を認容した原判決を破棄差し戻しているときには，差戻審は，同一の法律行為を前提とする限り，民法90条の適用をしなければならない。また，上告審が，民法177条にいう第三者は背信的悪意者を含まないなどの法令解釈に関する判断を破棄理由としているときにも，この判断には拘束力が認められる。

もっとも，法律上の判断は，破棄の論理的前提となるものに限定されるから[104]，上告審が傍論として示した判断には拘束力が認められない。また，上の例で，差戻審が当該法律行為について錯誤によって無効と判断することも，拘束力に抵触するものではない[105]。なお，上告審の判断は，差戻審だけではなく，差戻審判決に対して再び上告がなされたときに，第2次上告審をも拘束するが[106]，この拘束力は，上級審の裁判の拘束力とは区別され，判決裁判所自身に対する自縛力に属するものである。

第4節　特別上告

高等裁判所が上告審としてした終局判決に対しては，憲法違反を理由として

103）　最判昭和36・11・28民集15巻10号2593頁〔百選Ⅱ195事件〕。場合によっては，破棄の理由となった法令解釈の誤りなどが判決の結論に影響することを明らかにするために，事実上の判断が示されることがあるが（最判平成15・10・16民集57巻9号1075頁〔平成15重判解・民13事件〕参照），この場合の事実上の判断にも上告審判決としての拘束力は認められない。詳細については，伊藤眞「事実に関する上告審破棄理由の意義」小島古稀(上)12頁，松本・上告審ハンドブック423頁参照。

104）　破棄理由となった直接の否定的判断ではないが，これと論理必然的な関係に立つ判断については，拘束力が肯定される。弁済について審理不尽を理由とする破棄判決の場合に，前提となる貸金返還義務の存在の判断などがこれにあたる。畑郁夫「差戻し後の審理と判決」講座民訴⑦219頁，246頁，河野信夫「判例の規範性と破棄判決の拘束力について」実務民訴〔第3期〕(6)183頁参照。ただし，反対説として，松本・上告審ハンドブック425頁がある。

105）　最判昭和43・3・19民集22巻3号648頁〔百選〈6版〉110事件〕。

106）　最判昭和28・5・7民集7巻5号489頁。

最高裁判所に対してさらに上告をすることが認められる（327 I）。これを特別上告という。ただし，特別上告には，原判決の確定遮断の効果が認められないので（116 II 参照），手続は上告に準じるが（民訴規 204），上訴としての性質をもたず，むしろ再審の訴えに類する。このことは，執行停止の要件にも反映される（403 I ①）。

第5節　抗　告

終局判決に対しては，特別の規定がない限り控訴が認められるが（281 I），終局判決前の裁判については，そもそも不服申立て自体が禁止されることがあるし[107]，不服申立てが許されるときでも，原則として独立の不服申立てを認めず，控訴にともなって控訴審の判断の対象となる。もっとも法は，訴訟手続に関する決定または命令に対して，終局判決の判断からの独立性にもとづく当事者の手続上の利益を尊重して，一定の場合に独立の不服申立てを認める。この不服申立方法が抗告である。抗告が認められる裁判は，3つの類型に分けられる。

第1は，口頭弁論を経ないで訴訟手続に関する申立てを却下した決定または命令である（328 I）。申立却下の裁判について終局判決を待って不服申立てをさせるのでは，申立ての意義が失われるからである。ただし，必要的口頭弁論を経てなされる裁判については[108]，それが申立てを却下するものであっても，終局判決に対する不服申立てにともなって判断されるにとどまる。

第2は，いわゆる違式の決定・命令，すなわち決定または命令で裁判できない事項についてなされた決定・命令であり，当事者の手続保障のために常に抗告が許される（328 II）。

第3は，抗告を許す旨の特別の規定が置かれる場合である（21・75 VII・86 など）。なお，受命裁判官等の裁判に対しては，まず受訴裁判所に異議の申立て

107）　25条4項など。

108）　任意的口頭弁論が開かれたかどうかは問題とならず，必要的口頭弁論においてなされる裁判のみを意味する（鈴木正裕「決定・命令に対する不服申立て(1)」曹時36巻7号14頁（1984年）参照）。訴え変更の不許決定（143 IV），攻撃防御方法の却下決定（157）などがこれに属し，終局判決に対する上訴の方法のみによって不服申立ての対象となる。

をすることができ（329Ⅰ），それについての裁判に対しては抗告が認められる（329Ⅱ）。

第1項　抗告の種類

抗告には，以下のような種類が分けられる。第1に，対象となる裁判そのものであるか，それとも抗告審のものであるかによって，最初の抗告と再抗告とが分けられる。再抗告は，抗告審の決定について，憲法違反または決定に影響を及ぼすことが明らかな法令違反を理由とするものであるが（330），最高裁判所には特別抗告および許可抗告以外の抗告についての管轄権が認められていないので（裁7②，民訴336・337），高等裁判所の第一審としての決定・命令や抗告審としての決定に対する抗告や再抗告は認められず，簡易裁判所の決定等に対する地方裁判所の裁判について高等裁判所に対する再抗告が認められるにとどまる。

第2に，最初の抗告のうち，抗告の要件および効果の面から，通常抗告と即時抗告とが分けられる。即時抗告は，裁判の告知を受けた日から1週間の不変期間内にのみ提起できるものであり（332），かつ，原裁判の執行停止の効力を有する（334Ⅰ）[109]。ここでいう執行力は，狭義の執行力にとどまらず，広義の執行力も含む。これに対して通常抗告には，抗告期間の限定も執行停止の効力もなく，抗告裁判所などの執行停止の裁判によってはじめて原裁判の執行が停止される（334Ⅱ）。

第3に，最高裁判所に対する抗告として特別抗告と許可抗告とがある。特別抗告は，地方裁判所および簡易裁判所の決定等で不服申立てができないもの，ならびに高等裁判所の決定等に対して，憲法違反を理由として最高裁判所に対してなされるものである（336Ⅰ）。特別抗告は，裁判の告知を受けた日から5日の不変期間内に限って許される（336Ⅱ）。ただし，特別抗告には，特別上告の規定が準用されるので（336Ⅲ），本来の上訴とはいえない。

109）ただし，園尾隆司「倒産法における即時抗告と執行停止効」多比羅誠弁護士喜寿記念論文集・倒産手続の課題と期待31頁（2020年）は，立法の経緯および比較法を踏まえ，334条1項の合理性に疑問を提起する。逆に，松本・抗告審ハンドブック26頁は，通常抗告を廃止し，即時抗告に一本化することを検討すべきであるという。

許可抗告（337）は，次のような理由から現行法において新たに設けられたものである。すなわち，旧法の下では，最高裁判所に対する抗告は，特別抗告に限られていたので，決定・命令等にかかわる法令解釈の争いについては，最高裁判所による法令解釈の統一の機会が保障されていなかった。特に，民事執行法や民事保全法上の裁判について抗告審たる高等裁判所の判断が分かれた問題，たとえば，売却のための保全処分の相手方（民執55）や担保権の存在を証明する文書の意義（民執193）などについて，法令解釈の統一の必要が指摘されていた。そこで立法者がこの必要を満たし，かつ，最高裁判所の負担増を避ける制度として採用したのが，許可抗告である[110]。

判例違反等法令解釈の違反を理由とする最高裁判所への抗告は，原審である高等裁判所が自らの決定または命令について抗告を許可した場合に限って許されるところから，許可抗告と呼ばれる（337 Ⅰ Ⅱ Ⅳ）。最高裁判所は，原裁判に影響を及ぼすことが明らかな法令違反があるときには，原裁判を破棄することができる（337Ⅴ）。

許可抗告の対象となる高等裁判所の決定および命令については，以下のような制限がある。高等裁判所の決定および命令のうち，再抗告裁判所としての裁判は，すでに3審級の利益が保障されているとの理由から，許可抗告の対象と

110）　三ヶ月・研究(8)203頁，池田辰夫「抗告に関する改正」新大系(4)93頁，108頁参照。その合憲性を判示するものとして，最決平成10・7・13判時1651号54頁がある。なお，上告および上告受理申立理由書提出の追完について，原審が許可をしたことに対して疑問を呈するものとして，綿引万里子＝今福正己「許可抗告事件の実情――平成二三年度」判時2164号8頁，18頁がある。

許可抗告の要件は，判例違反その他法令の解釈に関する重要な事項を含むと認められることであるが（337Ⅱ），事項の重要性は，解釈の不統一が法令の運用に不都合を生じさせ，社会経済上の混乱を生じているかなどの見地から決定すべきである。富越和厚「特別抗告・許可抗告」実務民訴〔第3期〕(6)127頁参照。実情38，67，76，79，78，105，107，145，223，225，275，283，289，359，360，389，391，392，413，450，456，622，623，679，688，691，692，794，795，797，798，800，845，848，849，873，878，882頁などには，最高裁決定に関して，許可抗告によって争われた点が，個別事案における認定または評価の問題であり，原審が抗告を許可したことについて検討の余地がある旨の指摘がされ，実情6，7，28，67，618，676，733頁などには，法定の要件に関する個別具体的当てはめの判断が許可の対象になるかについて同様の指摘がある。さらに，実情30，578，579頁には，許可抗告制度の趣旨にそぐわない，実情226頁では，許可抗告の対象として取り上げる余地のない，実情579，580頁では，許可に疑問があるものとの評価も示されている。小林宏司＝浅野良児「許可抗告事件の実情――平成30年度」判時2430号3頁（2020年）でもこのような評価が繰り返されている。

ならない（337 I 本文括弧書）。

次に，許可抗告申立てについての裁判も，手続の遅延を避けるなどの理由から許可抗告の対象とならない（337 I 本文括弧書）。したがって，許可の対象となりうる裁判には，高等裁判所が自ら第一審として行った決定および命令と，抗告審として行った決定とが含まれるが，前者については，その裁判が地方裁判所の裁判であるとした場合に抗告をすることができるものであるときに限られる（337 I 但書）。たとえば，忌避申立てを認容する決定に対しては，抗告が許されないが，その決定が高等裁判所によってなされたからといって許可抗告を認める理由はないからである[111]。

第2項　抗告および抗告審の手続

抗告権が認められるのは，原裁判によって法律上の利益を害される者である。申立てを排斥する裁判については，申立人に抗告権が認められるのが原則であるが，かならずしも申立人に限定されるものではない。たとえば，補助参加不許決定に対して被参加人たる当事者にも抗告権が認められる。また，申立てを認める裁判については，文書提出命令の相手方たる第三者のように，裁判によって法律上の不利益を生じる者に抗告権が認められる。

抗告を提起する者を抗告人と呼ぶ。抗告においては，訴えと異なって請求が定立されるわけではないので，手続の構造上相手方が不可欠というわけではないが，裁判の内容から抗告人と利害の対立する者が存在する場合には，その者を相手方とする[112]。相手方は，審尋の対象となるし，その不利益となる抗告審の裁判に対して再抗告や許可抗告の申立てをすることが認められる。相手方たるべき者は，原裁判の性質上当然に定まることもあるし（民執 83 Ⅳ など），裁判所が利害関係を有する者を相手方と定めることもできる（民執 74 Ⅳ）[113]。し

111）　一問一答 377 頁，中野・解説 82 頁。保全抗告について高等裁判所のした決定に対しても，許可抗告が認められる（最決平成 11・3・12 民集 53 巻 3 号 505 頁〔百選〈3 版〉A 50 事件〕）。研究会 441 頁以下，松本・抗告審ハンドブック 127 頁参照。これに対して，人身保護法による釈放の請求を却下または棄却した高等裁判所の決定は，不服申立てについて人身保護法および人身保護規則に特段の規定が置かれていないために，許可抗告の対象とはならない。最決平成 22・8・4 判タ 1332 号 58 頁。

112）　田中恒朗「抗告手続の問題点」判タ 201 号 84 頁，85 頁（1967 年）参照。

113）　立法論としては，手続保障の見地から必要があるときには，抗告裁判所が抗告人の

かし，訴状却下命令に対する即時抗告の場合のように（137Ⅲ），裁判の性質上相手方が存在しないこともある。

抗告は，控訴の場合と同様に抗告状を原裁判所に提出して行い（331本文），再抗告についても，上告と同様の取扱いがなされる（同但書）。抗告が不適法で，その不備を補正することができない場合の取扱いについても同様である（331・287）。また，抗告理由書の提出が求められることも，控訴の場合と同様である（民訴規207）[114]。抗告が許される期間については，通常抗告の場合には制限がなく，抗告の利益が存在する限り許されるが，即時抗告については，裁判の告知を受けた日から1週間の不変期間が定められる（332）。なお，附帯抗告や抗告の取下げの許容性などについても，控訴や上告と同様に取り扱われる。

抗告の対象となる決定および命令は，告知されることによってその効力を生じるが（119），抗告は，即時抗告に限って執行停止の効力を有する（334Ⅰ）[115]。ただし，抗告裁判所または原裁判をした裁判所もしくは裁判官は，通常抗告の

相手方を定めることができる旨の一般規定を置くことが検討されたが（改正要綱試案　第一三 上訴　三 抗告　4 抗告人の相手方参照），立法の意義に関する疑問などから，実現されなかった。

即時抗告の相手方がある場合でも，その者に対して即時抗告の事実を知らせるとか，即時抗告申立書の副本の送達や写しを送付するとかは，即時抗告手続の迅速性から，必要がないと解されている（331本文参照。大決昭和13・10・12民集17巻1984頁）。しかし，特に，即時抗告審が原審の判断を覆すような場合には，事案の特質に応じて，裁判所の合理的裁量判断にもとづく適切な措置をとることが求められる。

この点が問題となった判例として，最決平成20・5・8判時2011号116頁〔百選〈4版〉A1事件，平成20重判解・民訴8事件〕，最決平成21・12・1家月62巻3号47頁，最決平成23・4・13民集65巻3号1290頁〔百選〈5版〉A40事件，平成23重判解・民訴5事件〕，最決平成23・9・30判時2131号64頁がある。考え方については，訴訟理論研究会「〈座談会〉民事訴訟手続における裁判実務の動向と検討　第3回」判タ1375号16頁（2012年），金子修編著・一問一答 非訟事件手続法105頁（2012年），実情513頁参照。

なお，この点に関連して，平成27年改正による民事訴訟規則207条の2は，再抗告（法330）を除いて，抗告があったときは，原則として，相手方に対し，抗告状および抗告理由書の写しを送付するものとしている。

114）旧法下の実務について，奈良次郎「抗告審の多様性(下)」判タ755号29頁，34頁（1991年）参照。民事訴訟規則207条では，再抗告が除かれているが，これは，再抗告理由書について上告理由書と同様の規整がされることによる。条解規則430頁参照。なお，理由書の提出期間は，抗告の提起後14日以内であるが，理由が明らかな事情があれば，その期間内でも抗告を棄却することができるとした原決定を是認したものとして，最決平成14・11・14実情106頁がある。

場合にも原裁判の執行停止などの処分を命じることができる（334Ⅱ）。

抗告を受理した原裁判所または裁判長は，抗告に理由があると認めるときには，その裁判を更正しなければならない（333）。これは，再度の考案と呼ばれるものであり，決定および命令には，判決と異なって，自縛力が弱いことを根拠とする[116]。この更正は，判決についての更正決定（257）とは違って，計算違い等の明白な誤りに限定されるものではなく，原裁判に含まれる事実認定および法規の適用に関して実質的な再審査の機会を与えるものである[117]。更正として原裁判の取消しまたは変更の決定がなされると，その限りで抗告の対象が消滅し，抗告の手続は終了する。ただし，更正決定に対しても原決定に対するのと同様に抗告による不服申立てが認められる[118]。逆に原裁判所は，抗告を理由なしとするときには，その意見を付して事件を抗告裁判所に送付する（民訴規206）[119]。

抗告審の審理は，任意的口頭弁論によって行われ，必要があれば，抗告人，相手方，その他の利害関係人を裁判所が審尋することが認められる（335）。抗告審は，抗告が不適法であるときには，これを却下し，理由がないときには，これを棄却し，理由があるときには，原裁判を取り消した上で，必要に応じて，

115）立法の過程では，即時抗告にともなう執行停止の効力を一定の場合に制限することが検討されたが（改正要綱試案　第一三 上訴　三 抗告　（後注）），実益に乏しいなどの理由から実現されなかった。

116）奈良次郎「再度の考案について(上)」判時1344号3頁，8頁（1990年）参照。即時抗告に服する裁判についても再度の考案が許されるが，その裁判については自縛力が認められるので，決定および命令一般に自縛力が存在しないとはいえない。また，再度の考案が実務上用いられることが少なかった理由の1つとして，旧法下では抗告裁判所に対する抗告状の提出が認められていたことが挙げられるが（古崎慶長「抗告審に関する諸問題」実務民訴(2)347頁，350頁），現行法の下では，この理由は妥当しないこととなった。

117）ただし，裁判の主文の取消変更に及ぶことが必要であり，理由のみの更正は認められない（大決昭和10・12・27民集14巻2173頁〔百選97事件〕，新堂964頁など）。これに対して，理由のみの更正を認める有力説もあるが（古崎・前掲論文（注*116*）355頁以下，条解民訴〈2版〉1680頁〔松浦馨＝加藤新太郎〕），「抗告が理由がある」と認められるのは，裁判の主文にかかわるものであるから，前者の考え方が正しい。松本・抗告審ハンドブック75頁は，更正をしない旨の決定に理由が付されているにとどまるとする。

118）抗告によって更正決定が取り消されると，原決定の効力が復活するが，当初の抗告まで復活するものではない。大決大正4・12・16民録21輯2121頁，条解民訴〈2版〉1681頁〔松浦馨＝加藤新太郎〕参照。

119）この意見は参考意見にすぎず，原裁判の理由の一部となるものではない。古崎・前掲論文（注*116*）357頁参照。

差戻し，自判などの措置をとる。

第3項 再　抗　告

抗告審が地方裁判所のときには，憲法違反または決定に影響を及ぼすことが明らかな法令違反を理由として，高等裁判所に再抗告をすることが認められる(330)。再抗告の対象となりうる裁判かどうかは，その内容によって決められる。抗告を不適法として却下する裁判に対しては，常に再抗告が認められるし(328 I)，抗告棄却決定は，抗告の対象たる原裁判を維持するものであるから，同様に再抗告が認められる。これに対して，抗告が認容されたときには，その内容によって再抗告の可否が判断される。たとえば，忌避申立却下決定が抗告審において取り消されたときには，忌避決定に対して不服申立てが許されない趣旨から，再抗告は認められない。

再抗告が通常抗告か即時抗告かも，抗告審の決定内容が基準となる[120]。当初の抗告が即時抗告であり，抗告審が却下または棄却の決定によって原裁判を維持しているときには，再抗告も即時抗告になる。これに対して抗告審が原裁判を取消変更しているときには，その裁判内容にしたがって，即時抗告か通常抗告かが決せられる[121]。

再抗告および再抗告審の手続に関しては，上告および上告審についての規定が準用される（331但書，民訴規205但書)。

---

120)　最決平成16・9・17判タ1169号169頁。松本・抗告審ハンドブック104頁参照。

121)　たとえば，担保取消申立却下決定に対する抗告は通常抗告であるが，抗告審が抗告にもとづいて担保取消決定をしたときには，再抗告は即時抗告になる（79Ⅳ参照)。

第10章　再　　審

確定判決には，形式的確定力および実質的確定力が付与され，その効力に服する者は，訴訟係属を復活せしめたり，また確定された権利関係の内容を争うことが許されない。しかし，判決の基礎となった訴訟手続や裁判資料に重大な瑕疵が認められる場合に，確定判決の効力を争う方法を認めないのは，かえって国民の裁判を受ける権利を損ない，ひいては民事司法に対する国民の信頼を害する。このような理由から法は，確定判決に対する特別の不服申立方法として再審の訴えを認める[1)]。

第1節　再審の訴えと再審事由

再審の申立ては，再審事由にもとづいて判決の確定力の消滅を求める部分と，訴え，請求の棄却，上訴，上訴の棄却など本案の申立てについての再審判を求める部分を含み，訴えの形式をもって行われる（338 I 本文）。したがって，再審の訴えは，判決に対する不服申立てとしての実質をもつが，確定判決に対する申立てであって，移審効や確定遮断効は問題とならない点で，上訴とは区別される。また，債務名義たる確定判決に対する請求異議の訴えは，執行力の消滅または制限を目的とする点で，再審の訴えと区別される。

---

1)　沿革的には，現行338条1項1号ないし3号に近い事由にもとづく取消しの訴えと，4号以下に近い事由にもとづく原状回復の訴えとが分けられており（大正15年改正前旧民訴468・469），旧420条によってこれが統合されたものである。注釈民訴(9)3頁〔高橋宏志〕参照。現在の再審の目的としては，審判機関である裁判所の側の瑕疵の是正，および当事者の裁判資料提出の瑕疵の是正を通じて，裁判を受ける権利を実質的に保障することに集約されよう。加波眞一「再審原理と再審訴訟の手続構造(1)」北九州大学法政論集20巻2号147頁，180頁（1992年），上田竹志「『誤った判決』についての一考察――再審事由との関連から」高橋古稀813頁参照。
　再審の方法によらず，他の訴えによって確定判決の取消しを求めるのは不適法である。東京地判平成28・3・15判タ1435号230頁。

再審の訴えは，確定判決取消しを求める申立てと，本案の申立てについての再審判の申立てを含む[2)]。後者は，それぞれの申立ての内容によって訴訟物が決定されるが，前者は，訴訟法上の形成訴訟として，取消しを求める地位が訴訟物となる。裁判所は，まず，再審事由の有無について決定手続で判断し（345Ⅱ・346Ⅰ），再審手続を開始した上で，判決が不当であると認めれば，それを取り消し，本案の申立てについて裁判する（348Ⅲ）。したがって，判決の内容としては，形成判決たる取消宣言と本案の申立てについての判決が含まれる。これに対して，たとえ再審事由が認められても，判決が正当とされれば，再審の請求が棄却され，棄却判決は取消しを求める地位の不存在を確定する確認判決としての性質をもつ。

法は，確定終局判決に対して再審の訴えをもって不服を申し立てる要件として，10の事由を定め（338Ⅰ），これらが再審事由と呼ばれる。上に述べたように，再審の訴えは，訴訟法上の形成訴訟としての性質をもつが，各事由ごとに形成原因，およびそれにもとづく訴訟物が区分されるかどうかは，訴訟物論の違いを反映して，判断が分かれる。本書では，いわゆる旧訴訟物理論を前提とするので，各事由ごとに訴訟物を分け，複数の事由が主張されているときには，その主張の態様によって予備的併合または選択的併合として取り扱う[3)]。

再審事由が存在したとしても，当事者が控訴もしくは上告によってその事由を主張したとき，またはそれを知りながら主張しなかったときには，その事由を再審事由として主張することはできない（338Ⅰ但書）。上訴と再審は，原判決に対する不服申立手段として共通性をもつので，同一事由について二重に主

2）　もっとも，訴訟物は本案の申立てのみであるとする考え方も有力であるが（詳細については，三谷忠之・民事再審の法理 82 頁以下（1988 年），小島 890 頁，加波眞一「再審訴訟の訴訟物論と再審事由の機能」摂南法学 34 号 1 頁（2005 年）参照），取消宣言が明文で規定された現行法の下では（348Ⅲ），本文のように解するべきである。

3）　最判昭和 36・9・22 民集 15 巻 8 号 2203 頁〔百選 99 事件〕参照。兼子 482 頁，秋山ほかⅦ10 頁参照。これに対して新訴訟物理論の考え方では，訴訟物は 1 個として扱われる。新堂 974 頁，齋藤 611 頁，高橋(下)768 頁など参照。

もっとも，旧訴訟物理論の立場でも，同一判決の取消しを求める地位は，当該判決の手続上または内容上の瑕疵にもとづくものであるとの理由から，これを 1 つとする考え方が成り立たないわけではない。しかし，それぞれの再審事由の内容が異なり，手続上または内容上の重大な瑕疵とみなされる以上，訴訟物を 1 個として既判力の遮断効を作用させることは妥当と思われない。ある再審事由にもとづく請求を棄却された者が，別の事由を主張して再訴する問題は，再審期間の制限や訴権の濫用の法理によって解決できる。

張の機会を与える必要はないし，また自ら不服申立ての機会を放棄した者についても，改めて再審による救済を与える必要はないからである。これを再審の補充性と呼ぶ。

再審事由を知りながら主張しなかったことの立証は容易ではなく，事実上の推定によらざるをえない。たとえば，判断遺脱（338Ⅰ⑨）は，特別の事情がない限り，当事者が判決の送達の時に知ったものと推定されるし[4]，すでに勝訴の確定判決を受けた者が同一訴訟物について敗訴判決を言い渡されたときには，その時に既判力の抵触を知ったものと推定される[5]。また，ここでいう当事者は法定代理人や訴訟代理人を含むのが原則であるが[6]，代理権欠缺が再審事由として主張されるときには，本人自身がその事由を知っていたかどうかが基準となる。

第1項　1号ないし3号

338条1項1号ないし3号は，絶対的上告理由（312Ⅱ①②④）に対応するものであり，適法に構成された裁判所の判決が受けられなかったこと，および代理権欠缺などの原因によって当事者の訴訟行為についての手続保障が満たされなかったことを内容とする。したがって，それらの事由が判決内容に影響したかどうかは問題とならない。3号の事由が代理権の欠缺等にとどまらず，氏名冒用訴訟など，当事者に対する実質的手続保障が欠ける場合を含むことも，絶対的上告理由の場合と同様である[7]。なお，判決確定後に無権代理人等の訴訟

4）　最判昭和41・12・22民集20巻10号2179頁。もっとも，判決正本が有効に送達されても，3号の事由を現実に了知する可能性がなかったときには，再審の補充性は働かない。最判平成4・9・10民集46巻6号553頁〔百選〈6版〉111事件〕，秋山ほかⅦ26頁。

5）　事実上の推定であるから，その者が前訴の当事者でなく，口頭弁論終結後の承継人であるときには，推定が成立するとはいえない。兼子484頁，新堂975頁参照。ただし，大判昭和14・12・2民集18巻1479頁は反対。

6）　大判昭和14・9・14民集18巻1083頁。

7）　前掲最判平成4・9・10（注*4*），最決平成18・2・16実情287頁。関連する判例を通観するものとして，我妻学「再審と再審事由」実務民訴〔第3期〕(6)191頁，秋山ほかⅦ26頁，27頁参照。最近の裁判例としては，訴状等の公示送達の無効が法338条1項3号に該当するとした札幌地決令和元・5・14判タ1461号237頁〔百選〈6版〉A11事件〕があり（本書273頁注*39*参照），付郵便送達（本書271頁）の有効性を前提とした名古屋高決平成16・5・21判例集未登載を是認した最決平成16・9・21実情197頁がある。最決平成21・2・24実情457頁は，代理権そのものの欠缺を理由として再審開始決定をした

行為が追認されたときには，再審事由は消滅する[8)]。

第2項　4号ないし7号

338条1項4号ないし7号は，判決の基礎となる裁判官の判断または裁判資料の形成について犯罪行為もしくはこれに準じる行為が認められることを理由とする。4号は司法の廉直性に反することを理由とするものであるので，収賄などの裁判官の行為と判決の結論との間の関係は問題とならないが，5号ないし7号については，両者の間に因果関係が要求される[9)]。

また，4号ないし7号の事由については，それに該当する行為について有罪の判決もしくは過料の裁判が確定したとき，または証拠がないという理由以外の理由によってこれらの判決や裁判を得ることができないときに限って，再審の訴え提起が許される（338Ⅱ）。証拠の不存在以外の理由により有罪判決などが得られない場合とは，被告人の死亡（刑訴339Ⅰ④），公訴権の時効消滅（刑訴337④），および起訴猶予による不起訴処分（刑訴248）などが考えられる。有罪判決などが要求されるのは，再審の訴えの濫発を防ぐために可罰行為の存在が客観的に明らかにされていることを訴えの適法要件とする趣旨であり，有罪判決の確定などの事実そのものが再審事由の一部となるわけではない[10)]。

第3項　8号ないし10号

338条1項8号の再審事由は，民事もしくは刑事の判決その他の裁判，または行政処分が，既判力や公定力などにもとづいて判決の基礎とされた場合にお

原決定を是認したものである。

また，一方当事者が相手方当事者の代理権の欠缺を再審請求の理由とできるかという問題もあるが，相手方が追認しない限り判決の取消しを求める利益がある（秋山ほかⅦ29頁）。ただし，最決平成13・12・18実情79頁は，利益を否定した原決定を是認している。

8)　大判大正6・7・9民録23輯1105頁。現行法下での裁判例として，上告理由に関する312条2項柱書但書を338条1項3号の再審事由がある場合に類推適用した宮崎地都城支決平成21・6・12判時2059号122頁がある。

9)　最判昭和33・7・18民集12巻12号1779頁。

10)　吉村徳重「再審事由」小室＝小山還暦(下)96頁，124頁，秋山ほかⅦ42頁以下参照。なお，7号に関する判例として最決平成26・6・26実情744頁があり，この場合には，前訴判決の確定後に過料の裁判が確定したとき（338Ⅱ前段）であっても，再審事由の主張は制限されない。実情745頁参照。

いて，それらの裁判や行政処分が変更されたことを意味する[11]。したがって，変更が判決の結論に影響を及ぼすべきことが要求される。

9号の判断遺脱は，職権調査事項であるか弁論主義に服する事項であるかを問わず，当事者が提出した攻撃防御方法について，裁判所が判決理由中で判断を示さず，かつ，それが判決に影響を及ぼすべき場合を指す[12]。

10号は，既判力の抵触を解決するためのものであり，前に確定した判決の既判力と再審申立ての対象となっている判決の既判力が抵触することを意味する。したがって，既判力の基準時および客観的範囲を前提として両者が抵触関係になければならず，また再審申立人および相手方が既判力を受ける者でなければならない。

第2節　再審の手続

再審の申立ては，訴え提起の方式によってなされるが，それに対する裁判所の審判は，訴訟要件，すなわち訴えの適否と，本案，すなわち原判決の取消可

11)　大判昭和6・6・27評論20巻民訴474頁。変更されたか否かは，実質的に判断すべきである。最判平成15・10・31判時1841号143頁〔百選〈6版〉A40事件〕参照。なお，関連する判例として，特許法104条の3の趣旨を重視して，訂正審決の確定を再審事由とすることを否定した最判平成20・4・24民集62巻5号1262頁〔平成20重判解・知財1事件〕があり，最判平成29・7・10民集71巻6号861頁は，これを前提として，事実審の口頭弁論終結前に訂正の再抗弁を主張しなかった者は，その後に訂正審決が確定したとしても，訂正の再抗弁を主張しなかったことについてやむをえないといえる事情がない限り，訂正審決の確定をもって上告による原判決の破棄を求める事由とすることはできないとしている。上記特許法104条の3や104条の4の基礎となっている，特許権の侵害にかかる紛争の一回的解決の要請を上告についても及ぼしたものと評価できる。

なお，裁判の基礎とされた公正証書の効力が後の訴訟で否定された場合であっても，338条1項8号の事由が限定列挙であることを理由として再審事由たることを否定した原決定を是認した最決平成20・4・11実情412頁があるが，事案によっては適用または準用すべきこともあろう。

12)　したがって，当事者が職権調査事項について攻撃防御方法を提出していない場合には，判断遺脱は成立しえない。大判昭和7・5・20民集11巻1005頁。また，当事者の主張の有無が問題となった事例として，最決平成16・3・30実情196頁および解説中に引用された旧法下の判例がある。判決確定後に当事者が入手した新証拠について判断遺脱を否定した原決定を是認するものとして最決平成18・5・29実情289頁，最決平成19・5・29実情355頁，すでに上告および上告受理申立ての理由とした場合には判断遺脱をいうことができないとの原決定を是認した最決平成19・2・9実情353頁がある。

能性の2つの段階に分けて行われる[13]。

第1項　再審の訴訟要件

再審の訴えの訴訟要件は，不服申立ての対象となる裁判，出訴期間，当事者適格，および管轄などの事項に関する。

1　不服申立ての対象となる裁判

再審の訴えによる不服申立ての対象となる裁判は，確定した終局判決に限られる（338 I 本文）。したがって，中間判決などの中間的裁判に対して再審の訴えを提起することは許されない。しかし，これらの裁判について再審事由を主張して，終局判決に対して再審の訴えを提起することは許される。その場合には，これらの裁判について独立した不服申立ての方法が定められているときでも，終局判決に対する再審の訴えが許される（339）。独立に不服申立てが認められる裁判については，独立の再審申立てを認めることも考えられるが，当事者に対して二重の負担を課すことになるので[14]，終局判決に対する再審の訴えに統一したものである。

ただし，即時抗告による不服申立てが認められる裁判で確定したものについては，独立に再審の申立てが認められる（349 I）。これは，準再審と呼ばれる。たとえば訴状却下命令などについては，終局判決とは独立の裁判であるとの理由から即時抗告が認められているが（137 Ⅲ），同様の趣旨から独立に再審申立てを認めることとしたものである。

同一の事件について各審級において確定判決が存在する場合，たとえば第一審の請求棄却判決，控訴審の控訴却下判決，上告審の上告棄却判決の3つが確定しているときには，そのそれぞれについて再審事由を主張して再審の訴えを提起できるのが原則である。ただし，控訴審が事件について本案判決をしているときには，第一審判決に対する再審の訴えは許されない（338 Ⅲ）。控訴審が事実認定および法律判断の両面にわたって第一審判決を審査して本案判決をし

13）旧法の下でもこの考え方が有力であったが（三谷・前掲書（注2）176頁以下参照），再審開始決定の制度が設けられたことによって，このような段階構造が明らかになった。秋山ほか Ⅶ7頁。

14）当事者としては，再審によって中間的裁判が取り消されたことを338条1項8号の再審事由としてさらに終局判決について再審の訴えを提起することになる。

ている以上，第一審判決について再審を求める利益は存在しないからである[15]。

2　出訴期間

代理権の欠缺（338 I ③）および既判力の抵触（338 I ⑩）の場合を除いて（342 III），再審の訴えについては，出訴期間の定めが設けられている。まず，当事者が判決確定後に再審事由を知った日から30日の不変期間内に訴えを提起しなければならない（342 I）。30日の期間は，それぞれの再審事由ごとにそれを知った日から起算される[16]。

再審事由を知ることの意義については，338条1項4号から7号までに掲げられる事由に関して，それらの事由自体を知ることをもって足りるか，それとも有罪判決確定等の事実を知ることをも含むかどうか，再審事由の意義をめぐって考え方が分かれる。本書では，有罪判決の確定等の事実は再審事由ではなく，再審の訴えの適法要件と解するが，これらの事由の場合には，再審事由のみを知ったことによって当事者に再審の訴え提起を期待することは不合理であるから，再審訴権の存在を確知する趣旨で，有罪判決確定等の事実を知った日から30日の期間が起算される[17]。

また，判決の確定から5年が経過したときには，再審の訴え提起が遮断される（342 II）[18]。この期間は，除斥期間である。ただし，再審事由が判決確定後に生じたときには，5年の期間は，その事由が発生した日から起算される（342 II 括弧書）。なお，338条1項4号から7号までの事由については，有罪判決の確定などの事実が生じなければ再審の訴えも適法とされないので，5年の期間

15）控訴審が第一審判決を取り消しているときには，第一審判決言渡しの効力が失われているし，控訴が棄却されているときには，控訴審判決に対して再審の訴えを認めれば足りるからである。

16）判決確定前に再審事由を知ったときには，30日の期間は，判決確定の日から起算される。最判昭和45・12・22民集24巻13号2173頁。判断の遺脱を知ったときは，当事者が判決書等の送達を受けた時点をもって推定し，それを覆すためには，特段の事由の主張立証を要する。最決平成24・4・25実情627頁およびそこに引用された旧法下の判例参照。

17）大判昭和12・12・8民集16巻1923頁。なお，最判昭和45・10・1民集24巻11号1483頁〔続百選97事件〕参照。

18）当事者の再審事由についての知不知を問わない。最判昭和29・2・11民集8巻2号440頁。

は，その事実が生じた時から起算される[19]。

3　当事者適格

再審原告は，確定判決の効力を受け，かつ，その取消しについて不服の利益をもつ者である。したがって，原則としては，確定判決の当事者で，判決において全部または一部敗訴している者に原告適格が認められる。加えて，口頭弁論終結後の承継人など判決の効力を拡張される者（115 I ①～③）についても原告適格が認められるが[20]，請求の目的物の所持者（115 I ④）は，訴訟物について独自の利益をもたず，不服の利益が否定されるので，原告適格を認められない。その他，判決の効力が第三者に対して拡張される場合については，法が第三者に原告適格を認めることがある（会社853，一般法人283，行訴34）[21]。それ

19）338条2項後段の場合には，被疑者の死亡など有罪判決を得ることができない原因となる事実が発生した時か（最判昭和52・5・27民集31巻3号404頁〔百選〈6版〉A42事件〕），それとも可罰行為を証明するに足る証拠が発見された時を起算点とするかについて見解の対立がある（高橋(下)783頁，内山衛次「再審の訴えにおける除斥期間」上野古稀415頁参照）。しかし，除斥期間の起算点を証拠の発見という主観的なものとすることは，法の趣旨に合わないので，前者の考え方を支持する。

20）特定承継人について最判昭和46・6・3判時634号37頁〔百選〈6版〉112事件〕参照。特定承継人にあたらないとした原決定を是認した最決平成19・6・14実情357頁がある。なお，再審原告たる特定承継人は，被承継人に対する関係ではなく，本訴の相手方との関係で既判力を排除すれば足りるから，相手方のみを再審被告とする（新堂幸司・判例民事手続法308頁以下（1994年）参照）。

逆に，本訴の当事者が特定承継人を再審被告として再審の訴えを提起するときには，本訴の相手方と承継人の双方との関係で既判力を排除する必要があるから，両者を共同被告とする（兼子486頁など）。特定承継人が再審当事者となる場合には，訴訟物の変更などとの関係で，訴訟承継に準じる手続が必要になる（三谷・前掲書（注2）43頁以下，高橋(下)798頁など参照）。これに対し，加波眞一「再審訴訟における訴えの利益・当事者適格」福永古稀333頁，360頁は，再審開始決定確定による既判力の排除は，当該再審手続内での相対的効果にとどまることを理由として，承継人のみを被告とすれば足りると説く。

21）明治23年の旧々民事訴訟法483条は，一般的な第三者詐害再審の規定を置いていたが，大正15年の旧民事訴訟法は，これに対応する規定を設けず，現行法もそれを引き継いでいる（青木哲「第三者による再審における詐害性について」徳田古稀507頁参照）。なお，特殊なものとして，旧人事訴訟手続法22条の解釈として婚姻取消請求棄却判決に対して検察官が再審の当事者適格を認められたが（吉村徳重＝牧山市治編・注解人事訴訟手続法〈改訂版〉300頁〔奈良次郎〕（1993年）），現行法では，民法744条1項本文にもとづく職務上の当事者としての再審適格となる。

また，明文の規定がない場合に，判決の効力を受ける第三者による詐害再審（338 I ③類推）を否定したものとして，東京高決平成24・8・23判時2158号43頁〔平成24重判解・民訴5事件〕があり，最決平成25・11・21民集67巻8号1686頁は，これを前提と

以外の場合にも，判決効の拡張の結果，法律上の利益を害される第三者は補助参加の申出をするとともに，補助参加人として再審の訴えを提起することができる（45 I）[22)]。

再審被告は，原則として本訴の勝訴当事者であるが，原告の場合と同様に，口頭弁論終結後の承継人など，既判力の拡張を受ける者も被告適格を肯定される。また，人事訴訟においては，相手方とすべき者が死亡した後は，検察官に再審の被告適格が認められる[23)]。

4　裁判管轄

再審の訴えは，不服の申立てにかかる判決をした裁判所の専属管轄に属する

しながら，第三者が独立当事者参加の申出をすることによって，新株発行無効の訴えにかかる請求を認容する確定判決に対する再審の訴えの原告適格を有するとし，当事者の訴訟活動が著しく信義に反しており，第三者に確定判決の効力を及ぼすことが手続保障の観点から看過することができない場合には，再審事由が認められるとしている。この判例法理の下では，判決効の拡張を第三者に受忍させることが許されない事情の下では，再審事由が認められることになろう。伊藤眞「会社の訴訟追行と信義誠実の原則」金商 1434 号 1 頁（2014 年），秋山ほかⅦ56 頁参照。

最決平成 26・7・10 判時 2237 号 42 頁〔百選〈6 版〉A 31 事件〕，最決平成 29・12・5 実情 883 頁は，同じく対世効がある株式会社の解散の訴えの請求認容確定判決について，判例法理を確認の上，独立当事者参加の申出にあたって請求の定立を要する（本書 740 頁注 *104* 参照）とする。再審の訴えの前提となる独立当事者参加の要件が厳格にすぎないか，補助参加の申出とともにすることで足りるかなどの議論について，菱田雄郷「第三者による再審の訴えについて」伊藤古稀 531 頁，549 頁，畑宏樹「詐害再審についての一考察」上野古稀 453 頁，吉垣実「確定判決の効力を受ける第三者の救済方法について――会社の組織に関する訴えを中心にして」高橋古稀 1096 頁参照。人事訴訟法 24 条 1 項にもとづく対世効の場合について，菱田雄郷「対世効の再構成」加藤新太郎古稀 328 頁参照。

22)　独立の原告適格は認められない（最判平成元・11・10 民集 43 巻 10 号 1085 頁〔百選〈3 版〉A 51 事件〕）。この場合の補助参加は，共同訴訟的補助参加になる（三谷・前掲書（注 *2)*）332 頁）。補助参加の性質上，本訴に再審事由があったかどうかのみが問題となり，補助参加人たるべき者に訴訟行為をなす機会が与えられなかったことが，338 条 1 項 3 号の再審事由などになるものではない。ただし，補助参加にとどまらず，独立当事者参加の申出とともに当事者双方を相手方として第三者が再審の訴えを提起できるとする考え方が有力である。兼子 485 頁，新堂 979 頁，条解民訴〈2 版〉1716 頁〔松浦馨〕，秋山ほかⅦ 56 頁など参照。下級審裁判例としては，千葉地判昭和 35・1・30 下民 11 巻 1 号 176 頁などがある。

なお，ここでは，判決効の拡張の結果として法律上の利益を害される第三者のみが問題となるのであるから，判決効の拡張を受けない第三者は対象とならない（東京地判昭和 63・7・28 判時 1317 号 94 頁。ただし，岡田幸宏「第三者による再審の訴えについて」徳田古稀 498 頁は反対）。

23)　人事訴訟法 12 条 3 項。旧人事訴訟手続法 2 条 3 項等について，山木戸・人訴法 113 頁参照。

(340 I)。ただし，同一事件について審級を異にする確定判決，たとえば控訴審判決と上告審判決に対して再審の訴えが併合提起されるときには，上級の裁判所が下級審判決に対する訴えについても管轄をもつ (340 II)。判断の矛盾・抵触を避ける趣旨である。したがって，上級審と下級審に再審の訴えが別訴として提起されたときには，下級審が事件を上級審に移送する。

第2項　再審の訴訟手続

再審の訴訟手続は，訴状の裁判所への提出によって開始される。手続は，第1に，再審の訴えの適否と再審事由の存否を判断する段階と，第2に，本訴判決の取消しおよび当事者の申立てにかかる本案の審理の段階とに分けられる。

1　再審の訴えの提起

再審の訴訟手続には，各審級における訴訟手続に関する規定が準用される(341)。訴えの提起は，訴状の裁判所への提出によって行われるが，訴状には，不服の申立てにかかる判決の表示，その判決に対して再審を求める旨，および不服の理由などが記載され (343)，かつ，その判決の写しが添付される (民訴規211 I)。不服の理由は，訴え提起後にこれを変更することができる (344)。これは，理論的には訴えの変更としての性質をもつ。訴えが提起されても当然には原判決の執行力は停止されないが，裁判所は，申立てにもとづいて執行停止を命じうる (403 I ①)。

2　再審の訴えの適否および再審事由の具備

裁判所は，先に述べた訴訟要件が具備されていないときには，決定によって訴えを却下しなければならない (345 I)。却下決定に対しては，即時抗告が認められる (347)。次に裁判所は，再審事由が存在しないと判断するときには，決定をもって再審の請求を棄却する (345 II)。棄却決定に対しても即時抗告が認められる (347)。棄却決定が確定したときには，同一の事由を理由として再び再審の訴えを提起することはできない (345 III)。これに対して，再審事由が認められるときには，裁判所は，相手方を審尋の上再審開始決定をなす (346)。再審開始決定に対しても，同様に即時抗告が許される (347)。

現行法が決定の方式による再審の適否および再審事由の存否の判断手続を設けたのは，再審事由にかかわる争いと，事件についての本案の争いを手続上分離し，審理を迅速，かつ，効率的に行うことを目的としたものである[24)]。

3　本案の審判

再審開始決定が確定した場合には，裁判所は，不服申立ての限度で本案の審判を行う（348Ⅰ）。ここでいう本案とは，原判決の対象たる事件であり，本案の弁論は，原判決手続の再開・続行としてなされる。したがって，裁判官の交代があれば，弁論更新の手続がとられる（249Ⅱ）。従前の訴訟手続のうち再審事由にかかわるものは，再審開始決定の効力としてその効果を失うが，それ以外のものの効力は認められる。また，同じく開始決定の効力として確定判決の既判力による拘束が解除されているので，当事者は，口頭弁論終結後の事実であるか否かを問わず，攻撃防御方法の提出を認められる。

裁判所は，審理の結果，原判決を正当とするときには，判決によって再審の請求を棄却する（348Ⅱ）。それ以外の場合には，原判決を取り消し，事件における当事者の申立てについての判決がなされる（348Ⅲ）。原判決がその前提となる口頭弁論終結時までに提出された攻撃防御方法によれば不当であるが，再審手続において提出された口頭弁論終結後の攻撃防御方法にもとづけば正当と判断されるときには，再審の請求が棄却されるが，既判力の時的限界は，再審請求棄却判決の基準時まで繰り下げられる。いずれの場合であっても，再審請求に対する終局判決に対しては，その審級に応じた上訴が許される。

24）　一問一答381頁以下参照。もっとも，再審原告の請求自体が失当とみなされるときには，再審の訴えの利益がないとの理由から，却下決定ができるとする学説があるが（加波・前掲論文（注20）344頁），再審事由が認められれば，再審開始決定をして再審請求棄却判決をすべきである。秋山ほかⅦ71頁。なお，再審事由がない場合とは，再審事由として主張された具体的事実の記載がない場合（最決平成21・2・5実情456頁）や記載事実が法定の再審事由に該当しない場合を含む（最決平成17・11・17実情238頁）。

■ 判例索引 ■

〔大審院〕

〔最高裁判所〕

〔控訴院・高等裁判所〕

〔地方裁判所〕

■ 事項索引 ■

あ 行

か　行

さ　行

た　行

な　行

は　行

ま　行

や　行

ら　行

わ 行

本書第１刷刊行後に出された重要判決等についての補訂情報を，ウェブサイト（https://www.yuhikaku.co.jp/books/detail/9784641233225）上に掲載しています。右二次元コードからアクセスしてご活用ください。

民事訴訟法〔第8版〕
CIVIL PROCEDURE (8th Edition)

1998年4月30日 初　版第1刷発行
2000年5月10日 補訂版第1刷発行
2002年2月20日 補訂第2版第1刷発行
2004年1月20日 第3版第1刷発行
2005年4月10日 第3版補訂版第1刷発行
2006年5月15日 第3版再訂版第1刷発行
2008年3月30日 第3版3訂版第1刷発行
2010年4月10日 第3版4訂版第1刷発行
2011年12月25日 第4版第1刷発行
2014年7月30日 第4版補訂版第1刷発行
2016年12月25日 第5版第1刷発行
2018年12月15日 第6版第1刷発行
2020年12月25日 第7版第1刷発行
2023年12月10日 第8版第1刷発行
2024年9月5日 第8版第2刷発行

著　者　伊藤　眞
発行者　江草貞治
発行所　株式会社有斐閣
〒101-0051 東京都千代田区神田神保町2-17
https://www.yuhikaku.co.jp/
印　刷　大日本法令印刷株式会社
製　本　牧製本印刷株式会社
装丁印刷　株式会社亨有堂印刷所

落丁・乱丁本はお取替えいたします。定価はカバーに表示してあります。

Printed in Japan ISBN 978-4-641-23322-5